HISTOIRE POPULAIRE DU QUÉBEC

Jacques Lacoursière

HISTOIRE POPULAIRE DU QUÉBEC

I

DES ORIGINES À 1791

Dépôt légal, Bibliothèque nationale du Québec, 4e trimestre 1996

ISBN Q.L. 2-89430-239-8
Publié précédemment sous ISBN 2-89448-050-4

Avant-propos

JACQUES LACOURSIÈRE A LE SENS DU DÉTAIL, de l'anecdote. Il a l'esprit curieux. Voilà pourquoi il est si intéressant à écouter et à lire. D'abord un littéraire, il est venu à l'histoire par un concours de circonstances. Un emploi d'été l'a amené aux Archives nationales du Canada comme assistant de recherche. Il fit merveille. Intelligent, vif, cultivé, il savait trouver le bon document, le comprendre et le faire parler.

De professeur, il devint archiviste. Il a ainsi appris l'histoire par un contact direct avec les documents. Travailleur acharné, aucune collection ne le rebutait. Systématique et relativement ordonné — la mémoire compensant pour le reste — il préparait des fiches. Surtout des fiches chronologiques.

Lorsque le *Journal Boréal Express* vit le jour, il en devint naturellement le secrétaire. Pour chaque numéro, il préparait un plan, identifiait les sujets et fournissait les références. Lui-même aimait se réserver les faits divers, les petites annonces, le courrier des lecteurs, etc. Pendant cinq ou six ans, un effort soutenu lui permit d'acquérir une extraordinaire connaissance de notre passé.

Dès 1968, il s'associait à une œuvre de synthèse qui devint *Canada-Québec, synthèse historique.* Comme pour le *Journal*, le succès fut immédiat. Puis Jacques Lacoursière se tourna vers la radio et la télévision. Il prépara des textes, accorda des entrevues, fit de l'animation. On lui attribue la première production radiophonique de Radio-Québec, *En remontant la rivière.* En 1972, il prépara *Notre histoire. Québec-Canada*, série de 15 volumes destinés aux magasins à grande surface.

Ses vastes connaissances autant que son étonnante capacité de travail incitèrent des éditeurs français et québécois à développer le projet d'une nouvelle collection d'ouvrages d'histoire destinés au grand public. Trois étapes étaient prévues : la constitution d'une banque documentaire, la rédaction de fascicules mis en vente sur une base hebdomadaire, lesquels seraient ensuite repris en volume avec Time-Life Canada ou du moins selon la formule popularisée par cette maison. Les 144 fascicules produits furent reliés par groupe de 12. Aujourd'hui, cette collection est pratiquement introuvable.

À chaque Salon du livre, les gens nous parlent du *Journal Boréal Express* et de *Nos Racines.* « Pourquoi ne pas réimprimer ? » nous demande-t-on. Pour le *Journal*, le projet est à l'étude. Pour le texte courant de *Nos Racines*, c'est maintenant fait.

La première étape fut la préparation d'un CD-Rom avec les Logiciels de Marque, sur lequel on retrouve toute la matière de *Nos Racines*, y compris les illustrations en couleurs. Parallèlement, une nouvelle version du texte de base, complémentaire d'un nouveau CD-Rom qui sera offert avec les quatre tomes de *L'Histoire populaire du Québec*, fut préparée pour tenir compte de la disparition des légendes, des encarts, des notices généalogiques, rédigés par Hélène-Andrée Bizier, tout autant que des travaux les plus récents des spécialistes.

Par ailleurs, il fut convenu d'intégrer les numéros thématiques, par exemple sur les explorations, les pêcheries, la traite des fourrures. Ils permettent un temps d'arrêt dans le développement chronologique, tout en proposant des informations additionnelles.

Même si l'ensemble comptera plus de 2000 pages, le texte est rapide. L'auteur colle aux faits. Il ne se perd pas en savantes considérations. À chaque page, le lecteur se retrouve devant un flot de renseignements présentés dans un style vivant et clair.

Les spécialistes regretteront un peu l'absence de références précises. D'abord, que chacun se rassure : l'auteur n'avance rien qui ne soit appuyé sur des documents fiables. Également, il fournit généralement assez de précisions pour donner une bonne idée de la source utilisée : journal d'époque, correspondance officielle, rapport d'administrateur, etc.

L'œuvre de Jacques Lacoursière est monumentale. Depuis François-Xavier Garneau, aucun historien n'avait osé entreprendre une histoire aussi vaste de ce qui était hier le Canada et qui est devenu pour l'essentiel le Québec.

Le travail de Jacques Lacoursière nous réconcilie avec l'histoire parce qu'il sait nous conduire à la rencontre des acteurs, des plus célèbres aux plus humbles, et nous mettre en présence des événements de la grande et de la petite histoire. N'est-ce pas la seule vraie façon de comprendre le présent ?

DENIS VAUGEOIS

La découverte

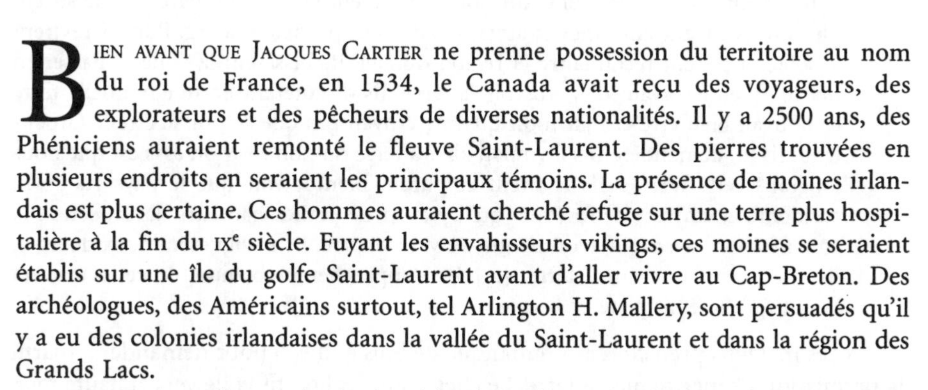

Bien avant que Jacques Cartier ne prenne possession du territoire au nom du roi de France, en 1534, le Canada avait reçu des voyageurs, des explorateurs et des pêcheurs de diverses nationalités. Il y a 2500 ans, des Phéniciens auraient remonté le fleuve Saint-Laurent. Des pierres trouvées en plusieurs endroits en seraient les principaux témoins. La présence de moines irlandais est plus certaine. Ces hommes auraient cherché refuge sur une terre plus hospitalière à la fin du IXe siècle. Fuyant les envahisseurs vikings, ces moines se seraient établis sur une île du golfe Saint-Laurent avant d'aller vivre au Cap-Breton. Des archéologues, des Américains surtout, tel Arlington H. Mallery, sont persuadés qu'il y a eu des colonies irlandaises dans la vallée du Saint-Laurent et dans la région des Grands Lacs.

Les tenants d'une colonisation irlandaise font valoir le fait que l'on retrouve dans la civilisation des Amérindiens algonquins « l'influence certaine des Celtes d'Irlande ». Par ailleurs, seule une présence chrétienne pourrait expliquer certaines habitudes des Micmacs vivant sur la côte atlantique. Jacques Cartier, dans le récit de son voyage de 1534, raconte que le 24 juillet, alors qu'il vient de planter une croix à Gaspé, le capitaine des Amérindiens qui avait assisté au « spectacle », s'approche de son bateau. « Il nous fit, dit-il, une grande harangue, nous montrant la croix et faisant le signe de la croix avec deux doigts. »

Comment, se demande l'historien Gustave Lanctot, les Indiens auraient-ils su faire le signe de croix sans un contact antérieur avec des chrétiens ? D'autant plus que, au mois de juillet 1607, Samuel de Champlain trouve, non loin du bassin des Mines en Nouvelle-Écosse, des vestiges d'une présence chrétienne. « En l'un de ces ports, trois ou quatre lieues au nord du cap de Poutrincourt [Cape Split], nous trouvâmes une croix qui était fort vieille, toute couverte de mousse et presque toute pourrie, qui montrait un signe évident qu'autrefois il y avait été des chrétiens. » Mais rien ne prouve que ces chrétiens ne soient pas des pêcheurs qui, dans un élan de dévotion, auraient élevé une croix à cet endroit !

Une invasion normande

Au début du IXe siècle, les pays nordiques de l'Europe connaissent le surpeuplement. Les hommes du Nord, appelés aussi Norsemen, Normands ou Vikings, commencent à envahir les pays voisins, puis les terres du sud. La France et l'Angleterre sont mises à sac. À cette époque, les Vikings sont certainement les plus habiles navigateurs. Leurs drakkars, munis d'une quille en chêne et d'un gouvernail fixé à tribord arrière, leur permettent d'affronter la mer avec audace.

En 982, Eirikr Thorvaldsson, plus connu sous le nom d'Érik le Rouge, accusé de meurtre, est banni d'Islande pour trois ans. Il décide donc de partir à la recherche d'une terre que Gunnbjom, « le Corbeau », avait vue. Il occupe ses trois années d'exil à explorer les côtes du Groenland. En 985, il organise un projet de colonisation. Dans le groupe, se trouve Herjólfr, le père de Bjarni. Ce dernier décide lui aussi, l'année suivante, de se rendre au Groenland.

La *Saga d'Érik le Rouge* raconte ainsi le voyage de Bjarni :

> Ils naviguèrent trois jours, jusqu'au moment où la terre fut perdue de vue, alors le bon vent tomba. Des vents du nord s'élevèrent et du brouillard. Ils ne surent plus où ils étaient entraînés et ainsi se passèrent plusieurs doerg. Puis ils revirent le soleil et purent reconnaître la région du ciel. Ils hissèrent la voile et passèrent un doerg entier avant d'apercevoir la terre. Ils discutèrent entre eux quelle terre ce pouvait bien être et Bjarni dit qu'il ne croyait pas que ce puisse être le Groenland. Ils lui demandèrent s'il voulait aller à terre ou non : « Mon avis est que nous longions cette terre. » Ils le firent et purent bientôt voir que le pays était peu accidenté et couvert de forêts et qu'il y avait de petites hauteurs. Ils laissèrent la côte à babord avec leur écoute tournée vers la terre. Ils naviguèrent deux doerg et ils aperçurent une autre terre. [...] Ils s'approchèrent bientôt de cette terre et virent qu'elle était plate et boisée.

Les matelots prétextèrent un manque de bois et d'eau pour demander à Bjarni la permission de mettre pied à terre. Le chef refusa et l'on fit voile vers la haute mer. Enfin, après de longs jours, l'expédition arriva au Groenland.

Le fils d'Érik le Rouge, Leifr *heppni* Eiriksson, décide à son tour de partir à la recherche des terres entrevues par Bjarni. Parmi les trente-cinq personnes qui l'accompagnent se trouve un homme du Sud, un Germain du nom de Tyrkir. L'expédition retrouve facilement la première terre à laquelle Leifr donne le nom de Helluland, le pays des pierres plates ; la deuxième reçoit celui de Markland, le pays plat et boisé. Enfin, tous descendent sur une île qui se trouvait au nord de la troisième terre. « Ils y abordèrent et l'explorèrent, raconte la *Saga des Groenlandais.* Le temps était bon et ils virent de la rosée sur l'herbe. » Ayant regagné leur bateau, « ils arrivèrent à un détroit situé entre cette île et un cap qui pointait vers le Nord ». À nouveau, ils mettent pied à terre. « Ils descendirent leurs hamacs et se construisirent de grands abris. Ils décidèrent de s'y installer pour l'hiver et bâtirent de grandes huttes. Il ne manquait pas là de saumons, tant dans la rivière que dans le lac, et des saumons plus grands qu'ils n'en avaient vus auparavant. La contrée tout autour leur parut posséder de telles qualités que le bétail n'aurait pas besoin de fourrage pendant l'hiver. L'herbe ne blanchissait presque pas. La longueur relative des jours et des nuits était plus égale qu'au Groenland. » La découverte de vignes sur cette île lui vaut alors le nom de Vinland.

De retour au Groenland, Leifr décrit dans le détail son séjour au Vinland. Son frère Thorvaldr prétend qu'il n'a pas suffisamment exploré le territoire. Il décide de s'y rendre à son tour avec trente hommes à bord. Lors de son périple, il découvre une terre qui lui semble agréable et ordonne à ses hommes d'y construire une maison.

Les habitants de ce territoire, surnommés Skraelings par les Vikings, voient d'un mauvais œil cet envahissement par des étrangers qui ne reculent pas devant l'assassinat. Les Skraelings, « sur leurs canots de peau », se lancent à l'attaque du navire sur lequel se sont réfugiés les Vikings. Thorvaldr est mortellement blessé. Comme il l'avait demandé, ses hommes l'ensevelissent à l'endroit du campement, une croix plantée à sa tête, une autre à ses pieds.

Au cours des deux siècles suivants, les Vikings effectuent d'autres voyages au Vinland, y construisent des maisons et en cultivent la terre. L'hostilité des Skraelings rend leur situation de plus en plus précaire. Vers la fin du XIVe siècle, la présence viking en Amérique du Nord paraît n'être plus qu'un vague souvenir.

Un Vinland qui voyage

De récentes découvertes archéologiques nous fournissent des preuves supplémentaires d'une colonisation normande en Amérique du Nord, au Canada et au Québec, en particulier. À l'Anse-aux-Meadows, à Terre-Neuve, des chercheurs ont découvert les fondations de quelques bâtiments typiquement scandinaves, les vestiges d'un drakkar et quelques rivets de fer. En Ontario, en 1931, à Beardmore, non loin du lac Nipigon, un employé ferroviaire qui occupait ses temps libres à la prospection, met à jour une épée, une hache et un crochet que les spécialistes identifient comme des objets d'origine viking. Plus récemment, dans la baie de l'Ungava, sur le territoire du Nouveau-Québec, des archéologues ont identifié des sites d'occupation européenne correspondant aussi à l'époque normande.

Mais toutes ces découvertes ne permettent pas encore aux savants de localiser de façon précise le fameux Vinland. Les différentes hypothèses nous amènent de Terre-Neuve à la Virginie, sans oublier la région des Grands Lacs. Certains croient même que les Îles-de-la-Madeleine sont cette terre promise tant recherchée ! L'historien Tryggvi J. Oleson, après une analyse de ces hypothèses, arrive à la conclusion suivante : « Dans la mesure où il est possible de s'entendre au sujet du Vinland, l'emplacement le plus vraisemblable est peut-être la région du cap Cod, mais on n'en sera jamais certain, à moins que l'archéologie ne fournisse des preuves nouvelles et irréfutables. »

Une redécouverte prometteuse

Si Terre-Neuve et le Nouveau-Québec paraissent sombrer dans l'oubli, ce n'est pas pour une longue période. Au XVe siècle, l'Europe occidentale est en pleine évolution. La science de la navigation fait d'énormes progrès. Les matelots connaissent mieux l'usage de la boussole et de l'astrolabe. Les cartes sont plus précises. Le roi du

Portugal, Henri le Navigateur, fonde une école de navigation. Un nouveau type de vaisseau, la caravelle, fait son apparition. Des hommes sont prêts à se lancer sur des mers inconnues ou mal connues, d'autant plus que les nécessités économiques les y contraignent.

L'or, qui est à cette époque la principale unité monétaire, se fait de plus en plus rare en Europe. Le commerce de la soie et des épices se complique avec la chute de Constantinople, la Porte d'Or, aux mains de musulmans. Les intermédiaires entre la Chine, les Indes et l'Arabie deviennent d'une insatiable voracité.

Les épices jouent un rôle important dans la cuisine, la médecine et la pharmacopée. La muscade, les clous de girofle, le gingembre, la cannelle entrent dans la préparation de plusieurs plats ou breuvages. Depuis l'époque des Croisades, les gens bien se sont habitués à manger une nourriture moins fade. D'ailleurs, les épices servent souvent à dissimuler le goût faisandé des viandes, à une époque où la réfrigération est quasi inconnue. De plus, la médecine et les croyances populaires prêtent aux épices des vertus aphrodisiaques capables de régénérer le guerrier le plus épuisé !

En raison des multiples intermédiaires, des risques du voyage et des aléas du marché, le prix des épices devient extrêmement élevé. Le poivre, par exemple, se détaille jusqu'à 1600 dollars le kilogramme. Le clou de girofle coûte, à Londres, 106 fois plus cher qu'aux Molusques d'où il provient. Il est donc normal alors que les commerçants cherchent à se procurer ces épices et ces biens en se rendant directement dans les pays producteurs. Mais, pour cela, il faut trouver une autre route que la Méditerranée. Pour leur part, les Portugais contournent l'Afrique pendant que les Espagnols cherchent à se rendre aux Indes en faisant voile vers l'Ouest. Mais, entre l'Espagne et les Indes, il y a un obstacle majeur contre lequel se bute, en 1492, un marin génois du nom de Christophe Colomb : l'Amérique. Lorsque, le 12 octobre, une terre inconnue apparaît à l'horizon, l'explorateur se croit vraiment parvenu aux Indes.

Il donne donc tout naturellement aux habitants qu'il rencontre le nom d'Indiens. Il baptise le blé que ces gens mangent du nom de blé d'Inde. Il y aura ensuite le cochon d'Inde et le coq d'Inde. Colomb ignore donc qu'il vient de redécouvrir un nouveau continent. Il n'est pas surprenant qu'un géographe allemand, Martin Waldseemüller, donne à ce nouveau territoire le nom d'Amérique en l'honneur d'Amerigo Vespucci, un navigateur italien qui fit, lui aussi, quelques voyages au Nouveau Monde.

Pour protéger leurs nouvelles possessions contre les intrus, l'Espagne et le Portugal font appel au pape. Alexandre VI, un ami du roi d'Espagne Ferdinand, promulgue, le 4 mai 1493, la bulle *Inter Cætera II* qui divise les nouveaux mondes entre les deux pays. L'article IX du document papal précise :

> À toute personne, quelque dignité qu'elle ait, fut-elle même d'état, de rang, d'ordre ou de condition impériale ou royale, sous peine d'excommunication majeure qu'elle encourra par le seul fait de sa désobéissance, nous interdisons rigoureusement de tenter, sans notre permission spéciale ou celle de nos héritiers et successeurs susdits, pour faire le trafic ou toute autre cause, l'accès des îles et des continents, trouvés ou à trouver, découverts ou à découvrir, au midi ou à

l'ouest d'une ligne faite et conduite du pôle arctique au pôle antarctique [...], fussent-ils situés vers l'Inde ou le fussent-ils vers tout autre pays.

L'année suivante, soit le 7 juin 1494, l'Espagne et le Portugal, d'un mutuel accord et sans consultation avec le pape, déplacent la ligne de démarcation entre les deux zones de possession de 270 lieues vers l'ouest. La raison semble simple : le Portugal veut des droits sur Terre-Neuve, le Labrador et le Cap-Breton. Et ce, avant même les voyages de Jean Cabot ou de Jacques Cartier. L'Angleterre et la France commencent déjà, à la fin du XVe siècle, à lorgner du côté de l'Amérique. Lors d'une entente intervenue au mois de décembre 1514, entre les habitants de l'île de Bréhat, en Bretagne, et les moines de l'abbaye de Beauport, il est question de pêche à la morue à Terre-Neuve depuis soixante ans, soit depuis l'année 1454.

Un Canada anglais

La menace d'excommunication brandie par le pape contre ceux qui, sans sa permission, iraient à la découverte de nouvelles terres, ne semble pas inquiéter outre mesure le roi d'Angleterre. En effet, le 5 mars 1496, Henri VII accorde au navigateur italien Giovanni Caboto, plus connu sous le nom de Jean Cabot, des lettres patentes l'autorisant à partir en voyage de découverte. Le *Matthew*, ayant à son bord une vingtaine de personnes, quitte le port de Bristol le 2 mai 1497. Cabot est de retour au même endroit le 6 août suivant. Où est-il allé ? Où a-t-il mis pied à terre ? On ne le sait trop. À Terre-Neuve, au Cap-Breton, à l'Île-du-Prince-Édouard, au Labrador, sur la côte nord québécoise ? L'historien Lucien Campeau se demande même si Cabot a vraiment atterri en Amérique du Nord !

Une chose est certaine : Cabot a fait un beau voyage et il croit avoir visité une terre appartenant au grand Khan. Lorenzo Pasqualigo écrit, le 23 août 1497 :

> Ce compatriote vénitien qui était parti de Bristol dans un petit navire pour aller à la découverte d'îles nouvelles est revenu ; il dit avoir trouvé à 700 lieues d'ici une terre ferme qui est le pays du grand Khan ; qu'il l'a côtoyée pendant trois cents lieues, qu'il a débarqué, et qu'il n'a vu personne ; mais il a apporté au roi certains pièges qui étaient tendus pour prendre du gibier, et une aiguille à faire des rets. Et il a trouvé certains arbres taillés. D'où il conclut que le pays est habité. Il s'est rembarqué sans pouvoir s'en assurer et il a mis trois mois à accomplir le voyage.

Le 24 juin 1497, Cabot prend possession du territoire qu'il vient de découvrir au nom du roi d'Angleterre. Voilà pourquoi les anglophones considèrent cet explorateur comme le découvreur du Canada, titre que méritera aussi le malouin Jacques Cartier.

L'ère des grands voyages

Les débuts du XVIe siècle sont marqués par de nombreux voyages tant à Terre-Neuve qu'au Nouveau-Québec. Le roi du Portugal, Manuel Ier, autorise Gaspar Corte-Real à explorer les terres nouvelles du nord de l'Atlantique. Ce dernier effectue un premier voyage en 1500, mais les résultats sont nuls. L'année suivante, Corte-Real revient et explore, cette fois, les côtes de Terre-Neuve et celles du Labrador. On ramène au Portugal une cinquantaine d'Amérindiens des deux sexes comme preuve tangible de l'exploration. Ces Amérindiens béothuks ou naskapis soulèvent un intérêt marqué.

Malheureusement, le retour de l'expédition de Gaspar Corte-Real se termine tragiquement. Le navire qui transporte l'explorateur disparaît en mer. En 1502, Miguel Corte-Real part à la recherche de son frère, mais il disparaît à son tour. Prudent, le roi refuse à un troisième Corte-Real l'autorisation de quitter le Portugal, de peur qu'il ne subisse le même sort que les deux autres.

À la suite de l'Angleterre et du Portugal, la France s'intéresse au Nouveau Monde. Non pas les autorités françaises, mais les marchands, les commerçants et les armateurs. Dès 1504, des marins bretons se rendent sur les côtes de Terre-Neuve pour y pêcher la morue. Quatre ans plus tard, l'armateur dieppois Jean Ango charge Thomas Aubert de conduire le navire *La Pensée* aux terres nouvelles. Le marin ramènera à Rouen sept Amérindiens béothuks et un canot. Ce sera la première fois que des Français verront des représentants de la population américaine.

Par la suite et presque à chaque année qui suivra, des pêcheurs français jetteront leurs filets sur les bancs de Terre-Neuve. Ce n'est qu'en 1524 que la première expédition de découverte sera organisée.

La Nova Gallia

Le succès remporté par le voyage de Magellan autour de la terre entre 1519 et 1522 incite des banquiers italiens de Lyon à financer une expédition en Amérique du Nord. Giovanni da Verrazzano reçoit le commandement de *La Dauphine* qui quitte la région de Madère au mois de janvier 1524. La mission est simple : trouver une route plus courte pour se rendre en Asie que celle empruntée par Magellan, soit contourner la pointe sud des Amériques. Les banquiers croient ainsi pouvoir contrôler le commerce des épices.

Pour trouver ce passage, Verrazzano remonte la côte de la Caroline du Nord jusqu'à Terre-Neuve. Il arrive à la conclusion que « cette terre ou Nouveau Monde... forme un tout. Elle n'est rattachée, ajoute-t-il, ni à l'Asie, ni à l'Afrique. [...] Ce continent serait donc enfermé entre la mer orientale et la mer occidentale et les limiterait toutes deux. »

Il donne à la terre explorée le nom de *Francesca*, en l'honneur du roi de France François Ier. En 1529, Gerolamo da Verrazzano inscrit les mots suivants sur sa carte du monde : *Nova Gallia*. La Nouvelle-France vient de naître.

Le roi entre en scène

En 1532, l'année même où la Bretagne est rattachée administrativement à la France, le roi François Ier se rend en pèlerinage au Mont-Saint-Michel. Il y rencontre Jean Le Veneur, évêque de Lisieux et abbé de la célèbre abbaye. Ce dernier présente au roi de France un pilote malouin, parent du procureur fiscal du Mont-Saint-Michel. Il vante les mérites de Jacques Cartier qui a déjà à son crédit des voyages au Brésil et à Terre-Neuve. L'abbé se dit prêt à financer une partie des frais d'un voyage de découverte. François Ier a quelques réticences à enfreindre les ordres du pape et il ne tient pas à avoir des démêlés avec Clément VII.

L'année suivante, soit au mois d'octobre 1533, l'occasion est donnée au roi de rencontrer le pape et de discuter de la question. En effet, le fils de François Ier épouse à Marseille la nièce du pape. L'abbé Le Veneur assiste à la cérémonie et l'atmosphère de la noce se prête bien à des échanges cordiaux. Ainsi en vient-on à parler de la bulle *Inter Cœtera II.* Le pape fait aussitôt disparaître les appréhensions royales en affirmant que « la bulle pontificale partageant les continents nouveaux entre les couronnes d'Espagne et du Portugal ne concernait que les continents connus et non les terres ultérieurement découvertes par les autres couronnes ».

François Ier décide donc de financer à même le trésor royal une expédition dont le but serait de « découvrir certaines îles et pays où l'on dit qu'il se doit trouver une grande quantité d'or et d'autres riches choses ». Le 18 mars 1534, Cartier dispose de la somme de 6000 livres tournois pour couvrir les frais de ravitaillement, d'armement et d'équipage. À Saint-Malo, il a de la difficulté à recruter les hommes dont il aura besoin, car quelques armateurs avaient déjà raflé « les maîtres de navires, les maîtres mariniers et les compagnons de mer ». Une ordonnance royale donne le premier choix au capitaine malouin. Le 20 avril, tout est prêt pour le départ.

Un aller en ligne droite

Charles de Mouy, seigneur de La Meilleraye, vice-amiral de France, fait prêter les serments d'office aux capitaines, maîtres et compagnons. Le 20 avril 1534, les deux navires dont l'Histoire n'a pas retenu le nom, quittent le port de Saint-Malo. Le tonnage de chacun est d'environ soixante tonneaux. L'équipage se compose de soixante et un hommes. Le 10 mai, après vingt jours de navigation, tous mettent pied à terre au cap Bonavista, à Terre-Neuve. Les glaces obligent les navires à jeter l'ancre dans un havre qui reçoit le nom de Sainte-Catherine, probablement en l'honneur de Catherine Des Granches, l'épouse de Jacques Cartier. On profite d'un arrêt de dix jours pour remettre les barques en bon état.

Le 21 mai, le voyage se poursuit. Cartier arrive à l'île des Oiseaux, connue aujourd'hui sous le nom de Funk Island. Tous se précipitent pour voir les milliers d'oiseaux vivant sur l'île. « En moins d'une demi-heure, nos deux barques en chargèrent comme des pierres. Chacun de nos navires en sala quatre ou cinq pipes*, sans compter ce que nous avons mangé de frais. »

De l'ours au menu

L'île des Oiseaux est située à environ vingt kilomètres de la terre ferme. Cette distance ne rebute pas les ours blancs qui s'y rendent à la nage pour se nourrir des volatiles. Le samedi 24 mai, veille de la Pentecôte, « nos gens en trouvent un, grand

* « La pipe en Bretagne est une mesure des corps sec, qui contient 10 charges, et chaque charge contient 4 boiseaux. Quand elle est pleine de blé, elle doit peser 600 livres. » (*Dictionnaire de Furetière,* édition de 1727.)

comme une vache, aussi blanc qu'un cygne, qui sauta dans la mer devant eux », lit-on dans le récit du voyage. « Le lendemain, en faisant route vers terre, nous trouvâmes l'ours à environ la mi-chemin, qui allait à terre aussi vite que nous le faisions à voile. L'ayant aperçu, nous lui donnâmes la chasse avec nos barques et nous le prîmes de force. Sa chair était aussi bonne à manger que celle d'une génisse de deux ans. »

Le 27 mai, l'expédition arrive au détroit de Belle-Isle que l'on appelait alors la baie des Châteaux. Le mauvais temps et les glaces forcent Cartier à faire à nouveau relâche dans un havre pendant une douzaine de jours. Le 9 juin, les navires remettent à la voile et arrivent à Blanc-Sablon, sur la côte Nord du golfe Saint-Laurent. Cette région, affirme Cartier, est le site « de grande pêcherie ». Comparativement, il trouve le port de Brest plus sympathique que celui de Blanc-Sablon. On y jette l'ancre pour refaire les provisions de bois et d'eau. Quelques membres de l'équipage explorent les alentours. Le 11 juin, jour de la Saint-Barnabé, tous assistent à la messe. Le problème est que nous ne savons pas s'il y avait un prêtre à bord de l'un des navires. La relation du voyage ne mentionne pas la présence d'un prêtre. « On a pensé qu'il s'agit là de messe blanche, c'est-à-dire d'une récitation ou d'un chant en commun des prières de la messe, sans qu'il y ait sacrifice, écrit l'historien Marcel Trudel. Pourtant, ajoute-il, rien ne s'oppose à ce qu'on laisse à messe ouïe et à chanter la messe (les deux expressions employées dans le texte de Cartier) leurs sens habituels : les expéditions officielles comprenaient au moins un aumônier. En tout cas, d'après la relation, aucun prêtre ne fait d'évangélisation auprès des missionnaires ; le rôle missionnaire de la France n'est pas pour ce voyage. »

Une croix et un bateau

Cartier continue à explorer la côte Nord. Le vendredi, 12 juin, il arrive dans un havre qu'il appelle Saint-Servan, connu aujourd'hui sous le nom de la Baie-des-Homards. Il y plante une croix, la première de ce voyage. Quelques lieues plus loin, il découvre une rivière très saumoneuse à laquelle il donne le nom de Saint-Jacques. Dans cette rivière, il aperçoit « un grand navire qui était de La Rochelle et qui avait passé la nuit au havre de Brest où il pensait aller faire sa pêcherie ».

La région visitée ne plaît pas au découvreur.

> Si la terre était aussi bonne qu'il y a de bons havres, ce serait un bien ; cette terre ne doit pas se nommer Terre-Neuve, mais pierres et rochers effroyables et mal rabotés ; car, dans toute cette côte du nord, je n'ai vu une charretée de terre, même si je suis descendu en plusieurs endroits. À l'exception de Blanc-Sablon, il n'y a que de la mousse et de petits bois avortés. Enfin, j'estime mieux qu'autrement que c'est la terre que Dieu donna à Caïn. Il y a des gens sur cette terre, qui sont d'assez belle corpulence, mais ce sont des gens effroyables et sauvages. Ils ont leurs cheveux liés sur la tête, à la façon d'une poignée de foin tressé, un clou passé par le milieu ou autre chose. Ils y lient quelques plumes d'oiseaux.

Les Îles-de-la-Madeleine

Enfin, le capitaine explore une île qui le remplit d'aise ; l'île Brion, une des îles de la Madeleine. « Cette île, écrit-il, est la meilleure terre que nous ayons vue, car un arpent de cette terre vaut mieux que tout Terre-Neuve. Nous la trouvâmes pleine de beaux arbres, de prairies, de champs de blé sauvage et de pois en fleur, aussi épais et aussi beaux que je ne vis jamais en Bretagne, tellement qu'il me semblait qu'ils avaient été semés par un laboureur. Il y a beaucoup de groseilliers, de fraisiers et de roses de Provins, de persil et d'autres bonnes herbes de grande odeur. »

Cartier passe quelques jours à explorer quelques-unes des îles de l'archipel, avant d'arriver à l'actuelle Île-du-Prince-Édouard qu'il prend pour la terre ferme. Pour la seconde fois, l'explorateur s'enthousiasme devant la qualité des sols. « Les terres où il n'y a pas de bois sont fort belles et toutes pleines de pois, de groseilliers, blancs et rouges, de fraises, de framboises et de blé sauvage comme du seigle, lequel il me semble y avoir été semé et labouré. C'est la terre la mieux tempérée qu'il est possible de voir et de grande chaleur. Il y a plusieurs tourtes, ramiers et autres oiseaux. Il ne manque que de ports. »

Le 2 juillet, il aperçoit la pointe Escuminac, au Nouveau-Brunswick. Cartier cherche toujours le passage qui lui permettrait de se rendre en Chine. Le cap, situé sur la partie nord de l'île de Miscou, reçoit le nom de cap d'Espérance « pour l'espoir que nous avions d'y trouver un passage ».

Des relations enflammées

Cartier continue son exploration de la côte. Il arrive maintenant en Gaspésie. Il fait relâche dans une petite baie qui, plus tard, prendra le nom de Port-Daniel. Au cours d'un arrêt d'une semaine, les Français reçoivent la visite des habitants du pays. Des Amérindiens micmacs les invitent à descendre à terre, leur « montrant des peaux sur des bâtons ». Bientôt, les canots se font de plus en plus nombreux autour du navire de l'explorateur. Les Amérindiens multiplient les signes de joie et d'amitié. Ils crient aux visiteurs : « Napou tou daman asurtat », ce qui signifierait « Ami, ton semblable t'aimera ». Un tel déploiement soulève de la crainte chez les Français, qui font signe aux « envahisseurs » de se retirer. Cartier donne alors l'ordre de tirer deux coups de passe-volant, un genre de petit canon.

Une telle réception, malgré sa rudesse, ne rebute pas les Micmacs. Le lendemain, soit le 7 juillet 1534, ils reviennent en nombre, désireux encore une fois de faire du troc avec les Français. Par des signes, ils essaient de faire comprendre aux étrangers qu'ils sont venus pour échanger des marchandises. Les Français, mieux apprivoisés que la veille, échangent leurs objets contre des peaux de fourrures. « Ils nous donnèrent tout ce qu'ils avaient, tellement qu'ils s'en retournèrent chez eux tout nus, sans aucune chose. »

Selon l'historien Marcel Trudel, « ce 7 juillet 1534 marque une date importante : c'est la première cérémonie, dûment constatée, d'un échange commercial entre les Européens et les indigènes du golfe ; ce n'était pas la première traite, il s'en faut de beaucoup ; l'empressement des Micmacs à recevoir les étrangers, leur insistance à offrir leurs marchandises prouvent bien que ces indigènes ont l'habitude de traiter avec les Européens ; on sait d'ailleurs que les explorateurs et les pêcheurs d'avant Cartier sont revenus avec des fourrures, mais c'est la première fois qu'on nous décrit la cérémonie de la traite. »

Au nom du roi de France

Toujours à la recherche du passage vers la Chine, Cartier explore une baie dont les terres sont les plus belles qu'il soit possible de voir et « d'une chaleur plus tempérée que la terre d'Espagne », d'où son nom de baie des Chaleurs.

Encore là, l'accueil des Amérindiens est des plus chaleureux. Ces derniers offrent aux Français des morceaux de loup-marin qu'ils viennent de faire cuire à la braise. Tout le long de la côte, ce sont des cris de joie et des danses chaque fois que les navires font leur apparition.

Le vendredi 24 juillet, Cartier et ses hommes mettent pied à terre à la Pointe-de-Penouille, non loin de l'actuelle ville de Gaspé. À la suite des rencontres récentes avec les Amérindiens, le chef de l'expédition sent le besoin d'assurer la possession de ces territoires au roi de France, sans tenir compte des droits des premiers occupants. « Nous fîmes faire une croix de trente pieds de haut, qui fut faite devant plusieurs [Amérindiens], sur la pointe de l'entrée du dit havre, sous le croisillon de laquelle nous mîmes un écusson en bosse à trois fleurs de lys et dessus un écriteau en bois, engravé en grosse lettre de forme où il y avait VIVE LE ROI DE FRANCE. Nous plantâmes cette croix sur ladite pointe, devant eux, lesquels nous regardaient faire et planter. Après qu'elle fut élevée en l'air, nous nous mîmes tous à genoux, les mains jointes en adorant cette croix devant eux. Nous leur fîmes signe, regardant et montrant le ciel que par cette croix était notre rédemption. »

Les Français retournent ensuite sur leurs navires. Peu après, le chef des Amérindiens, Donnacona, accompagné de trois de ses fi
du navire de Cartier, mais moins près qu'à l'accoutun

> Il nous fit une grande harangue, nous montrant la
> croix avec deux doigts. Puis il nous montrait la terr
> s'il voulut dire que cette terre était à lui et que no
> croix sans sa permission. Après qu'il eut fini sa hara
> hache, faignant de la lui donner en échange de sa p
> À quoi il sembla consentir et peu à peu il s'appr
> pensant avoir la hache. Alors, un de nos hommes
> la main sur sa barque dans laquelle sautèrent deu
> les firent monter sur notre bateau, de quoi ils
> furent à bord, ils furent assurés par le capitaine
> leur montrant de grands signes d'amour. On les fi
> chère. Puis, nous leur montrâmes par signe que
> servir de marque et de balise pour l'entrée du h

Cartier fait ensuite comprendre à Donnacona
de ses fils qu'il ramènerait au prochain voyage. « Et
de deux chemises et en livrées, et de bonnets rouges
au cou. De quoi, ils se contentèrent fort et donnèrer
s'en retournaient. »

Vers midi, après que des Amérindiens soient venus donner des poissons aux Français, les deux navires lèvent l'ancre ayant à leur bord Domagaya et Taignoagny, les fils de Donnacona. On parlera plus tard d'enlèvement et de séquestration. Il est vrai que la situation aurait été plus normale si Cartier avait laissé quelques-uns de ses hommes chez les Amérindiens !

Au cours des jours qui suivent, les navires remontent vers le nord. Cartier aperçoit une terre qu'il prend pour un cap de la terre ferme. En fait, ce sont les côtes de l'île d'Anticosti. Comme la saison avance, décision est prise de retourner en France. Sans le savoir, Cartier vient de rater l'entrée du fleuve Saint-Laurent et la porte vers la ... Chine ! Le 15 août, les Français quittent le havre de Blanc-Sablon en direction de Saint-Malo où ils débarqueront vingt et un jours plus tard, soit le 5 septembre 1534.

Le bilan de ce premier voyage de Cartier est plutôt mince. À part l'exploration des côtes du Labrador, de Terre-Neuve, du Nouveau-Brunswick et de la Gaspésie et à part un premier contact avec les Amérindiens, rien de bien prestigieux ! Point d'or ni de route vers la Chine.

Un nouveau départ

Sitôt de retour, Cartier se prépare à repartir pour la Nouvelle-France afin de l'explorer plus avant. Il apprend des deux fils de Donnacona l'existence d'un grand fleuve ; les Amérindiens parlent aussi de richesses et d'un pays mystérieux, le royaume de Saguenay. Le roi de France, François Ier, autorise une seconde expédition plus considérable que la précédente. Il met donc à la disposition de Cartier trois navires, la *Grande Hermine*, la *Petite Hermine* et l'*Émérillon*.

Le dimanche, 16 mai 1535, jour de la Pentecôte, c'est la fête. Les hommes sont réunis dans la cathédrale de Saint-Malo. Le nouvel évêque, François Bohier, donne sa bénédiction à ceux qui s'embarqueront dans quelques jours. Plus d'une centaine d'hommes ont accepté de faire le voyage. Parmi eux, il y en a dont les noms sont ceux de nombreux Québécois. Ces derniers sont-ils les descendants des premiers ? Guillaume Le Marié, Étienne Noël, Guillaume Esnault, Julien Golet, Jean Hamel, Jean Fleury, Guillaume Guilbert, Jean Maryen, Geoffroy Olivier, Philippe Thomas, Jacques Du Boys, Goulhet Rioux, Étienne Le Blanc et Jean Garnier.

Le mercredi 19 mai, le vent est enfin bon. En route, les trois navires jouissent d'un temps idéal jusqu'au 26. Puis, pendant presque un mois, l'équipage essuie vents et tempêtes. Enfin, le 7 juillet, les voyageurs mettent pied à terre à l'île des Oiseaux, sur les côtes de Terre-Neuve. Au cours de la traversée, les navires s'étaient dispersés. Le point de rencontre avait été fixé au havre de Blanc-Sablon, sur la Côte-Nord. Le 26 juillet, tout le monde est là et le voyage peut continuer. Les navires remontent la côte vers l'ouest, mais les vents contraires obligent les navigateurs à faire relâche dans un petit port qu'ils nomment havre Saint-Nicolas. Il est situé à quelque trente kilomètres à l'ouest de Natashquan. Ils plantent à cet endroit une grande croix de bois devant servir de point de repère.

Le 10 août 1535, jour de la fête de saint Laurent, les navires font relâche dans une petite baie que Cartier baptise baie Saint-Laurent. Plus tard, ce nom désignera le fleuve lui-même. Les deux fils de Donnacona informent alors le navigateur que, passé l'île d'Anticosti, au sud de celle-ci est le chemin pour se rendre à Gaspé et qu'à deux journées de cette île, commençait le royaume de Saguenay. L'île reçoit le nom d'Assomption, en l'honneur de la fête de la Vierge que l'on célèbre le 15 août.

Cartier et ses compagnons observent cette fois un nouveau paysage. L'année précédente, ils avaient cru qu'il était impossible d'aller plus avant dans les terres. Domagaya et Taignoagny, qui parlaient sans doute français, expliquent qu'à cet endroit commence le grand fleuve d'Hochelaga et que c'est là, le début du chemin de Canada. Avant de commencer la remontée du fleuve, Cartier veut s'assurer qu'il n'y a pas d'autres passages pour se rendre en Chine. Il revient donc sur sa route mais ne trouve rien, sauf sept îles qu'il nomme les îles Rondes.

Le 1er septembre 1535, les trois navires appareillent pour le Canada qu'ils n'ont pas encore vu. Ils sont déjà à l'embouchure de la rivière Saguenay qui « coule entre des hautes montagnes de pierre nue ». Cartier remonte le Saguenay sur une courte distance, puis il reprend sa route sur le Saint-Laurent. Le 6 septembre, les navires arrivent près d'une île « pleine de beaux et grands arbres de plusieurs sortes, entre autres il y a plusieurs coudres franches, lesquels nous trouvâmes fort chargés de noisettes aussi grosses et de meilleure saveur que les nôtres, mais un peu plus dures et pour cette raison, nous la nommâmes l'île aux Coudres ».

Le lendemain, 7 septembre, les navires jettent l'ancre à proximité d'une grande île peuplée d'Amérindiens qui pêchent dans le fleuve toutes sortes de poissons. Les Français débarquent, amenant avec eux les deux fils de Donnacona. Les habitants de l'île fuient jusqu'à ce qu'ils reconnaissent les voyageurs involontaires. L'accueil est joyeux. Les Amérindiens apportent aux Français quantité d'anguilles et d'autres poissons, « avec deux ou trois charges de gros mil, qui est le pain duquel ils vivent sur leur terre, et plusieurs gros melons ».

Donnacona, qui venait d'apprendre le retour de ses fils arrive, le 8, avec plusieurs de ses hommes. Cartier monte dans la même barque que lui, emportant du pain et du vin pour célébrer les retrouvailles.

Comme les navires ont dans leurs cales des provisions pour une année et demie, il est convenu que les équipages séjourneront en Nouvelle-France plusieurs mois, le temps de chercher le passage vers la Chine et de voir s'il n'y a pas de métaux précieux. Cartier cherche donc un endroit sûr où garer les vaisseaux. Il remonte alors une petite rivière qu'il appelle Sainte-Croix (Saint-Charles). Non loin de cet endroit se trouve l'habitation de Donnacona, Stadaconé. La nature, tout autour, est d'une grande richesse : des chênes, des ormes, des frênes, des noyers, des pruniers, des ifs, des cèdres, des vignes, des aubépines « qui portent des fruits aussi gros que des prunes de Damas ». Les marins remarquent aussi qu'il pousse à cet endroit d'aussi bon chanvre « que celui de France, lequel vient sans semence ni labour ». Au cours des jours suivants, les Français retournent sur l'île qu'ils avaient visitée le 7 septembre. L'abondance de vignes sauvages explique pourquoi ils baptisent l'endroit l'île de Bacchus (île d'Orléans).

Entre-temps, Domagaya et Taignoagny ont repris contact avec les Amérindiens de Stadaconé. Rapidement leur attitude se modifie vis-à-vis des Français. Ils refusent maintenant de monter à bord des navires. Ils craignent peut-être de retourner en France contre leur gré. Peut-être aussi voient-ils d'un œil moins sympathique ces étrangers s'installant sur leurs terres car, le 15 septembre, plusieurs membres d'équipage vont sur le rivage de la rivière Sainte-Croix « planter des balises et des marques pour mettre plus en sûreté les navires ». Taignoagny fait remarquer à Cartier que son père est peiné de voir que les Français sont toujours armés alors que les Amérindiens ne le sont pas. Cartier répond à Taignoagny qu'il sait fort bien qu'en France la coutume veut que les hommes se promènent armés.

La *Grande Hermine* et la *Petite Hermine* sont bien amarrées. Cartier veut remonter le fleuve à bord de l'*Émérillon* et se rendre jusqu'à Hochelaga. Cependant, des habitants de Stadaconé emploient divers subterfuges pour dissuader le Français d'effectuer un tel voyage. Les relations sont parfois très tendues. À la suite de réjouissances communes, Cartier fait tirer du canon pour souligner l'importance de l'événement. Taignoagny accusera par la suite le capitaine d'avoir tué « deux de leurs gens de coups d'artillerie ».

Néanmoins, le 19 septembre, Cartier, tous les gentilshommes qui l'accompagnent et cinquante marins partent à bord de l'*Émérillon* et de deux petites barques pour se rendre à Hochelaga. La remontée du fleuve s'effectue sans problème. Les explorateurs remarquent les bonnes terres où pousse la vigne. « Il y a pareillement, écrit l'auteur de la relation du second voyage, force grues, cygnes, outardes, oies, cannes, alouettes, faisans, perdrix, merles, mauviettes, tourtes, chardonnerets, serins, lunottes, rossignols et autres oiseaux comme en France et en grand abondance. »

À la hauteur du lac Saint-Pierre, Cartier décide d'abandonner temporairement l'*Émérillon* et de poursuivre sa route avec les deux barques seulement. L'expédition atteint Hochelaga, le 2 octobre. Plus de mille personnes accueillent les Français. Le village est situé a une lieue et demie du rivage. Tout près se trouve une montagne « labourée et fort fertile, de dessus laquelle on voit fort loin ». « Nous nommâmes cette montagne le mont Royal. »

L'accueil réservé aux visiteurs est grandiose. Le chef d'Hochelaga, qui est paralysé, est transporté par neuf ou dix hommes et installé sur une grande peau de cerf. Il porte autour de la tête « une manière de lisière rouge faite de poils de hérisson ». Après les discours, Cartier fait distribuer de menus objets et commande à ses hommes de « sonner les trompettes et autres instruments de musique, de quoi le peuple fut fort réjoui ». Avant de se quitter, les femmes remettent aux visiteurs du poisson, du potage, des fèves, du pain (galettes). Malheureusement, ces présents soulèvent peu d'intérêt : « Parce que ces vivres n'étaient pas à notre goût et qu'il n'y avait aucune saveur de sel, nous les remerciâmes en leur faisant signe que nous n'avions pas besoin de manger. »

Avant de quitter l'île, les voyageurs se rendent sur le mont Royal. Un des guides amérindiens essaie d'expliquer que vers l'ouest il y a un pays où l'on trouve des métaux précieux comme « la chaîne du sifflet de capitaine qui est en argent et un manche de poignard qui était de laiton jaune comme de l'or ». Cartier quitte donc la région, convaincu que la richesse tant recherchée est peut-être là, dans ce fameux pays de Saguenay.

Au cours du voyage de retour, les voyageurs prêtent une plus grande attention au paysage. Ils remarquent une rivière qui se jette dans le fleuve. C'est la rivière de Fouez qui deviendra plus tard le Saint-Maurice. Cartier fait planter une croix sur une des îles situées à l'embouchure de cette rivière.

Le 11 octobre, l'expédition est de retour au havre de Sainte-Croix. Pendant le voyage de Cartier à Hochelaga, ceux qui étaient demeurés près de Stadaconé avaient construit un fort devant les navires avec de grosses pièces de bois « et tout alentour garni d'artillerie et bien en ordre pour se défendre contre tout le pays ». Donnacona ne semble pas trop s'inquiéter de l'attitude des Français puisqu'il invite Cartier et quelques membres de son équipage à visiter Stadaconé. Mais Domagaya et Taignoagny, selon Cartier, continuent à soulever leurs compatriotes contre les étrangers. Le capitaine fait alors renforcer le fort en creusant des fossés et en faisant construire une porte à pont-levis. Bien plus, il établit un quart de garde de nuit et chaque changement de garde est souligné par des sonneries de trompettes.

À la mi-novembre, l'hiver québécois fait son apparition. Le froid et la neige importunent ces Français qui ne sont pas habitués à une température aussi froide. Il en sera de même jusqu'au 15 avril. « Nous avons été continuellement enfermés dedans les glaces, lesquelles avaient plus de deux brasses d'épaisseurs. Dessus la terre, il y avait une hauteur de quatre pieds de neige et plus, tellement qu'elle était plus haute que les bords de nos navires... Nos breuvages étaient tous gelés dans les futailles. Et, dedans nos navires, tant de bas que de haut, la glace était contre les bords à quatre doigts d'épaisseur. »

Au mois de décembre 1535, les Français apprennent qu'une cinquantaine d'habitants de Stadaconé sont morts de maladie. Cartier interdit donc l'entrée du fort aux Amérindiens de peur qu'une épidémie ne décime ses hommes. Cette mesure n'empêche pas cependant le scorbut de faire son apparition. La situation devient critique. Presque tous les membres de l'équipage sont atteints. Sans le secours des Indiens qui lui apprennent l'utilisation médicinale de l'annedda, Cartier aurait probablement vu mourir tous ses compagnons.

À la fin du mois d'avril 1536, l'activité est grande à Stadaconé. Cartier est inquiet. Un grand nombre d'Amérindiens sont réunis il ne sait pour quelle raison. Il décide alors de s'emparer des principaux chefs, en particulier de Donnacona qu'il veut amener en France, par la force si nécessaire, « pour conter et dire au roi ce qu'il avait vu dans les pays occidentaux des merveilles du monde ; car il [Donnacona] nous a certifié avoir été à la terre de Saguenay où il y a d'immenses quantités d'or, de rubis et autres richesses et où les hommes sont blancs comme en France et accoutrés de draps de laine ».

Le problème est de convaincre le chef de Stadaconé de monter à bord. Rien de mieux que de lui mentir. Cartier déclare donc à Taignoagny que le roi de France, son maître, lui a défendu d'emmener des femmes ou des hommes en France, mais seulement deux ou trois petits garçons « pour apprendre le langage ».

Le 3 mai, Cartier fait planter une croix de trente-cinq pieds de hauteur sur laquelle il y a les armes de France et l'inscription « Franciscus Primus, Dei gratia Francorum rex, Regnat ». Le même jour, les Français s'emparent de Donnacona et de neuf de ses compagnons. Le lendemain, à la suite d'une nuit assez agitée, Cartier réussit à convaincre Donnacona de parler à son peuple pour le calmer. Cartier s'engage à ramener les dix Amérindiens dans dix ou douze lunes, après que le chef aurait parlé au roi. Le 6 mai, les Français quittent leur fort de Sainte-Croix, laissant la *Petite Hermine*, faute d'hommes pour la ramener en France.

Le voyage de retour s'effectue normalement, sauf qu'au lieu d'emprunter le détroit de Belle-Isle, les navires franchissent le détroit de Cabot, raccourcissant ainsi le temps de la traversée. Le 16 juillet, l'expédition rentre au port de Saint-Malo.

Le bilan de ce deuxième voyage est positif : Cartier sait que le pays découvert contient de l'or et d'autres métaux précieux, les Amérindiens le lui ont dit ; il a exploré le fleuve Saint-Laurent jusqu'à Hochelaga (Montréal) ; il a noté l'existence des principaux affluents : le Saguenay, le Saint-Maurice, le Richelieu et l'Outaouais ; il a reconnu le détroit de Cabot. Mais il y a quelques points négatifs : il n'a pas encore trouvé le passage vers la Chine ; il a perdu des hommes du scorbut, mais heureusement, grâce à Donnacona, il connaît un remède efficace et s'il n'a pas dompté l'hiver, il sait un peu mieux comment se préserver du froid.

La France, croit-on, est maintenant prête à peupler ce nouveau pays. Une nouvelle ère va peut-être commencer.

Combat naval au XVIe siècle

DES TENTATIVES DE PEUPLEMENT

LA CURIOSITÉ SOULEVÉE PAR LA PRÉSENCE EN FRANCE des dix Amérindiens d'origine iroquoise ne dure que quelques semaines. Saint-Malo et le reste de la France ont d'autres préoccupations. Depuis 1535, François Ier est en guerre contre l'empereur Charles-Quint. Le 14 juillet 1536, soit deux jours avant l'arrivée de Cartier à Saint-Malo, la France avait signé un traité d'amitié et d'alliance avec le Portugal. Sans doute pour plaire au roi de ce pays, François Ier promulgue, le 30 mai 1537, une ordonnance par laquelle il interdit à tous les Français de voyager « dans les terres du Brésil, de Malaguette, ou dans les terres découvertes par les rois du Portugal, sous peine de confiscation de leurs navires, denrées et marchandises ». Bien plus, les Français qui oseraient continuer leurs voyages de commerce ou d'exploration seraient considérés comme des pirates et risqueraient la corde. Jacques Cartier, à qui le roi vient de faire cadeau de la *Grande Hermine*, ne peut donc plus songer à poursuivre ses voyages d'exploration.

Malgré ses préoccupations « guerrières », le roi reçoit Cartier et Donnacona. Les deux font valoir les richesses du nouveau territoire et les merveilles du royaume de Saguenay. L'ancien chef de Stadaconé venait peut-être d'apprendre qu'il était, ô merveille, un humain. En effet, le 9 juin 1537, le pape Paul III, dans son encyclique *Veros homines*, venait d'affirmer « que les indigènes sont des hommes, avec les qualités et les défauts des hommes ».

Lors de son départ de Sainte-Croix, Cartier avait promis de ramener en moins d'un an Donnacona et les autres Amérindiens. Il ne peut tenir sa promesse en raison des circonstances. Le 25 mars 1538, trois Iroquois sont baptisés. Un de ceux-ci, peut-être Donnacona, reçoit le nom de François en l'honneur du roi qui finance leur séjour.

La trêve de Nice, signée le 18 juin 1538, ramène la paix entre la France et l'Espagne. Le Nouveau Monde revient donc à l'ordre du jour. Au mois de septembre, François Ier prend connaissance d'un mémoire exposant tout ce dont on aurait besoin pour organiser un long voyage d'exploration en Nouvelle-France. À lui seul, le personnel représente environ quatre cents personnes : des mariniers, des arquebusiers, « quatre forgerons pour chercher et connaître s'il y a des mines de fer et pour faire des forges et du fer », six vignerons et six laboureurs, un médecin accompagné de son serviteur, « deux apothicaires avec chacun un serviteur pour connaître et voir les commodités des herbes », « deux maîtres cordiers et deux serviteurs pour savoir s'il y a du chanvre pour faire des cordages », quatre canonniers, « six hommes d'Église ayant les choses requises pour le service divin », des charpentiers, des maçons, des faiseurs de chaux et de tuiles, etc. De plus, le mémoire prévoit ce qui est nécessaire à l'avitaillement de tout ce monde et « toutes manières et espèces de bêtes et oiseaux domestiques le plus qu'il sera possible, tant pour faire le labourage que pour peupler le pays et de toutes sortes de grains et semences ». Enfin, du sel pour les Amérindiens qui « l'estiment fort ».

Cartier, un second

Les diplomates et les espions espagnols et portugais informent leur souverain respectif de tout ce qui se passe à la cour française. Au mois d'août 1540, le roi d'Espagne apprend de son ambassadeur à Paris que François Ier vient d'autoriser ses sujets à reprendre leurs voyages vers les terres nouvelles. Effectivement, le 17 octobre suivant, par une commission royale, Cartier est nommé « capitaine général et maître pilote de tous les navires et autres vaisseaux de mer » qui doivent se rendre dans ces pays qu'on dit inhabités ou les autres possédés par des gens sauvages vivant sans la connaissance de Dieu et sans usage de raison. Ces pays seraient, aux dires du roi, « un bout de l'Asie du côté de l'occident ». Affirmation surprenante ou naïve dont le but serait de neutraliser les réticences espagnoles ou portugaises !

L'objectif de l'expédition est non seulement de poursuivre l'exploration du nouveau territoire, mais aussi de convertir à la religion catholique les populations « indigènes ». C'est sans doute pour cette raison que, le 15 janvier 1541, François Ier signe une nouvelle commission en faveur de Jean-François de La Rocque, sieur de Roberval, un protestant notoire. Le choix de Roberval s'explique peut-être par le fait qu'il joue un certain rôle à la cour de François Ier. Il est du reste apparenté à Diane de Poitiers, la maîtresse du roi. Son adhésion à la religion protestante lui gagne la sympathie de Marguerite de Navarre, la sœur du roi.

Roberval supplante donc Cartier à la tête de l'expédition en devenant le « lieutenant général, chef, ducteur et capitaine » avec les pleins pouvoirs tant sur les hommes que sur les navires. Sa mission est claire : « De passer et repasser, aller et venir dans ces pays étrangers, de descendre à terre et mettre les indigènes en notre main, tant par voies d'amitié ou aimables compositions, si faire se peut, que par force d'armes, main forte et toute autre voie d'hostilité. » En somme, la France est prête à conquérir la Nouvelle-France par les armes, si cela est nécessaire. Pas une seule fois, il n'est question des droits des Amérindiens.

Il faut donc des émigrants pour peupler le nouveau pays, car on prévoit y bâtir des villes et des forts, des temples et des églises. Les commissions de Cartier et un ordre à Roberval en date du 7 février 1541 les autorisaient à puiser dans les prisons les hommes et les femmes qui accepteraient l'exil en échange de leur libération. Cependant, ne peuvent bénéficier du voyage ceux qui se sont rendus coupables « des crimes d'hérésie, de lèse-majesté divine et humaine envers nous ». Cette offre de libération ne s'applique pas non plus aux faux-monnayeurs. Ceux qui accepteront de partir retrouveront la jouissance de leurs biens, le temps de les vendre pour payer et les frais de transport et leur nourriture pour les deux années suivantes. Les nouveaux colons se rendent donc à Saint-Malo pour le 10 avril 1541. Des gardiens les conduisent, enchaînés, jusqu'aux navires dont on complète le chargement.

Au début du mois de mai, Roberval se rend à Saint-Malo où il trouve « les navires en rade, les vergues hautes, tous prêts à partir et à faire voile, n'attendant autre chose que la venue du général et le paiement des dépenses ». Mais Roberval n'est pas prêt, quant à lui, à partir. Il n'a pas encore reçu « son artillerie, ses poudres et munitions, et autres choses nécessaires dont il s'était pourvu pour ce voyage dans les pays de Champagne et de Normandie ». Il juge alors inutile de retarder davantage le départ des cinq navires, la *Grande Hermine*, l'*Émerillon*, le *Saint-Brieux*, le *Georges* et un cinquième vaisseau dont on n'a pas retenu le nom.

Le lieutenant général passe en revue « tous les gentilshommes, soldats et matelots qui avaient été retenus et choisis pour l'entreprise de ce voyage ». Il donne ensuite à Cartier « pleine autorité de partir et de prendre les devants et de se conduire en toutes choses comme s'il s'y fut trouvé en personne ».

Le 23 mai 1541, Cartier lève l'ancre. Il ne ramène aucun des Amérindiens qu'il avait enlevés cinq ans auparavant. Tous sont morts, à l'exception d'une petite fille iroquoise que lui avait donnée le chef d'Achelacy, un village situé à une quinzaine de lieues de Stadaconé. La traversée est rude. « Nous naviguâmes si longtemps, par des vents contraires et des tourmentes continuelles qui nous arrivèrent à cause du retardement de notre départ, que nous fûmes sur la mer plus de trois mois avant de pouvoir arriver au port et havre du Canada (Stadaconé), sans avoir eu pendant tout ce temps trente heures de bon vent qui pût nous servir à suivre notre droit chemin », écrit l'auteur de la relation du voyage. Au cours des tempêtes, les navires se dispersent et deux seulement continuent à faire route ensemble.

Une traversée aussi longue cause de sérieux problèmes aux passagers et aux membres de l'équipage. « La longueur du temps que nous fûmes à passer entre la Bretagne et la Terre-Neuve fut cause que nous nous trouvâmes en grand besoin d'eau, rapport au bétail, aussi bien des chèvres, porcs et autres animaux que nous avions apportés pour s'y multiplier dans le pays. Nous fûmes dans la nécessité de les abreuver avec du cidre et d'autres breuvages. » Il y a, à bord des navires, vingt vaches, quatre taureaux, cent moutons, cent chèvres, dix porcs, vingt chevaux ou juments.

Les navires font relâche à Terre-Neuve, attendant que le reste de l'expédition fasse son apparition. L'équipage des navires de Cartier profite de ce contretemps pour refaire les provisions d'eau et de bois. Roberval n'arrive toujours pas. Cartier décide alors de remonter seul le Saint-Laurent.

Le 23 août 1541, les cinq navires jettent l'ancre au havre de Sainte-Croix, non loin de Stadaconé. Agona, le nouveau chef, se rend immédiatement à bord du navire de Cartier. Ce dernier lui apprend la mort de Donnacona. Quant aux autres, pieux mensonge !, ils « étaient restés en France où ils vivaient comme de grands seigneurs ; ils étaient mariés et ils ne voulaient pas revenir dans leur pays ». Agona, selon les Français, ne montre aucun signe de déplaisir. Les retrouvailles se terminent par un échange de cadeaux.

> Agona prit un morceau de cuir tanné couleur jaune et garni tout autour d'esnoguy [wampum], — ce qui est leur richesse et la chose qu'ils estiment être des plus précieuse, comme nous faisons de l'or, — qui était sur sa tête comme une couronne et le plaça sur la tête de notre capitaine [Cartier]. Ensuite, il ôta de ses poignets deux bracelets d'esnoguy et les plaça pareillement sur les bras du capitaine, lui faisant des accolades et lui montrant de grands signes de joie [...]. Le capitaine prit sa couronne de cuir et la mit derechef sur sa tête, et lui donna ainsi qu'à ses femmes certains petits présents.

Jugeant peut-être que le havre de Sainte-Croix n'est pas un lieu sûr, Cartier part à la recherche d'un nouvel endroit où s'établir. Il remonte le fleuve jusqu'à l'embouchure de la rivière du Cap-Rouge, un endroit « meilleur et plus commode pour y mettre ses navires ». Dès l'arrivée, les hommes installent quelques pièces d'artillerie, car on craint une attaque-surprise des Iroquois. Du 27 août au 2 septembre, tous s'affairent au déchargement des navires ; deux d'entre eux doivent retourner en France.

Aussitôt arrivés, les laboureurs commencent à travailler la terre. « Nous semâmes ici des graines de notre pays, telles que graines de chou, de navet, de laitue et autres lesquelles fructifièrent et sortirent de terre en huit jours. » Les charpentiers érigent deux forts, un au niveau de la rivière, l'autre au sommet d'un promontoire pour protéger le premier.

L'établissement prendra le nom de Charlesbourg-Royal, en l'honneur de Charles, le fils de François Ier. L'exploration des alentours révèle l'existence de biens précieux. Sur le cap baptisé plus tard Cap-aux-Diamants, « nous trouvâmes bonne quantité de pierres que nous estimions être diamants ». Bien plus, « sur le bord de l'eau, nous trouvâmes certaines feuilles d'un or fin, aussi épaisses que l'ongle ». La joie est à son comble ! Les recherches s'intensifient : il y a du fer, de l'ardoise, de la vigne, du chanvre et... des pierres précieuses. « En quelques endroits, nous avons trouvé des pierres comme diamants, les plus beaux, polis, et aussi merveilleusement taillés qu'il soit possible à un homme de voir ; et lorsque le soleil jette ses rayons sur eux, ils luisent comme si c'étaient des étincelles de feu. » Le roi sera certainement heureux de savoir que ses nouvelles possessions contiennent autant de richesses que les terres découvertes par les Espagnols ou les Portugais !

Un Saguenay mystérieux

Donnacona et les gens d'Hochelaga avaient persuadé Cartier de l'existence, au nord-ouest du mont Royal, d'un pays mystérieux, le Saguenay. Pendant qu'une partie des hommes achève la construction des forts, le capitaine part avec d'autres, en direction d'Hochelaga. Il s'arrête, chemin faisant, à Achelacy pour saluer le seigneur de l'endroit, lui donner des nouvelles de sa fillette demeurée en France et lui confier deux jeunes garçons pour qu'ils apprennent la langue iroquoise.

Les Amérindiens de la région de Montréal expliquent aux Français combien il y a de sauts à franchir avant de pouvoir emprunter la route de Saguenay. Les spécialistes ignorent encore de nos jours si Cartier a remonté la rivière des Prairies ou s'il a abordé l'île de Montréal par le fleuve Saint-Laurent. Fort des explications que lui fournissent les habitants des lieux, Cartier revient à Charlesbourg-Royal.

Les documents connus aujourd'hui ne révèlent presque rien de ce qui se passa au cours de l'hiver 1541-1542. Il est plus que probable que, par ailleurs, Cartier et les membres de son expédition aient eu à repousser des attaques iroquoises. Des pêcheurs espagnols, ayant jeté l'ancre le long des côtes de Terre-Neuve, apprennent par des Amérindiens que les Français ont perdu trente-cinq hommes lors de divers engagements.

Pendant le séjour de Cartier en Nouvelle-France, Roberval, pour sa part, cherche et trouve un moyen de se procurer l'argent qui lui manque pour compléter l'équipement de ses navires : la piraterie. Le 16 avril 1542, Roberval quitte enfin le port de La Rochelle avec trois navires. L'accompagnent « deux cents personnes, aussi bien hommes que femmes et divers gentilshommes de qualité ». Le 8 juin, les navires font relâche au port de Saint-Jean, à Terre-Neuve, où il y a déjà dix-sept navires de pêcheurs.

Sans nouvelles de Roberval, Cartier décide, au début du mois de juin 1542, de ramener tout son monde en France. Les trois navires quittent alors l'établissement de Cap-Rouge ayant, dans leur cale, une cargaison précieuse : des barils remplis d'or, d'argent, de diamants et de pierres précieuses. Vers la mi-juin, Cartier arrive à Saint-Jean. « Après qu'il eut rendu ses devoirs au général, il lui dit qu'il rapportait des diamants et une certaine quantité d'or trouvés au Canada. Le samedi suivant [18 juin], nous fîmes l'expertise du minerai dans une fournaise et il fut trouvé bon. »

Cartier explique à son chef son départ de la colonie en affirmant « qu'avec sa petite compagnie il ne pouvait résister aux Sauvages qui venaient l'incommoder presque tous les jours ». Roberval demande au Malouin de revenir avec lui, mais, au cours de la nuit suivante, Cartier s'enfuit vers Saint-Malo où il arrive au début du mois de septembre 1542.

Roberval occupe les deux dernières semaines du mois de juin à refaire les provisions d'eau et de bois et à régler une querelle entre pêcheurs portugais et français. Il quitte le port de Saint-Jean le 30 juin. Un mois plus tard, l'expédition atteint la région de Cap-Rouge et s'installe vraisemblablement à l'endroit déserté auparavant par Cartier. On érige deux forts : un premier au sommet de la montagne qui comprend « deux corps de logis, une grosse tour et une autre de quarante à cinquante pieds de long, où il y avait diverses chambres, une salle, une cuisine, des chambres d'office, des celliers hauts et bas et proches de ces dernières ; il y avait aussi un four et des moulins, ainsi qu'un poêle pour y chauffer les gens ». Sur le rivage, les bâtiments sont constitués d'une tour à deux étages « avec deux bons corps de logis ».

Au cours du mois d'août, chacun s'occupe selon son métier. Le 14 septembre, deux des navires font voile vers la France. Ils devront revenir l'année suivante avec des vivres.

À Charlesbourg-Royal, devenu France-Roy, les vivres diminuent rapidement. Roberval doit imposer le rationnement. Chaque groupe a droit à deux pains d'une livre et à une demi-livre de bœuf par jour. Le repas du midi se compose de porc et d'une demi-livre de beurre ; celui du soir, de bœuf et de deux poignées d'haricots au beurre. Les mercredi, vendredi et samedi, il y a de la morue sèche, ou fraîche, pour dîner et du marsouin et des haricots pour souper. Quelquefois, les Amérindiens des environs viennent échanger de l'alose et autres menus objets.

L'hiver est marqué par l'apparition de scorbut. « Plusieurs de nos gens tombèrent malades d'une certaine maladie dans les jambes, les reins et l'estomac, de telle sorte qu'ils nous paraissaient avoir perdu l'usage de tous leurs membres. » La *Relation* de ce voyage ajoute : « Il en mourut près de cinquante. »

Le lieutenant général a de la difficulté à maintenir le bon ordre dans la petite colonie. Il doit sévir, car certains ont conservé leurs habitudes d'antan. Roberval, usant des pouvoirs accordés par le roi, avait dû intervenir dans une cause de meurtre : au mois de septembre, il avait signé une lettre de rémission en faveur de Paul d'Aussillon de Sauveterre. C'est, en fait, « le plus ancien texte officiel signé au Canada ». Mais pendant l'hivernation, les relations se détériorent. Michel Gaillon est pendu pour vol. « Jean de Nantes est mis aux fers et gardé prisonnier pour son offense ; d'autres furent aussi mis aux fers et quelques-uns, fouettés, autant hommes que femmes. »

Un départ rapide

Mardi le 5 juin 1543, Roberval fait préparer huit barques pour un voyage au « Royaume de Saguenay ». Les soixante-dix personnes qui font partie de l'expédition quittent France-Roy le lendemain matin à six heures. La remontée du fleuve s'effectue sans difficulté. On ne sait pas cependant où l'on se rend. Peut-être s'est-on rendu jusqu'aux rapides de Lachine. Toujours est-il que huit hommes se noient lorsqu'une des barques à voile chavire. Avant même le départ de cette expédition, la décision avait été prise de rapatrier tout le monde en France. La tentative de colonisation tourne à l'échec. Au mois de septembre 1543, les survivants ont regagné leur patrie.

Pendant que Roberval affrontait l'adversité, Cartier essuyait pour sa part un cuisant échec : ses diamants n'étaient que du quartz et son or, de la vulgaire pyrite de fer. Un nouveau proverbe, qui aura longue vie, apparaît aussitôt en France : « Faux comme diamants de Canada ».

Dans l'échec de cette tentative de colonisation, il y a quelques grands coupables, et Cartier figure au premier rang. L'historien Marcel Trudel écrit :

> Croyant enfin tenir des barils de minerai d'or et des boisseaux de diamants, il refuse, malgré l'ordre précis de son supérieur, de poursuivre l'œuvre de colonisation ; Cartier était nécessaire à cette œuvre : il connaissait bien le pays, l'hiver et son scorbut, il était initié à la psychologie des indigènes ; en fuyant, Cartier rendait vain l'effort de Roberval. L'échec est d'envergure. Les relations avec les indigènes, dont le succès était la condition même de tout établissement européen, sont tout à fait détériorées. [...] la colonisation elle-même obtient mauvaise presse : à cause du gaspillage considérable des capitaux, les rois et les particuliers seront longtemps dégoûtés et il faudra de longs efforts au XVIIe siècle pour redonner quelque attrait à la colonisation laurentienne.

Il faudra attendre un demi-siècle avant que s'organisent d'autres projets de colonisation de la Nouvelle-France. La seconde moitié du XVIe siècle est marquée, en Europe occidentale, par de nombreuses guerres auxquelles participe la France. Cette dernière, d'ailleurs, fait face à des guerres de religion mettant aux prises catholiques et protestants. Les réformistes français tentent d'établir des colonies au Brésil et en Floride. Encore là, l'initiative se solde par un échec.

L'Angleterre cherche toujours le passage vers la Chine par le nord. Elle autorise le départ d'expéditions vers Terre-Neuve et le Labrador. Le 5 août 1583, sir Humphrey Gilbert prend possession de Terre-Neuve au nom de la reine Élisabeth Ire. Quelques années auparavant, sir Martin Frobisher découvrait une baie à laquelle il laisse son nom. En 1585, John Davis découvre le détroit qui sépare le Groenland de la Terre de Baffin.

Les baleines de Tadoussac

Des marins français, espagnols, basques, portugais et anglais viennent chaque année pêcher la morue sur les bancs de Terre-Neuve. En 1574, six navires quittent le port de Honfleur pour venir faire la pêche dans le golfe Saint-Laurent. En 1576, sept autres vaisseaux quitteront le même port pour la même destination. L'année suivante, il y en aura dix-sept.

Les Basques remontent le fleuve jusqu'à l'embouchure de la rivière Saguenay pour faire la chasse à la baleine. On peut lire, dans un texte datant des années 1550, que les Basques descendent régulièrement sur une île appelée Minigo, identifiée récemment par René Bélanger, dans son ouvrage *Les Basques dans l'estuaire du Saint-Laurent*, comme étant l'île aux Basques.

> Cette île de Minigo, écrit l'historien et cosmographe André Thevet vers 1550, sert de retraite au peuple de ces pays pour se retirer lorsqu'ils sont poursuivis de leurs ennemis et là où ils les mettent les ayant pris en vie pour les garder quelques lunes et jours, pour après les massacrer à la façon et manière que leurs anciens ennemis faisaient d'eux quand ils les avaient pris ou sur mer ou par terre. Autour de cette île, c'est la plus belle pêcherie qui soit dans tout le grand Océan et où les baleines y repèrent en tous temps. Les Bayonnais, les Espagnols et les autres y vont à la pêche pour y prendre ces grands belues. Il s'en prend tous les ans un grand nombre, principalement à la rivière Saguenay.

Pour faire fondre la chair de la baleine, les Basques construisent, sur l'île aux Basques, des fours dont quatre ont été mis à jour.

Un nouveau projet

La fin du XVIe siècle est spécialement marquée par l'élaboration de quelques projets de colonisation de la Nouvelle-France. La traite des fourrures prend de l'importance. Le 14 janvier 1588, le roi de France, Henri III, accorde à deux neveux de Jacques Cartier, Étienne Chaton et Jacques Noël, « un privilège de douze ans pour le trafic des mines et pelleteries au pays de Canada ».

Les marchands de Saint-Malo voient d'un mauvais œil la disparition de la liberté de commerce. Les États de Bretagne se réunissent en session spéciale, le 17 mars de la même année. Ils demandent tout simplement la révocation du privilège, ce qu'accordera le roi au mois de mai suivant.

Se basant peut-être sur les droits révoqués de Jacques Noël, un armateur français, La Court de Pré-Ravillon et de Granpré, se rend aux Îles-de-la-Madeleine en 1591 pour faire la pêche aux morses. Son navire, *Le Bonaventure*, tombe aux mains du navire corsaire anglais, *The Pleasure*. La cargaison saisie comprend quarante tonnes d'huile, des peaux et des défenses de morses. Anglais, Français et Basques vont maintenant chercher à monopoliser la pêche aux morses dans cette région.

Le 18 juin 1597, Charles Leigh arrive aux Îles-de-la-Madeleine avec le dessein d'y fonder une colonie anglaise regroupant quelques protestants séparatistes. Mais la place est déjà occupée : deux navires basques et deux navires bretons étaient déjà à l'ancre dans le Havre aux Basques. Plus loin, dans le Havre de la Grande Entrée, des navires français font la chasse aux morses. De plus, environ trois cents Amérindiens micmacs occupent les îles, à l'occasion de leur pêche d'été. Leigh cherche à s'emparer d'un navire basque, sous prétexte qu'il était peut-être espagnol. La situation s'envenime. Le 20 juin, les Bretons, les Basques et les Micmacs se massent sur le rivage. Ils sont, en tout, cinq cents. Trois canons font feu sur le navire anglais. Leigh sent qu'il est préférable de parlementer. De part et d'autre, on joue d'astuce. À la fin, les Anglais jugent qu'il vaut mieux partir ; au cours des semaines qui suivent, ils chercheront à se venger. Pour la première fois, sans doute, les Français et les Anglais en viennent presque aux mains pour défendre ce qu'ils considéraient comme leurs possessions.

Une colonie de mendiants

Le roi de France, Henri IV, malgré tous les problèmes auxquels il doit faire face, manifeste de l'intérêt pour le Nouveau Monde. Le 12 janvier 1598, il nomme Troilus de La Roche de Mesgouez son « lieutenant général dans les pays de Canada, Hochelaga, Terre-Neuve, Labrador, rivière de la Grande-Baie de Norembègue et terres adjacentes desdites provinces et rivières ». Les lettres patentes émises à cette occasion donnent à La Roche le droit de lever des hommes de guerre pour conquérir par la force, s'il le faut, les villes, les châteaux forts et les habitations situés sur les terres qui lui sont concédées. Le lieutenant général obtient aussi la permission de choisir dans le royaume « le nombre de gens qui lui est nécessaire pour le voyage, tant de l'un que de l'autre sexe ».

La Roche, un ancien page de la reine Catherine de Médicis, avait joué de malchance depuis vingt ans. Depuis 1577, il cherchait à se rendre en Nouvelle-France. Naufrage, tempêtes, corsaires, emprisonnement, tout se liguait contre lui. Mais, en 1598, la chance semble enfin lui sourire. Il recrute ses futurs colons parmi les gueux et les mendiants. L'endroit choisi n'est pas des plus hospitaliers : l'île de Sable, située à environ cent trente kilomètres au nord-est de la Nouvelle-Écosse.

À l'été de 1598, La Roche laisse sur l'île une quarantaine de colons et une dizaine de soldats. Le commandant Querbonyer se voit confier le commandement de la colonie, au départ du lieutenant général pour la France. Au cours des trois années suivantes, Thomas Chefdostel est chargé du ravitaillement. La colonie s'enrichit, à chaque fois, de quelques nouveaux colons. Mais, pour une raison inconnue, l'île de Sable n'est pas ravitaillée en 1602. Les colons craignent d'avoir été abandonnés. Les vivres manquent. Les déportés se révoltent et tuent les deux principaux chefs de la colonie. L'anarchie s'établit en maîtresse. La Roche, qui ignore tout ce qui s'est passé dans sa lointaine propriété, charge Chefdostel d'aller ravitailler l'île et ramener quelques personnes qui y vivent depuis maintenant cinq ans.

Chefdostel trouve la colonie dans un bien piètre état. Il ramène donc les survivants vêtus de peaux de loups-marins : Jacques Simon dit La Rivière, Olivier Delin, Michel Heulin, Robert Piquet, Mathurin Saint-Gilles, Jacques Simoneau, Gilles Le Bultel, François Provostel, Louis Deschamps, Geoffroy Viret et François Delestre. Le roi demande à les voir et il fait remettre à chacun la somme de cinquante écus, ce qui offusque La Roche qui prétend qu'ils auraient dû être pendus.

Une colonie de protestants

À la suite de la signature, le 13 avril 1598, de l'Édit de Nantes, les protestants et les catholiques sont sur le même pied en France. Un calviniste notoire, Pierre de Chauvin de Tonnetuit, obtient d'Henri IV pour une période de dix ans le monopole de la traite des fourrures en Nouvelle-France. Le marquis de La Roche proteste en affirmant que ce territoire lui a déjà été concédé. L'affaire se règle à l'amiable : Chauvin devient l'un des lieutenants de La Roche et son monopole ne couvre plus qu'une centaine de lieues dans la région de Tadoussac.

Chauvin laisse néanmoins entendre qu'il est prêt à transporter cinq cents personnes en Nouvelle-France. Au printemps de 1600, les quatre navires dont il est propriétaire quittent le port de Honfleur : le *Don-de-Dieu*, un gros navire de quatre cents tonneaux, le *Bon-Espoir*, l'*Espérance* et le *Saint-Jean*. François Gravé Du Pont, qui avait déjà remonté le fleuve Saint-Laurent jusqu'à Trois-Rivières, accompagne Chauvin. Pierre Du Gua de Monts fait, lui aussi, partie de l'expédition. Chauvin choisit Tadoussac comme site de la future colonie. De Monts et Gravé Du Pont auraient préféré un endroit plus hospitalier et moins froid, mais le fondateur de Tadoussac est inébranlable dans sa décision. L'endroit, il est vrai, se prêtait fort bien à la traite des fourrures. C'est d'ailleurs à quoi s'occupent la majeure partie des membres de l'expédition au cours de l'été et du début de l'automne suivant leur arrivée en Nouvelle-France.

Seize colons seulement décident de demeurer à Tadoussac et les autres membres de l'expédition retournent en France. Ils habitent une « chétive cambuse » que Champlain appellera « une maison de plaisance : un édifice de quatre toises de long sur trois de large, de huit pieds de haut, couvert d'ais et une cheminée au milieu ».

Pour mieux se protéger, les colons ont entouré leur maison d'une palissade de planches et ils ont creusé à l'extérieur un petit fossé « dans le sable de la grève ». Les hommes passent la majeure partie de l'hiver enfermés dans leur cabane. La maladie fait son apparition et ce n'est que grâce à l'hospitalité des Amérindiens montagnais de la région que cinq d'entre eux réussirent à survivre. Ces derniers seront rapatriés l'année suivante à bord d'un navire que Chauvin avait envoyé pour faire la traite des fourrures.

Un simple voyageur

En Bretagne, nombreux sont ceux qui protestent contre le monopole de traite dont jouit Chauvin. Mais le roi Henri IV maintient, en 1603, ce genre de privilège. Au début de cette année, Chauvin meurt. Aymar de Chaste, gouverneur de Dieppe et chevalier de Malte, obtient d'Henri IV le monopole de commerce que détenait Chauvin. Il forme une compagnie qui regroupe plusieurs marchands de Rouen. François Gravé Du Pont reçoit le commandement de la nouvelle expédition, qui comprend deux navires, *La Bonne-Renommée* et *La Françoise*. Quelque temps avant le départ, de Chaste rencontre à la cour un géographe d'une trentaine d'années qu'il invite à se joindre à Gravé Du Pont à titre d'observateur. « Il me demanda, écrit Samuel de Champlain, si j'aurais pour agréable de faire le voyage, pour voir ce pays et ce que les entrepreneurs y feraient. » Le futur fondateur de Québec effectue donc son premier voyage en Nouvelle-France à simple titre d'invité.

Les deux navires quittent Honfleur le 15 mars 1603. Après un peu plus de deux mois de navigation, ils arrivent, le 20 mai, à la hauteur de l'île Anticosti, « qui est l'entrée de la rivière de Canada », c'est-à-dire le fleuve Saint-Laurent. Quatre jours plus tard, les navires jettent l'ancre en face de Tadoussac. Non loin de là, à la Pointe-de-Saint-Mathieu, les Français sont reçus par un groupe de Montagnais. Ils participent à un grand festin marquant une victoire remportée par ces Amérindiens sur les Iroquois, qui n'habitaient plus la vallée du Saint-Laurent. Entre l'époque de Cartier et les débuts du XVIIe siècle, au cours de guerres encore mystérieuses, les Iroquois auraient été chassés des terres qu'ils occupaient depuis des siècles.

Champlain, le seul qui ait laissé un récit de ce voyage, rapporte que, le 11 juin, il explore « quelque douze ou quinze lieues dans le Saguenay, qui est une belle rivière et qui a une profondeur incroyable ». Le paysage a quelque chose d'antipathique aux yeux de Champlain. « Toute la terre que j'ai vue, écrit-il, ce ne sont que montagnes de rochers, la plupart couvertes de bois de sapins, de cyprès et de boulle. C'est une terre fort mal plaisante où je n'ai point trouvé une lieue de terre plaine tant d'un côté que de l'autre. Il y a quelques montagnes de sable et des îles dans cette rivière qui sont hautes élevées. Enfin ce sont de vrais déserts inhabitables d'animaux et d'oiseaux. » Les Montagnais décrivent au géographe la région plus au nord. « Il y a, disent-ils, un lac qu'il faut deux jours à traverser en canot. Beaucoup plus au nord, il y a une mer qui est salée. »

Le 18 juin, les navires quittent Tadoussac pour remonter le fleuve jusqu'au saut Saint-Louis. Ils mouillent l'ancre à Québec « qui est un détroit de la rivière de Canada et qui a quelque trois cents pas de large ». C'est la première fois qu'apparaît le nom Québec. L'appellation Stadaconé est disparue et les nouveaux occupants ont donné à l'endroit un nom qui signifie « où l'eau se rétrécit ».

En passant aux Trois-Rivières, Champlain note : « Ce serait, à mon jugement, un lieu propre à habiter et pourrait-on le fortifier promptement, car sa situation est forte en soi et proche d'un grand lac. »

Le dernier jour de juin, l'expédition arrive à l'embouchure de la rivière Richelieu, connue alors sous le nom de rivière des Iroquois. Encore une fois, les Amérindiens sont d'une grande utilité. Ils révèlent aux Français que cette rivière conduit à un grand lac, puis à une rivière « qui va rendre à la côte de la Floride ».

Rendus dans la région de Montréal, Gravé Du Pont et Champlain questionnent, autant qu'ils le peuvent, les Amérindiens sur le pays plus à l'ouest et plus au nord. D'après la description fournie, Champlain affirme que c'est là que se trouve la mer du Sud, celle qui conduit à la Chine ! Le 4 juillet commence le voyage de retour. Onze jours plus tard, les navires font relâche à Gaspé. Champlain visite Percé et l'île Bonaventure. Partout, il s'informe de l'existence des mines. Le 19 juillet, décision est prise de revenir à Tadoussac, où l'on arrive le 3 août. Après un arrêt de quinze jours, c'est un nouveau départ pour Percé, où l'on rencontre Jean Sarcel de Prévert, un Malouin qui prétend avoir découvert des mines de cuivre. Le 20 septembre 1603, Champlain est de retour au Havre. Pendant l'absence des expéditionnaires, Aymar de Chaste est décédé.

L'habitation de Sainte-Croix

Pierre Du Gua de Monts obtient, à la fin du mois d'octobre 1603, une commission le nommant vice-amiral de l'Acadie. Quelques jours plus tard, Henri IV lui accorde le monopole de commerce sur tout le territoire compris entre les 40e et 46e degrés de latitude nord. La durée du monopole est fixée à dix ans. En échange de quoi, de Monts s'engage à établir en Acadie un certain nombre de colons chaque année, « y compris les vagabonds qu'il pourra conscrire ». Pour réunir les sommes nécessaires à un établissement valable, de Monts forme une compagnie avec des marchands de La Rochelle, de Saint-Malo, de Rouen et de Saint-Jean-de-Luz.

Au début du mois de mars 1604, deux navires quittent le port du Havre. À part l'équipage, il y a à bord cent vingt personnes qui ont accepté d'émigrer en Acadie : des artisans, des soldats, des charpentiers, des maçons, des tailleurs de pierre, des architectes, quelques nobles, deux prêtres catholiques et un ministre protestant. Samuel de Champlain fait partie du voyage à titre de géographe et de cartographe.

Le navire sur lequel se trouvent de Monts et Champlain jette l'ancre, le 13 mai, dans « un très beau port où il y a deux petites rivières ». L'endroit reçoit le nom de Port-au-Mouton « à l'occasion d'un mouton qui s'étant noyé revint à bord et fut mangé de bonne guerre ». En attendant l'arrivée de Gravé Du Pont qui commandait l'autre navire, les passagers débarquent et chacun commence « à faire des cabanes selon sa fantaisie, sur une pointe à l'entrée du port près de deux étangs d'eau douce ».

Quelques jours plus tard, Champlain part à la recherche d'un endroit où pourrait s'établir la colonie. Il entre dans la baie de Fundy que de Monts avait baptisé du nom de baie Française. Après un mois d'exploration, il revient à Port-au-Mouton. « Le lendemain, écrit Champlain, le sieur de Monts fit lever les ancres pour aller à la baie Sainte-Marie, lieu que nous avions reconnu propre pour notre vaisseau, en attendant que nous eussions trouvé un autre plus commode pour notre demeure. »

À la mi-juin, les Français arrivent « dans l'un des plus beaux ports que j'eusse vu en toutes ces côtes où pourraient loger deux mille navires en sûreté. » À cause de sa beauté, le havre reçoit le nom de Port-Royal. Mais ce n'est pas là que de Monts choisit d'établir sa colonie. Le 24 juin, on découvre « une rivière des plus grandes et des plus profondes que nous eussions vues, que nous nommâmes la rivière Saint-Jean, parce que ce fut ce jour-là que nous y arrivâmes ».

Enfin, de Monts juge que les deux îles situées à l'embouchure de la rivière sont les plus faciles à défendre et que c'est là l'endroit le plus propre à un établissement. Immédiatement, les hommes se mettent à l'ouvrage pour construire une petite plate-forme pour installer un canon. « Chacun s'y employa si vertueusement qu'en peu de temps [la petite île] fut rendue en défense, bien que les moustiques (qui sont de petites mouches) nous apportassent beaucoup d'incommodité au travail ; car il y eut plusieurs de nos gens qui eurent le visage si enflé par leur piqûre qu'ils ne pouvaient presque voir. »

Sans perdre de temps, les ouvriers, sur la plus grande des deux îles, construisent un magasin pour y remiser les vivres, des corps de logis, une forge et des palissades. D'autres labourent la terre, font du jardinage ou explorent les environs. Le 31 août, les vaisseaux font voile vers la France. Jean de Biencourt de Poutrincourt et de Saint-Just, un ami de de Monts, « qui n'était venu que pour son plaisir et pour reconnaître le pays et les lieux propres pour y habiter », retourne en France, non sans s'être fait concéder Port-Royal selon les pouvoirs accordés par la commission royale.

Un hiver pénible

Champlain occupe le mois de septembre à explorer la côte atlantique jusqu'à l'embouchure de la rivière Pentagouët. Il ne trouve pas que le pays de Norembègue soit un nouvel Eldorado, car il n'a découvert aucune des merveilles que quelques-uns ont décrites. « Je crois, affirme-t-il, que ce lieu est aussi désagréable en hiver que celui de notre habitation, ce dont nous sommes bien déçus. »

Et l'hiver qui commence sera terrible ! Dès le 6 octobre 1604, la neige couvre le sol. Au début de décembre, « nous vîmes passer des glaces qui venaient de quelque rivière qui était gelée ». Le froid devient excessif et le sol se couvre de trois à quatre pieds de neige. Le scorbut fait alors son apparition. Personne ne lui connaît de remède efficace. « De 79 que nous étions, il en mourut 35 et plus de 20 qui en furent bien près. » La recette de la concoction de l'annedda, dévoilée jadis par les Indiens à Cartier, semble s'être évanouie au cours des ans.

Les chirurgiens pratiquent des autopsies dans l'espoir de trouver la cause de la maladie.

> L'on trouve à beaucoup les parties intérieures gâtées, comme le poumon, qui était tellement altéré qu'il ne s'y pouvait reconnaître aucune humeur radicale : la rate céreuse et enflée ; le foie fort légueux et tacheté, n'ayant pas sa couleur naturelle ; la veine cave ascendante et descendante remplie de gros sang coagulé et noir ; le fiel gâté. Toutefois, il se trouva quantité d'artères, tant dans le ventre moyen qu'inférieur, d'assez bonne disposition. L'on donna à quelques-uns des coups de rasoir sur les cuisses à l'endroit des taches pourprées qu'ils avaient, d'où sortait un sang caillé fort noir. C'est ce que l'on a pu reconnaître aux corps infectés de cette maladie.

Presque tout l'hiver, les colons doivent se contenter, pour nourriture, de chair salée et de légumes. Le froid est tel que, hors le vin d'Espagne, toutes les autres boissons gèlent. « On donnait le cidre à la livre. » Bien plus, « nous étions contraints d'user de très mauvaises eaux et boire de la neige fondue, car nous n'avions ni fontaines ni ruisseaux ».

Heureusement, au mois de mars 1605, des Amérindiens viennent échanger le produit de leur chasse contre du pain et de menus objets. De Monts, un moment, songe même à rapatrier tout son monde en France. « Mais Dieu nous assista mieux que nous n'espérions, car, le 15 juin suivant, sur les onze heures du soir, Gravé Du Pont, le capitaine de l'un des vaisseaux du sieur de Monts, arriva dans une chaloupe. Il nous dit que son navire était ancré à six lieues de notre habitation. Il fut le bienvenu au contentement de chacun. »

Vive Port-Royal !

Dès le 17 juin, de Monts décide de chercher un endroit plus propice pour s'établir. Pendant plus d'un mois, il longe la côte vers le sud et descend jusqu'à la hauteur de Cape Cod. Les Français prennent contact avec les Amérindiens, remarquent leur façon de vivre et de cultiver la terre.

À la fin du mois d'août 1605, tout le monde déménage à Port-Royal. Les ouvriers transportent la charpente des maisons construites à Sainte-Croix au nouvel emplacement. Rapidement s'élèvent de nouveaux bâtiments, beaucoup plus considérables que ceux de l'établissement précédent.

> Le plan de l'habitation était de dix toises de long et de huit de large, ce qui fait trente-six toises de circuit. Du côté de l'orient est un magasin de la longueur de celle-ci et une fort belle cave de cinq à six pieds de haut. Du côté du nord est le logis du sieur de Monts, élevé d'assez belle charpenterie. Autour de la basse cour sont les logements des ouvriers. À un coin du côté de l'occident, il y a une plateforme où on a mis quatre pièces de canon et, à l'autre coin vers l'orient, il y a une palissade en façon de plateforme.

De Monts laisse la direction de la colonie à Gravé et s'embarque pour la France. Champlain décide de demeurer à Port-Royal, « sur l'assurance que j'avais de faire de nouvelles découvertes vers la Floride ».

Au cours de l'hiver de 1605-1606, la maladie ne fait que douze victimes parmi les quarante-cinq occupants. Champlain et Gravé occupent le printemps à explorer la côte de la Floride. La colonie de Port-Royal se montre de plus en plus vivace. D'autant plus qu'à la fin du mois de juillet, arrivent une cinquantaine de recrues. L'Acadie a maintenant un nouveau chef : Poutrincourt. Les espoirs d'un établissement permanent en Nouvelle-France renaissent.

Carte de la Nouvelle-France par Samuel de Champlain, 1632

LA FONDATION DE QUÉBEC

LE 27 JUILLET 1606, LE *JONAS*, UN NAVIRE JAUGEANT 150 TONNEAUX, jette l'ancre dans la baie de Port-Royal. La plupart des Français de la petite colonie sont absents. Il n'y a là que La Taille et Miquelet. Ils sont de garde. Le chef des Micmacs, Membertou, qui venait d'apercevoir le navire, court au fort avertir les deux colons. Il interrompt leur repas, car il est près de midi. La Taille se dirige à toute vitesse vers la rive et se rend compte que le navire déploie une bannière blanche à la pointe du mât. Il lance quatre volées de canon pour saluer l'arrivée du *Jonas* et ce dernier répond par trois canonnades suivies de plusieurs « mousquetades ».

La joie est grande, tant chez les passagers que chez les colons. Le navire avait quitté le port de La Rochelle le 13 mai précédent. La nouvelle recrue comprend plusieurs personnes de qualité : Marc Lescarbot, avocat et poète parisien en vacances en Acadie ; Louis Hébert, apothicaire parisien âgé d'une trentaine d'années ; Claude de Saint-Étienne de La Tour et son fils Charles. Des représentants de divers métiers complètent la liste des arrivants.

Dès le lendemain de leur débarquement, tous se mettent à l'ouvrage. « Le sieur de Poutrincourt, affectionné à cette entreprise comme pour soi-même, écrit Lescarbot, mit une partie de ses gens en besogne au labourage et à la culture de la terre, tandis que les autres s'occupaient à nettoyer les chambres et chacun à appareiller ce qui était de son métier. » Comme la colonie ne compte aucune femme, les hommes doivent se partager les menus travaux ménagers !

Poutrincourt considère que l'agriculture, dans une colonie, est aussi importante que la recherche des trésors. Selon Lescarbot, « qui aura du blé, du vin, du bétail, des toiles, des draps, du cuir, du fer et au bout des morues, n'aura que faire des autres trésors quant à la nécessité de la vie ». Dès le début du mois d'août, les hommes s'affairent à semer du blé, du seigle, du chanvre, du lin, des navets, du raifort, des choux « et autres semences ». Huit jours plus tard, les jeunes pousses sortent déjà de terre. On construit aussi le premier moulin à eau en Amérique du Nord.

À la fin du mois d'août, Gravé Du Pont quitte Port-Royal avec la majeure partie des « compagnons qui avaient demeuré l'hiver avec lui » et retourne en France. Poutrincourt organise alors un voyage d'exploration vers les côtes de la Floride, dans l'espérance de trouver un meilleur endroit où installer la colonie. La tournée se soldera par la perte de quelques hommes tués par les Amérindiens et par la déception de ne pas avoir trouvé de site plus convenable.

Le 14 novembre, Poutrincourt est de retour. Lescarbot souligne l'événement en organisant un spectacle auquel participent Français et Micmacs. L'avocat parisien avait composé pour la circonstance une petite pièce de théâtre en vers intitulée *Le Théâtre Neptune*. C'est la première représentation théâtrale en Nouvelle-France.

Un hiver doux

L'hiver 1606-1607 est l'un des plus doux et des moins meurtriers que la colonie française ait eu à affronter. La neige ne commence à tomber que le 31 décembre. Jusqu'au mois de janvier, les habitants de Port-Royal se promènent à l'extérieur vêtus seulement de leur pourpoint. Bien plus, « le quatorzième de ce mois, par un dimanche après-midi, écrit Lescarbot, nous nous réjouissons en chantant de la musique sur la rivière de l'Équille et en ce même mois nous allâmes voir les blés à deux lieues de notre fort et nous dînames joyeusement au soleil ».

Pour occuper les longs temps libres de l'hiver, Champlain invente un ordre dont le but premier est de créer de la vie et de l'activité dans l'habitation. Les principes de l'Ordre du Bon Temps sont simples : faire profiter les hivernants de Port-Royal des plaisirs de la table. L'intérêt et la recherche consacrés ainsi à l'alimentation ne sont certainement pas étrangers à la bonne santé du groupe. En effet, le scorbut cause peu de pertes de vie dans la petite colonie. « Il nous en décéda quatre en février et en mars », affirme Lescarbot. La maladie a surtout frappé « ceux qui étaient chagrins ou paresseux ».

Pendant que les jours s'écoulent joyeusement à Port-Royal, de Monts doit faire face, en France, à une opposition de plus en plus forte qui conteste son monopole de commerce en Nouvelle-France. Même ses associés ne se gênent pas pour pratiquer la contrebande des fourrures. Au mois de février 1607, le roi Henri IV écrit aux États de Hollande pour protester contre la présence de navires hollandais dans les eaux du fleuve Saint-Laurent. Au printemps 1607, la commission de de Monts est donc révoquée. Cette décision reçoit la ratification royale lors de la réunion du Conseil du roi, tenue à Paris le 17 juillet suivant. De Monts n'a donc plus la permission « de retenir les castors par le moyen de laquelle les marchands sont contraints de les acheter de lui ». Cette décision signifie, à plus ou moins brève échéance, la mort de Port-Royal.

Vite, on ferme !

Le 24 mai 1607, une voile apparaît devant le fort de Port-Royal. Encore une fois, Membertou est le premier à l'apercevoir, car il n'y avait personne « qui eût si bonne vue que lui, quoiqu'il soit âgé de plus de cent ans ». Poutrincourt envoie immédiatement une barque de reconnaissance. De part et d'autre, on tire du canon. Mais les réjouissances sont de courte durée, car le capitaine du navire, un nommé Chevalier, remet à Poutrincourt une lettre dans laquelle de Monts lui annonce que la société de commerce était rompue et que celle-ci ne peut désormais plus subvenir aux besoins financiers de la colonie.

Champlain et Lescarbot, dans leurs écrits, rapportent que la tristesse s'est alors emparée de tous les habitants qui ne cachent pas leur colère. Poutrincourt veut demeurer à Port-Royal encore une année. Il expose son projet « à quelques-uns de notre compagnie », écrit Lescarbot. « Il s'en présenta huit, bons compagnons auxquels on promettait chacun une barrique de vin, de celui qui nous restait, et du blé suffisamment pour une année, ajoute l'avocat ; mais ils demandèrent de si hauts gages qu'il ne put s'accommoder avec eux. Ainsi, il fallut se résoudre au retour. »

Chevalier avait été chargé d'apporter à la colonie quelques vivres de France : « Six moutons, vingt-quatre poules, une livre de poivre, vingt livres de riz, autant de raisins et de pruneaux, un millier d'amandes, une livre de muscade, un quarteron de cannelle, une demi-livre de girofle, deux livres d'écorce de citrons, deux douzaines de citrons, autant d'oranges, un jambon de Mayence et six autres jambons, une barrique de vin de Gascogne et autant de vin d'Espagne, une barrique de bœuf salé, quatre pots et demi d'huile d'olive, une jarre d'olives, un baril de vinaigre et deux pains de sucre. » Malheureusement, les colons de Port-Royal ne peuvent s'en délecter, car les matelots du *Jonas* avaient tout mangé au cours de la traversée croyant « que nous fussions tous morts ».

Le dernier navire quitte Port-Royal le 11 août. Au début du mois d'octobre 1607, tous les habitants de Port-Royal ont regagné la France. Un nouvel échec s'ajoute ainsi aux précédents.

On choisit Québec

De Monts, gentilhomme ordinaire de la Chambre du roi, ne se laisse pas décourager par la perte de son monopole. Il proteste auprès du roi Henri IV. Ce dernier, le 7 janvier 1608, lui renouvelle son privilège pour la durée d'une seule année. « Nous faisons très expressément inhibitions et défenses à tous marchands, maîtres et capitaines de navires, matelots et nos autres sujets, de quelques qualités et conditions qu'ils soient, d'équiper aucuns vaisseaux, et en ceux-ci d'aller ou envoyer faire trafic ou troc de pelleterie et autres choses avec les Sauvages de la Nouvelle-France, fréquenter, négocier et communiquer durant ledit temps d'un an en l'étendue du pouvoir dudit sieur De Monts, à peine de désobéissance, de confiscation entière de leurs vaisseaux, vivres, armes et marchandises au profit dudit sieur de Monts pour assurance de la punition de leur désobéissance. »

De Monts conserve son titre de lieutenant général de la Nouvelle-France et il donne à Champlain celui de lieutenant. Dès le 17 février, il procède à l'engagement des membres de sa recrue : Jean Duval et Antoine Notay, serruriers ; Robert Dieu et Antoine Aubry, scieurs de planches. Le lendemain, De Monts fait signer l'engagement de quatre autres personnes : Lucas Louriot, Jean Perret, Antoine Cavallier, tous trois charpentiers, et Martin Béguin, jardinier. Au cours des jours suivants, c'est au tour de Nicolas Duval, Lyevin Lefranc, François Jouan, Marc Balleny, Mathieu Billoteau dit La Taille, Pierre Linot, Jean Loireau, François Bailly, François et Guillaume Morel de signer leur contrat d'engagement. La plupart s'engagent à « aller demeurer et à habiter au pays de Nouvelle-France, autrement dit le Canada, durant le temps et espace de deux ans entiers ». En plus de leur assurer un salaire dont le montant varie suivant les métiers et professions, de Monts s'engage à les nourrir pour la durée de leur contrat.

Champlain, qui avait visité la vallée du Saint-Laurent au cours de l'été 1603, réussit facilement à convaincre de Monts que Québec est l'endroit idéal, tant pour un établissement que pour y faire la traite des fourrures. L'historien Marcel Trudel résume les raisons que fait valoir Champlain : « On serait mieux à l'abri de la concurrence européenne et le pays serait plus facile à défendre ; on profiterait de la ligue des indigènes, alliés à d'autres nations qui vivent sur les bords d'une mer intérieure ; la traite promettait d'y être plus fructueuse qu'en Acadie, et c'est le Saint-Laurent qui offrait la plus grande possibilité de conduire en Asie. »

Champlain quitte Honfleur sur le *Don-de-Dieu*, le 13 avril 1608. Huit jours auparavant, un autre navire nolisé par de Monts avait également fait voile vers la Nouvelle-France.

Le 3 juin, le *Don-de-Dieu* arrive devant Tadoussac. Champlain fait aussitôt mettre la barque à l'eau pour voir si Gravé, qui était sur l'autre navire, est arrivé. « Comme j'étais en chemin, raconte le fondateur de Québec, je rencontrai une chaloupe et le pilote et un Basque qui venaient m'avertir de ce qui leur était survenu pour avoir voulu faire quelques défenses aux vaisseaux basques de traiter, suivant la commission que le sieur de Monts avait obtenue de Sa Majesté. »

Gravé, arrivé quelques jours avant Champlain, trouve à Tadoussac un navire basque commandé par Martin Darache ou Darretche qui y fait la contrebande des fourrures. Ce dernier, n'acceptant pas la mise en demeure de Gravé Du Pont, tire sur le *Levrier* force coups de canon et de mousquet. Le capitaine français est blessé, ainsi que trois de ses hommes, dont un mourra par la suite. Les Basques se rendent ensuite à bord du navire français et enlèvent canons et munitions, « disant qu'ils traiteraient malgré les défenses du roi ».

Champlain désire savoir pourquoi un Basque est monté à bord de la chaloupe venue au-devant de lui. Le contrebandier répond « qu'il venait de la part de son maître et de ses compagnons pour tirer l'assurance de moi que je ne leur ferais aucun déplaisir, lorsque notre vaisseau serait dans le port ». Avant de prendre une décision, Champlain rencontre Gravé Du Pont qu'il trouve mal en point. « Nous considérâmes que nous ne pouvions entrer dans le port que par la force. » Pour ne pas compromettre l'installation à Québec, décision est prise d'user de diplomatie et d'attendre que le problème se règle en France.

Jugeant préférable de ne pas se rendre à Québec avec le *Don-de-Dieu*, Champlain fait préparer une barque « pour transporter tout ce qui nous serait nécessaire pour notre habitation ». Le lieutenant de de Monts occupe alors son temps à explorer le Saguenay. Les Amérindiens lui parlent d'une mer salée éloignée de quarante ou cinquante journées de marche de l'endroit où il se trouve. L'explorateur croit que cette mer n'est « qu'un gouffre qui entre dans les terres par les parties du Nord ».

Enfin, le 30 juin, la barque est prête et l'expédition entreprend la remontée du fleuve vers Québec où elle arrive le 3 juillet. À Québec, Champlain cherche l'endroit idéal où construire un petit fort. Il choisit une place tout près de l'eau, au pied de la falaise. Il fait abattre les noyers couvrant le terrain. Des hommes s'affairent à scier des planches pendant que d'autres creusent la cave et les fossés. Quelques-uns retournent à Tadoussac chercher le reste des bagages.

Pendant que l'on travaille à l'installation, des membres de l'expédition fomentent un complot pour assassiner Champlain. Dirigés par Jean Duval, ces conspirateurs veulent éliminer Champlain pour ainsi faire main basse sur les provisions et les marchandises de la nouvelle colonie puis s'enfuir en Espagne à bord d'un navire de pêche. Grâce au délateur Antoine Natel, le complot est mis au jour. Duval subit un procès : il fini pendu, sa tête mise au bout d'une pique à l'endroit le plus élevé du fort. Trois des complices retournent en France pour y être jugés.

Le 18 septembre, Gravé quitte Québec pour retourner en France. Champlain, qui demeure sur place, complète la construction du logement : « trois corps de logis à deux étages ». Chaque corps de logis mesure environ six mètres de longueur sur cinq de largeur. Quant au magasin, ses dimensions sont plus imposantes : douze mètres de longueur sur six de largeur, « avec une belle cave de six pieds de haut ». « Tout autour de nos logements, ajoute Champlain, je fis faire une galerie par dehors au second étage, qui était fort commode, avec des fossés de quinze pieds de large par six de profond ; au dehors des fossés, je fis plusieurs pointes d'éperons qui enfermaient une partie du logement, là où nous mîmes nos pièces de canon. » L'Habitation comprend aussi des places et des jardins.

Les hommes se préparent à affronter un nouvel hiver. Ils sont vingt-huit à vivre dans l'habitation. Mais rapidement, la mort prélève son tribut. Au cours du mois de novembre, la dysenterie enlève un matelot et le serrurier Antoine Natel, « à force de manger des anguilles mal cuites ». Mais ce n'est là qu'un début. Au cours de l'hiver, quinze autres personnes meurent : dix du scorbut et cinq de la dysenterie. Même le chirurgien Bonnerme ne peut repousser la maladie. Champlain cherche encore un remède au scorbut et il sait qu'avec « de bon pain et des viandes fraîches, on n'y serait point sujet ». Malheureusement, ces aliments ne sont pas toujours disponibles en Nouvelle-France...

Lorsque, le 5 juin 1609, arrive une chaloupe montée par Claude de Godet Des Maretz, le gendre de Gravé, il ne reste plus, à Québec, que huit hommes sur les vingt-huit qui devaient y hiverner !

Deux jours après l'arrivée de la chaloupe, Champlain se rend à Tadoussac rencontrer Gravé qui s'y trouve. Il y apprend que le sieur de Monts lui demande de retourner en France. Néanmoins, avant son départ, Champlain décide de pousser plus loin son exploration et de faire accommoder une chaloupe « de tout ce qui était nécessaire pour faire les découvertes du pays des Iroquois, où je devais aller avec les Montagnais, nos alliés ».

Le 18 juin 1609, Champlain part en voyage de découverte au pays des Iroquois, dans le haut de la rivière Richelieu. Il note, au passage, la qualité des bois ou des plaines, baptise quelques rivières, dont la rivière Sainte-Anne-de-la-Pérade. À une lieue et demie de l'embouchure de ce cours d'eau, l'explorateur rencontre deux à trois cents Hurons « cabannés proche d'une petite île, appelée Saint-Éloi », près de Batiscan. Des Algonquins accompagnent les Hurons. Le groupe se prépare à partir en guerre contre les Iroquois. Mais comme les Hurons « n'avaient jamais vu de chrétiens », ils demandent aux Français de leur faire visiter l'Habitation de Québec. Le 22 juin, « nous partîmes tous ensemble pour aller à notre habitation où ils se réjouirent quelque cinq ou six jours qui se passèrent en danses et en festins, pour le désir qu'ils avaient que nous fussions à la guerre ».

Un nouveau départ a lieu, le 28 juin. Champlain est accompagné de neuf hommes, ainsi que de Godet Des Maretz et de Jean Routier dit La Route, le pilote. La chaloupe traverse le lac Saint-Pierre. Les rivières reçoivent des noms, disparus depuis : la rivière Sainte-Suzanne (rivière du Loup, près de Louiseville) ; la rivière du Pont (rivière Nicolet) et la rivière de Gennes (la rivière Yamaska). L'expédition passe quelque jours dans les îles sises à l'entrée de la rivière Richelieu que l'on appelle la rivière des Iroquois. Ce groupe de Français serait le premier à avoir remonté ce cours d'eau. Des rapides empêchent l'embarcation de poursuivre sa route. Champlain prend alors la décision de renvoyer la barque à Québec et de continuer le voyage à bord d'un canot amérindien, accompagné seulement de deux de ses hommes.

Le 12 juillet, les trois Français arrivent devant un lac qui leur semble immense. Immédiatement, l'étendue d'eau en question reçoit le nom de lac Champlain. La traversée du lac s'effectue prudemment, car les amis des Français affirment que l'on vient d'entrer dans le pays ennemi. Ces mêmes amis leur révèlent qu'une fois traversées deux lieues de terre, on arrive à une rivière « qui va tomber en la côte de Norembegue, tenant à celle de la Floride ». Cette fameuse rivière vient d'être explorée cette même année par Henry Hudson qui lui a laissé son nom.

Samuel de Champlain et ses compagnons algonquins et hurons avaient fait le voyage pour aller combattre les Iroquois. Le 29 juillet, vers les dix heures du soir, ils font la rencontre de leurs ennemis. « Eux et nous, écrit l'explorateur, nous commençâmes à jeter de grands cris, chacun se parant de ses armes. Nous nous retirâmes vers l'eau et les Iroquois mirent pied à terre et arrangèrent leurs canots les uns contre les autres et commencèrent à abattre du bois avec de méchantes haches. »

Les Iroquois envoient deux canots pour connaître les intentions de leurs ennemis. Tout le monde veut combattre, mais on préfère attendre au lendemain matin. La nuit se passe en chants et en danses. Les Algonquins et les Hurons crient aux Iroquois « qu'ils verraient des effets d'armes que jamais ils n'avaient vus ».

Au matin du 30 juillet, l'engagement a lieu. Les trois Français ont chacun une arquebuse. Les Amérindiens alliés ouvrent leurs rangs en deux pour laisser passer Champlain qui prend la tête. Rendu à trente pas des Iroquois, l'explorateur s'arrête. On s'observe de part et d'autre. « Comme je les vis s'ébranler pour tirer sur nous, raconte Champlain, je couchai mon arquebuse en joue et visai droit à un des trois chefs et, de ce coup, il en tomba deux par terre et un de leurs compagnons qui fut blessé, qui quelque temps après en mourut. J'avais mis quatre balles dans mon arquebuse. » Pour la première fois sans doute, les Iroquois viennent de faire les frais des armes à feu.

En épousant la cause des Algonquins et des Hurons, les Français venaient de se faire des ennemis mortels.

Une petite vie de traiteur

Pendant plusieurs années, Québec ne sera qu'un petit poste de traite où séjournent quelques dizaines d'hommes. Les grands espoirs de colonisation sont directement reliés aux problèmes financiers des compagnies de traite. Le monopole de de Monts, valable pour une seule année, doit se terminer le 29 mars 1609. Des marchands de Saint-Malo, de Bayonne, de Saint-Jean-de-Luz et de la côte de Guyenne signent une requête au roi Henri IV lui demandant d'ordonner « que ledit sieur De Monts retirera ses vaisseaux et ses hommes (si aucuns y en a) hors de la côte de Canada et de Saguenay avec défense à lui et à tous les autres de troubler les suppliants audit commerce et trafic, sous peine d'être déclarés perturbateurs du repos public ». Comme on le voit, les marchands français voient d'un mauvais œil l'établissement d'un poste permanent dans la vallée du Saint-Laurent.

Le Conseil d'État se rend à la demande des marchands et, le 6 octobre 1609, la traite redevient libre. Seule subsiste l'obligation pour ceux qui enverront des navires dans le Saint-Laurent de payer une certaine somme à de Monts, à titre de compensation.

Après un hiver passé en France, Champlain revient à Québec à la fin du mois d'avril 1610. Quelques semaines plus tard, il accompagne encore une fois Montagnais et Hurons dans une expédition guerrière contre les Iroquois. Les Français profitent de ce voyage pour faire la traite des fourrures. Ceux qui demeurent à l'Habitation s'occupent en particulier du jardinage. Au début du mois d'août, lorsque Champlain quitte encore une fois Québec pour retourner en France, il laisse les jardins « bien garnis d'herbes potagères de toutes sortes, avec de fort beau blé d'Inde, du froment, du seigle, de l'orge qu'on avait semé et des vignes que j'y avais planté durant mon hivernement ».

Le fondateur de Québec profite de son séjour dans la métropole pour épouser Hélène Boullé, âgée de 12 ans. Le mariage est célébré le lendemain des fiançailles, le 30 décembre 1610. Bien que cette union ne puisse être consommée avant deux ans, étant donné le jeunesse de l'épousée, elle apporte 6000 livres en dot. Mais la vie matrimoniale n'empêche pas Champlain de revenir à Québec.

Une promenade dans l'île

Considérant peut-être que Québec n'est pas l'endroit idéal pour une habitation, Champlain se rend sur l'île de Montréal au printemps de 1611. Il débarque à un endroit qu'il nomme Place Royale. Près de ce site,

> il y a une petite rivière [rivière Saint-Pierre] qui va assez dedans les terres, tout le long de laquelle il y a plus de soixante arpents de terre désertés qui sont comme prairies où l'on pourrait semer des grains et y faire des jardinages. [...] Il y a aussi

> quantité d'autres belles prairies pour nourrir tel nombre de bétail que l'on voudra et toutes les sortes de bois que nous avons dans nos forêts par-deçà : avec quantité de vignes, noyers, prunes, fraises et autres sortes qui sont très bonnes à manger. [...] La pêche du poisson y est fort abondante et de toutes les espèces que nous avons en France et de beaucoup d'autres que nous n'avons pas et qui sont très bons ; comme aussi la chasse des oiseaux de différentes espèces ; et celle des cerfs, daims, chevreuils, caribous, lapins, loups-cerviers, ours, castors et autres petites bêtes qui y sont en telle quantité que, durant que nous fûmes audit saut, nous n'en manquâmes aucunement.

L'endroit émerveille Champlain. Il fait fabriquer de la brique avec la « très bonne terre grasse à potier » qu'il trouve près de là. Quelques hommes construisent sur un îlet non loin de la rive une muraille de quatre pieds d'épaisseur, de trois à quatre de haut et de soixante pieds de long « pour voir comment elle se conserverait durant l'hiver quand les eaux descenderaient ».

L'explorateur remarque, au milieu du fleuve, une île où l'on pourrait bâtir « une bonne et forte ville ». Il la nomme île Sainte-Hélène, sans doute pour rappeler le souvenir de sa jeune épouse demeurée à Paris.

Le retour d'Étienne Brûlé

Les projets d'établissement ne distraient pas Champlain de ses obligations de traiteur. Son voyage dans la région de Montréal a pour but premier le commerce des fourrures. L'année précédente, il avait donné rendez-vous à cet endroit à un groupe huron. Mais l'attente se faisant longue, il occupe son temps à explorer les environs. Le 9 juin 1611, Savignon, qui avait séjourné en France l'hiver précédent, revient d'une journée dans la région du lac des Deux Montagnes, où il espérait découvrir les canots hurons. Il rapporte qu'il a vu, sur une île, non loin de là, une « si grande quantité de hérons que l'air en était tout couvert ». Un nommé Louis, employé du sieur de Monts, grand amateur de chasse, demande à Savignon de le conduire à cet endroit. Accompagnés d'un Montagnais, les deux hommes partent en canot et le trio se rend à l'île aux Hérons, « où ils prirent telle quantité de héronneaux et autres oiseaux qu'ils voulurent ». Lors du voyage de retour, le Montagnais veut emprunter un chemin plus dangereux où l'eau coule en rapides. L'embarcation chavire et Louis, qui ne savait pas nager, se noie. Pour commémorer le triste incident, les rapides reçoivent le nom de Sault-Saint-Louis.

Quelques jours plus tard, soit le 13 juin, les canots hurons font enfin leur apparition. À bord de l'un d'eux, se trouve Étienne Brûlé, qui vit depuis un an avec les Hurons. Champlain est heureux de retrouver ce jeune garçon « qui vint habillé à la sauvage, qui se loua du traitement des Sauvages, selon leur pays et me fit entendre tout ce qu'il avait vu au cours de son hivernement et ce qu'il avait appris des Sauvages ». Au cours des jours qui suivent, Brûlé, qui a bien appris la langue huronne, sert d'interprète, appelé alors truchement. Ce jeune homme d'une vingtaine d'années est, comme le note l'historien Léo-Paul Desrosiers, « le premier Blanc à avoir remonté l'Outaouais, à avoir atteint la baie Georgienne et ainsi les Grands Lacs, à avoir visité la Huronie, à avoir sauté les rapides de Lachine ».

Les Hurons sont méfiants, car Champlain n'est pas seul. Treize barques sont là pour faire la traite, et l'explorateur déclare qu'il n'a pas d'autorité sur tout ce monde ! Les Amérindiens sont « fâchés de voir tant de Français qui n'étaient pas bien unis ensemble ». Qu'importe, toutes les peaux de bêtes sont échangées contre des objets de traite. Les Hurons semblent plus intéressés à recevoir une aide militaire pour leurs guerres contre les Iroquois qu'à s'enrichir de pacotille. Champlain va discuter avec eux à leur campement.

Au retour, les canots doivent franchir le Sault-Saint-Louis. Pour ce faire, les Amérindiens se dévêtent et Champlain se retrouve en chemise. Surprise ! Le grand voyageur ne sait pas nager, on lui recommande donc, si le canot chavire, de ne point le lâcher et de se « tenir bien à de petits bâtons qui y sont par le milieu ».

Les autres commerçants sont déçus de la traite qui rapporte trop peu. Le 19 juillet, Champlain est de retour à Québec où il prépare son départ pour la France. Il veille à ce que tout soit en ordre : « Je disposai le plupart d'un chacun à demeurer à ladite habitation, puis j'y fis faire quelques réparations, planter des rosiers et je fis charger du chêne de fente pour faire l'épreuve en France, tant pour le marin lambris que fenêtrage. »

La famille royale en scène

En France, la situation de la compagnie de commerce formée par de Monts est plus que précaire. À la fin de 1611, « les associés se réunissent à Rouen, mais, faute d'un monopole, écrit Marcel Trudel, ils ne veulent plus soutenir l'entreprise ; de Monts rachète donc leurs parts et devient l'unique propriétaire de l'Habitation de Québec ».

En 1612, Champlain reste en France où il emploie une partie de son temps à chercher le moyen d'assurer la survie de la petite colonie en y intéressant quelques grands personnages. Il obtient audience auprès de Charles de Bourbon, comte de Soissons. « Je m'adressai à lui, raconte Champlain, et je lui remontrai l'importance de l'affaire, les moyens de la régler, le mal que le désordre avait par ci-devant apporté et la ruine totale dont elle était menacée, au grand déshonneur du nom français, si Dieu ne suscitait pas quelqu'un qui voulait la relever et qui donnait espérance de faire un jour réussir ce que l'on a pu espérer d'elle. »

À la suite d'une réponse favorable du comte de Soissons, Champlain se présente devant le roi Louis XIII et les membres de son conseil. Il obtient la nomination du comte au poste de lieutenant général de la Nouvelle-France. Le comte fait de Champlain son lieutenant. Malheureusement, Charles de Bourbon meurt trois semaines après sa nomination. Henri de Bourbon, prince de Condé et neveu du défunt, devient, le 13 novembre 1612, vice-roi et lieutenant général de la Nouvelle-France. Champlain est confirmé à son poste.

Enfin, le 6 mars 1613, le fondateur de Québec s'embarque à Honfleur, à destination du Canada. Un mois et un jour plus tard, il arrive à Québec où il retrouve « ceux qui y avaient hiverné en bonne disposition, sans avoir été malades, lesquels nous dirent que l'hiver n'avait point été grand et que la rivière n'avait point gelé ».

Six jours après son arrivée à l'Habitation, l'explorateur part en direction du pays des Algonquins, il remonte la rivière Outaouais. Le 4 juin, il est aux pieds de la chute de la Chaudière, à l'embouchure de la rivière Rideau, là où s'élève aujourd'hui la ville d'Ottawa. N'ayant pas découvert la mer du Nord ou le passage vers la Chine, Champlain revient à Québec.

Les pirates du Saint-Laurent

Même si le roi de France avait accordé le privilège de commerce et de traite à l'un de ses parents, le prince de Condé, la contrebande continue à se développer sans contrainte dans la vallée du Saint-Laurent. Le 14 novembre 1613, Louis XIII étend le monopole du commerce de Québec à la rivière Matane, en précisant :

> Nous avons fait défense à tous nos autres sujets de quelque qualité et condition qu'ils soient d'équiper aucuns vaisseaux pour aller traiter et négocier et ne faire pendant douze années consécutives aucun trafic ni commercer avec les Sauvages dudit pays depuis le lieu appelé Québec, sis en la grande rivière de Canada, anciennement appelé le fleuve Saint-Laurent, par la hauteur de quarante-sept degrés de latitude et cent vingt lieues de longitude, et en amont du lieu de Québec, ayant réservé à nos autres sujets la liberté de traiter et négocier en tous les autres endroits de la Nouvelle-France. Mais, parce que le temps a fait reconnaître que divers étrangers, envieux de ce bon œuvre, ont entrepris de courir sus à nos sujets avec main armée et les incommodent, même qu'ils ont pris et piraté quelques-uns de leurs navires, ce qui n'arriverait point [...] si notre cousin et ceux qui ont de lui commission avaient eu le pouvoir de négocier, traiter et assurer leurs habitations et leur commerce de Québec jusqu'à la rivière et le lieu appelé Matane.

En conséquence, toute la région qui va de Matane vers l'ouest est réservée au prince de Condé.

Le lendemain, on constitue la Compagnie de Canada, regroupant des marchands de Saint-Malo, de la Rochelle et de Rouen, qui obtiennent, sous le patronage du prince de Condé, le monopole de commerce et de traite pour une période de onze ans. Parmi les obligations de la nouvelle compagnie, il y a celle de transporter à Québec six familles « pour commencer le peuplement du pays ». Le 26 novembre de la même année, trois maçons parisiens signent un contrat d'engagement de deux ans pour la Nouvelle-France : Gilbert Courceron, Jean Leclerc et Pierre Dutet. On ignore à quelle date ces engagés honoreront leur contrat.

Lorsque Champlain quitte de nouveau le port de Honfleur, le 24 avril 1615, quatre religieux récollets l'accompagnent : les pères Denis Jamet, Jean Dolbeau et Joseph Le Caron, ainsi que le frère Pacifique Duplessis. Le 25 mai, le navire jette l'ancre en face de Tadoussac.

Champlain se rend immédiatement dans le pays des Iroquois afin d'aider les Montagnais, les Algonquins et les Hurons dans leur offensive guerrière. Au cours d'un engagement, l'explorateur français sera blessé et ses amis amérindiens subiront la défaite.

Quelques nouveaux colons

En plus de faire la guerre et la traite, il faut songer à peupler le pays. Le 6 mars 1617, Louis Hébert, sa femme Marie Rollet, ses deux filles Anne et Guillemette, son fils Guillaume et son beau-frère Claude Rollet s'engagent à émigrer à Québec. Hébert devra « travailler à tout ce que [lui] commanderont ceux qui auront charge de la compagnie ». En échange de quoi, il aura le droit « de défricher, labourer et améliorer les terres du pays, et le revenu de [ses] labeurs et de [ses] gens » devront être remis entre les mains des gens de la compagnie pendant les deux premières années. À la fin de ce terme, Hébert devra pourvoir à sa nourriture et à son logement. Les produits de ses récoltes pourront être vendus à la compagnie selon les prix en vigueur en France.

Après trois mois en mer, le *Saint-Étienne*, qui transporte les nouveaux colons, arrive enfin à Tadoussac le 14 juin 1617. Une barque les transporte à Québec où l'arrivée de la première famille est saluée tant par les récollets que par les quelques autres habitants qui y vivent déjà. Mais les commis de la compagnie voient d'un mauvais œil l'installation de gens dont le but premier n'est pas la traite des fourrures.

Champlain, qui est alors en France, présente au roi et aux membres du Conseil royal un mémoire dans lequel il expose les besoins et les ressources de la colonie naissante. Selon lui, si la France abandonne son projet de colonisation de la vallée du Saint-Laurent, les Anglais et les Hollandais vont immédiatement occuper l'endroit. Une des raisons qui incite les autorités royales à fournir les fonds nécessaires au développement de la Nouvelle-France, c'est le rêve de la découverte du passage vers la Chine en passant par le fleuve Saint-Laurent.

Le fondateur de Québec demande « trois cents familles, chacune composée de quatre personnes, savoir le mari et la femme, fils ou fille, ou serviteur et servante, au-dessous de l'âge de vingt ans, savoir les enfants et les serviteurs ». Un rapide développement de la population permettrait de construire à Québec « une ville de la grandeur presque de celle de Saint-Denis, laquelle ville s'appellera, s'il plaît à Dieu et au roi, Ludovica ».

La Chambre de commerce, à qui Champlain soumet un mémoire détaillant les ressources de la Nouvelle-France, recommande au roi de maintenir le privilège de commerce, en échange de l'obligation de peupler le territoire. Il faudra attendre une quarantaine d'années avant que de forts contingents de nouveaux colons atteignent Québec.

Une colonie qui vivote

À l'été de 1618, Champlain est de retour à Québec. Il rend visite à Louis Hébert qui a déjà labouré un coin de terre et semé du blé. Les jardins de l'Habitation sont « chargés de toutes sortes d'herbes, comme choux, raves, laitues, pourpier, oseille, persil et autres herbes, citrouilles, concombres, melons, pois, fèves et autres légumes ».

Si les légumes poussent bien, il n'en va pas de même du terrain de la bonne entente qui est nettement moins fertile ! Il y a des dissensions au sein de la compagnie de commerce. En 1619, Champlain se voit confiné dans un rôle d'explorateur, alors que Gravé Du Pont devient commandant de l'Habitation. À l'automne de 1619, Henri II, duc de Montmorency, devient vice-roi de la Nouvelle-France et Champlain, enfin, reçoit le commandement effectif de l'Habitation. Il revient donc à Québec en 1620, accompagné de son épouse, Hélène Boullé, et de quelques nouveaux colons. Le lendemain de son arrivée, après une messe solennelle, il fait assembler colons, traiteurs, truchements et missionnaires qui doivent entendre la lecture de la commission de Sa Majesté et de celle donnée par le vice-roi à Champlain. « Ceci fait, chacun crie *Vive le roi*, le canon fut tiré en signe d'allégresse et ainsi, écrit le fondateur de Québec, je pris possession de l'habitation et du pays au nom de mondit seigneur le vice-roi. »

Le nouveau commandant ordonne la remise en ordre de l'Habitation laissée à l'abandon au cours des dernières années. « Il y pleuvait de toutes parts, l'air entrait par toutes les jointures des planchers qui s'étaient rétrécis de temps en temps ; le magasin s'en allait tomber. [...] Cela semblait une pauvre maison abandonnée aux champs où les soldats auraient passé. [...] J'employai les ouvriers pour y travailler, tant en pierre qu'en bois. »

Pour assurer la défense du site, Champlain fait construire un fort « sur une montagne qui commandait sur le travers du fleuve Saint-Laurent qui est un des lieux les plus étroits de la rivière ». Le fort en bois, bâti sur le Cap-aux-Diamants, reçoit le nom de Saint-Louis.

Une soixantaine de personnes dont des femmes et des enfants hivernent à Québec en 1620-1621. La colonie prend forme.

Le peuple se manifeste

Le duc de Montmorency décide de confier le monopole de la traite des fourrures à une nouvelle compagnie formée par Ézéchiel et Guillaume de Caën. Le 26 novembre 1620, la Compagnie de Montmorency obtient pour onze ans d'abord, puis pour quinze, l'exclusivité de la traite. L'article onze de la convention stipule : « Aucun de quelque qualité qu'il soit ne pourra traiter directement ou indirectement d'aucunes sortes de pelleterie, ni faire aucun trafic ou commerce que pour son usage audit pays ou pour lesdits de Caën, ou leur société et par l'ordre de celle-ci, à peine de confiscation applicable à ladite société. » Les colons seront, à l'avenir, obligés de vendre le surplus de leur production de blé et autres vivres aux commis de la compagnie, aux prix courants en France. Quant à la compagnie, elle vendra aux colons « les vêtements, accoutrements et autres commodités aux prix en usage dans la métropole ».

En 1621, les de Caën veulent faire valoir leur monopole contre Gravé. Une dispute éclate entre l'ancien détenteur du monopole et les nouveaux. Le 1er avril de l'année suivante, un arrêt du conseil privé régularisera la situation en ordonnant la fusion des deux compagnies.

La petite colonie ne veut pas faire les frais de la mésentente. Le 18 août 1621, les principaux colons se réunissent. Ils dressent la liste de leurs griefs et de leurs recommandations. Le père récollet Georges Le Baillif est mandaté pour aller présenter au roi le cahier général des remontrances, ainsi résumé par l'historien G.-M.

Dumas : « Protection de la colonie en cas d'attaques de la part d'une puissance étrangère ; construction d'un fort sur le cap aux Diamants ; défense aux commerçants huguenots de La Rochelle de fournir des armes aux Sauvages ; fin des querelles qui divisaient les deux compagnies de marchands ; entretien et accroissement de la religion catholique ; défense aux protestants d'exercer leur culte dans la colonie ; fondation à Québec d'un séminaire pour 50 enfants sauvages ; établissement d'une justice plus forte contre les malfaiteurs ; augmentation de l'autorité et des appointements de Champlain. »

Louis XIII, qui accorde deux audiences au père Le Baillif, réglera les problèmes les plus urgents.

Une nouvelle habitation

Québec se développe lentement. Quelques colons vivent sur « les hauteurs », d'autres dans la partie basse près du fleuve. En 1623, Champlain fait construire un petit chemin pour relier les deux parties.

L'année suivante, jugeant que l'Habitation ne répondait plus aux exigences de la colonie, le représentant du vice-roi fait « tirer les alignements pour commencer à bâtir un corps de logis ». Lorsque Champlain quitte Québec pour retourner en France à la mi-août 1624, il laisse « l'habitation nouvelle bien avancée et élevée de 14 pieds de haut, 26 toises de muraille faite avec quelques poutres au premier étage et toutes les autres prêtes à mettre, les planches sciées pour la couverture, la plupart du bois taillé et amassé pour la charpente de la couverture du logement ; toutes les fenêtres faites et la plupart des portes, de sorte qu'il n'y avait plus qu'à les appliquer ». « Je laissai, ajoute Champlain, deux fourneaux de chaux cuite, de la pierre assemblée et il ne restait plus en tout que sept ou huit pieds de hauteur, que toute la muraille ne fut élevée, ce qui se pouvait faire en quinze jours, les matériaux étant assemblés, pour être logeable, si on eût voulu y apporter la diligence requise. »

Le 15 août 1624, Champlain et son épouse quittent Québec. Après une traversée sans histoire, ils débarquent à Dieppe, le 1er octobre. Quelques jours plus tard, Champlain rencontre Louis XIII et le duc de Montmorency. Ce dernier décide de se départir de sa charge de vice-roi de la Nouvelle-France au profit du duc de Ventadour. Le règne de celui-ci sera de courte durée, car un nouveau personnage vient de prendre la direction des affaires de France, Armand-Jean Du Plessis, cardinal de Richelieu, alors âgé de 39 ans. Celui-ci s'intéresse de plus en plus à la Nouvelle-France. Au début du mois de juillet 1626, « on crée, sur le papier du moins, la Compagnie de Morbihan qui devait se composer de cent associés et devenir propriétaire du sol et du commerce de la Nouvelle-France ». Il faudra attendre encore presque une année avant qu'une nouvelle compagnie de commerce soit mise sur pied.

Pendant ce temps, Champlain est revenu à Québec où il arriva le 5 juillet 1626. Il est déçu de voir que les ouvriers ont fait peu de progrès dans la construction en pierre de la nouvelle habitation. « Après avoir tout considéré, je jugeai combien, par le temps passé, les ouvriers perdaient le temps aux plus beaux et longs jours de l'année, pour entretenir le bétail de foin qu'il fallait aller quérir au Cap de Tourmente à huit lieues de notre habitation, tant à faucher et faner qu'à l'apporter à Québec en des barques qui font de peu de port, où il fallait être près de deux mois et demi, employant plus de la moitié de nos gens de travail qui ne dépassaient pas vingt-quatre, de cinquante-cinq personnes qui étaient en ladite habitation. » Champlain décide donc de construire une habitation au Cap-Tourmente et d'y laisser en permanence « quelques hommes pour la conservation du bétail ». Il fait donc construire une étable et deux corps de logis « faits de bois et de terre à la façon de ceux qui se font aux villages de Normandie ».

En 1627, Richelieu met sur pied une nouvelle compagnie formée de cent associés qui reçoit tout le territoire compris entre la Floride et le cercle Arctique, de Terre-Neuve aux Grands Lacs. La Compagnie de la Nouvelle-France monopolisera la traite des fourrures sur ce territoire pendant quinze ans, à compter du 1er janvier 1628. Les habitants de la colonie pourront faire la traite, mais ils seront obligés de vendre les peaux aux commis de la compagnie. Parmi les obligations auxquelles s'astreignent les associés, il y a celle d'envoyer en Nouvelle-France au cours de la première année de leur monopole « deux à trois cents personnes de tous métiers, [...] et pendant les années suivantes en augmenter le nombre jusqu'à quatre mille de l'un et l'autre sexe dans les quinze ans prochainement venant et qui finiront en décembre que l'an comptera 1643. Les y loger, nourrir et entretenir de toutes choses généralement quelconques nécessaires à la vie, pendant trois ans seulement ». Il est spécifié que seuls des Français catholiques pourront émigrer en Nouvelle-France.

Richelieu, désireux de convaincre le plus grand nombre de Français à émigrer dans la nouvelle colonie, promet à ceux qui auront exercé un métier au Nouveau Monde pendant une période de six ans, d'être réputés maîtres s'ils reviennent en France. À cette époque, les corps de métiers étaient divisés en trois groupes : apprentis, compagnons, maîtres. Dans la métropole du XVIIe siècle, il devenait de plus en plus difficile d'obtenir la maîtrise, c'est pourquoi la promesse était alléchante.

Les associés travaillent à recruter de nouveaux colons. Ils y réussissent, car le 28 avril 1628, quatre navires ayant à leur bord environ quatre cents personnes quittent le port de Dieppe à destination de Québec. L'amiral Claude Roquemont de Brison commande la flotte. La mer est peu sûre, car la guerre vient d'éclater entre la France et l'Angleterre. Arrivé à Gaspé, Roquemont apprend par des Amérindiens la présence de cinq navires anglais dans la région de Tadoussac. Il décide de se rendre quand même à Québec. Le 18 juillet, à la hauteur de l'île Saint-Barnabé, l'affrontement entre les deux flottes a lieu. L'engagement dure plus de quatorze heures. On se lance quelque douze cents boulets. À la fin, ayant épuisé leurs munitions, les Français doivent se rendre. Les frères Kirke, qui commandaient les navires anglais, gardent prisonniers Roquemont, quelques Français et les pères missionnaires jésuites et récollets et autorisent les autres voyageurs à retourner en France.

Le 9 juillet précédent, deux des hommes de Champlain étaient arrivés à pied du Cap-Tourmente, apportant la nouvelle de l'arrivée de vaisseaux anglais. Aussitôt, à Québec, tout le monde s'affaire à construire quelque retranchement autour de l'Habitation. On veut établir des barricades sur les remparts devant le fort de la haute-ville. Le 10 juillet 1628, vers les trois heures de l'après-midi, quelques personnes à bord d'une barque cherchent à descendre sur une rive de la rivière Saint-Charles. Champlain envoie des arquebusiers les attendre de pied ferme. On reconnaît, parmi les occupants, Nicolas Pivert, sa femme Marguerite Le Sage et leur nièce. Les autres passagers sont des Basques faits prisonniers par les Kirke.

Un des Basques déclare qu'il a une lettre pour Champlain. Ce dernier réunit Gravé et les principaux habitants de Québec pour faire la lecture de la missive signée David Kirke. « Messieurs, pouvait-on lire, je vous avise comme j'ai obtenu commission du roi de la Grande-Bretagne, mon très honoré seigneur et maître, de prendre possession de ce pays, savoir le Canada et l'Acadie. »

Kirke en vient rapidement à l'objet de sa demande :

> Pour empêcher que nul navire ne vienne, je résous de demeurer ici jusqu'à ce que la saison soit passée, afin que nul navire ne vienne vous avitailler. C'est pourquoi voyez ce que vous désirez faire, si vous désirez me rendre l'habitation ou non, car, Dieu aidant, tôt ou tard il faut que je l'aie. Je désirerais pour vous que ce fût plutôt de courtoisie que de force, à la seule fin d'éviter le sang qui pourra être répandu des deux côtés. En la rendant de courtoisie, vous vous pouvez assurer de toutes sortes de contentements, tant pour vos personnes que pour vos biens, lesquels, sur la foi que je prétends au Paradis, je conserverai comme les miens propres, sans qu'il vous en soit diminué la moindre partie du monde.

Kirke demande à Champlain de lui envoyer un homme pour faire connaître sa décision. Et il signe : « Votre affectionné serviteur ».

Champlain n'entend pas se rendre aussi facilement. Ceux qui l'entourent sont d'avis que si Kirke « avait envie de nous voir de plus près, il devrait s'acheminer et non nous menacer de si loin ». Le commandant rédige donc immédiatement la réponse suivante :

> La vérité que plus il y a de vivres dans une place de guerre, mieux elle se maintient contre les orages du temps, mais aussi elle ne laisse de se maintenir avec médiocrité quand l'ordre y est maintenu. C'est pourquoi, ayant encore des grains, du blé d'Inde, des pois, des fèves, sans ce que le pays fournit, dont les soldats de ce lieu se passent aussi bien que s'ils avaient les meilleures farines du monde. Sachant très bien que rendre un fort et une habitation dans l'état où nous sommes maintenant, nous ne serions pas dignes de paraître hommes devant notre roi, que nous ne fussions répréhensibles et mériter un châtiment rigoureux devant Dieu et les hommes, la mort en combattant nous sera honorable. C'est pourquoi je sais que vous estimerez plus notre courage en attendant de pied ferme votre personnage avec vos forces, que si lâchement nous abandonnions une chose qui nous est si chère, sans d'abord voir l'effet de vos canons, approches, retranchements et batterie, contre une place que je m'assure qu'en la voyant et reconnaissant, vous ne la jugerez pas de si facile accès. »

Et c'est signé : « Votre affectionné serviteur, Champlain.

Pourtant, la situation est quasi désespérée à Québec, « chaque homme étant réduit à sept onces de pois par jour, n'y ayant pour lors que cinquante livres de poudre à canon, peu de mèche et de toutes les autres commodités ». Mais cela, Kirke l'ignore lorsqu'il reçoit la réponse de Champlain. Il brûle toutes les barques françaises qui se trouvaient à Tadoussac « hormis les plus grandes qu'ils emmenèrent ». La flotte anglaise lève l'ancre, car Kirke est convaincu que Québec ne peut plus recevoir de ravitaillement.

Mission jésuite de Sainte-Marie-des-Hurons

L'ÈRE DES FONDATIONS

À LA MI-JUILLET 1628, LES FRÈRES KIRKE DÉCIDENT DE RETOURNER EN ANGLETERRE. Le refus de Champlain de se plier à la sommation lui demandant de rendre Québec ne les alarme pas. Leur conquête du Canada n'est que partie remise ! Ils savent trop bien, hélas, que les Français établis dans la vallée du Saint-Laurent ont peu de chances d'être ravitaillés.

La petite colonie de Québec ne connaît pas encore les résultats de l'engagement survenu entre la flotte française de Roquemont et les navires anglais. « Cependant que nous attendions des nouvelles de ce combat avec grande impatience, écrit Champlain, nous mangions nos pois par compte, ce qui diminuait beaucoup nos forces, la plupart de nos hommes devenant faibles et débiles. Nous voyant dénués de toutes choses, jusqu'au sel qui nous manquait, je me délibérai de faire des mortiers de bois où l'on pilait des pois qui se réduisaient en farine. » Le spectre de la famine fait déjà son apparition. Pour moudre plus facilement la farine, on trouve le moyen de construire un moulin à bras, grâce à une pierre trouvée par le serrurier.

Champlain compte également sur l'aide des Amérindiens du voisinage. « La pêche de l'anguille vint qui nous aida beaucoup, mais les Sauvages habiles à cette pêche ne nous en donnèrent que fort peu, les nous vendant bien chères, chacun donnant leurs habits et commodités pour le poisson. »

On mise beaucoup sur la récolte de madame Hébert et de sa famille. Mais, déception ! « Ils ne nous pouvaient assister que d'une écuellée d'orge, de pois et de blé d'Inde par semaine, pesant environ neuf onces et demie, ce qui était fort peu de choses à tant de personnes. Il nous fallut passer ainsi la misère du temps. »

Quelques hommes hivernent chez les Amérindiens amis. Les autres, soit environ quatre-vingts personnes, demeurent à Québec. Chacun essaie de subsister comme il le peut. L'entente ne règne pas toujours. Ainsi, raconte Champlain,

> j'envoyai quelques-uns de nos gens à la chasse essayer s'ils pourraient imiter les Sauvages en la prise de quelques bêtes, mais ils ne furent pas aussi honnêtes que ces peuples car, ayant pris un élan très puissant, ils s'amusèrent à le dévorer

comme des loups ravissants, sans nous en faire part que d'environ vingt livres. Ce qui me fit à leur retour user de reproches de leur gloutonnerie, sur ce que je n'avais pas un morceau de vivres que je ne leur en fisse part. Mais comme c'étaient des gens sans honneur ni civilité, aussi s'étaient-ils gouvernés de même. Depuis, je ne les y envoyai plus, les occupant à autres choses.

La longue saison d'hiver de 1628-1629 est propice à la réflexion. Le principal sujet des discussions demeure l'attitude à prendre si les secours n'arrivent pas de France avant la fin du mois de juin et que les Anglais se présentent à nouveau devant Québec. On décide que Champlain négociera en tentant de retirer le maximum d'éléments profitables à la colonie. Par ailleurs, si aucun navire ne se présente, une partie de la colonie se rendra à Gaspé ou à Miscou dans l'espoir de trouver un navire qui la ramènerait en France.

Au printemps de 1629, la situation à Québec frise la catastrophe. « Il nous fallait avoir de quoi passer trois ou quatre mois ou mourir, écrit Champlain. Notre recours, bien que misérable, était d'aller chercher des herbes et des racines et de vaquer à la pêche de poisson. » La faim alimente l'ingéniosité culinaire. Selon l'historien Léo-Paul Desrosiers, les habitants de Québec « distinguent entre toutes la plante nommée Sceau de Salomon ; mangée crue, son acidité pique la bouche, mais on l'accommode avec du gland, du son, de la paille ». « Pour enlever toute amertume au gland, ajoute-t-il, on le fait bouillir jusqu'à deux fois avec de la cendre ; et dans le brouet qu'on en fait, on met un peu de poisson s'il s'en trouve. »

La colonie comprend une dizaine de femmes ou de filles et quelques enfants en bas âge : Louise Couillard, quatre ans, sa sœur Marguerite qui n'a pas ses trois ans, et Louis, baptisé le 18 mai 1629. Il ne faut pas oublier Hélène Martin qui aura deux ans le 21 juin. C'est la triste situation des femmes et des enfants qui émeut Champlain. « La déploration la plus sensible en ces lieux en ce temps de disette, avoue-t-il, était de voir quelques pauvres ménages chargés d'enfants qui criaient à la faim après leurs père et mère, qui ne pouvaient fournir à leur trouver des racines, car malaisément chacun en pouvait-il trouver pour manger à demi, dans l'épaisseur des bois à quatre à cinq lieues de l'habitation. »

La misère n'empêche pas la vie de poursuivre son cours. Le 16 mai 1629, Marie Rollet, veuve de Louis Hébert, épouse, en secondes noces, Guillaume Hubou, un habitant établi au pays depuis deux ans.

Les Anglais arrivent

De toute urgence, il faut trouver des vivres et du renfort ou, du moins, renvoyer en France une partie de la population de la colonie. Le 26 juin 1629, Eustache Boullé, beau-frère de Champlain, quitte Québec à bord de *La Coquine*, une petite barque d'une dizaine de tonneaux. Il doit conduire quelques personnes à Gaspé dans l'espoir de leur trouver un passage pour la France. Non loin de sa destination, Boullé croise Émery de Caën qui arrive de la métropole avec du ravitaillement pour la colonie. La paix entre la France et l'Angleterre, apprend-on, aurait été signée le 24 avril précédent. Québec ne devrait donc plus craindre une attaque anglaise. Boullé veut être le premier à annoncer ces bonnes nouvelles. Après quatre ou cinq jours de navigation, le beau-frère de Champlain aperçoit un vaisseau anglais monté par Thomas Kirke. « Nous résolûmes de gagner la terre pour nous sauver, raconte le navigateur. Le vaisseau anglais, s'apercevant que nous faisions retraite, nous tire un coup de canon et équipe une autre chaloupe avec double équipage pour lasser les nôtres qui faisaient ce qu'ils pouvaient pour se sauver. [...] Nous fûmes atteints par les Anglais qui nous pillèrent et ravagèrent tout ce que nous avions. »

Les prisonniers sont conduits devant David Kirke qui les reçoit amicalement. Boullé fait valoir la paix intervenue entre les deux pays. Kirke affirme que « ce sont contes faits à plaisir ». Sans doute ignore-t-il la signature du traité de Suse puisqu'il a quitté Gravesend au mois de mars. Le commandant anglais veut absolument connaître en détail la situation qui prévaut à Québec. Boullé tente de cacher la misère de la colonie, mais des matelots qui l'accompagnaient ainsi que des Amérindiens décrivent « le misérable état » de Québec.

Le 19 juillet, un Amérindien, qui avait sa maison près de celle des pères jésuites, annonce aux habitants de Québec l'arrivée des navires anglais.

> Lorsque ces nouvelles vinrent, raconte Champlain, j'étais seul au fort ; une partie de mes compagnons étaient allés à la pêche, les autres chercher des racines. Mon serviteur et les deux petites filles sauvages y étaient aussi. Sur les dix heures du matin, une partie se rendit au fort et à l'habitation. Mon serviteur arrivant avec quatre petits sacs de racines me dit avoir vu les vaisseaux anglais à une lieue de notre habitation, derrière le cap de Lévis. Je ne laissai de mettre en ordre si peu que nous avions pour éviter la surprise tant au fort qu'à l'habitation. Les pères jésuites et récollets accoururent aussitôt à ces nouvelles pour voir ce que l'on pourrait. Je fis assembler ceux que je jugeai à propos pour savoir ce que nous aurions à faire en ces extrémités : il fut arrêté qu'attendu l'impuissance dans laquelle nous étions, sans vivres, poudre, ni mèche et sans secours, il était impossible de nous maintenir.

Pendant que l'on délibère ainsi, on aperçoit une chaloupe « ayant un drapeau blanc » qui s'avance vers la rive. Champlain fait aussitôt hisser au mât du fort un drapeau blanc. Un gentilhomme anglais met pied à terre et se fait conduire auprès de Champlain. Il lui remet le pli suivant :

> Monsieur, par suite de ce que mon frère vous manda l'année passée que tôt ou tard il aurait Québec n'étant secouru, il nous a chargé de vous assurer de son amitié, comme nous vous faisons de la nôtre ; sachant très bien les nécessités extrêmes de toutes choses auxquelles vous êtes, que vous ayez à lui remettre le fort et l'habitation entre nos mains, vous assurant toutes sortes de courtoisies pour vous et pour les vôtres, comme d'une composition honnête et raisonnable, telle que vous sauriez désirer. En attendant votre réponse, nous demeurons, monsieur, vos très affectionnés serviteurs, Louis [Lewis] et Thomas Kirke. Du bord du *Flibot*, ce 19 juillet 1629.

Les principaux personnages de la colonie assistent à la lecture de la missive. Tous conviennent alors de répondre ainsi à la sommation :

> Messieurs, la vérité est que les négligences ou les contrariétés du mauvais temps et les risques de la mer ont empêché le secours que nous espérions en nos

souffrances et nous ont ôté le pouvoir d'empêcher votre dessein, comme nous avions fait l'an passé, sans vous donner lieu de faire réussir vos prétentions qui ne se feront, s'il vous plaît, maintenant qu'en effectuant les offres que vous nous faites d'une composition, laquelle on vous fera savoir en peu de temps après nous y être résolus, ce qu'attendant il vous plaira de ne pas approcher vos vaisseaux à portée du canon, ni entreprendre de mettre pied à terre avant que tout ne soit résolu entre nous, qui sera pour demain. Ce qu'attendant, je demeurerai, messieurs, votre affectionné serviteur, Champlain. Ce 19 juillet 1629.

Même réduits à une grande extrémité, les Français refusent de se rendre à n'importe quelle condition. Ils demandent d'abord à voir la commission du roi de la Grande-Bretagne autorisant les Kirke à s'emparer de Québec, « si c'est en effet par une guerre légitime que la France ait avec l'Angleterre ». De plus, Champlain demande un vaisseau pour permettre à ceux qui le voudront de retourner en France. Quant à lui, il exige l'autorisation de ramener avec lui dans la métropole deux petites Amérindiennes qui lui avaient été données deux ans auparavant. Demande est aussi faite « que l'on nous permettra de sortir avec armes et bagages et toutes sortes d'autres commodités de meubles que chacun peut avoir, tant religieux qu'autres, ne permettant qu'il nous soit fait aucun empêchement en quelque manière et façon que ce soit ».

Le soir du 19, les Kirke font parvenir leur réponse au fort : ils ne sont pas en mesure de produire la commission royale, car elle est entre les mains de David, à Tadoussac. Ils ne peuvent fournir un navire, mais les Français peuvent être assurés d'un passage en Angleterre et de là, en France, « ce qui vous gardera de retomber entre les mains des Anglais ». Champlain n'obtient pas la permission d'amener ses deux petites Amérindiennes.

Le lendemain, les trois navires anglais s'approchent de la rive et jettent l'ancre. Champlain se rend à bord du *Flibot* rencontrer Lewis Kirke et lui demande d'abord pourquoi il ne peut pas emmener avec lui ses deux filles auxquelles il avait enseigné tout ce qu'il pouvait et à qui il avait appris « à travailler à l'aiguille, tant en linge qu'en tapisserie, en quoi elles travaillent fort proprement ». Kirke revient sur sa décision et tout le monde en est ravi.

Lewis Kirke, qui avait reçu le commandement du poste de Québec, fait ensuite descendre quelques soldats pour protéger la chapelle des missionnaires, ainsi que la maison de Marie Rollet, veuve de Louis Hébert. Les Français voient ensuite débarquer cent cinquante hommes en armes venant prendre possession de l'Habitation. Corneille de Vendremur, le sous-commis de la compagnie, rend les clefs au nouveau commandant. Ce dernier les remet immédiatement entre les mains d'Olivier Le Baillif « qu'il avait pris pour commis, lequel s'était volontairement donné aux Anglais pour les servir et les aider à nous ruiner, comme perfide à son roi et à sa patrie ». Le Baillif n'est pas le seul à épouser la cause des Kirke. L'année précédente, le pilote Jacques Michel avait fait de même et, immédiatement après la reddition de Québec, selon Champlain, Étienne Brûlé, Nicolas Marsolet et Pierre Raye, un charron de son métier, offraient leurs services à l'Angleterre. Les quatre « traîtres » avaient déjà, par leur conduite, scandalisé les autres membres de la colonie. Ils mangeaient de la viande les vendredis et samedis, jours d'abstinence pour les catholiques. Ils se livraient, de plus, « à des débauches et des libertinages désordonnés ».

Champlain veut laisser son logis au nouveau commandant, mais ce dernier refuse, rendant au fondateur de Québec « toutes les sortes de courtoisies qu'il pouvait s'imaginer ». Lewis Kirke, né en France et élevé dans la religion protestante, permet même aux pères de célébrer la messe.

Au son du tambour

Le dimanche 22 juillet, en matinée, les Anglais prennent officiellement possession du fort et de l'Habitation. Après avoir enlevé les armes de France, Kirke fait « planter l'enseigne anglaise sur un des bastions ». Ensuite on bat le tambour. Les soldats s'assemblent en ordre sur les remparts. Le commandant fait tirer du canon et fait jouer « toute l'escoupeterie de ses soldats ». Québec est maintenant une colonie anglaise !

Une vingtaine de personnes, pour diverses raisons, décident de demeurer à Québec, alors que les autres se préparent à retourner en France. Kirke est heureux que la présence française se perpétue à Québec. « Comme Louis Kirke était courtois, tenant toujours du naturel français et d'aimer la nation, [...] écrit Champlain, il désirait obliger, en autant qu'il le pouvait, ces familles et les autres Français à demeurer, aimant mieux leur conversation et leur entretien que ceux des Anglais, à laquelle son humeur semblait répugner. »

Une nouvelle reddition

Les trois navires anglais quittent Québec, le 24 juillet. Le lendemain, non loin de La Malbaie, ils rencontrent le navire du sieur Émery de Caën. Un combat s'engage. Thomas Kirke se rend auprès de Champlain monté à bord de son navire. « Monsieur, dit-il, vous savez l'ordre de la mer qui ne permet pas à ceux d'un parti contraire d'être libres sur le tillac. C'est pourquoi vous ne trouverez pas étrange que vous et vos compagnons vous descendiez sous le tillac. » Conséquemment, les matelots ferment les panneaux conduisant à l'endroit où s'étaient retirés les Français et les clouent. Un des hommes du sieur de Caën crie : « Quartier », réclamant ainsi la fin de l'engagement. Le combat cesse. Thomas Kirke envoie un de ses hommes ouvrir un des panneaux et demander à Champlain de monter sur le tillac pour parlementer avec Émery de Caën. Ce dernier se rend aux mêmes conditions que celles accordées aux habitants de Québec.

Les Kirke et leurs prisonniers français arrivent à Tadoussac peu après. David Kirke les y attendait impatiemment. Une dizaine de jours plus tard, soit à la mi-août, à la suite de démarches du « perfide » Marsolet, David Kirke interdit à Champlain d'emmener avec lui les deux petites Amérindiennes, prénommées Espérance et Charité.

Les jours passent ainsi à Tadoussac. Il n'est pas encore question de lever l'ancre pour l'Angleterre. Pendant ce temps, à Québec, on termine le réaménagement du fort et de l'Habitation sous la supervision de David Kirke. Champlain et quelques autres occupent leur temps avec le général « à la chasse du gibier qui y est en cette saison abondant, principalement les alouettes, les pluviers, les courlieux, les bécassines dont il en fut tué plus de 20 000, outre la pêche que les Sauvages faisaient en assez grande quantité et d'éperlans que l'on prit en grand nombre avec des filets et quelques autres poissons, le tout très excellent ».

Enfin, le 14 septembre 1629, l'ordre du départ est donné. Le 20 octobre suivant, les navires jettent l'ancre à Plymouth, en Angleterre. On apprend la ratification du traité de Suse. Il devient alors évident que la capitulation de Québec a eu lieu en temps de paix, « ce qui fâcha grandement ledit Kirke ». Le 27 octobre, à Douvres, tandis que les pères jésuites et récollets ainsi que tous les autres Français prennent le chemin de France, Champlain se rend à Londres rencontrer l'ambassadeur de son pays « pour lui faire le récit de tout ce qui s'était passé dans notre voyage ».

Trois jours plus tard, Champlain rencontre M. de Châteauneuf qui, peu après, obtient du roi d'Angleterre, Charles Ier, l'espérance d'une remise de la place aux mains des Français. Mais l'affaire traîne en longueur et, le 30 novembre, l'ancien commandant de Québec quitte Londres à destination de Dieppe.

De retour à Paris, Champlain rencontre le roi Louis XIII, le cardinal de Richelieu et les responsables de la Compagnie de la Nouvelle-France. On décide d'envoyer en Angleterre le sieur Daniel, porteur d'une lettre du roi de France adressée au souverain anglais lui demandant la restitution du fort et de l'Habitation de Québec et des autres ports et havres qui avaient été pris sur les côtes de l'Acadie. Le roi Charles Ier et son Conseil ordonnent la remise des places, mais ils ne soufflent mot de l'Acadie. Les directeurs de la Compagnie de la Nouvelle-France organisent alors une flotte pour aller reprendre possession de Québec, de gré ou de force. Cette menace militaire n'a pas l'heur de plaire aux Anglais. Ces derniers reprochent d'ailleurs aux Français de s'être emparés de deux navires en temps de paix. Ils demandent donc la restitution de ces deux navires anglais. Richelieu écrit à l'ambassadeur Châteauneuf : « S'ils consentent à la restitution pure et simple de Québec, vous la prendrez ; sinon, il vaut mieux laisser tirer l'affaire en longueur. »

En 1630, la France a d'autres préoccupations que le petit poste de Québec. Ses guerres en Savoie et en Italie sont plus importantes que la Nouvelle-France. Par contre, Champlain et les dirigeants de la compagnie continuent à revendiquer les territoires conquis. Un an plus tard, les associés équipent quelques navires pour aller ravitailler les postes de l'Acadie et faire la traite à Tadoussac et dans la région de Québec. Le sieur de Caën remonte le fleuve jusqu'à Québec, espérant entrer en contact avec les Amérindiens qui descendraient, selon la coutume, échanger leurs fourrures contre des objets de troc. Thomas Kirke déclare à Émery de Caën que la traite s'annonce tellement faible qu'elle sera même insuffisante pour les Anglais.

Pendant ce temps, soit le 12 juin 1631, le roi d'Angleterre écrit à sir Isaac Wake, son ambassadeur en France, pour lui préciser les conditions de restitution de Québec et autres postes : « le paiement de la balance de la dot de la reine Henriette », l'épouse de Charles Ier ; « la restitution des navires pris par les Français » et « la main-levée des saisies pratiquées dans les eaux anglaises, contrairement au traité ». Il est convenu de rendre Québec et Port-Royal « dans le même état où elles étaient avant la conclusion de la paix ». Le roi ajoute : « Un autre point reste aussi à résoudre quant à l'obligation imposée à nos sujets de sortir du Canada et des autres lieux : c'est que révocation soit faite de tous les actes publiés en France contre tous ceux qui ont été engagés dans cette entreprise, particulièrement contre les trois frères Kirke. »

Enfin, un accord intervient le 29 mars 1632 à Saint-Germain-en-Laye. Guillaume de Caën doit se rendre à Québec présider à la remise du fort et de l'Habitation. En guise de compensation, il obtient le monopole de traite des fourrures pour la période d'une année, « à la condition, note l'historien Marcel Trudel, qu'il n'y aille pas lui-même et que soient catholiques tous ceux qui hiverneront à Québec ». Par contre, Émery de Caën obtient le commandement de la place.

Le dimanche de la Quasimodo, 18 avril 1632, un navire quitte le port de Honfleur ayant à son bord Émery de Caën, trois pères jésuites et une quarantaine d'hommes. La traversée est rude et ce n'est que le 18 juin que les voyageurs atteignent Tadoussac. Le 5 juillet suivant, le navire jette l'ancre devant Québec. Les Anglais occupent toujours la place. Le père Paul Le Jeune est déçu par ce qu'il voit : « Nous vîmes au bas du fort la pauvre habitation de Québec toute brûlée. Les Anglais qui étaient venus dans ce pays-ci pour piller et non pour édifier, ont brûlé, non seulement la plus grande partie d'un corps de logis que le père Charles Lalemant avait fait dresser, mais encore toute cette pauvre habitation de laquelle on ne voit plus que des murailles de pierres toutes bouleversées ; cela incommode fort les Français qui ne savent où loger. »

Le lendemain de son arrivée à Québec, de Caën montre à Thomas Kirke les lettres patentes des rois de France et d'Angleterre « par lesquelles il était commandé au capitaine anglais de rendre le fort dans les huit jours ». La remise du fort a lieu, le 13 juillet, et, le même jour, les Anglais quittent Québec à bord de deux navires. Ainsi se terminera la première occupation de Québec par les Anglais ! La colonie se trouve dans un bien piètre état. « Les Anglais délogeant, écrit le père Le Jeune, nous sommes rentrés dans notre petite maison. Nous y avons trouvé pour tous meubles deux tables de bois telles quelles, les portes, fenêtres et châssis, tous brisés et enlevés. Tout s'en va en ruine. C'est encore pire dans la maison des pères récollets. Nous avons trouvé les terres que nous avions défrichées couvertes de pois ; nos pères les avaient laissées à l'Anglais couvertes de froment, d'orge et de blé d'Inde. Cependant ce capitaine Thomas Kirke a vendu la récolte de ces pois, refusant de nous les donner pour les fruits qu'il avait trouvés sur nos terres. »

Les Kirke avaient amené avec eux un jeune Noir originaire de Madagascar ou de la Guinée. Ils l'avaient d'abord vendu à Olivier Le Baillif. Ce dernier le donne à Guillaume Couillard qui le fera baptiser l'année suivante sous le nom d'Olivier Le Jeune. Cet événement fait d'ailleurs craindre au jeune Noir d'être écorché vif car, noir de peau, on lui a dit que le baptême le rendrait pareil aux Français. Olivier Le Jeune peut être considéré comme le premier Noir à vivre au Québec. On le désignera avec le qualificatif « domestique », bien qu'en fait il soit un esclave.

Retour de Champlain

Samuel de Champlain, qui avait été écarté du voyage de 1632, est nommé, au mois de mars de l'année suivante, « lieutenant de Richelieu ». Il quitte le port de Dieppe, le 23 mars 1633, avec trois navires, le *Saint-Pierre*, le *Saint-Jean* et le *Don-de-Dieu*.

Ces vaisseaux transportent en Nouvelle-France plus de deux cents personnes. Dans la baie de Gaspé et à Tadoussac, on note la présence de navires anglais venus faire la traite des fourrures. Le nouveau commandant arrive à Québec le 22 mai. Sa première tâche est de s'assurer que la traite sera bonne et que les Anglais ne viendront pas devancer les Français dans ce commerce. Il fait établir un poste de traite sur un petit îlot situé en face de Deschambault. Il lui donne le nom d'île de Richelieu. L'autre tâche urgente est la reconstruction du magasin de Québec. « Pour le magasin, lit-on dans le *Mercure français*, il a fait relever toutes les ruines de brûlement et démolissement, pierre, chaux et sable, vider une infinité d'ordures et de pierres et fait faire les portes et fenêtres. [...] Il y aura une belle plate-forme pour mettre trois ou quatre pièces de canon pour battre au raz de l'eau le travers de la rivière. »

À l'automne, sur le Cap-aux-Diamants, Champlain fait construire une petite chapelle qui prendra le nom de Notre-Dame-de-la-Recouvrance.

On demande des Français

Les Algonquins de la région des Trois-Rivières sont nombreux à Québec, le 24 mai 1633, pour saluer le retour de Champlain et lui demander la construction d'un fort français et d'un poste de traite aux Trois-Rivières. Le chef de la tribu amérindienne, Capitanal, dont le père avait été tué aux côtés de Champlain lors d'un engagement armé contre les Iroquois, se fait le porte-parole de sa nation. « Avec une rhétorique aussi fine et déliée qu'il en saurait sortir de l'école d'Aristote ou de Cicéron », Capitanal se lance dans une grande harangue pour convaincre Champlain.

> Je ne suis qu'un pauvre petit animal qui va rampant sur la terre. Vous autres, Français, vous êtes les grands du monde qui faites tout trembler. Je ne sais comment j'ose parler devant d'aussi grands capitaines. [...] Tu nous dis que les Français nous ont toujours aimés, nous le savons bien et nous mentirions si nous disions le contraire. Tu dis que tu as toujours été véritable, aussi t'avons-nous toujours cru. Tu nous as assistés en nos guerres, nous t'en aimons tous davantage. Que veux-tu que je réponde ? Tout ce que tu dis est vrai. [...] Pour l'habitation que tu dis que nous avons demandée aux Trois-Rivières, je ne suis qu'un enfant, je n'ai point de mémoire, je ne sais si je l'ai demandée. Vous autres, vous savez écrire, ce qui vous fait souvenir de tout. Mais quoi que c'en soit, tu seras toujours le bienvenu. Quand tu viendras là-haut avec nous, tu trouveras la terre meilleure qu'ici. Tu feras, au commencement, une maison comme celle-là (il désignait un petit espace de la main) pour te loger : c'est-à-dire tu feras une forteresse, puis tu feras une maison comme celle-là (désignant un grand lieu) et alors nous ne serons plus des chiens qui couchent dehors, nous entrerons dans cette maison (il voulait dire un bourg entouré de palissades). En ce temps-là, on ne nous soupçonnera plus d'aller voir ceux qui ne vous aiment pas. Tu sèmeras des blés, nous ferons comme toi, et nous n'irons plus chercher notre vie dans les bois, nous ne serons plus errants et vagabonds.

Dans sa réponse, Champlain développe une idée qui deviendra à la mode quelques décennies plus tard. « Quand cette grande maison sera faite, déclara-t-il, alors nos garçons se marieront avec vos filles et nous ne ferons plus qu'un peuple. »

En entendant cela, les Algonquins se mettent à rire, ne semblant pas prendre le Français au sérieux. « Tu nous dis toujours quelque chose de gaillard pour nous réjouir, répondent-ils. Si cela arrivait, nous serions heureux. » Le père Paul Le Jeune, qui rapporte la cérémonie dans la *Relation*, termine son récit par ce commentaire qui montre bien quelle idée certains de ses contemporains se faisaient des Amérindiens : « Ceux qui croient que les Sauvages ont un esprit de plomb et de terre, connaîtront par ce discours qu'ils ne sont pas si massifs qu'on les pourrait dépeindre. »

Champlain ne dispose pas d'assez d'hommes pour établir immédiatement un poste aux Trois-Rivières, mais il espère pouvoir le faire l'année suivante.

De vrais colons

La Compagnie de la Nouvelle-France avait joué de malchance depuis sa fondation, en 1627. Ses premières tentatives de colonisation avaient tourné à l'échec. La restitution de Québec aux Français va signifier un nouveau début, mais comme les fonds sont quasi épuisés, la compagnie cherche un moyen de se décharger, sur d'autres épaules, de son obligation de peupler la colonie. Les dirigeants de la compagnie se réunissent en assemblée générale, le 15 janvier 1634. Ils concèdent alors au chirurgien Robert Giffard, de Mortagne, une seigneurie comprenant « une lieue de terre à prendre le long de la côte du fleuve Saint-Laurent, sur une lieue et demie de profondeur à l'endroit où la rivière, appelée Notre-Dame-de-Beauport, entre dans ledit fleuve, cette rivière comprise ».

Giffard connaissait déjà le pays. Il avait traversé en 1627 et s'était bâti une cabane à la Canardière. Il revint en 1628 à bord de la flotte de Roquemont qui fut prise par les Kirke. En 1634, Giffard est déterminé à s'installer dans la colonie, projet grandement facilité par la concession qu'il vient de recevoir. Le futur colonisateur s'engage à céder à son tour des portions de sa concession à des censitaires. « Les hommes que ledit sieur Giffard ou ses successeurs feront passer en la Nouvelle-France tourneront à la décharge de ladite compagnie en diminution du nombre qu'elle doit y faire passer et, à cet effet, en remettra tous les ans les rôles au bureau de ladite compagnie. »

Même si Giffard devient seigneur de Beauport, il n'obtient pas pour autant le droit de faire la traite des fourrures.

Robert Giffard, pour peupler sa seigneurie, devient agent recruteur pour la Nouvelle-France. Le 14 mars 1634, il signe un contrat d'engagement avec Jean Guyon du Buisson et Zacharie Cloutier. Ces deux nouveaux colons « s'engagent à cultiver les terres de Giffard et à lui fournir son bois de chauffage jusqu'en 1637 ». Au printemps, plusieurs personnes quittent le Perche pour Québec : Robert Giffard, Marie Regnouard, son épouse et leurs deux enfants ; Jean Guyon, Zacharie Cloutier, Gaspard et Marin Boucher, Noël Langlois, Thomas Giroust ; Jean Juchereau de Maur, Marie Langlois, sa femme, et leurs quatre enfants ; etc. Les quatre navires affrêtés par la compagnie arrivent à Québec au cours du mois de juin 1634. Le 4, Robert Giffard débarque avec sa femme enceinte qui craignait d'accoucher sur le navire.

Des ouvriers mécontents

Le recrutement des habitants se fait lentement. Le 8 août de la même année, arrive un célibataire originaire de Rouen, Jean Bourdon, qui porte le titre « d'ingénieur de monsieur le Gouverneur ». Sur le même navire, voyageait un prêtre séculier : l'abbé Jean Le Sueur, ancien curé de Saint-Sauveur de Thury-Harcourt, dans le Calvados. Cet abbé se verra plus tard concéder un fief et laissera le nom de sa paroisse à un quartier de la ville de Québec : Saint-Sauveur.

Pour les aider, les pères jésuites ont fait venir quelques engagés qui leur causent parfois bien des soucis. Le père Le Jeune énumère les griefs de mécontentement de leurs employés :

> 1° C'est le naturel des artisans de se plaindre et de gronder ; 2° La diversité des gages les fait murmurer : un charpentier, un briquetier et autres gagneront beaucoup plus que les manœuvres, et cependant ils ne travaillent pas tant, je veux dire qu'ils n'ont pas tant de peine que les autres, à raison qu'ils font leur métier, et les autres font des choses fort difficiles. Ils ne considèrent pas qu'un maître maçon a moins de peine qu'un manœuvre, quoiqu'il gagne davantage ; 3° La plupart ne font point leur métier, sinon pour un peu de temps, un couturier, un cordonnier, un jardinier et les autres se trouvent étonnés quand il faut traîner du bois sur la neige ; en outre, ils se plaignent qu'ils oublieront leur art ; 4° Il faut confesser que les travaux sont grands en ces commencements : les hommes sont les chevaux et les bœufs ; ils apportent ou traînent les bois, les arbres, la pierre ; ils labourent la terre ; ils la hersent. Les mouches de l'été, les neiges de l'hiver et mille autres incommodités sont importunes ; des jeunes gens qui travaillaient à l'ombre dans la France trouvent ici un grand changement. Je m'étonne que la peine qu'ils ont, en des choses qu'ils n'ont jamais faites, ne les fait crier plus haut qu'ils ne crient. 5° Ils sont tous logés dans une même chambre et, comme ils n'ont pas tous leurs passions bien domptées ou qu'ils sont d'humeurs bien différentes, ils ont des sujets de discorde sans sujet. 6° Comme il faut que nous passions par leurs mains, ne les pouvant renvoyer quand ils manquent, et comme ils voient qu'un bâton n'est pas bien servi en notre main pour les châtier, ils font plus aisément des renchères qu'ils ne feraient avec des séculiers qui les presseraient fort et ferme.

Les Trois-Rivières

En 1634, Champlain juge qu'il a le personnel suffisant pour établir un nouveau fort qui servira en même temps de poste de traite des fourrures. Il charge donc un employé de la compagnie, un nommé Laviolette, de conduire une barque à l'embouchure de la rivière Saint-Maurice, ayant à bord les hommes et le matériel nécessaires à un établissement. Le départ a lieu de Québec, le 1er juillet. Les pères jésuites Jean de Brébeuf et Antoine Daniel font partie de l'expédition.

Le 4 juillet, tous mettent pied à terre et Laviolette commence immédiatement à faire construire une habitation. Au cours du mois, Champlain fait l'inspection du nouveau poste où déjà se multiplient les rencontres avec les Hurons, les Algonquins et les Montagnais. Le grand chroniqueur de l'époque, le père Le Jeune, écrit dans la *Relation* : « Nos Français ont maintenant trois habitations sur le grand fleuve Saint-

Laurent : une à Québec, fortifiée de nouveau ; l'autre, à quinze lieues plus haut, dans l'île de Sainte-Croix, où M. de Champlain a fait bâtir le fort de Richelieu ; la troisième demeure se bâtit aux Trois-Rivières, quinze autres lieues plus haut, c'est-à-dire à trente lieues de Québec. »

Le premier hivernement au poste des Trois-Rivières rappelle ceux du tout début de la colonie. Le scorbut cause la mort de quelques habitants dont Jean Guiot, surnommé Négrier, Pierre Drouet, Isaac Le Conte et Guillaume Née. L'hiver de 1634-1635 est particulièrement dur. Le 6 février 1635, le père Le Jeune écrit : « La grande rivière [le fleuve] fut gelée tout à fait, en sorte qu'on passait dessus avec assurance ; elle gela même devant Québec, ce qui est fort extraordinaire. [...] Il semble que la rigueur de l'hiver s'est fait sentir particulièrement en ce mois-ci. »

À part le scorbut et le froid, la faim devient elle aussi une menace au cours de l'hiver. Les vivres deviennent rares. Une fois encore, heureusement, les connaissances d'un Amérindien viennent au secours des Français.

> Le 27 janvier 1635, raconte le père Le Jeune, un Sauvage me vint apprendre un secret bien connu des Algonquins, mais non pas des Montagnais ; aussi n'est-il pas de ce pays-ci, mais de bien avant dans les terres. Il me dit donc que si quelqu'un de nos Français voulait l'accompagner, il s'en irait pêcher sous la glace d'un grand étang, placé à quelque vingt-cinq mille pas au-delà de la grande rivière, vis-à-vis de notre habitation. Il y alla en effet et rapporta quelques poissons ; ce qui consola fort nos Français, car ils peuvent maintenant, au plus fort des glaces, tendre des rêts dans cet étang. J'ai vu cette pêche ; voici comment ils s'y comportent : ils font à grands coups d'hache un trou assez grandelet dans la glace de l'étang. Ils en font d'autres plus petits, d'espaces en espaces, et avec des perches ils passent une ficelle de trous en trous par dessous la glace ; cette ficelle, aussi longue que les rêts qu'on veut tendre, se va arrêter au dernier trou, par lequel on tire et on étend dedans l'eau tout le rêt qui lui est attaché. Voilà comment on tend les filets pour la première fois. Quand on les veut visiter il est fort aisé ; car on les retire par le plus grande ouverture pour en recueillir la poisson, puis il ne faut que retirer la ficelle pour les retendre, les perches ne servant qu'à passer pour la première fois la ficelle.

La pêche sous la glace vient de faire son apparition dans la région des Trois-Rivières !

Mort de Champlain

Au mois d'octobre 1635, la santé de Samuel de Champlain commence à décliner. Âgé d'environ soixante-cinq ans, le fondateur de Québec est épuisé. La paralysie le frappe et, le 25 décembre, il meurt après avoir reçu les derniers sacrements des mains du père Charles Lalemant. Un autre jésuite, Paul Le Jeune, prononce l'oraison funèbre où il rend hommage à celui que, depuis, l'on désigne sous le nom de « père de la Nouvelle-France ». Aussitôt après les obsèques, l'orateur lit une lettre des associés de la Compagnie où il est dit que l'intérim sera assuré par Marc-Antoine Bras-de-Fer de Chateaufort. Ce dernier prend le titre de « lieutenant général en toute l'étendue du fleuve Saint-Laurent en la Nouvelle-France pour monseigneur le Cardinal, Duc de Richelieu ».

À Paris, on ignore encore le décès de Champlain. La Compagnie de la Nouvelle-France, qui connaît peut-être l'état de santé du fondateur de Québec, décide de le remplacer. Le 15 janvier 1636, le commandement et le titre de gouverneur de la colonie sont dévolus à Charles Huault de Montmagny. Ce dernier débarque à Québec, le 12 juin 1636. Il se rend immédiatement à la chapelle de Notre-Dame-de-la-Recouvrance où l'on chante un *Te Deum* d'action de grâces. Après la récitation de prières pour le roi Louis XIII, Chateaufort remet au nouveau gouverneur les clefs du fort où le représentant du souverain est accueilli « au bruit du canon et de plusieurs salves de mousqueterie ».

La colonie s'enrichit, en 1636, de quarante-cinq personnes dont la plupart font partie des familles de Pierre Legardeur, sieur de Repentigny, et de Jacques Leneuf de La Poterie. La même année, la compagnie concède quelques nouvelles seigneuries : Beaupré, La Madeleine, île Jésus, Lauzon et Rivière-au-Griffon.

Une des premières tâches du gouverneur Montmagny est de renforcer le système défensif de Québec. Il trace les plans d'une nouvelle forteresse ; il améliore la plate-forme du fort et y fait installer de nouveaux canons. Lentement, Québec s'apprête à ressembler à une petite ville avec sa garnison. Le père Le Jeune se réjouit de voir la vie « militaire » qui règne dans la colonie. Il écrit, en 1636, dans la *Relation* :

> Nous avons ici nombre de soldats de bonne allure et de résolution. La Diane [c'est-à-dire le son du tambour qu'on bat à l'aurore dans les garnisons] nous réveille tous les matins. Nous voyons poser les sentinelles ; le corps de garde est toujours bien muni ; chaque escouade a ses jours de faction. C'est un plaisir de voir nos soldats faire les exercices de la guerre, dans la douceur de la paix et de n'entendre le bruit des mousquetades et du canon que par réjouissance : nos grands bois et nos montagnes répondent à ces coups par des échos roulants comme des tonnerres innocents, qui n'ont ni éclairs, ni foudres. En un mot, notre forteresse de Québec est gardée, dans la paix, comme le serait une place d'importance, dans l'ardeur de la guerre.

Moins d'un mois après son arrivée, Montmagny se rend aux Trois-Rivières où il ordonne l'exécution d'importants travaux : « deux nouveaux corps de logis, un magasin et une plate-forme pour recevoir plus de canons ». Mais la colonie ne progresse pas aussi rapidement que le souhaitent ses dirigeants. La plupart des associés de la Compagnie de la Nouvelle-France s'intéressent peu à la colonie. Les immigrants n'y viennent pas encore en nombre suffisant pour fonder de nouveaux établissements. L'œuvre des pères missionnaires parmi les Amérindiens produit peu de fruits.

En 1639, arrivent des religieuses ursulines ainsi que des hospitalières. Les premières doivent s'occuper de l'éducation des filles françaises et amérindiennes, les secondes de la fondation d'un hôpital.

La crainte s'installe

Depuis sa fondation, Québec n'a pas à trop à souffrir de l'hostilité des Iroquois. Il y a bien quelques combats de peu d'importance, des meurtres, des enlèvements, mais l'hostilité ne revêt pas encore le caractère d'une vraie guerre. Depuis que Champlain a épousé la cause des Hurons, des Algonquins et des Montagnais, les Iroquois se sont rapprochés des Hollandais qui occupent la Nouvelle-Amsterdam (New York) et Fort Orange. À partir de 1639, les Hollandais approvisionnent les Iroquois en armes à feu ; ce que Champlain et Montmagny n'ont pas voulu faire.

Le 20 février 1641, deux habitants des Trois-Rivières partent chasser dans les environs. Thomas Godefroy de Normanville, un interprète âgé d'une trentaine d'années, et François Marguerie de La Haye, lui aussi un interprète dans la trentaine, tombent aux mains des Iroquois. Ce sont deux hommes de la forêt. Le premier parle l'iroquois, le huron et l'algonquin ; le second a obtenu le surnom de « homme double », parce que, d'après les Amérindiens, il est l'homme blanc « le mieux adapté à leurs coutumes et à leurs idiômes ». Comme les deux hommes ne reviennent pas au fort, on commence à s'inquiéter et quelques-uns partent à la recherche de leurs compatriotes. Le premier indice qu'ils découvrent est un morceau de papier attaché à un bâton sur lequel il est écrit : « Les Iroquois nous ont pris ; entrez dans le bois. » Plus loin, sur un tronc d'arbre dont l'écorce a été enlevée, ils lisent ces mots tracés avec un morceau de charbon de bois : « Les Iroquois nous ont pris la nuit. Ils ne nous ont fait encore aucun mal ; ils nous emmènent dans leur pays. » À Québec, à l'annonce de la capture des deux interprètes, l'inquiétude est grande. « On chantait tous les jours, à la même intention, l'hymne *Ave Maris Stella* ».

En terre iroquoise, les prisonniers sont bien traités, même s'ils savent qu'ils peuvent être tués à n'importe quel moment. « Quelques Sauvages des nations plus hautes, raconte la *Relation*, ne voulant pas irriter les Français, firent des présents, à ce qu'on délivrât ces deux pauvres captifs. » Marguerie et Godefroy essaient de convaincre les Iroquois de négocier la paix avec les Français. Ils semblent réussir puisqu'au printemps cinq cents hommes se mettent en route vers les Trois-Rivières. Une partie demeure à l'embouchure de la rivière Richelieu attendant les canots de leurs ennemis qui descendront le fleuve avec des chargements de fourrures. Les autres, montés à bord de vingt canots, arrivent en face du poste des Trois-Rivières, le 5 juin 1641.

Pendant que Godefroy demeure avec les Agniers sur la rive sud, un canot conduit Marguerie à Trois-Rivières. L'interprète décrit la situation au gouverneur du poste, François de Champflour, et lui fait part de l'unique exigence iroquoise : des armes. Les Agniers veulent que les Français leur remettent une trentaine d'armes à feu qui viendraient s'ajouter aux trente-six qu'ils possèdent déjà. Les intentions des Iroquois ne semblent pas très claires. Tout en désirant la paix avec les Français, ils veulent continuer la guerre contre les Hurons et les Algonquins, amis des Français. Bien plus, une prisonnière algonquine a confié à Marguerie « que les Iroquois voulaient attirer les Sauvages alliés à la France, les détruire et se rendre maîtres absolus de la grande rivière [le fleuve] ».

Champflour veut gagner du temps. Il répond que seul le gouverneur Montmagny qui réside à Québec peut négocier une telle paix. Les Agniers se retirent sur la rive sud dans l'attente de l'arrivée du gouverneur. Les jours s'écoulent sans que ce dernier arrive. Impatients, ils demandent à Marguerie et Godefroy de retourner au poste de Trois-Rivières voir ce qui s'y passe. Jean Nicollet et le père Paul Ragueneau traversent avec eux afin d'amorcer les négociations.

Un grand pow-wow

Montmagny est enfin à Trois-Rivières, le 10 juin, à la tête d'une barque et de quatre chaloupes armées. Il se rend au campement iroquois. Onagan, un des orateurs agniers, prend la parole le premier. Montrant les deux prisonniers, Godefroy et Marguerie, il dit au gouverneur :

> Ces deux jeunes hommes que vous voyez sont Iroquois ; ils ne sont plus Français. Le droit de la guerre les a fait nôtres. Jadis le seul nom de Français nous jetait la terreur dans l'âme, leur regard seul nous donnait de l'épouvante et nous les fuyions comme des démons qu'on n'ose approcher. Mais enfin, nous avons appris à changer les Français en Iroquois. Ils sont encore Iroquois ; et tout présentement ils seront Français. Disons plutôt qu'ils seront Français et Iroquois tout ensemble ; car nous ne serons plus qu'un peuple.

En prononçant ces derniers mots, Onagan coupe les liens des prisonniers et les lance par-dessus la palissade.

Comme il est tard, le gouverneur Montmagny décide de prendre la parole le lendemain seulement. Mais, le 11, la pluie et le vent l'empêchent de traverser le fleuve et la rencontre a donc lieu seulement le 12. La méfiance règne dans les deux camps. Les Français doutent de plus en plus de la sincérité des Agniers et Montmagny, pour négocier la paix, se fait accompagner de chaloupes montées de soixante-dix hommes armés. Après l'échange usuel des cadeaux, les Agniers demandent au gouverneur de la colonie de se faire construire une habitation dans leur pays.

Les Français exigent une paix générale avec toutes les tribus. Les négociations sont quasi rompues et, le 13 juin 1641, on se tire dessus de part et d'autre.

C'est la guerre ! Le calme, si relatif fût-il, va disparaître pour quelques décennies. Le père Barthélemy Vimont écrit, à la suite de ces événements :

> Si ces barbares s'acharnent à nos Français, jamais ils ne les laisseront dormir en paix : un Iroquois se tiendra deux ou trois jours, sans manger, derrière une souche, à cinquante pas de votre maison, pour massacrer le premier qui tombera dans ses embûches. S'il est découvert, les bois lui servent d'asile où un Français ne trouvera que de l'embarras. Le moyen de respirer dans ces presses ! Si l'on n'a ce peuple pour ami, ou si on ne l'extermine, il faut abandonner à leur cruauté tant de bons néophytes, il faut perdre tant de belles espérances et voir rentrer dans leur empire les démons.

Pendant que la sincérité des uns et des autres est mise en doute, l'optimisme règne en France où un groupe d'hommes et de femmes décident de fonder un nouvel établissement sur l'île de Montréal.

Une colonie mystique

Le 15 janvier 1636, Jean de Lauson, futur gouverneur de la Nouvelle-France, se fait concéder par la compagnie des Cent-Associés la seigneurie de l'île de Montréal. Le 2 février suivant, un receveur d'impôts de La Flèche, en France, Jérôme Le Royer de La Dauversière, se convainc qu'il doit travailler à l'établissement d'une colonie française sur l'île de Montréal. Trois ans plus tard, soit à la fin du mois de février ou au début du mois de mars 1639, La Dauversière se rend à Paris pour y rencontrer Pierre Séguier d'Autry, qui occupe le poste de chancelier de France. Au même moment, un cousin du chancelier, Jean-Jacques Olier de Verneuil, déambule dans la galerie de la maison de Séguier. Olier et La Dauversière, qui ne se connaissent pas encore, se rencontrent. L'abbé Olier déclare au visiteur : « Je sais votre dessein, monsieur, je vais le recommander à Dieu au saint autel ». Les deux hommes, par la suite, prennent la décision de former une société, « la Société de Notre-Dame de Montréal pour la conversion des Sauvages de la Nouvelle-France ». Malheureusement, la maladie empêchera monsieur Olier de se donner complètement à la nouvelle œuvre.

Pour établir une colonie sur l'île de Montréal, il faut d'abord s'assurer de la propriété de la seigneurie. Au mois d'août 1640, le père Charles Lalemant rencontre Jean de Lauson et lui fait part du désir de la Société de Notre-Dame de Montréal de se porter acquéreur de l'île de Montréal. Le 7 août, Lauson cède ses droits, moyennant certaines conditions, mais peu après la compagnie de la Nouvelle-France annule cette donation car le seigneur depuis 1636 n'avait rempli aucune des obligations énumérées au contrat. Le 17 décembre suivant, la compagnie cède aux Associés de Montréal une partie de l'île, avec le droit d'en « jouir en toute propriété, justice et seigneurie, à perpétuité ». Cette petite clause fera de la colonie de Montréal un État dans l'État. De plus, les associés obtiennent le droit de navigation sur le fleuve Saint-Laurent ainsi que la permission de construire deux magasins, un à Québec et l'autre aux Trois-Rivières.

Le plan des Associés de Montréal, tel que présenté aux membres de la Compagnie de la Nouvelle-France, le 17 décembre 1640, est précis :

> Le dessein des Associés de Montréal est de travailler purement à procurer la gloire de Dieu et le salut des Sauvages. Pour atteindre ce but, ils ont arrêté entre eux d'envoyer, l'an prochain à Montréal, quarante hommes bien conduits et équipés de toutes les choses nécessaires pour une habitation lointaine. Ils ont arrêté aussi de fournir deux chaloupes ou pinasses pour voiturer, de Québec à Montréal, les vivres et les équipages des colons. Ces quarante hommes, étant arrivés dans l'île, se logeront et se fortifieront avant toutes choses contre les Sauvages ; puis ils s'occuperont, pendant quatre ou cinq ans, à défricher la terre et à la mettre en état d'être cultivée. Pour avancer cet ouvrage, les Associés de Montréal augmenteront, d'année en année, le nombre des ouvriers selon leur pouvoir.

Les Associés s'engagent en outre à envoyer le bétail nécessaire à l'établissement. Ensuite, les familles viendront s'installer. Car, pour les débuts, on ne prévoit la présence que de célibataires.

On cherche des chefs

Jérôme Le Royer de la Dauversière recherche un chef capable de diriger l'expédition. Le père Charles Lalemant lui dit un jour : « Je sais un brave gentilhomme champenois nommé M. de Maisonneuve qui a telle et telle qualité, lequel serait possible bien votre fait et commission. » Le jeune militaire de vingt-huit ans accepte le commandement et, au printemps de 1641, il prend le chemin de La Rochelle où doit avoir lieu l'embarquement.

Vers la même époque, à Langres, en Champagne, une jeune femme dans la trentaine, Jeanne Mance, s'occupe d'œuvres charitables, dont le soin des malades. Au mois d'avril 1640, lors d'une conversation avec un de ses cousins, Nicolas Dolebeau, chapelain de la Sainte-Chapelle de Paris, Jeanne Mance se voit exposer la situation de la Nouvelle-France. Le chapelain lui parle de madame de La Peltrie et des ursulines parties l'année précédente pour le Nouveau Monde. La future fondatrice de l'Hôtel-Dieu de Montréal est de plus en plus intéressée par le Canada. Elle songe même à y émigrer. Avec l'appui de son directeur de conscience, elle se rend à Paris rencontrer, entre autres, le père Charles Lalemant, chargé des affaires des Jésuites du Canada. Elle est aussi reçue par Angélique Faure, la veuve de Claude de Bullion. Lors de leur quatrième rencontre, madame de Bullion demande à Jeanne Mance : « Dans le pays où vous allez, mademoiselle, ne prendriez-vous pas soin, en mon nom, d'un hôpital que j'ai dessein d'y construire, à l'exemple de celui de la duchesse d'Aiguillon, à Québec ? »

Après une courte réflexion, la jeune femme accepte. Jeanne Mance quitte Paris pour La Rochelle, au mois d'avril 1641. Dans la ville d'embarquement, elle rencontre le père Jacques de La Place qui s'apprêtait à partir pour la Nouvelle-France. Le jésuite lui parle de la présence en ville d'un groupe d'engagés qui, sous la direction de Maisonneuve, doit se rendre à Montréal. Le lendemain matin, comme Jeanne s'était rendue à l'église des jésuites pour se recueillir, elle croise un gentilhomme qu'elle ne connaît point. Ce gentilhomme n'est nul autre que La Dauversière. Cette rencontre arrive à point donné. Car les Associés, à la veille du départ, écrit Étienne-Michel Faillon, « s'aperçurent qu'il leur manquait un secours absolument indispensable et que tout leur argent ne pourrait leur procurer : c'était une femme sage et intelligente, d'un courage à toute épreuve et d'une résolution mâle, qui les suivît en ce pays, pour prendre soin des denrées et des diverses fournitures nécessaires à la subsistance de la colonie, et en même temps pour servir d'hospitalière aux malades et aux blessés. »

Jeanne Mance a pris sa décision : elle lie son sort à celui des Associés de Montréal. Le 9 mai 1641, deux navires quittent le port de La Rochelle. À bord du premier, monsieur de Maisonneuve, un prêtre séculier et vingt-cinq hommes ont pris place. Sur le second, Jeanne Mance, le père de La Place et douze hommes. Juste avant le départ, on avait appris que le reste de la recrue, soit une dizaine d'hommes, avait quitté le port de Dieppe depuis quelques semaines. À bord de ce troisième navire, se trouvaient trois femmes : « Deux des ouvriers engagés pour Montréal n'avaient consenti à partir qu'après avoir obtenu la faculté de conduire avec eux leurs femmes et [...] une vertueuse fille de Dieppe, touchée soudainement d'un ardent désir d'aller elle-même à Montréal, pour y offrir à Dieu ses services, était entrée de force dans le vaisseau qui démarrait du port, malgré les efforts qu'on faisait pour l'en empêcher ». Cette fille vertueuse serait une certaine Marie Joly qui se mariera à Antoine Damière, à Québec, quelques semaines après y être débarquée.

Trop tard !

Le navire parti de Dieppe arrive le premier à Québec. Les ouvriers entreprennent immédiatement la construction d'un magasin pour y déposer la cargaison. Les habitants de Québec espèrent que les arrivants vont choisir de demeurer dans leur ville pour en renforcer la garnison. Ils font valoir les dangers qui règnent à Montréal par suite du voisinage constant des Iroquois. On parle déjà de « folle entreprise ». Jeanne Mance arrive à Québec, le 8 août 1641. On est sans nouvelle du navire de Maisonneuve, car, après huit jours de navigation commune, le vent avait séparé les deux vaisseaux.

Vers le 20 septembre, Maisonneuve et ses hommes arrivent enfin à Tadoussac. La traversée a été pénible. Par trois fois, ils ont dû relâcher en France. Le chirurgien et trois ou quatre autres engagés ont profité de la circonstance pour s'enfuir et retourner chez eux. À Tadoussac, Maisonneuve rencontre un de ses amis, Paul de Courpont, qui commandait une flotte de navires. Ce dernier, désolé de voir Maisonneuve peiné de la perte de son chirurgien, lui offre le sien.

À Québec, la saison est trop avancée pour penser à se rendre à Montréal. Le gouverneur Charles Huault de Montmagny offre l'hospitalité de Québec aux futurs colons de Montréal pendant la saison hivernale et il essaie de convaincre Maisonneuve de l'absurdité d'un établissement en zone aussi dangereuse. « Il n'y a pas d'apparence que vous songiez à vous rendre dans un lieu si éloigné ; il faut changer de délibération ; si vous voulez, on vous donnera l'île d'Orléans ; au reste la saison serait trop avancée pour monter jusqu'à l'île de Montréal, quand vous en auriez la pensée. »

Maisonneuve, que l'on dit peu loquace, riposte vivement. « Monsieur, dit-il, ce que vous me dites serait bon si on m'avait envoyé pour délibérer et choisir un poste ; mais ayant été déterminé par la compagnie qui m'envoie que j'irais à Montréal, il est de mon honneur, et vous trouverez bon que j'y monte pour commencer une colonie, quand tous les arbres de cette île se devraient changer en autant d'Iroquois. »

À la mi-octobre, Maisonneuve envoie quelques hommes faire un premier voyage à Montréal. Quant à lui, il passera l'hiver au fief de Saint-Michel, dans la maison de Pierre de Puiseaux. Au cours de la saison froide, les visites sont nombreuses. L'annaliste de l'Hôtel-Dieu de Québec écrit que, plusieurs fois, les montréalistes rendirent visite aux religieuses.

À Paris, la Société de Notre-Dame de Montréal fait des progrès. Le nombre de ses membres atteint trente-neuf en 1642. Le 27 février de cette année-là, trente-cinq d'entre eux se réunissent à Notre-Dame de Paris. On consacre la nouvelle ville à la Sainte-Famille et décision est prise que l'établissement portera le nom de Ville-Marie.

Dès que le fleuve Saint-Laurent est débarrassé de ses glaces, Maisonneuve ordonne le départ pour l'île de Montréal. Le 8 mai 1642, une pinasse à trois mâts, un bateau plat à voiles et deux barques remontent enfin le fleuve. En plus des futurs habitants de Ville-Marie, il y a le gouverneur Montmagny, les pères jésuites, madame de La Peltrie, monsieur de Puiseaux, etc. Après neuf jours de navigation, la petite flotte arrive en vue de l'île. Nous sommes le samedi 17 mai. « Monsieur le gouverneur, raconte la *Relation*, mit le sieur de Maisonneuve en possession de cette île pour y commencer les premiers bâtiments ; le révérend père Vimont fit chanter le *Veni Creator*, dit la sainte messe, exposa le Saint-Sacrement, pour impétrer du ciel un heureux commencement à cet ouvrage ; l'on met incontinent après les hommes en besogne ; on fait un réduit de gros pieux pour se tenir à couvert contre les ennemis. »

En ce 17 mai 1642, l'histoire de Montréal commençait !

La pêche et la traite

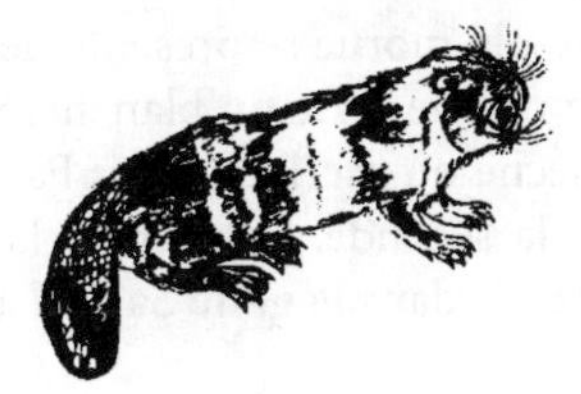

Au XVIIe siècle, les catholiques de l'Europe occidentale et de l'Amérique du Nord se privent de viande pendant plus de cinq mois par année. L'abstinence, à cette époque, est rigoureusement observée. Manger de la viande les jours défendus pouvait entraîner une condamnation par le pouvoir civil.

Aux quarante jours du carême, il faut ajouter le vendredi et le samedi de chaque semaine, la vigile d'une dizaine de fêtes d'obligation, les Quatre-Temps, les Rogations et la Saint-Marc. Le total annuel des jours où l'on interdit la consommation de viande dépasse les cent soixante. Le poisson devient alors, par goût ou par obligation, le mets principal des repas. La morue est, sans contredit, le poisson qui se prête le mieux à toutes les sauces et celui dont la conservation est la moins compliquée.

Pour assurer l'approvisionnement des marchés français, anglais, espagnols, portugais, hollandais ou italiens, des centaines, voire des milliers de navires se rendront chaque année sur les Bancs de Terre-Neuve pêcher la morue. Au début du XVIIe siècle, la France, à elle seule, enverra sur ces sites de pêche de deux cents à deux cent cinquante navires.

Avec la fourrure, la morue sera la principale richesse de la Nouvelle-France. Mais la colonie profitera peu de ce commerce pourtant lucratif. Pour le père Pierre-François-Xavier de Charlevoix, les Bancs de Terre-Neuve sont « de vraies mines qui valent mieux et demandent beaucoup moins de frais que celles du Pérou et du Mexique ».

Verte ou sèche ?

La morue, un poisson de la même famille que le merlan ou l'aiglefin, se trouve en abondance sur les Bancs, le long des côtes de Terre-Neuve et dans le golfe Saint-Laurent. Sa grosseur varie selon les régions. « Celle de la côte nord-est de l'île de Terre-Neuve, écrit l'historien Charles de La Morandière, est petite. Son épaisseur médiocre permettait de la sécher facilement et elle était prisée jadis à cause de cela même. On l'exportait d'ailleurs dans les pays chauds comme les Antilles ou en Méditerranée. La morue de Plaisance en l'île de Terre-Neuve et celle de Gaspé, côte du Canada, est grosse ; celle du Labrador, de grosseur moyenne comme celle du Grand-Banc. »

Champlain, dans son mémoire de 1618, évalue à un million de pièces le nombre de morues que l'on peut prendre annuellement en Nouvelle-France. Ce poisson, heureusement, se reproduit rapidement. La morue peut pondre de huit à neuf millions d'œufs par saison.

Sur les différents marchés, la morue se présente de deux façons : si elle n'a été que salée, elle porte le nom de morue verte ou blanche. Salée et séchée, elle est alors connue comme de la morue sèche ou merluche. Les Parisiens préfèrent la première et les Portugais et les Italiens, la seconde. La pêche à la morue verte se fait sur les Bancs ; l'autre, le long des côtes et dans le golfe Saint-Laurent. Dans ce dernier cas, on parle de pêche sédentaire.

Les Bancs

Les Bancs de Terre-Neuve « sont une série de hauts fonds qui se trouvent approximativement au sud et au sud-est de l'île de Terre-Neuve ». Ces hauts fonds se situent à une profondeur variant de trente à cent mètres. Les principaux plateaux portent des noms particuliers. Le plus célèbre est le *Grand Banc.*

Les terre-neuviers quittent les différents ports vers la fin de février ou au cours du mois de mars pour se rendre sur les Bancs. L'équipage a été assez facilement complété. En plus du capitaine et du chirurgien, il y a un nombre de matelots variant suivant le tonnage du navire. Quelques mousses se retrouvent à bord. Depuis l'ordonnance royale du 19 avril 1670, ils doivent être âgés de plus de douze ans. Auparavant, il n'était pas rare de retrouver sur un navire des enfants de dix et même de huit ans ! Les mousses n'ont pas de tâche précise : ils sont au service de tout le monde.

Les armateurs, avant le départ, ont vu à l'embarquement de vivres pour six mois, au chargement du sel nécessaire à la conservation du poisson. Au cours de la traversée, lorsque le temps le permet, les hommes s'occupent aux préparatifs de la pêche. Le cri de « Vive le Roi » salue habituellement l'arrivée sur les Bancs. C'est à qui prendra le premier poisson.

Sur un des côtés du navire, ceux qui ne pêchent pas s'affairent à terminer la construction d'un échafaud où s'installeront les pêcheurs pendant le séjour sur les Bancs.

> Sur cet échafaud, écrit Denys, l'on met des barils qui sont de demi muids qui viennent à la hauteur de la ceinture. Chaque pêcheur se met dans le sien. Ils ont aussi un grand tablier de cuir qui leur va depuis la gorge jusqu'aux genoux, le bas du tablier se met par dessus le baril en dehors, pour faire que l'eau que la ligne apporte avec elle en tirant la morue du fond de l'eau n'entre pas dans son baril. Le pêcheur, ayant sondé le fond, attache sa ligne au baril dans lequel il est, de sorte qu'il s'en faut environ deux brasses que le plomb ne touche le fond et il s'en faut aussi une brasse que le bout de la ligne où est l'hameçon et qui est attaché proche

> du plomb n'y touche aussi. Il ne se pêche qu'une morue à la fois. Pour savoir le nombre qu'il pêche, chaque pêcheur a un petit fer pointu près de lui et, en même temps qu'il défait l'hameçon de la morue, il lui coupe la langue et la passe dans ce fer. Chaque pêcheur a deux lignes et, pendant qu'il en tire une en haut, il jette l'autre qui descend en bas quand il y a abondance de poisson au lieu où est le navire.

Suivant son habileté et la présence des poissons, un bon pêcheur peut attraper jusqu'à trois cents morues par jour, mais « cela lasse beaucoup les bras ».

L'hameçon est appâté d'un morceau de hareng, parfois de maquereau, des tripes d'une morue ou de coquillages que l'on extrait de l'estomac du poisson pêché.

Pendant que le pêcheur retourne à son travail, la morue passe entre les mains de l'étêteur qui enlève la tête et les entrailles qu'il jette « dans un parc à vidange ». Le foie et les œufs sont soigneusement mis de côté et salés. Un mousse remet alors la morue à l'habilleur, lui aussi installé dans un baril tout comme l'étêteur. Avec un couteau « dont la lame a 8 pouces de long sur 3 de large », « il ouvre la morue depuis la gorge jusqu'à l'anus et enlève dans cette étendue la grosse arête ». Le poisson est ensuite jeté dans la cale ou l'entrepont par un tuyau carré. Alors que les pêcheurs français ouvrent le poisson jusqu'à l'anus, les anglais l'ouvrent complètement. Dans le premier cas, nous avons la morue ronde ; dans le second, la morue plate.

Le saleur range la morue dans le fond de la cale, tête contre queue, « en ayant fait une couche longue d'une brasse ou deux selon qu'il voit la pêche donner pour contenir le tout en une pile ». Nicolas Denys ajoute : « Le premier rang fait, on le couvre de sel tant que le poisson peut en prendre, comme on dit tout son saoul, puis on fait une autre couche dessus qu'on sale de même, ainsi continuant toute la pêche d'un jour. Car on met rarement celle d'un jour sur l'autre. Le poisson demeure ainsi trois ou quatre jours tant que son eau soit égouttée et qu'il ait pris son sel. Puis on le relève et on lui ôte tout ce qu'il a de sel de reste. On fait ensuite une autre couche dans un autre endroit du fond du navire. On le couvre encore de nouveau de sel, lit pour lit, après quoi l'on n'y touche plus. »

La pêche se continue tant que la cale n'est pas remplie ou que la saison n'est pas trop avancée. Les premiers navires quittent parfois les Bancs la cale à moitié remplie lorsque le carême approche « pour tâcher d'arriver dans les premiers temps pour la vente qui est meilleure qu'en un autre temps ». Cette morue nouvelle fait alors la joie des Parisiens qui consomment habituellement les trois-quarts de la morue verte.

La course de l'amiral

La pêche à la morue sèche ne se pratique pas de la même façon que celle de la morue verte. Le tonnage des navires est habituellement plus considérable. Il n'est pas rare que l'équipage se compose de plus de cent hommes. Les départs s'effectuent entre la mi-mars et la fin du mois de mai. Les armateurs ont prévu des vivres pour huit ou neuf mois, sinon plus : des biscuits, du vin, du lard, des pois, des fèves, de la morue, du beurre, de l'huile, du vinaigre « et autres petites commodités ». Le capitaine veille à l'embarquement du sel et surtout des chaloupes en pièces dont les pêcheurs se serviront sur les côtes.

En arrivant près de l'endroit où le navire doit jeter l'ancre, le plus important est de trouver un endroit où faire sécher le poisson. Alors commence une course effrénée, car celui qui mettra le premier pied à terre aura le premier choix et agira comme amiral du lieu. Les matelots se font un devoir de favoriser leur capitaine dans cette course.

> Pour avoir cette amirauté, raconte Nicolas Denys, lorsqu'ils sont à huit, dix ou douze lieues de terre, ils mettent la nuit une chaloupe à l'eau, avec leurs meilleurs hommes de rame, équipée de bons avirons. S'ils ont un bon vent qui les porte plus vite que l'aviron, ils se servent de la voile, si le jour venu ils se rendent compte que d'autres y envoient aussi. Ils n'ont point peur de chavirer. Ils portent de la voile à l'envie les uns des autres pour gagner le devant. Quelquefois, l'eau passe par dessus le bord de la chaloupe. Personne ne remue alors par crainte d'en faire perdre l'aire, excepté celui qui jette l'eau. [...] Il n'y a point de galériens qui tirent si fort à la rame qu'eux. [...] Le premier qui saute à terre acquiert le droit d'amiral pour son capitaine. C'est alors à lui à prendre sa place où bon lui semble, tant pour faire son échafaud que pour placer son navire.

Des querelles et souvent même des bagarres éclatent à l'occasion de cette course, surtout dans la région de Percé. Car, à cet endroit, il y a des pêcheurs qui vivent l'année durant. En 1686, l'intendant Jacques De Meulle émet une ordonnance qui défavorise les vrais habitants de Percé au profit des pêcheurs français : « Les vaisseaux venus de France pour la pêche auront les graves, galets et vignaux, préférablement aux habitants qui demeurent sur les lieux. »

Un capitaine, ayant choisi l'endroit de son établissement, commence immédiatement à faire construire une cabane et les échaufauds. La cabane, qui comprend deux étages, est recouverte d'une des voiles du navire. Les côtés « sont garnis de branches de sapin entrelacées dans des piquets ou pieux fichés en terre de quatre à cinq pieds de haut ». Les hommes dressent leurs lits où ils couchent deux à deux.

L'échafaud a habituellement une trentaine de mètres de longueur et une largeur d'environ sept mètres. Une partie s'avance au-dessus de la mer et le reste est construit sur le rivage. Le sel est entreposé sur la partie terrestre. Tout aussi importante est l'installation d'une grave en galets ou en vignaux pour faire sécher la morue. Si les galets abondent sur le rivage, il suffit alors de les entasser pour en faire une grande table avec des circuits d'aération. Lorsque les pierres plates ne sont pas assez nombreuses, les hommes construisent des vignaux. « Pour faire des vignaux, écrit La Morandière, on enfonçait dans le sol, à la distance les uns des autres de deux mètres environ, des piquets de bois dont l'extrémité supérieure devait s'élever à un pied et demi ou deux pieds au-dessus du sol. On réunissait la tête de ces piquets par de longues perches légères de façon à faire comme un quadrillage au-dessus du sable. Sur ce quadrillage, on plaçait des branches de sapin qui étaient destinées à recevoir la morue. »

Lorsque l'installation est presque terminée et que les charpentiers ont remonté les chaloupes que l'on avait transportées sur le navire, les pêcheurs partent à la recherche du poisson. Chaque chaloupe transporte habituellement trois personnes. Ces dernières pêchent la morue de la même manière que sur les Bancs.

Commence alors, pour des semaines, le même rythme de vie. La veille du départ pour la pêche, le novice, c'est-à-dire un mousse qui a atteint ses seize ans, se rend à bord du navire remplir un corbillon de biscuits et prendre la provision de vin coupé de quatre à cinq portions d'eau. Le lendemain, à la pointe du jour, les chaloupes se rendent aux endroits où le poisson doit abonder. La première chaloupe est de retour à l'échafaud vers les six heures du soir. Les pêcheurs se servent de piques pour décharger le fruit de leur travail. Pendant ce temps, les habilleurs aiguisent les couteaux fournis par le capitaine. Chacun des habilleurs est accompagné d'un piqueur et d'un décolleur. Ce dernier a pour tâche de couper les têtes. Le poisson est préparé à peu près de la même façon que sur les Bancs, puis salé proprement par le saleur.

Le travail est presque terminé pour cette journée. Nicolas Denys, expert en pêche sédentaire puisqu'il en a exploité quelques-unes, décrit ainsi la fin d'une journée :

> Lorsque le travail de l'échafaud est fini, chacun va quitter son équipage d'échafaud, d'habillage et de pêche, à la réserve des couteaux d'habillage dont les habilleurs ne se dessaisissent jamais, de crainte qu'on en gâte le tranchant en coupant autre chose que du poisson. Les garçons ont soin de laver les tabliers et les manches et de les faire sécher pour être prêts pour s'en servir le lendemain au soir, autrement ils sont assurés d'être bien battus. Car, quand un garçon manque à ce qu'il doit faire, il a le fouet et tous les autres par compagnie ; c'est pourquoi ils s'entreavertissent de faire ce qui leur est donné en charge. Étant tous nettoyés et lavés, ils vont souper. Ils se mettent sept à sept au plat ; s'il se trouve un homme ou deux de plus, l'on fait deux plats de huit. Chacun se place où il peut, sauf le capitaine qui mange dans son logement et, avec lui, le maître de grave, le pilote et le chirurgien qui est celui qui a le soin de la cuisine. Il y a aussi un garçon pour le servir et un à chaque plat, lesquels garçons ne mangent que les restes, ce qu'ils ont suffisamment.

Il peut arriver parfois que la morue ne morde plus à l'endroit où les hommes se sont installés. Le capitaine réunit alors son conseil pour savoir si les pêcheurs sont prêts à faire la pêche en dégrat. Si la réponse est affirmative, une ou plusieurs chaloupes partent dans différentes directions à la recherche du poisson. Ces pêcheurs reviennent habituellement le lendemain matin. Tous partent alors vers le point le plus poissonneux et là, pendant des jours, parfois une semaine, les hommes ne cessent de travailler.

Derniers préparatifs

Le poisson est apprêté et salé temporairement sur place avant d'être expédié à l'échafaud central. Il n'est pas rare, dans ces occasions, que le travail se poursuive tard dans la nuit.

Après quelques mois passés sur les Bancs de Terre-Neuve ou le long des côtes, les navires retournent en France les cales chargées de morues. Les poissons sont acheminés vers les grandes villes et vendus soit en gros, soit au détail. Pour chaque cent morues vendues, on en remet cent vingt, à cause des pertes. Souvent, les matelots ont, pour salaire, le partage du tiers des revenus de l'expédition de pêche.

La pêche à la morue, même si elle se pratique le long des côtes de la Nouvelle-France, ne rapporte presque rien à la colonie. Il faudra attendre le XVIIIe siècle pour que des Canadiens se risquent réellement à établir des pêches sédentaires. Mais l'importance économique de ces exploitations demeure minime. « Plusieurs des exploitations sont dirigées de France et au bénéfice de bourgeois de France, conclut l'historien Marcel Trudel. Quant aux grandes pêches du golfe et des Bancs, la Nouvelle-France n'y a point part. »

Des millions de peaux

Il n'en va pas de même pour la fourrure. Au XVIIe siècle, l'histoire de la colonie française en Amérique du Nord se développe autour du commerce des pelleteries. Les relations avec les Amérindiens ont alors une base plus économique que politique. Le seul élément original que la colonie peut fournir à la métropole repose sur le commerce des peaux de bêtes qui, en Europe, seront transformées en chapeau, en manchon, en mante ou manteau. Dès la fin du XVIe siècle, les chapeliers, les pelletiers et les merciers de Paris commencent à préférer les peaux importées de la Nouvelle-France à celles qu'ils achetaient auparavant en Russie ou dans les pays nordiques.

En Amérique du Nord, l'Amérindien est le personnage le plus important du commerce des fourrures. C'est lui qui, habituellement, traque la bête, la tue, détache et traite sommairement la peau. Au début, il vient troquer le produit de sa chasse là où les Européens s'installent. Mais rapidement, les Français décident de se rendre au-devant de l'Amérindien, alors que les Anglais se contentent souvent d'établir des postes de traite et d'attendre la venue des chasseurs. En Nouvelle-France, un nouveau personnage apparaît : le coureur des bois. Mais, dans les colonies anglaises, ce sont les Iroquois qui jouent ce rôle. La rivalité commerciale entre Français, Anglais et Hollandais se manifeste surtout dans les guerres que se livrent les Amérindiens alliés des différentes puissances.

Presque tous les animaux à fourrure sont objets de traite. Le plus commun demeure le castor. Entre les années 1660 et 1760, on évalue à environ vingt-cinq millions le nombre de peaux de castor expédiées en France. À cela s'ajoutent les centaines de milliers de peaux de loutres, de martres, de renards, de rats musqués, de visons, de carcajous, de loups. L'ours, l'orignal, le cerf et le caribou n'échappent pas à la chasse aux peaux.

La chasse aux castors

Avant l'arrivée des Européens, les Amérindiens utilisaient la peau de l'ours pour se vêtir. Ils chassaient le castor pour sa chair et non pour sa fourrure. Mais la demande des marchés européens change leurs habitudes de chasse. Ils se lancent à la poursuite du castor.

> Au printemps, écrit le père Paul Le Jeune, le castor se prend à l'attrape, amorcée du bois dont il mange : les Sauvages s'y connaissent fort bien à ce genre de piège. Lorsque l'animal vient manger de son bois préféré, une grosse pièce de bois tombe sur lui et l'assomme. [...] Pendant l'hiver, ils le prennent sous la glace, au moyen d'un filet. Voici comment : on fend la glace en long, proche de la cabane du castor. On met par la fente un filet et du bois qui sert d'amorce. Le pauvre animal, venant chercher à manger, s'enlace dans ces filets de bonne et forte ficelle double. Mais il ne faut pas tarder à le tirer hors de l'eau, car, grâce à ses dents coupantes, le castor mettrait en un rien de temps le filet en pièces. On sort l'animal par l'ouverture faite dans la glace et on l'assomme avec un gros bâton.
>
> L'autre façon de le prendre sous la glace est plus noble, mais seulement les plus habiles en ont l'usage. Il faut d'abord briser à coups de hache la cabane du castor. La demeure du castor est admirable. Aucun mousquet ne peut la transpercer, à mon avis. Elle est bâtie sur le bord de quelque petite rivière ou d'un étang. Elle comprend deux étages de figure ronde. Les matériaux dont elle est composée sont du bois et de la terre, si bien liés et unis ensemble que j'ai vu des Sauvages, en plein hiver, suer pour y faire une ouverture à coups de hache. Quand le froid a glacé les rivières et les étangs, le castor se tient retiré en l'étang d'en haut, où il conserve sa provision de bois à manger pour l'hiver. De temps à autre, il descend à l'étage inférieur et, de là, il se glisse dans l'eau pour boire ou pour trouver d'autre bois.
>
> Lorsque les Sauvages ont brisé la maison, les pauvres animaux, qui sont parfois en grand nombre sous un même toit, s'en vont sous les glaces, qui d'un côté, qui de l'autre, cherchant des lieux vides et creux entre la glace et l'eau, pour pouvoir respirer. Les chasseurs se promènent sur la glace portant un long bâton armé d'un côté d'une tranche de fer, faite comme un ciseau de menuisier, et de l'autre, d'un os de baleine. Ils sondent la glace avec cet os. En frappant, ils essaient de découvrir si le son est creux. Cela leur donne quelque indice de la concavité de la glace. Ils la coupent alors avec la tranche de fer et regardent si l'eau est agitée par le mouvement du castor ou par sa respiration. S'ils sentent la présence du castor, ils fourrent dans le trou qu'ils viennent de faire un bâton recourbé. Ils tuent l'animal au moyen de cet instrument.

La chasse au castor a lieu habituellement l'hiver, car, durant la saison froide, le poil de l'animal est plus soyeux. « Sa fourrure est bizarre et bien différente d'elle-même, fait remarquer le baron de La Hontan. Elle est formée de deux sortes de poils opposés. L'un est long, noirâtre, luisant et gros comme du crin ; l'autre, délié, uni, long de quinze lignes pendant l'hiver ; en un mot, le plus fin duvet qui soit au monde. Il n'est pas nécessaire de vous avertir que c'est cette seconde espèce de poil que l'on cherche avec tant d'empressement et que ces animaux mèneraient une vie plus sûre et plus tranquille s'ils n'étaient vêtus que de crin. »

Toutes les peaux de castor ne valent pas le même prix. La moins prisée est celle dénommée castor sec, c'est-à-dire la peau « telle qu'elle sort de dessus l'animal ». Les Amérindiens se contentent alors d'enlever les chairs et de faire sécher la peau au soleil. Le castor sec d'hiver forme la classe suivante. Viennent ensuite le castor gras et le castor gras d'hiver. Les Français préfèrent de beaucoup cette dernière catégorie pour laquelle ils paient plus cher, car des peaux donnent un poil non seulement plus résistant, mais surtout plus soyeux.

Les Amérindiens cousent ensemble plusieurs peaux de castors d'hiver et portent, pendant deux ou trois ans, cette robe. Leur sueur pénètre jusqu'à la racine du poil et l'engraisse. À l'usage, le poil trop long tombe et seul demeure le duvet. « Les coureurs des bois, lit-on dans un mémoire de la fin du XVIIe siècle, font souvent mille bassesses auprès des Sauvages pour avoir leurs castors. Ils les suivent jusques dans leurs chasses ; ils ne leur donnent pas même le temps de faire sécher et de préparer les peaux. Ils essuient les railleries piquantes, les mépris et quelquefois les coups de ces Sauvages, qui ne sauraient assez s'étonner d'une avidité aussi sordide, et de voir les Français venir de si loin avec tant de fatigues et de dépenses pour ramasser des castors sales et puants, dont ils se sont habillés et dont ils ne font plus de cas. »

Rapidement, les Amérindiens se rendent compte qu'ils peuvent gagner à porter jour et nuit leurs robes de peaux. « Je vous laisse à penser, écrit le père Charlevoix, si dans les commencements on a été assez simple pour faire connaître aux Sauvages que leurs vieilles hardes étaient une marchandise précieuse. Mais on n'a pu leur cacher longtemps un secret de cette nature. Il était confié à la cupidité qui n'est jamais longtemps sans se trahir elle-même. »

Le précieux duvet de castor sert alors surtout à la fabrication des chapeaux. On tente, vers 1690, de fabriquer des tissus et autres pièces avec le poil, mais sans succès. Le père Charlevoix rapporte le cas d'un nommé Guigues qui

> se trouvant chargé d'une prodigieuse quantité de cette pelleterie, imagina, pour en faciliter la consommation, d'en faire filer et carder avec de la laine ; et de cette composition, il fit faire des draps, des flanelles, des bas au métier et autres ouvrages semblables, mais avec peu de succès. Cet essai fit connaître que le poil de castor n'est bon qu'à faire des chapeaux. Il est trop court pour être filé seul et il en faut mettre beaucoup moins de la moitié avec la laine, ainsi il y a peu de profit à faire dans cette fabrique. On a pourtant conservé une de ces manufactures en Hollande, où on en voit des draps et des droguets ; mais ces étoffes sont chères et ne sont pas d'un bon usage. Le poil de castor s'en détache bientôt et forme à la superficie comme un duvet qui leur ôte tout leur lustre. Les pas, qu'on en avait fait en France, avait le même défaut.

Un amateur de truite

Pour la traite des fourrures, le castor est le roi des bêtes. Par contre, le chat sauvage, la loutre, les fouines, le rat musqué, l'hermine, la martre forment ce que l'on appelle la menue pelleterie.

En 1686, le baron de La Hontan accompagne un groupe d'Amérindiens à la chasse aux loutres. En bon officier militaire, il ne dédaigne pas la traite, car cela lui permet d'arrondir quelque peu sa solde.

> Après avoir élevé nos maisons portatives, raconte-t-il, quelques Sauvages se mirent à pêcher des truites ; mais le plus grand nombre passa le temps à dresser des pièces ou trappes pour prendre des loutres sur les bords du lac. Cette trappe se fait avec des piquets en forme d'un petit parc carré ; il y a au milieu une espèce

de porte suspendue par le moyen d'une corde passée dans une fourche, à laquelle on lie une truite bien serré. Lorsque la loutre vient à terre et qu'elle voit ce friand morceau, elle entre plus de la moitié du corps dans cette cage fatale, pour avaler le poisson. Mais à peine y touche-t-elle que le piquet qui soutient la porte attiré par la petite porte qui tient l'appât, venant à tomber, cette porte chargée de bois et conséquemment fort pesante lui tombe sur les reins et l'écrase. Quand ces pièges sont ainsi tendus, les Sauvages ne se donnent plus aucun mouvement de chasse ; ils en donnent la direction aux esclaves qui visitent les trappes tous les matins, qui remettent un nouvel appât et qui rapportent la capture. Vous ne croiriez pas combien elle est fort copieuse cette capture. On ne resta que quelques jours à cet endroit-là, et cependant on prit deux cent cinquante loutres. La peau en est beaucoup plus belle en Canada qu'en Moscovie ni qu'en Suède.

Martre et rat musqué

Les martres font aussi l'objet de l'attention des chasseurs et des traiteurs. « Elles se tiennent ordinairement au milieu des bois d'où elles ne sortent que tous les deux ou trois ans, mais elles en sortent toujours en grandes troupes, écrit le père Charlevoix. Les Sauvages sont persuadés que l'année où ils les voient sortir sera bonne pour la chasse, c'est-à-dire qu'il neigera beaucoup. »

Les poils de rat musqué servent, mélangés avec ceux du castor, à la fabrication de chapeaux. Quant à la peau de chat sauvage, elle sert à la confection de robes et, plus tard, elle formera la matière première des célèbres capots de chat. Le loup-cervier fournit lui aussi une fourrure très recherchée. Son poil et sa peau « sont fort connus en France : c'est une des plus belles fourrures de ce pays et qui entre le plus dans le commerce ».

Parmi le gros gibier, l'ours est l'animal le plus profitable : sa peau sert à la fabrication de manchons, sa chair est délicieuse et sa graisse est utilisée abondamment dans la préparation de remèdes, surtout chez les Algonquins. La chasse à l'ours s'accompagne d'un cérémonial bien particulier.

> Les Sauvages, raconte Nicolas Perrot, s'appliquent à la chasse de l'ours dans le temps que les biches et les chevreuils sont maigres. Un chef de guerre formera un parti de jeunes gens auxquels il donnera un festin [...] Ce chef, dis-je, déclare devant toute l'assemblée qu'il veut aller à la chasse à l'ours, et les invite à l'accompagner, leur disant le jour qu'il a résolu de partir. Il faut savoir que ce festin est quelquefois précédé d'un jeûne de huit jours, sans boire ni manger, afin que l'ours lui soit favorable et à ceux de son parti, voulant dire qu'il désire d'en trouver et d'en tuer, sans en être ni ses gens aucunement endommagés. Le jour du départ étant venu, il fait assembler tout son monde, qui se noircissent comme lui le visage de charbon, demeurant tout à jeun jusqu'au soir, qu'ils mangent même très peu. Ils partent le lendemain ; le chef du parti commence d'abord à arranger ses gens pour faire un circuit d'environ un quart ou une demi-lieue et finir l'enceinte qu'il s'est proposée dans l'endroit même d'où il est parti. Ils battent et parcourent ensuite le terrain qui est investi. Ils visitent soigneusement tous les arbres, racines et rochers qui y sont renfermés, et détruisent les ours qui peuvent y être. À mesure qu'ils en tuent, ils allument leur pipe et, lui en mettant le tuyau dans la gueule,

> ils poussent la fumée dehors par les narines de cet animal. Ils coupent le filet qu'il a sous la langue et l'enveloppent dans un chiffon pour la garder très soigneusement. [...] On s'occupe après cela à écorcher l'ours, dont on emporte la viande au camp. [...] Quand il est écorché, on enlève toute la graisse et on la coupe par quartiers.

La chasse à l'ours se fait habituellement avec des flèches. L'utilisation d'armes à feu fait trop de bruit et les ours alors « s'épouvanteraient ». Toute l'habileté du chasseur se manifeste dans la chasse à l'ours et « un homme n'est pas réputé grand chasseur, s'il ne tue douze grandes bêtes en un jour ».

Du couteau au fusil

À la fin du XVIe siècle et au début du siècle suivant, les Amérindiens troquent leurs fourrures contre de menus objets : une aiguille, un morceau de fer blanc, un petit miroir, un grelot, un bonnet de marin, etc. Mais rapidement, le jeu de l'offre et de la demande leur révèle la richesse qu'ils peuvent tirer de leurs produits. Champlain note : « Ceux qui pensent faire leur affaire en arrivant les premiers s'abusent, car ces peuples sont maintenant trop fins et subtils. » Les prix augmentent rapidement. Là où un Amérindien se contentait de deux couteaux pour une peau de castor, il en exige une douzaine dès 1608.

Chaque année ou presque, au cours des premières décennies du XVIIe siècle, on évalue de 15 000 à 20 000 le nombre de peaux de castors acheminées vers la France. Un des premiers objets de troc est la hache de traite qui remplace le tomahawk de pierre. « En effet, écrit l'historien Russel Bouchard, l'Indien constate rapidement la supériorité de la hache de métal quelle que soit sa forme. Habitué à utiliser la hache de pierre presque uniquement pour le combat, il réunissait désormais l'outil indispensable pour la construction de son gîte et l'exécution d'innombrables travaux quotidiens, à l'arme par excellence des corps à corps tant contre les siens que contre l'homme blanc. »

Les lames d'épées et de sabres sont aussi utiles pour la chasse. Les Amérindiens céderont volontiers des peaux de castors pour en obtenir. Ils feront de même, à la fin du siècle, pour les couteaux croches.

Un autre important objet de troc est l'écarlatine, un genre de couverture faite « de draps blancs, ou rouges, ou bleus bordés de bandes noires ». Plus le commerce des fourrures se développe, plus nombreux sont les Amérindiens qui font de ces couvertures leurs vêtements usuels.

Avant l'arrivée des Européens, les Amérindiens ignoraient l'existence des armes à feu. Les premiers coups de feu qu'ils entendent jettent la terreur. Rapidement, ils veulent posséder ces armes, tant pour faire la guerre que pour améliorer leurs chasses. Dès le début du XVIIe siècle, des trafiquants échangent des armes à feu contre des peaux. En 1612, dans une ordonnance, défense est faite « à tous nos sujets ou autres, de quelque état, qualité et condition qu'ils soient, de porter dorénavant auxdits Sauvages habitants desdits lieux de la Nouvelle-France aucunes armes à feu à peine de dix milles livres d'amende et de punition corporelle ». Il faut croire que l'ordonnance n'est pas suivie à la lettre, car dix ans plus tard, soit en 1622, le Conseil privé du roi de France émet une nouvelle ordonnance plus sévère, menaçant de mort, cette fois, ceux qui remettront des armes à feu aux Amérindiens.

Le problème se complique à partir du moment où les Anglais et les Hollandais tolèrent la vente d'armes à feu. Vers 1640, les Iroquois, principaux fournisseurs en fourrures des Hollandais, disposent d'armes à feu. Une bourgade de sept cents hommes dispose alors de trois cents arquebuses. En Nouvelle-France, en 1636, la vente d'armes à feu était restreinte aux Amérindiens qui s'étaient convertis !

Le plus offrant

Afin de mettre un peu d'ordre dans la traite des fourrures, Alexandre de Prouville de Tracy, lieutenant général du roi en Amérique, fixe les prix qui, en 1665, sont les suivants :

- une couverture blanche de Normandie : six castors
- un fusil : six castors
- une barrique de blé d'Inde : six castors
- une couverte de ratine : quatre castors
- une couverte à l'Iroquoise : trois castors
- un grand capot : trois castors
- un moyen capot : deux castors
- un petit capot : un castor

Pour un castor, un Amérindien obtient, au choix, deux livres de poudre, quatre livres de plomb, huit couteaux à manche de bois, dix jambettes, vingt-cinq alènes, douze fers de flèches, deux épées, deux tranches ou deux haches.

La rivalité commerciale entre Français et Anglais amène l'établissement de différentes échelles de prix. En 1689, les prix payés à Montréal ou à Albany vont souvent du simple au double. À Albany, un Amérindien obtient huit livres de poudre pour un castor. À Montréal, il lui faut remettre quatre castors pour recevoir la même quantité. Un fusil coûte deux castors à Albany et cinq, à Montréal. Pour une couverture de drap rouge, un grand capot, quatre chemises ou six paires de bas, il faut un castor chez les Anglais et deux, chez les Français. Il est bien normal alors que les chasseurs préfèrent vendre leurs fourrures en Nouvelle-Angleterre. Bien des Français, même ceux qui occupent de hauts rangs dans l'administration, font de la contrebande pour obtenir de meilleurs prix, en vendant, eux aussi, leurs fourrures aux Anglais.

Un document datant de 1689 fait état des différences de prix pour l'eau-de-vie. « Les Anglais, y lit-on, donnent six pots d'eau-de-vie pour un castor : c'est du rhum ou guildive ou autrement de l'eau-de-vie de canne de sucre qu'ils font passer des Îles de l'Amérique. Les Français n'ont point de règle sur la traite de l'eau-de-vie : les uns en donnent plus, les autres moins, mais on ne va jamais jusques à un pot pour un castor. » La vente de l'eau-de-vie aux Amérindiens causera plus tard de sérieux problèmes politiques et religieux.

La foire des fourrures

Même si, à certaines époques, la traite des fourrures est libre en Nouvelle-France, tout le castor qui quitte la colonie est soumis à une taxe spéciale et doit être acheminé en France par la compagnie qui possède le monopole de traite. À l'intérieur du territoire, le mode de traite varie suivant les années. La foire des fourrures, jusqu'à la fin du XVIIe siècle, tient une place importante dans ce commerce.

Une fois l'an, Québec, Trois-Rivières et Montréal deviennent des postes de traite. Les Amérindiens, surtout les Algonquins et les Outaouais, à la fin du printemps ou au début de l'été (du moins au XVIIe siècle), arrivent à bord de canots chargés de ballots de fourrures. La foire commence. La plus importante se tient à Montréal, sur le terrain de la Commune située, selon Victor Morin et E.-Z. Massicotte, « entre la rue Saint-Paul et le fleuve, puis entre la rue Saint-Pierre et la chapelle de Notre-Dame-de-Bon-Secours ». Après 1665, les habitants qui désirent commercer avec les Amérindiens se font concéder temporairement un emplacement sur lequel ils construisent des boutiques volantes qu'ils devront démolir dès que la foire sera terminée. Avant 1665, d'après le témoignage de Charles Le Moyne, « chacun traitait dans les maisons ».

Cette façon de procéder n'est pas sans engendrer de graves désordres. Les autorités doivent réglementer. Lors d'une assemblée des habitants de Montréal, tenue le 20 octobre 1675, au matin, il est proposé « que, puisqu'on prétend que la traite des Outaouais soit érigée en ce lieu en foire publique, qu'il soit défendu de traiter, pendant ladite foire, hors les lieux de la commune qui seront désignés à cet effet et qu'il soit mis une taxe sur les marchandises qui seront traitées aux Outaouais, à peine de confiscation et d'amende, comme aussi qu'il soit défendu à tous ceux qui entendent la langue outaouaise de leur parler pendant la traite en langue sauvage ni de les tirer à part pour les faire traiter où il leur plaise, à peine d'amende ».

Une ordonnance royale du 3 mai 1681 restreint à Québec, à Trois-Rivières et à Montréal la traite des fourrures, sauf pour ceux qui ont obtenu des permissions spéciales à cet effet, soit des congés de traite. Deux ans plus tard, soit le 21 février 1683, une nouvelle ordonnance précise les droits et devoirs de chacun. « Défenses sont aussi faites à tous ceux qui ont des habitations au-dessus de la ville de Montréal et autres lieux, précise l'article 6, d'empêcher directement ni indirectement les Sauvages de descendre aux lieux de foire, ni de les arrêter en remontant sous quelque prétexte que ce soit. »

Au mois de mai 1685, le baron de La Hontan assiste à la foire des fourrures à Montréal. Une cinquantaine de canots chargés d'Outaouais et de Hurons viennent vendre le produit de leurs chasses hivernales. Le jeune officier, selon certains historiens, a légèrement déformé la vérité.

> Ces marchands, écrit-il, se campent à cinq ou six cents pas de la ville. Le jour de leur arrivée se passe tant à ranger leurs canots et débarquer leurs marchandises qu'à dresser leurs tentes, lesquelles sont faites d'écorce de bouleau. Le lendemain, ils font demander au gouverneur général une audience, qu'il leur accorde le même jour en place publique. Chaque Nation fait un corps séparé ; mais tous ces cercles

> étant assis par terre et chaque Sauvage ayant la pipe à la bouche, l'un d'eux choisi par la troupe comme le plus éloquent se lève et s'adressant au gouverneur qui est dans un fauteuil lui dit : que ses frères sont venus pour le visiter et renouveler en même temps avec lui l'ancienne amitié ; que le principal motif de leur voyage est celui de procurer l'utilité des Français, parmi lesquels il s'en trouve qui n'ayant ni moyen de trafiquer ni même assez de force de corps pour transporter des marchandises le long des lacs, ne pourraient faire de profit, si ses frères ne venaient pas eux-mêmes trafiquer les castors dans les colonies françaises ; qu'ils savent bien le plaisir qu'ils font aux habitants de Montréal par rapport aux gains que ces mêmes habitants en retirent, que ces peaux étant fort chères en France et, au contraire, les marchandises que l'on donne en échange aux Sauvages coûtant très peu, ils sont bien aises de marquer leur bonne volonté aux Français et de leur procurer pour presque rien ce qu'ils recherchent avec tant d'empressement. Que pour avoir le moyen d'en apporter davantage une autre année, ils sont venus prendre, en échange, des fusils, de la poudre et des balles, pour s'en servir à faire des chasses plus abondantes ou pour tourmenter les Iroquois, en cas qu'ils se mettent en devoir d'attaquer les habitations françaises ; et qu'enfin, pour assurer leurs paroles, ils jettent un collier de porcelaine avec une quantité de castors au gouverneur dont ils demandent la protection en cas qu'on les vole ou qu'on les maltraite dans la ville.

« Le harangueur, ajoute La Hontan, ayant fini reprend sa place et sa pipe et se remet tranquillement à fumer. L'interprète explique le compliment du Sauvage. Le gouverneur y répond et fait un présent à son tour. » Les Amérindiens retournent ensuite dans leurs quartiers « où ils achèvent de disposer tout pour l'échange ».

Les transactions commencent le surlendemain de l'arrivée des Amérindiens. Ces derniers « s'adressent, autant que cela se peut, aux meilleures bourses et à ceux des échangeurs qui donnent les pièces de munition et de ménage à plus bas prix ». Ils trafiquent parfois jusqu'aux vêtements de fourrures.

La présence en ville de quelques centaines d'Amérindiens n'est pas sans engendrer un peu de désordre, surtout certaines années. La Hontan dit avoir été témoin, en 1685, d'échanges non prévus dans les ordonnances. A-t-il exagéré ou inventé ? Impossible de l'affirmer avec certitude. Selon lui, c'est un plaisir de voir les Amérindiens « courir de boutique en boutique l'arc et la flèche à la main, tout à fait nus ». « Nos Françaises qui ont de la pudeur ou qui veulent paraître en avoir, écrit-il, portent leur éventail sur les yeux pour ne pas être effrayées à l'aspect de si vilaines choses ; mais ces drôles qui connaissent aussi bien que nous les jolies marchandes ne manquent pas de leur offrir ce qu'elles daignent quelquefois accepter... »

Les coureurs des bois

La traite des fourrures pratiquée à la française donne naissance à un nouveau type de « négociant » : le coureur des bois. L'expression apparaîtra vers 1675 pour désigner ceux qui continuent à faire la traite sans autorisation des autorités. Les voyageurs munis d'un congé prennent le nom d'engagés. Mais on en vient rapidement à désigner sous le vocable de coureurs des bois tous ceux qui parcourent les forêts pour négocier directement avec les Amérindiens les peaux de bêtes. « Ces coureurs des bois, lit-on dans un mémoire écrit en 1705, sont toujours des jeunes gens dans la force de l'âge ; la vieillesse n'étant pas capable des fatigues de ce métier. Il y en a qui sont de bonne famille, d'autres qui ne sont que de simples habitants ; d'autres enfin qui n'ont aucune profession et qu'on appelle volontaires : le désir de gagner est commun à tous ces hommes. »

La course des bois et la vie à l'amérindienne attirent vraiment une bonne partie de la jeunesse de la Nouvelle-France. Jacques-René de Brisay de Denonville, gouverneur de la colonie de 1685 à 1689, luttera contre la désertion vers les bois ; mais il se rend bien compte que la vie en forêt exerce une grande fascination. « Dès le moment que les enfants peuvent tenir un fusil, les pères ne peuvent plus retenir leurs enfants.[...] Ces déréglements se trouvent bien plus grands dans les familles de ceux qui sont gentilshommes ou qui se sont mis sur le pied de le vouloir être. Car n'étant pas accoutumés à tenir la charrue, la pioche, la hache, toute leur ressource n'étant que le fusil, il faut qu'ils passent leur vie dans les bois. »

Vers les années 1680, le marchand Aubert de La Chesnaye évalue à quatre ou cinq cents le nombre de jeunes gens qui vivent dans les bois. Plusieurs viennent de la région de Trois-Rivières. Le système politique et économique de l'époque est en bonne partie responsable de la désertion des terres. L'historien Benjamin Sulte est catégorique sur ce point : « Nos cultivateurs étaient entraînés à devenir coureurs des bois et à négliger fatalement les travaux de la terre. Le commerce a exploité la colonie agricole comme pour l'obliger à s'éteindre. »

Le coureur des bois, lorsqu'il veut revenir à Montréal ou à Trois-Rivières en courant le risque d'être mis sous arrêt, vient lui-même porter le produit de son négoce. En 1685, au mois de mai, les habitants voient arriver une trentaine de canots montés par des Canadiens et chargés de ballots de fourrures. Des coureurs des bois « portent leurs marchandises propres chez les Sauvages, affirme le mémoire de 1705 ; les autres les empruntent à des marchands. Il y en a qui font ce commerce pour des particuliers qui leur donnent des gages ; d'autres qui s'intéressent et qui risquent avec des marchands ». La classe la plus exploitée de coureurs des bois est, sans doute, celle qui fait affaire avec les marchands qui leur prêtent soit les marchandises, soit l'argent nécessaire pour leur achat. Dans ce dernier cas, l'aventurier doit non seulement rembourser l'emprunt, mais aussi payer un intérêt qui dépasse souvent 33 pour cent.

Le costume du coureur des bois

Le coureur des bois se reconnaît facilement à son costume : « un brayet ou culotte courte, des mocassins ou souliers de peaux, des mitasses ou guêtres de drap ou de peau de chevreuil, en guise de bas, le tout complété par la tuque ou le bonnet de laine. » Il se déplace, chaque fois que c'est possible, dans un canot qu'il conduit lui-même. Il parcourt habituellement, lorsque le temps et l'eau s'y prêtent, environ soixante-dix kilomètres par jour. Sa nourriture est faite de biscuits, pois, blé d'Inde et eau-de-vie. Lorsque ces vivres viennent à manquer, il doit s'en remettre aux produits de sa chasse, ou se contenter de manger une certaine mousse appelée *tripe de roche*.

L'aspect le plus intéressant de la course des bois est sans doute la liberté qu'on y trouve. Pierre-Esprit Radisson écrit dans son journal : « Nous étions des Césars contre qui personne n'élevait la voix pour nous contredire. »

> Comme il ne faut pas beaucoup de temps pour faire le trafic des fourrures, lit-on dans le Mémoire de 1705, la vie des coureurs des bois est une perpétuelle oisiveté, qui les conduit à toutes sortes de débauches. Ils dorment, ils fument, ils boivent de l'eau-de-vie quoiqu'elle coûte ; et souvent ils débauchent les femmes et les filles des Sauvages. Le jeu, l'ivrognerie et les femmes consument souvent le capital et les profits de leurs voyages. Ils vivent dans une entière indépendance ; ils n'ont à rendre compte de leurs actions à personne ; ils ne reconnaissent ni supérieur, ni juge, ni lois, ni police, ni subordination.

Une telle vie n'est pas sans engendrer des problèmes graves aussi bien en forêt que dans la colonie. L'attitude de certains coureurs des bois explique l'agressivité manifestée quelquefois par les Amérindiens. Le gouverneur Denonville écrit, le 12 juin 1686 : « Les désordres et les libertinages ont été à une telle extrémité que c'est merveille que les Sauvages ne les aient pas tous assommés pour se garantir des violences qu'ils ont reçues des Français. » Pour certains coureurs des bois, le moyen le plus facile de s'enrichir consiste à échanger de l'eau-de-vie contre des peaux de castors. Une seule barrique d'eau-de-vie pouvait rapporter soixante-quinze fois son prix d'achat !

Un homme décrié

L'homme qui a épousé la vie des bois revient difficilement poursuivre son existence dans la colonie. Pour le gouverneur Denonville, les coureurs des bois sont une perte sèche. « L'air noble qu'ils prennent à leur retour, par leurs ajustements et par leurs débauches au cabaret, fait que méprisant les paysans, ils tiennent au-dessous d'eux d'épouser leurs filles, bien qu'eux-mêmes soient paysans comme eux, et outre cela ils ne veulent plus s'abaisser à cultiver la terre et ne veulent plus entendre qu'à retourner dans les bois continuer le même métier. »

Il n'y a pas que des aspects négatifs à la course des bois. Souvent ces aventuriers sont des fondateurs de postes de traite ou d'établissements. Ils servent de trait d'union entre Français et Amérindiens dont ils parlent parfaitement la langue et connaissent bien la manière de vivre. Comme le fait remarquer Benjamin Sulte : « Ces voyageurs, perdus pour nous, croit-on, parce qu'ils ne sont pas revenus, fondent des colonies, de grandes villes même, et, en tous cas, ils ont porté jusqu'aux confins du monde habité ce sentiment français, cette langue impérissable, cette gaieté de tous les instants, cette vigueur des muscles, cette connaissance et ce mépris du danger que la civilisation s'étonne d'apercevoir à son avant-poste. »

Façon de pêcher des Indiens de la Floride.

L'ART DE SE FAIRE DES ENNEMIS

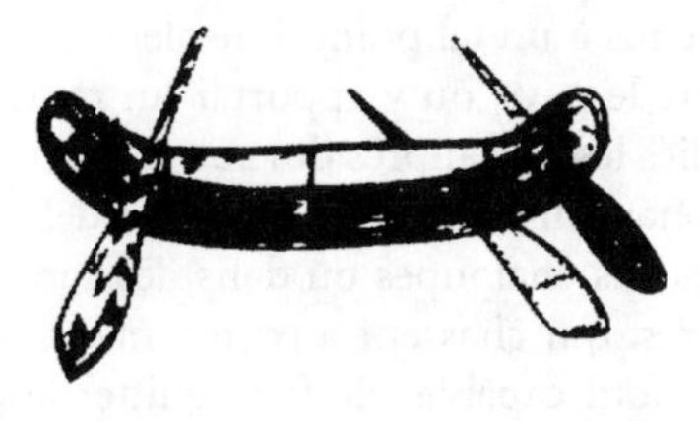

TROIS NATIONS EUROPÉENNES, VERS LES ANNÉES 1640, manifestent de l'intérêt pour la partie septentrionale de l'Amérique du Nord. L'Angleterre possède le long de la côte atlantique quelques établissements prospères qui forment déjà une Nouvelle-Angleterre. Près de 30 000 émigrants y ont trouvé une nouvelle patrie. La Nouvelle-France, avec ses trois cents habitants, joue un rôle plus important, malgré sa faible population. La Hollande a deux postes : la Nouvelle-Amsterdam, qui deviendra New York, et Fort Orange (Albany), sur la rivière Hudson.

Hollandais et Français s'intéressent surtout à la traite des fourrures. Les premiers se sont alliés aux Iroquois qui leur servent d'intermédiaires dans le commerce. Quant aux Français, ils font surtout affaire avec les Algonquins, les Outaouais et les Hurons. Rapidement, la rivalité commerciale, liée à des problèmes d'opposition séculaire, va engendrer des guerres qui, pendant vingt-cinq ans, mettront en péril l'existence même de la Nouvelle-France.

L'historien André Vachon explique ainsi la marche vers le conflit :

> Hurons et Iroquois avaient promis des fourrures en grandes quantités. Or, leurs territoires respectifs étaient pauvres en gros gibier. Les Hurons, habitués dès longtemps au commerce, ne s'en trouvèrent point embarrassés. Portant aux Algonquins, aux Montagnais et aux Outaouais du maïs, du tabac, du chanvre et des produits de leur industrie, ils en recevaient de la viande fumée et des fourrures en abondance. Patients, rusés, beaux parleurs, ils étaient passés maîtres dans l'art des échanges fructueux. Ils devinrent rapidement, entre les nations pourvoyeuses de fourrures et les Français, les intermédiaires indispensables ; coupées des nations du Nord par le pays des Hurons, ennemies au surplus des nomades de la famille algonquine, les Cinq-Nations paraissaient devoir assister, impuissantes, à l'enrichissement des Hurons.

Les Hollandais, principaux bénéficiaires de la traite avec les Iroquois, ne peuvent demeurer impassibles devant la destruction de leur commerce. Ils fournissent donc à leurs alliés des armes à feu dans le but « de détourner les fourrures des Hurons vers la Nouvelle-Hollande ».

Les Iroquois décident alors, non seulement de mâter les Hurons pour s'emparer de tout le commerce des fourrures, mais aussi de devenir maîtres du fleuve Saint-Laurent pour convoyer vers la Nouvelle-Hollande toutes les peaux de traite. Comme la présence française constitue un obstacle à ce désir de contrôle, les amis des Hollandais conçoivent également le projet de détruire les établissements français.

> Les Iroquois sont venus à un tel point d'insolence, écrit le père Le Jeune en 1641, qu'il faut voir perdre le pays, ou y apporter un remède prompt et efficace. Si les Français étaient ralliés les uns auprès des autres, il leur serait bien aisé de maîtriser ces barbares ; mais étant dispersés, qui deçà, qui delà, naviguant à toute heure sur le grand fleuve dans des chaloupes ou dans des canots, ils peuvent être aisément surpris de ces traîtres, qui chassent aux hommes comme on fait aux bêtes [...]. Cinquante Iroquois sont capables de faire quitter le pays à deux cents Français.

Avant 1641, les Iroquois avaient fait subir quelques attaques aux Français, mais il faut attendre cette année-là pour assister à une guérilla systématique.

La torture, une denrée quotidienne

Le 1er août 1642, une quarantaine de personnes, montées à bord de douze canots, quittent Trois-Rivières en direction de la Huronie. La majorité sont des Hurons, quelques Français les accompagnent : le père jésuite Isaac Jogues, un frère jésuite René Goupil, chirurgien de profession, et Guillaume Couture, un coureur des bois. Le lendemain du départ, dans la région de Berthier ou de Lanoraie, les Hurons remarquent des traces de pas sur le sable du rivage. Ahatsistari, un des guerriers hurons qui vient de recevoir le baptême, demande à ses compagnons de voyage de continuer leur route, car, selon lui, les ennemis ne sont pas en nombre supérieur. Peu après, les Agniers passent à l'attaque. Les trois Français et dix-neuf Hurons sont faits prisonniers et amenés captifs à Ossernenon, aujourd'hui Auriesville, dans l'État de New York.

Pour les Iroquois, les missionnaires représentent une menace politique et culturelle. Ils propagent une religion qui détruit la leur et qui risque fort de modifier les bases mêmes de leur structure sociale. Ils incarnent l'impérialisme français. Jogues et Goupil sont soumis à divers sévices, les mêmes que les Iroquois font endurer à leurs prisonniers amérindiens.

> Après cinq ou six jours, relate le père Jogues, alors que nous étions épuisés par le voyage, ils s'approchaient de nous, sans plus aucune colère, nous arrachaient froidement les cheveux et la barbe et nous enfonçaient profondément les ongles, qu'ils portent très pointus, dans les parties du corps les plus délicates et les plus sensibles. [...] Ils me brûlèrent un doigt et m'en broyèrent un autre avec les dents ; ils disloquèrent ceux qui avaient déjà été broyés en rompant les nerfs de telle sorte que maintenant qu'ils sont guéris ils demeurent affreusement déformés. Tout cela

était rendu plus cruel par la multitude des puces, des poux et des punaises, auxquels les doigts coupés et mutilés permettaient difficilement d'échapper.

Rendus au lieu de leur captivité, les prisonniers font face à une nouvelle flambée de violence. « Ils nous accueillirent avec des bâtons, des coups de poing et des pierres. Comme ils ont en aversion la chevelure rare et courte, cette tempête se déchaîna en particulier sur moi et sur ma tête chauve, écrit le père Jogues. Il me restait deux ongles ; ils les arrachèrent avec leurs dents et ils dénudèrent jusqu'aux os, avec leurs ongles très pointus, la chair qui est au-dessous. »

René Goupil est tué d'un coup de hache, le 29 septembre 1642, alors qu'il venait de faire le signe de la croix sur la tête d'un enfant iroquois. Le grand-père de l'enfant avait incité un de ses compatriotes à lever la main sur le Français en disant : « Les Hollandais nous assurent que ce que fait ce prisonnier ne vaut rien ; cela causera la mort de mon petit-fils ; va donc tuer ce misérable. »

Un fort sur le Richelieu

Quelques jours avant la capture des trois Français, le gouverneur de la Nouvelle-France, Charles Huault de Montmagny, quitte Québec avec une centaine d'hommes. Il se rend à l'embouchure de la rivière Richelieu dans le dessein d'y construire un fort. Cette rivière est habituellement utilisée par les nations iroquoises pour venir attaquer la colonie ou les convois de fourrures qui descendent le fleuve Saint-Laurent. Le 13 août 1642, les hommes se mettent à l'ouvrage. Les Iroquois venaient justement de procéder à la construction d'un système défensif non loin de l'endroit choisi par le gouverneur. Le 20, ils se lancent à l'attaque du nouveau fort. Les Français résistent tant bien que mal. Montmagny quitte le petit navire sur lequel il se trouve et réussit à pénétrer dans le réduit. L'attaque est repoussée, mais le caporal Deslauriers est tué. La victoire française redonne un peu d'espoir à la colonie.

Même la fondation d'un poste français sur l'île de Montréal ne calme pas toutes les appréhensions. Au contraire. La hantise iroquoise occupe tous les esprits. Habiles guerriers et bons stratèges, les Iroquois changent de tactique à partir de 1643. Ils n'attaqueront plus par groupes de trois cents à la fois, comme au fort Richelieu. Ils utilisent le petit groupe de harcèlement.

> Quand une bande s'en va, l'autre lui succède, écrit le père Barthélemy Vimont ; ce ne sont que petites troupes bien armées, qui partent les unes après les autres du pays des Iroquois, pour occuper toute la grande rivière [Saint-Laurent] et y dresser partout des embuscades d'où ils sortent à l'improviste, se jetant indifféremment sur les Montagnais, les Algonquins, les Hurons et les Français. On nous a écrit de France que le dessein des Hollandais est de faire tellement harceler les Français par les Iroquois, à qui ils fournissent des armes, qu'ils les contraignent de quitter le pays et même d'abandonner la conversion des Sauvages.

Les colons de Ville-Marie, qui n'ont pas eu à trop souffrir de l'hostilité iroquoise, ne se rendent pas compte, au mois de juin 1643, que six des leurs qui travaillent aux champs sont victimes de leurs ennemis. Comme Maisonneuve ne les voit pas revenir au fort, il demande à quelques colons-soldats d'aller aux champs. Ils découvrent les cadavres scalpés de Guillaume Boissier, Pierre Laforêt dit L'Auvergnat et Bernard Berté. Les trois autres Montréalistes sont amenés prisonniers. L'un réussira à s'enfuir et les deux autres mourront brûlés.

Plusieurs habitants de Ville-Marie veulent se lancer à la poursuite de leurs ennemis et les tailler en pièces. Maisonneuve refuse : « Sans doute, nous pourrions poursuivre les Iroquois, ainsi que vous le souhaitez avec tant d'ardeur ; mais nous ne sommes qu'une poignée de monde, peu expérimentés au bois, théâtre ordinaire de la guerre avec ces barbares ; et tout à coup nous tomberons dans quelque embuscade, où il y aura vingt Iroquois contre un Français. Prenez patience ; quand Dieu nous aura donné du monde, nous risquerons des coups. Maintenant ce serait hasarder imprudemment la perte de tout en une seule fois, et je me croirais coupable en conduisant, avec si peu de prudence, l'œuvre qui m'est confiée. »

Pour prévenir les attaques-surprises, les habitants iront tous ensemble « au travail, au son de la cloche, toujours armés » et ils reviendront pour le dîner lorsque la cloche du fort les y appellera. Bien plus, les chiens que l'on avait amenés de France pour voir au bétail et faire un peu de garde, sont dressés pour dénicher les Iroquois. « Les chiens faisaient, tous les matins, une grande ronde pour découvrir les ennemis et allaient ainsi sous la conduite d'une chienne nommée Pilote, raconte le sulpicien François Dollier de Casson. L'expérience journalière avait fait connaître à tout le monde cet instinct admirable que Dieu donnait à ces animaux, pour nous garantir de quantité d'embuscades que les Iroquois nous faisaient partout, sans qu'il nous fût possible de nous en garantir, si Dieu n'y eût pourvu par ce moyen. »

Le 30 mars 1644, les chiens ne cessent de japper pendant leur tournée matinale. Les colons sont assurés que des Iroquois sont cachés près de là. Ils se demandent si Maisonneuve va leur permettre, cette fois, de courir sus à l'ennemi. Ceux qui doutent encore du courage de leur chef reçoivent une réponse affirmative. « Oui, vous verrez l'ennemi, leur dit le commandant ; qu'on se prépare à marcher tout à l'heure ; mais qu'on soit aussi brave qu'on le promet. Je vais moi-même à votre tête. »

Ceux qui possèdent des raquettes les chaussent. Une trentaine d'hommes accompagnent Maisonneuve. Les ennemis, on s'en rendra compte trop tard, sont au nombre d'environ deux cents. Ils sont là, cachés derrière les arbres. Ils voient la troupe de Français s'avancer à l'orée du bois. Ils se divisent alors en petites bandes pour encercler leurs ennemis. Bientôt, du côté français, les munitions commencent à manquer. Il faut songer à la retraite, sans oublier les blessés et les morts.

La retraite s'effectue plus rapidement que commandée et Maisonneuve se retrouve seul face aux Iroquois qui veulent laisser à un de leurs chefs le plaisir de s'emparer du commandant de l'établissement français. Comme l'Iroquois s'apprête à saisir Maisonneuve par les épaules, ce dernier le met en joue et tire. L'Amérindien a le temps de se baisser et d'éviter le coup. « Cet homme se releva pour sauter sur lui, mais en cet instant il prit son autre pistolet et le tira si promptement et si heureusement qu'il le jeta tout raide mort. »

Les Iroquois songent à s'occuper de leur chef plutôt qu'à poursuivre Maisonneuve qui réussit à regagner la troupe française. À la suite de ce fait d'armes, le commandant de Ville-Marie regagne l'admiration de ses hommes et ceux-ci « eurent pour lui le dévouement le plus entier et pour ses avis la confiance la plus parfaite, protestant tous qu'ils ne souffriraient jamais qu'il s'exposât ainsi à l'avenir ».

Dans la plupart des engagements, les Iroquois se servent adroitement des armes à feu qu'ils ont obtenues des Hollandais. Les Amérindiens alliés des Français ne disposent que de haches de guerre, d'arcs et de flèches. Le 9 juillet 1644, le gouverneur Montmagny renouvelle la défense de « vendre, donner, troquer et échanger aux Sauvages, tant chrétiens que autres non chrétiens, des arquebuses, pistolets et autres armes à feu, poudre, plomb ». Cette décision des autorités françaises place les Amérindiens alliés sur un pied d'infériorité, mais elle montre surtout que les Français ont alors peu confiance dans la fidélité de ceux qui se prétendent leurs amis.

La guérilla iroquoise a comme conséquence immédiate de diminuer considérablement le volume de traite des fourrures. Les autorités françaises cherchent un moyen de mettre fin aux hostilités. Elles ont entre leurs mains deux prisonniers agniers. Montmagny ordonne la libération de l'un des deux et lui dit de retourner dans sa tribu et de faire libérer Guillaume Couture qui est toujours prisonnier. Les Français relâcheront ensuite l'autre captif et on pourra entreprendre des négociations de paix. L'Amérindien s'en retourne seul et, quelques semaines plus tard, un canot monté par trois Iroquois accompagnant Couture arrive au fort Richelieu. À Trois-Rivières, un des Agniers déclare : « On m'a dit à mon départ que je venais chercher la mort et que je ne verrais plus ma patrie ; mais je me suis involontairement exposé pour le bien de la paix. Je viens donc entrer dans les desseins des Français, des Hurons et des Algonquins et vous communiquer les pensées de tout mon pays. »

Montmagny, dès l'annonce de l'arrivée des émissaires agniers à Trois-Rivières, s'y rend pour présider les délibérations. Dans la cour du fort, on dresse une tente de toile. Deux perches reliées par une corde sont plantées à l'intérieur de l'abri et les Iroquois viennent y suspendre leurs présents. Les discours succèdent aux discours. Le gouverneur offre un banquet et des présents.

La paix avec les Agniers est ratifiée le 20 septembre 1645, en présence de quatre cents Amérindiens de diverses nations.

L'historien américain George T. Hunt affirme que les Agniers ont accepté la paix parce que « les Hurons et les Algonquins s'étaient engagés à livrer des fourrures ou les fourrures qu'ils récoltaient à la tribu des Agniers ». Par ailleurs, ce sont surtout les Français qui désirent la paix.

Il est normal et prévisible qu'à la moindre occasion la guerre reprenne. Le 12 septembre 1646, des Hurons arrivent à Ville-Marie avec un chargement de 32 000 livres de castors. Douze jours plus tard, Jean de La Lande et le père Jogues, revenu à Québec à l'été de 1644, quittent Trois-Rivières pour aller hiverner chez les Agniers. Vers le 15 octobre, ils tombent aux mains de ces derniers qui les font prisonniers. Au début du mois de juin 1646, Jogues s'était rendu chez les Agniers en voyage diplomatique et y avait laissé une mystérieuse cassette, en demandant de ne pas l'ouvrir. Or, au cours de l'été, la maladie se répand dans le village et la récolte de maïs est nulle. De là à conclure que la cassette était responsable de tous les malheurs, il n'y avait qu'un pas, vite franchi par les Agniers. Chose importante à noter : l'arrivée des missionnaires coïncide souvent avec des débuts d'épidémies ou de malheurs, aussi bien chez les Hurons que chez les Iroquois. Les pères jésuites sont d'ailleurs conscients de ce phénomène, puisqu'ils notent dans leurs *Relations* : « Au reste il est vrai que, parlant humainement, ces Barbares ont des sujets apparents de nous faire des reproches, d'autant que les fléaux qui humilient les superbes, nous devancent et nous accompagnent partout où nous allons. »

Sans doute pour éviter la multiplication des malheurs, le 18 octobre, un Agnier tue d'un coup de hache le père Jogues. Vraisemblablement, le lendemain, Jean de La Lande subit le même sort.

À nouveau, la guerre

La paix est de bien courte durée. L'ingénieur Louis d'Ailleboust a quand même le temps de fortifier Ville-Marie. « Il réduisit le fort à quatre bastions réguliers, si bien construits et si solides, qu'on n'avait encore rien vu de semblable au Canada. »

Le 30 novembre 1646, deux colons s'étant aventurés loin du fort disparaissent sans laisser de traces. Peu après, comme le gouverneur Montmagny avait rappelé tous les soldats cantonnés au fort Richelieu, les Iroquois pillent le poste et l'incendient.

Au mois de mars 1647, une centaine d'Algonquins de la région de Trois-Rivières sont faits prisonniers par les Agniers. Quelques-uns sont tués lors des engagements, mais la plupart trouveront la mort dans les villages iroquois. En cette année 1647, ce sont surtout les Hurons et les Algonquins qui font les frais de la guerre.

Les Iroquois décident, en 1648, d'effectuer une attaque massive contre la Huronie. Le 4 juillet, la mission de Saint-Joseph, composée de quatre cents familles, est complètement détruite. Le père Antoine Daniel est tué au sortir de la chapelle où il venait de terminer sa messe. Environ sept cents Hurons sont tués ou faits prisonniers. Au mois de mars 1649, les autres missions huronnes subissent la furie iroquoise. Près de 2000 Hurons conservent la vie en épousant la cause iroquoise ; quelques centaines viennent s'établir près de Québec. Mais la majorité sont massacrés ou meurent victimes de la famine. Lors de cette guerre, les pères Jean de Brébeuf et Gabriel Lalemant sont tués.

On fuit

Au printemps de 1649, Louis d'Ailleboust, devenu gouverneur de la Nouvelle-France, établit un camp volant de quarante hommes, dont la mission est de patrouiller le fleuve entre Québec et Montréal. Au bruit des rames de la chaloupe des patrouilleurs, les Iroquois s'enfuient, mais ils reviennent aussitôt, de sorte que le camp volant est d'une mince utilité. La destruction de la Huronie a rendu les Iroquois plus audacieux.

> En l'année 1650, écrit Jeanne Mance, les Iroquois [...] recommencèrent à nous incommoder et à nous attaquer si souvent et si fréquemment qu'ils ne donnaient point de relâche. Il ne se passait quasi point de jour qu'on ne découvrît quelques embûches ou qu'il y eut quelques alarmes. Ils nous environnaient et tenaient de

si près nos maisons qu'ils avaient toujours quelques espions à l'abri de quelques souches et cela vint à telle extrémité qu'il fallut abandonner les maisons aux habitants et les retirer et mettre les familles dans le fort, l'hôpital étant seul éloigné de secours et qui n'en pouvait être assisté la nuit s'ils eussent fait quelque effort, comme ils en firent en d'autres lieux où ils mirent le feu. Ils eussent sans doute ou brûlé ou pris et enlevé la maison où j'étais et tout ce qu'il y avait dedans, ce qui obligea monsieur le gouverneur de m'obliger de me retirer dans son fort. Afin de conserver la maison de l'hôpital, il fit mettre une escouade de soldats dedans et y fit mener deux pièces de canon et mettre des pierriers aux fenêtres du grenier, et faire des meurtrières partout autour du logis, haut et bas, et dans la chapelle qui servait de magasin d'artillerie. Tous les jours ou peu s'en fallait, il recevait quelques attaques. Ce triste état ayant continué près de deux ans, et sans recevoir de forces de France ni secours, nous voyant dans une extrême faiblesse et ne pouvant en recevoir d'aucun lieu du pays, chacun se trouvant assez en peine pour soi ; la crainte et l'effroi étaient partout. On ne parlait que des excès et cruautés qu'exerçaient ici et partout les Iroquois et qui ravageaient tout, comme si tout le pays était comme aux abois. Et on ne parlait d'autre chose sinon que tout le monde voulait quitter.

La situation devient telle que Maisonneuve décide de retourner en France implorer du secours.

Montréal résiste assez bien aux attaques. Mais, à Trois-Rivières, une trentaine d'Iroquois conduits par un chef métis, issu d'une mère iroquoise et d'un père hollandais, attaquent une soixantaine de Français « dont ils tuèrent quelques-uns qui étaient de nos meilleurs soldats et en blessèrent grièvement d'autres ». La situation est presque intolérable. Certains engagés trouvent que les risques de la fuite sont moins grands que ceux d'une mort entre les mains iroquoises. Au mois de juin 1650, quatre domestiques de Michel Leneuf Du Hérisson, des Trois-Rivières, s'enfuient en canot espérant trouver un navire français qui les ramènerait en France.

On demande l'aide des Anglais

Le gouverneur d'Ailleboust charge le père jésuite Gabriel Druillettes de négocier une entente commerciale et défensive avec les autorités anglaises de la Nouvelle-Angleterre. Le père quitte Québec le 1er septembre 1650. Le 8 décembre suivant, il est à Boston où le major général Edward Gibbons, le commandant militaire de l'endroit, le reçoit. Quelques jours plus tard, le père rencontre le gouverneur William Dudley à qui il expose la situation de la Nouvelle-France et lui propose un projet d'entente visant à écraser les Iroquois. Vers la fin du mois, il rencontre le gouverneur du New Hampshire. Personne ne s'engage vraiment. Une décision doit être prise lors de la réunion prévue pour septembre 1651 et qui réunira les dirigeants du Connecticut, du Rhode-Island, du Massachusetts et du New Hampshire. Le père Druillettes revient à Québec au printemps de 1651 avec un mince espoir de succès.

Le 20 juin 1651, le Conseil de Québec tient une réunion spéciale et charge le père Druillettes et Jean-Paul Godefroy de se rendre en Nouvelle-Angleterre. Les guides abénaquis décident d'emprunter un nouveau chemin beaucoup plus difficile que la voie ordinaire. La mission est un échec, car les autorités anglaises ne veulent pas se mêler d'un conflit où elles ne sont pas directement intéressées. Le 30 octobre suivant, Godefroy apporte la nouvelle à Québec. Le père jésuite hiverne chez les Abénaquis et revient le printemps suivant « mangeant en chemin le cuir bouilli de ses souliers, de sa camisole en peau d'orignal et les cordes de ses raquettes ».

Pendant que les colons français espèrent une aide des Anglais, les Iroquois harcèlent sans trève Ville-Marie et Trois-Rivières. Le 26 juillet 1651, deux cents Iroquois se lancent à l'attaque de l'hôpital de Jeanne Mance occupé maintenant par les soldats. Raphaël-Lambert Closse, qui n'a avec lui que seize hommes, repousse l'attaque ennemie qui dure de six heures du matin à six heures du soir. Les Français ne déplorent qu'une seule perte de vie : Denis Archambault est tué, lorsque la pièce de canon à laquelle il s'apprêtait à mettre le feu lui explose en plein visage.

La mort à Trois-Rivières

La région de Trois-Rivières devient un endroit de prédilection pour les Iroquois. Le poste est peu peuplé et assez mal fortifié. Un matin de mai 1652, trois jeunes gens quittent le poste pour aller chasser sur les rives du lac Saint-Pierre. Deux des membres du trio jugeant la chasse assez abondante décident de retourner à Trois-Rivières. Le troisième, âgé de seize ans et ayant pour nom Pierre-Esprit Radisson, continue à tirer canards et sarcelles. Il se décide à rebrousser chemin. Il retrouve les cadavres ensanglantés de ses compagnons presque à l'endroit où il les avait laissés. Il se sent cerné. Il veut fuir, mais c'est impossible. Des Iroquois le capturent et lui laissent la vie sauve. Le lendemain, Radisson prend la direction du pays des Agniers où il sera prisonnier pendant dix-huit mois.

Guillaume Guillemot, mieux connu sous le nom de Du Plessis-Kerbodot, gouverneur de Trois-Rivières, organise un camp volant qu'il dirige lui-même. Le 18 août 1652, quatre colons sont assaillis par les Iroquois ; deux sont tués sur place et les deux autres sont amenés prisonniers. Le lendemain, le gouverneur réunit sa brigade volante composée d'une soixantaine d'hommes, dont douze Amérindiens. À bord de deux chaloupes, on explore les rives du fleuve à la recherche des ennemis. On les aperçoit sur les bords d'un bois. Du Plessis-Kerbodot donne l'ordre de mettre pied à terre. Mais le rivage, à cet endroit, se prête peu à un débarquement. Les hommes enfoncent dans la vase. Les Iroquois remportent une victoire facile : le gouverneur et quatorze Français sont tués et sept autres sont faits prisonniers. Un de ces derniers réussit à écrire un message avec un morceau de charbon. Sur un bouclier iroquois on peut lire : « Normanville, Francheville, Poisson, Lapalme, Turgot, Chailloux, Saint-Germain. [...] je n'ai encore perdu qu'un ongle. » Le message qui énumère les noms des prisonniers précise de plus que les vainqueurs les conduisent en territoire agnier.

Le 14 octobre 1652, à Ville-Marie, les chiens décèlent la présence d'ennemis. Le major Lambert Closse réunit vingt-quatre soldats et part à la poursuite des Iroquois. Trois hommes sont détachés en éclaireurs : Étienne Thibault, Baston et un autre. Le premier grimpe dans un arbre pour explorer le territoire avoisinant, sans se rendre compte qu'il est au milieu d'un groupe d'Iroquois qui lui tirent dessus dès qu'il en atteint la cime.

Thibault est tué au moment où il tue son assaillant. Les deux autres éclaireurs cherchent à fuir. Baston se réfugie dans « une chétive maison de terre ».

Closse et ses hommes doivent maintenant faire face à près de deux cents Iroquois.

> Un brave habitant de Ville-Marie, Louis Prud'homme, qui voyait le péril et qui se trouvait dans la maisonnette où Baston venait d'entrer, crie de là au major de se retirer au plus vite et qu'il est investi, raconte Faillon. Le major, tournant aussitôt la tête, voit en effet une nuée d'Iroquois environner déjà sa petite troupe et même la maison où Prud'homme était renfermé. À l'instant, il commande à ses gens de forcer ces barbares pour entrer dans cette bicoque, à quelque prix que ce soit ; et cet ordre est aussitôt exécuté, avec autant de succès que d'audace. À peine le major et les siens sont-ils entrés que tous, s'étant mis à percer des meurtrières, commencent à faire feu sur l'ennemi. [...] Les Iroquois environnaient en effet la maison de toutes parts et tiraient même si rudement que leurs balles passaient à travers de cette baraque en si mauvais état et construite si légèrement qu'une balle, après l'avoir percée, blessa l'un des assiégés, le brave Laviolette, et le mit hors de combat.

Les Iroquois se rendent compte qu'ils ne peuvent s'emparer de la maison ; ils décident donc de battre en retraite. Ils ne peuvent se résoudre à abandonner leurs morts et leurs blessés. Pourtant, chaque fois qu'un homme s'approche d'un de ses compatriotes gisant par terre, il essuie une rafale de balles.

Dans la masure, on s'aperçoit que les munitions diminuent dangereusement. Closse déclare qu'il n'y a qu'une planche de salut : envoyer quelqu'un au fort demander du secours. Baston, le meilleur coureur de Ville-Marie, se porte volontaire. « Le major, ajoute Faillon, transporté de joie d'un tel geste de dévouement, donne aussitôt à Baston toutes sortes de témoignages d'amitié. Et après avoir fait ouvrir la porte, il ordonne des redoublements de décharges pour favoriser sa sortie. Baston passe au travers des feux des Iroquois sans recevoir aucune blessure, arrive au fort et retourne immédiatement avec dix hommes conduisant deux petites pièces de campagne, chargées de cartouches et prêtes à tirer. »

La petite troupe de renfort peut s'approcher du lieu du combat sans se faire remarquer par les Iroquois. Les deux canons lancent leur mitraille sur les assaillants. Au même moment, Closse et ses hommes couvrent l'arrivée des soldats dans la maison. Jugeant inutile de poursuivre leur attaque, les Iroquois se retirent.

Chicane chez les Iroquois

En 1653, les cinq nations qui forment le peuple iroquois ne présentent plus un front uni. Pour des raisons surtout commerciales, les Agniers s'opposent aux quatre autres nations. Ces dernières décident de conclure la paix avec les Français. Depuis six ans, la situation amérindienne a profondément évolué. « De 1647 à 1653, écrit l'historien Léo-Paul Desrosiers, l'Iroquoisie fournit un effort de guerre énorme. Elle disperse ou anéantit non seulement les Hurons, les Neutres, mais encore des groupes importants de race algonquine : les Nipissings, les Iroquets, les Outaouais, les habitants de l'île des Allumettes et de l'Outaouais inférieur. Ses guerriers conduisent des expéditions dans l'ancienne Huronie, l'île des Chrétiens, la grande île Manitouline, les territoires au nord du lac Huron, pour empêcher les survivants de se fixer et de créer des centres hostiles. »

Les Onontagués sont les premiers à demander la paix. Le 26 juin 1653, une soixantaine d'entre eux se présentent à Ville-Marie demandant que leurs chefs soient admis à l'intérieur du fort pour négocier une paix. Plus tard, des représentants de la nation Onneiout arrivent à Ville-Marie avec la même intention. Le 7 septembre, le gouverneur Jean de Lauzon accepte les propositions de paix. Il est alors question que les Français établissent un poste en territoire iroquois. À leur tour, les Agniers, qui ont subi un échec dans la région de Trois-Rivières, demandent la paix.

La raison profonde du brusque changement d'attitude des Iroquois semble être d'ordre économique.

> Les quatre tribus de l'Ouest (Onéiouts, Onontagués, Goyogouins et Tsonnontouans) connues sous le nom commun de « Sinèkes », écrit Léo-Paul Desrosiers, devaient traverser le pays des Agniers pour se rendre à Orange aujourd'hui Albany, où elles échangeaient leurs pelleteries contre des marchandises. Enorgueillis par leurs victoires militaires, ou poussés par leurs besoins de fourrures, ces derniers exigeaient des péages élevés, tout comme autrefois les Algonquins de l'île en exigeaient des Hurons. Incapables d'obtenir un rabais ou le passage gratuit, les « Sinèkes » et surtout les Onontagués sont fermement résolus à conclure la paix avec la Nouvelle-France, et à créer entre la capitale, Onontagué, dans la région sud-est du lac Ontario, et Ville-Marie, un courant commercial qui ne sera pas entravé par les extorsions. D'autre part, les canots chargés de pelleteries peuvent se rendre d'une place à l'autre, sans portages ou presque, dans la descente, tandis que d'Onontagué à Orange, le transport se fait à dos d'hommes sur la piste de l'Iroquoise.

De plus, les Agniers veulent convaincre les Hurons, installés sur l'île d'Orléans, de se joindre à eux. Ces Hurons sont devenus leurs ennemis et servent d'éclaireurs pour les établissements français.

La paix qui s'installe est non seulement fragile, mais surtout bizarre. Les Iroquois conservent le droit d'attaquer les Amérindiens alliés des Français, en particulier les Outaouais de la région du lac Michigan qui s'apprêtent à se rendre dans la colonie avec d'importantes quantités de fourrures. Au début du mois de juin 1654, ces Hurons et ces Outaouais réussissent malgré tout à conduire à Ville-Marie des canots chargés de fourrures, faisant ainsi la joie des habitants.

Au printemps de 1654, les nations iroquoises, sauf celle des Agniers, sentent le besoin de se rapprocher encore plus des Français, car elles viennent d'entrer en guerre contre les Ériés, ou nation du Chat.

Pour répondre à la demande des Onontagués, le gouverneur de la Nouvelle-France charge Zacharie Dupuy de conduire une mission française dans le pays de cette nation. Le commandant, accompagné de dix soldats et de quarante-trois autres Français, quitte Québec, le 17 mai 1656. L'expédition voyage à bord de deux chaloupes et d'une douzaine de canots.

Le 18 mai, des Agniers, ne pouvant accepter le rapprochement entre Onontagués et Français, attaquent les canots qui ferment le convoi. Un frère jésuite est blessé. Les prisonniers hurons sont par la suite relâchés. Le lendemain soir, le même groupe assaille les Hurons de l'île d'Orléans, sans que les Français de Québec ne se portent à leur secours.

Après un long voyage, la mission française arrive au lieu fixé pour l'établissement, les bords du lac Gannentaha (ou Gannata), « lieu choisi pour l'habitation française, parce qu'il est le centre des quatre nations iroquoises, que l'on peut de là visiter en canots sur des rivières et sur des lacs qui font le commerce libre et fort facile ». Le 17 juillet 1656, les hommes se mettent à l'ouvrage à Sainte-Marie de Gannentaha. Rapidement, ils terminent la construction d'un grand bâtiment qui sert de magasin et d'arsenal, d'une chapelle et de quelques maisons. Une palissade complète l'établissement. Les Français ont amené avec eux des chiens dressés pour faire la garde.

Le gouverneur d'Ailleboust, qui assure l'intérim en attendant l'arrivée du nouveau gouverneur Pierre Voyer d'Argenson, est convaincu que la paix est menacée de toutes parts. Le 21 octobre 1657, il réunit les principaux habitants de Québec. On décide alors « que les habitants se défendraient contre les insolences des Iroquois d'en bas et d'en haut, et qu'on ne se laisserait pas voler, ni piller, ni faire aucun acte d'hostilité sous prétexte de paix ».

Quatre jours plus tard, une trentaine d'Onneiouts, une nation voisine de celle d'Onontagué, se présentent chez un habitant de la Pointe-Saint-Charles, sur l'île de Montréal. Nicolas Godé les accueille chaleureusement et les invite à manger. Son gendre, Jean de Saint-Père, et son serviteur, Jacques Noël, l'aident à servir les invités. Le repas terminé, les trois Français montent sur le toit de la maison qu'ils achèvent de construire. Les Iroquois font feu sur eux et les abattent. Trouvant la chevelure de Saint-Père très belle, ils lui coupent la tête pour l'apporter comme trophée. Les guerriers onneiouts prennent le chemin du retour avec leur précieux « souvenir ».

En guise de représailles, le gouverneur de la colonie ordonne l'arrestation de tous les Iroquois qui se trouvent à Québec, Trois-Rivières et Ville-Marie. Cette décision a comme conséquence immédiate le rapprochement des Cinq-Nations. Trois ambassadeurs agniers se présentent à Québec, le 3 janvier 1658, pour demander la libération des leurs. Le 12 février, le gouverneur d'Ailleboust leur fait la réponse suivante :

> C'est chose étrange que toi, Agnier, tu me traites comme si j'étais ton captif. Tu me tues ; moi, qui suis Français, je crie : on m'a tué. Tais-toi, me dis-tu, nous sommes bons amis et tu me jettes un collier de porcelaine, comme en me flattant et en te moquant. Sache que le Français tirera raison de ta perfidie, qui dure depuis si longtemps. Il n'a qu'un mot à te dire, le voici : fais satisfaction, ou dis qui a commis le meurtre. Tu sais bien que ton armée est en campagne et cependant tu crois m'amuser avec un collier de porcelaine. Le sang de mes frères crie bien haut ; si bientôt je ne suis apaisé, je tirerai vengeance de leur mort. Tu es si effronté que tu oses bien redemander quelques haches et quelques haillons qu'on a pris à tes gens ; as-tu rapporté ce que tes compatriotes ont pillé, ce que vous avez volé, depuis deux ans, dans les maisons françaises ? Si tu veux la paix, faisons

d'abord la guerre. Le Français ne sait ce que c'est que de craindre, quand une fois la guerre est résolue.

Une fuite préméditée

Pendant que les négociations se déroulent à Québec, les chefs des nations iroquoises décident de reprendre ouvertement les armes. Les habitants de Gannentaha ne tardent pas à en être informés. Ils se savent traqués. Plusieurs soldats songent à s'enfuir. En cachette, on construit deux chaloupes dans le grenier du bâtiment principal. On veut non seulement se sauver, mais aussi emporter plus de quinze mille livres de castor. Un jeune Français qui avait été adopté par un chef onontagué des environs convainc son père adoptif de donner un festin à tout manger. Il lui déclare avoir eu un songe dans lequel il était sur le point de mourir, lorsque son père adoptif lui redonna la vie en offrant à tous un banquet « à tout manger ». Le 20 mars 1658, tous les Amérindiens du voisinage sont invités à Gannentaha. Les Français fournissent quelques porcs et des outardes. Les Onontagués mettent dans la marmite des poissons, de la graisse d'ours, diverses viandes, dont quelques chiens. Pendant que les viandes cuisent, les Français jouent du tambour et de divers instruments de musique. Au même moment, d'autres Français transportent les embarcations sur le bord du lac. Dans la salle du banquet, les Amérindiens dansent à la française et les Français imitent les danses amérindiennes. Lorsque tout est prêt, le jeune Français dit à son père adoptif : « C'en est fait, j'ai pitié de vous ; cessez de manger, je ne mourrai pas. Je vais vous jouer d'un doux instrument pour vous exciter au sommeil. Mais ne vous levez demain que bien tard et dormez jusqu'à ce qu'on vienne vous réveiller pour les prières. »

Le jeune homme leur joue alors un air sur sa guitare. Lorsque tous dorment, les Français, qui avaient installé des mannequins sur le chemin de ronde de la palissade, s'enfuient par la porte arrière. La neige qui couvre leurs pistes empêchera les Onontagués de voir, le lendemain, quelle direction ils ont prise. Le 3 avril 1658 au soir, les cinquante Français arrivent à Ville-Marie. Trois des fuyards trouvent la mort au cours du voyage de retour. À cause des glaces et de la mauvaise saison, les fugitifs arrivent à Québec le 23 avril seulement.

Défense sur défense

Ville-Marie n'est pas en état de se défendre convenablement. Maisonneuve émet des ordonnances règlementant les sorties hors du fort.

La première, en date du 18 mars 1658, porte les articles suivants :

> 1- Chacun tiendra ses armes en état et marchera ordinairement armé, tant pour sa défense particulière que pour donner secours à ceux qui pourraient en avoir besoin. 2- Nous ordonnons à tous ceux qui n'auraient point d'armes, d'en acheter et de s'en fournir suffisamment, ainsi que des munitions et nous défendons d'en vendre et d'en traiter avec les Sauvages alliés, qu'au préalable chacun des colons n'en retienne ce qu'il sera nécessaire pour sa défense. 3- Pour que tous fassent leur travail en sûreté, autant que possible, les travailleurs se joindront plusieurs de

compagnie et ne travailleront que dans des lieux d'où ils puissent se retirer facilement en cas de nécessité. 4- De plus, chacun regagnera le lieu de sa demeure tous les soirs, lorsque la cloche du fort sonnera la retraite et fermera ensuite sa porte. Défense d'aller et venir, de nuit, après la retraite, si ce n'est pour quelque nécessité absolue qu'on ne pût remettre au lendemain. 5- Personne, sans notre permission, n'ira plus loin, à la chasse, que dans l'étendue des champs défrichés ; ni à la pêche, sur le fleuve, plus loin que le grand courant. Défense à toutes sortes de personnes de se servir de canots, de chaloupes et autres, qui ne leur appartiendraient pas, sans l'exprès consentement des propriétaires, si ce n'est en cas de nécessité, pour sauver la vie à quelqu'un ou pour empêcher quelque embarcation d'aller à la dérive ou de périr.

À partir de 1658, la guérilla reprend entre les Iroquois, les Français, les Algonquins et les Hurons. De part et d'autre, on multiplie les raids pour ensuite tenter d'échanger les prisonniers. Des Hurons se plaisent à répandre des rumeurs tant en Iroquoisie que dans les postes français. La situation est telle qu'en 1658 et en 1659 peu de canots de traite arrivent dans la colonie. L'économie stagne gravement. Les Iroquois, craignant une invasion de leur territoire, demandent l'aide des Hollandais. Les Français sont convaincus d'une attaque imminente.

Pour sauver l'économie

Au début de 1660, les Amérindiens de la région du lac Supérieur et du lac Michigan veulent absolument troquer leurs fourrures contre des marchandises françaises. Ils forment le dessein d'organiser un énorme convoi qui, dès la fonte des neiges, prendra le chemin de Ville-Marie. Les Iroquois connaissent certainement ce projet. Ils vont tout tenter pour que le convoi n'arrive pas à destination. Par ailleurs, les Agniers veulent attaquer les postes français. Enfin, l'on sait que des guerriers chasseurs de diverses nations reviendront de leur saison de chasse en empruntant, eux aussi, l'Outaouais. Au printemps de 1660, Adam Dollard Des Ormeaux, âgé de 25 ans et « commandant en la garnison du fort de Ville-Marie », réunit seize jeunes gens pour aller au-devant des Iroquois et, peut-être aussi, pour protéger la descente des Outaouais. Selon la coutume de l'époque, certains compagnons de Dollard font leur testament avant de partir et tous se mettent en règle avec l'Église. La petite troupe part de Ville-Marie, le 19 avril 1660. L'endroit choisi pour l'attaque contre les Iroquois est le Long-Sault, à une soixantaine de kilomètres de Ville-Marie, sur l'Outaouais.

À peine le groupe a-t-il quitté l'île de Montréal que des cris se font entendre sur l'île Saint-Paul. Dollard et ses hommes se lancent à l'attaque des Iroquois qui abandonnent tout sur le rivage et s'enfuient dans les bois. Nicolas Duval est tué d'une balle, pendant que le charpentier Mathurin Soulard et l'habitant Blaise Juillet dit Avignon se noient, lorsque leur embarcation chavire. Après un bref retour à Ville-Marie pour assister aux funérailles de Duval et trouver des remplaçants, Dollard se remet en route, le 20 avril. L'expédition arrive au Long-Sault, le samedi 1er mai. Les Français, auxquels se sont joints 40 Hurons et quatre Algonquins, s'installent « dans un fort abandonné que des Algonquins avaient construit, l'automne précédent, sur une petite hauteur ». Dès le lendemain, on aperçoit deux canots montés par des Onontagués qui précèdent une flotte de deux à trois cents Iroquois. À ce moment, les Français font cuire leur repas au bord de l'eau. Ils se retranchent immédiatement dans le fort. Après un échange de coups de feu, un chef onontagué « s'avance sans armes jusqu'à la portée de la voix pour demander quels gens étaient dans ce fort et ce qu'ils venaient faire ». On établit une trève. Les Français profitent de cette trève pour fortifier leur réduit, pendant que les Iroquois construisent rapidement un fortin juste en face du fort français. Peu après, les Onontagués se lancent à l'attaque que les Français repoussent, sans oser tenter une sortie.

Les Onontagués dépêchent quelques habiles canotiers aux îles du Richelieu « pour solliciter le secours des 500 Agniers et Onéiouts qui les y attendaient ». Dans l'attente du renfort, les assaillants se contentent d'empêcher les assiégés de sortir. Du côté français, les munitions baissent dangereusement. L'eau commence aussi à manquer.

La fuite des Hurons

Après une accalmie de cinq ou sept jours, les renforts agniers arrivent enfin. Le chef huron demande aux Français de lui permettre de négocier « quelque bonne composition ». On délègue un Onneiout « huronisé » et deux Hurons chez les assaillants. Pendant ce temps, les Hurons qui se battaient aux côtés des Iroquois supplient les leurs de quitter le fort français et de se joindre à eux pendant qu'il en est encore temps. De vingt à trente Hurons acceptent l'offre. Des Iroquois s'approchent encore du fort « à dessein de se saisir de ceux qui voudraient prendre la fuite ». « Inquiétés par ce mouvement et peu confiants dans le résultat de l'ambassade, écrit l'historien André Vachon, les Français ouvrirent le feu, renversant ceux qui s'étaient aventurés le plus près. [...] En rompant la trêve avant que les pourparlers n'eussent échoué, les Français venaient de commettre une deuxième erreur. » La première ayant été de ne pas tenter, précédemment, une sortie.

La situation des assiégés est désespérée. On charge un baril de poudre et on tente de le lancer sur l'ennemi par-dessus la palissade. Mais un obstacle ramène le projectile à l'intérieur de l'enceinte où il explose, tuant et blessant quelques hommes. Les Français n'ont plus de munitions ; le fort est délabré et les Iroquois peuvent y pénétrer facilement. Ils n'y trouvent que neuf survivants : cinq Français et quatre Hurons. Un des Français est massacré sur les lieux. Les autres trouveront la mort dans les villages iroquois.

On retrouve dans les registres de l'état civil de la paroisse Notre-Dame de Montréal le nom des dix-sept Français : Adam Dollard, 25 ans ; Jacques Brassier, 25 ans ; Jean Tavernier dit La Lochetière, sieur de La Forest, 28 ans ; Nicolas Tiblemont, 25 ans ; Roland Hébert dit Larivière, 27 ans ; Alonié Delestre, 31 ans ; Nicolas Josselin, 25 ans ; Robert Jurie, 24 ans ; Jacques Boisseau dit Cognac, 23 ans ; Louis Martin, 21 ans ; Christophe Augier dit Desjardins, 26 ans ; Étienne Robin dit Des Forges, 27 ans ; Jean Valets, 27 ans ; René Doussin, 30 ans ; Jean Lecompte, 26 ans ; Simon Grenet, 25 ans et François Crusson dit Pilote, 24 ans.

Un salut de courte durée

La nouvelle de la défaite du Long-Sault parvient à Ville-Marie vers le 25 mai 1660. Québec l'apprend le 8 juin, vers minuit. La colonie est temporairement sauvée, car il n'y aura pas d'attaque massive contre les établissements français.

La surveillance quotidienne ne peut cesser, surtout à Québec où, au début du mois de juin, à la suite d'une rumeur, les habitants s'étaient enfermés, craignant une attaque iroquoise. « Toutes les avenues des cours étaient barricadées, écrit Marie de l'Incarnation, outre environ une douzaine de grands chiens qui gardaient les portes du dehors, et dont la garde valait mieux, sans comparaison, que celle des hommes, pour écarter les Sauvages ; car ils craignent autant les chiens français que les hommes, parce qu'ils se jettent sur eux et les déchirent quand ils les peuvent attraper. »

La principale conséquence du geste de Dollard et de ses compagnons est de sauver la colonie d'une faillite financière. « Grâce à Dollard des Ormeaux, écrit Léo-Paul Desrosiers, l'indispensable se réalisa. Le 19 août, soixante canots, avironnés par trois cents Outaouais, sous la conduite de Radisson et de Chouart des Groseilliers, atteignaient Ville-Marie. [...] Radisson pouvait conclure, au nom de tous, et inscrire dans son journal, pour la postérité, le jugement suivant : "Cette défaite nous a sauvés, sans aucun doute." »

Le harcèlement iroquois se poursuit quand même en Nouvelle-France. Entre 1661 et 1665, les Iroquois redoublent d'audace. Rien ne les arrête. Ville-Marie surtout est l'objet de multiples attaques. Plusieurs habitants trouvent la mort de façon plus ou moins horrible. Trois-Rivières, la côte de Beaupré et l'île d'Orléans sont des cibles de raids.

Les Iroquois ne se contentent pas de harceler les Français. Ils se rendent jusqu'au lac Saint-Jean dans l'espoir de vaincre les Amérindiens mistassins. Vers 1663, le major Guebin, de Boston, offre aux Français de les débarrasser des Iroquois pour la somme de vingt mille francs, mais la colonie ne peut disposer d'un tel montant. Il faudra attendre l'arrivée du régiment de Carignan-Salières pour songer à mâter les Iroquois et à retrouver une paix relative.

Première séance du Conseil souverain en 1663

Des soldats et des filles

Dès son arrivée à Québec, Pierre Dubois Davaugour, qui vient d'être nommé gouverneur de la Nouvelle-France, est frappé par le triste état de la colonie. La menace iroquoise est omniprésente. Bien des colons osent à peine s'aventurer dans les champs. L'agriculture s'en ressent. Pierre Boucher, alors gouverneur des Trois-Rivières, reçoit mission de se rendre à la cour pour expliquer les besoins de la colonie et convaincre les autorités d'envoyer quelques centaines de soldats pour rétablir la paix. En France, Louis XIV vient de commencer son règne personnel, brillamment assisté par Jean-Baptiste Colbert. Il songe déjà à modifier profondément les structures administratives de sa colonie.

Boucher a peu de difficulté à convaincre le roi et Colbert de la nécessité d'envoyer des militaires et de mettre sur pied une nouvelle politique de colonisation. « J'eus l'honneur de parler au roi, qui m'interrogea sur l'état du pays, dont je lui rendis un fidèle compte, écrira plus tard Boucher, et Sa Majesté me promit qu'elle secourrait le pays et le prendrait sous sa protection ; ce qu'elle a fait. » Le 15 juillet 1662, l'*Aigle d'Or* et le *Saint-Jean-Baptiste* quittent le port de La Rochelle avec à bord, Pierre Boucher ainsi que cent soldats fournis par le roi et une centaine de colons que l'émissaire avait réunis à ses frais. Le sieur de Monts traverse à titre de commissaire royal chargé de faire une enquête rapide sur la situation de la colonie et de faire rapport au roi avant la fin de l'année.

La traversée, prévue pour deux mois, en dure quatre : les vivres viennent à manquer. Les personnages de marque se plaignent d'avoir été maltraités par le capitaine. Ce dernier, à cause de la saison avancée, refuse de remonter le fleuve plus haut que Tadoussac, où il jette l'ancre le 27 octobre. Passagers et bagages sont acheminés vers Québec, à bord de barques. Le sieur de Monts, après un séjour d'environ une semaine dans la colonie, retourne en France faire rapport au roi.

Le petit nombre de soldats envoyés par le roi est nettement insuffisant pour mater les Iroquois. Le 27 janvier 1663, Maisonneuve émet une ordonnance établissant la Milice de la Sainte-Famille de Jésus, Marie et Joseph. Cinq jours plus tard, soit le 1er février, l'île de Montréal peut compter sur vingt escouades de sept volontaires. La petite guerre n'en continue pas moins.

À l'automne de 1663, les renforts promis ne sont toujours pas arrivés. Marie de l'Incarnation le déplore en ces termes : « Le roi ne nous a pas envoyé des troupes, comme il l'avait fait espérer, pour détruire les Iroquois. On nous mande que les démêlées qu'il a dans l'Italie en sont la cause. » Comme les nouvelles ne circulent pas rapidement au XVIIe siècle, la supérieure des ursulines ignore, lorsqu'elle écrit sa lettre, que le 19 novembre Louis XIV avait nommé Alexandre de Prouville de Tracy « lieutenant général dans toute l'étendue des terres de notre obéissance situées en l'Amérique Méridionale et Septentrionale ». La mission confiée au militaire est double : déloger les Hollandais des Antilles et, au Canada, porter la guerre jusque dans les foyers des Iroquois pour les exterminer entièrement. Il faut attendre l'été de 1665 pour voir arriver le régiment promis.

Pendant ce temps, les colonies anglaises et hollandaises d'Amérique du Nord en viennent aux armes. Au mois d'août 1664, alors que l'Angleterre et la Hollande sont toujours en paix, le colonel Richard Nicolls s'empare de New Amsterdam qu'il rebaptise immédiatement New York. La guerre entre les deux pays n'éclate qu'en mars 1665. Marie de l'Incarnation croit que les dires de Pierre-Esprit Radisson, passé aux Anglais, auraient été suffisants pour les convaincre de s'emparer des postes hollandais. À ce sujet elle écrit, le 28 juillet 1665 :

> Ce ne sont plus les Hollandais qui sont voisins des Iroquois, mais bien les Anglais qui se sont rendus maîtres de tout ce qu'ils possédaient et qui les ont chassés. Cette conquête s'est faite par ceux de la Nouvelle-Angleterre qui sont devenus si forts qu'ils sont plus de quarante mille. Ils reconnaissent le roi d'Angleterre pour leur prince, mais ils ne veulent pas en être tributaires. Un habitant d'ici, mais qui n'y était pas bien vu, parce que c'était un esprit de contradiction et de mauvaise humeur, se retira chez les Anglais, il y a environ deux ans, et leur donna, à ce que l'on croit, la connaissance de beaucoup de choses du pays des Iroquois, et du grand profit qu'ils en pourraient tirer pour la traite, s'ils en étaient les maîtres. On croit que ce peut être la raison qui les a portés à attaquer la Nouvelle-Hollande.

Un régiment complet

Le 26 février 1664, Tracy, à la tête de quatre compagnies d'infanterie, fait voile vers les Antilles. Au mois de décembre de la même année, le régiment de Carignan reçoit l'ordre « de se rendre à l'un des ports de Brouage ou de La Rochelle et de s'embarquer dans le temps jugé nécessaire au service par l'intendant Colbert de Terron, soit en avril ou mai suivant ».

Le régiment de Carignan comprend mille hommes répartis en vingt compagnies. D'après les recherches des historiens Régis Roy et Gérard Malchelosse, « les compagnies du régiment de Carignan auraient [...] été composées de trois officiers : capitaine, lieutenant, enseigne ; de deux sous-officiers (sergents), un fourrier, deux tambours, un fifre et quarante-quatre soldats, parmi lesquels deux caporaux et trois ou quatre anspessades. Il n'y avait que deux enseignes réellement attitrés puisqu'il n'y avait que deux drapeaux blancs. [...] Les tambours placés à la tête de chaque compagnie servaient à régulariser la marche, à la presser, à la ralentir et à rappeler autour du drapeau tous les hommes dispersés. »

Quatre compagnies quittent le port de La Rochelle, le 19 avril 1665. Au cours de son voyage, le *Vieux Siméon*, qui transporte cette partie des troupes, croise le *Brézé*, à bord duquel voyage Tracy, qui a quitté la Guadeloupe le 25 avril. La rencontre a lieu dans la région de l'île Percée, en Gaspésie. Le *Vieux Siméon* arrive à Québec le 19 juin. La population de la ville est heureuse de voir arriver ces hommes qui, on l'espère, ramèneront la paix et la prospérité. Peut-être parce que l'armement dont disposent les compagnies est des plus modernes. Elles sont les premières à utiliser des fusils à platine.

Le *Brézé* jette l'ancre à Tadoussac car, à cause de son tonnage élevé, le capitaine craint de lui faire remonter le fleuve jusqu'à Québec. Les soldats font le voyage à bord de deux petits vaisseaux. Le 30 juin 1665, le représentant du roi est accueilli avec un éclat auquel la colonie n'est pas habituée.

Pendant ce temps, huit autres compagnies voguent sur l'Atlantique. Elles ont quitté le port de La Rochelle, le 13 mai, à bord de deux navires. Le premier atteint Québec le 19 août, et le second, le lendemain. À la fin du mois de mai, les huit dernières compagnies quittent la France. À bord du *Saint-Sébastien* voyagent Daniel de Rémy de Courcelle, qui vient occuper le poste de gouverneur de la Nouvelle-France, et Jean Talon, le nouvel intendant. La traversée dure 117 jours et se termine par une demi-catastrophe. À l'approche des terres, les voyageurs « ont trop tôt ouvert les sabords de leurs navires, ce qui a fait que l'air y étant trop tôt entré, la maladie s'y est mise, qui a causé bien de la désolation ». Huit soldats meurent et une centaine d'autres doivent être transportés à l'hôpital. Un si grand nombre de malades cause certains problèmes aux religieuses hospitalières. « La salle de l'hôpital étant pleine, écrit Marie de l'Incarnation, il en a fallu mettre dans l'église, laquelle étant remplie jusqu'aux balustrades, il a fallu avoir recours aux maisons avoisinantes, ce qui a extraordinairement fatigué toutes les religieuses, mais ce qui a aussi excellement augmenté leur mérite. »

Dès son arrivée à Québec, Tracy met ses hommes à l'ouvrage. On construit de petits bateaux pour acheminer soldats, vivres et munitions vers la région du Richelieu, en prévision d'une marche contre les Iroquois. Le 23 juillet, les quatre premières compagnies arrivées à Québec, accompagnées d'une centaine de volontaires du pays, partent en bateau pour se rendre sur la rivière Richelieu, au pied d'un rapide, pour y construire un fort en bois. Le capitaine Jacques de Chambly commande l'expédition. Le fort prend le nom de Saint-Louis, car sa construction avait commencé pendant la semaine où l'on célébrait la fête de ce saint. Il prendra plus tard le nom de Chambly. Le 25 août 1665, Tracy ordonne au capitaine Pierre de Saurel de conduire sa compagnie à l'embouchure de la rivière Richelieu pour y construire un second fort, baptisé d'abord fort Richelieu, puis plus tard Sorel.

En prévision d'une attaque massive contre le pays des Iroquois, Tracy juge bon de doter le Richelieu de quelques forts. Aux deux premiers, il ajoute le fort Sainte-Thérèse, au pied d'un autre rapide situé à trois lieues du fort Saint-Louis.

Henri Chastelard de Salières commande les sept compagnies qui sont affectées à cette construction. L'officier se plaint qu'une bonne partie de ses hommes sont malades.

À l'automne, Tracy répartit les compagnies entre les différents postes de la colonie : huit à Québec, cinq à Montréal, trois à Trois-Rivières, une à Sainte-Famille de l'île d'Orléans, deux au fort Richelieu, deux au fort Saint-Louis et les trois dernières au fort Sainte-Thérèse. Au mois d'août, une ordonnance oblige les habitants de Québec à fournir, au cours de l'hiver, 800 cordes de bois aux soldats qui hiverneront à cet endroit.

La présence des 1200 soldats sème un peu d'inquiétude chez les Iroquois. Le 19 novembre 1665, arrivent à Montréal 14 canots d'Onontagués, de Tsonnontouans et de Goyogouins, sous la conduite de Garakontié qui veut négocier une paix avec les Français. Monsieur de Salières organise un grand déploiement pour accueillir les Amérindiens. « Je les fis fort bien recevoir, affirme-t-il, ayant fait mettre sous les armes les cinq compagnies et fait faire une décharge et tirer du canon. Ils furent menés dans le château où je leur fournis des pois, du tabac, du pain et autres choses que l'on donne aux Sauvages et leur baillai souvent à manger et ne leur ai pas épargné mon vin et mon tabac, leur en donnant de façon qu'il ne leur fît point mal. »

Douze soldats français accompagnent les douze ambassadeurs iroquois à Québec où ces derniers rencontrent Tracy au mois de décembre. Le lieutenant général répond favorablement aux demandes des trois nations. Il promet à Garakontié « la paix et la protection du roi pour sa nation ; mais il lui fit même espérer la même grâce pour les autres nations iroquoises, si elles aimaient mieux se porter d'elles-mêmes à leur devoir que de s'y laisser contraindre par la force des armes. [...] Cependant, ajoute le père François Le Mercier, dans la *Relation* de 1665-1666, comme l'on ne doit attendre aucun avantage de ces nations, qu'autant qu'on paraît en état de leur pouvoir nuire, on fit les préparatifs pour une expédition militaire contre celles avec qui il n'y avait point de paix conclue. »

Le 9 janvier, selon la *Relation*, 300 soldats du régiment de Carignan et 200 habitants, qui se sont portés volontaires, quittent Québec pour le pays des Iroquois. La troupe avance lentement. Les soldats, pour la plupart, chaussent des raquettes pour la première fois. De plus, tous transportent sur leur dos vingt-cinq à trente livres de biscuits, des couvertures et les autres provisions nécessaires à une telle expédition. Même le gouverneur et les officiers sont astreints au transport du matériel. Trois jours à peine après le départ, les militaires sont exténués. Plusieurs ont « les genoux et les doigts ou autres parties entièrement gelés et le reste du corps couvert de cicatrices ; et quelques autres, entièrement entrepris et engourdis par le froid, seraient morts sur la neige, si on ne les avait portés avec beaucoup de peine jusqu'au lieu où l'on devait passer la nuit ».

Le 15 janvier, le corps expéditionnaire atteint le Cap-de-la-Madeleine et, le lendemain, Trois-Rivières. Les soldats sont épuisés, alors que les habitants du pays n'ont rien perdu de leur bonne forme. Un de ceux-ci, René-Louis Chartier de Lotbinière, âgé de vingt-quatre ans, s'amuse à rimer les aventures du groupe :

Étant rendus aux Trois-Rivières
On fait nique aux cimetières
On ne pense plus au passé
Chacun se trouve délassé
Le pot bout. On remplit l'écuelle.

Le fort Richelieu est remis en état par les hommes du capitaine Saurel. Les soldats malades sont remplacés et la troupe se complète d'un groupe de Montréalais conduits par Charles Lemoine.

Le 30 janvier, soldats et Canadiens quittent le fort Sainte-Thérèse sans plus attendre l'arrivée des Algonquins qui devaient les guider vers les bourgades des Agniers. Courcelle, dans son impatience de marcher contre ses ennemis, n'avait pas jugé bon d'attendre plus longtemps. La marche est de plus en plus pénible. On s'égare, on revient sur ses pas. Enfin, le 14 février, plutôt que d'arriver près d'un village agnier, les Français se retrouvent à Corlaer (Schenectady), un établissement hollandais. Quelques jours auparavant, lors d'une escarmouche avec un petit groupe d'Iroquois, un officier français et dix hommes avaient trouvé la mort. Le commandant hollandais apprend à Courcelle que la majorité des guerriers iroquois des villages avoisinants sont déjà partis faire la guerre à des tribus appelées « faiseurs de porcelaine ». Les Agniers n'avaient laissé dans les villages « que les enfants et les vieillards infirmes ». Le gouverneur prend alors la décision de revenir a Québec, sans pousser plus avant.

Les dirigeants d'Albany sont tout surpris d'apprendre qu'une armée française se promène sur leur territoire, sans autorisation préalable du gouverneur de New York, et ce, en temps de paix. Ce que tous ignorent, c'est qu'ils sont ennemis, la France et l'Angleterre étant en guerre depuis le 26 janvier 1666.

Péniblement, les soldats prennent le chemin du retour, après avoir attaqué une cabane d'Agniers, tuant deux hommes et une vieille femme. Le dimanche 21 février, arrivent les Algonquins avec des provisions de viande fraîche. Le retour est aussi pénible que l'aller. Des Iroquois harcèlent la petite armée française et tuent quelques soldats. Le 8 mars 1666, le gouverneur arrive au fort Saint-Louis : il a laissé derrière lui plus d'une soixantaine d'hommes ayant succombé au froid ou à la faim. L'expédition est un échec complet. Courcelle s'en prend au père Charles Albanel qui exerce au fort les fonctions curiales. Il l'accuse d'avoir volontairement retardé le départ des guides algonquins, « ce qui s'est trouvé n'être pas vrai », lit-on dans le *Journal* des jésuites.

En territoire agnier

Au cours du printemps de l'été 1666, les Agniers continuent la petite guerre contre les établissements français, tuant quelques soldats. Tracy prépare sa grande expédition punitive et fait construire le fort Saint-Jean, sur le Richelieu, et le fort Sainte-Anne, au lac Champlain. Pendant l'érection de ce dernier fort, les Iroquois surprennent sept Français et en tuent cinq, dont monsieur de Chasy, le neveu de Tracy. Dès que la nouvelle de cet attentat parvient à Québec, les autorités mettent sous arrêt les ambassadeurs onneiouts venus négocier la paix.

Le 24 juillet, Pierre de Saurel quitte Québec à la tête de 200 Français et d'environ 80 Amérindiens pour aller attaquer les Agniers. En cours de route, l'expédition rencontre le chef agnier Bâtard Flamand qui se rend à Québec, accompagné de quelques prisonniers français, dont le lieutenant Louis de Canchy de Lerole, un des cousins de Tracy. Saurel décide alors de revenir dans la capitale où les négociations de paix traîneront en longueur.

Le 1er septembre 1666, l'intendant Jean Talon fait parvenir à Tracy et à Courcelle un mémoire dans lequel il se demande « s'il est plus avantageux au service du roi de faire la guerre aux Agniers que de conclure la paix avec eux ». Il invoque neuf raisons en faveur de la guerre, et six pour la paix. Cinq jours plus tard, Tracy décide de conduire lui-même une armée au pays des Iroquois. La troupe se composera « de six cents soldats tirés de toutes les compagnies du régiment de Carignan, de six cents habitants du pays, dont cent dix de Ville-Marie, et de cent Sauvages Hurons ou Algonquins ». Le départ est fixé au 14 septembre. Ce jour-là, Tracy fait sortir Bâtard Flamand de prison et fait défiler devant lui la plus grande armée jamais mise sur pied en Nouvelle-France. « Voilà que nous allons dans ton pays », déclare le lieutenant général au chef agnier. Ce dernier, les larmes aux yeux, lui répond : « Je vois bien que nous sommes perdus, mais notre perte coûtera cher. Je t'avertis que notre jeunesse se défendra jusqu'à l'extrémité et qu'une bonne partie de la tienne demeurera sur la place ; seulement, je te prie de sauver ma femme et mes enfants. » Ce que promet Tracy, « si l'on peut les reconnaître ».

Les différents corps d'armée se donnent rendez-vous, le 28 septembre, au fort Sainte-Anne, sur le lac Champlain. Courcelle part immédiatement avec près du tiers des effectifs. Tracy quitte le fort, le 3 octobre et l'arrière-garde le suit, le 7.

> Monsieur le chevalier de Chaumont, raconte Marie de l'Incarnation, m'a assuré que, pour avoir porté son sac où il y avait un peu de biscuit, il lui vint au dos une grosse tumeur ; car il faut que les chefs se chargent aussi bien que les autres, aucune bête de somme ne pouvant aller par des lieux si étroits et si dangereux. Ils se sont vus en des périls extrêmes, dans des rivières et des rapides, où, à cause de la profondeur de l'eau et de l'incertitude du fond, ils ont été obligés de se faire porter par des Sauvages. Un Suisse ayant voulu se charger, dans un mauvais pas, de M. de Tracy, qui est un des plus grands hommes que j'aie vus, quand il fut au milieu, il était sur le point de tomber en défaillance, lorsque, trouvant heureusement une roche, il se jeta dessus. Alors un Huron fort et courageux, se jetant à l'eau, le retira du danger et le porta à l'autre bord.

La marche est pénible. Bientôt, les vivres viennent à manquer et l'on doit diminuer la ration quotidienne de chaque homme. Les Iroquois sont bien au fait de la marche de l'armée française. Le 14 octobre, celle-ci approche de la première bourgade iroquoise. Le temps est affreux. Tracy oblige ses hommes à marcher toute la nuit, au son des tambours. Les Iroquois désertent le premier village que les Français envahissent sans peine et qu'ils incendient, après l'avoir pillé.

Trois autres villages subissent le même sort. Les villages contenaient assez de provisions pour nourrir la population entière de la Nouvelle-France pendant deux ans. Craignant les rigueurs de l'automne avancé, Tracy ordonne le retour. Mais, avant de partir, les quatre aumôniers qui accompagnaient les troupes célèbrent la messe près des ruines fumantes, et les officiers prennent possession du territoire au nom du roi de France.

Les deux expéditions du régiment de Carignan-Salières en territoire iroquois se soldent par des demi-échecs. Peu d'Iroquois perdent la vie. Même si les réserves de vivres ont été anéanties, il n'est pas prouvé que les habitants des villages détruits aient eu réellement à souffrir de la faim. Le bilan positif est très mince.

> On a [...] dit que cette expédition de M. de Tracy, écrivent Roy et Malchelosse, avait eu un effet moral sur l'esprit de l'Iroquoisie, lui montrant que le Français pouvait porter l'épée et la torche dans son pays, et que cela inspira chez notre redoutable ennemi une crainte salutaire. Était-ce une crainte ? Ne serait-ce pas un sentiment où la surprise dominait, de voir pour la première fois les Français en nombre important envahir leur territoire ? Comme cette première invasion pouvait se répéter, il convenait donc pour eux d'user d'astuce et de ruse et de faire croire au gouverneur à des expressions de paix et d'amitié.

Au printemps de 1667, « les Cinq-Nations témoignent une bonne disposition pour la paix ». Le 20 avril, Bâtard Flamand et deux Onneiouts arrivent à Québec « sans avoir amené ni Hurons ni Algonquins, ni familles qu'on leur avait demandé ». Une semaine plus tard, Tracy prend la décision « de retenir ici toutes les femmes et de renvoyer les hommes dans le pays, à la réserve de deux avec protestation de monsieur de Tracy : que si, dans deux lunes, ils n'obéissent et n'exécutent les articles proposés, notre armée partira pour les aller ruiner dans le pays ». Enfin, le 8 juillet 1667, la paix intervient avec les Iroquois qui laissent quelques familles en otage.

Considérant que sa mission est accomplie, Tracy quitte Québec, à bord du *Saint-Sébastien*, le 28 août 1667. Parmi les soldats, plus de quatre cents décident de demeurer en Nouvelle-France. On évalue à environ 250 le nombre de ceux qui sont morts au cours de leur séjour. Quant aux autres, soit la moitié des effectifs, ils regagnent la France en 1667 et en 1668.

Louis XIV souhaite qu'une partie des officiers et des soldats demeurent en Nouvelle-France et se transforment en colons. À cet effet, il leur accorde des vivres pour un an et des gratifications dont le montant varie suivant le grade. L'intendant Talon voit à ce que des terres leur soient concédées.

Au cours des années qui suivent, quelques officiers décident de retourner en France. Le ministre Colbert écrit à Talon pour lui dire qu'il est nécessaire « qu'à l'avenir, ces officiers ne repassent point en France, leur faisant connaître que le véritable moyen de mériter les grâces de Sa Majesté est de demeurer fixés au pays et d'exciter fortement tous leurs soldats à travailler au défrichement et à la culture des terres ».

Parmi les officiers du régiment de Carignan qui décident de demeurer en Nouvelle-France, il faut retenir les noms des capitaines Jacques de Chambly, Antoine Pécaudy de Contrecœur, Michel-Sidrac Dugué de Boisbriand, Louis Petit, Pierre de Saurel, Pierre de Saint-Ours, Louis de Niort de La Noraye, Alexandre Berthier, Olivier Morel de La Durantaye, qui pour la plupart ont laissé leur nom à des villes ou villages qui existent encore de nos jours. Dans la classe des lieutenants, plusieurs firent souche au Québec : Philippe Gaultier de Comporté, François Provost, René Gaultier de Varennes, Séraphin Margane de Lavaltrie et Pierre de

Joybert de Soulanges et de Marson. Quant aux enseignes, ils furent moins nombreux à choisir la Nouvelle-France pour patrie. Retenons les noms de François Jarret de Verchères et Thomas-Xavier Tarieu de Lanaudière et de la Pérade. Quelques centaines de soldats sont, eux aussi, à l'origine de familles québécoises.

Un lent peuplement

Si l'établissement en Nouvelle-France des soldats du régiment de Carignan-Salières marque un moment important dans le peuplement de la colonie, une certaine politique d'immigration avait été mise au point auparavant. Dès 1627, la Compagnie de la Nouvelle-France, ou compagnie des Cent-Associés, s'était engagée à transporter dans la colonie, en quinze ans au moins, 4000 personnes.

L'obligation imposée à la Compagnie des Habitants, en 1645, est plus réaliste. Il s'agit pour elle de trouver vingt nouveaux colons par année. De plus, à partir de 1647, selon l'historien Marcel Trudel, « les propriétaires de navires sont tenus de transporter un immigrant par tonneau de fret » ou « trois engagés par 60 tonneaux et six par 100 tonneaux ». Dans ce dernier cas, l'ordonnance réfère au tonnage du navire. Cette politique d'immigration a comme résultat qu'entre 1608 et 1660, la Nouvelle-France reçoit en moyenne une vingtaine d'immigrants par année. Il est vrai qu'à cette époque, la colonie peut se développer avec une faible population, car la politique française défend à sa colonie d'avoir des industries qui pourraient nuire à celles de la métropole. La colonie ne peut exporter que bien peu de choses à part les fourrures et les poissons. Dans le premier cas, la main-d'œuvre est peu abondante ; dans le second, elle est saisonnière.

Quelques colons émigrent en Nouvelle-France avec leur famille, mais bon nombre le font à titre d'engagés. Ces derniers, très souvent gens de métier, consentent habituellement à servir un maître pour une période de trente-six mois, moyennant un salaire fixé lors de l'engagement signé en France.

À sa réunion du 15 octobre 1663, le Conseil souverain prend la décision suivante : « Il a été résolu que les hommes de travail venus dans les vaisseaux de Sa Majesté, tant cette année que l'année dernière, lesquels ont été distribués aux habitants, seront obligés de servir trois ans lesdits habitants, après lequel temps ils seront libres de s'habituer, séjourner au pays ou repasser en France sans qu'ils puissent être retenus par force, non plus que ceux qui ont accompli le temps qu'ils étaient obligés envers leurs maîtres. » Les engagés, ou les trente-six mois comme on les appelle alors, ne peuvent quitter leur maître sans la permission de ce dernier, et ce sous peine d'amendes ou d'emprisonnement.

Le Conseil souverain adopte, le 5 décembre 1663, une législation sévère portant sur la désertion des engagés : « À quoi faisant droit, le conseil a fait et fait très expresses interdictions et défenses à toutes personnes de quelque qualité et condition qu'elles soient, de retirer, sous quelque prétexte que ce soit, aucuns serviteurs sans congé par écrit, de leurs maîtres, à peine d'amende arbitraire et auxdits serviteurs engagés de quitter le service de leurs dits maîtres, sans congé par écrit, sous même peine, et de payer à leurs dits maîtres chaque journée d'absence ou de temps perdu, à la somme de quatre livres. »

La désertion des engagés et l'hébergement des fautifs sont des crimes qu'on puni sévèrement. Le 14 janvier 1664, Louis Lepage est condamné à la prison pour avoir quitté son maître Charles Legardeur de Tilly. Quinze jours plus tard, soit le 1er mars 1664, la veuve Badeau est condamnée à verser dix livres d'amende pour avoir reçu chez elle deux des valets de Pierre Denys de La Ronde. Le 5 juin 1673, René Blanchard, un aide-cuisinier au service du gouverneur Frontenac, est condamné pour avoir déserté son maître. Entre autres peines, il est conduit, par l'exécuteur de la haute justice, à la grande place de la basse-ville de Québec et installé au carcan pendant trois heures « avec un écriteau sur l'estomac auquel sera écrit : domestique engagé qui a délaissé le service de son maître sous un faux donné à entendre ».

Heureusement, la plupart des engagés remplissent fidèlement les engagements de leur contrat et ils trouvent assez facilement une compagne.

> La plupart de nos habitants qui sont ici, écrit Pierre Boucher en 1664, sont des gens qui sont venus en qualité de serviteurs et, après avoir servi trois ans chez un maître, se mettent à eux ; ils n'ont pas travaillé plus d'une année qu'ils ont défriché des terres et qu'ils recueillent du grain plus qu'il n'en faut pour les nourrir. Quand ils se mettent à eux d'ordinaire, ils ont peu de chose, ils se marient ensuite à une femme qui n'en a pas davantage ; cependant, en moins de quatre ou cinq ans, vous les voyez à leur aise, s'ils sont un peu gens de travail et bien ajustés pour des gens de leur condition.

Tous les engagés recrutés en France ne sont pas aptes au travail dès leur arrivée. Le convoi de 1663 comprend environ une centaine de trente-six mois. Parmi ceux-ci, selon le Conseil souverain, « il n'y avait tout au plus que vingt hommes prêts à faire quelque travail. Les autres étaient malades et faibles à ne se pouvoir tenir sur les pieds, d'ailleurs la plupart étaient des jeunes gens, clercs, écoliers ou de cette nature dont la majeure partie n'avait jamais travaillé. »

Le Conseil doit leur donner des justaucorps, des bas et des souliers. Un tel recrutement est peu utile à la colonie, du moins pour les premiers temps. Dans une lettre adressée à Colbert, le 29 octobre 1667, l'intendant Talon écrit : « Qu'il soit défendu à ceux qui seront chargés de la levée des passagers pour le Canada d'envoyer aucun homme qui ne soit au-dessus de seize ans et au-dessous de quarante, parce que tout ce qui est au-dessus de l'un de ces âges et au-dessous de l'autre ne peut accommoder ce pays et ne laisse pas de coûter au roi. »

Les finances de la colonie ne peuvent supporter le poids des bouches inutiles. Le 20 août 1664, le Conseil souverain ordonne le retour en France des personnes inhabiles à travailler, ainsi que celles « qui sont à charge au pays »

En 1665, la Compagnie des Indes occidentales se charge de l'envoi de 429 personnes en Nouvelle-France. Pour chacune d'elles, le roi paie à la compagnie 10 livres pour la levée, 30 pour l'habillement et 60 pour le passage. L'année suivante, 35 personnes font la traversée et les habitants qui engagent ces trente-six mois remboursent la compagnie pour les frais encourus. En 1667, on dénombre 286 arrivants au compte de la compagnie et 228 l'année suivante. Marie de l'Incarnation est un peu surprise de la variété de la recrue de 1668. Elle écrit : « Les navires n'ont point apporté de malades cette année. Le vaisseau arrivé était chargé comme d'une marchandise mêlée. Il y avait des Portugais, des Allemands, des Hollandais, et d'autres de je ne sais quelles nations [...]. Quant aux hommes, ce sont des gens qui ont été cassés du service du roi et que Sa Majesté a voulu être envoyés en ce pays. On les a tous mis au Bourg-Talon à deux lieues d'ici, pour y habiter et le peupler. Quand ils auront mangé la barrique de farine et le lard que le roi leur donne, ils souffriront étrangement jusqu'à ce qu'ils aient défriché. »

Un pays de célibataires

Les recrues de Montréal de 1653 et de 1659 se composent surtout de célibataires. Les soldats du régiment de Carignan-Salières sont eux aussi pour la plupart célibataires et d'âge à se marier. Ils ont de 17 à 28 ans. Selon Roy et Malchelosse, aucun n'a plus de 40 ans. Pour des raisons de stabilité sociale et pour éviter que ces hommes ne se rendent trop souvent dans les bois dans l'espérance de rencontrer de jeunes Amérindiennes, les autorités sont amenées à prendre diverses mesures. La situation devient tragique. En 1666, lors du recensement, on dénombre 719 célibataires masculins âgés de 16 à 40 ans et seulement 45 filles célibataires des mêmes âges.

Selon le généalogiste Archange Godbout, avant 1639, on ne dénombre que six filles « venues seules au pays, dont trois moururent sans postérité ». De 1634 à 1663, plus de 200 filles célibataires viennent s'établir en Nouvelle-France. Elles portent le nom de *filles à marier*. Leur recrutement est assez sévère puisque ce sont surtout les communautés religieuses qui s'en chargent. En 1654, c'est la reine Anne d'Autriche qui voit à l'envoi d'une dizaine de filles sous la conduite de mère Marie-Renée Boulic dite de la Nativité. Le père jésuite François-Joseph Le Mercier écrit à ce sujet : « La reine, ayant de la tendresse pour la conversion des Sauvages et de l'affection pour l'établissement de la colonie française en ce nouveau monde, y envoya ce printemps dernier quelque nombre de filles fort honnêtes, tirées des maisons d'honneur. »

Certains marchands se risquent parfois à expédier en Nouvelle-France des filles qui effectuent le voyage de retour plus tôt que prévu. Le gouverneur Pierre de Voyer d'Argenson raconte ainsi l'aventure survenue à l'une de ces demoiselles.

> Il faut que je vous dise une chose qui vous divertira, écrit-il le 24 octobre 1658 au père Charles Lalemant. C'est un jugement que j'ai rendu contre un marchand de La Rochelle, appelé Perron. Il a été assez insolent pour nous envoyer en ce pays une fille débauchée, actuellement grosse, et qu'il savait être dans cet état. Je l'ai condamné à la ramener à La Rochelle, à toutes les dépenses qu'il en pouvait avoir faites et à celle qu'avait faites celui à qui il l'avait donnée en service, à 150 livres d'amende dont le tiers je le fais donner à l'hôpital de Québec. Cela remettra notre pays en réputation que l'on confond avec les îles Saint-Christophe et empêchera les marchands de charger de ce bétail. Je n'ai rien de plus agréable à vous apprendre.

La recrue de 1659, qui se chiffre à une quarantaine de personnes de sexe féminin, effectue la traversée sous la direction de Marguerite Bourgeoys.

L'historien Gustave Lanctot qui, dans son livre *Filles de joie ou filles du roi*, cherche à démontrer la bonne moralité des filles à marier, écrit :

Les jeunes immigrantes de 1634 à 1663, qui, sans retard ni reproche, trouvaient maris à leur convenance, dans quelle catégorie sociale faut-il les ranger ? Approximativement, on peut se hasarder à dire que les quatre septièmes appartenaient à la classe rurale : filles de paysans et de campagnards divers, industrieuses et robustes, elles deviennent de vaillantes compagnes du colon, bâtisseur de sa maison et défricheur de son champ. Deux autres septièmes descendaient de familles urbaines, filles d'artisans, de journaliers et de domestiques, actives avec du savoir-faire et ménagères de bon conseil, elles épaulent chaque jour le mari penché sur son labeur ou courant sus aux Iroquois. Le dernier septième comprenait une modeste élite, filles de négociants, de fonctionnaires, de militants, d'hommes de profession ou de petite noblesse, qui épousent des seigneurs, des notaires, des médecins ou des marchands.

Les gros arrivages

Après les années 1660, le nombre de célibataires ne cesse d'augmenter en Nouvelle-France. Il y a bien certains couples qui émigrent ensemble et des trente-six mois, déjà mariés, qui font venir femmes et enfants une fois bien installés. Pourtant, la plupart des colons comptent sur l'arrivée des navires pour trouver une épouse. Entre 1663 et 1673, la colonie recevra près de 800 filles du roi. Plus de la moitié d'entre elles, selon des chiffres compilés par l'historien Silvio Dumas, sont pensionnaires à la Salpêtrière de Paris avant leur immigration. La Salpêtrière, genre de succursale de l'Hôpital Général de Paris, hébergeait les femmes et les filles indigentes. En 1661, écrit Silvio Dumas, « ce refuge abritait 1460 personnes ; on y recevait des filles de petits nobles pauvres ou gênés, lesquelles jouissaient d'un traitement particulier et qu'on appelait les "bijoux". [...] On enseignait aux filles à lire, à tricoter, à faire de la lingerie, de la broderie et de la dentelle ; on leur donnait un solide enseignement religieux. »

À peine un peu plus de 400 des filles du roi sont des orphelines et la majorité d'entre elles ont moins de 25 ans. Comme les autorités cherchent des filles jeunes et saines, il est normal de retrouver 76 filles âgées de 12 à 15 ans.

Le premier contingent arrive à Québec au début de l'été 1663. Il se compose de 38 filles qui sont immédiatement réparties entre la capitale Trois-Rivières et Montréal. En peu de temps, toutes trouvent une mari « excepté trois dont une a été prise par les Iroquois dans l'Île d'Orléans et emmenée captive ».

Le roi de France avait non seulement défrayé le coût de la traversée, mais il avait aussi vu à leur procurer quelque bien-être matériel. La plupart des Françaises qui émigrent en Nouvelle-France y arrivent avec peu de bagages. « Les hardes, écrit Lanctot, devaient comprendre, outre les habits, les articles suivants : 1 cassette, 1 coiffe, 1 mouchoir de taffetas, 1 ruban à souliers, 100 aiguilles, 1 peigne, 1 fil blanc, 1 paire de bas, 1 paire de gants, 1 paire de ciseaux, 2 couteaux, 1 millier d'épingles, 1 bonnet, 4 lacets et 2 livres en argent. »

En 1664, près d'une vingtaine de filles du roi émigrent en Nouvelle-France. L'année suivante, le contingent est plus important. Silvio Dumas l'évalue à 89 personnes, alors que Marie de l'Incarnation parle de 100 filles qui, dès la fin d'octobre, ont presque toutes trouvé mari.

Même mariées, le sort de ces filles comporte des problèmes. « Quand une famille commence une habitation, écrit la supérieure des ursulines, le 29 octobre 1665, il lui faut deux ou trois années avant que d'avoir de quoi se nourrir, sans parler du vêtement, des meubles et d'une infinité de petites choses nécessaires à l'entretien d'une maison ; mais ces premières difficultés passées, ils commencent à être à leur aise, et s'ils ont de la conduite, ils deviennent riches avec le temps autant qu'on le peut être dans un pays nouveau comme celui-ci. » Marie de l'Incarnation a raison de souligner les difficultés économiques auxquelles doivent faire face les nouveaux mariés. L'intendant Talon revient sur ce problème lorsqu'il écrit au ministre Colbert, le 13 novembre 1666 : « Les quatre-vingt-dix filles que le roi a fait passer sont toutes mariées à l'exception de six auxquelles je suis obligé de donner quelque secours de temps en temps, de même qu'aux mariées dans le besoin qu'elles souffrent les premières années de leur mariage. »

La recrue des filles à marier de 1667, du moins une partie, cause quelques problèmes à la directrice du groupe, Françoise Desnoyers, l'épouse de Pierre LePetit, seigneur de Neuville. Talon, dans sa lettre du 27 octobre 1667, fait part à Colbert des doléances de ces demoiselles : leur conductrice « leur a fripponné* la moitié de leurs hardes ». « Elles m'ont fait de grandes plaintes du [traitement] qu'elles ont reçu sur mer, et elles m'ont assuré que, du moment qu'elles ont été sous la voile, elles n'ont reconnu ni humanité dans les officiers de leur bord, qui les ont fait beaucoup souffrir de la faim, ne leur donnant qu'un léger repas le matin et, le soir pour souper, un bien peu de biscuit sans aucune suite. »

Il ne faut pas croire que toutes les filles étaient d'une docilité exemplaire. Leur jeune âge peut expliquer certaines fredaines. Mère Saint-André, des ursulines de Québec, écrit, le 29 octobre 1668 : « Nous n'avons pu nous défendre de louer ladite maison [de madame de La Peltrie] à d'autres et, depuis deux ou trois ans en deçà, ce sont les filles que l'on fait venir de France qui l'ont occupée et l'occupent encore à présent. Vous ne sauriez croire le dégât que ces bonnes créatures y font, sans compter qu'elles y ont déjà pensé mettre le feu deux ou trois fois, ce qui a mis en danger de brûler tout notre monastère. »

Filles à problèmes

Le contingent de 1668, qui totalisait près de 80 filles, comprend « une sauvagesse de la nation du Brésil » ou « Maure de nation », née au Brésil et baptisée à Lisbonne, Espérance du Rosaire, qui épouse Simon Longueville peu après son arrivée. La décision de plusieurs soldats et officiers du régiment de Carignan-Salières de s'établir en Nouvelle-France amène les autorités françaises à organiser des contingents de filles plus considérables, soit près de 400 personnes pour les années 1669, 1670 et 1671. Au cours de ces trois années, le roi versera à environ 250 filles à marier la somme de 50 livres lors du mariage. Cette prime fera souvent préférer la fille du roi à la fille du pays lors du choix d'une future épouse. En octobre 1669, Marie de l'Incarnation informe encore son correspondant européen de l'évolution du peuplement. « C'est une chose prodigieuse de voir l'augmentation des peuplades

* C'est-à-dire volé.

qui se font en ce pays. Les vaisseaux ne sont pas plus tôt arrivés que les jeunes hommes y vont chercher des femmes et, dans le grand nombre des uns et des autres, on les marie par trentaines. Les plus avisés commencent à faire une habitation un an avant de se marier, parce que ceux qui ont une habitation trouvent un meilleur parti ; c'est la première chose dont les filles s'informent, et elles font sagement, parce que ceux qui ne sont point établis souffrent beaucoup avant que d'être à leur aise. »

Dès la première année de leur mariage, la plupart des nouvelles épouses ont déjà un enfant ou en attendent un. L'intendant Talon surveille la qualité des envois. Dans un mémoire à Colbert, daté du 10 novembre 1670, il décrit la fille du roi idéale : « Il serait bon de recommander fortement que celles qui seront destinées pour ce pays ne soient aucunement disgraciées de la nature, qu'elles n'aient rien de rebutant à l'extérieur, qu'elles soient saines et fortes pour le travail de campagne, ou du moins qu'elles aient quelque industrie pour les ouvrages de main. »

À la fin de 1671, il semble bien que l'équilibre démographique soit rétabli. « J'estime qu'il n'est pas à propos d'envoyer des filles l'année prochaine, écrit Talon le 2 novembre 1671, afin que les habitants donnent plus aisément en mariage les leurs aux soldats qui demeurent habitués et libres. Il n'est plus nécessaire de faire passer ces demoiselles, en ayant reçu quinze ainsi qualifiées, au lieu de quatre que je demandais, pour faire des alliances avec les officiers ou les principaux habitants d'ici. »

La demande de Talon arrive à point car, en France, le roi et Colbert commencent à trouver que ces envois massifs coûtent cher au trésor royal. Il n'y a donc pas d'envoi en 1672. Mais l'année suivante, pour répondre à la demande du gouverneur Frontenac, on expédie à Québec une cinquantaine de filles pour assainir le climat social. « Cette rareté d'ouvriers et d'engagés, avait écrit le gouverneur à Colbert, le 2 novembre 1672, m'oblige à vous supplier d'avoir la bonté de vouloir songer à nous envoyer quelques-uns de toutes les façons et même des filles à marier à beaucoup de personnes qui n'en trouvent point ici, et qui font mille désordres dans les habitations de leurs voisins et surtout dans les lieux les plus éloignés où des femmes sont bien aises d'avoir plusieurs maris [...]. S'il y avait eu ici cette année cent cinquante filles et autant de valets, dans un mois ils auraient tous trouvé des maris et des maîtres. »

Les filles du roi n'étaient pas toutes de petites saintes, ni non plus des filles de mauvaise vie. Selon Silvio Dumas, plus d'une vingtaine ont eu des démêlés graves avec la justice.

Louis-Armand de Lom d'Arce, troisième baron de Lahontan, est sans doute le peintre le plus coloré de la vertu des filles du roi. Il vécut en Nouvelle-France de 1683 à 1693 et il publia en 1703, en Hollande, un récit de voyages que plusieurs historiens ont analysé pour tenter d'en montrer les erreurs. Il écrit ainsi, au sujet des filles du roi :

> Après la réforme de ces troupes [Carignan], on y envoya de France plusieurs vaisseaux chargés de filles de moyenne vertu, sous la direction de quelques vieilles béguines qui les divisèrent en trois classes. Ces vestales étaient pour ainsi dire entassées les unes sur les autres en trois différentes salles, où les époux choisissaient leurs épouses de la manière que le boucher va choisir les moutons au milieu

> d'un troupeau. Il y avait de quoi contenter les fantasques dans la diversité des filles de ces trois sérails, car on en voyait de grandes, de petites, de blondes, de brunes, de grasses et de maigres ; enfin chacun y trouvait chaussure à son pied. Il n'en resta pas une au bout de quinze jours. On m'a dit que les plus grasses furent plus tôt enlevées que les autres, parce qu'on s'imaginait qu'étant moins actives elles auraient plus de peine à quitter leur ménage et qu'elles résisteraient mieux au grand froid de l'hiver, mais ce principe a trompé bien des gens. Quoiqu'il en soit, on peut ici faire une remarque assez curieuse. C'est qu'en quelque partie du monde où l'on transporte les plus vicieuses Européennes, la populace d'outre-mer croit à la bonne foi que leurs péchés sont tellement effacés par le baptême ridicule dont je vous ai parlé [baptême du Bonhomme Terre-Neuve] qu'ensuite elles sont sensées filles de vertu, d'honneur et de conduite irréprochable. Ceux qui voulaient se marier s'adressaient à ces directrices auxquelles ils étaient obligés de déclarer leurs biens et leurs facultés, avant que de prendre dans une de ces classes celles qu'ils trouvaient le plus à leur gré. Le mariage se concluait sur-le-champ par la voie du prêtre et du notaire, et le lendemain le gouverneur général faisait distribuer aux mariés un bœuf, une vache, un cochon, une truie, un coq, une poule, deux barils de chair salée, onze écus avec certaines armes que les Grecs appellent Keras.

Même à l'époque des filles du roi et au cours des décennies qui suivent, la polémique concernant la vertu de ces filles est vivace. Un contemporain de Lahontan, le père Chrestien Le Clercq, qui vit en Nouvelle-France de 1675 à 1686, aborde lui aussi la question. Il écrit en 1691 :

> Je sais que, du côté de la France, on y a fait souvent passer [au Canada] des personnes suspectes parmi quantité de gens d'honneur ; mais on doit cette justice aux gouverneurs et aux missionnaires du pays de n'y avoir rien souffert d'impur, de libertin ou de mal réglé ; l'on a examiné et choisi les habitants et renvoyé en France les marchandises de contrebande et les personnes vicieuses ou marquées, aussitôt qu'on les a connues, et s'il en est resté de l'un et l'autre sexe, qui n'auraient pas été en France tout à fait exempts de reproche, on a remarqué que le passage de la mer les avait purifiés, qu'ils effaçaient glorieusement par leur pénitence les taches de leur première conduite, leur chute n'ayant servi qu'à les rendre plus sages et plus précautionnés, en sorte qu'elles sont devenues et ont été des exemples et des modèles de la colonie.

Avec l'apport des soldats du régiment de Carignan-Salières et celui des filles du roi, la population de la Nouvelle-France double en sept ans, passant de 3200, en 1666, à 6700 en 1672. La France considère alors qu'elle a fait son effort.

Un organisateur de génie : Talon

Depuis 1627, la Nouvelle-France avait été cédée à une compagnie qui, en échange de privilèges commerciaux, devait s'occuper de son peuplement. Tous se rendent compte que cette politique de colonisation aboutit à un échec. Le roi décide donc de reprendre à son compte l'administration de la colonie. Lors d'une réunion tenue à Paris, le 24 février 1663, 15 actionnaires de la Compagnie des Cent-Associés signent une résolution par laquelle ils retournent au pouvoir royal l'administration et la propriété de leur seigneurie. Le roi accepte la démission de la compagnie au mois de mars, « considérant que cette compagnie de cent hommes était presque anéantie par l'abandonnement volontaire du plus grand nombre des intéressés dans celle-ci, et que le peu qui restait de ce nombre n'était pas assez puissant pour soutenir ce pays et pour y envoyer les forces et les hommes nécessaires, tant pour l'habiter que pour le défendre, nous aurions pris la résolution de le retirer des mains des intéressés en ladite compagnie. » L'ordonnance stipule ensuite que la nomination des gouverneurs et des officiers de justice relèvera de la couronne. Par cet acte, la Nouvelle-France devient donc une colonie royale.

Le roi se rend compte que les distances qui séparent la colonie de la métropole causent de graves problèmes et que les solutions doivent souvent venir de Québec même. L'édit royal créant le Conseil supérieur de Québec, au mois d'avril 1663, insiste sur ce point : « nous avons cru ne pouvoir prendre une meilleure résolution qu'en établissant une justice réglée et un Conseil souverain dans ledit pays pour y faire fleurir les lois, maintenir et appuyer les bons, châtier les méchants et contenir chacun dans son devoir, y faisant garder autant qu'il se pourra la même forme de justice qui s'exerce dans notre royaume et de composer ledit Conseil souverain d'un nombre d'officiers convenables pour la rendre. »

Le Conseil supérieur, qui prendra plus tard le nom de Conseil souverain, est d'abord un tribunal judiciaire appelé à juger « souverainement et en dernier ressort selon les lois et ordonnances [du] royaume » toutes les causes civiles et criminelles. Les conseillers ont le droit d'établir à Québec, Trois-Rivières et Montréal des personnes habilitées à juger en première instance les différents procès. Le but visé par le roi est clairement exprimé : « Ôter autant qu'il se pourra toute chicane dans ledit pays de la Nouvelle-France, afin que prompte et brève justice y soit rendue. » Le Conseil a aussi le pouvoir de faire des lois et des ordonnances pour la bonne marche de la colonie, mais le roi se réserve le droit d'abolir et de modifier les décisions du Conseil. De plus, le Conseil veillera à la traite des pelleteries et au commerce en général.

Le gouverneur Davaugour et monseigneur François de Laval sont les premiers conseillers nommés par le roi. Cinq autres membres s'ajouteront, que le gouverneur et l'évêque choisiront « conjointement et de concert ». La durée du mandat des conseillers est d'une année, au terme de laquelle « ils pouvaient être changés ou continués tous les ans selon qu'il sera estimé plus à propos et plus avantageux par lesdits gouverneur, évêque ou premier ecclésiastique qui y sera ».

Une fournée de nominations

Les plaintes de Pierre Boucher et de monseigneur de Laval contre l'administration de la colonie visent surtout le gouverneur Pierre Dubois Davaugour, qui aurait eu de violentes discussions avec le chef de l'Église canadienne.

Par suite des plaintes multipliées, le roi décide de rappeler Davaugour et il demande à monseigneur de Laval de lui suggérer quelqu'un capable de bien remplir le poste de gouverneur de la Nouvelle-France. L'évêque de Québec glisse le nom d'un converti de la dernière heure, Augustin de Saffray de Mézy, qu'il a connu à l'Ermitage avec l'abbé Jean de Bernières. Le candidat fait valoir qu'il a des dettes tellement abondantes qu'il ne peut se rendre dans la colonie. Le roi lui aurait alors offert d'éponger ses dettes à la condition expresse qu'il accepte de se rendre à Québec. Toujours est-il que le 1er mai 1663, Louis XIV signe les lettres patentes établissant Saffray de Mézy gouverneur de la Nouvelle-France pour une durée de trois ans. Le lendemain, Mézy prête, entre les mains du roi, le serment traditionnel de fidélité.

Presque au même moment, le roi nomme Louis Robert au poste d'intendant de la Nouvelle-France. Colbert, croit-on, s'oppose à la nomination de Robert parce qu'il fait partie du clan de Louvois. Ce qui expliquerait pourquoi le nouvel intendant ne vint jamais dans la colonie.

Le 7 mai 1663, Louis XIV désigne Louis Gaudais-Dupont au poste de commissaire royal et il le charge de faire enquête sur la situation du Canada. « Premièrement, il faut qu'il prenne une information exacte de la situation du pays, à combien de degrés il est du pôle, la longueur des jours et des nuits, de leur plus grande différence, des bonnes et mauvaises qualités de l'air, de la régularité ou irrégularité des saisons et comment ce pays est exposé. » En plus de ces questions primordiales, l'enquêteur royal devra s'informer « de la fertilité de la terre, à quoi elle est propre, quelles semences ou légumes y viennent plus aisément, la quantité de terres labourables qu'il y a, celles que l'on pourrait défricher dans peu de temps et quelle culture l'on pourrait leur donner ». Gaudais-Dupont s'informera aussi du nombre de familles qui composent les habitations de Québec, Montréal et Trois-Rivières, « à quoi particulièrement les habitants s'appliquent, en quoi consiste leur commerce, les moyens qu'ils ont de subsister et d'élever leurs enfants ».

Le roi, dans ses instructions à Gaudais-Dupont, montre une bonne connaissance de la situation réelle de la colonie. Il souligne le fait que les habitations des habitants sont trop dispersées et qu'il y aurait peut-être avantage à obliger les colons à se regrouper. Les autorités de la métropole veulent connaître le nombre exact des habitants, ainsi que la quantité de terre en culture. « Le dit sieur Gaudais observera s'il manque audit pays des femmes ou des filles, afin d'y en envoyer le nombre nécessaire, l'année prochaine. » Des instructions secrètes lui ordonnaient « de s'enquérir discrètement de la conduite et des sentiments de l'ancien et du nouveau gouverneur, de Mgr de Laval et des jésuites ».

Le 15 septembre 1663, débarquent à Québec le commissaire royal, le nouveau gouverneur et monseigneur de Laval. Sitôt arrivés, les trois dignitaires procèdent à la nomination des membres du Conseil supérieur. Comme monseigneur de Laval est le seul qui connaisse vraiment bien les habitants, le choix lui est laissé. Il désigne donc Louis Rouer de Villeray, ancien secrétaire du gouverneur de Lauson et commis du magasin de la Compagnie de la Nouvelle-France, le marchand Jean Juchereau de La Ferté, Denis-Joseph Ruette d'Auteuil, le commerçant Charles Legardeur de Tilly et le major Mathieu Damours de Chauffours. Jean Bourdon est nommé procureur général et Jean-Baptiste Peuvret Demesnu, secrétaire et greffier en chef du Conseil.

Le Conseil souverain siège pour la première fois le 18 septembre 1663. On enregistre les diverses lettres patentes et commissions émises par le roi depuis le mois de février. Deux jours plus tard, les conseillers ordonnent la tenue d'une assemblée générale des habitants de la ville de Québec pour procéder à l'élection d'un maire et de deux échevins. Le dimanche 7 octobre, à la suite de l'affichage de la convocation des habitants, plusieurs d'entre eux s'assemblent dans la salle du conseil, à l'issue de la grand-messe célébrée à l'église Notre-Dame, à Québec. Le choix populaire désigne Jean-Baptiste Legardeur de Repentigny au poste de premier maire de Québec. Le chirurgien Jean Madry et un des principaux commerçants de la ville, Claude Charron, sont élus échevins. Les membres du « premier Conseil municipal » ne prennent pas leur nomination trop au sérieux, « en ne se mettant guère en peine des dites charges ». Le Conseil souverain décide alors d'abolir les trois postes et de retourner à l'ancienne formule, celle d'un syndic.

Une nouvelle élection a donc lieu le dimanche 3 août 1664 et Claude Charron est élu syndic des habitants de Québec. Lors de la réunion du Conseil, le 19 septembre suivant, des protestations s'élèvent contre le choix de Charron parce que ce dernier « fut nommé et choisi par un fort petit nombre d'habitants dont et de laquelle élection le peuple se trouva très mal satisfait ».

Quelques jours auparavant, des électeurs avaient désigné le charpentier Jean Lemire au poste de syndic. Le Conseil est divisé : il y a d'un côté la clique de l'évêque et de l'autre, celle du gouverneur. On reproche à Charron d'être un marchand et on craint qu'avec lui les marchands aient trop d'influence « sur l'établissement des tarifs applicables aux marchandises débitées dans la colonie ». Charron, à cause des pressions exercées par certains membres du Conseil, donne sa démission et Lemire est déclaré élu.

Une nouvelle compagnie

Les relations commerciales entre la métropole et la colonie semblent trop importantes au roi pour être laissées entre les mains des marchands de la Nouvelle-France. Louis XIV, fidèle aux théories mercantiles de son ministre Colbert, établit, au mois de mai 1664, une nouvelle compagnie qui hérite de la Nouvelle-France.

La Compagnie des Indes occidentales se voit concéder un territoire immense : « Toute la terre ferme de l'Amérique depuis la rivière des Amazones jusqu'à celle d'Orenoque ; le Canada, l'Acadie, l'île de Terre-Neuve et autres îles et terre ferme, depuis le nord dudit pays de Canada jusqu'à la Virginie et Floride, ensemble toute la côte de l'Afrique, depuis le Cap-Vert jusqu'au Cap-de-Bonne-Espérance, soit que lesdits pays nous appartiennent pour être ou avoir été ci-devant habités par les Français, soit que ladite compagnie s'y établisse, en chassant ou soumettant les Sauvages ou naturels du pays ou les autres nations de l'Europe qui ne sont dans notre alliance. »

L'article 15 de l'acte d'établissement accorde à la compagnie le monopole de commerce : « La compagnie fera seule, à l'exclusion de tous nos autres sujets, qui n'entreront en icelle, tout le commerce et navigation dans lesdits pays concédés pendant quarante années ; et, à cet effet, nous faisons défense à tous nosdits sujets, qui ne seront de ladite compagnie, d'y négocier à peine de confiscation de leurs vaisseaux et marchandises, applicables au profit de ladite compagnie, à la réserve de la pêche qui sera libre à tous nosdits sujets. »

La compagnie obtient, de plus, le droit de concéder des terres, de nommer les gouverneurs et les juges, de faire des statuts et des règlements pour régir la colonie.

L'article 34 concerne l'immigration :

> Pour favoriser d'autant plus les habitants desdits pays concédés et porter nos sujets à s'y habituer, nous voulons que ceux qui passeront dans lesdits pays jouissent des mêmes libertés et franchises que s'ils étaient demeurés en ce royaume, et que ceux qui naîtront d'eux et des Sauvages convertis à la foi catholique, apostolique et romaine soient censés et réputés régnicoles et naturels français et, comme tels, capables de toutes successions, dons, legs et autres dispositions, sans être obligés d'obtenir aucune lettre de naturalité, et que les artisans qui auront exercé leur art et métier audit pays pendant dix années consécutives, en rapportant certificats des officiers des lieux où ils auront demeurés, attestés des gouverneurs et certifiés par les directeurs de ladite compagnie, soient réputés maîtres de chefs-d'œuvres en toutes les villes de notre royaume où ils voudront s'établir sans aucune exception.

Un tandem compliqué

La Compagnie des Indes occidentales peut nommer ou destituer les gouverneurs. Mais le roi, par l'intermédiaire de ses ministres, contrôle l'administration de la Nouvelle-France. Louis XIV signe, le 23 mars 1665, la commission nommant Daniel Rémy de Courcelle gouverneur et lieutenant général en Canada, Acadie et île de Terre-Neuve. Courcelle remplace Saffray de Mézy qui est rappelé surtout à la suite de ses démêlés avec monseigneur de Laval.

Le gouverneur représente le roi lui-même et, à ce titre, il a préséance sur tous les autres personnages de la colonie. Ses droits et devoirs sont précisés dans sa commission de nomination :

> Assembler quand besoin sera les communautés, leur faire prendre les armes ; prendre connaissance, composer et accommoder tous différends qui pourraient être nés ou à naître dans lesdits pays, soit entre les seigneurs et les principaux de ceux-ci, soit entre les particuliers habitants ; assiéger et prendre des places et châteaux, selon la nécessité qu'il y aura de le faire, y faire conduire des pièces d'artillerie et les faire exploiter ; établir des garnisons où l'importance des lieux le demandera ; commander tant aux peuples desdits pays qu'à tous nos autres sujets, ecclésiastiques, nobles et gens de guerre et autres de quelque qualité et condition qu'ils soient, y demeurant ; appeler les peuples non convertis, par toutes les voies les plus douces qu'il se pourra, à la connaissance de Dieu et lumière de la foi et de la religion catholique, apostolique et romaine, et en établir l'exercice à l'exclusion de toute autre, [...] le tout néanmoins sous l'autorité du sieur de Tracy, notre lieutenant général en l'Amérique, lorsqu'il sera présent audit pays de Canada.

Courcelle, comme ses deux prédécesseurs, est célibataire, tout comme celui que le roi nomme intendant en remplacement de Robert qui n'était pas venu en Nouvelle-France. Le 23 mars 1665, Jean Talon obtient une commission d'intendant de la justice, police et finances pour le Canada, l'Acadie et Terre-Neuve. Talon, comme ses frères Claude et Philippe, est déjà au service de Colbert. Son dévouement pour le contrôleur général est connu.

Les droits et devoirs de l'intendant sont aussi précisés dans sa commission :

> Vous trouver aux conseils de guerre qui seront tenus par notre lieutenant général en l'Amérique et par le gouverneur et notre lieutenant général auxdits pays de Canada ; entendre les plaintes qui vous seront faites par nos peuples desdits pays, par les gens de guerre et tous autres, sur tous excès, torts et violences, leur rendre bonne et briève justice ; informer de toutes entreprises, pratiques et menées faites contre notre service ; procéder contre les coupables de tous crimes de quelque qualité et condition qu'ils soient, leur faire et parfaire le procès jusqu'au jugement définitif et exécution de celui-ci inclusivement ; appeler avec vous le nombre de juges et gradués portés par les ordonnances, et généralement connaître de tous crimes et délits, abus et malversations qui pourraient être commis en nosdits pays par quelques personnes que ce puisse être ; présider au conseil souverain en l'absence des sieurs de Tracy [...] et de Courcelle ; juger souverainement seul en matières civiles et de tout ordonner ainsi que vous verrez être juste et à propos.

Enfin, l'intendant doit avoir l'œil « à la direction, maniement et distribution de nos deniers destinés et qui le seront ci-après pour l'entretien de nos gens de guerre, comme aussi des vivres, munitions, réparations, fortifications, parties inopinées, emprunts et contributions qui pourraient avoir été ou être faites pour les dépenses de celles-ci et autres frais qui seront à faire pour notre service ».

Le gouverneur et l'intendant partagent certaines zones d'autorité, ce qui engendrera souvent une opposition ouverte ou dissimulée entre les deux personnages. Le gouverneur a la main haute sur la guerre et la politique indienne, mais l'intendant « est celui qui voit au financement de la guerre et qui paie les frais d'une politique de cadeaux vis-à-vis les Amérindiens ». Les germes de la discorde sont semés.

Au travail !

Le 23 septembre 1665, dans la première salle du château Saint-Louis de Québec, le marquis de Tracy préside la cérémonie d'enregistrement des lettres patentes en faveur de Courcelle et de Talon. Les membres du Conseil souverain sont présents : monseigneur de Laval, Claude Le Barroys, agent général de la Compagnie des Indes occidentales, conseiller de Sa Majesté et son premier interprète de la langue portugaise, les anciens conseillers, le procureur général Jean Bourdon et le greffier Jean-Baptiste Peuvret. Le Barroys dépose aussi les lettres l'autorisant à siéger au Conseil avec voix délibérative.

L'intendant se rend rapidement compte que la décision du roi et de Colbert de céder la Nouvelle-France à une compagnie n'est peut-être pas la meilleure solution. À l'époque, le prix de la marchandise en France sert de base et l'importateur peut faire des bénéfices jusqu'à concurrence de 55 pour cent sur les marchandises sèches et 120 pour cent sur les liquides. Ce système commercial frustre les habitants qui risquent, en fin de compte, de se dégoûter de la vie en Nouvelle-France. Talon s'en ouvre à Colbert, le 4 octobre :

> Les agents de la compagnie ont fait entendre qu'elle ne souffrirait aucune liberté de commerce, non seulement aux Français qui avaient coutume de passer en ce pays pour le transport des marchandises de France, mais même aux propres habitants du Canada jusqu'à leur disputer le droit de faire venir pour leur compte des denrées du royaume, desquelles ils se servent tant pour leur subsistance que pour faire la traite avec les Sauvages, qui seule arrête ici ce qu'il y a de plus considérable entre les habitants qui, pour y demeurer avec leurs familles, ne trouvent pas assez de charmes en la seule culture de la terre ; enfin je reconnais très bien que la compagnie continuant de pousser son établissement jusques où elle prétend le porter, profitera sans doute beaucoup en dégraissant le pays et non seulement elle lui ôtera les moyens de se soutenir, mais encore elle fera un obstacle essentiel à son établissement et, dans dix ans, il sera moins peuplé qu'il ne l'est aujourd'hui.

Talon, tout au long de son intendance, s'opposera à l'existence même de la Compagnie des Indes occidentales. On lui donnera raison en 1674, lorsque cette dernière perdra tous ses privilèges.

Point d'État canadien

Talon, comme ses prédécesseurs, est frappé par les possibilités de la Nouvelle-France. En 1663, Davaugour avait proposé de fortifier Québec. La ville, selon lui, « ainsi fortifiée et ainsi soutenue doit être regardée pour la pierre fondamentale de dix provinces. [...] Si le roi veut penser à établir ces dix provinces, il peut se dire maître de l'Amérique et tous les hérétiques n'y demeureront qu'autant qu'il lui plaira. »

Deux ans plus tard, en octobre 1665, Talon exprime à peu près les mêmes idées. « Si le roi de France a regardé ce pays comme un beau plan dans lequel on peut former un grand royaume et fonder une monarchie ou du moins un État fort considérable, je ne puis me persuader qu'elle réussisse dans son dessein, en laissant en d'autres mains que les siennes la seigneurie, la propriété des terres, la nomination aux cures et adjoints, même le commerce qui fait l'âme de l'établissement qu'elle prétend. »

En France, les autorités ne semblent pas subir le même emballement que l'intendant de la Nouvelle-France. Colbert, avec son réalisme administratif, répond à Talon, le 5 avril 1666 :

> Le roi ne peut convenir de tout le raisonnement que vous faites sur les moyens de former du Canada un grand et puissant État, y trouvant divers obstacles qui ne sauraient être surmontés que par un très long espace de temps, parce que quand même il n'aurait point d'autre affaire et qu'il pourrait employer et son application et sa puissance à celle-là, il ne serait pas de la prudence de dépeupler son royaume comme il faudrait pour peupler le Canada. [...] Vous connaîtrez assez par ce discours que le véritable moyen de fortifier cette colonie est d'y faire régner la justice, d'y établir une bonne police, de bien conserver les habitants, de leur procurer la paix, le repos, et l'abondance, et de les aguerrir contre toutes sortes d'ennemis, parce que toutes ces choses qui sont les bases et les fondements de tous les établissements étant bien observées, le pays se peuplera insensiblement et, avec la succession d'un temps raisonnable, pourra devenir fort considérable, d'autant plus qu'à proportion que Sa Majesté aura plus ou moins d'affaires dedans son royaume, elle lui donnera les assistances qui seront en son pouvoir.

Voilà qui est clair et Talon se rend compte qu'une colonie doit être au service de la métropole et rien de plus. Dans sa lettre à Colbert, du 13 novembre 1666, Talon clôt le débat avec une pointe d'amertume.

> Je n'aurai plus l'honneur de vous parler du grand établissement que ci-devant j'ai marqué pouvoir se faire en Canada à la gloire du roi et l'utilité de son État, puisque vous connaissez qu'il n'y a pas dans l'ancienne France assez de surnuméraires et de sujets inutiles pour peupler la Nouvelle. Et entrant dans toutes les raisons de votre dernière dépêche, je tournerai mes soins et donnerai toute mon application à ce que vous m'ordonnez jusqu'à ce que cette matière informe vous paraisse digne de quelque plus grand secours que celui qu'elle a reçu cette année. Souffrez seulement, monseigneur, que je dise que si elle [la Nouvelle-France] paraissait à vos yeux ce qu'elle est, vous ne lui refuseriez pas quelque peu de votre application, persuadé d'ailleurs qu'un pays sauvage ne se peut faire par soi-même s'il n'est aidé dans ses commencements.

Le sort en est jeté : la Nouvelle-France devra se contenter d'un lent développement, alors que sa rivale, la Nouvelle-Angleterre, progressera à pas de géant.

Le premier recensement

Entre le début du mois de février et la fin du mois d'août 1666, des recenseurs parcourent la Nouvelle-France pour dénombrer le nombre exact d'habitants en précisant l'âge, la qualité et le métier ou la profession. Le 13 novembre de la même année, l'intendant envoie le rôle des familles à Colbert, en lui précisant qu'il « y a quelques omissions qui ne peuvent être réparées que dans l'hiver prochain ». Le document donne alors pour Québec 555 habitants ; pour Beaupré, 678 ; pour Beauport, 172 ; pour l'île d'Orléans, 471 ; pour Sillery, 217 ; pour Montréal, 584 et pour Trois-Rivières, 461. La population totale de la colonie s'élève alors à 3418 habitants.

En 1666, la population de la colonie est relativement jeune : 40 pour cent ont moins de quatorze ans, 73 pour cent, moins de vingt-neuf ans ; et seulement 1,9 pour cent est âgé de plus de 60 ans. Cette population est à 63 pour cent de sexe masculin. Le recensement nous montre aussi que les femmes se marient plus jeunes que les hommes : sept femmes mariées ont quatorze ans ou moins ; 56 ont dix-neuf ans ou moins, alors qu'aucun homme n'est marié à ces âges. Les célibataires de sexe masculin sont en nombre nettement supérieur aux célibataires de sexe féminin : on dénombre 791 hommes non mariés âgés de 10 à 29 ans pour seulement 257 femmes.

Pour obtenir des résultats plus précis, Talon ordonne, en 1667, un nouveau recensement de la population. La cueillette des données s'effectue entre la fin d'avril et celle d'octobre. L'intendant lui-même effectue une partie du travail. Il le raconte à Colbert, le 27 octobre 1667 : « On vous porte pareillement le rôle le plus exact qui s'est pu faire de tous les habitants de tous âges et de tous sexes qui composent cette colonie. Je l'ai fait moi-même des habitations de Montréal, des Trois-Rivières, du Cap-de-la-Madeleine et de tous les lieux qui sont au-dessus de Québec, visitant tout de porte en porte. »

Le nouveau recensement, qui inclut le nombre d'arpents sous culture ainsi que le nombre de bestiaux, montre une augmentation d'environ 12 pour cent de la population qui passe alors à plus de 4000 habitants. Colbert se montre un peu déçu des résultats du recensement qu'il commente, le 20 février 1668 :

> J'ai été surpris de ne trouver dans le rôle des habitants du Canada que votre secrétaire m'a remis en mains quatre mil trois cent douze personnes dont quinze cent soixante-huit seulement sont en état de porter les armes et de ne trouver aussi que onze mille cent soixante-quatorze arpents cultivés ; ce sur quoi votre secrétaire m'a dit qu'il y avait beaucoup de fautes et d'omissions dans cet état parce que vous n'y avez pu vaquer vous-même à cause de vos maladies, qu'il connaissait des familles entières qui n'y étaient pas comprises et que tous les envoyés de l'année dernière, soit hommes soit filles et aussi les soldats qui ont pris des habitations n' y sont pas même compris...

Pour comprendre, Colbert aurait dû voir le pays et juger combien il pouvait être difficile, sinon impossible, d'en visiter tous les habitants.

Il faut se marier jeune

Talon et Colbert songent donc à divers moyens de faire croître rapidement la population. Des solutions sont envisagées : immigration plus intensive d'engagés et de filles à marier ; pression sur les soldats du régiment de Carignan-Salières pour qu'ils s'établissent dans la colonie et enfin quelques mesures incitatives ou coercitives concernant les mariages et les naissances.

On ne se contente pas de souhaits pieux. Le 5 avril 1669, le roi signe un édit où il prévoit une amende pour ceux qui ne sentent pas assez tôt l'attrait du mariage : « Qu'il soit établit quelque peine pécuniaire, applicable aux hôpitaux des lieux, contre les pères qui ne marieront pas leurs enfants à l'âge de vingt ans pour les garçons et de seize ans pour les filles. »

Le lundi 20 octobre 1670, le Conseil souverain de Québec enregistre l'édit royal dont la réglementation est sévère : il est « enjoint aux pères de faire déclaration au greffe de six mois en six mois des raisons qu'ils pourraient avoir eues pour le retardement du mariage de leurs enfants, à peine d'amende arbitraire ». Par contre, les garçons qui acceptent de se marier à 20 ans ou moins et les filles qui prendront mari à 16 ans ou moins sont récompensés en recevant chacun, le jour de leurs noces, la somme de 20 livres, « ce qui sera appelé le présent du roi ».

Les distraits, les célibataires endurcis et les récalcitrants n'échappent pas à la vigilance royale. Les engagés dont le terme de 36 mois est terminé et les « autres personnes qui ne sont plus en puissance d'autrui » reçoivent, le 20 octobre 1670, une mise en demeure stipulant qu'ils devront se marier l'année suivante, au plus tard quinze jours après l'arrivée des navires transportant les filles du roi. S'ils osent demeurer célibataires, ils ne goûteront pas la liberté qui leur est si chère, car ils seront condamnés à « être privés de la liberté de toute sorte de chasse et de pêche et de la traite avec les Sauvages, et de plus grande peine si nécessaire ». Cette dernière menace vise surtout les coureurs des bois qui préfèrent la liberté des forêts aux contraintes maritales. L'intendant Talon, lui-même célibataire, ajoute, comme peines supplémentaires, la privation d'honneurs civils ou religieux pour les récalcitrants.

Les autorités civiles font plus que forcer les habitants à se marier ; elles les incitent à multiplier le nombre des enfants. Le recensement de 1666 montrait que, sur quelque 400 familles, seulement une dizaine avaient plus de sept enfants. La famille la plus nombreuse est celle de Simon Denys, sieur de La Trinité, de Beauport, avec cinq filles et six garçons. Le 5 avril 1669, le roi établit un système d'allocations familiales pour venir en aide aux familles nombreuses : « À l'avenir, le habitants dudit pays qui auront jusqu'au nombre de dix enfants vivants, nés en légitime mariage, ni prêtre, ni religieux, ni religieuses, seront payés des deniers qu'elle enverra audit pays, d'une pension de 300 livres par chacun an, et ceux qui en auront douze, de 400 livres. » Les parents qui veulent bénéficier des largesses royales doivent présenter leur demande à l'intendant au cours des mois de juin et juillet. La moitié de l'allocation leur est alors immédiatement remise et le reste à la fin de l'année. L'ordonnance précise aussi que les honneurs civils et religieux seront réservés de préférence aux pères de familles nombreuses.

La politique de natalité porte fruits et Talon peut écrire à Colbert, le 2 novembre 1671 : « Sa Majesté pourra voir par l'abrégé des extraits des registres des baptêmes dont j'ai chargé mon secrétaire, que le nombre des enfants nés cette année est de six à sept cents, que dans les suivantes on en peut espérer une augmentation considérable. »

En 1673, la population de la colonie dépasse les 6700 habitants. À la même époque, les colonies anglaises de l'Amérique du Nord comptent plus de 120 000 âmes...

Enfin, des chevaux

Pour les nouveaux colons, il faut de nouvelles terres. Talon facilite l'établissement des habitants en faisant défricher quelques arpents de terre prêts à la culture ou en faisant parfois construire, en particulier pour les soldats, « de petites maisons ». Afin d'inciter les gens de bien à devenir seigneurs, Louis XIV accepte de distribuer des titres de noblesse « aux grands vassaux ». Talon est nommé baron des Islets, en 1671, puis comte d'Orsainville, quatre ans plus tard.

Afin d'améliorer les conditions de culture, la France envoie des chevaux dans sa colonie. Le gouverneur de Montmagny avait reçu en cadeau, le 25 juin 1647, une magnifique monture, sans doute morte de solitude quelque temps plus tard. Mais le cheval du gouverneur était de peu d'utilité pour les travaux de la ferme. En 1664, Pierre Boucher écrit : « Voici le nom [des animaux] que l'on amène de France : des bœufs et des vaches ; les bœufs servent à labourer la terre et à traîner le bois l'hiver sur les neiges. Des cochons en grand nombre ; des moutons, il y en a peu ; des chiens, des chats et des rats. Voilà les animaux que l'on nous a amenés de France, qui font bonne fin dans ce pays-ci. »

Le premier contingent de chevaux arrive à Québec le 16 juillet 1665. Les pères jésuites notent dans leur journal : « Arriva le capitaine Poulet avec M. Bourdon, 12 chevaux, 8 filles, etc. » Huit bêtes avaient trouvé la mort au cours de la traversée. Les Amérindiens, qui, dit-on, n'avaient jamais vu de chevaux, ne cachent pas leur admiration, « s'étonnant que les orignaux de France [car c'est ainsi qu'ils les appellent] soient si traitables et si souples à toutes les volontés de l'homme ».

Au cours des années suivantes, la métropole expédie dans la colonie d'autres bêtes. Ainsi, en 1669, débarquent à Québec 11 cavales et deux étalons. La même année, on importe 100 brebis, six chèvres et deux boucs. « De 1665 à 1672, écrit l'historien Robert-Lionel Séguin, le cheptel de la Nouvelle-France s'est enrichi d'environ quatre-vingts chevaux et cavales ».

Les bêtes sont distribuées aux personnes les plus sûres. Si un animal meurt par suite de la négligence de son propriétaire, ce dernier doit payer une amende de 200 livres. Celui qui reçoit un cheval s'engage à le nourrir à ses frais pendant trois ans. Ce n'est qu'à l'expiration de ce terme qu'il peut vendre la bête. Au cours des trois années, « il a l'obligation de donner au receveur de Sa Majesté un poulain d'un an pour chaque cheval ou la somme de cent livres ».

Un territoire mal occupé

Occasionnellement, depuis la fondation de la Compagnie des Cent-Associés, on concédait d'immenses portions de territoire à quelques grands personnages. Puis des seigneuries plus petites. Quelques-unes de ces seigneuries et plusieurs lots ne sont pas cultivés. Louis XIV, par un arrêt royal en date du 21 mars 1663, enjoint les habitants de mettre leurs terres en culture en dedans de six mois, sinon la partie demeurée en friche retournera au domaine royal. Le Conseil souverain attend dix-huit mois avant d'enregistrer l'arrêt et, par la suite, personne ne l'applique. En 1672, à la suite des pressions exercées par Talon, une nouvelle ordonnance accorde un délai de quatre ans aux nouveaux propriétaires pour mettre leurs terres en état de produire.

Le roi souhaite que les habitants ne vivent plus dispersés sur le territoire. Il veut que l'on établisse des bourgs ou des villages où tous pourront se regrouper afin de pouvoir mieux se défendre contre les attaques iroquoises. Non loin de Québec, Talon fait l'expérience d'une nouvelle division des terres.

> Pour donner l'exemple des habitations rapprochées, écrit-il à Colbert le 12 novembre 1666, j'ai entrepris de former trois villages dans le voisinage de Québec qui sont déjà bien avancés ; j'en destine deux pour les familles que vous avez dessein d'envoyer cette année et pour lesquelles l'instruction que j'ai reçue m'ordonne de préparer 40 habitations. Le troisième se forme par dix-huit personnes des plus considérables des troupes : M. de Chaumont, l'agent général de la compagnie, six capitaines du régiment de Carignan et dix subalternes, de même que le secrétaire de M. de Tracy entreprennent chacun d'y former une habitation. Cela en excitera d'autres.

Les nouveaux villages, Bourg-Royal, Bourg-la-Reine et Bourg-Talon, ont une forme carrée et les terres concédées ressemblent à des pointes de fromage. « Les terres partent en pointe d'un petit carré intérieur qui forme le centre, et vont aboutir, en s'élargissant toujours, aux quatre coins du grand carré. Elles rayonnent comme les feuillets d'un éventail dont les extrémités seraient coupées à angle droit. » Malgré ce qu'en dit l'intendant, il semble que ce sont les jésuites, les premiers propriétaires expropriés par Talon, qui, dès février 1665, ont concédé les premières terres du village-étoile de Charlesbourg.

En 1672, quelques jours avant son départ définitif pour la France, Talon concède 46 seigneuries qui sont à l'origine de plusieurs villes et villages du Québec. Les heureux seigneurs sont : le neveu de l'intendant, François-Marie Perrot, le lieutenant Séraphin Margane de Lavaltrie, Pierre Boucher, René Gaultier de Varennes, François Jarret de Verchères, Antoine Pécaudy de Contrecœur, Pierre de Saint-Ours, Pierre de Saurel, Pierre et Jean-Baptiste Legardeur, Isaac Berthier, Olivier Morel de La Durantaye et Jean-Baptiste-François Deschamps de La Bouteillerie. D'autres seigneuries sont aussi concédées. Entre autres, celles de Sainte-Anne-de-la-Pérade, des Écureuils, de Lotbinière, de Beaumont, de L'Islet, de Sainte-Anne-de-la-Pocatière et de L'Islet-du-Portage.

Des pieds à la tête

L'activité de Talon n'est pas restreinte seulement à l'agriculture et à l'occupation du territoire. Il développe l'industrie et le commerce et fait l'inventaire des richesses naturelles de la colonie. Jusqu'à son arrivée à Québec, la colonie était entièrement dépendante des importations de France pour l'habillement. Le roi trouve cette situation anormale et il inscrit dans ses instructions à Talon du 27 mars 1665 le paragraphe suivant : « Il observera que la construction des manufactures et l'établissement d'ouvriers pour fabriquer les choses nécessaires à la vie est l'un des plus grands besoins du Canada. Soit que les habitants fussent trop occupés d'assurer leur subsistance et celle de leur famille par la culture du sol, soit que les administrateurs du pays aient manqué de zèle et d'initiative, il a été nécessaire jusqu'ici d'exporter dans la Nouvelle-France les étoffes dont les habitants avaient besoin pour se vêtir et les souliers pour se chausser. »

Comme la colonie produit déjà plus de blé qu'elle n'en a besoin, Talon incite les habitants à cultiver le lin et le chanvre. Il n'hésite par à utiliser des moyens radicaux. En 1666, il fait saisir « tout le fil qui se trouvait dans les boutiques et dans les magasins afin d'obliger les habitants à semer du chanvre ». Trois ans plus tard, la colonie produit du fil et de la toile. L'intendant force presque les habitants à apprendre à tisser et à filer. Selon l'historien Joseph-Noël Fauteux, Talon « recommandait même qu'on l'enseignât aux séminaristes tant français que sauvages, fournissant le chanvre et la laine dans ce but. Il fit encore distribuer des métiers dans les maisons particulièrement pour qu'on s'en servit dans la fabrication de différentes sortes de tissus et d'étoffe. » Le but visé par les autorités n'est pas seulement l'autosuffisance des habitants, mais d'arriver à produire des voiles et des cordages destinés à la marine de Sa Majesté.

La multiplication du cheptel favorise l'établissement de tanneries. Talon accorde un prêt substantiel à François Byssot de La Rivière afin qu'il construise une tannerie à la Pointe-de-Lévy. L'on y traitera les peaux de bœufs, de vaches, d'élans et de chevreuils. Byssot obtient des contrats de fabrication de chaussures pour les soldats. Un autre atelier fabrique des chapeaux. Talon peut écrire en novembre 1671 : « J'ai fait faire cette année de la laine qu'ont portée les brebis que Sa Majesté a fait passer ici, du droguet, du bouraguan, de l'étamine et de la serge de seigneur. On va travailler à du drap. On travaille les cuirs du pays près du tiers de la chaussure et présentement j'ai de quoi me vêtir des pieds à la tête ; rien en cela ne me paraît plus impossible et j'espère qu'en peu de temps, le pays ne désirera rien de l'ancienne France que très peu de chose du nécessaire à son usage, s'il est bien administré. »

Enfin, de la bière !

Dès les premières années de la colonie, des habitants fabriquent leur propre bière. En 1647, les pères jésuites construisent une brasserie pour répondre aux besoins de la communauté. Trois-Rivières et Montréal les imitent bientôt. Mais aux dires de Talon, la consommation de l'eau-de-vie et du vin est trop élevée. Les importations d'alcool représentaient alors une somme de cent mille livres.

Talon décide donc, en 1668, de faire construire une brasserie pouvant répondre aux besoins de la population. Le lundi 5 mars de la même année, le Conseil souverain émet une ordonnance restreignant la consommation d'alcool et de vin, mais favorisant la fabrication de la bière. « Sur ce qui a été remontré, y lit-on, que la trop grande quantité de vins et d'eaux-de-vie qui sont annuellement apportés de France et qui se consomment dans ce pays est un moyen qui nourrit la débauche de plusieurs de ses habitants, qui les divertit du travail et ruine leur santé par de fréquentes ivrogneries », il est à souhaiter d'établir une brasserie. Nouvel intérêt pour les habitants invités à vendre leur surplus de grains et, avec l'argent de la vente, à se procurer d'autres biens.

Pour faciliter l'établissement d'une brasserie, le Conseil souverain établit le monopole de fabrication de la bière, mais maintient pour les individus la permission de continuer le brassage artisanal « pour son usage particulier et de ses domestiques seulement ». De plus, défense est faite « à tous marchands forains d'apporter de France ou d'ailleurs en ce pays des vins et eaux-de-vie au-delà de ce qui leur sera permis à peine de confiscation et de l'amende ». L'importation totale, une fois les brasseries en opération, ne devra pas dépasser 800 barriques de vin et 400 d'eau-de-vie. Le Conseil fixe aussi le prix de vente de la bière qui est « une boisson nourrissante et saine » : vingt livres, pour une barrique de bière en gros « le fût non compris » ; au détail, le pot coûte six sols. La production annuelle de la brasserie de Talon se chiffre à 4000 barriques, la moitié pour la consommation des habitants du pays, le reste sera exporté aux Antilles.

Du bois en quantité

Colbert veut donner à la France une marine de premier plan. Il demande donc à Talon de faire enquête sur les possibilités de la colonie de fournir du bois de construction. Le 13 novembre 1666, l'intendant écrit : « Non seulement on peut faire ici quantité de merrin ; mais on y peut aussi trouver beaucoup de bois propres à bâtir des vaisseaux et peu de pièces entrent dans le corps d'un navire qui ne se trouvent ici, ou les rapports que les charpentiers du roi, que monsieur de Terron entretient dans ce pays, m'ont fait ne sont pas véritables. [...] J'assure déjà que j'ai vu de quoi faire du bordage et j'oblige les mêmes charpentiers à rendre compte à monsieur Colbert de Terron de ce qu'ils ont vu dans les forêts que je leur ai fait visiter. »

Talon établit donc sur la rivière Saint-Charles, près de Québec, un chantier de construction navale. Quelques particuliers l'imitent. Un des buts visés est la constitution d'une petite flotte qui pourrait transporter des produits canadiens aux Antilles, prendre là du sucre et du rhum, les acheminer vers la France et ramener dans la colonie des produits manufacturés. L'idée d'un commerce triangulaire sourit aux marchands canadiens.

Un de ces derniers s'allie à l'intendant pour une opération commerciale. « Ce même marchand et moi, écrit Talon, le 27 octobre 1667, nous servant du retour d'un vaisseau de la compagnie qui va, avant de repasser en France, en Amérique méridionale, envoyons aux Antilles du saumon et de l'anguille salés, de la morue verte et sèche, des pois blancs et verts, des planches, du merrin, de l'huile de loup-marin et quelques mâtreaux qu'on dit y être très recherchés, le tout pour faire des épreuves et ouvrir le chemin au commerce que les habitants du Canada n'ont pas encore trouvé. »

Un sous-sol des plus riches

Dans la poursuite de son inventaire des richesses et des possibilités de la colonie, Talon fait venir de France un « faiseur de goudron », un nommé Arnolf Alix, pour étudier un projet d'établissement de goudronnerie. Mais le coût de fabrication paraît si élevé que la métropole préfère continuer à s'approvisionner en Hollande.

Convaincu que les mines constituent un apport « essentiel aux affaires du Roi et à l'établissement du Canada », l'intendant expédie des prospecteurs partout où il croit que l'on peut trouver du minerai. En 1671, Simon-François Daumont de Saint-Lusson part à la recherche d'une mine de cuivre dans la région du lac Supérieur. Quelques années auparavant, François Doublet s'était rendu à Gaspé où l'on avait découvert une mine de plomb. « À la fin de l'été 1665, la quantité totale de minerai de plomb obtenu ne dépasse pas quatre ou cinq tonnes ». Un accident met fin brusquement à l'exploitation du gisement. En effet, une explosion tue deux hommes et le mémoire de l'époque qui rapporte la mésaventure conclut dans un sourire déplacé : « La mine mina la bourse des mineurs. »

Talon fait aussi expertiser les sables ferrugineux de la région de Trois-Rivières. Il envoie en France une vingtaine de barriques de minerai de fer et de sable. Si le produit est de bonne qualité, « on pourra s'en servir à la fonte de canons ».

Un départ affligeant

L'intendant Talon demande, en 1672, son rappel en France. Sa santé est chancelante. La reine Marie-Thérèse lui écrit, le 17 mai : « Les infirmités survenues depuis votre retour en Canada ne vous permettent pas de demeurer plus longtemps au pays. Je vous fais cette lettre pour vous dire que je trouve bon que vous repassiez dans mon royaume pour travailler au rétablissement de votre santé et que je serai bien aise de vous donner en toutes occasions des marques de la satisfaction que j'ai de votre application et des services que vous m'avez rendus dans l'emploi que je vous ai confié audit pays. »

Talon quitte Québec au mois de novembre 1672. Il était déjà retourné en France en 1668, à la suite de sa demande d'être relevé de sa charge d'intendant. Claude de Boutroue d'Aubigny lui avait succédé et, en 1670, Talon avait repris sa charge. À son départ, il pouvait affirmer avec justesse : « Le Canada est sorti de l'inaction. »

ON MARCHE L'AMÉRIQUE

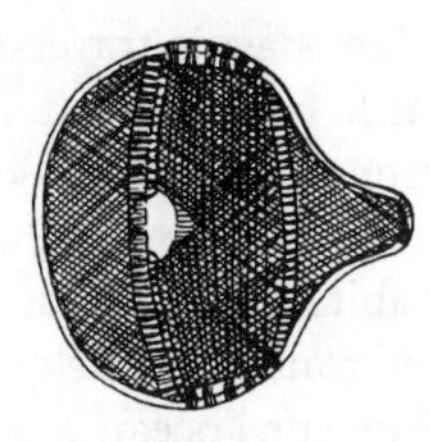

PARALLÈLEMENT AU PEUPLEMENT ET AU DÉVELOPPEMENT DE LA COLONIE, les découvertes se multiplient. À peine les villes sont-elles fondées qu'elles servent de point de départ à de nouvelles expéditions.

Le petit poste de Trois-Rivières, fondé officiellement depuis trois jours à peine, connaît en ce matin du 7 juillet 1634 une activité fébrile. Plus de 150 canots montés par des Hurons et des Algonquins s'apprêtent à quitter la place. Trois jésuites, Jean de Brébeuf, Antoine Daniel et Ambroise Davost, doivent les accompagner pour aller prêcher l'évangile en Huronie. D'autres Français, Simon Baron, Robert Le Coq, François Petitpré, Dominique Scot, Jean Nicollet de Belleborne et un autre dont on ignore le nom, s'affairent à leurs derniers préparatifs de départ pour les Pays d'en haut.

Jean Nicollet vient de signer avec la Compagnie des Cent-Associés un contrat d'engagement de commis et d'interprète. Le gouverneur de la colonie, Samuel de Champlain, lui a confié la mission de se rendre au pays de la tribu amérindienne des Gens de Mer qui vivent dans la région des Grands Lacs. Ce petit peuple menace la paix de la colonie, car il a déclaré la guerre aux Algonquins et il songe à s'allier aux Hollandais pour faire la traite des fourrures. Nicollet, qui connaît les langues iroquoise, huronne et algonquine, est l'homme tout désigné pour aller négocier paix et alliance commerciale. Il connaît parfaitement la vie des bois et les coutumes des premiers occupants. L'explorateur reçoit une commande spéciale : « Vérifier les renseignements qu'il avait recueillis concernant la mer de Chine qui, selon les Indiens, était à proximité de la baie des Puants. » Car Champlain est, lui aussi, tenté par la recherche du chemin qui mène à la Chine.

En moins d'un mois, les frêles embarcations d'écorce parcourent la distance séparant Trois-Rivières de l'île aux Allumettes, sur l'Outaouais, sise aujourd'hui non loin de la ville de Pembroke. Depuis leur départ, les voyageurs ont dû franchir 33 portages et traîner leurs canots au moins une cinquantaine de fois. Chaque portage représente une dépense d'énergie considérable.

Les missionnaires et leurs engagés se dirigent immédiatement vers le pays des Hurons, alors que l'explorateur s'arrête sur l'île aux Allumettes pour se reposer et faire le point sur la seconde partie de son voyage. Frais et dispos, Nicollet poursuit la remontée de la rivière Outaouais, puis emprunte la rivière Mattawan pour rejoindre le lac Nipissing qu'il traverse. La descente de la rivière des Français le conduit à la baie Georgienne. Le voilà au pays des Hurons. Il fait part à ces derniers du but de son voyage, et sept d'entre eux consentent à l'accompagner.

Nicollet et ses compagnons prennent la direction du pays des Gens de Mer situé à environ 300 lieues de là. Après avoir traversé le lac Huron dans sa partie la plus nordique, Nicollet entre dans le lac Michigan. Il est probablement dans la baie des Puants, appelée aussi baie Verte ou Green Bay. « Cette baie, écrit le rédacteur de la *Relation* de 1671, communément appelée des Puants, est le même nom que les Sauvages donnent à ceux qui habitent proche de la mer, parce que l'odeur des marécages dont cette baie est environnée a quelque chose de celle de la mer ; et d'ailleurs il est difficile qu'il se fasse sur l'océan des coups de vents plus impétueux que ceux qui se font ressentir en ce lieu, avec des tonnerres extrêmement violents et presque continus. »

La tribu des Ouinipegons habite la région que vient d'atteindre Nicollet. Son nom, d'origine algique, signifie « gens des eaux puantes ». Ses membres sont aussi connus sous l'appellation anglaise de Winnebago.

> À deux journées des Gens de Mer, écrit le père Vimont, Nicollet envoya un de ses Sauvages porter la nouvelle de la paix, laquelle fut bien reçue, notamment quand on entendit que c'était un Européen qui portait la parole. On dépêcha plusieurs jeunes gens pour aller au-devant du *manitouiriniowx*, c'est-à-dire de l'homme merveilleux, on y vient, on le conduit, on porte tout son bagage. Il était revêtu d'une grande robe de damas de Chine, toute parsemée de fleurs et d'oiseaux de diverses couleurs. Sitôt qu'on l'aperçut, toutes les femmes et les enfants s'enfuirent, voyant un homme porter le tonnerre en ses deux mains [c'est ainsi qu'ils nommaient deux pistolets qu'il tenait]. La nouvelle de sa venue s'épandit incontinent aux lieux circonvoisins. Il se fit une assemblée de quatre ou cinq mille hommes. Chacun des principaux fit son festin, en l'un desquels on servit au moins cent vingt castors. La paix fut conclue.

Nicollet était tellement convaincu qu'au terme de son voyage il rencontrerait « quelques mandarins chinois », qu'il s'était fait confectionner une robe de damas. Même après son retour, l'explorateur affirme que la Chine est tout près. Le père Paul Le Jeune écrit en 1640 : « Le sieur Nicollet, qui a le plus avant pénétré dedans ces pays si éloignés, m'a assuré que, s'il eût vogué trois jours plus avant sur un grand fleuve qui sort au second lac des Hurons, il aurait trouvé la mer. Or, j'ai de fortes conjectures que c'est la mer qui répond au nord de la Nouvelle-Mexique, et que de cette mer on aurait entrée dans le Japon et la Chine.

L'erreur de Nicollet viendrait peut-être d'une mauvaise interprétation des mots *metchi sippi* (Mississipi) qui signifie grandes eaux. L'explorateur croyait sans doute que cette expression désignait la mer ! Son excursion sur la rivière des Renards, non loin de la rivière Wisconsin, un des affluents du Mississipi, n'avait rien apporté de neuf. Déçu, Nicollet prend le chemin du retour et on le retrouve à Québec à l'automne de 1635.

Découverte du lac Saint-Jean

Les Français ne sont pas seuls à partir en voyages de découverte. Le jour de la Saint-Jean-Baptiste, en 1641, un Anglais arrive à Québec accompagné de son serviteur. Ils sont conduits par une vingtaine d'Abénaquis de l'Acadie. L'Anglais cherche « quelque passage par ces contrées vers la mer du Nord ». La réception n'est pas exactement cordiale, car le gouverneur Montmagny « le fit conduire à Tadoussac pour aller rechercher l'Angleterre par la France ».

Quelques années plus tard, le père jésuite Jean de Quen décide d'aller visiter la tribu des Porc-Épics, au nord de Tadoussac. En cinq jours, accompagné de deux Montagnais, il parcourt la distance séparant Tadoussac du lieu où sont cabanés quelques Amérindiens convertis au catholicisme et retenus dans cette région lointaine par la maladie.

> Je m'embarquai le 11 de juillet, raconte le père de Quen, dans un petit canot d'écorce. Nous travaillâmes cinq jours durant, depuis le point du jour jusqu'au soleil couché, ramant toujours contre des courants ou contre des torrents, qui nous faisaient bander tous les nerfs du corps pour les surmonter. Nous avons rencontré, dans ce voyage, dix sauts ou dix portages. [...] Nous changeâmes trois fois de rivières, la première où nous nous embarquâmes se nomme le Saguenay : c'est un fleuve profond. [...] Il est assez large. Ses rives sont escarpées à 15 ou 20 lieues de son embouchure où il reçoit dans son sein un autre fleuve plus grand que lui qui lui semble venir de l'ouest. Nous voguâmes encore dix lieues au-delà de cette rencontre d'eaux, qui fait comme un beau lac.

Le père, selon le tracé relevé par l'historien Victor Tremblay, remonte la rivière Saguenay jusqu'à Chicoutimi, emprunte ensuite la rivière Chicoutimi, les lacs Kénogami et Kénogamishish, puis la rivière des Aulnaies et la Belle-Rivière, pour aboutir au lac Piekouagami. Le lac prendra plus tard le nom de Saint-Jean pour rappeler le souvenir de son découvreur, Jean de Quen.

> Ce lac, écrit ce dernier, est si grand qu'à peine en voit-on les rives. Il semble être d'une figure ronde. Il est profond et fort poissonneux [...]. Il est environné d'un pays plat terminé par de hautes montagnes éloignées de trois, quatre ou cinq lieues des rives. Il se nourrit des eaux d'une quinzaine de rivières ou environ qui servent de chemin aux petites nations qui sont dans les terres pour venir pêcher dans ce lac et pour entretenir le commerce et l'amitié qu'elles ont entre elles. Nous voguâmes quelque temps sur ce lac et enfin nous arrivâmes au lieu où étaient les Sauvages de la nation du Porc-Épic. Ces bonnes gens nous ayant aperçus sortirent de leurs cabanes pour voir le premier Français qui ait jamais mis le pied dessus leurs terres.

Après trois jours passés dans la région, le père de Quen revient à Tadoussac en autant de jours. C'est un record dont les avironneurs ont le mérite : « Mais ce furent des jours pleins, lit-on dans la *Relation* de 1647, car ils voguaient depuis trois heures du matin jusqu'à neuf ou dix heures du soir. »

Au pays des Sioux

Le métier de coureur des bois est la porte ouverte à l'exploration. Au mois d'août 1659, Pierre-Esprit Radisson, alors âgé de 19 ans, et Médard Chouart Des Groseilliers, son beau-frère âgé de 41 ans, quittent Trois-Rivières en direction de la région des Grands Lacs. Le gouverneur de la colonie avait exigé qu'un de ses hommes les accompagne, mais les deux coureurs des bois réussissent à quitter le poste des Trois-Rivières à la dérobée. Des Groseilliers avait déclaré « que les découvreurs devaient passer avant les gouverneurs ». Le but des deux hommes n'est pas expressément de découvrir de nouveaux territoires, mais bien de faire la traite des fourrures avec de lointaines tribus.

En suivant « la route des trafiquants », ils atteignent le lac Huron, puis le lac Supérieur. Non loin de là, au fond de la baie de Chequamegon, ils construisent un petit fort et cachent leurs marchandises de traite. Pour impressionner les Amérindiens des alentours, les deux Français font parade de leur armement : cinq fusils, deux mousquets, trois fusils de chasse, trois paires de grands pistolets, deux paires de pistolets de poche, deux épées et deux poignards. « Nous étions des Césars et personne n'osait nous contredire », déclare tout fier le jeune Radisson. Ils établissent leurs quartiers d'hiver dans les forêts du Wisconsin, vraisemblablement non loin du lac de la Courte-Oreille.

Au cours de l'hiver, les deux Français assistent à la fête des Morts qui dure trois jours. La saison est pénible pour tous, à cause d'une trop grande abondance de neige. La chasse rapporte peu et la famine règne en maîtresse.

Peu de temps après la fête des Morts, les deux coureurs des bois se rendent chez les Cris ou Kristineaux pour tenter de ramener la paix entre eux et les Sioux. « Étant dans les environs de la grande mer [lac Supérieur], écrit Radisson, nous eûmes un entretien avec un peuple qui vit vers la mer salée, qui nous dit avoir vu quelquefois sur l'eau une grande machine blanche s'approchant du rivage et portant à son sommet des hommes qui faisaient du bruit comme si c'était une troupe de cygnes. » Ces Cris ont sans doute aperçu, sur les eaux de la baie d'Hudson, un navire anglais.

Poursuivant leur route, Radisson et Des Groseilliers rendent visite aux Sioux. Ces deux Français seraient les premiers Blancs à prendre contact avec cette tribu établie dans la région du lac Supérieur. Ils demeurent six semaines chez les Sioux, ce qui permet à Radisson de laisser, dans son journal, une description détaillée des mœurs de ces Amérindiens.

À l'été de 1660, les deux coureurs des bois-explorateurs prennent le chemin du retour et arrivent à Montréal au mois d'août avec l'une des plus importantes cargaisons de fourrures à parvenir dans la colonie.

Au Japon par la baie d'Hudson

Les propos tenus par des Amérindiens réussissent à convaincre quelques Français qu'il est impossible de se rendre au Japon par la Mer du Nord, c'est-à-dire la baie d'Hudson. Deux pères jésuites, Claude Dablon et Gabriel Druillettes, décident, au printemps de 1661, de vérifier le bien-fondé de cette croyance.

Les deux missionnaires quittent Québec, le 11 mai 1661, accompagnés de Michel Leneuf, sieur de La Vallière, Denis Guyon, Guillaume Couture, François Pelletier, Couillard Després et de quelques centaines d'Amérindiens montés à bord de 80 canots. La maladie retient le groupe quelque temps à Tadoussac. La route suivie par l'expédition est à peu près identique à celle empruntée par le père de Quen, en 1647.

Les missionnaires se reposent sept ou huit jours sur les bords du lac Saint-Jean. Les Amérindiens qui les accompagnent profitent de la halte pour tenter de les convaincre de l'inutilité et des dangers d'aller plus avant.

> Ils nous disent, écrit le père Dablon, que ce ne sont que précipices, où les Français se doivent bien attendre d'y faire naufrage ; puisqu'eux-mêmes, qui sont rompus dès leur jeunesse en ces sortes de navigations, ne laissent pas de s'y perdre quelquefois. Ce ne sont pas, disent-ils, des rapides ordinaires, mais des gouffres, barrés des deux côtés de hauts rochers, plantés à pic sur la rivière, au milieu desquels, si l'on vient à manquer seulement d'un coup d'aviron, on va se briser sur un écueil ou se précipiter dans un abîme ; que les plus hardis d'entre eux avouent que la tête leur tourne, quand ils passent ces torrents et qu'ils en demeurent tout le jour dans l'étourdissement.

Ces mises en garde des Montagnais sont en bonne partie dictées par leur crainte de rencontrer, dans les régions plus au nord, les Iroquois qui y rôdent pour s'emparer des fourrures.

Les Français décident d'aller plus loin, malgré les réticences de leurs guides. Le 19 juin, ils remontent la rivière Chamouchouane, connue alors sous le nom de Nekouba et qu'ils baptisent eux-mêmes du nom de rivière Saint-Sacrement. L'expédition, souvent pénible, s'arrête enfin au lac Nikabau où se tient, chaque année, une foire des fourrures. L'endroit est quasi à mi-chemin entre Tadoussac et la Mer du Nord. Les feux de forêt y sont nombreux. Le père Dablon note dans son récit de voyage : « L'air est ici presque toujours embruni des fumées que causent les embrasements des forêts circonvoisines qui s'allumant à quinze ou vingt lieues à la ronde tout ensemble, nous ont jeté leurs cendres de plus de dix lieues loin. C'est ce qui a fait que nous n'avons que rarement joui de la beauté du soleil à découvert. Il nous a toujours paru voilé de ces nuages de fumée et quelquefois avec un tel excès que les plus grandes éclipses de soleil ne rendent point l'air, la terre et les herbes plus tristes ni plus sombres. »

La vie dans la région de Nikouba est plutôt morne. La végétation se résume à quelques petits pins, des épinettes et des pruches.

> Les hommes de ces contrées, affirme le père Dablon, ne savent ce que c'est que de cultiver la terre ; ils ne vivent que comme les oiseaux de proie, de chasse et de pêche. Souvent, pendant l'hiver, l'un et l'autre manquant, ils sont eux-mêmes la proie de la famine ; les orignaux et les autres bêtes y sont rares, parce qu'ils n'y trouvent pas où loger, puisqu'il y a si peu de bois. [...] Nous trouvons vrai ce que nous disaient nos Sauvages que, quand nous serions parvenus ici, nous aurions dépassé le pays des maringouins, des moustiques et des cousins, qui n'y trouvent pas de quoi vivre. C'est l'unique bien de ces déserts de ne pouvoir pas nous-mêmes nourrir ces petites bestioles, fort importunes aux hommes.

Au début de juillet 1661, le voyage vers la Mer du Nord s'interrompt brusquement. Les guides amérindiens ne veulent pas aller plus avant. Ils décident de rebrousser chemin, car la rumeur s'est répandue que des Iroquois rôdent dans la région après avoir attaqué plusieurs Français et Amérindiens en route pour Nikouba. Le 27 juillet, les pères Dablon et Druillettes, de retour à Québec, n'ont pas appris si la Mer du Nord mène au Japon.

Un problème de langues

Vers les années 1670, le sud-ouest du continent nord-américain exerce sur tous un attrait profond. Une nouvelle équipe se forme alors pour chercher encore une fois le chemin vers la Chine. À l'automne de 1668, le père sulpicien François Dollier de Casson, au pays depuis deux ans à peine, hiverne chez les Népissingues, établis sur les bords du lac Nipissing, situé au nord-est du lac Huron. Il veut y apprendre la langue algonquine. Le chef qui l'héberge possède « un petit esclave venu des régions du Sud » qui vante les qualités de son pays d'origine. « Cet esclave fut envoyé par son maître à Montréal pour y chercher quelque chose, écrit l'abbé Galinée. Il y vint voir monsieur l'abbé de Queylus devant qui il fit une description si naïve du chemin de son pays qu'il fit croire à tout le monde qu'il l'avait fort présent et qu'il y pourrait facilement conduire tous ceux qui y voudraient aller avec lui. » Gabriel Thubières de Levy de Queylus et Dollier de Casson forment alors le dessein d'évangéliser les lointaines tribus du pays de l'esclave.

Pendant ce temps, René-Robert Cavelier de La Salle accueille chez lui deux Amérindiens de la nation des Tsonnontouans, une des Cinq-Nations iroquoises, qui lui parlent d'un grand cours d'eau qui se nomme Ohio. Aux dires des Amérindiens, la rivière « allait déboucher dans une mer lointaine ».

La Salle se convainc alors que cette mer est celle de Chine. La Salle décide donc d'organiser un voyage. Le gouverneur Courcelle « prie les deux hommes de faire équipe ». Le sulpicien se méfie de La Salle et l'abbé de Queylus demande à l'abbé René de Bréhant de Galinée, qui a étudié l'astronomie et les mathématiques et qui est capable de dresser une carte, de se joindre au trio.

L'expédition s'organise avec précipitation. La Salle engage 14 personnes dont deux chirurgiens, René Sauvageau de Maisonneuve et Jean Rouxel, sieur de la Rousselière. Peu avant le départ, on s'aperçoit que La Salle qui se vantait de parler la langue iroquoise « ne la savait point du tout et s'engageait à ce voyage presque à l'étourdie, sans savoir quasi où il allait ». Galinée, qui porte ce jugement sur son compagnon de voyage, engage les services d'un Hollandais comme interprète. Le seul problème, c'est que le nouvel engagé « ne sait que bien peu le français ».

Le 6 juillet 1669, l'expédition quitte Montréal. « Elle se compose, écrit l'historien Lionel Groulx, de neuf canots : quatre portent La Salle et ses quatorze engagés ; trois, les sulpiciens et leurs sept hommes ; des Tsonnontouans, ceux-là même qui viennent de passer l'hiver chez le seigneur de la Côte Saint-Sulpice, montent les deux autres canots. »

La première étape importante est le lac Ontario. L'expédition y arrive le 2 août. Six jours plus tard, les Français sont accueillis sur une île par un Tsonnontouan qui s'y est bâti « une espèce de maison de campagne où il se retire l'été pour manger avec sa famille un peu de blé d'Inde et de citrouille qu'il y fait tous les ans. [...] Ce bon homme nous reçut fort bien et nous fit grande chère de citrouilles bouillies à l'eau. » Peu après, Dollier de Casson est atteint « d'une fièvre continue qui faillit à l'emporter en peu de temps ».

Après 35 jours de navigation, La Salle et ses compagnons arrivent à une rivière nommée Karontagouat, « qui est l'endroit le plus proche de Tsonnontouan ». « Nous ne fûmes pas plus tôt arrivés en ce lieu que nous fûmes visités de quantité de Sauvages qui nous vinrent faire de petits présents de blé d'Inde, de citrouilles, de mûres de haie et de bleuets, qui sont des fruits dont ils ont en abondance. Nous leur rendions la pareille en leur faisant aussi présent de couteaux, d'aleines, d'aiguilles, de rassades et autres choses qu'ils estiment et dont nous étions bien munis. »

Le lendemain de leur arrivée, les Amérindiens invitent les Français à les suivre dans leur village. La Salle, Galinée et huit autres Français les accompagnent, alors que le reste de l'expédition demeure avec Dollier de Casson. Lors d'une rencontre officielle, on procède à l'échange de présents. « Le troisième présent fut de deux capots, quatre chaudières, six haches et quelque rassade ; et la parole fut que nous venions de la part d'Onontio [le gouverneur], pour voir les peuples nommés par eux les Toagenha, situés sur la rivière Ohio et que nous leur demandions un esclave de ce pays-là pour nous y conduire. »

La réponse est que les Tsonnontouans leur fourniront un esclave, mais ils demandent aux Français d'attendre le retour de leurs frères partis faire la traite des fourrures avec les Hollandais.

Après un mois d'attente, La Salle et Galinée quittent le village des Tsonnontouans en compagnie d'un Amérindien qui venait de chez les Hollandais et qui s'était offert à les conduire à son village de Ganastogué, sur la rive nord du lac Ontario. À cinq ou six lieues de ce village, on décide d'attendre « que les considérables du village vinssent nous trouver avec du monde pour emporter nos bagages ». La Salle en profite pour aller à la chasse. Il en rapporte « une grosse fièvre qui le mit en peu de jours fort bas ». Galinée, qui ne semble pas aimer particulièrement son confrère, note dans son journal : « Quelques-uns disent que ce fut à la vue de trois gros serpents à sonnette qu'il trouva dans son chemin que la fièvre le prit. »

Le 22 septembre 1669, tout l'équipage quitte le village accompagné d'un guide qui, selon Galinée, « nous assura que, dans un mois et demi, de bonne marche, nous pourrions arriver aux premières nations qui sont sur la rivière Ohio, dans le bois, parce qu'il n'y avait pas moyen d'atteindre aucune nation avant les neiges ». Deux jours plus tard, on rencontre Adrien Jolliet « qui avait eu ordre de monsieur le gouverneur de monter jusqu'au lac Supérieur pour découvrir où était une mine de cuivre ». Les missionnaires apprennent par lui l'existence des Potéouatamis établis dans la région de la baie des Puants, au Wisconsin.

À la fin du mois de septembre, le groupe expéditionnaire se divise. La Salle prétexte la maladie et « le désir de voir Montréal commençait à le presser ». D'autre part, les missionnaires veulent aller évangéliser les Potéouatamis. Le 1er octobre, la séparation a lieu. On ignore avec certitude ce que fait La Salle au cours de l'hiver 1669-1670. Quant à Dollier de Casson et Galinée, ils hivernent dans la région du lac

Érié, vraisemblablement près de l'actuelle ville de Port-Dover, en Ontario. Au mois d'octobre 1669, ils prennent possession du territoire du lac Érié.

> Nous ici soussignés certifions avoir vu afficher sur les terres du lac nommé d'Érié les armes du roi de France au pied d'une croix, avec cette inscription : L'an de salut 1669, Clément IX étant assis dans la chaire de saint Pierre, Louis XIV régnant en France, Monsieur de Courcelle étant gouverneur de la Nouvelle-France et Monsieur Talon y étant intendant pour le roi, sont arrivés en ce lieu deux missionnaires du Séminaire de Montréal, accompagnés de sept autres Français, qui les premiers de tous les peuples européens ont hiverné en ce lac, dont ils ont pris possession au nom de leur roi, comme terre non occupée, par apposition de ses armes, qu'ils y ont attachées au pied de cette croix.

Le 18 juin, Dollier de Casson et Galinée sont de retour à Montréal après une absence de 347 jours. La route vers la Chine et le Japon demeure encore à découvrir. Mais on connaît mieux la région des Grands Lacs.

Une ligue des nations

Même si le bilan des expéditions précédentes se solde par un constat d'échec, les renseignements recueillis par les différents explorateurs font voir à l'intendant Talon l'importance stratégique et commerciale de la région des Grands Lacs. Dès son retour de France, à la fin de l'été 1670, Talon met sur pied une nouvelle expédition. Il demande à l'interprète Nicolas Perrot d'accompagner Simon-François Daumont de Saint-Lusson qu'il nomme commissaire subdélégué. La mission est précise : se rendre « au pays des Sauvages Outaouais, Nez-Percés, Illinois et autres nations découvertes ou à découvrir en l'Amérique septentrionale du côté du lac Supérieur ou Mer Douce, pour y faire la recherche et découverte des mines de toutes façons, surtout celle de cuivre [...] ; au surplus de prendre possession au nom du roi de tout le pays habité et non habité ».

Dans un mémoire au roi du 10 novembre 1670, l'intendant ajoute un nouveau but à l'expédition : « Pousser vers l'Ouest tant qu'il (Saint-Lusson) trouvera de quoi subsister, avec ordre de rechercher soigneusement s'il y a, par lacs ou par rivières, quelque communication avec la mer du Sud qui sépare ce continent de la Chine. »

Les voyageurs quittent Montréal en octobre 1670. Ils empruntent la rivière Outaouais, le lac Nipissing, la rivière des Français et débouchent au lac Huron. Ils hivernent chez les Nez-Percés, sur une des îles Manitoulines, situées près de la rive nord du lac Huron. Au commencement du mois de mai 1671, Saint-Lusson se rend au Sault-Sainte-Marie, alors que Perrot rend visite aux nations amérindiennes de la région de la baie des Puants pour les inviter à « entendre la parole du roi que le sieur Saint-Lusson leur portait et à toutes les nations ».

La cérémonie de prise de possession du territoire se déroule, le 14 juin 1671, en présence de représentants de 14 nations amérindiennes. Le père jésuite Claude Dablon, « supérieur des missions de ces pays-là », bénit la croix que l'on doit ériger, puis l'on entonne le *Vexilla Regis*. On installe, non loin de la croix, l'écusson des armes du roi de France. « Après cela, raconte la Relation de 1670-1671, monsieur de

Saint-Lusson, gardant toutes les formes ordinaires en pareille rencontre, prit possession de ces pays, l'air retentissant de cris redoublés de *Vive le roi*, et de la décharge des fusils, avec la joie et l'étonnement de tous ces peuples qui n'avaient jamais rien vu de semblable. »

Une fois ces réjouissances passées, le père Claude Allouez, qui parle plusieurs langues amérindiennes, prononce le discours de circonstance. Saint-Lusson succède au père Allouez et, d'une façon « guerrière et éloquente », il démontre aux Amérindiens que leurs terres sont devenues celles du roi de France. À la fin de la cérémonie, tous crient *Vive le roi*. Le soir de ce jour mémorable, on allume un grand feu de joie et l'on chante le *Te Deum* « pour remercier Dieu, au nom de ces pauvres peuples, de ce qu'ils étaient à présent les sujets d'un si grand et si puissant monarque ».

Le territoire dont la France vient de prendre possession comprend « le dit lieu Sainte-Marie du Sault, comme aussi des lacs Huron et Supérieur, île de Caientoton et de tous les autres pays, fleuves, lacs et rivières contiguës et adjacentes, iceux tant découverts qu'à découvrir, qui se bornent d'un côté aux mers du Nord et de l'Ouest, et de l'autre côté à la mer du Sud comme de toute leur longitude et profondeur ».

Les 14 nations deviennent sujets de Sa Majesté et sont « sujets à subir ses lois et suivre ses coutumes ». La copie du procès-verbal est affichée sur le poteau où se trouvent les armes royales. Selon Bacqueville de La Potherie, « dès que l'assemblée fut dissoute, les Sauvages enlevèrent ce papier et le jetèrent au feu, dans la crainte qu'il ne renfermât un sort destiné à les faire mourir ».

En route vers le Nord

Les différentes prises de possession n'empêchent pas les Anglais d'occuper les territoires revendiqués par les Français. On sait déjà que des navires anglais vont jeter l'ancre dans la baie d'Hudson. En effet, en 1669, Radisson et Des Groseilliers se rendent à la baie à bord des navires anglais. Ces deux coureurs des bois, après s'être illustrés neuf ans auparavant, se sont rangés du côté anglais à la suite de la mauvaise réception qu'ils reçurent de la part des autorités civiles de la colonie.

Le 3 juin de l'année suivante, le père Charles Albanel rencontre à Tadoussac « un Sauvage de la grande et célèbre baie du Nord, qui m'a dit qu'on avait vu un vaisseau français dans son pays et qu'il les avait pillés et fort maltraités, que le chef qui commandait le navire les avait assurés que l'année prochaine il viendrait se poster dans cette baie et qu'on donnait avis à tous leurs gens de s'y rendre, et de lui apporter leurs pelleteries ; qu'il était le maître de la paix et de la guerre et qu'il amènerait avec lui quantité d'Iroquois pour les détruire, s'ils ne lui obéissaient ».

L'intendant Talon met sur pied une nouvelle expédition dont le but est « de découvrir si la mer du Nord est bien la baie d'Hudson et de vérifier la présence d'Européens qu'on disait français. »

Le père Charles Albanel et Paul Denys de Saint-Simon acceptent d'effectuer le voyage. Ils se font accompagner de Sébastien Provencher et de quelques Montagnais. Le groupe quitte Tadoussac au mois d'août 1671. Le 2 septembre, il arrive au lac Saint-Jean. La traversée du lac dure cinq jours. Le 17, des Amérindiens Attikamègues et des Mistassirinins viennent les rejoindre. Ils racontent « que deux navires avaient mouillé dans la baie d'Hudson et qu'ils avaient fait grande traite avec les Sauvages, s'y étant établis pour le commerce ».

Le père Albanel juge préférable d'expédier Saint-Simon à Québec pour y aller chercher des passeports. Décision est alors prise d'hiverner dans la région, car dès le 31 octobre la neige fait son apparition. L'hiver est l'un des plus pénibles que le père ait eu à affronter.

Le 1er juin 1672, les trois Français quittent Nataschegamiou pour la baie d'Hudson. Neuf jours plus tard, ils arrivent à la ligne de partage des eaux. Le 28 juin, sur l'heure du midi, le groupe arrive au lac Némiscau. Non loin de là, « nous rencontrâmes à main gauche dans un petit ruisseau un heu [petit navire] avec ses agrès de dix ou douze tonneaux, qui portait le pavillon anglais et la voile latine ; de là à la portée du fusil, nous entrâmes dans deux maisons désertes ; un peu plus avant on découvrit que les Sauvages avaient hiverné là proche et que, depuis peu, ils en étaient partis ».

Albanel cherche à lier amitié avec les Amérindiens de la baie, tant pour les convertir au catholicisme que pour les amener à traiter leurs fourrures avec les Français.

Le voyage de retour commence le 6 juillet 1672. Trois jours plus tard, Saint-Simon prend possession du territoire au nom du roi de France en plaçant ses armes sur la pointe d'une île du lac Némiscau. Une nouvelle cérémonie a lieu le 19, sur les bords de la rivière Minahigouskat. Au début du mois d'août, les membres de l'expédition sont de retour dans la colonie. Dans le récit de son voyage, Albanel fait le bilan suivant : « Il est vrai que ce voyage est extrêmement difficile et que tout ce que j'en écris n'est pas la moindre partie de ce qu'il y faut souffrir. Il y a 200 saults ou chutes d'eau et partant 200 portages, où il faut porter canot et équipage tout ensemble sur son dos ; il y a 400 rapides où il faut avoir toujours une longue perche aux mains pour les monter et les franchir ; je ne veux rien dire de la difficulté des chemins, il faut l'expérimenter pour le comprendre. »

Le Père des Eaux

Avant de quitter définitivement la Nouvelle-France, Talon rencontre le nouveau gouverneur, Frontenac, et le met au courant de la situation de la colonie. Le 2 novembre 1672, Frontenac écrit à Colbert : « M. Talon a aussi jugé expédient pour le service d'envoyer le sieur Jolliet à la découverte de la mer du Sud par le pays des Mascoutens et la grande rivière qu'ils appellent Mississipi, qu'on croit se décharger dans la mer de Californie. » La hantise de la route menant à la mer de Chine ou à celle du Japon est toujours présente.

Louis Jolliet, tout comme Saint-Lusson, doit financer lui-même son expédition. Il organise donc, le 1er octobre 1672, une compagnie de traite des fourrures avec François de Chavigny Lachevrotière, Zacharie Jolliet, Jean Plattier, Pierre Moreau, Jacques Largilier et Jean Thiberge. Quelques jours après la signature de l'entente, Jolliet quitte Québec pour Michillimakinac où il arrive le 8 décembre. Il hiverne probablement au Sault-Sainte-Marie et, le printemps venu, il retrouve le père jésuite Jacques Marquette qui, à la demande de son supérieur, doit l'accompagner dans son voyage de découverte. Au cours de l'hiver, les deux explorateurs interrogent les Amérindiens qui viennent faire la traite sur le pays qu'ils doivent visiter.

Le départ a lieu, le 17 mai 1673. « Nous ne fûmes pas longtemps à préparer notre équipage, écrit Marquette, quoique nous nous engagerons dans un voyage dont nous ne pouvions pas prévoir la durée ; du blé d'Inde avec quelque viande boucanée furent toutes nos provisions avec lesquelles nous nous embarquâmes sur deux canots d'écorce, monsieur Jolliet et moi, avec cinq hommes, bien résolus à tout faire et à tout souffrir pour une si glorieuse entreprise. »

Jolliet et Marquette ont vraisemblablement suivi « la rive septentrionale du lac Michigan, écrit l'historien Jean Delanglez, puis la rive occidentale de la baie des Puants [pour] arriver à la mission Saint-François-Xavier, près de De Père, Wisconsin, huit ou dix jours plus tard. De cette mission, ils remontèrent la rivière aux Renards jusqu'au village des Mascoutens, près de Berlin, Wisconsin. »

Le 10 juin, nouveau départ. Deux guides miamis se joignent au groupe des Français. La rivière Wisconsin conduit les voyageurs jusqu'au fleuve Mississipi qu'ils commencent à descendre.

Les voyageurs s'avancent sur le Mississipi sans rencontrer âme qui vive. Mais ils craignent quand même les rencontres imprévues. « Nous nous tenons bien sur nos gardes. C'est pourquoi nous ne faisons qu'un petit feu à terre sur le soir pour préparer nos repas. Et, après avoir soupé, nous nous en éloignons le plus que nous pouvons et nous allons passer la nuit dans nos canots que nous tenons à l'ancre sur la rivière assez loin du bord. Ce qui n'empêche pas que quelqu'un de nous ne soit toujours en sentinelle de peur de surprise. »

Enfin des hommes

Le dimanche 25 juin 1673, Jolliet et Marquette aperçoivent sur le bord de l'eau des pistes d'hommes et un petit sentier qui traverse une prairie.

> Nous nous arrêtames pour l'examiner et, jugeant que c'était un chemin qui conduisait à quelque village de Sauvages, nous prîmes résolution de l'aller reconnaître. [...] Nous suivons en silence ce petit sentier. Et après avoir fait environ deux lieues, nous découvrîmes un village sur le bord d'une rivière et deux autres sur un côteau écarté du premier d'une demi-lieue. [...] Nous crûmes donc qu'il était temps de nous découvrir, ce que nous fîmes par un cri que nous poussâmes de toutes nos forces, en nous arrêtant sans plus avancer. À ce cri, les Sauvages sortent promptement de leurs cabanes et nous ayant probablement reconnu pour Français, surtout voyant une robe noire, ou du moins n'ayant aucun sujet de défiance, puisque nous étions deux hommes et que nous les avions avertis de notre arrivée, ils députèrent quatre vieillards pour venir nous parler, dont deux portaient des pipes à prendre du tabac, bien ornées et empanachées de divers plumages. Ils marchaient à petits pas et, élevant leurs pipes vers le soleil, ils semblaient lui présenter à fumer, sans néanmoins dire aucun mot. Ils furent assez longtemps à faire le peu de chemin depuis le village jusqu'à nous. [...] Je leur parlai donc le premier et je leur demandai qui ils étaient. Ils me répondirent qu'ils étaient Illinois. Et pour marquer la paix, ils nous présentèrent leurs pipes pour

> pétuner. Ensuite ils nous invitèrent d'entrer dans leur village où tout le peuple nous attendait avec impatience.

Les deux visiteurs sont accueillis par le chef de la tribu qui « était debout et tout nu ». « Que le soleil est beau, Français, quand tu nous viens visiter. Tout notre bourg t'attend et tu entreras en paix dans toutes nos cabanes. » Ces propos du chef sont de nature à rassurer Jolliet et Marquette. Après avoir fumé ou fait semblant de fumer le calumet de paix, ils sont invités à rencontrer « le Grand Capitaine de tous les Illinois », dont la cabane se trouve dans la bourgade voisine. « Nous y allâmes en bonne compagnie, car tous ces peuples, qui n'avaient jamais vu de Français chez eux, ne se laissaient point de nous regarder : ils se couchaient sur l'herbe le long des chemins ; ils nous devançaient puis ils retournaient sur leurs pas, pour nous venir voir encore. Tout cela se faisait sans bruit et avec les marques d'un grand respect qu'ils avaient pour nous. »

L'accueil réservé aux deux visiteurs par le Grand Capitaine est encore plus solennel que le précédent. Jolliet reçoit en cadeau un jeune esclave qui l'accompagnera le reste du voyage et le chef remet entre les mains des Français « un calumet tout mystérieux, dont ils font plus de cas que d'un esclave ». En terminant, le Capitaine recommande aux explorateurs de ne pas aller plus avant à cause des dangers qu'ils pourraient courir. Marquette réplique qu'il ne craint point la mort. Un grand festin suit la cérémonie d'accueil. Ensuite, les voyageurs visitent le village qui compte au moins 300 cabanes réparties le long de rues. Les habitants leur font toutes sortes de cadeaux. Le lendemain, plus de 600 personnes reconduisent Jolliet et Marquette jusqu'à leur embarcation.

Une route dangereuse

Plus les Français descendent le Mississipi, plus la nature change et plus, aussi, les Amérindiens se montrent hostiles.

> Nous aperçûmes à terre des Sauvages armés de fusils avec lesquels ils nous attendaient, relate Marquette. Je leur présentai d'abord mon calumet empanaché pendant que nos Français se mettaient en défense, et attendaient à tirer que les Sauvages eussent fait la première décharge. Je leur parlai en huron, mais ils me répondirent par un mot qui me semblait nous déclarer la guerre. Ils avaient néanmoins autant peur que nous et ce que nous prenions pour un signal de guerre était une invitation qu'ils nous faisaient de nous approcher pour nous donner à manger. Nous débarquons donc et nous entrons dans leurs cabanes où ils nous présentent du bœuf sauvage et de l'huile d'ours, avec des prunes blanches qui sont excellentes. Ils ont des fusils, des haches, des houes, des couteaux, de la rassade, des bouteilles de verre double où ils mettent leur poudre. [...] Ils nous assurèrent qu'il n'y avait plus de dix journées jusqu'à la mer, qu'ils achetaient les étoffes et autres marchandises des Européens qui étaient du côté de l'est, que ces Européens avaient des chapelets et des images, qu'ils jouaient des instruments, qu'il y en avait qui étaient faits comme moi, et qu'ils en étaient bien reçus.

Un peu plus bas sur le Mississipi, les voyageurs rencontrent un autre village où les habitants manifestent un esprit par trop guerrier.

> Ils étaient armés d'arcs, de flèches, de haches, de massues et de boucliers, écrit le père Marquette. Ils se mirent en état de nous attaquer par terre et par eau. [...] Ceux qui étaient à terre allaient et venaient comme pour commencer l'attaque. De fait, des jeunes gens se jetèrent à l'eau pour se venir saisir de mon canot, mais le courant les ayant contraints de reprendre terre, un d'eux nous jeta sa massue qui passa par-dessus nous sans nous frapper. J'avais beau montrer le calumet et leur faire signe par gestes que nous ne venions pas en guerre, l'alarme continuait toujours et l'on se préparait déjà à nous percer de flèches de toutes parts quand Dieu toucha soudainement le cœur des vieillards qui étaient sur le bord de l'eau, sans doute par la vue de notre calumet qu'ils n'avaient pas bien reconnu de loin.

Une fois débarqué, le père Marquette, qui parle pourtant six langues amérindiennes, ne peut se faire comprendre. Heureusement, « il se trouva enfin un vieillard qui parlait un peu l'illinois ». On finit par comprendre que, dans un village nommé Akamsea et qui est à huit ou dix lieues plus bas, on pourra apprendre des choses sur la proximité de la mer. Après une nuit passée dans ce village « avec assez d'inquiétude », les Français repartent, accompagnés de l'interprète. Arrivés au nouveau village, ils trouvent un jeune interprète qui connaît bien une des langues parlées par Marquette. Les voyageurs apprennent alors qu'ils ne sont plus qu'à dix jours de la mer, mais que les tribus qui vivent entre eux et les Européens les empêchent d'avoir un contact avec les Blancs.

> Le soir, les anciens firent un conseil secret dans le dessein que quelques-uns avaient de nous casser la tête pour nous piller, mais le chef rompit toutes ces menées ; nous ayant envoyé quérir pour marque de parfaite assurance, il dansa le calumet devant nous [...] et pour nous ôter toute crainte, il m'en fit présent. Nous fîmes, monsieur Jolliet et moi, un autre conseil pour délibérer sur ce que nous avions à faire, si nous pousserions outre ou si nous nous contenterions de la découverte que nous avions faite.

Les deux explorateurs tracent le bilan de leur voyage : ils sont convaincus que le Mississipi se jette dans le golfe du Mexique ou dans la Floride et non pas « du côté de l'ouest à la Californie ».

> Nous considérâmes de plus que nous nous exposions à perdre le fruit de ce voyage duquel nous ne pourrions donner aucune connaissance si nous allions nous jeter entre les mains des Espagnols qui, sans doute, nous auraient du moins retenus captifs. En outre, nous voyions bien que nous n'étions pas en état de résister à des Sauvages alliés des Européens, nombreux et experts à tirer du fusil qui infestaient continuellement le bas de cette rivière. Enfin, nous avions pris toutes les connaissances qu'on peut souhaiter dans cette découverte. Toutes ces raisons firent conclure pour le retour que nous déclarâmes aux Sauvages et pour lequel nous nous préparâmes après un jour de repos.

Le voyage de retour débute le 17 juillet 1673. Le point extrême atteint par les Français se situerait « un peu en deçà de la frontière actuelle de l'Arkansas et de la Louisiane ».

À cause de la saison avancée, Jolliet hiverne au Sault-Sainte-Marie, « occupé à faire des copies de son journal de voyage et de la carte qu'il avait dressée au cours de son expédition ». À la fin du mois de mai 1674, il se met en route pour Montréal. Dans une lettre à monseigneur de Laval, datée du 10 octobre 1674, Jolliet raconte les dernières mésaventures de son voyage.

> M'en revenant, écrit-il, étant près de débarquer au Mont-Royal, mon canot tourna et je perdis deux hommes et ma cassette où étaient tous mes papiers et mon journal, avec quelques raretés de ces pays si éloignés. J'ai beaucoup de regret d'un petit esclave de dix ans qui m'avait été donné en présent. Il était doué d'un bon naturel, plein d'esprit, diligent et obéissant ; il s'expliquait en français, commençait à lire et à écrire. Je fus sauvé après avoir été quatre heures dans l'eau, après avoir perdu la vue et la connaissance, par des pêcheurs qui n'allaient jamais en cet endroit [...] Sans le naufrage, Votre Grandeur aurait reçu une relation assez curieuse, mais il ne m'est rien resté que la vie.

Un colosse fragile

Les Français, au cours de la seconde moitié du XVIIe siècle, ont agrandi leurs territoires par différentes explorations et diverses prises de possession. La population de la colonie n'est pas assez importante pour habiter tout le continent. Colbert est conscient du problème et de ses dangers. Jolliet, vers 1676, demande la permission d'établir un poste de traite dans le pays des Illinois. Colbert, dans une lettre à l'intendant Jacques Duchesneau de La Doussinière en date du 28 avril 1677, s'y oppose. « Sa Majesté, dit-il, ne veut point accorder au sieur Jolliet la permission qu'il demande de s'aller établir avec vingt hommes dans le pays des Illinois. Il faut multiplier les habitants avant de penser à d'autres terres, et c'est ce que vous devez avoir pour maxime à l'égard des nouvelles découvertes qui sont faites. »

Cavelier de La Salle se rend en France dans l'espoir d'obtenir du roi l'autorisation d'aller au-delà des terres explorées par Jolliet et Marquette. Le 12 mai 1678, à Saint-Germain-en-Laye, Louis XIV signe des lettres patentes accordant à La Salle la permission « de travailler à découvrir la partie occidentale de la Nouvelle-France ». « Nous avons d'autant plus volontiers donné les mains à cette proposition, ajoute le roi, qu'il n'y a rien que nous ayons plus à cœur que la découverte de ce pays dans lequel il y a apparence que l'on pourra trouver un chemin pour pénétrer jusqu'au Mexique. »

L'autorisation royale est valable pour une durée de cinq ans et la réalisation du projet se fera, bien sûr, aux frais de l'explorateur et de sa compagnie.

La Salle part une première fois, en 1679. Il utilise pour se déplacer sur les Grands Lacs un navire qu'il a fait construire, le *Griffon*. Même si le roi lui avait formellement défendu de faire la traite des fourrures avec les Outaouais « ou autres qui apportent leurs castors et autres pelleteries à Montréal », La Salle n'arrête pas. Au mois de janvier 1680, après de nombreux déboires, il commence, dans le pays des Illinois près de l'actuelle Péoria, la construction d'un fort qui servira de poste de traite et il le nomme Crèvecœur « par allusion aux multiples déboires de l'explorateur ». Inquiet du sort du *Griffon*, il revient à Niagara, puis à Montréal.

Ayant réglé quelques problèmes financiers, La Salle retourne au pays des Illinois. « La flottille, écrit l'historienne Céline Dupré, franchit le lac Ontario pour, en empruntant l'Humber, le lac Simcœ, la rivière Severn et la baie Georgienne, parvenir au Sault-Sainte-Marie le 16 septembre [1680]. »

De là, il se rend à Michillimakinac, puis chez les Illinois. Le 1er décembre, il arrive dans un village où il avait séjourné neuf mois auparavant. L'endroit n'est plus que cendres. La situation est quasi identique au fort Crèvecœur qu'il trouve abandonné et à moitié démoli. L'explorateur cherche toujours son lieutenant, Henry de Tonty, surnommé Bras-de-Fer par les Amérindiens. Il se rend au Mississipi par la rivière des Illinois, revient sur ses pas, rencontre des chefs amérindiens et cherche à rétablir la paix entre les diverses tribus. L'explorateur retrouve Tonty qui a hiverné chez les Potéouatamis.

Enfin, la mer !

La Salle parcourt encore de vastes territoires, toujours en proie à de nouveaux problèmes. À l'été de 1681, il est à Montréal, d'où il repart pour le Mississipi. Enfin, le 12 mars 1682, il atteint le pays des Arkansas dont il prend possession au nom du roi de France. Enfin, le 6 avril, les membres de l'expédition arrivent à la mer. Ils ont descendu le Mississipi jusqu'à son embouchure. Le 9, « on équarrit un arbre, écrit Nicolas de La Salle, dont on fit un poteau qu'on planta et on y attacha les armes du roi faites du cuivre d'une chaudière. On planta aussi une croix et on enterra dessous une plaque de plomb où il y avait écrit ces mots : Au nom de Louis XIV, roi de France et de Navarre, le 9 avril 1682. On chanta le *Vexilla Regis* au plantement de la croix, puis le *Te Deum* et l'on fit trois décharges des fusils. Les vivres manquaient et on n'en avait par jour qu'une poignée de maïs. » Pour la circonstance, La Salle avait revêtu un habit « écarlate galonné d'or ».

Lors du voyage de retour, La Salle tombe malade et il s'arrête à Michillimakinac d'où il expédie le père Zénobe Membré auprès du gouverneur de la Nouvelle-France pour lui faire part de sa découverte.

Louis XIV, à l'annonce de la nouvelle, la commentera ainsi dans une lettre au nouveau gouverneur Le Febvre de La Barre : « La découverte du sieur de La Salle est fort inutile. »

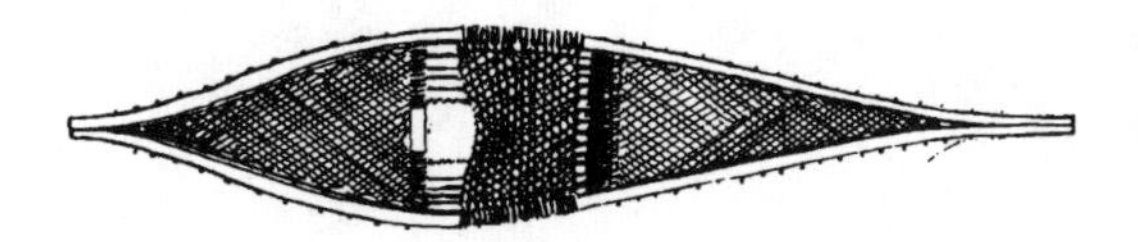

Le gouverneur Frontenac en route vers Cataracoui en 1673

AU ROYAUME DE LA ZIZANIE

AU CHÂTEAU DE VERSAILLES, le 7 avril 1672, le roi Louis XIV signe un document concernant la Nouvelle-France.

> Ayant résolu de retirer le sieur de Courcelle de l'emploi de gouverneur et notre lieutenant général de Canada, et d'établir à sa place une personne sur la suffisance et fidélité de laquelle nous nous puissions reposer de la conduite de nos peuples dudit pays et du soin d'y accroître le christianisme, d'y améliorer le commerce et d'y augmenter les colonies, nous avons, pour remplir cette charge, fait choix de notre cher bien-aimé le sieur comte de Frontenac, qui nous a donné plusieurs preuves de son expérience et de sa valeur, et que nous savons avoir toutes les qualités nécessaires pour s'acquitter dignement des devoirs de ladite charge.

Le nouveau gouverneur est issu d'une famille de la noblesse d'épée. Au cours de sa carrière militaire, il fut gravement blessé au bras droit. Pour lui, la nomination au poste de gouverneur de la Nouvelle-France signifie surtout la fin probable de ses déboires financiers. En plus de se retrouver en bonne position pour s'enrichir, Frontenac avait reçu un sursis royal pour le paiement de ses énormes dettes.

Investi de sa nouvelle mission, Louis de Buade de Frontenac et de Palluau quitte le port de La Rochelle, le 28 juin, à destination de Québec. Son épouse, Anne de La Grange, décide de demeurer à la cour du roi de France. Le nouveau gouverneur effectue sa première traversée de l'Atlantique. À l'entrée du fleuve Saint-Laurent, son navire s'échoue après avoir touché le fond plus d'une douzaine de fois. Frontenac débarque à Québec le 7 septembre, après un séjour de 71 jours à bord.

Ses premières impressions du pays sont favorables.

> Je l'ai trouvé moins sauvage que je ne pensais, écrit-il au ministre Colbert, et je suis assuré que si vous lui continuez vos assistances, on y découvrira tous les jours de nouvelles choses à faire, car il renferme des trésors cachés, et l'on y peut établir

des commerces qui n'éblouiront pas peut-être d'abord par des gains présents et considérables, mais qui s'augmenteront toujours avec le temps et seront une éternelle durée. Rien ne m'a paru si beau et si magnifique que la situation de la ville de Québec qui ne pourrait pas être mieux postée quand elle devrait devenir un jour la capitale d'un grand empire ; mais je trouve qu'on a fait jusqu'ici, ce me semble, une très grande faute en laissant bâtir des maisons à la fantaisie des particuliers et sans aucun ordre, parce que dans des établissements comme ceux-ci qui peuvent, un jour, devenir très considérables, on doit, je crois, songer non seulement à l'état présent dans lequel l'on se trouve, mais à celui où les choses peuvent parvenir.

On prête des serments

Dès le 12 septembre 1672, le Conseil souverain se réunit pour enregistrer les lettres patentes du nouveau gouverneur. Courcelle et Talon assistent à la cérémonie. Cinq jours plus tard, lors d'une autre réunion du Conseil, le haut et puissant gouverneur Frontenac prononce un discours où il annonce que la France et la Hollande sont en guerre. En conséquence, défense est faite d'avoir « aucune communication, commerce ni intelligence à peine de vie » avec les habitants des Pays-Bas ou ceux de leurs colonies. L'arrêt royal est publié et affiché « aux lieux ordinaires de la haute et de la basse-ville de Québec ».

Le nouveau gouverneur s'installe à Québec avec des idées très précises sur son autorité. Militaire de carrière, il prise peu les idées démocratiques. D'ailleurs, en France, à la même époque, l'autorité royale devient de plus en plus absolue. Il est normal alors que Frontenac réunisse, le 23 octobre, des représentants des diverses classes de la société locale pour leur faire prêter un nouveau serment de fidélité. La cérémonie se déroule dans la nouvelle église des jésuites. « Je tâchai donc à donner une forme à ce qui n'en avait point encore eu et de composer une espèce de corps du clergé, de noblesse, de justice et de Tiers-État, écrit Frontenac à Colbert le 2 novembre 1672. [...] Pour la noblesse, je pris trois ou quatre gentilshommes qui sont ici que je joignis à autant d'officiers, et les juges ordinaires et le syndic des habitants avec les principaux marchands et bourgeois de Québec. »

Le gouverneur rappelle aux membres du clergé qu'ils doivent travailler à faire fleurir le christianisme ; à la noblesse qu'elle doit être prête à prendre les armes pour défendre Sa Majesté ; aux magistrats, qu'ils doivent « rendre la justice avec intégrité et sans corruption en abrégeant la longueur des procès et en ne consommant point les parties en des frais excessifs » ; aux marchands, qu'ils doivent développer le commerce par tous les moyens. Dans son discours, Frontenac souligne que la principale qualité du peuple doit être l'obéissance au roi et à son représentant.

Au dire de Frontenac, plus de mille personnes assistent à la cérémonie de prestation des serments. Talon, qui se prépare à quitter la colonie, prétexte une légère indisposition pour justifier son absence. Le lendemain, des Hurons et des Abénaquis, qui étaient présents au grand déploiement, demandent à prêter le même serment. Le gouverneur, qui aime l'apparât, se prête de bonne grâce aux souhaits des Amérindiens.

Colbert réagit à l'initiative de Frontenac. Il le réprimande et lui enjoint de faire disparaître dans la colonie les possibilités de revendications collectives issues des nouvelles classes sociales créées par Frontenac.

> L'assemblée et la division que vous avez faites de tous les habitants du pays en trois ordres ou États pour leur faire prêter le serment de fidélité, lui écrit-il le 13 juin 1673, pouvait produire un bon effet dans ce moment-là, mais il est bon que vous observiez que, comme vous devez toujours suivre dans le gouvernement et la conduite de ce pays-là les formes qui se pratiquent ici et que nos rois ont estimé du bien de leur service depuis longtemps de ne point assembler les États Généraux de leur royaume, pour peut-être anéantir insensiblement cette forme ancienne, vous ne devez aussi donner que très rarement et pour mieux dire jamais cette forme au corps des habitants dudit pays. Et il faudra même avec un peu de temps, et lorsque la colonie sera encore plus forte qu'elle n'est, supprimer insensiblement le syndic qui présente des requêtes au nom de tous les habitants, étant bon que chacun parle pour soi et que personne ne parle pour tous.

Les bandits de Naples

La course des bois et la vente de l'alcool aux Amérindiens apparaissent alors comme les principaux problèmes auxquels le gouverneur doit faire face. Peu de temps après son arrivée dans la colonie, Frontenac écrit à Colbert au sujet de ses appréhensions concernant les dangers présentés par la course des bois. Il demande l'envoi de quelques troupes non seulement pour maintenir les Iroquois en paix, mais aussi pour empêcher

> le désordre des coureurs des bois qui deviendront, à la fin, si on n'y prend garde, comme les bandits de Naples et les boucaniers de Saint-Domingue, leur nombre s'augmentant tous les jours, comme vous le pourra dire M. de Courcelle, nonobstant toutes les ordonnances qu'on a faites et que j'ai encore renouvelées avec plus de sévérité qu'auparavant depuis que je suis ici. Leur insolence, à ce qu'on me dit, va au point de faire des ligues et de semer des billets pour s'attrouper, menaçant de faire des forts et d'aller du côté de Manhatte et d'Orange [New York et Albany] où ils se vantent qu'ils seront reçus et auront toute protection. Ils ont commencé de leur porter des peaux dès l'année passée, ce qui causerait un notable préjudice à la colonie. Mais j'irai dès le petit printemps à Montréal pour les observer de plus près et je vous assure que j'essaierai d'en faire un exemple si sévère que cela servira à l'avenir.

Convaincu de la gravité du problème, le roi émet, le 5 juin 1673, une ordonnance défendant à tous les habitants de la colonie « de sortir ni abandonner leurs maisons et vaquer dans les bois plus de vingt-quatre heures sans la permission expresse du gouverneur et lieutenant général audit pays, sous peine de vie ». Le Conseil souverain enregistre l'ordonnance, le 4 septembre suivant.

Un bon moyen de s'enrichir

Le développement rapide de la course des bois s'explique par les bénéfices élevés que génère souvent un tel commerce. Quelques marchands de la colonie se sont rapidement enrichis avec la traite des fourrures, tels Charles Aubert de La Chesnaye ou François-Marie Perrot, gouverneur de Montréal. Ce dernier obtient, le 29 octobre 1672, la concession de l'île à laquelle il donne son nom. C'est son oncle, l'intendant Jean Talon, qui avait signé l'acte de concession. Comme l'île Perrot est située sur le chemin normalement suivi tant par les Amérindiens que par les coureurs des bois, Perrot y installe un poste de traite, détournant à son profit une partie des fourrures acheminées vers Montréal.

Pour des motifs très louables, Frontenac songe à établir un poste de traite sur les bords du lac Ontario. Le 2 novembre 1672, il écrit à Colbert :

> M. de Courcelle vous parlera d'un [poste] qu'il avait projeté sur le lac Ontario, qu'il croit être de la dernière nécessité pour empêcher les Iroquois de porter aux Hollandais les pelleteries qu'ils vont chercher chez les Outaouais et les obliger, comme il est juste, de nous les apporter, puisqu'ils viennent faire la chasse sur nos terres. Je tâcherai à aller le printemps sur les lieux pour en mieux connaître l'assiette et l'importance et voir si, nonobstant la faiblesse où nous sommes, on n'y pourrait point commencer un établissement qui appuirait même la mission que les Messieurs de Montréal [les sulpiciens] ont déjà à Quinté [Kenté].

Au printemps de 1673, le gouverneur organise une vaste expédition. Il demande aux officiers établis dans la colonie de l'accompagner après avoir levé dans les différents villages quelques centaines d'hommes. Ces derniers sont obligés de fournir leurs propres canots. « Pour légitimer ces corvées extraordinaires, qui auraient pu exciter de justes murmures, écrit l'historien et sulpicien Étienne-Michel Faillon, [Frontenac] fit entendre qu'il voulait aller avec cette suite nombreuse, afin de paraître aux yeux des Sauvages quelques marques de la puissance du gouverneur et de les contenir plus aisément par la crainte. »

Frontenac mande au sieur Cavelier de La Salle de se rendre chez les Onontagués dès que la navigation sera possible pour convier les chefs des Cinq-Nations à une grande réunion qui aura lieu à la fin du mois de juin 1673 à Kenté. Il fait construire ensuite deux grandes barques peintes « d'une manière qu'il ne s'en était point vu encore de semblable dans tout le pays ». Les embarcations sont armées « de quelques petites pièces de canon afin de faire quelque chose de nouveau qui pût inspirer plus de respect et de crainte aux Sauvages ».

Le mauvais temps retarde le départ d'un mois, de sorte que la rencontre avec les Iroquois est reportée entre le 15 et le 20 juillet. Jean-Vincent Philippe de Hautmesnyl se rend donc en Iroquoisie faire part de la nouvelle.

Le 15 juin, Montréal accueille Frontenac et les hommes qui l'accompagnent, « au bruit de tout le canon et de la mousqueterie des habitants de l'île qui étaient sous les armes ». Au cours des jours suivants, à coups de corvées, les hommes construisent un chemin « propre pour les charettes depuis Montréal jusqu'au lieu nommé La Chine » et ce, afin d'éviter les rapides qui agitent les eaux du fleuve à cet endroit. Le départ a lieu à La Chine, le 29 juin. Le cortège se compose d'environ 400 hommes montés à bord de 120 canots et de deux barques.

Au cours de la nuit du 5 au 6 juillet, la pluie empêche le gouverneur de dormir car il craint « que le biscuit ne fût mouillé ». Les nombreux rapides qu'il faut franchir ralentissent la montée du fleuve. Le 9, à l'entrée de la belle navigation, tout le monde se repose. À la demande du gouverneur, les abbés François de Salignac de La Mothe-Fénelon et François-Saturnin Lascaris d'Urfé quittent le groupe pour « aller en toute diligence à Kenté pour convier les Iroquois à descendre à l'embouchure de Cataracoui, [...] qui serait un lieu fort propre pour faire l'établissement qu'il méditait ».

L'endroit est idéal pour l'établissement d'un fort. Le jour même de son arrivée à l'embouchure de la rivière Cataracoui, le 12 juillet, Frontenac visite les environs pendant deux à trois heures. Pendant ce temps, les hommes dressent les tentes et les Iroquois se présentent pour offrir leurs hommages au gouverneur Onontio.

Le représentant du roi a le sens du spectacle. Le 13 juillet au petit matin, le tambour retentit et, à sept heures, « tout le monde fut sous les armes ». « On rangea toutes les troupes en deux files qui entouraient la tente de M. le comte de Frontenac et tenaient jusqu'aux cabanes des Sauvages. On mit devant sa tente de grandes voiles pour les asseoir et on les fit passer au travers des deux files. Ils furent surpris de voir un tel appareil qui leur semblait nouveau, ainsi que tous les gardes avec leurs casaques qui était une chose qu'ils n'avaient point encore vue. Ils étaient plus de soixante des plus anciens et des plus considérables. »

Les représentants des Cinq-Nations ont mandaté le chef des Onontagués, Garakontié, pour prendre la parole en leurs noms. À la fin du compliment, chaque capitaine va présenter au gouverneur un collier de porcelaine.

Avant de prononcer son discours, Frontenac fait allumer un feu près de l'endroit où les Amérindiens sont assis. Charles Le Moyne de Longueuil agit comme interprète. Le gouverneur adopte vite le style habituel des Français lorsqu'ils s'adressent aux « Sauvages ».

> Mes enfants, déclare-t-il, je suis consolé de vous voir arriver ici où j'ai fait allumer un feu pour vous voir pétuner et pour vous parler. Ô que c'est bien fait, les enfants, d'avoir suivi les ordres et les commandements de votre père. Prenez donc courage, mes enfants, vous y entendrez sa parole qui est toute pleine de douceur et de paix. Une parole qui remplira de joie toutes vos cabanes et les rendra heureuses. Car ne pensez pas que la guerre soit le sujet de mon voyage. Mon esprit est tout rempli de paix et elle marche avec moi. Courage donc, mes enfants, et vous reposez.

Le gouverneur interrompt alors son discours et fait distribuer dix brasses de tabac. Le thème de la seconde partie de sa harangue est la paix : « Soyez persuadés que je n'ai eu autre dessein en ce voyage que de venir vous voir, puisqu'il était juste qu'un père connût ses enfants et que les enfants connussent leur père. » Avant que Le Moyne traduise en iroquois les propos du gouverneur, ce dernier fait distribuer « aux Sauvages un fusil par chaque nation, quantité de rassades, de pruneaux et de raisins pour les femmes, avec du vin et de l'eau-de-vie et du biscuit ».

Sitôt le repas du midi terminé, les hommes se mettent à l'ouvrage et commencent à creuser la rigole qui doit ceinturer le fort. Dès le soir du 13 juillet, « on commença à faire des abbatis avec une telle force que les officiers avaient de la peine à faire retirer le monde pour se reposer et dormir afin de pouvoir travailler le lendemain matin ». Il est vrai que les hommes qui avaient été conscrits pour l'expédition avaient hâte de retourner sur leurs terres, car le temps de la récolte approchait.

Les 17 et 18 juillet sont consacrés à des discours. Le gouverneur demande aux Amérindiens d'adopter la foi chrétienne et d'obéir aux Robes-Noires, c'est-à-dire les missionnaires. Il revient ensuite sur la nécessité de maintenir la paix. Puis, après avoir offert quinze fusils, quantité de poudre, de plomb et de pierres à fusil, Frontenac aborde le vrai motif de sa présence à Cataracoui :

> Mes enfants, je ne prétends pas vous persuader par de simples paroles de la bonne intention où je suis de maintenir une véritable et solide paix avec vous. Je le veux faire par des marques plus effectives et je ne crois pas pouvoir vous en donner un témoignage plus grand que par l'établissement que je vais faire à Cataracoui où j'ai déjà mis la natte sur laquelle je me suis assis et où j'ai allumé le feu auquel je vous ai convié de venir pétuner. Je prétends le rendre considérable en peu de temps et y faire porter des marchandises par mes neveux, afin que vous n'ayez pas la peine de porter vos pelleteries si loin que vous faites. Vous y trouverez toutes sortes de rafraîchissements et de commodités que je vous ferai donner au meilleur marché qu'il se pourra, n'entendant pas que vous soyez traités autrement que des Français. [...] Je porterai tous mes neveux à vous aimer et à ne rien faire qui ne soit juste. Car autrement je les châtirais.

N'oubliant pas la préoccupation des autorités royales qui préconisent l'assimilation des Amérindiens, Frontenac insiste sur ce point : « Je vous conjure avec toutes sortes d'instances de faire apprendre à vos enfants la langue française que les Robes-Noires peuvent leur enseigner, cela nous unirait davantage et nous aurions la satisfaction de nous entendre les uns les autres sans interprète. »

Dans leurs réponses, les chefs iroquois jouent le jeu et ils demandent l'aide des Français pour écraser les Andastes, une tribu habitant la vallée de la Susquehannah et les environs de la baie de Cheasapeake. « Il lui serait honteux, déclare un chef, de laisser opprimer ses enfants comme ils se voyaient à la veille de l'être. »

Les Cinq-Nations veulent, de plus, connaître le prix offert pour leurs fourrures. Quant aux petites filles et aux petits garçons que Frontenac demandait pour les faire instruire à la française, les chefs répondent qu'ils attendent de retourner dans leurs villages avant de prendre une décision.

Le 19 juillet, les hommes terminent d'enclore le fort. Deux jours plus tard, divers groupes prennent le chemin du retour, pendant que l'on termine l'aménagement intérieur de l'établissement. Le 26, Frontenac « fit transporter dans le magasin que l'on y avait fait les vivres et les munitions qu'on y devait laisser [et il] ordonna les travaux que l'on ferait pendant l'hiver ». Le 1er août, le gouverneur est de retour à Montréal. Le fort est laissé aux bons soins de Cavelier de La Salle.

Une autre rebuffade

Dans une lettre à Colbert, le 13 novembre 1673, Frontenac fait un récit détaillé de son voyage à Cataracoui et insiste sur les avantages d'un établissement permanent à cet endroit. Le ministre, dès réception de la lettre, s'empresse de répondre :

> L'intention de Sa Majesté n'est pas que vous fassiez de grands voyages en remontant le fleuve Saint-Laurent, ni même qu'à l'avenir les habitants s'étendent autant qu'ils ont fait par le passé. Au contraire, elle veut que vous travailliez incessamment et pendant tout le temps que vous demeurez dans ce pays-là à les resserrer et à les assembler, et à en composer des villes et des villages, pour les mettre avec d'autant plus de facilité en état de se défendre, en sorte que, quand même l'état des affaires de l'Europe serait changé par une bonne et avantageuse paix à la gloire et à la satisfaction de Sa Majesté, elle estime bien plus convenable au bien de son service de vous appliquer à bien faire défricher et bien habiter les endroits les plus fertiles, les plus proches des côtes de la mer et de la communication avec la France, que non pas de penser au loin des découvertes au dedans des terres de pays si éloignés qu'ils ne peuvent jamais être habités ni possédés par des Français.

Selon Colbert, la seule raison qui puisse justifier un établissement dans la région des Grands Lacs est d'ordre commercial : ce qui peut menacer le commerce des fourrures. « Sa Majesté, ajoute-t-il dans sa lettre du 17 mai 1674, estime toujours que vous pouvez et devez laisser les Sauvages dans leur liberté de vous apporter leurs pelleteries, sans vous mettre en peine de les aller chercher si loin. »

La recommandation impérative du roi et de son ministre n'est pas suffisante pour arrêter un homme décidé comme l'est Frontenac. Il se lie avec Cavelier de La Salle qui parvient à convaincre les autorités françaises de l'importance stratégique d'un fort comme celui de Cataracoui. Le 13 mai 1675, le roi signe les lettres patentes cédant à La Salle le fort et les terres adjacentes. Le nouveau concessionnaire donne à l'établissement le nom de fort Frontenac en l'honneur de son bienfaiteur.

Le gouverneur Frontenac supporte mal la contradiction et l'opposition, surtout lorsqu'elles viennent de compétiteurs dans le commerce des fourrures. L'établissement d'un poste de traite à Cataracoui a soulevé l'ire de François-Marie Perrot et de ses amis. À l'automne de 1673, Perrot rend visite à Frontenac qui profite de la circonstance pour lui reprocher de faire la contrebande des fourrures et pour lui rappeler les ordonnances royales à ce sujet. Quelques jours plus tard, à Montréal, Philippe de Carion, un des hommes de Perrot, donne refuge à deux coureurs des bois qui faisaient la traite sans la permission de Frontenac. François Bailly dit Lafleur, qui occupe le poste de sergent royal, se rend chez Carion pour arrêter les deux hommes qui réussissent à s'enfuir avec la complicité de Bailly. Le gouverneur de Montréal, au lieu de réprimander ce dernier, reproche au juge Charles-Joseph d'Ailleboust des Muceaux d'avoir ordonné la descente chez Carion sans l'avoir consulté. Il n'en faut pas davantage pour que, sur l'ordre de Frontenac, Carion soit arrêté. Perrot, averti par madame Carion, se rend chez le marchand Jacques Le Ber où se trouve le lieutenant de garde de Frontenac, Jacques Bizard, qui avait procédé à l'arrestation. « Qui vous a donc rendu si hardi, que de venir arrêter ainsi, sans ma permission, un officier dans mon gouvernement ? » Bizard présente à Perrot la lettre que lui adressait à ce sujet Frontenac. Selon l'historien Faillon, le gouverneur de Montréal « prend la lettre et, la lui jetant au visage, il lui dit : « Rapportez-la à votre maître et avertissez-le de vous mieux apprendre une autre fois votre métier. En attendant, je vous fais prisonnier et vous laisse une sentinelle pour vous empêcher de sortir. »

Frontenac n'est pas lent à réagir. Il demande à Perrot de se rendre à Québec pour fournir des explications sur sa conduite. Ce dernier demande à l'abbé de Fénelon de l'accompagner. Les deux hommes parcourent les 290 kilomètres qui séparent Montréal de Québec en raquettes et ils arrivent dans la capitale le 28 janvier 1674 à la tombée du jour.

« Le lendemain, dans l'après-midi, rapporte Faillon, M. Perrot se présenta chez le gouverneur pour le saluer, sans savoir encore qu'il venait de lui-même se constituer prisonnier. À peine eut-il mis le pied dans la chambre de M. de Frontenac, que le lieutenant des gardes, le même qu'il avait emprisonné à Ville-Marie, l'arrêta à son tour et, après lui avoir fait déposer son épée, le conduisit dans sa chambre et de là au château Saint-Louis où il le fit enfermer avec défense de le laisser parler à personne. »

Une œuvre de chaire

Frontenac trouve enfin l'occasion de placer un de ses hommes au gouvernement de Montréal. Le 10 février 1674, Thomas de Lanouguère devient gouverneur de Montréal. Cette nomination s'est faite sans consultation avec les sulpiciens qui sont seigneurs de l'île. Bien plus, le gouverneur de la Nouvelle-France installe Gilles de Boyvinet au poste de juge pour l'île de Montréal et ce, une nouvelle fois, sans l'accord des sulpiciens. Pendant ce temps, Perrot récuse Frontenac et le Conseil souverain, pour intérêt dans le procès que l'on veut instituer. L'affaire prend une nouvelle tournure le jour de Pâques, le 25 mars 1674. L'abbé Fénelon prononce le sermon de circonstance dans la chapelle de l'Hôtel-Dieu de Montréal, alors l'église paroissiale. Près de 600 paroissiens assistent à la cérémonie. Parmi eux, Cavelier de La Salle et Jean-Baptiste Montgaudon de Bellefontaine, brigadier des gardes du gouverneur de Frontenac. Le prédicateur aborde, dans son sermon, les relations entre sujets et gouvernants.

> Le magistrat animé de l'esprit de Jésus-Christ ressuscité, apporte autant de facilité à pardonner les fautes contre sa personne que d'exactitude à punir les fautes contre le service du prince ; plein de respect pour les ministres de l'autel, il évite de les maltraiter lorsque, par conscience de leur devoir, ceux-ci s'efforcent de réconcilier des ennemis ; il ne se fait pas des créatures pour le louer et n'opprime point, sous des prétextes spécieux, les personnes revêtues comme lui de l'autorité et qui, servant le même prince, s'opposent à ses entreprises ; regardant les sujets comme ses enfants et les traitant en père, il se contente des gratifications du prince, sans troubler le commerce du pays et sans vexer ceux qui ne l'admettent pas à partager leurs bénéfices ; enfin, il n'accable point les peuples de corvées extraordinaires et injustes, pour ses propres intérêts, tout en se servant du nom du monarque.

Pour plusieurs des paroissiens, ce sont là des accusations contre la conduite de Frontenac et une allusion non voilée à l'affaire Perrot et aux corvées exigées lors de la construction du fort Cataracoui.

À l'audition des propos de Fénelon, Cavelier de La Salle, qui assistait à la messe près de la porte arrière, se lève pour mieux entendre. Puis, par des gestes et des regards, il fait signe à ses voisins « de prendre bien garde à ce que le prédicateur disait, le condamnant lui-même par son maintien et animant les autres à en faire autant. [...] Après avoir ainsi regardé de côté et d'autre, il se tourna enfin vers l'officiant, assis dans le sanctuaire, en faisant devant lui les mêmes gestes d'improbation. »

Après la messe, les autres pères sulpiciens se désolidarisent des propos tenus par l'abbé Fénelon. Frontenac, mis au courant de l'affaire par La Salle, demande au supérieur des sulpiciens d'expulser le prédicateur. Ce dernier se réfugie à La Chine où, par suite de différentes pressions, presque aucun paroissien n'ose l'héberger. Le Conseil souverain est saisi de l'affaire, le 2 mai 1674. Il assigne divers témoins dont plusieurs récusent son autorité, faisant valoir leur statut d'ecclésiastiques. Fénelon est assigné à comparaître. Il se rend à Québec et se présente devant les conseillers, le mardi 21 août. Une fois entré dans la salle d'audience, il veut prendre un siège. Frontenac, qui préside les délibérations, lui fait remarquer « qu'il devait être debout et entendre en cette posture ce que le Conseil avait à lui demander ». L'abbé s'assoit alors au bout de la table en disant « qu'il ne voulait point déroger aux privilèges que le roi donnait à messieurs les ecclésiastiques qui avaient droit de parler assis et couverts ». Frontenac rétorque qu'il est là à titre d'accusé et non de témoin. L'abbé s'enfonce le chapeau sur la tête et, se promenant le long de la chambre, il répond à Frontenac « que son prétendu crime n'était que dans la tête du gouverneur ». Après un échange de propos aigres-doux, Frontenac finit par déclarer à l'abbé « qu'il n'avait qu'à sortir s'il ne voulait être dans la posture où il devait être ».

L'affaire ressemble à un règlement de compte entre le gouverneur et l'abbé. Ce dernier est presque séquestré entre les murs de la brasserie où il demeure. Les séances du Conseil souverain prennent des allures de grand guignol. Devant l'obstination de Fénelon qui demande à être jugé par un tribunal ecclésiastique, on décide de référer le problème au roi. Perrot, qui est emprisonné depuis déjà dix mois, demande lui aussi un recours à la justice royale. Les deux accusés quittent la Nouvelle-France au mois de novembre 1674.

Louis XIV et Colbert tranchent la question en condamnant Perrot à trois semaines d'emprisonnement à la Bastille et en interdisant à Fénelon de retourner en Nouvelle-France. Quant à Frontenac, il est vertement réprimandé pour sa conduite.

Le roi reproche à Frontenac ses abus d'autorité et lui demande de vivre en harmonie avec le Conseil souverain et les religieux. Pour l'aider en ce sens, il réforme le Conseil et nomme un nouvel intendant, Jacques Duchesneau de La Doussinière et d'Ambault. En effet, depuis le départ de Talon, le gouverneur cumulait les deux charges, ce qui avait fait naître certains problèmes.

L'arrivée de l'intendant, au mois d'août 1675, ne fait qu'envenimer la situation. Duchesneau, écrit l'historien Thomas Chapais, « était un homme attaché à ses droits et à ses prérogatives et il était doué d'une grande énergie et d'une rare ténacité de caractère, [...] tracassier, opiniâtre, minutieux et provoquant sous une forme correcte et apparemment modérée. Frontenac était orgueilleux, irascible, impérieux et vindicatif. Évidemment, un de ces deux hommes est de trop à Québec. »

Les plaintes se multiplient contre le gouverneur et le roi lui écrit, le 20 avril 1680 :

> Je vois qu'il vous arrive assez souvent de tourner l'exécution des ordres que je vous donne contre la fin pour lesquels je vous les donne. [...] Tous les corps et presque tous les particuliers qui viennent de ce pays se plaignent avec des circonstances si claires que je n'en puis douter de beaucoup de mauvais traitements qui sont entièrement contraires à la modération que vous devez avoir pour contenir tous les habitants de ce pays dans l'ordre et dans l'union que je vous ai tant recommandés et par mes instructions et par toutes mes dépêches. Les fermiers de mes droits se plaignent que le commerce se perd, et s'anéantit par les coureurs des bois, qu'ils ne reçoivent aucune protection et que vous ne permettez pas ni le départ des vaisseaux dans le temps qu'ils peuvent partir, ni la navigation sur les rivières sans vos congés et vos passeports. L'évêque et ses ecclésiastiques, les pères jésuites et le Conseil souverain, en un mot tous les corps et les particuliers se plaignent, mais je veux croire que vous changerez et que vous agirez avec la modération nécessaire pour augmenter cette colonie qui courrait le risque de se détruire entièrement si vous ne changiez pas de conduite et de maximes.

Vive la traite !

Dès l'arrivée de Duchesneau, la bourgeoisie de la colonie se scinde : on est partisan de l'intendant ou partisan du gouverneur. De part et d'autre, on se lance l'accusation de faire le commerce illicite des fourrures. La situation se complique du fait que les Iroquois portent la guerre chez plusieurs tribus. De plus, ce sont les Anglais qui, au détriment des Français, attirent les Amérindiens porteurs de fourrures. En France, le roi et Colbert incitent Frontenac à rétablir l'ordre chez les coureurs des bois. Le commerce des pelleteries semble être le seul secteur de l'économie de la colonie qui fonctionne. Le 15 avril 1676, à Saint-Germain-en-Laye, Louis XIV signe une ordonnance qui défend à tous les habitants de quelque condition et qualité qu'ils soient d'aller à la traite des fourrures « dans les habitations des Sauvages et profondeur des bois ». Défense est aussi faite aux gouverneurs, aux lieutenants généraux et aux particuliers d'accorder des permissions de traite. À la première offense, on établit la saisie des marchandises et une amende de deux mille livres ; à la seconde, « telle peine afflictive qu'il sera jugé par le sieur Duchesneau ».

L'ordonnance royale, surtout parce que le gouverneur Frontenac fait lui-même la traite, n'est pas suivie. Même les ecclésiastiques et les missionnaires s'adonneraient à la traite des fourrures. En novembre 1672, le gouverneur avait dénoncé la conduite des jésuites au ministre Colbert, déclarant que les missionnaires « songent autant à la conversion du castor qu'à celle des âmes ». Frontenac, pour couvrir son propre commerce, revient souvent sur cette accusation. Le roi lui écrit, le 28 avril 1677 : « Je suis surpris que vous ayez reconnu que, nonobstant les défenses que j'ai ci-devant faites, les ecclésiastiques continuent de faire quelque commerce de pelleteries avec les Sauvages. Mon intention est que vous travailliez à l'empêcher en leur faisant connaître qu'ils contreviennent en cela à Mes ordres et que, s'ils continuaient, vous seriez obligé de m'en donner avis pour y apporter par mon autorité le remède nécessaire. Je veux espérer que vous parviendrez facilement à ôter cette coutume et que je n'entendrai désormais aucune plainte sur ce sujet. »

Le désir du roi est que les Amérindiens profitent des diverses foires des fourrures pour apporter dans la colonie même le fruit de leurs chasses. Le 12 mai 1678, Louis XIV signe une nouvelle ordonnance défendant à tous les habitants d'aller à la chasse « hors l'étendue des terres défrichées et une lieue à la ronde ». Le même jour, il adresse au gouverneur une remarque pertinente : « Quoique je sois persuadé qu'un gentilhomme dans le poste où je vous ai mis ne doit entrer en aucun commerce, directement ou indirectement, je ne laisse pas de vous le défendre absolument et faites en sorte que, non seulement cela soit en effet, mais même qu'aucun habitant n'en prenne aucun soupçon, ce qui ne sera pas difficile parce que la vérité se fait toujours facilement connaître. »

Au problème de la course des bois se greffe celui de la vente de l'eau-de-vie aux Amérindiens. À la suite de diverses consultations, le 24 mai 1679, le roi défend « de porter de l'eau-de-vie aux bourgades des Sauvages éloignées des habitations françaises » et ce sous peine d'amende et, en cas de récidive, de punition corporelle. Par contre, il permet l'émission de congés de chasse « depuis le quinze janvier jusqu'au quinze avril de chaque année ».

Malgré toutes ces défenses, la jeunesse de la colonie n'en continue pas moins de quitter villes et villages pour prendre la clé des bois. En mai 1681, le roi leur accorde l'amnistie et, par la même circonstance, émet une nouvelle défense de faire la traite sans permission. Cette fois, les contrevenants encourent des peines plus sévères : le fouet et l'impression sur la peau d'une fleur de lys au moyen d'un fer chaud. En cas de récidive, ils vogueront sur les galères à perpétuité. Mais rien n'y fait. La traite illicite continue.

Un changement de gouvernement

La situation de la Nouvelle-France se détériore à un point tel que Frontenac et Duchesneau sont rappelés en France. À la fin de septembre 1682, arrive le nouveau tandem : le gouverneur Joseph-Antoine Le Febvre de La Barre, âgé de 60 ans, et l'intendant Jacques de Meulles, le cousin de la femme du ministre Colbert. Un mois avant leur arrivée, le père Jean de Lamberville avait prévenu les autorités de la colonie : « Les Iroquois [...] sont prêts à se jeter sur le Canada, au premier sujet qu'on leur en donnera. »

La Barre convoque à Québec, le 10 octobre 1682, une assemblée à laquelle assiste monseigneur de Laval, quelques pères jésuites et les principaux personnages de la colonie. Un seul sujet à l'ordre du jour : la question iroquoise. Tous sont d'accord. « Depuis quatre ans les Anglais n'ont rien omis pour engager les Iroquois à nous déclarer la guerre, soit par le grand nombre de présents qu'ils leur ont faits, soit par le bon marché auquel ils leur ont donné des denrées et surtout les fusils, la poudre et le plomb que les Iroquois ont été deux ou trois fois prêts de l'entreprendre. »

À l'issue de la réunion, on préconise la fortification du fort Frontenac, l'armement des habitants et l'obtention des renforts militaires français. Entre-temps, les Iroquois s'arrangeront pour attaquer les nations amérindiennes alliées des Français.

La situation financière et économique de la Nouvelle-France ne lui permet pas de perdre le commerce des fourrures. Les Anglais de la région de New York sont de plus en plus présents dans ce commerce et, d'autre part, la Hudson's Bay Company, fondée en 1670, essaie de monopoliser la traite à la baie d'Hudson. Le marchand Charles Aubert de La Chesnaye, avec l'appui du gouverneur, jette les bases d'une compagnie rivale, la Compagnie française de la Baie d'Hudson. Elle sera également connue sous le nom de Compagnie du Nord. Radisson accepte, moyennant le quart des bénéfices, de diriger « la première expédition commerciale dans la baie d'Hudson ».

Radisson, Des Groseilliers, Jean-Baptiste Godefroy et quelques autres coureurs des bois se rendent à la baie d'Hudson à l'automne de 1682. Ils y rencontreront un navire appartenant à la Hudson's Bay Company ainsi qu'un autre navire venant de la Nouvelle-Angleterre. Le groupe de Radisson réussit à se rendre maître de la situation et tous sont de retour à Québec, le 20 octobre 1683, à bord du *Batchelor's Delight*, un navire qu'ils avaient capturé dans la baie. Cinq jours plus tard, se basant sur le fait que la France et l'Angleterre sont en paix, le gouverneur La Barre ordonne la remise du navire à son capitaine Benjamin Gillam. Quant au prisonnier John Bridgar, capturé à la baie d'Hudson, il est lui aussi remis en liberté et retourne en Angleterre en passant par la Nouvelle-Angleterre. Comme Radisson avait cherché à ne pas payer la taxe de 25 pour cent qui frappait les fourrures, sa cargaison est saisie. L'affaire est référée au roi et le coureur des bois se rend en France où il n'encourt que des blâmes. Il décide alors de retourner au service de la Hudson's Bay Company.

Drôle de renfort

Dans la région des Grands Lacs, la situation se détériore. Au printemps de 1683, les Iroquois « refusèrent de se rendre à Montréal pour discuter avec le gouverneur, déclarant que celui-ci devait venir lui-même s'il désirait une réunion ». Les autorités de la colonie forment alors le projet d'attaquer les Iroquois et, à cet effet, ils demandent 600 soldats et des armes.

> Au lieu des 600 soldats réguliers réclamés, écrit l'historien W. J. Eccles, on n'avait envoyé que 150 recrues de la marine dont 120 seulement avaient été rompues aux rigueurs de la campagne. De plus l'intendant de Rochefort avait omis d'envoyer les approvisionnements de vêtements et de nourriture en même temps que les hommes ; il avait également négligé de joindre les fonds nécessaires à leur solde et à leur entretien. Sur les mille mousquets promis, 740 s'avérèrent inutilisables ; au lieu de quatre canons légers en cuivre, on en avait envoyé en fer qui étaient intransportables par canot ; enfin, à l'arrivée, on constata que 600 épées sur les 1000 envoyées étaient brisées.

Le gouverneur La Barre, qui pratique la traite des fourrures sur une grande échelle, cherche à faire disparaître ses concurrents. Il ordonne à des soldats de s'emparer du fort Frontenac, propriété personnelle de Cavelier de La Salle. Il permet de plus aux Iroquois d'attaquer et de piller les coureurs des bois qui ne possèdent pas de permis de traite. Le dimanche 8 mai 1684, 200 Iroquois attaquent sept canots chargés de fourrures. Le malheur veut que les trafiquants soient en possession d'un permis officiel signé par le gouverneur lui-même.

> Ils se saisirent de nos armes, raconte la relation de voyage, et nous conduisirent, sept canots que nous étions, à terre où ils pillèrent généralement toutes nos marchandises et canots, sans vouloir par après entendre aucune raison, quoique nous leur montrassions les congés de monseigneur le général [La Barre] et les lettres de mondit seigneur pour M. de La Durantaye et M. le chevalier de Baugy, qu'ils déchirèrent avec beaucoup de mépris. Leur ayant demandé pourquoi ils nous traitaient de la sorte, qu'ils pillaient ainsi nos marchandises : Que viens-tu chercher ici ? C'est ici notre pays. Ne sais-tu pas que M. Lemoyne nous a dit de faire la guerre aux nations de ce pays et que, si nous rencontrions des Français, de les piller et, s'ils se mettaient en défense, de les tuer ?

Les Iroquois amènent avec eux leurs prisonniers : René Legardeur, sieur de Beauvais, Eustache Provost, Jean Desrosiers dit du Tremble, François Lucas, Joseph de Montenon, sieur de La Rue, Antoine Desrosiers dit La Fresnaye, Jacques Baston, Jean Pilotte, Martin Foisy, Laurent Livernois, Jean La Haye, Jacques Mongeaux, l'Estang et Jean Haultdecœur. Après neuf jours de marche, alors que le groupe approche du fort Saint-Louis des Illinois, les coureurs des bois sont relâchés « sans vivres ni canots, ni armes que deux méchants fusils et quelque peu de poudre et de plomb ». Le 28 mai suivant, les rescapés portent plainte à Québec.

Entre-temps, le groupe d'Iroquois avait attaqué le fort Saint-Louis, le 21 mars. Lorsque la nouvelle est connue dans la capitale, La Barre en prend prétexte pour ordonner une marche contre les Cinq-Nations. L'intendant Jacques de Meulles croit plutôt que le gouverneur songe à signer la paix avec les Iroquois afin de « faire son commerce avec eux ».

Des hommes à abattre

À la mi-juin 1684, le gouverneur de la Nouvelle-France écrit à Thomas Dongan, gouverneur de la colonie anglaise de New York, pour lui demander de ne pas armer les Iroquois et de laisser les Français les attaquer. « Vous ne pouvez ignorer, répond Dongan, que ces Indiens appartiennent à notre gouvernement et je vous assure qu'ils lui ont volontairement donné de nouveau et leurs personnes et leurs terres. » Il ajoute que les Tsonnontouans sont toujours prêts à payer une indemnité pour les dommages causés aux canots des coureurs des bois.

Pendant que s'effectue l'échange de correspondance entre La Barre et Dongan, en Europe, les diplomates tentent d'amadouer les autorités anglaises. Le 31 juillet 1684, Louis XIV écrit à son gouverneur de Québec : « J'écris à M. Barillon, mon ambassadeur en Angleterre, de retirer des ordres du Duc d'York pour empêcher que celui qui commande à Boston n'assiste les Sauvages de troupes, armes ou munitions et j'ai lieu de croire que ces ordres s'expédieront aussitôt que l'on en aura fait instance de ma part. Comme il importe au bien de mon service de diminuer autant qu'il se pourra le nombre des Iroquois et que, d'ailleurs, ces Sauvages, qui sont forts et robustes, serviront utilement sur mes galères, je veux que vous fassiez tout ce qui sera possible pour en faire un grand nombre prisonniers de guerre et que vous les fassiez passer en France. »

Voilà qui est clair : le roi de France souhaite la destruction de tous les Iroquois. Du moins, c'est ce qu'en déduit La Barre qui répond au roi, le 1er septembre : « Je fais tous ces préparatifs pour exterminer cette nation. »

Après avoir envoyé des ambassadeurs chez les Agniers, les Onneiouts et les Onontagués pour les avertir que les Français ne vont faire la guerre qu'aux Tsonnontouans, La Barre quitte Montréal le 30 juillet 1684. Son armée se compose de 130 soldats des troupes régulières, de 700 miliciens canadiens et de 378 Amérindiens. Selon l'historien Léo-Paul Desrosiers, à ce moment-là, le capitaine Dutast « est déjà parti pour Cataracoui avec 80 soldats qui protégeront l'armée en marche, couvriront le fort, couperont arbres et broussailles dans les portages, recevront les convois de vivres et de munitions ». Une autre petite troupe, formée de 200 Français et de 500 Amérindiens, quitte le poste de Michillimakinac pour se rendre à Niagara attendre les ordres de jonction.

Les chefs onneiouts ne comprennent pas pourquoi les Français veulent faire la guerre, puisque les Tsonnontouans sont prêts à payer les indemnités et à faire des excuses.

Le 9 août, l'armée de La Barre atteint le fort Cataracoui. Dès le lendemain, le gouverneur fait part de sa décision de ne pas faire la guerre, mais d'entrer en négociation avec les Iroquois. Ce changement de politique fait sans doute suite aux pressions du père Jean de Lamberville convaincu que la méthode forte n'était pas à utiliser dans les circonstances. Une autre raison explique le changement d'attitude du gouverneur : son armée commence à manquer de vivres.

Vers la mi-août, une partie des hommes s'installe à l'anse de La Famine dont le nom n'augure rien de bon... Le manque de nourriture et la fièvre affaiblissent les militaires. Les ambassadeurs iroquois observent le piètre état de l'armée de La Barre. Ils profitent donc des circonstances pour amener le gouverneur de la Nouvelle-France à signer « une paix honteuse ». Le chef onontagué Otreouti, connu aussi sous le nom de Grande Gueule ou de Grangula, brosse avec ironie le tableau que présente l'armée française et ne se montre pas dupe des intentions réelles de La Barre.

> Écoute, Onnontio, dit-il, je ne dors point, j'ai les yeux ouverts et le soleil qui m'éclaire me fait découvrir un grand capitaine à la tête d'une troupe de guerriers qui parle en sommeillant. Il dit qu'il ne s'est approché de ce lac que pour fumer dans le grand calumet avec les Onontagués, mais la Grangula voit au contraire que c'était pour leur casser la tête, si tant de bras français ne s'étaient affaiblis. Je vois qu'Onnontio rêve dans un camp de malades, à qui le Grand Esprit a sauvé la vie par des infirmités. [...] Nous avons introduit les Anglais dans nos lacs pour y trafiquer avec les Outaouais et les Hurons. De même que les Algonquins ont conduit les Français à nos cinq villages pour y faire un commerce que les Anglais disent leur appartenir. Nous sommes nés libres. Nous ne dépendons ni d'Onnontio ni non plus de Corlaer [près d'Albany]. Il nous est permis d'aller où nous voulons, d'y conduire qui bon nous semble, d'acheter et de vendre à qui il nous plaît. Si tes alliés sont tes esclaves ou tes enfants, traite-les comme des esclaves et comme des enfants. Ôte-leur la liberté de ne recevoir chez eux d'autres

gens que les tiens. [...] Je t'assure, au nom des Cinq-Nations, que nos guerriers danseront sous les feuillages [de l'arbre de paix] la danse du calumet et qu'ils demeureront tranquilles sur leurs nattes et qu'ils ne déterreront la hache pour couper l'arbre de la paix que quand leurs frères Onnontio et Corlaer conjointement ou séparément voudront attaquer les pays dont le Grand Esprit a disposé en faveur de nos ancêtres.

La Barre est obligé d'accepter toutes les conditions posées par les ambassadeurs iroquois, entre autres celle de négocier à l'avenir à La Famine et non plus à Montréal ou au fort Cataracoui, parce que, à ce dernier endroit, « il y avait tant de sauterelles qu'on ne pouvait dormir la nuit ».

Dès que le roi de France apprend la teneur du traité avec les Iroquois, il écrit à l'intendant : « Je n'ai pas lieu d'être satisfait du traité fait entre le sieur de La Barre et les Iroquois, l'abandon qu'il a fait des Illinois m'a fort déplu et c'est ce qui m'a déterminé à le rappeler. » Le reproche majeur de Louis XIV à son représentant était d'avoir permis aux Iroquois d'attaquer les Illinois, amis des Français et grands pourvoyeurs de fourrures.

À nouveau, en selle

En France, La Salle tente de faire valoir ses droits sur le fort Frontenac que le gouverneur La Barre lui avait confisqué. L'explorateur se rend à la cour de Louis XIV où, fort de puissants appuis, il obtient la rétrocession de ses biens. Le roi écrit à La Barre, le 10 avril 1684 : « Mon intention est que vous vous appliquiez à réparer le tort que vous auriez fait audit de La Salle et, pour cet effet, que vous fassiez remettre tous les effets qui lui appartiennent au sieur de La Forest qui repasse, par mes ordres, audit pays, ensemble les hommes engagés audit de La Salle, voulant qu'au surplus vous lui donniez et au sieur de La Forest tous les secours et la protection dont ils auront besoin, étant certain qu'il n'a point abandonné ce fort-là, ainsi que vous me l'avez marqué par vos lettres. »

Non seulement La Salle rentre en possession du fort Frontenac, mais le roi, le 14 avril, lui octroie « une commission pour commander dans tout le territoire compris entre le fort Saint-Louis-des-Illinois et la Nouvelle-Biscaye ». L'explorateur a réussi à convaincre les autorités royales des possibilités d'établir une colonie française à l'embouchure du Mississipi dont il modifie l'emplacement sur une carte qu'il fabrique. Pierre Le Moyne d'Iberville écrira à ce sujet : « Je crois que cela vient de la grande envie qu'il avait de se voir près des mines du Nouveau-Mexique et engager par là la cour à faire des établissements en ce pays, qui ne pourront par les suites qu'être très avantageux. »

Au pays de l'or

Louis XIV, qui est intéressé par l'or des Espagnols, fournit à La Salle deux navires et 100 soldats. Deux autres bâtiments sont armés par des particuliers. Le 18 juillet 1684, La Salle écrit à sa mère qui demeure à Rouen. « Enfin, lui dit-il, après avoir bien attendu le vent favorable et eu beaucoup de traverses à surmonter, nous partons avec quatre vaisseaux, où il y a près de quatre cents hommes. Tout le monde se porte fort bien et, entre autres, le petit Colin et mon neveu. Nous avons tous bonne espérance d'un heureux succès. »

Le *Joly*, un des navires fournis par le roi, est commandé par Taneguy Le Gallois de Beaujeu. Ce dernier devient rapidement un opposant à La Salle qu'il traite de « frappé » et de « visionnaire ». Le 6 septembre, après cinq semaines de navigation, les navires franchissent le tropique du Cancer.

Les hommes de La Salle étaient formés d'une quarantaine d'engagés et de valets et de six missionnaires. La traversée est pénible. Le *Joly*, qui peut contenir 125 personnes, en transporte 240. L'eau potable manque. La fièvre apparaît. On jette l'ancre au Petit-Goave, à Haïti. La flûte *L'Aimable* et la barque *La Belle* rejoignent le premier navire, le 2 octobre. Le 20, on apprend la perte du *Saint-François* tombé aux mains des Espagnols. « Cette perte nous fut bien rude, écrit Henri Joutel. Il y avait dessus la plus grande partie de nos vivres, ce qui est toujours le plus nécessaire à des entreprises pareilles, mais aussi presque toutes nos chaudières, meubles très précieux et très considérables pour un établissement en ces pays. »

Plusieurs engagés profitent de l'arrêt à Haïti pour prendre la clé des champs, soudoyés par des flibustiers qui les convainquent de la chimère du projet de La Salle.

Le 25 novembre, les trois navires quittent l'île et partent à la recherche de l'embouchure du Mississipi. La Salle voyage alors à bord de *L'Aimable*. Le 4 février 1685, on recherche encore l'endroit où la colonie doit s'établir. Beaujeu s'oppose de plus en plus à La Salle qui décide de faire descendre environ 120 hommes à terre. Il les oblige à marcher le long de la côte « jusqu'à ce qu'ils eussent trouvé une autre rivière ». Peu après, observant la vigueur du courant, l'explorateur acquiert la certitude d'avoir repéré l'un des bras du Mississipi. Ses navires s'y engagent et, conséquence d'une mauvaise manœuvre, *L'Aimable* s'échoue. Des hommes s'évadent pendant que d'autres succombent au scorbut ou à la malnutrition. Le Gros, capitaine des vivres, meurt après avoir été mordu par un serpent à sonnettes. Ces incidents n'empêchent pas La Salle d'entreprendre, au mois de mai 1685, l'érection du fort Saint-Louis, sur la rive droite de la rivière Lavaca, près de la baie de Matargorda. Les hommes sont mécontents. La Salle exige beaucoup d'eux, et, en revanche, il les traite sans considération. Un premier complot contre la vie de Joutel est mis à jour. Beaujeu est reparti vers la France et il ne reste à La Salle qu'un navire, *La Belle*.

On recherche encore et toujours le fameux fleuve. L'excursion de septembre, novembre et décembre 1685 mène La Salle du côté des Illinois où un incident en apparence mineur va décider de son sort.

Au mois de décembre, Pierre Duhault, dont les souliers de peau de bœuf sont percés, demande au neveu de La Salle l'autorisation de s'arrêter un instant « pour raccommoder son paquet et ses souliers [...] pour se garantir dès épines et des chicots de bois et des cailloux ». Crevel de Moranget, qui ferme la marche, refuse net ! Il ordonne à Duhault de suivre l'équipe. Laissant Duhault seul à réparer ses souliers, La Salle en tête de file poursuivra sa route, persuadé que Duhault s'est évadé. En fait, après une course inutile dans l'espoir de rattraper les marcheurs, Duhault rebrousse chemin et rentre au fort Saint-Louis au mois de janvier suivant.

Vers la fin du mois de mars 1686, La Salle est de retour au fort, ignorant toujours où se trouve l'embouchure du Mississipi. On est sans nouvelle de la barque *La Belle* que l'on croit perdue. L'explorateur forme alors le projet de se rendre par voie de terre au fort Saint-Louis-des-Illinois, puis de redescendre le Mississipi par un chemin qu'il connaît bien. Il se met en route le 28 avril, avec 19 compagnons. Il revient au fort au mois d'octobre, en ayant perdu une dizaine. Nouveau et dernier départ, le 12 janvier 1687. Ils sont 17 qui quittent le fort à cheval. Parmi eux, Duhault qui a justifié sa soi-disant désertion. En chemin, on tue des bœufs dont la chair sert à la nourriture et les cuirs « à couvrir les hardes et à cabaner en cas de pluie ».

Le 14 mars 1687, alors que le groupe atteint la rivière Trinity, les vivres manquent. La Salle demande à sept ou huit de ses hommes d'aller à quelques lieues de là chercher des provisions qu'il avait cachées lors d'un précédent voyage. Le blé et le maïs sont pourris, mais heureusement le groupe revient avec deux bœufs. Moranget va chercher quelques quartiers de viande et refuse d'en distribuer pour l'économiser. Une dispute éclate entre lui et Duhault. Le chirurgien se range du côté de Duhault. Au cours de la nuit suivante, le neveu de La Salle, son serviteur et l'Amérindien Nika sont tués à coups de hache pendant leur sommeil. « Le 18, raconte Joutel, M. de La Salle se montra fort inquiet de ce qu'il ne venait personne ; il appréhendait qu'il ne leur fût arrivé quelque malheur. » Le 19, au matin, La Salle demande au père récollet Anastase Douay de l'accompagner. En chemin, l'explorateur est en proie à de sombres pressentiments. »

> Au bout de deux lieues, écrit le père Douay, nous trouvâmes la cravate sanglante de son laquais. Il s'aperçut de deux aigles qui voltigeaient sur sa tête et, en même temps, il découvrit ses gens sur le bord de l'eau dont il s'approcha en leur demandant des nouvelles de son neveu. Ils nous répondirent par des paroles entrecoupées, nous montrant l'endroit où nous trouvâmes ledit sieur. Nous les suivîmes quelques pas le long de la rive jusqu'au lieu fatal où deux de ces meurtriers étaient cachés dans les herbes, l'un d'un côté, l'autre de l'autre avec leurs fusils bandés. L'un des deux manqua son coup, le second tira en même temps et porta du même coup dans la tête de monsieur de La Salle qui mourut une heure après.

Les cinq assassins assouvissent leur rage sur le cadavre de celui qu'ils surnommaient « le grand bacha ». Ils le dépouillent de ses habits et traînent le corps dans les halliers « où ils le laissèrent à la discrétion des loups et autres bêtes sauvages ». Au cours des semaines suivantes, les meurtriers s'entretuent.

Pour plusieurs, le mauvais caractère de Cavelier de La Salle et sa dureté expliquent le sort dont il a été victime. L'ère des découvertes vient de se terminer pour les Français d'Amérique du Nord. Il faudra attendre La Vérendrye et ses fils pour assister à de nouvelles explorations importantes.

Le siège de Québec par William Phips

LA VOIX DES CANONS

L'ANNÉE 1685 COMMENCE SOUS DE BONS AUSPICES pour le marquis Jacques-René de Brisay de Denonville. En effet, le 1er janvier, le roi Louis XIV signe une commission le nommant gouverneur et lieutenant général en Canada, Acadie, île de Terre-Neuve et autres pays de la France septentrionale. Quelques mois auparavant, on avait signifié au gouverneur La Barre son rappel en France.

Le nouveau gouverneur est, lui aussi, un militaire de carrière. Il débarque à Québec le 1er août. Son épouse enceinte et leurs deux filles l'accompagnent. Arrivent, le même jour, le nouvel évêque, monseigneur de Saint-Vallier et 500 soldats. Ces derniers doivent se joindre aux militaires déjà présents dans la colonie, soit pour maintenir la paix, soit pour faire la guerre aux Iroquois, si besoin est.

Au cours de la traversée de l'Atlantique, la maladie s'est déclarée à bord des navires. Dès l'arrivée, écrit Jeanne-Françoise Juchereau de La Ferté, supérieure des hospitalières de l'Hôtel-Dieu de Québec,

> On débarqua tous les malades et on en remplit non seulement nos salles, mais notre église, nos greniers, nos hangars et poulaillers et tous les endroits de l'hôpital où nous pûmes leur trouver place. On dressa même des tentes dans la cour. Nous redoublâmes notre ferveur à les servir. Aussi avaient-ils grand besoin de nos soins : c'était des fièvres ardentes et pourprées, des délires terribles et beaucoup de scorbut. Il passa dans notre Hôtel-Dieu plus de trois cents malades. La salle des femmes était pleine d'officiers de qualité. Au commencement, il en mourut environ vingt. On nous les apportait même à demi-morts.

La maladie se propage dans la communauté puis à travers toute la ville de Québec. À la fin du mois de septembre 1685, Denonville calcule qu'un tiers des hospitalisés sont décédés, soit une centaine de personnes. La capitale comptait plus de 1200 habitants.

À l'arrivée de Denonville, la situation de la colonie laisse à désirer. Le gouverneur La Barre a contribué à détériorer les relations avec les Iroquois qui menacent encore et toujours de déclarer la guerre. Les Anglais de la Nouvelle-Angleterre considèrent plus que jamais la région des Grands Lacs comme leur territoire. Enfin, la course des bois et la vente de boissons alcooliques aux Amérindiens accentuent les problèmes sociaux de la colonie française.

Dans son mémoire du 13 novembre 1685 au ministre Seignelay (le fils de Colbert), Denonville ne cache pas son inquiétude. Il écrit, au sujet de la jeunesse canadienne :

> Je ne saurais, Monseigneur, assez vous exprimer l'attrait que tous les jeunes gens ont pour cette vie sauvage, qui est de ne rien faire, de ne se contraindre pour rien, de suivre tous ses mouvements et de se mettre hors de la correction. [...] L'on a cru bien longtemps que l'approche des Sauvages de nos habitations était un bien très considérable pour accoutumer ces peuples à vivre comme nous et à s'instruire de notre religion. Je m'aperçois, Monseigneur, que tout le contraire en est arrivé, car, au lieu de les accoutumer à nos lois, je vous assure qu'ils nous communiquent fort tout ce qu'ils ont de plus méchant, et ne prennent eux-mêmes que ce qu'il y a de mauvais et de vicieux en nous.

Plusieurs coureurs des bois sont même passés dans les rangs anglais. Des Groseilliers et Radisson, qui sera naturalisé anglais deux ans plus tard, en sont deux exemples. Les transfuges trafiquent avec les Iroquois. Le gouverneur dénonce l'esprit mercantile de nos voisins du Sud : « L'intérêt du marchand d'Orange et de Manhatte, écrit-il le 12 novembre, l'emporte sur tout l'intérêt public, car s'ils ne voulaient pas leur vendre de la poudre [aux Iroquois], on réduirait cette nation plus aisément qu'aucune. [...] Il est bon de voir si l'Anglais n'est pas aussi et même plus à craindre à l'avenir et si nous ne devons pas prendre autant de soin de nous en garantir. »

La population des colonies anglaises dépasse alors les 160 000 habitants, alors que le Canada ne compte que 10 725.

À la baie d'Hudson, à coups d'aviron

Les établissements anglais de la baie d'Hudson constituent une menace réelle pour le commerce des fourrures de la colonie française. Denonville autorise donc l'envoi d'un corps expéditionnaire pour chasser de cet endroit les représentants de la Hudson's Bay Company. Pierre de Troyes, dit le chevalier de Troyes, reçoit le commandement de la mission. Son groupe se compose de 30 soldats réguliers et de 70 habitants de la colonie. Trois des fils de Charles Le Moyne font partie du détachement : Jacques Le Moyne de Sainte-Hélène, 27 ans ; Pierre Le Moyne d'Iberville, 25 ans, et Paul Le Moyne de Maricourt, 22 ans. Ils représentent la Compagnie du Nord qui est intéressée au commerce des fourrures dans les régions nordiques. Zacharie Robutel de La Noue agit comme aide-major et Pierre Allemand, comme commissaire des vivres. Le père jésuite Antoine Silvy est l'aumônier. Pierre Lamoureux, sieur de Saint-Germain, qui avait épousé une Amérindienne, porte le titre de « capitaine des guides » ; il possédait déjà un poste de traite des fourrures sur l'un des affluents de la rivière Abitibi. À la fin du mois de mars 1686, l'expédition quitte Montréal.

Les Canadiens qui participent à la campagne ne sont pas tous des modèles de discipline. À partir du jour de Pâques, soit le 14 avril, à tour de rôle, les expéditionnaires, divisés en trois groupes, montent la garde la nuit. Le commandant veut dresser ses hommes. « Je les assujettis peu à peu à la discipline que demande la régularité du service et qui seule manque à la valeur naturelle des Canadiens. »

La remontée de la rivière des Outaouais est difficile. Plusieurs canots doivent être réparés. Souvent les hommes marchent ou nagent dans l'eau qui leur va jusqu'aux aisselles, dans le froid et sous la pluie.

Le 20 avril, non loin de l'embouchure de la rivière du Lièvre, près de l'actuelle ville de Buckingham, le chevalier de Troyes fait, à nouveau, preuve d'autorité. « Je fis attacher un Canadien à un arbre pour le punir de quelque sottise qu'il avait dite, note-t-il ; quelques mutins voulurent à ce sujet exciter une sédition, mais je les ramenai en peu à leur devoir. Le père Silvy m'y aida beaucoup, et je connus dans cette occasion le caractère des Canadiens, dont le naturel ne s'accorde guère avec la subordination. »

Le 1er mai, après plus d'un mois de navigation, le corps expéditionnaire arrive là où se trouve aujourd'hui le village de Fort Coulonge. Rendus au rocher à l'Oiseau, sur la rivière Creuse, entre l'île aux Allumettes et les rapides des Joachims, les hommes s'amusent à baptiser ceux « qui n'y ont point encore passé », comme c'est la coutume. Lorsque le temps le permet, les canots avancent à la voile. Arrivés près de la rivière Mattawa, les hommes se méfient des embuscades.

La région du lac Témiscamingue semble receler des richesses importantes. L'expédition s'y arrête quelques jours pour permettre au sieur Cognac d'explorer une mine de plomb ou de cuivre. Au cours de l'automne de la même année 1686, Alphonse de Tonty effectue un voyage d'exploration pour rapporter d'autres morceaux de métal.

Le 31 mai, l'expédition franchit la ligne de séparation des eaux, située entre les lacs Massia et Berthemet. À partir de ce point, les rivières coulent vers la baie d'Hudson. Quelques jours plus tard, sur les bords du lac Abitibi, le chevalier de Troyes ordonne la construction d'un fort. « Il est de pieux et flanqué de quatre petits bastions. »

Enfin, après plus de 80 jours de voyage, le chevalier de Troyes et ses hommes arrivent au premier établissement anglais sur la baie d'Hudson, le fort Monsipi ou Moose Factory. « Ce fort, écrit le commandant de Troyes, est composé de grosses palissades qui, sortant forment quatre courtines dont chaque face est de 130 pieds. Elles sont flanquées d'autant de bastions, dont le terre-plein est soutenu de deux rangs de gros pieux entrelassés, d'espace en espace, de madriers, qui les traversant d'un rang à l'autre, semble lier et raffermir la terre qu'ils renferment et tiennent hors d'état de pouvoir s'ébouler. Ils étaient fort bien munis de canons. »

À l'intérieur du fort se dresse une redoute de trois étages, bâtie de pièces sur pièces. Une fois les lieux reconnus, on dresse le plan d'attaque. Cette dernière a lieu au lever du jour. Sainte-Hélène, Iberville, Maricourt, La Noue, Allemand et cinq ou six autres Canadiens sautent par-dessus la palissade, l'épée à la main. « Ils entrèrent ainsi bravement dans le fort, s'emparèrent du canon et ouvrirent la fausse porte qui n'était pas fermée à la clé. » Pendant ce temps, Troyes ordonne de défoncer la porte principale à coups de bélier. Un Anglais demande quartier. « J'eus pour lors beaucoup de peine à arrêter la fougue de nos Canadiens qui, faisant de grands cris à la façon des Sauvages, ne demandaient qu'à jouer des couteaux. » En moins d'une demi-heure, soldats et Canadiens s'emparent du fort et de ses 17 habitants qui sont enfermés dans la cave pour une demi-journée.

À l'abordage

Malgré les instructions écrites de Denonville, le chevalier de Troyes avait décidé de chasser les Anglais de la baie d'Hudson. Quelques jours plus tard, une soixantaine d'hommes, commandés par de Troyes, prennent le chemin du fort Rupert, connu aussi sous le nom de fort Charles, à l'embouchure de la rivière Rupert. Le 3 juillet a lieu l'attaque de cet établissement bâti à peu près comme le fort précédent. Après un court combat, le commandant de la place se rend, ainsi que les 30 hommes et femmes. Pendant que se déroule l'attaque du fort, Iberville prend la tête d'un commando qui s'empare du *Craven*, amarré non loin de la rive. Les Canadiens « n'y trouvèrent pour toute garde qu'un homme, enveloppé de sa couverte, qui dormait tranquillement ».

Il ne reste plus qu'un établissement important : le fort Quichicouane ou Albany. Le commandant du poste, Henry Sergeant, connaît la présence des ennemis. Le chevalier de Troyes lui envoie un tambour, un interprète et un troisième homme pour réclamer la libération de trois coureurs des bois retenus prisonniers dans le fort, Jean Péré, un nommé Lacroix et Desmoulins. L'officier français exige aussi la reddition de la place. La réponse du gouverneur de la Hudson's Bay Company « était conçue en termes généraux qui, ne décidant rien, ne faisaient aucune mention de rendre ni prisonniers, ni la place, ni de se vouloir battre ». « Ce qui me faisait juger, ajoute de Troyes, qu'il était homme de cérémonie et qu'il ne demandait que quelques coups de canon pour le faire sortir avec honneur. »

Les assaillants se préparent donc à l'attaque en construisant une batterie, « laquelle nous aurait été impossible, la terre étant gelée, sans la lâcheté des Anglais qui nous laissaient travailler aussi tranquillement que si nous eussions été à leurs gages ».

Le 23 juillet, la batterie est complétée. Comme les vents sont contraires, le *Craven*, commandé maintenant par Iberville et battant toujours le pavillon de la compagnie anglaise, ne peut s'approcher du fort pour le canonner au besoin. Du côté français, les vivres commencent à manquer. Les hommes sont réduits à manger du « persil de macédoine ». Ils se décident alors à faire appel à sainte Anne. Après avoir récité ses litanies, ils promettent de verser chacun 40 sols « pour les réparations de son église de la Côte de Beaupré et d'y apporter le pavillon qui était arboré sur un des bastions du fort ». Le vent change tout à coup de direction et le navire peut s'approcher. On décharge huit canons que l'on installe sur la batterie.

Le 26 juillet 1686, le jour de la fête de sainte Anne, après avoir entendu la messe chantée par le père Silvy, Français et Canadiens se lancent à l'attaque du fort Albany. En moins d'une heure, les canons lancent 140 volées de boulets. Ces derniers viennent à manquer. « Nos gens crièrent un grand vive le Roi ! Les Anglais nous répondirent d'un pareil cri. »

Peu après, des assiégés sortent, pavillon blanc en tête. Le chevalier de Troyes et le gouverneur Sergeant se rencontrent sur l'eau, à bord de chaloupes. Le représentant de la Hudson's Bay Company veut faire les choses en grand. Après quelques minutes de discussion, les deux chefs se mettent d'accord sur le texte des articles de capitulation : elle est signée sur-le-champ. Peu après, Le Moyne de Sainte-Hélène et Le Moyne d'Iberville, à la tête de 50 des meilleurs hommes, marchent tambour battant du côté du fort « que le gouverneur leur remit de bonne foi ». Les prisonniers sont expédiés sur l'île de Charlton où ils attendront l'arrivée de navires qui les ramèneront en Angleterre.

Le fort Albany est détruit en partie. Iberville reçoit le commandement des différents établissements. Le chevalier de Troyes, avec la majeure partie des hommes, reprend le chemin de Québec, où il arrive au début du mois d'octobre.

Temporairement, les Français retrouvent le contrôle du commerce des fourrures à la baie d'Hudson, les Anglais ne conservant que le petit poste de Port Nelson. Les pertes de la Hudson's Bay Compagny s'élèvent à près de 75 000 livres sterling, surtout dues à la saisie de 50 000 peaux de castors de première qualité.

Pendant que le corps expéditionnaire commandé par le chevalier de Troyes fait la guerre aux Anglais, les diplomates français et anglais mettent au point le texte d'un traité de neutralité qui sera signé le 16 novembre 1686.

Subterfuges et galères

Le gouverneur Denonville, face à l'offensive commerciale et politique des Anglais de la Nouvelle-Angleterre, émet de nouvelles ordonnances relatives à la traite des fourrures. Le 29 janvier 1686, il stipule que tout canot chargé de marchandises et ne possédant pas de congé dûment signé sera confisqué. Un mois plus tard, il s'en prend à ceux qui vont vendre leurs fourrures aux Anglais, même si ceux-ci offrent de meilleurs prix. Permission aussi est accordée à chacun de tirer sur les contrevenants « s'ils se mettent en défense ». Toutes ces mesures donnent peu de résultats. Il ne reste plus qu'une solution : la guerre contre les Iroquois !

Le gouverneur demande au roi des hommes, des armes et des vivres. L'opération se prépare dans le plus grand secret. Même certains missionnaires qui vivent avec les Iroquois ne sont pas mis au courant du projet, pour éviter les fuites. Dès son arrivée à Québec à la mi-septembre 1686, le nouvel intendant, Jean Bochart de Champigny, joint ses efforts à ceux du gouverneur pour hâter les préparatifs. Il faut graduellement créer un climat de guerre pour amener la population à fournir les miliciens nécessaires.

Les premiers mois de 1687 sont employés à la préparation de planches nécessaires à la construction de 200 bateaux plats qui doivent servir au transport des troupes et des vivres. Au printemps, les habitants se hâtent de terminer leurs semences, car plus de 800 d'entre eux doivent accompagner l'armée régulière qui se compose d'un nombre égal d'hommes. Deux cents Amérindiens sympathiques à la cause française complètent le corps expéditionnaire. Denonville quitte Québec le 22 mai et arrive à Montréal sept jours plus tard. Le même jour, soit le 29, arrive dans la capitale de la colonie Philippe de Rigaud de Vaudreuil avec 800 soldats que le roi envoie pour la défense de la Nouvelle-France. Ces renforts arrivent trop tard pour participer à l'expédition.

À partir du 11 juin, divers groupes de militaires et de miliciens prennent le chemin du fort Frontenac. Les barques remontent le fleuve. On évite de faire du bruit et de révéler ainsi aux Iroquois la marche des troupes. Dès que l'on apprend la présence d'ennemis, on s'empresse de les arrêter pour les empêcher de propager la nouvelle.

Un des problèmes majeurs des autorités est de maintenir l'ordre et la discipline chez les Canadiens et les Amérindiens. L'ordre de marche du 19 juin demande aux officiers d'empêcher les hommes de tirer n'importe où, n'importe comment. Le même jour, alors que le cortège est non loin de la Pointe Beaudet, les Français capturent dix Iroquois, dont quatre femmes et deux petits garçons.

Le lendemain, les prisonniers sont conduits à Montréal. L'intendant Champigny, à la tête d'un petit détachement, devance le corps principal de l'armée et arrive le premier au fort Frontenac. Une partie de sa mission est d'empêcher les Iroquois qui se trouveraient dans le voisinage du fort d'avertir les Tsonnontouans de l'arrivée de l'armée française. Comme il ne dispose pas de troupes assez nombreuses pour arrêter ces Amérindiens, il use d'un subterfuge plus ou moins recommandable : il invite les Iroquois de la région à un grand banquet à l'intérieur du fort.

> Pendant ce temps-là, raconte Gédéon de Catalogne, il y avait des charpentiers qui disposaient des pièces de bois par coches pour mettre tous les conviés aux ceps. Le jour assigné au festin étant arrivé, tous les convives furent arrêtés et, comme il n'y avait point de logement pour servir de prison, on les mit au nombre de 45 hommes aux ceps, un pied d'un chacun à la coche, un piquet qui leur servait de dossier où il y avait une corde qui les attachait par le cou, les bras bien serrés d'une ligne. Leurs femmes et filles avaient la liberté de leur faire à manger. Dans cette situation, ils chantaient à pleine tête leurs chansons de mort.

Champigny fait part à Denonville de la capture des Iroquois, le 27 juin. Le même jour, l'intendant précise les ordres concernant le ravitaillement : « Tous les jours, chaque capitaine verra distribuer le pain, le lard et les pois pour la subsistance de chaque soldat afin qu'il ne le consomme pas mal à propos. Il aura une livre de biscuit par jour, un quarteron de lard et une jointée de pois à deux par jour. »

Le 30 juin, la majeure partie des troupes arrive au fort Frontenac. La discipline militaire doit maintenant être respectée. L'ordre du jour précise : « Chaque officier prendra bien garde que le soldat s'occupe à se blanchir et accommoder ses souliers le mieux qu'il pourra et à se faire la barbe. »

Les troupes campent aux alentours du fort. Le nombre de prisonniers iroquois dépasse les 200, soit 51 hommes et 150 femmes ou enfants. Le 1er juillet, arrive François Dauphin de La Forest, avec la nouvelle de l'arrestation de 60 Anglais venus faire la traite dans la région de Michillimakinac. Le 4, c'est le grand départ pour le pays des Tsonnontouans où Français et Canadiens veulent porter la guerre et la destruction. Deux jours plus tard, la garde de nuit commence.

Le gouverneur Denonville avait fixé au 10 juillet la rencontre avec les coureurs des bois et Amérindiens alliés établis dans les divers postes de traite. La jonction des deux armées doit avoir lieu au grand marais de Ganiatarontagouët, près de la rivière des Tsonnontouans, au nord du Niagara. En deux jours, les hommes coupent environ 2000 pieux qui servent à construire un fort de bois pour protéger les bateaux qui sont remplis d'eau. Le premier village des Tsonnontouans n'est plus qu'à huit lieues. « Il y eut trois ou quatre Iroquois qui eurent l'effronterie de venir nous braver en travaillant à notre fort, note l'aide de camp Louis-Henri de Baugy ; ils nous chantèrent pouilles disant qu'il fallait se venir battre et non pas faire un fort, que nous vinssions vite nous faire tuer, qu'ils avaient envie de manger de la chair blanche. Nous les laissâmes dire et continuâmes notre fort. Ils tirèrent deux coups de fusil dont les balles tombèrent à la queue de nos bateaux. »

Un premier engagement armé a lieu le 13 juillet. Cinq miliciens et un soldat sont tués, ainsi que cinq Amérindiens alliés. Chez les Tsonnontouans, le nombre de morts atteint la trentaine. « Le soir, note Baugy, nos Sauvages firent festin de toute la viande de nos ennemis qu'ils avaient mise dans les chaudières. »

Au cours des jours qui suivent, c'est la destruction systématique de tout ce qui appartient aux Tsonnontouans. On brûle un fort où ils avaient emmagasiné du blé d'Inde. Les Iroquois s'enfuient avant l'arrivée des troupes qui se contentent alors de détruire. Pendant une dizaine de jours, l'armée ravage le pays iroquois. Baugy évalue à 400 000 minots le blé d'Inde détruit ou emporté.

Le 23 juillet, sur l'heure du midi, le gouverneur donne l'ordre du retour. Sept jours plus tard, les troupes arrivent à la jonction des lacs Ontario et Érié. L'endroit est idéal pour la construction d'un fort. « On a tiré la place d'un carré que l'on veut entourer de 100 pieux, écrit Baugy ; pour cet effet, les habitants ont eu ordre d'en faire 2000, tandis que les soldats nettoyaient la place et commençaient les fosses pour les planter ; on les a fait faire de 16 pieds de haut. » Le fort Niagara, qui sera placé sous le commandement du chevalier de Troyes, peut abriter une centaine d'hommes.

À la mi-août, soldats et miliciens ont regagné la colonie. Le gouverneur doit se contenter d'un demi-succès, tout comme Tracy, vingt ans auparavant. Il écrit au ministre, le 25 août 1687 : « Il est encore très certain et connu de tous que, si nous n'avions pas marché aux Tsonnontouans et qu'ils n'eussent pas été humiliés, tous les Outaouais et les Hurons auraient levé le masque, se soumettant aux Iroquois et se rangeant sous la protection de l'Anglais en faveur duquel je sais qu'il y a déjà plusieurs présents faits à ce sujet. »

Au cours du mois d'octobre, les prisonniers anglais recouvrent leur liberté et retournent en Nouvelle-Angleterre. Quant aux Iroquois capturés lors de l'expédition, 36 d'entre eux prennent le chemin de la France où ils deviendront galériens sur les navires du roi. Le 25 août suivant, Denonville avertit le ministre : « Dans le nombre des prisonniers, il y en a quelques-uns que je ne dois point vous envoyer, étant proches parents de nos Sauvages chrétiens, outre qu'il y en a du village des Onontagués que nous devons ménager pour tâcher de les désunir des Tsonnontouans et pour nous en servir pour négocier si nous en avons besoin. »

L'intendant des galères de Marseille reçoit ordre du ministre Seignelay de ne pas enchaîner les nouveaux galériens iroquois et de leur donner une double ration alimentaire. Le ministre précise : « Sa Majesté veut bien que vous les fassiez traiter de même que les nègres du Sénégal. » Les Iroquois résistent mal à la vie qu'on leur fait mener sur les galères. En 1688, Denonville, en vue de faciliter des négociations de paix, demande le retour des galériens, après les avoir convenablement vêtus et « traités avec douceur ». Il suggère aussi « de les caresser un peu, quelques rubans et galons leur feront plaisir ». Au mois d'octobre 1689, Frontenac ramènera les treize survivants !

Pendant ce temps, au Canada, la situation se détériore encore. Les Iroquois harcèlent divers établissements. Denonville tente de négocier la paix, mais les intrigues de Kondiaronk, un chef d'une tribu huronne, risque de tout faire échouer. À l'automne de 1688, le gouverneur ordonne la fermeture du fort Niagara, dont la garnison avait été décimée par la maladie.

Denonville est de plus en plus convaincu que l'Anglais de la Nouvelle-Angleterre constitue la vraie menace et que les Iroquois ne sont que ses mandataires. Thomas Dongan, gouverneur de New York, ne se gêne pas pour inciter les Iroquois à attaquer les établissements français. À la suite des plaintes formulées par l'ambassadeur Barillon au roi d'Angleterre, ce dernier rappelle Dongan et nomme à sa place Edmund Andros.

Le gouverneur de la Nouvelle-France est placé devant le dilemme suivant : son roi lui recommande de maintenir la paix à tout prix avec les habitants de la Nouvelle-Angleterre, alors que ces derniers menacent les fondements économiques de la colonie française ; son roi l'autorise à poursuivre la guerre contre les Iroquois, mais lui refuse les renforts nécessaires pour la réussir ! Or, attaquer les Iroquois, c'est inciter les Anglais à riposter ; ne pas attaquer les Iroquois, c'est mettre la colonie en danger. La véritable solution, selon Denonville, serait d'acheter New York ou de s'emparer des colonies anglaises, alors le roi de France « serait le seul maître de l'Amérique septentrionale ».

La guerre !

Alors que Louis-Hector de Callière échaffaude un plan de conquête de New York, la guerre éclate entre la France et l'Angleterre, à la suite de la prise du pouvoir par Guillaume d'Orange et de la fuite en France du souverain déchu, Jacques II. Louis XIV doit donc combattre l'Espagne, la Bavière, les Pays-Bas et l'Angleterre. Le 17 mai 1689, la guerre devient effective avec ce dernier pays. Le 31 mai, Denonville est rappelé dans la métropole.

La Nouvelle-Angleterre connaît, elle aussi, sa petite révolution. Andos est fait prisonnier, le 18 avril 1689. Le Conseil de l'État de New York, lors d'une réunion tenue le 12 mai, demande au maire d'Albany de présenter « à chacune des Cinq-Nations un baril de poudre à être employé contre nos ennemis et les leurs ». Les habitants des colonies anglaises apprennent les premiers l'état de guerre en Europe. Ils incitent donc les Iroquois à lever la hache de guerre contre la colonie française. Le 23 juillet, le colonel Bayart d'Albany écrit : « Les sachems de nos cinq tribus belliqueuses sont venus ici et, au cours de leurs conseils, ont mis le maire et les magistrats au courant de leur résolution de prendre vengeance contre les Canadiens qui détiennent encore comme prisonniers quelques-uns de leurs amis et qui, en temps de paix, ont fait des captifs et les ont envoyés en France. »

Dans la nuit du 4 au 5 août, alors qu'un violent orage fait rage, environ 1500 Iroquois se lancent à l'attaque du village de Lachine. Selon l'historien W. J.

Eccles, l'attaque se solde par la mort de 24 habitants, l'enlèvement de 70 à 90 personnes, dont 42 ne revinrent jamais, et par la destruction de 56 des 77 maisons que comptait le village. Frontenac, qui se rend à Montréal le 27 octobre suivant, décrit l'état de panique et de tristesse qui règne encore dans la région

> Il serait difficile de vous représenter, écrit-il, la consternation générale que je trouvai parmi tous les peuples et l'abattement qui était dans la troupe, les premiers n'étaient pas encore revenus de la frayeur qu'ils avaient eue de voir à leurs portes brûler toutes les granges et maisons qui étaient en plus de trois lieues de pays dans la canton qu'on appelle Lachine et enlever plus de 120 personnes, tant hommes que femmes et enfants, après en avoir massacré plus de 200 dont ils avaient cassé la tête aux uns, brûlé, rôti et mangé les autres, ouvert le ventre des femmes grosses pour en arracher les enfants et fait des cruautés inouïes et sans exemple.

Le 5 août, le gouverneur Denonville juge bon de ne pas lancer les troupes à la poursuite des Iroquois dont plusieurs étaient ivres dans les bois avoisinants. Quelques volontaires font une sortie qui donne peu de résultat.

Le retour du Messie

Quelques mois avant ce que l'on a appelé « le massacre de Lachine », le roi avait désigné Frontenac au poste de gouverneur de la Nouvelle-France. La commission est datée du 15 mai 1689. La première tâche confiée à Frontenac consiste à s'emparer de New York et d'Albany par une double attaque : par mer et par voie de terre. Les instructions du 7 juin prévoient la déportation de la majeure partie de la population. Divers retards feront que le projet ne se réalisera pas. Frontenac n'atteint Québec que le 12 octobre. Il est alors trop tard pour préparer l'attaque.

Le gouverneur, qui a ramené avec lui les galériens iroquois qui avaient survécu à leur séjour en France, essaie d'amener les Iroquois à signer une paix. Mais les attaques continuent. Le 13 novembre, « les Iroquois, au nombre d'environ cent cinquante étaient descendus à Lachenaie et à l'île Jésus qui sont des lieux vis-à-vis le bout de l'île de Montréal, du côté d'en bas et [...] ils y avaient presque brûlé toutes les habitations jusques auprès des forts, pris, saccagé et tué tous les habitants. »

Quelques jours auparavant, une autre bande attaque le village de Saint-François-du-Lac, brûlent l'église et tuent Jacques Julien, ainsi qu'un nommé Levasseur.

Les habitants de la Nouvelle-France savent pertinemment que ce sont les Anglais qui sont derrière les attaques iroquoises. « En effet, note l'historien Eccles, c'étaient de mousquets anglais, de poudre et de plomb anglais que s'armaient les Iroquois, des hachettes et des couteaux anglais qu'ils utilisaient pour scalper et mutiler les Canadiens, c'étaient enfin les fonctionnaires d'Albany qui excitaient les Iroquois à se battre. »

Le projet d'aller attaquer quelques établissements de la Nouvelle-Angleterre reçoit donc l'approbation de tous.

À feu et à sang

Une première expédition s'organise à Montréal. Elle comprend 210 hommes, soit 114 Canadiens, 80 Iroquois du Sault et de la réserve de la Montagne et 16 Algonquins. Nicolas d'Ailleboust de Manthet et Jacques Le Moyne de Sainte-Hélène, assistés de Pierre Le Moyne d'Iberville et de Repentigny de Montesson, assurent le commandement du groupe. Le départ a lieu au début du mois de février 1690. Les Amérindiens qui font partie de l'expédition essaient de convaincre les Canadiens qu'il est préférable d'attaquer Corlaer (Schenectady) plutôt qu'Albany. Le dégel rend la route de moins en moins praticable. Les hommes sont obligés « de marcher dans l'eau jusqu'aux genoux et de rompre les glaces avec leurs pieds pour trouver quelque chose de solide ».

Le 18 février 1690, vers les quatre heures de l'après-midi, le groupe n'est plus qu'à deux lieues du village qui comprend environ 80 maisons et est habité par une majorité de Hollandais. « Quatre Sauvagesses cabanées [...] donnèrent toutes les lumières nécessaires pour l'attaque de la ville. » Sur les onze heures du soir, Canadiens et Amérindiens arrivent tout près de la petite ville. Ils avaient décidé d'attendre les deux heures du matin pour se lancer à l'attaque, « mais la violence du froid les obligea à ne pas différer davantage ». Personne ne fait la garde, de sorte que Sainte-Hélène et Manthet entrent sans problème à l'intérieur de l'enceinte par une des deux portes.

> On garda un fort profond silence jusqu'à ce que les deux commandants qui, après être entrés dans la ville s'étant séparés pour l'investir, se furent rejoints à l'autre extrémité, rapporte une *Relation* de l'époque. Le cri d'attaque se fit à la manière des Sauvages et tout le monde le donna en même temps. Le sieur de Manthet se mit à la tête d'un détachement pour attaquer un petit fort où la garnison était sous les armes ; la porte en fut enfoncée avec beaucoup de peine ; on y mit le feu et on y tua tous ceux qui se défendaient. Le saccagement de la ville avait commencé un moment avant l'attaque du fort ; peu de maisons firent résistance.

À la pointe du jour, on intime l'ordre de se rendre au major Cendre (?) « qui était de l'autre côté de la rivière ». Après quelques velléités de résistance, l'officier décide de capituler. Les Canadiens, pendant ce temps, occupent les Amérindiens à brûler les maisons. Quelques édifices échappent au feu. Une soixantaine d'habitants de Corlaer, dont plusieurs femmes et enfants, meurent tués ou brûlés. Vingt-sept autres personnes, dont cinq esclaves noirs, prennent le chemin du Canada. L'expédition est un succès et les Canadiens n'ont à déplorer que 21 pertes de vie, soit 17 chez les Canadiens et quatre chez les Amérindiens.

La nouvelle du massacre se répand rapidement. Le dimanche 19 février, à cinq heures du matin, Symon Schermerhoorn, bien que blessé, réussit à jeter l'alarme à Albany. Tous les hommes valides sont immédiatement appelés sous les armes pour se lancer à la poursuite des assaillants. Mais la hauteur excessive des neiges retarde la marche, de sorte que Canadiens et Amérindiens ont le temps de s'enfuir. Le lendemain, une réunion se tient sous la présidence du maire d'Albany, Peter Schuyler, et le capitaine Jonathan Bull reçoit ordre d'aller à Corlaer ensevelir les morts et créer un corps d'armée qui utilisera « tous les moyens possibles » pour libérer les prisonniers et décimer la petite armée canadienne.

À son tour, Joseph-François Hertel de La Fresnière, de Trois-Rivières, organise un corps expéditionnaire composé de 25 volontaires et de 25 Amérindiens de Saint-François-du-Lac. Le groupe quitte Trois-Rivières le 28 janvier 1690. Destination : Salmon Falls, petit village situé non loin de Portsmouth. Il y arrive le 27 mars.

Une trentaine d'Anglais trouvent la mort pendant l'attaque. Les Canadiens tuent plusieurs centaines d'animaux de ferme. Sur le chemin du retour, une petite troupe formée de soldats et de miliciens anglais lancée à leur poursuite tombe dans une embuscade et une vingtaine d'Anglais sont tués. Le cri de guerre lancé par les Canadiens et les Amérindiens sème partout la panique.

Le jour où le groupe commandé par Hertel quittait Trois-Rivières, un troisième corps armé partait de Québec pour se rendre à Casco (Falmouth, Portland, Maine). Cent dix hommes, soit 50 Canadiens et 60 Abénaquis, le composent. René Robinau de Portneuf le commande. Le groupe n'atteint sa destination que le 25 mai. « Il y avait un grand fort bien garni de munitions et de huit pièces de canon, quatre autres petits forts en étaient assez proches, mais ils ne se trouvaient pas d'une aussi bonne défense. »

Portneuf somme le commandant de la garnison du grand fort, Silvanus Davis, de se rendre. Ce qu'il refuse. Les Canadiens creusent alors une tranchée avec des instruments qu'ils avaient trouvés dans les autres forts abandonnés. Le 28 au soir, les Anglais demandent à parlementer. Les assaillants exigent la remise du fort, des munitions et des vivres, en échange de quoi la garnison aura « bon quartier ». Davis demande six jours pour réfléchir, Portneuf ne lui accorde que la nuit ! Le lendemain, la tranchée a presque atteint la base du fort et on se prépare à y mettre le feu. Les assiégés arborent le pavillon blanc et la garnison de 70 hommes sort dans l'ordre.

La plupart des prisonniers sont remis aux Abénaquis qui en tuent plusieurs. Le commandant Davis et les deux filles du lieutenant tué lors de l'attaque sont amenés en captivité à Québec, où ils arrivent, le 23 juin.

Il faut détruire Carthage

Les raids des Canadiens contre les établissements de la Nouvelle-Angleterre sèment la panique chez les habitants de ces colonies et les incitent à organiser une expédition pour s'emparer de la Nouvelle-France. Le pasteur bostonnais Cotton Mather prêche une nouvelle croisade. Pour lui, le Canada

> était la principale source des misères de la Nouvelle-Angleterre. La principale force des Français était les Indiens qu'ils approvisionnaient de munitions. Divers groupes de Français auxquels se joignaient des Sauvages ont de façon barbare assassiné plusieurs innocents néo-angleterriens, et ce sans aucune provocation de la part de la Nouvelle Angleterre, sauf le fait que les habitants des colonies anglaises ont reconnu le roi Guillaume et la reine Marie, que les Français considèrent comme des usurpateurs. Tout comme Caton qui ne pouvait faire aucun discours au Sénat sans en arriver à la conclusion *Delenda est Carthago*, ainsi la

conclusion de toutes nos argumentations concernant la sécurité de notre pays, c'est que le Canada doit être conquis.

Le mot d'ordre « Canada must be reduced » enflamme les esprits des Bostonnais qui organisent deux corps expéditionnaires. William Phips se fait d'abord la main en attaquant l'Acadie française et il s'empare de Port-Royal sans trop de problèmes.

À Québec, au mois de juin 1690, une rumeur parle de la venue prochaine d'une armée d'invasion. « Il vint ici 8 ou 10 matelots qui disaient s'être sauvés des navires pêcheurs que les Anglais avaient pris à l'île Percée, écrit mère Jeanne-François de Saint-Ignace. Ils assuraient que les Anglais faisaient le projet d'aller prendre le Port-Royal et ensuite de venir assiéger Québec ; mais personne ne voulut les croire. »

Pendant ce temps, à Boston, on organise une flotte de 32 navires ayant à leur bord environ 2000 miliciens du Massachusetts, et une armée de 2500 hommes (1000 Anglais et 1500 Amérindiens). Cette dernière doit entrer au Canada en empruntant la rivière Richelieu et joindre l'autre corps qui doit atteindre Québec en remontant le fleuve Saint-Laurent.

Le 12 juillet, Frontenac se rend à Montréal où, le mois suivant, il rencontre les chefs outaouais et hurons qu'il invite à faire la guerre aux Iroquois. Le chevalier de Clermont quitte Montréal, vers le 25 août, pour se rendre au lac Champlain vérifier les mouvements des troupes anglaises. Mardi le 2 août, sur les onze heures du soir, Frontenac apprend que, effectivement une armée marche sur Montréal. « Cet avis obligea monsieur le Comte à faire tirer les quatre coups de canons qui doivent servir de signal aux troupes qu'on avait dispersées dans les côtes pour aider les habitants à faire leurs récoltes », note Charles de Monseignat, secrétaire du gouverneur. Le vendredi suivant, premier septembre, Frontenac passe en revue sa petite armée forte de 1200 hommes qui campe à Laprairie, attendant un ennemi qui ne se présente pas. Le 4, Peter Schuyler et quelques miliciens attaquent des soldats et des habitants qui travaillent dans les champs de la région de Laprairie. Ils tuent ou capturent une vingtaine de personnes. Schuyler retourne ensuite au lac Champlain. L'armée commandée par Fitz-John Winthrop ne bouge pas. Elle attend encore des vivres et des munitions.

La petite vérole fait son apparition et décime surtout les troupes iroquoises. Ces dernières quittent alors Winthrop qui juge bon de ne pas aller plus loin, d'autant plus qu'il n'a pas de nouvelles de la flotte de Phips.

Les navires anglais avaient quitté le port de Hull, près de Boston, le 20 août. Mais le mauvais temps retarde la marche de la flotte. « Le 7 octobre, écrit Anne Bourdon, on reçut la nouvelle qu'une flotte anglaise de trente-quatre vaisseaux venait pour se rendre maîtresse du pays, et que, dès le second jour du mois, les Anglais étaient déjà à La Malbaie. Cette nouvelle surprit extrêmement ; l'on n'était pas en état de résister n'y ayant dans la ville qu'environ deux cents hommes de la bourgeoisie, monsieur le gouverneur étant à Montréal avec toutes les troupes. »

Le major François Provost, qui commande la ville en l'absence du gouverneur, expédie un émissaire à Montréal. En apprenant la nouvelle le 10 octobre, Frontenac se met en route pour la capitale. Il arrive à Québec le samedi, 14, sur l'heure du midi.

Avant même l'arrivée de Frontenac, le major Provost avait mobilisé les habitants de la ville et des alentours pour fortifier la place, « creuser des tranchés, placer des batteries aux endroits stratégiques et former les bataillons de défense ». Les maisons de la basse-ville sont abandonnées et les habitants trouvent logement dans la partie haute.

Les navires de Phips remontent tranquillement le fleuve. À Rivière-Ouelle, quelques hommes tentent de mettre pied à terre. Le curé de la paroisse, Pierre de Francheville, lance un appel général à ses paroissiens pour qu'ils repoussent l'ennemi. Il revêt son capot bleu, met son tapabord, prend son fusil et, à la tête de ses paroissiens, il commande l'attaque. « Ils firent plusieurs décharges sur les chaloupes qui furent contraintes de se retirer au large avec perte, sans avoir blessé un Français », écrit Gédéon de Catalogne.

Le 16 octobre, à six heures du matin, les navires anglais arrivent en face de Québec. Les petits bâtiments se rangent « au côté de la côte de Beauport » et les gros se mettant « un peu plus au large ». Sur les dix heures du matin, une chaloupe quitte le navire amiral et s'avance vers la terre portant à son avant un pavillon blanc. « Quatre canots allèrent au devant portant le même pavillon. Ils la joignirent presque à la moitié du chemin. Il y avait dedans une trompette qui accompagnait l'envoyé du général. Il fut mis seul dans le canot. »

Dès que l'émissaire anglais, le major Thomas Savage, met pied à terre, Provost lui fait bander les yeux « afin qu'il ne vît pas la faiblesse de nos retranchements, puis le fit conduire par deux sergents qui le soutenaient et qui le firent passer exprès par des chemins impraticables pour aller au fort ».

Le mère Juchereau se plaît à raconter de quelle manière les Québécois s'amusent avec Savage.

> On courait de tous côtés, écrit-elle, on allait se ranger comme si la foule eût fermé le passage, et pour mieux lui persuader que le monde abondait dans Québec, dix ou douze hommes eurent soin de le presser et de le pousser pendant tout le chemin, sans qu'il s'aperçut que c'étaient toujours les mêmes qui ne faisaient que passer et repasser autour de lui. Les dames, qui eurent la curiosité de le voir, l'appelaient en riant Colin Maillard, et tout ce qu'il entendait lui paraissait si résolu qu'il en tremblait de peur quand il entra dans la chambre du gouverneur où tous les officiers l'attendaient. Ils s'étaient tous habillés le plus proprement qu'ils purent, les galons d'or et d'argent, les rubans, les plumets, la poudre et la frisure, rien ne manquait.

Au milieu des rires et des airs enjoués, l'émissaire de Phips présente au gouverneur Frontenac une lettre le sommant de rendre la ville d'ici une heure. « En même temps, il tira de sa poche une montre et la posa sur la table. » « Je ne vous ferai pas tant attendre, lui répliqua monsieur le comte. Dites à votre général que je ne connais point le roi Guillaume et que le prince d'Orange est un usurpateur qui a violé les droits les plus sacrés du sang en voulant détrôner son beau-père. [...] Non, je n'ai point de réponse à faire à votre général que par la bouche de mes canons et à coups de fusil ; qu'il apprenne que ce n'est pas de la sorte qu'on envoie sommer un homme comme moi ; qu'il fasse du mieux qu'il pourra de son côté, comme je ferai du mien. »

Après le spectacle, l'émissaire, les yeux toujours bandés, retourne à sa chaloupe et fait rapport de sa mission au commandant Phips. Les officiers, réunis en conseil de guerre, adoptent la stratégie suivante pour s'emparer de Québec : 1400 hommes sous le commandement du major John Walley débarqueront sur la côte de Beauport, traverseront la rivière Saint-Charles pour attaquer la ville par voie de terre ; pendant ce temps, les navires canonneront Québec.

Le 18 octobre, les troupes débarquent, malgré la chaude réception que leur réservent les miliciens venus de Trois-Rivières et de Montréal. Vers quatre heures de l'après-midi, le même jour, les quatre gros navires de la flotte tirent environ cinq cents volées de canon « qui ne firent presque aucun dommage », sauf un mort, le fils d'un bourgeois tué sur le coup. Les deux jours suivants, on canonne encore.

Le 21 octobre, les Anglais subissent une défaite à Beauport et réembarquent. Les nuits sont de plus en plus froides. Phips note qu'il y eut deux pouces de glace un soir. Il ne tient pas à hiverner dans le Saint-Laurent. Les 23 et 24, on négocie l'échange de prisonniers. Puis la flotte reprend le chemin de Boston, n'ayant pas réussi à s'emparer de Québec.

La valse Hésitation

La guerre secouera l'Europe jusqu'à la signature du traité de paix à Ryswyck, en 1697. À part quelques escarmouches, Français et Anglais n'en viendront plus directement aux coups en Amérique du Nord. De part et d'autre, on se servira des Amérindiens pour rappeler que la guerre existe toujours. Frontenac cherchera, malgré les conseils de ses lieutenants, à amener les Iroquois à signer la paix. En 1696, il se rendra dans la région des Grands Lacs détruire quelques villages onontagués et onneiouts. Selon Eccles, « cette campagne avait brisé la résistance des Iroquois ».

À la baie d'Hudson, la rivalité commerciale est toujours aussi violente. Les postes de traite sont, tantôt aux mains des Anglais, tantôt entre celles des Français. La Compagnie du Nord et la Hudson's Bay Company ont chacune leurs hommes de main. Iberville a quasi juré de chasser ses ennemis de la baie. Il ne peut pas toujours compter sur l'appui du gouverneur Frontenac. En 1693, les Anglais reprennent possession du fort Albany et en sortent les Canadiens qui y faisaient la traite des fourrures. Les pertes de la Compagnie du Nord sont évaluées à 200 000 livres. Le ministre de la Marine et aux Colonies, Louis Phélypeaux, comte de Pontchartrain, avertit l'intendant Michel Bégon de La Picardière, de La Rochelle, que « l'intention du roi est qu'il donne au sieur d'Iberville deux frégates de 30 canons l'une, et l'autre de 20 pièces pour un service dont il l'informera par la suite ».

Le 6 avril 1694, le roi accorde à Iberville les deux frégates montées par 100 hommes. Les frais de l'expédition seront à la charge du commandant qui pourra se rembourser avec « toutes les pelleteries et autres marchandises qui se trouveront dans les forts dont il se rendra maître ». S'il y a surplus, il sera partagé avec les membres de l'équipage. Advenant le cas où les Anglais de la baie d'Hudson auraient détruit leurs marchandises ou si celles-ci ne sont pas suffisantes pour amortir le coût de l'expédition, le roi accorde à Iberville et à sa compagnie le monopole de commerce dans cette région jusqu'au mois de juillet 1697.

Iberville quitte les côtes de France à la mi-mai 1694. Le 22 juin, à la hauteur du Grand Banc, sa jeune épouse met un fils au monde. Il quitte la capitale le 10 août après un court séjour qui lui a permis de recruter 110 volontaires canadiens. Le 13 octobre, le gouverneur du fort York, Thomas Walsh, capitule. Les conditions sont rédigées en latin par le ministre anglican de l'endroit et traduites en français par le père jésuite Pierre-Gabriel Marest. Après la prise de possession officielle, la place est rebaptisée et devient le fort Bourbon. Au mois de septembre 1695, après avoir laissé le commandement du poste à Gabriel Testard de La Forest, Iberville retourne en France.

Les Anglais ne se tiennent pas battus pour autant. En 1696, ils organisent une expédition pour reprendre possession du fort York. Le 28 août, le capitaine William Allen somme le sieur de La Forest de capituler. Trois jours plus tard, on signe les articles de reddition parmi lesquels on retrouve les points suivants :

> Que moi et tous mes gens, tant Français que Sauvages, et un Anglais qui est mon domestique, auront tous la vie sauve et la liberté, sans qu'il nous soit fait aucun tort ou violence, soit en nos personnes, soit en ce qui concerne ce qui nous appartient ; nous sortirons du fort avec nos armes, tambour battant, mèche allumée, balle en bouche, enseignes déployées, et emporterons avec nous les deux canons venus de France ; [...] nous emporterons avec nous tous les castors et autres marchandises que nous avons traités cette année ; [...] nous aurons libre exercice de notre religion et il sera permis au missionnaire de faire publiquement les fonctions de son ministère.

Tout cela est accordé par Allen. Mais l'officier anglais ne respecte pas sa parole, tout comme Iberville, dira-t-on, après la prise du fort Albany. « Les Anglais, raconte Nicolas Jérémie dit Lamontagne, au lieu de nous mettre sur les terres françaises avec tous nos effets, comme ils l'avaient promis, nous emmenèrent à Plymouth en Angleterre, et nous jetèrent en prison, pendant que nos pelleteries et autres effets furent mis au pillage. » L'emprisonnement des Canadiens dure quatre mois et la perte en fourrures est évaluée à 136 000 livres.

Pendant que se déroulent ces événements, Iberville force le départ de la majeure partie des Anglais de la côte acadienne et de l'île de Terre-Neuve. Au début de l'année 1697, les autorités françaises ordonnent la mise sur pied d'une nouvelle expédition à la baie d'Hudson pour en chasser encore une fois les Anglais. Encore une fois aussi, cette mission est confiée à Iberville. Le 4 septembre, le commandant, monté à bord du *Pélican* qui a devancé le reste de la flotte, arrive en face du fort Nelson. Le lendemain, il remarque la présence de trois autres navires qu'il prend pour le reste de sa flotte. « Voyant que c'était des Anglais, écrit Iberville, je me préparai à les combattre et tâcher de les mettre hors d'état d'entrer dans la rivière et de secourir le fort. »

Les forces en présence ne sont pas d'égale puissance. Le *Pélican* dispose de 44 canons et les trois navires anglais, de 114. Le *Hudson Bay*, le *Dering* et le *Hampshire* se préparent à couler le navire français et à débarrasser enfin la baie d'Hudson de celui que l'on appellera « le Cid Canadien ».

> Le capitaine Fletcher, commandant du *Hampshire*, était un brave ; avant de lâcher sa dernière bordée, il appela ledit monsieur d'Iberville, lui demandant d'abaisser

pavillon et celui-ci refusant, le capitaine Fletcher prit un verre et but à la santé de son adversaire en disant qu'il dînerait immédiatement avec lui ; là-dessus, ledit capitaine français but aussi un verre à la santé de son adversaire et, sur ce, ses hommes firent une décharge de petits plombs sur le *Hampshire* à laquelle on répondit par une semblable décharge sur le vaisseau français ; après quoi ledit capitaine Fletcher disparut ; on supposa qu'il avait été tué suivant ce que le frère dudit capitaine français dit au déposant, Samuel Clarke.

Le *Hampshire* coule le premier. Le *Hudson Bay* capitule et le *Dering* s'enfuit. Le lendemain, le *Pélican* sombre à son tour. Heureusement, les trois autres navires de l'escadre française font leur apparition. Après sa victoire sur les navires anglais, Iberville se lance à l'attaque du fort, non sans avoir auparavant sommé le commandant de l'endroit de lui remettre les prisonniers français. Henry Baley, gouverneur de la Hudson's Bay Company, capitule le 13 septembre. Encore une fois, et la baie d'Hudson redevient française.

La paix de Ryswick ne tiendra pas compte du dernier engagement. Elle stipulait, écrit l'historien Bernard Pothier, que le sud de la baie devait revenir à la France et le fort Nelson à la Hudson's Bay Company, mais Albany resta aux mains des Anglais et les Français conservèrent le fort Bourbon jusqu'en 1713.

L'EMPIRE VACILLE

LE GOUVERNEUR FRONTENAC MEURT À QUÉBEC, le 28 novembre 1698. Louis-Hector de Callière, gouverneur de Montréal, assure l'intérim, mais il désire occuper le poste de façon permanente. Il n'est pas le seul, d'ailleurs, à convoiter le titre de gouverneur de la Nouvelle-France. Philippe de Rigaud de Vaudreuil et l'intendant Jean Bochart de Champigny se considèrent eux aussi comme d'excellents candidats. Comme la saison de navigation sur le fleuve Saint-Laurent tire à sa fin, commence alors une course contre la montre. Chacun veut, le premier, faire part au roi de sa disponibilité. Augustin Le Gardeur de Courtemanche, porteur de la lettre de Callière, quitte Montréal pour Québec où, dit-il, il doit s'embarquer sur le dernier navire en partance pour la France. Rendu à Sorel, il prend, de nuit, le chemin d'Albany et de New York, voulant ainsi gagner quelques jours. Vaudreuil et Champigny, ne voyant pas arriver Courtemanche à Québec, « se défièrent d'un tour de Normand » et ils demandent à Charles-Joseph Amiot de Vincelotte de se rendre à la cour du roi par le chemin le plus rapide, en l'occurrence le port de Pentagouët, en Acadie. Courtemanche arrive à Paris quelques heures avant Vincelotte. Il court chez le comte François de Callière, frère de Louis-Hector, lui remettre la lettre destinée au roi Louis XIV. Aussitôt informé de la mort de Frontenac par Callière, le roi accepte de faire du gouverneur de Montréal son représentant en Nouvelle-France. Lorsque Phélypeaux de Pontchartrain, ayant en main les lettres de Vaudreuil et de Champigny, se présente à la cour, il est déjà trop tard. La décision royale est irrévocable et, le 20 avril 1699, Louis XIV signe des lettres de provision de gouverneur et de lieutenant général en Canada, Acadie, île de Terre-Neuve et autres pays de la France septentrionale pour le chevalier de Callière. Quant à Vaudreuil, il devient gouverneur de Montréal.

La marche vers la paix

La première tâche du nouveau gouverneur consiste à rétablir la paix avec toutes les tribus amérindiennes, surtout avec les Iroquois. Les autorités anglaises de la

Nouvelle-Angleterre voient d'un mauvais œil l'initiative française. Richard Coote, comte de Bellomont, gouverneur du New York, du New Jersey, du New Hampshire et du Massachusetts, fait valoir que les Iroquois sont devenus sujets britanniques et qu'ils ne peuvent négocier la paix sans sa permission.

Le 18 juillet 1700, deux représentants de la tribu des Onontagués et quatre Tsonnontouans arrivent à Montréal affirmant vouloir négocier la paix au nom de leurs tribus et de celles des Goyogouins et des Onneiouts. Ils demandent que le père Jacques Bruyas, Paul Le Moyne de Maricourt et Louis-Thomas Chabert de Joncaire (appelé par les Iroquois Sononchiez) les accompagnent dans leur pays pour ramener les Français qui y sont retenus prisonniers. Callière accepte, à la condition que tout le monde soit de retour au mois de septembre. Alors, les Français libéreront les prisonniers iroquois qu'ils retiennent dans les prisons de la colonie.

Une première ronde de négociations a lieu à Montréal au mois d'août, puis une seconde débute en septembre. Cette fois, 19 chefs iroquois sont présents, ainsi que des représentants de plusieurs autres tribus. Les délibérations se déroulent à la manière amérindienne : un chef présente un collier de porcelaine en l'accompagnant d'un discours. De cette façon, six colliers et autant de discours sont destinés au gouverneur Callière.

> Pour cette fois, notre père Onontio, déclare un des chefs, vous voyez ici toutes ces nations iroquoises ; il est vrai que vous n'y voyez pas le visage de l'Onneiout, parce que celui qui était député pour venir est tombé malade. Nous ne sommes pas maîtres de la maladie ni de la mort. Mais il a été présent dans tous les conseils qui se sont tenus et nous portons sa parole, comme s'il était ici. [...] Quand nous sommes venus ici la dernière fois, nous avons planté l'arbre de la paix. Présentement nous y mettons des racines pour qu'elles aillent jusque chez les Nations d'en haut, afin qu'il soit affermi. Nous y ajoutons aussi des feuilles pour qu'on puisse faire les bonnes affaires à l'ombre. Peut-être que les gens d'en haut pourront couper quelques racines de ce grand arbre, mais ce ne sera pas notre faute ni des suites qui en pourront arriver. [...] C'est vous et l'Onontio d'Orange [Albany] qui avez fait la paix ; vous nous avez dit que celui qui la romperait, on se mettrait tous contre lui. Cependant, il semble que Corlear veuille brouiller : accommodez-vous donc tous les deux ensemble et me faites savoir ce que vous avez réglé.

Le gouverneur Callière répond en ces termes aux chefs iroquois :

> Je me saisis de vos haches et de celles de mes alliés pour les mettre avec les miennes et tous les autres instruments de guerre, dans une fosse que je fais profonde, sur laquelle je mets un gros rocher et y fais passer une rivière, afin qu'on ne les puisse plus trouver pour s'en servir les uns contre les autres. J'affermis comme vous le grand arbre de paix que vous avez planté avec toutes ses feuilles et vous ne devez pas appréhender qu'aucunes racines ne soient coupées par les gens d'en haut, mes alliés. [...] Vous m'avez fait plaisir de me ramener les treize prisonniers français que je vois ici, mais je vous demande encore que vous rameniez le reste, avec généralement tous ceux de mes alliés que vous avez chez vous, dans le commencement du mois d'août prochain [1701] qui est le temps que je donne à toutes les nations pour vous ramener aussi tous ceux des vôtres qui sont chez eux, afin qu'en ma présence ils soient échangés de part et d'autre.

Il est ensuite convenu que si un différend survient entre deux tribus, les gouverneurs français et anglais seront appelés pour le régler car, ajoute Callière, « il n'y a point d'autre accord à faire là-dessus à présent entre moi et Corlear que d'exécuter les ordres des rois, nos maîtres, pour le maintien de la paix ».

Le chef des Hurons, Kondiaronk, plus connu sous le nom de Le Rat, prend à son tour la parole. « J'ai toujours obéi à Onontio, déclare-t-il ; il prend les haches de toutes les nations. Pour moi, je jette la mienne à ses pieds ; qui serait assez hardi pour aller contre sa volonté, lui qui est ici notre père ? Je ne doute point que les gens d'en haut ne suivent ce qu'il souhaite. C'est à vous autres, nations iroquoises, à en faire de même aussi. »

Un accord sommaire est signé et les participants se donnent rendez-vous au mois d'août 1701.

Un incident survient quelques semaines plus tard, mettant en péril la paix préliminaire. Des chasseurs iroquois détruisent quelques cabanes de castors sur un territoire appartenant aux Outaouais. Ces derniers se vengent en tuant quelques Iroquois et en gardant prisonnier un des principaux chefs des Cinq-Nations. Le 2 mars 1701, Callière est saisi de l'affaire et tente comme il le peut de rétablir la paix entre Iroquois et Outaouais.

À la fin du mois de juillet, les délégations amérindiennes arrivent les unes après les autres. Callière tient plusieurs réunions particulières avec divers chefs. Le 1er août a lieu la première séance publique. Au cours de l'allocution d'un chef huron, Le Rat est pris d'un malaise. Le gouverneur se porte à son secours. Se croyant rétabli, Le Rat prend la parole et fait un vibrant appel à la paix, ajoutant qu'il souhaite que les Iroquois remettent en liberté tous les prisonniers qu'ils détiennent encore. À la fin de la rencontre, il devient si faible qu'il ne peut réintégrer seul sa hutte. On l'installe dans un fauteuil et on le transporte à l'Hôtel-Dieu où il meurt, vers deux heures, le lendemain matin. Le 3 août, de nombreux Montréalais assistent aux funérailles du Rat. Le cortège funèbre comprend « soixante soldats sous les armes, seize guerriers hurons, vêtus de longues robes de castor, le visage peint en noir et le fusil sous le bras ». Le cercueil est porté par six chefs de guerre. Les funérailles ont lieu à l'église paroissiale où le défunt est inhumé. Son épitaphe est ainsi rédigée : « Cy git Le Rat, chef des Hurons ».

Callière sent le besoin d'accélérer les délibérations, car la maladie commence à frapper les chefs amérindiens. Les Hurons affirment même que quelques-uns des participants leur ont jeté un sort, ce qui expliquerait pourquoi cette nation compte plus de malades que les autres. Le 4 août se tient en dehors de la ville la grande assemblée générale au cours de laquelle doit être ratifié le traité de paix. Pour la circonstance, on a construit « une double enceinte de cent vingt-huit pieds de long sur soixante-douze de large, l'entre-deux en ayant six. On ménagea à l'un des bouts une salle couverte de vingt-neuf pieds de long et presque carrée pour les dames et pour tout le beau monde de la ville. Les soldats furent placés tout autour et treize cents Sauvages furent arrangés dans l'enceinte en très bel ordre. »

On y voit les délégués de plusieurs nations amérindiennes, les Hurons, les Cinq-Nations iroquoises, les Outaouais, les Kiskakons, la Nation de la Fourche, les Sauteux, les Potéouatamis, les Sakis, les Puants, les Folles Avoines, les Renards, les Mascoutens, les Miamis, les Illinois, les Nez-Percés, les Népissingues, les Algonquins, les Témiscamingues, les Kristinaux, les Gens des terres, les Kicapoux, les Gens du Sault, ceux de la Montagne et les Abénaquis.

Les discours se multiplient. Le gouverneur Callière déclare : « Je vous invite tous à fumer dans ce calumet de paix où je commence le premier et à manger de la viande et à boire du bouillon que je vous fais préparer pour que j'aie, comme un bon père, la satisfaction de voir tous mes enfants réunis. »

À la fin de la cérémonie, 38 chefs de différentes nations signent le traité de paix de Montréal. « Grand jour dans l'histoire de la colonie que ce 4 août 1701, écrit Lionel Groulx. Il mettait fin à une guerre de seize ans ; il brisait presque à jamais la coalition anglo-iroquoise. » C'est ainsi que fut conclue ce qu'on nomme « la grande paix de Montréal ».

Encore la guerre !

En Nouvelle-France, la paix sera de courte durée. Dès le mois de septembre, la France et l'Angleterre sont en état de guerre. Les prétentions de Louis XIV à la succession du trône d'Espagne sont une des sources du conflit. Le 1er novembre 1700, Charles II, roi d'Espagne, meurt sans héritier. Quinze jours plus tard, Louis XIV désigne son petit-fils, le duc Philippe d'Anjou, comme le nouveau roi d'Espagne. L'Autriche croit avoir elle aussi des droits à la succession. C'est donc à nouveau la guerre où l'Angleterre, la Hollande, le Danemark, l'Autriche et les territoires de plusieurs princes allemands font cause commune contre la France.

L'Amérique du Nord ne peut échapper au conflit européen. Les colonies de la Nouvelle-Angleterre sont seize fois plus peuplées que la Nouvelle-France, même si, comme le fait remarquer l'historien Guy Frégault, « la France y a l'espace et l'Angleterre, le nombre ».

Iberville a bien saisi la fragilité de la position française. Il écrit dans un mémoire :

> Si l'on veut faire un peu d'attention au pays occupé par les Anglais de ce continent et ce qu'ils ont dessein d'occuper, des forces qu'ils ont dans ces colonies, où il n'y a ni prêtres, ni religieuses et de tout ce peuple et de ce qu'ils seront dans trente ou quarante ans, on ne doit faire nul doute qu'ils n'occupent le pays qui est entre eux et le Mississipi, qui est un des plus beaux du monde. Ils seront en état, joints aux Sauvages, de lever des forces suffisantes par mer et par terre, pour se rendre les maîtres de toute l'Amérique, du moins de la plus grande partie du Mexique, qui ne se peuple pas comme le font les colonies anglaises, qui se trouveront en état de mettre en campagne des armées de trente et quarante mille hommes, et seront rendus où ils voudront aller avant que l'on le sache en France et en Espagne, où on n'est guère informé de ce qui se passe dans les colonies.

La nouvelle de l'état de guerre entre les métropoles ne parvient à Québec qu'au cours de l'été 1702. Callière tient alors à s'assurer de la neutralité des Iroquois. Ces derniers déclarent « qu'ils n'accepteront ni le tomahawk anglais ni la hache française ». Le gouverneur de la Nouvelle-France, déjà atteint de crises de goutte, voit sa santé décliner. Il ne peut songer à diriger une attaque contre l'ennemi. Il meurt le 26 mai 1703, ayant eu quelques jours auparavant une hémorragie alors qu'il assistait à la grand-messe à la cathédrale de Québec. Vaudreuil lui succède.

Le nouveau gouverneur, désireux de maintenir les Amérindiens soit dans un état de neutralité soit dans une attitude sympathique à la cause française, organise une expédition contre le village de Wells. Un groupe d'Abénaquis et de Français, dirigés par Leneuf de Beaubassin, effectue, au mois d'août 1703, le raid « qui a ravagé plus de quinze lieues de pays et pris ou tué plus de trois cents personnes ». Le but visé par le gouverneur était de faire des Abénaquis et des Anglais des « ennemis irréconciliables ».

Sous le signe de la vengeance

Les habitants de la Nouvelle-Angleterre ne veulent pas revivre une situation identique à celle de 1689-1691 où de nombreux raids avaient jeté la panique dans la population. Cette fois-ci, les Iroquois semblent vouloir demeurer neutres. Mais les Français peuvent compter sur les Abénaquis. À la suite de l'attaque contre Wells, les Anglais s'en prennent aux Abénaquis qui doivent demander à Vaudreuil un prompt secours.

Les raids répondent aux raids. Au début de l'année 1704, Jean-Baptiste Hertel de Rouville prend la tête de 50 Canadiens et de 200 Abénaquis et Iroquois domiciliés à Caughnawaga. Le but de l'expédition est de se venger de la riposte anglaise. Le sort veut que le petit village de Deerfield, situé non loin de Sprinfield au Massachusetts, soit la cible de l'attaque. Au cours de la nuit du 10 mars, les assaillants, profitant d'une abondante couche de neige, s'introduisent à l'intérieur de la place, poussent le cri de guerre à l'amérindienne et tuent une cinquantaine d'habitants, dont deux des fils du pasteur John Williams, ainsi que la nourrice noire du plus jeune qui n'était âgé que de six semaines. Le pasteur, sa femme et ses autres enfants font partie du convoi de 112 prisonniers que l'on ramène à pied en Nouvelle-France. Au cours du voyage de retour, la femme de Williams et 17 autres prisonniers sont tués. Selon Howard H. Peckham, « Williams, ses filles et ses fils furent séparés, puis gardés dans des familles indiennes et françaises en vue d'être échangés contre rançon ».

Cette fois, la riposte anglaise frappe l'Acadie. Benjamin Church dirige une expédition contre les Mines dont les habitants, après avoir capitulé, voient leur église, leurs maisons et leurs récoltes détruites. Les établissements de Pigiguit, Cobequid et Beaubassin subissent le même sort. Cent cinquante prisonniers prennent le chemin de la Nouvelle-Angleterre.

Terre-Neuve n'échappe pas au conflit. Daniel d'Auger de Subercase, le nouveau gouverneur de Plaisance, demande à Vaudreuil un détachement de troupes composées de Canadiens et d'Amérindiens pour chasser les Anglais de l'île. Quarante Canadiens et autant d'Abénaquis quittent Québec le 2 novembre 1704 et débarquent à Plaisance treize jours plus tard. Leur première tâche consiste à fabriquer des raquettes et des traînes sauvages « pour aller droit à Saint-Jean ». L'expédition, forte de 450 hommes, quitte Plaisance le 8 janvier 1705, en même temps qu'un brigantin ayant à son bord un mortier et 200 bombes pour assister les troupes de terre lors de l'attaque du fort Saint-Jean qui protégeait plus de 80 maisons.

Gédéon de Catalogne, qui participe à l'expédition, raconte ainsi la marche de la petite armée :

> Comme l'hiver fut fort doux et qu'il ne commença à geler que le 13 de janvier, on désespérait de pouvoir suivre le projet, quoique tout fût prêt. Le 14, il gela très fort et on commença à défiler le 15 ; tout le reste se rendit au fond de la baie et, le lendemain, on continua la marche, chacun portant son équipage et vivres sur son dos, parce qu'il n'avait point tombé de neige pour pouvoir se servir des traînes que l'on abandonna, et la plupart quittèrent aussi leurs raquettes. Lorsque nous fûmes à une petite distance de Béboulle, établissement des Anglais, il tomba environ deux pieds de neige, pendant deux jours nous fûmes arrêtés, en sorte qu'à quatre cents hommes que nous étions, nous n'avions pas plus de soixante paires de raquettes. C'était une pitié pour ceux qui n'en avaient pas, qui enfonçaient jusqu'aux cuisses. Cependant, nous arrivâmes à Béboulle où l'on surprit les habitants et où nous nous rafraîchîmes deux jours et nous y laissâmes garnison.

Le 31 janvier 1705, on arrive à une lieue de Saint-Jean. « Quoiqu'il faisait extrêmement froid, ajoute Catalogne, il fut défendu de faire du feu ; chacun chercha gîte sous des sapins où ils sont fort touffus, et on mettait les souliers sauvages sous les reins pour les faire dégeler, pour pouvoir les chausser lorsqu'il serait temps de partir. »

Le 1er février, une heure avant l'aube, Subercase donne ordre d'attaquer les maisons de Saint-Jean. Les Amérindiens, plus habiles que les Canadiens et les Français, arrivent les premiers. Les habitants sont surpris durant leur sommeil. Trois cent dix-sept se retrouvent prisonniers. On expédie au fort une soixantaine de femmes « qui auraient pu causer du désordre ». Catalogne propose au major Jacques L'Hermite « d'aller droit au fort, les fossés étant comblés de neige ». L'officier répond qu'il n'a pas les ordres pour le faire. « Enfin, écrit Catalogne, un Anglais parut sur le parapet, qui nous admirait courir en raquettes sur la neige et, comme on le coucha en joue, il courut avertir le corps de garde qui, avec des pelles, débarrassèrent les canons et commencèrent à nous canonner et nous contraignirent de nous retirer et nous tuèrent deux hommes. »

Subercase attend l'arrivée du brigantin pour attaquer le fort. Mais de navire, point de voile à l'horizon. De part et d'autre, on multiplie les provocations. Les hommes du gouverneur de Plaisance se sont installés dans les maisons de Saint-Jean que commencent à bombarder les canons du fort. Après trente-trois jours d'attente, Français, Canadiens et Amérindiens lèvent le siège le 5 mars, après avoir brûlé tous les bâtiments. Il faut faire vite, car la saison de pêche à la morue approche et cette manne est plus importante que la guerre. Sur le chemin du retour, plusieurs établissements anglais sont ravagés. L'historien René Beaudry dresse le bilan suivant de cette petite guerre : « Au total, l'expédition prit 1200 prisonniers, qu'on dut relâcher, faute de vivres pour les nourrir ; 80 seulement furent amenés à Plaisance. Elle avait encloué ou jeté à la mer 40 canons, brûlé un navire, pris ou détruit 2000 chaloupes et 200 chariots. Le pillage ne rapporta que 2600 livres en numéraire, mais Subercase estimait à quatre millions les dommages causés à l'ennemi. »

Où se loge la barbarie ?

Les raids sont cruels et les prisonniers nombreux. Français et Anglais payent les Amérindiens pour les scalps d'ennemis qu'ils rapportent. La chasse à l'homme devient rentable et, en conséquence, on s'y adonne avec acharnement.

Le gouverneur de Boston, Joseph Dudley, dans une lettre à Vaudreuil en date du 10 avril 1704 (20 avril, nouveau style), se plaint de la cruauté canadienne :

> Dans cette présente guerre entre ma souveraine Dame et le roi de France, j'attends toute manière d'hostilité de votre nation ; mais j'ai toujours attendu avec justice qu'il ne serait fait aucune brèche aux lois de la religion chrétienne qui a toujours mis à couvert le pauvre paysan, les femmes et enfants, des outrages ou captivité, laquelle je trouve que le peuple et votre gouvernement (qui se sont joints avec les barbares Sauvages) ont poursuivi avec la dernière cruauté. Je vous dirai que, depuis que cette dernière a commencé et que je commande ici pour la reine d'Angleterre, j'ai eu plus de deux cents prisonniers de guerre de votre nation que j'ai nourri mieux (de leur propre aveu) qu'ils ont été nourris en France. Je les ai habillés et les ai renvoyés en Europe par la première commodité et, pendant ce temps-là, vous avez fait gloire de tirer et massacrer mes pauvres femmes et enfants et d'amener le reste dans une misérable captivité, et c'est un commerce entre les Sauvages et les sujets de votre maître dans votre gouvernement. Je vous écris ceci pour vous dire qu'un pareil traitement des chrétiens sera estimé barbare par toute l'Europe, et que j'attends avec justice que vous retirerez tous ces captifs des mains des Sauvages et que vous me les rendrez comme j'ai fait il y a peu de temps de votre peuple au Port-Royal, qui en était et le reste renvoyé en Europe d'où ils venaient, et je continuerai de faire ainsi jusques à ce que j'aie votre réponse à celle-ci.

Le 21 août 1704, le gouverneur Dudley revient à la charge, faisant valoir qu'il a entre les mains le double des prisonniers que détiennent les Français. « Si je puis avoir assurance que tous les prisonniers qui sont entre vos mains seront renvoyés chez eux, je laisserai sur mon honneur aller les prisonniers français qui sont en mains », écrit-il à Vaudreuil.

Comme il n'obtient pas de réponse à ses lettres, Dudley décide, le 20 décembre, de déléguer à Québec une commission formée de trois membres pour remettre entre les mains de Vaudreuil une demande formelle d'échange de prisonniers. Enfin, le 26 mars 1705, le gouverneur de la Nouvelle-France répond aux accusations de Dudley.

> Quant à vos reproches sur la grande cruauté, elles n'ont jamais été jusqu'à assassiner personne de sang-froid après avoir promis quartier, comme le commandant de votre flotte qui allait à l'Acadie l'a pratiqué envers le sieur Gourdault. Pour le second article touchant la sévère captivité de vos gens, le sieur Livingstone et ceux qui l'ont accompagné pourront vous rendre compte de la manière dont vos gens sont traités dans mon gouvernement. [...] Par votre seconde [lettre], vous me marquez que vous êtes surpris d'apprendre que nos Sauvages soient si fort les maîtres que l'on leur attribue toutes les cruautés qui sont commises. Vous savez, comme moi, que lorsqu'ils sont supérieurs, ils font toujours connaître qu'ils sont sauvages.

Quant à la question des scalps, Vaudreuil répond : « Je ne vous fais point de réponse sur l'argent que vous me marquez avoir été donné aux Sauvages pour payer les chevelures anglaises ; parce que si mes prédécesseurs l'ont fait faire, ils n'ont fait que suivre l'exemple des vôtres. » Enfin, au sujet de l'échange des prisonniers, le gouverneur de la Nouvelle-France veut avoir plus de sécurité, car Dudley n'est pas le seul chef de la Nouvelle-Angleterre : « Comme vous avez un conseil où vous n'avez que votre voix et que souvent les sentiments sont partagés, vous ne devez point trouver mauvais que je prenne des assurances pour les prisonniers que vous me renvoyez, d'autant plus que, de mon côté étant seul le maître, je suis toujours en état de tenir la parole que j'aurai donnée. »

À la demande du gouverneur Vaudreuil, Augustin Le Gardeur de Courtemanche se rend à Boston négocier l'échange de prisonniers. Il rencontre le gouverneur Dudley ainsi que tous les prisonniers français. Il revient à Québec, accompagné du fils du gouverneur dont c'est la première sortie, et de Samuel Vetch qui avait déjà fait de la contrebande de fourrures en Nouvelle-France.

Un espion perspicace

Les négociateurs se transforment souvent en espions. Courtemanche profite de son séjour à Boston pour évaluer la force militaire de la Nouvelle-Angleterre. Quant à Vetch, il consacre son séjour à Québec à faire du commerce et à soupeser la valeur militaire et marchande de la colonie française. En 1708, il rédigera un long mémoire où les bienfaits d'une conquête de la Nouvelle-Angleterre sont particulièrement soulignés.

> Pour peu qu'ils connaissent la valeur du royaume britannique d'Amérique, aussi bien sous l'angle de la puissance que sous l'aspect du commerce, tous les esprits réfléchis ne peuvent que s'étonner de voir une nation aussi importante sur mer, aussi forte par le nombre et par ailleurs aussi sagement jalouse de son commerce, souffrir avec autant de patience que des voisins gênants comme le Français s'installent à côté d'elle, et surtout qu'avec une faible population dispersée, ils possèdent un territoire qui s'étend sur plus de 4000 milles, encerclent et refoulent entre eux-mêmes et la mer tout l'empire britannique du continent et parviennent ainsi à réduire le commerce anglais d'un bout à l'autre de l'Amérique, en attendant de le ruiner complètement, ce qui arrivera à moins qu'ils n'en soient empêchés à temps.

Calme relatif en Amérique

Dudley et Vaudreuil échangent des projets de trêve qui suscitent une certaine accalmie. Mais, dès le printemps 1706, les hostilités reprennent. Le 30 avril, le gouverneur et l'intendant de la Nouvelle-France écrivent aux autorités métropolitaines : « Le sieur de Vaudreuil [...] a permis à plusieurs petits partis de Sauvages d'aller en guerre dans le gouvernement de Boston. Nous ne doutons point, monseigneur, que cela ne fasse un bon effet par rapport aux Anglais en pressant de conclure, et encore un meilleur pour nos Sauvages qui étant tout nus, par rapport à la cherté des marchandises et le bas prix du castor, trouvent à s'habiller chez les Anglais sans qu'il leur en coûte rien. »

Au début du mois de juin 1706, 43 prisonniers anglais recouvrent la liberté à la suite de l'envoi de 57 prisonniers français à Port-Royal. Le 14 septembre, le gouverneur Vaudreuil rencontre une délégation d'Abénaquis qui accusent les Français d'ingratitude. « Je sais que vous nous aimez, déclare leur représentant, je vais aussi vous dire franchement ce que j'ai sur le cœur. Il nous semble, mon père, que ce que l'Anglais nous dit est véritable et depuis que la guerre est commencée, bien loin que nous en ayons retiré aucun profit, nos cabanes sont remplies de chevelures anglaises qui flottent au gré du vent, sans qu'il paraisse que vous y preniez seulement garde. »

Dans sa réponse, le gouverneur établit clairement sa politique au sujet du scalp :

> Vous avez raison, mes enfants, quand vous dites que je vous aime, mais vous avez tort quand vous semblez douter de mon amitié. [...] Ainsi vous n'êtes donc pas les seuls qui soyiez exposés, puisque nous courons tous le même sort. Mais quant à ce que vous dites que cette guerre ne vous est d'aucune utilité et qu'elle ne vous rapporte aucun profit, vous voulez bien que je vous dise à mon tour que je vous ai vus bien souvent avec des hardes et que quand vous avez des prisonniers les Français les achètent bien cher. Il est vrai qu'à l'égard des chevelures, je ne vous les fais point payer ; vous devez aussi vous souvenir que, dès le commencement de cette guerre, je vous ai déclaré que cette manière de payer des chevelures me semblait trop inhumaine ; mais que je vous ferais donner dix écus d'Espagne pour chaque prisonnier. Si vous ne les avez pas donnés à ce prix, c'est une marque que vous n'avez pas été dans la nécessité comme vous dites et que la guerre ne vous a pas été contraire, puisque vous en avez encore plusieurs entre les mains.

Alors que la guerre fait toujours rage en Europe occidentale, le calme relatif qui existe en Amérique déplaît au roi de France. Le ministre Pontchartrain écrit à Vaudreuil, le 6 juin 1708 :

> Sa Majesté s'attendait après tout ce qui vous a été écrit de faire harceler les Anglais de Boston, soit par des Français, soit par des partis sauvages, qu'elle apprendrait la nouvelle de quelque entreprise sur eux et elle n'est pas contente de l'inaction dans laquelle vous restez avec autant de forces que vous en avez, d'autant plus que cela facilite aux gens de ce gouvernement les moyens d'entreprendre sur l'Acadie. Elle veut absolument que vous envoyiez souvent des partis de leur côté et même que vous profitiez de la première occasion que vous aurez pour aller vous-même les attaquer dans leurs postes, pourvu que vous soyiez sûr de réussir. Observez seulement que cela se fasse avec le moins de dépense que faire se pourra et rendez-moi compte de ce que vous ferez.

Vaudreuil craint toujours que les Iroquois ne se rangent à nouveau du côté anglais. Dans une lettre à Pontchartrain, datée du 28 juin 1708, il justifie ainsi sa conduite : « Dès 1703, et depuis tous les ans, nous avons une espèce de suspension d'armes entre le gouvernement d'Orange [Albany] et nous à la prière des Iroquois, mais nous n'avons de part ni d'autre aucun traité particulier. J'ai seulement dit à l'Iroquois que je ne frapperais pas le premier sur Orange, mais que pour l'Anglais de Boston je ne lui donnerais pas de repos. »

Avant même d'avoir reçu l'ordre royal, Vaudreuil organise une grande expédition contre le port de Portsmouth au New Hampshire. Le corps expéditionnaire doit comprendre des centaines d'Amérindiens iroquois, abénaquis, hurons et algonquins. Divers groupes devront remonter la rivière Chaudière, la Saint-François et le Richelieu pour se réunir à un point précis avant d'attaquer le port de mer. La maladie est le premier ennemi des troupes. Dès son apparition, la plupart des Amérindiens se retirent. Ne disposant plus que de 200 hommes, dont une centaine de Français ou de Canadiens, Jean-Baptiste Hertel de Rouville et Jean-Baptiste de Saint-Ours Deschaillons, les deux commandants, choisissent d'attaquer un petit village, Haverhill, sur la rivière Merrimack. L'endroit comprend une trentaine de maisons protégées par un fort en pièce sur pièce. Comme les habitants savent ce qui les attend, 30 soldats sont installés dans le fort et on en dénombre de dix à douze par maison. Une demi-heure avant le lever du jour, les assaillants déclenchent l'attaque. La résistance est vive. Il faut mettre le feu tant au fort qu'aux maisons pour faire périr les ennemis et réduire leur nombre. Une centaine d'Anglais trouvent la mort. Au cours de leur retraite précipitée, Français, Canadiens et Amérindiens tombent dans une embuscade dressée par le capitaine Ayer. Jetant aussitôt les vivres qu'ils portaient, « ils allèrent droit dans l'embuscade et donnèrent si peu de temps à leurs ennemis de se reconnaître, écrivent Vaudreuil et Raudot, qu'ils les défirent tous, à l'exception de dix ou douze qui furent poursuivis jusqu'aux premières maisons ». Du côté français, l'expédition se solde par dix morts et dix-huit blessés.

En Europe, la guerre tourne au désavantage de la France. En Amérique, par contre, les habitants de la Nouvelle-Angleterre se sentent de plus en plus encerclés, de plus en plus menacés. Le colonel John Higginson écrit, le 30 juin 1709 : « Il sera très nécessaire de soumettre le Canada à la Couronne. »

La reine Anne d'Angleterre ordonne « de délivrer les colons anglais du voisinage des Français du Canada ». Toutes les colonies de la Nouvelle-Angleterre ne sont pas d'accord pour participer à l'offensive. « Nous avons des gens qui s'y opposent, écrit Thomas Cockerill le 2 juillet 1709, mais ils sont en minorité. Si l'intérêt mène le monde, il tyrannise le New York. À Albany, où il se fait du commerce avec les Français du Canada, les trafiquants s'opposent à la participation au conflit, tandis que les ruraux la favorisent. »

Des aveux arrachés à des prisonniers anglais révèlent aux autorités de la Nouvelle-France l'imminence d'une attaque. Une flotte considérable doit quitter l'Angleterre avec de l'argent, des munitions et des hommes. « Quatre mille hommes doivent venir par terre, tant Anglais que Sauvages. » Selon les prisonniers, les autorités de la Nouvelle-Angleterre savent que la France n'est pas en état de secourir sa colonie et que « le Roi demande la paix avec grande instance, mais que la Reine d'Angleterre ne veut pas y consentir ».

Dans sa lettre à Vaudreuil du 23 juillet 1709, le gouverneur de Plaisance confirme la rumeur d'une attaque. Le gouverneur Vaudreuil se rend à Montréal et réunit un conseil formé de Claude de Ramezay, gouverneur de Montréal, de François Vachon de Belmont, supérieur du séminaire et seigneur de l'île de Montréal, de Le Moyne de Longueuil, du supérieur des jésuites et des missionnaires des Sauvages. « Il fut résolu, écrit Vaudreuil au ministre Pontchartrain le 15 septembre 1709, qu'il fallait obliger les habitants de ce gouvernement à retirer dans la ville leurs familles, leurs effets, leurs grains et leurs bestiaux, afin que, si les ennemis venaient un corps assez considérable pour tenir la campagne, ils ne pussent pas du moins trouver aucuns rafraîchissements dans les côtes, principalement celles du sud qui, selon les apparences devaient être les plus exposées à leurs courses. »

Claude de Ramezay, à la tête de 1500 hommes, tant Français, Canadiens qu'Amérindiens, se rend à la Pointe-à-la-Chevelure (Crown Point), près du lac Champlain, où les Anglais travaillent à construire des bateaux et à charrier des vivres. Par suite de la maladresse du neveu de Ramezay, les Canadiens sont découverts et ne peuvent plus compter sur l'effet de surprise pour remporter la victoire.

Le gouverneur Vaudreuil, appréhendant l'imminence d'une attaque, visite les établissements, fait la revue des habitants, inspecte les armes et fait dresser la liste de ceux qui n'en ont pas. Dans la nuit du 16 au 17 août, on apprend, à Québec, qu'une flotte de huit navires se trouve à 45 lieues de la capitale. Immédiatement, l'ordre est donné de disperser les bestiaux dans les bois. Les femmes et les enfants se retirent à la campagne, pendant que les hommes se rendent dans la ville. Les habitants des campagnes et les matelots des navires ancrés à Québec travaillent aux fortifications de la ville. Heureusement, on apprend quelques jours plus tard qu'aucune flotte ennemie ne remonte le fleuve Saint-Laurent. On ignore que le 8 août précédent, les autorités de Londres ont décidé de n'envoyer en Amérique ni flotte ni renfort. La nouvelle n'atteindra Boston que le 22 octobre suivant.

L'alerte a été chaude, mais ce n'est que partie remise, car les dirigeants de la Nouvelle-Angleterre imaginent déjà le partage du territoire à conquérir.

La chute de Port-Royal

À la fin du mois de mars 1710, Francis Nicholson est nommé « commandant en chef d'une expédition qui avait pour mission de recouvrer la Nouvelle-Écosse pour la reine ». Il avait d'abord songé à attaquer Québec, mais comme il ne peut compter sur tous les navires promis, il décide de se rabattre sur l'Acadie. Le 6 octobre, 3400 hommes amorcent l'attaque des 300 hommes qui constituent la garnison de Port-Royal. Jugeant toute défense inutile, le gouverneur Auger de Subercase cherche à obtenir les meilleurs termes de capitulation possibles.

Le 12 octobre, il écrit à Nicholson : « Je viens de recevoir par un de vos colonels et un autre officier de votre armée une sommation de vous remettre le fort que mon roi m'a confié, sur une prétention que je crois mal fondée. Cependant, pour éviter une effusion de sang et en attendant la décision de votre prétendu droit qui sans doute un jour aura lieu, je veux bien écouter des propositions pour une capitulation honorable et avantageuse que je saurais faire valoir par une vigoureuse défense que mes officiers demandent. »

Le lendemain, Nicholson fait parvenir à son adversaire une sommation formelle : « Vous êtes par ceci requis et commandé de me délivrer pour la reine de la Grande-Bretagne, le fort à présent en votre possession, lequel de droit dépend de sadite Majesté, ensemble tous les territoires qui sont sous votre commandement, en vertu d'un droit sans doute de ses royaux prédécesseurs, et aussi avec tous les canons, mortiers, magasins de guerre et troupes aussi sous votre commandement, autrement je m'efforcerai avec diligence de le réduire par la force des armes de Sa Majesté. »

Le 13 octobre, Port-Royal capitule aux conditions suivantes :

> Que la garnison française sortirait avec armes et bagages, tambour battant, mèche allumée et drapeaux déployés. Que les Anglais donneraient de bons bâtiments avec des vivres pour conduire les troupes à La Rochelle où on fournira des passeports à ces navires pour leur retour. Qu'il serait accordé six pièces de canon et deux mortiers. Que les habitants du fort et de la province resteraient dans leurs biens avec leurs grains, bestiaux et meubles pendant deux ans, s'ils n'aimaient mieux en sortir avant ce temps ; et que ceux qui voudront y rester le pourront, en prêtant serment de fidélité à la princesse de Danemark. Qu'on donnera un bâtiment aux flibustiers des îles pour s'en retourner. Que ceux qui voudront se retirer à Plaisance et en Terre-Neuve le pourront par le plus court chemin. Que les Canadiens qui voudront retourner en Canada le pourront pendant un an.

Dès le lendemain de la capitulation, les Anglais doivent fournir des vivres aux Français qui n'en possèdent plus. Comme Subercase avait signé des billets aux Acadiens pour des marchandises qu'il avait achetées au nom du roi, les habitants exigent d'être payés avant le départ des troupes. Pour acquitter les sommes dues, le gouverneur doit « vendre aux Anglais le mortier et les six canons accordés par la capitulation, ce qui, joint avec son argenterie, ses meubles et ses effets, a servi à payer les dettes de Sa Majesté ». À son retour en France, Subercase comparaît devant un conseil de guerre. Il est accusé de négligence criminelle, puis il est acquitté.

La population acadienne est maintenant l'otage des Anglais. Ces derniers le font savoir à Vaudreuil dans une lettre datée d'Annapolis Royal (le nouveau nom de l'endroit), le 21 octobre 1710, et signée, entre autres, par Nicholson et Vetch.

> Par [...] la capitulation, vous verrez que tout le pays, excepté celui qui est à la portée du canon, demeure absolument prisonnier à discrétion. C'est pourquoi nous avons jugé à propos de vous informer que, comme vous aviez fait plusieurs courses sur quelques-unes des frontières de Sa Majesté, par vos cruels et barbares Sauvages et Français ayant inhumainement tué plusieurs pauvres gens et enfants, c'est pourquoi nous vous faisons savoir qu'en cas que les Français, après que celle-ci vous sera parvenue, commettent quelques hostilités ou mauvais traitements, que sur les premiers avis que nous en aurons, nous exerceront sur-le-champ la même exécution sur les principaux de votre peuple de l'Acadie présentement à notre discrétion. Mais comme nous abhorrons la cruauté de vos Sauvages en guerre, nous espérons que vous ne nous donnerez pas occasion de les imiter à cet égard, et comme nous sommes sûrement informés que vous avez sous votre commandement grande quantité de prisonniers, particulièrement une jeune demoiselle, fille du révérend monsieur Williams, ministre à Dearfield, nous espérons que vous aurez tous lesdits prisonniers prêts à être délivrés au premier pavillon de trêve qui sera envoyé à cet effet, et cela au mois de mai prochain ; autrement vous devez vous attendre que le même nombre des habitants de ce pays seront mis esclaves parmi nos Sauvages jusqu'à une entière restitution des sujets de Sa

> Majesté qui sont sous notre domination, soit dans la possession des Français ou Sauvages. Mais si vous voulez acquiescer à notre juste et raisonnable demande, nous vous assurons que votre peuple sera traité avec toute la civilité et bonne manière que la loi de guerre peut permettre.

Après le départ des troupes, Samuel Vetch agit comme commandant d'Annapolis Royal. Selon lui, l'Angleterre devrait envoyer des navires pour déporter la population acadienne, car autrement, écrit-il, « nous ne pouvons jamais compter sur la paisible possession des lieux ».

La grande offensive

À Londres, le matin du 16 avril 1711, un messager se présente chez sir Hovenden Walker et lui remet un paquet de la part du secrétaire de l'Amirauté, Josiah Burchett. Walker apprend qu'il est nommé commandant en chef d'une escadre de Sa Majesté avec mission de s'emparer du Canada. Il se prépare sur-le-champ à se rendre à Portsmouth « où les navires et les forces sont au rendez-vous, les navires étant déjà prêts pour le départ et les soldats embarqués ». La grande offensive devient réalité : elle emprunte la forme d'une véritable armada. « L'expédition du Canada, écrit Walker, a fait autant de bruit à Londres que si le sort de toute la Grande-Bretagne y avait été suspendu. »

Le 5 juillet, une partie de la flotte arrive à Boston. Une des premières tâches consiste à préparer le ravitaillement des marins et des soldats. On prévoit des provisions pour quatre mois : 1 051 120 livres de pain, 150 160 pièces de quatre livres de bœuf, 150 160 pièces de deux livres de porc, 4692 boisseaux de quatre gallons de pois, 7044 boisseaux de deux gallons d'avoine (ou la moitié de cette quantité de riz), 56 310 livres de beurre ou une quantité équivalente de pintes d'huile, 112 620 livres de fromage ou l'équivalent en demi-pinte d'huile. Ces provisions doivent suffire à l'alimentation de 9385 soldats et marins.

Avant le départ, John Hill, général et commandant en chef des troupes de Sa Majesté en Amérique, fait imprimer une lettre qu'il fera distribuer aux Canadiens après la victoire. On y lit que ceux qui n'offriront pas de résistance « seront favorablement reçus et traités et continués, eux et leurs héritiers, en une douce et paisible possession de leurs terres, maisons et autres biens [...] et jouiront de la liberté, des privilèges et exemptions en commun avec le reste des sujets naturels de Sa Majesté, avec le libre exercice de leur religion ». Si quelques Canadiens choisissent la résistance, ils seront traités comme des ennemis, leurs biens saisis et « distribués à ceux qui donneront quelque assistance afin que ces pays soient sous la domination de Sa Majesté de la Grande-Bretagne ».

« Au début de la matinée du 30 juillet 1711 [le 9 août, selon le calendrier français], écrit l'historien Gerald S. Graham, l'expédition quitta Boston. Elle comprenait neuf bâtiments de guerre, deux galiotes à bombe et 60 transports de troupes et de ravitaillement, britanniques et de la colonie, ayant à bord quelque 7500 hommes de troupe et fusiliers marins. Le total des effectifs, y compris ceux de la marine, devait s'élever à environ 12 000 hommes. »

À l'entrée du fleuve, le navire français *Neptune*, commandé par le capitaine Jean Paradis, tombe aux mains des Anglais. Paradis est amené à bord de l'*Edgar*, le vaisseau de Walker.

Les derniers jours du mois d'août sont marqués par le mauvais temps et le brouillard. Le 2 septembre, alors qu'il est convaincu que la flotte s'avance au milieu du chenal, à la hauteur de l'île d'Anticosti, Walker est tiré de son lit par le capitaine de son navire qui vient l'avertir que des hommes ont vu la terre, probablement la rive sud du Saint-Laurent. Le commandant des forces navales donne alors ordre « de virer de bord et de changer les armures ». Quelques minutes plus tard, alors que Walker est retourné se coucher, le capitaine Coddard court le lever à nouveau lui affirmant que des rochers menaçants sont là, tout près. On cherche le capitaine Paradis qui n'est pas sur le pont. Vraisemblablement, il dort, lui aussi ! Après quelques instants, il arrive et commande « de hisser toutes les voiles ». Le vent qui soufflait vers la côte nord perd de son intensité et le 3, vers les deux heures du matin, le calme revient. Mais plusieurs navires, sept transports de troupe et un navire de ravitaillement ont heurté les récifs.

« Sur un total de 1290 naufragés, écrit Graham, 740 soldats (y compris 35 femmes attachées aux régiments) et probablement 150 marins se noyèrent ou moururent de froid sur le rivage. » Les survivants occupent les deux jours suivants à tenter de sauver hommes et bagages. Lors d'un conseil de guerre tenu le 4 septembre, décision est prise d'abandonner le projet d'attaque contre Québec et de mettre le cap sur Boston.

« En raison de l'ignorance des pilotes, il est complètement impossible de remonter le fleuve Saint-Laurent avec des hommes de guerre et des transports, aussi haut que Québec, compte tenu de l'incertitude et de la rapidité des courants, comme cela vient d'être prouvé par une expérience fatale. » Telle est la raison officielle de la décision. On songe, au retour, à attaquer Plaisance, sur l'île de Terre-Neuve. Walker est plus pressé de rentrer en Angleterre que de se lancer dans une nouvelle aventure, d'autant plus que ces hommes n'ont des vivres que pour dix semaines. Il arrive à Portsmouth le 20 octobre.

Le 1er octobre, François Margane de Lavaltrie, accompagné de deux Français et d'un Amérindien, arrive sur les lieux du naufrage. Dans une déclaration assermentée le 17 du même mois, il raconte ce qu'il a vu :

> Il aperçut apparence de naufrage, ce qui l'obligea à débarquer à terre où il trouva sur le sable quatre hommes morts qu'il reconnut être des Anglais, qu'il découvrit en même temps quantité de pistes d'hommes qu'il suivit avec ses gens pendant l'espace de deux lieues, dans lequel chemin ils en trouvèrent que deux bonnes chaloupes échouées avec sept ou huit autres que l'on pourrait raccommoder. S'en retournant à leur canot, ils aperçurent deux hommes qui marchaient sur le sable qui leur firent connaître par leur appel qu'ils étaient Français. Les ayant approchés, ils les reconnurent pour être de l'équipage du nommé Vital Caron, maître de barque, lesquels gardaient du butin et en ramassaient d'autre, qui consistait en habit, couvertures, bas, chemises et autres dépouilles qu'ils leur firent voir. [...] Qu'ils ont vu en outre sur le bord de l'eau environ quinze à seize cents corps morts desquels il y avait environ une vingtaine de femmes, partie desquelles avaient des enfants à la mamelle ; qu'ils ont vu sur la grève des chevaux, des

> moutons, des chiens et des volailles, quantité de bats pour les chevaux de charge, trois ou quatre cents grosses futailles cerclées de fer dont il ne sait si elles sont pleines, beaucoup de brouettes, même une barrique de vin et une barrique et demie d'eau-de-vie de laquelle lui déclarant a bu plusieurs fois avec les deux dits hommes dudit Caron.

Sur les bords du lac Champlain, Nicholson, à la tête d'une armée de 2000 soldats et miliciens accompagnés de quelques centaines d'Iroquois, attend que la flotte attaque Québec pour faire la jonction avec elle. Un petit détachement, sous le commandement du baron de Longueuil, se rend à Chambly, espérant pouvoir retarder la marche de l'ennemi. Dès qu'il apprend le désastre de la flotte de Walker, Nicholson ordonne la retraite de son armée, non sans avoir « piqué une juste colère », arraché et piétiné sa perruque ! Pour la deuxième fois, sa tentative de conquête par voie de terre échoue, sans qu'il en soit responsable !

À cette heureuse nouvelle, les miliciens de Chambly se replient sur Québec, ainsi que les troupes et les milices cantonnées à Montréal.

> Tout ce monde là arriva gaiement, écrit l'annaliste de l'Hôtel-Dieu de Québec, montrant même de l'impatience pour aller au combat [car on ignore toujours que Walker a rebroussé chemin] ; le jour, ils étaient occupés à fortifier la ville et, la nuit, ils la passaient à se divertir, à danser et à rire, jusqu'à empêcher de dormir les citoyens de Québec, de sorte qu'un homme Anglais, fort honnête homme, nommé Pigeon, qui avait été fait prisonnier par un petit parti sauvage vers l'Acadie, étant témoin de cette joie, en paraissait tout surpris et ne pouvait cacher son étonnement : il disait aux officiers de ce pays qu'il admirait l'inclination guerrière des Canadiens, qu'il les voyait danser et sauter en attendant l'ennemi ; et qu'en Angleterre, il fallait battre les habitants pour leur faire prendre les armes ; qu'encore ils les portaient et s'en servaient fort mal, mais qu'ici les femmes mêmes montraient du courage et qu'elles étaient des amazones.

Enfin, le 17 octobre, Québec apprend avec soulagement ce qui était arrivé aux navires anglais. Voyant là une marque de la protection divine, les habitants de Québec multiplient les actions de grâces.

Une paix douloureuse

La guerre de Succession d'Espagne tire à sa fin. Les négociations de paix débutent à Utrecht, dans les Pays-Bas, le 12 janvier 1712. L'Angleterre revendique la possession de Terre-Neuve, de la baie d'Hudson et de l'Acadie. Lors d'un discours devant les Chambres des lords et des communes, la reine Anne déclare au mois de juin : « Nous avons un intérêt si profond au commerce de l'Amérique du Nord que j'ai fait les plus vifs efforts pour tourner cet article à notre plus grand avantage. La France consent à nous rendre toute la baie et le détroit d'Hudson, à nous remettre l'île de Terre-Neuve avec Plaisance et à effectuer la cession absolue d'Annapolis avec le reste de la Nouvelle-Écosse ou Acadie. »

Le 12 août, la France et l'Angleterre décident, d'un commun accord, de mettre un terme aux hostilités. Puis, le 11 avril 1713, la France, l'Angleterre, la Hollande, la Prusse, le Portugal et la Savoie signent un traité de paix. La nouvelle est connue à Québec à la fin de juin. Cette paix, affirme mère Juchereau, « quoiqu'elle ne fût pas à des conditions bien avantageuses à la France, [...] ne laissa pas de nous faire espérer que tout irait mieux et que le calme allait rétablir toutes nos pertes passées ».

En Nouvelle-Angleterre, la joie est universelle. Cela se comprend facilement puisque, entre autres, l'article 10 du traité cède à l'Angleterre « la baie et le détroit d'Hudson, avec toutes les terres, mers, rivages, fleuves et lieux qui, en dépendent et qui y sont situés ». Le même article confirme la perte de l'Acadie qui tombent entre les mains anglaises en son entier « conformément à ses anciennes limites [...] avec la souveraineté, propriété, possession et tous droits acquis par traités ou autrement que le roi très chrétien, la Couronne de France ou ses sujets quelconques ont eus jusqu'à présent sur lesdites îles, terres, lieux et leurs habitants ». Terre-Neuve devient, elle aussi, une possession anglaise. « Mais l'île du Cap-Breton et toutes les autres quelconques situées dans l'embouchure et dans le golfe de Saint-Laurent demeureront à l'avenir à la France, avec l'entière faculté au roi très chrétien d'y fortifier une ou plusieurs places ».

Terre-Neuve et l'Acadie, qui viennent d'être rayées de la carte des possessions françaises en Amérique du Nord, étaient surtout peuplées de Français ou d'Acadiens. L'article 14 leur accorde « la liberté de se retirer ailleurs dans l'espace d'un an avec tous leurs effets mobiliers qu'ils pourront transporter où il leur plaira ; ceux néanmoins qui voudront y demeurer et rester sous la domination de la Grande-Bretagne doivent jouir de l'exercice de la religion catholique romaine, en tant que le permettent les lois de la Grande-Bretagne ».

En vertu de l'article 15, la France reconnaît que les Iroquois sont des sujets britanniques. « Les habitants du Canada et autres sujets de la France, y lit-on, ne molesteront point à l'avenir les Cinq-Nations ou Cantons des Indiens soumis à la Grande-Bretagne, ni les autres nations d'Amérique amies de cette couronne ; pareillement les sujets de la Grande-Bretagne se comporteront pacifiquement envers les Amérindiens sujets ou amis de la France. » Les Indiens pourront commercer avec qui ils veulent et des commissaires devront préciser « quels seront ceux qui seront ou devront être censés sujets et amis de la France ou de la Grande-Bretagne ». Cette situation est bien loin de plaire aux Indiens qui n'acceptent pas que des étrangers décident de leur allégeance.

La Nouvelle-France vient de s'engager sur le chemin de la défaite. Sa perte n'est plus qu'une question de temps.

UN PAYS À FORTIFIER

La signature du traité de Rastadt entre l'Autriche et la France, le 6 mars 1714, ramène la paix en Europe occidentale. Le navire porteur de cette nouvelle arrive à Québec au cours de l'été. À la demande du roi, le gouverneur Philippe de Rigaud de Vaudreuil organise une manifestation pour souligner l'événement. « J'ai assisté, écrit-il, avec Monsieur Bégon [l'intendant] et le Conseil supérieur au *Te Deum* qui a été chanté dans l'église cathédrale de Québec où monsieur l'évêque a officié. On a tiré tout le canon de la ville et des vaisseaux et les peuples, par des illuminations qui ont duré une partie de la nuit, ont donné en cette occasion toutes les marques possibles de leur véritable joie. »

Le bon peuple ne se rend visiblement pas compte des conséquences néfastes du traité de paix signé à Utrecht l'année précédente. Diverses commissions seront établies pour délimiter le territoire de la France et de l'Angleterre au Nouveau Monde. Les frontières de l'Acadie et celles de la baie d'Hudson sont floues. On ne sait trop, non plus, jusqu'où va le protectionnisme sur les diverses tribus amérindiennes.

Au mois de septembre 1713, Francis Nicholson, promu depuis peu gouverneur de la Nouvelle-Écosse, rencontre les Abénaquis de l'ancienne Acadie.

> Toi, déclare-t-il au chef Maransouanies, je suis bien aise de te voir. [...] Tu sais déjà que la terre qui est au-delà du grand lac est belle et n'est plus ensanglantée. Les rois sont en paix et ont aplani la terre et cela est conclu à la lune pendant laquelle tu fais la pêche, c'est la lune d'avril. Les Français nous donnent Plaisance, Port-Royal et la terre des environs, ne se réservant que la rivière où est située Québec. La terre d'ici est très belle, [montrant des papiers, dit :] voilà ceux qui sont cause qu'elle a été ensanglantée. Je mets ces papiers en terre, afin qu'ils ne paraissent plus. Je tourne maintenant la terre sens dessus dessous afin que le sang ne paraisse plus. Si tu veux, les Anglais qui semaient, par-ci par-là, des habitations qui ont été brûlées, les rétabliront et y demeureront. Je te prie de ne pas les empêcher de chasser aux gibiers, de prendre des bois selon qu'ils en auront besoin. [...] Je t'avertis aussi de ne pas passer tes endroits qu'il nomme parce qu'il y aura une

barre de fer toute rouge de colère par le coup que tu as fait sur eux l'automne dernier. Je tâcherai d'amortir le feu et, dès que la barre sera refroidie, je t'avertirai que tu pourras passer.

La réponse du chef abénaquis est nette : « Tu dis, mon frère, que le Français t'a donné Plaisance, Port-Royal et la terre des environs, ne se réservant que la rivière où est située Québec. Il te donnera ce qu'il voudra ; pour moi, j'ai ma terre que je n'ai donnée à personne et que je ne donnerai pas. J'en veux toujours être le maître. Je connais les limites et, quand quelqu'un voudra y habiter, il paiera. Que les Anglais prennent des bois, pêchent ou chassent au gibier, il y en a assez pour tous. Je ne les empêcherai pas et, si quelque méchante affaire arrivait, on ne fera rien de part et d'autre et on délibérera. »

À l'instar des Abénaquis, les Iroquois veulent, à leur tour, affirmer leur indépendance et conserver, autant que possible, une certaine neutralité. Vaudreuil écrit au ministre, le 16 septembre 1714 :

Les Iroquois n'ont fait aucun mouvement cette année, si ce n'est pour descendre ici-bas où ils sont venus en nombre pour renouveler avec nous l'ancienne alliance et me témoigner la joie qu'ils avaient de la paix faite entre nous et les Anglais, me prier de rendre cette paix ferme et durable pour toujours, afin que les enfants de leurs enfants puissent l'avoir encore avec plaisir, m'offrir leur médiation en cas de rupture entre l'Anglais et nous, et me prier en même temps de laisser un chemin libre à eux pour venir en ce pays toutes les fois qu'ils y auraient affaire, soit pour la traite, et pour me parler à moi-même et aux sieurs de Longueuil, Joncaire et La Chauvignerie, aussi une entière liberté d'aller chez eux toutes les fois qu'ils le jugeront à propos.

Comme les Anglais paient mieux pour les fourrures, les autorités de la Nouvelle-France craignent qu'à la longue tout le commerce ne passe entre les mains des représentants de la Nouvelle-Angleterre. « Si une fois, écrit Vaudreuil, les Anglais peuvent mettre les [Amérindiens] dans leurs intérêts, il n'y a point à douter qu'à la première guerre ils ne deviennent nos plus cruels ennemis. Je n'ai rien à me reprocher à ce sujet. » Et le gouverneur de conclure : « La guerre avec l'Angleterre nous était plus favorable que la paix. »

Pierre sur pierre

Pour se défendre contre une éventuelle attaque des Anglais, pour assurer une présence française sur l'immense territoire que constitue la Nouvelle-France et pour maintenir des liens commerciaux avec les Amérindiens, les autorités françaises décident de faire ériger une forteresse sur l'île du Cap-Breton. Les villes de Québec et de Montréal seront fortifiées et une chaîne de forts protégera la région du lac Champlain, des Grands Lacs et du Mississipi.

Sur la côte Atlantique, la France ne conserve après 1713, que les îles du Cap-Breton et Saint-Jean (Île-du-Prince-Édouard). À la suite de la perte de l'Acadie et de Terre-Neuve, on songe à réunir la population acadienne et terre-neuvienne sur les deux îles. Le ministre français de la Marine, le comte de Pontchartrain, écrit au gouverneur Vaudreuil, le 30 avril 1713 : « Comme je suis persuadé que les habitants de l'Acadie n'auront point prêté serment à la reine d'Angleterre, ils pourront se retirer dans le terme convenu sans que les Anglais puissent les en empêcher et je ne doute point qu'ils n'en profitent avec plaisir pour se rendre au Cap-Breton. Il est nécessaire que vous cherchiez les moyens de les y déterminer aussi bien que les Sauvages de l'Acadie. »

Le 2 septembre suivant, Joseph de Monbeton de Brouillan dit Saint-Ovide, lieutenant du roi à Plaisance, prend possession de l'île du Cap-Breton au nom du roi de France. La population de l'île se compose alors d'un seul habitant français et de 25 à 30 familles amérindiennes. Au mois de décembre, 155 habitants de Plaisance viennent s'établir sur l'île. On compte beaucoup sur une immigration massive des Acadiens, « ce qui rendrait cette nouvelle colonie florissante dès son commencement et la mettrait en état de se soutenir si nous venions à avoir la guerre avec les Anglais ». Au cours de l'année suivante, la majeure partie des autres habitants de Plaisance, à cause de la proximité des lieux de pêche, émigrent eux aussi au Cap-Breton.

Les Acadiens ne semblent pas enthousiastes à l'idée de délaisser les terres ancestrales. Au cours de l'été 1713, une délégation composée de colons prudents quittait Plaisance pour aller voir l'île où la France voulait les reloger. Le 23 septembre, des délégués de l'Acadie présentent un rapport peu encourageant : « Il n'y a pas dans toute l'île de terres propres à l'entretien de nos familles, puisqu'il n'y a pas de prairies suffisantes pour la nourriture de notre bétail, d'où nous tirons notre principale subsistance. [...] Ce serait nous exposer à mourir de faim, chargés de famille comme nous le sommes, que de quitter nos demeures et nos défrichements, sans autres ressources que de prendre de nouvelles terres incultes, dont le bois sur pied doit être enlevé sans aide ni avance. »

Il n'en faut pas davantage pour que la majorité des Acadiens décident de demeurer sous tutelle anglaise, à la condition de conserver leurs propriétés et le droit de pratiquer la religion catholique. Les autorités françaises sont déçues par l'attitude des Acadiens. Elles décident d'utiliser les missionnaires pour exercer des pressions. Jésuites et récollets deviennent volontiers des agitateurs politiques, se servant parfois de la religion pour influencer les Acadiens, mais sans trop de succès.

En 1717, la population de l'île est de 568 habitants : 58 hommes, 37 femmes, 115 enfants et 358 pêcheurs. L'année précédente, l'ingénieur Jean-François de Verville avait proposé « de faire de Louisbourg la capitale et la principale place forte de la colonie ». La main-d'œuvre sera puisée à même les soldats de la garnison. Les travaux, qui débutent le 3 juillet 1717, progressent très lentement. Verville en connaît la cause, car après quelques mois de travail, il écrit aux autorités de la métropole : « le commandant des troupes de l'île ne permet pas de compter sur un travail permanent. J'ai vu battre la générale pour assembler les troupes au travail avec le commandant en tête, mais tout s'est réduit dans les jours suivants à sept hommes sur 162 hommes et les jours que les soldats s'y trouvaient presque tous, deux heures après, il ne s'en trouvait presque plus. »

Devant les protestations de l'ingénieur et les lents progrès des travaux, le Conseil supérieur fait appel à l'entreprise privée. Le 7 mars 1719, l'entrepreneur parisien Michel-Philippe Isabeau s'engage par contrat à construire le bastion du roi et le château Saint-Louis. Le 29 mai 1720, on pose la première pierre de ce dernier édifice. Isabeau meurt en 1724 et François Ganet obtient, par voie de soumission, le contrat. D'après l'historien Frederick J. Thorpe, « Ganet construisit (de 1725 à 1737), en plus des deux batteries, le demi-bastion Dauphin, le principal entrepôt, le quai de carénage, l'hôpital et le phare. »

Vers 1740, l'île Royale compte plus de 4000 habitants. Son commerce « égale les deux tiers de celui du Canada, qui a une population dix fois plus forte ». La vie sur l'île, surtout à la forteresse de Louisbourg, n'est pas... monotone. L'ivrognerie et le jeu causent d'importants ravages. Les soldats et leurs officiers ne se cachent pas pour faire du commerce de contrebande afin d'arrondir leurs revenus. Quant aux travaux, ils vont comme ils allaient : la construction de la forteresse n'est pas achevée et le mortier qui lie les pierres commence déjà à se désagréger.

Ce que l'on appelle pompeusement « le Gibraltar d'Amérique » ne protège pas l'ensemble des possessions françaises. Le Canada doit voir à sa propre défense. Le gouverneur de la Nouvelle-France, Charles de Beauharnois de La Boische, écrit en 1727 : « Toute l'armée d'Angleterre pourrait venir à Québec qu'on n'en saurait rien à l'Île-Royale et quand même on le saurait en ce pays-là, que pourraient-ils faire ? »

Montréal, ville fortifiée

Les récentes menaces d'invasions anglaises par le Richelieu ont prouvé que Montréal n'est pas en état de subir un siège. La palissade de pieux qui l'entoure est dans un état de délabrement avancé. En 1707, l'ingénieur Josué Dubois Berthelot de Beaucours travaille à la consolidation des remparts, mais l'ouvrage est toujours de peu d'utilité. Sept ans plus tard, le roi continue de demander la fortification de Montréal, mais il se refuse toujours à puiser dans ses coffres l'argent nécessaire.

Le 20 septembre 1714, le gouverneur de Vaudreuil et l'intendant Bégon écrivent au ministre :

> Comme sa Majesté ne veut pas faire de fonds pour ces fortifications et qu'il ne serait pas convenable de proposer une imposition, nous avons jugé que le seul moyen qu'on peut mettre présentement en usage est d'y faire travailler par corvées en y obligeant tous les habitants du gouvernement de Montréal. La partie de l'enceinte du côté du fleuve se pourra faire aux dépens des particuliers en leur permettant d'y bâtir des maisons, lesquelles ne pourront avoir de vue sur ce fleuve qu'à quatorze pieds au-dessus du rez-de-chaussée. Plusieurs y sont déjà bâtis et chacun s'empresse de demander ces emplacements, ainsi on ne sera obligé de se servir des corvées que pour le côté de la campagne. Ceux qui feront leur corvées par eux-mêmes seront employés à tirer la pierre, à faire les fouilles et à transporter sur le lieu tous les matériaux. Ceux qui par leur état ou par leur éloignement ne pourront pas eux-mêmes faire ces corvées pourront s'en dispenser en payant en argent le nombre de journées auxquelles ils seront taxés.

Le début des travaux est prévu pour le mois de novembre où l'on commencera « à tirer de la pierre et à la charroyer sur le lieu ». L'année suivante, la ville possède toujours sa palissade de pieux de cèdre, les travaux n'ayant pas beaucoup progressé. En 1716, le Conseil de la marine décide de procéder par imposition pour financer la construction de la muraille. Le Séminaire de Saint-Sulpice devra verser 2000 livres par année et les habitants de Montréal, 4000, jusqu'à ce que la ville soit complètement entourée d'un mur de pierre de quatorze pieds de hauteur.

Le principe de la corvée ne plaît généralement pas. Vers le mois d'août 1717, le village de Longueuil refuse de fournir la main-d'œuvre nécessaire. Le gouverneur Vaudreuil se rend sur les lieux et ses gardes rudoient quelques habitants. Il n'en faut pas plus pour faire monter la pression. Dix des principaux chefs du mouvement sont emprisonnés dans la prison de Montréal ; ils y séjourneront pendant plus de deux mois. L'hiver venant, les autorités jugent bon de les libérer, « car les cachots de Montréal sont si affreux qu'ils courraient risque de périr s'ils y restaient ».

Au mois de mars 1721, les murailles de Montréal ne sont encore qu'un projet. Le père Charlevoix, qui visite alors la ville, note dans son journal de voyage que « la ville [...] n'est point fortifiée ; une simple palissade bastionnée et assez mal entretenue fait toute sa défense, avec une assez méchante redoute sur un petit tertre, qui sert de boulevard et va se terminer en douce pente à une petite place carrée. [...] On projette depuis quelques années de l'environner de murailles, mais il ne sera pas aisé d'engager les habitants à y contribuer. »

En 1727, selon l'intendant Claude-Thomas Dupuy, « cette ville est ouverte de toutes parts ; tout ce qu'il y avait de pieux qui faisaient son enceinte sont absolument pourris et à demi-renversés ; elle est ouverte à la fraude et à la contrebande et, tant qu'elle ne sera pas fermée, on n'arrêtera pas le progrès du commerce étranger ». Il faut attendre la fin des années 1730 pour que Montréal soit ceinturée d'un authentique mur de pierre ! Il ceinture la majeure partie de la ville et ils est percé de huit portes. Un fossé profond de sept pieds complète l'ouvrage de fortification.

Québec se défend bien

Si la haute-ville de Québec peut compter sur son site élevé pour repousser ou retarder une attaque éventuelle, la basse-ville est plus vulnérable. En 1691, on avait construit la batterie Royale, réparée deux fois, en 1702 et en 1728. Sous Frontenac, la haute-ville développe son système défensif autour du fort Saint-Louis. On construit, en 1693, la redoute du Cap-aux-Diamants. En 1711, on commence à jeter les fondements de deux nouvelles redoutes. Gédéon de Catalogne écrit en 1712 : « L'une des redoutes fut achevée à la maçonnerie près, et la maçonnerie de l'autre montée au carré, et, en outre, on fit un mur le long de la côte du Palais jusque vis-à-vis-l'Hôtel-Dieu, et on commença deux bastions et la courtine entre la redoute du Cap-aux-Diamants et le cavalier de monsieur Dupont. Ces ouvrages en sont demeurés là, monsieur de Beaucours ayant été envoyé à l'Île Royale, je fus chargé de la conduite des ouvrages. »

Les redoutes Royale et Dauphine serviront surtout de casernes militaires. Le gouverneur Vaudreuil et l'intendant Bégon écrivent, en 1714, qu'ils « estiment qu'on ne peut faire un meilleur usage d'une des tours bastionnées que de la faire servir de caserne pour loger les officiers et soldats, lesquels étant rassemblés sont à portée d'être disciplinés et de rendre sur-le-champ tous les services dont on pourrait avoir besoin ». « C'est aussi, ajoutent-ils, le seul moyen d'empêcher le libertinage des soldats parce qu'il y aura toujours dans ces casernes des officiers qui les tiendront dans une exacte discipline. »

Les travaux évoluent lentement. Ils s'arrêtent presque après 1720. Il faudra attendre la reprise des hostilités en 1745 pour que les autorités métropolitaines fournissent de nouveaux fonds destinés à compléter le système défensif.

Lors de son séjour à Québec, au mois d'octobre 1720, le père Charlevoix décrit les fortifications de la ville en ces termes :

> Québec n'est pas fortifiée régulièrement, mais on travaille depuis longtemps à en faire un bonne place. Cette ville n'est pas même facile à prendre dans l'état où elle est. Le port est flanqué de deux bastions qui, dans les grandes marées, sont presque à fleur d'eau, c'est-à-dire qu'ils sont élevés de vingt-cinq pieds de terre, car la marée, dans les équinoxes, monte à cette hauteur. Un peu au-dessus du bastion de la droite, on en a fait un demi, lequel est pris dans le rocher, et plus haut, à côté de la galerie du fort, il y a vingt-cinq pièces de canon en batterie. Un petit fort carré, qu'on nomme la Citadelle, est encore au-dessus et les chemins pour aller d'une fortification à l'autre sont extrêmement raides. À la gauche du port, tout le long de la rade, jusqu'à la rivière Saint-Charles, il y a de bonnes batteries de canon et quelques mortiers. De l'angle de la Citadelle, qui regarde la ville, on a fait une oreille de bastion d'où l'on a tiré un rideau en équerre, qui va rejoindre un cavalier fort exhaussé, sur lequel il y a un moulin fortifié. En descendant de ce cavalier, on rencontre, à une portée de fusil, une première tour bastionnée et, à la même distance de celle-ci, une seconde. Le dessein était de revêtir tout cela d'une chemise qui aurait eu les mêmes angles que les bastions et qui serait venue se terminer à l'extrémité du roc, vis-à-vis le palais, où il y a déjà une petite redoute, aussi bien que sur le Cap-aux-Diamants.

Alors que les habitants du gouvernement de Montréal doivent défrayer eux-mêmes la majeure partie du coût des fortifications de leur ville, le roi paie lui-même tous les frais encourus pour protéger la capitale de la Nouvelle-France.

Une rivière à surveiller

La rivière Richelieu constitue, avec le fleuve Saint-Laurent, la principale voie d'invasion du pays. L'incendie du fort Chambly par les Iroquois, en 1702, a affaibli le système défensif de cette région.

> Les sieurs de Vaudreuil et Raudot, écrivent ces derniers au ministre Pontchartrain le 14 novembre 1709, ne peuvent s'empêcher de vous marquer la conséquence dont est le poste de Chambly. Ils en sont plus persuadés qu'ils ne l'ont jamais été : c'est le seul endroit par où les Anglais peuvent venir en grosse partie en cette colonie et y amener du canon et de petits mortiers. Il leur paraissait absolument nécessaire d'y faire un fort de pierre qui serait, par ce moyen, hors de l'insulte du canon, parce que celui qu'ils [les Anglais] peuvent amener ne peut être que de quatre livres de balles au plus ; et ce ne serait point tous les jours à raccommoder, ce qui cause toujours de nouvelles dépenses, outre qu'un fort de pieux est sujet à brûler tous les jours. Ce poste bien fortifié et en état de défense mettrait à couvert la ville de Montréal, parce qu'ils ne peuvent passer leurs voitures que par cet endroit. Tout le monde, monseigneur, est convaincu de l'utilité de ce poste.

En conséquence, les dirigeants de la colonie demandent un fonds de 20 000 livres « pour en faire bâtir un de pierre ». La reconstruction du fort Chambly s'échelonne de 1709 à 1711. Le 12 novembre 1712, le gouverneur et l'intendant, dans une lettre au ministre, insistent encore une fois sur l'importance de l'endroit : « On peut placer dans ce fort 40 pièces de canons et 36 pierriers ; 500 hommes y peuvent faire le service et 1000 y peuvent être à couvert en cas de besoin. On peut y mettre des vivres pour la subsistance de ce nombre d'hommes pendant un an et des munitions de guerre autant qu'on y en peut avoir besoin et pour autant de temps qu'on voudra. Enfin, monseigneur, ce fort doit être regardé comme le rempart du Canada du côté d'en-haut. »

Charles de Beauharnois de La Boische, qui devient gouverneur de la Nouvelle-France en 1726, songe à construire un fort dans la région du lac Champlain, autant pour lutter contre la contrebande des fourrures qui se pratique par le Richelieu que pour fortifier cette portion de territoire contre une éventuelle attaque anglaise. Il soumet le projet au roi, qui lui répond le 8 mai 1731 : « Cet établissement peut être très avantageux, soit pour empêcher les Anglais de venir sur les habitations françaises, soit pour tomber sur eux, en cas de guerre. Ainsi, l'intention de Sa Majesté est qu'il soit fait dans cet endroit un fort de pieux, en attendant qu'on puisse le faire plus solide et que le sieur de Beauharnois y envoie telle garnison qu'il jugera convenable. »

Sitôt dit, sitôt fait et le gouverneur et l'intendant Gilles Hocquart peuvent répondre au ministre, dès le 16 octobre de la même année : « Les sieurs de Beauharnois et Hocquart n'ont pas plutôt reçu les ordres du roi pour l'établissement d'un fort de pieux à la Pointe-à-la-Chevelure qu'ils y ont envoyé sur le champ le sieur Tresmere, officier actif et vigilant et fort au fait, avec un détachement de soldats et d'officiers pour le faire construire. Il nous a informés qu'il devait être incessamment achevé. Le sieur de Beauharnois a destiné le sieur Hertel de Moncours avec le sieur de Rouville pour y commander 20 hommes qui composeront la garnison de ce fort pendant l'hiver. Il l'augmentera de 10 autres hommes au printemps. »

Le nouveau fort reçoit le nom de Saint-Frédéric, en l'honneur du comte Frédéric Phélypeaux de Maurepas, alors ministre de la Marine en France. En 1735, décision est prise de reconstruire le fort en pierre. Vers la même époque, la rumeur circule que les Anglais songent à se fortifier à cinq lieues de la Pointe-à-la-Chevelure (aujourd'hui Crown Point). Quelques Iroquois domiciliés au village du Sault-Saint-Louis, ayant à leur tête le chef Entasogo, décident de se rendre à Dierfield pour protester contre cette intention. Les Amérindiens déclarent aux habitants du village :

> Il court un bruit dans mon village que je n'entends pas avec plaisir et de la vérité duquel je viens ici exprès pour être informé. Peut-être est-ce le mauvais esprit ennemi de la tranquillité des hommes et du repos dont nous jouissons sur nos nattes qui sème ces mauvaises nouvelles et qui voudrait, par là, brouiller la terre. [...] J'ai donc appris dans mon village que toi, mon frère l'Anglais, te préparerais à faire un établissement et un fort dans la rivière à La Loutre sur mes terres, sur celle de mon père Onnontingo [le roi], à cinq lieues de la Pointe-à-la-Chevelure.

> Tu ne saurais faire cela sans te rendre coupable de ce que chacun de nous doit craindre, c'est-à-dire sans ébranler l'arbre de paix qui a été planté dans tout ce pays-ci. [...] Je n'attendrai pas que le Français, mon père, parte pour venir arrêter ta témérité, d'abord que j'aurai appris que tu travailles et que tu bâtis, je viendrai avec tous mes gens détruire tout ton ouvrage. Je t'en avertis sérieusement.

Les Anglais répondent par trois colliers et un calumet, affirmant que John Hendricks Lÿdius est seul responsable du projet et qu'il a déjà repassé la mer. « C'est un brouillon, disent-ils, et qui méritait d'être puni. »

Face à face

Malgré l'article 15 du traité d'Utrecht, les autorités françaises continuent à commercer et à s'installer dans la région des Grands Lacs. Comme les Anglais offrent de meilleurs prix pour les fourrures, les Français craignent que le commerce de cette région ne leur échappe. Vers 1718, ils construisent un fort en pieux sur la rive droite du Saint-Laurent et lui donnent le nom de la Présentation ou de La Galette. L'endroit sert surtout de poste de traite. Le gouverneur du New York, Robert Hunter, proteste. « Les Français, écrit-il, possèdent des postes et des établissements en plusieurs endroits du Mississipi et des Lacs. Ils soutiennent que ces pays et le commerce qui s'y pratique leur appartiennent. Si ces possessions s'étendent et se peuplent, elles arriveront à menacer l'existence même des habitations anglaises. Je ne sais pas sur quoi ils basent leur droit. »

Les Anglais exercent leur protectorat sur les territoires iroquois. L'embouchure de la rivière Niagara se trouve en pays tsonnontouan. « D'une très grande importance stratégique, écrit l'historien Yves F. Zoltvany, l'endroit commandait le portage, contournant les chutes, que les Indiens de l'Ouest empruntaient pour venir trafiquer dans les colonies anglaises et la colonie française. »

Anglais et Français convoitent cette région stratégique sur le plan commercial. Voulant devancer ses opposants, le gouverneur Vaudreuil charge, en 1720, Louis-Thomas Chabert de Joncaire d'aller négocier avec les Tsonnontouans la permission d'établir un fort sur leurs terres. Joncaire avait été adopté par cette nation amérindienne en 1709. Il demande donc à ses frères de se construire une habitation près des leurs. Comme il est fils de la tribu, la permission lui est immédiatement accordée. Avec l'aide de soldats qu'il va quérir au fort Frontenac, Joncaire construit un fort en pieux où flotte le drapeau français.

Les dirigeants d'Albany tentent de faire démolir la maison et rappellent aux Tsonnontouans qu'ils sont sous leur protection. Joncaire réussit à convaincre les Amérindiens des avantages de la présence française. Les Anglais ripostent en établissant un poste de traite à l'embouchure de la rivière Oswego. En septembre 1722, des représentants des Cinq-Nations se réunissent à Albany où ils rencontrent des dirigeants des colonies de New York, de la Virginie et de la Pennsylvanie. Ce rapprochement incite le gouverneur Vaudreuil à fortifier la région du Niagara. En 1725, il demande aux autorités de la métropole la permission de construire un fort de pierre pour remplacer le fortin de pieux de Niagara. L'autorisation lui est donnée presque au même moment où on aménage un fort de pierre à Oswego. Le gouverneur Beauharnois, en 1727, menace d'attaquer le poste anglais, mais ne le fait pas.

La région des Grands Lacs est devenue une zone chaude où Français et Anglais se fortifient et s'affrontent. Les imprécisions du traité d'Utrecht font que les deux parties croient avoir raison. La vallée de l'Ohio est elle aussi un objet de contestation. Pour protéger la voie allant de Québec à la Louisiane, les autorités françaises construisent une chaîne de forts également utilisés comme postes de traite.

Vers l'Ouest

La perte de la baie d'Hudson et la rivalité commerciale qui s'accentue dans la région des Grands Lacs favorisent le développement d'une nouvelle route des fourrures vers l'Ouest. Et c'est ainsi que renaît l'idée de découvrir la mer de l'Ouest qui conduit à la Chine et au Japon. Pierre Gaultier de Varennes et de La Vérendrye illustrera cette double préoccupation. En 1728, le petit-fils de Pierre Boucher de Boucherville devient commandant en chef du poste de Kaministiquia (Thunder Bay, en Ontario). La Vérendrye profite de son séjour dans ce poste pour obtenir des Amérindiens les détails décrivant le chemin à suivre pour se rendre à la mer Vermeille.

De retour à Montréal à l'été de 1730, La Vérendrye parvient à convaincre le gouverneur Beauharnois et l'intendant Hocquart des avantages d'un voyage d'exploration vers l'Ouest. L'historien Antoine Champagne résume les principaux objectifs visés : « 1° la découverte de la mer de l'Ouest et de la route de l'Orient ; 2° la découverte de l'Ouest lui-même et l'agrandissement du territoire français ; 3° le développement du commerce de la colonie, avec la note spéciale de concurrence à l'Angleterre, cet antagoniste de toujours, même en temps de paix ; 4° l'établissement de forts réguliers, non pas seulement comme tremplins, mais comme instruments nécessaires à la fois à la découverte, à la conquête et au commerce ; 5° l'évangélisation des Sauvages, grâce à la présence d'un missionnaire. »

Le voyage de découverte ne coûtera au roi que la modeste somme de 2000 livres destinées à l'achat de cadeaux pour les Amérindiens. Pour financer l'entreprise, on crée une société de commerce qui se remboursera avec les profits de la traite des fourrures.

Le départ a lieu le 8 juin 1731. La Vérendrye amène avec lui ses fils Jean-Baptiste, Pierre et François. Une cinquantaine d'engagés complètent l'expédition. À Michillimakinac, le père jésuite Charles-Michel Mésaiger se joint au groupe. On marche jusqu'au Grand Portage pour se rendre ensuite du lac Supérieur au lac des Bois par voie de terre. Le trajet est de 10 milles environ. Les engagés refusent de transporter embarcations et bagages sur une aussi longue distance. La Vérendrye doit alors retourner à Kaministiquia avec la moitié des mutins. Les autres acceptent, après discussion, de se rendre au lac La Pluie sous la direction de Jean-Baptiste et de Christophe Dufrost de La Jemerais, neveu de l'explorateur. À l'extrémité ouest du lac, on construit le fort Saint-Pierre où le groupe passe l'hiver. Le fort a deux portes opposées. « Le côté intérieur a 50 pieds avec deux bastions, écrit Beauharnois. Il y a deux corps de bâtiments composés de deux chambres à doubles cheminées ; ces bâtiments sont entourés d'un chemin de ronde de sept pieds de large. L'on a pratiqué dans un des bastions un magasin et une poudrière. Et les pieux sont doublés et ont treize pieds hors de terre. »

Comme l'entreprise doit s'autofinancer, La Vérendrye s'impose un va-et-vient quasi annuel entre les points de plus en plus avancés dans l'Ouest et Montréal ou Michillimakinac pour y vendre ses fourrures et recueillir l'argent nécessaire à la poursuite de l'entreprise. Le 29 mai 1732, le fils aîné de La Vérendrye se rend à Michillimakinac conduire « le peu de pelleterie qui m'était venu et me rapporter les effets qui devaient me venir de Montréal », écrit l'explorateur. Ce dernier va rejoindre l'autre partie du groupe installée au fort Saint-Pierre. À l'automne, on construit au sud-ouest du lac des Bois le fort Saint-Charles. Il sera, pendant longtemps, le quartier général de La Vérendrye. La nouvelle construction est beaucoup plus imposante que la première. « Le côté intérieur de ce fort a 100 pieds avec quatre bastions. Il y a une maison pour le missionnaire, une église, une autre maison pour le commandant, quatre corps de bâtiments à cheminée, une poudrière et un magasin. Il y a aussi deux portes opposées et une guérite. Les pieux sont doublés et ont quinze pieds hors de terre. »

Un rappel salutaire

La Vérendrye ne s'occupe pas seulement de traite ou d'exploration. Il tente de maintenir la paix entre les diverses tribus amérindiennes. Les Cris et les Assiniboines réclament l'érection d'établissements français sur leurs terres et demandent l'appui des explorateurs pour aller en guerre contre les Sioux. Le 9 mai 1734, plus de 600 guerriers cris et monsonis s'assemblent dans la cour du fort Saint-Charles. La Vérendrye leur confie son fils aîné qui doit les accompagner comme observateur dans leur expédition de guerre. Les associés du découvreur insistent pour que ce dernier profite du grand rassemblement pour faire mousser les vertus et les bénéfices de la traite. La Vérendrye y va donc d'un grand discours.

> Mes enfants, déclare-t-il, faites attention et pensez sérieusement au bonheur que vous avez de posséder le Français chez vous, auprès duquel vous trouverez tous vos besoins pendant le cours de l'année. Il achète vos viandes, folles avoines, écorces, gommes, racines pour les canots et plusieurs autres choses pendant l'été, qui ne vous ont de rien servies jusqu'ici. Vous faites argent de tout. Que ne chassez-vous ? Vous avez l'automne, l'hiver et le printemps pour faire de la pelleterie, afin que les traiteurs ne s'en retournent pas honteux, c'est-à-dire à vide ; ils reçoivent vos robes après vous en être servis, qui ont été perdues jusqu'à présent. Quel avantage pouvez-vous désirer de plus ? Je vous avertis de ne point tuer le castor pendant l'été : il ne sera point reçu des traiteurs. Vous me demandâtes, il y a un an, d'avoir pitié de vos familles et de vous faire donner à crédit l'automne pour être en état de chasser l'hiver. J'obtins des traiteurs, quoiqu'avec peine, de vous faire donner votre plus nécessaire pour voir si vous aviez de l'esprit et si vous saviez payer. Encouragez les autres à payer le traiteur, afin que je ne passe pas pour menteur. La marchandise n'est pas à moi, comme vous le savez. Je suis cependant le maître de vous la faire donner. Si vous ne payez pas, il faut que ce soit moi qui paye. Si je vous fais donner vos besoins, ce n'est pas pour porter vos pelleteries aux Anglais. Vous y traitez comme en ennemis. Vous n'avez point de crédit chez eux

> ni d'entrée dans leur fort. Vous ne choisissez point la marchandise que vous voulez, vous êtes obligés de prendre ce qu'on vous donne par une fenêtre, bon ou mauvais. Ils rebutent une partie de vos pelleteries qui sont perdues pour vous, après avoir eu bien de la peine à les porter chez eux.

À cette époque, les traiteurs anglais de la Hudson's Bay Company cherchent à attirer les Cris, affirmant qu'ils ne s'opposent pas aux Français, vu que ces derniers achètent le castor gras et eux, le castor sec. Mais La Vérendrye est contre tout commerce avec les Anglais et il déclare aux Amérindiens réunis dans le fort.

> Il est vrai, ajoute-t-il, que vous achetez certaines choses un peu plus cher de nos traiteurs, mais ils prennent tout ce que vous avez. Ils ne rebutent rien. Vous ne courez aucun risque. Vous n'avez pas la peine de les porter loin. D'ailleurs vous avez la liberté de choisir ce que vous voulez. Hommes, femmes et enfants, vous entrez dans nos maisons et dans notre fort quand il vous plaît. Vous y êtes toujours bien reçus. Nos marchandises sont meilleures, comme vous l'avouez, que celles des Anglais. Ce serait donc contre la raison et contre votre intérêt d'y aller. Je suis bien aise de vous avertir qu'il n'y aura jamais de crédit pour ceux qui y iront à l'avenir. Prenez donc courage pour bien chasser afin que j'aie le plaisir de voir vos familles bien habillées et que les traiteurs qui ont tant de peine à venir ici, s'en retournent contents. Cela fera plaisir à notre père.

À cause du mauvais état de ses affaires, La Vérendrye revient à Montréal à l'été de 1734. Des déceptions l'y attendent : ses associés ne veulent plus accumuler de nouveaux déficits et le roi refuse de financer ses voyages d'explorations. Pendant ce temps, Jean-Baptiste, l'aîné des fils de l'explorateur, construit un nouveau fort sur le côté ouest de la rivière Rouge, que l'on appelle le fort Maurepas, en l'honneur du ministre de la Marine.

À Montréal, le 17 mai 1735, la société de commerce formée quatre ans plus tôt est dissoute et elle est remplacée par une autre dès le lendemain. Cette fois, La Vérendrye n'est plus un actionnaire, mais un simple salarié qui recevra des appointements de 3000 livres par année. Il devra s'orienter exclusivement vers la découverte de nouveaux territoires. Le 23 octobre suivant, l'explorateur est de retour au fort Saint-Charles, accompagné du père jésuite Jean-Pierre Aulneau de La Touche, qui remplace le père Mésaiger qui avait décidé de quitter l'expédition en 1733.

> Sitôt mon arrivée, écrit La Vérendrye, j'envoyai mon neveu au fort Maurepas que mon fils avait établi l'automne précédent. Je l'équipai de ce que j'avais apporté pour la découverte dans l'espérance que les intéressés me rendraient les avances que je faisais pour eux, ayant dessein de joindre mon neveu sitôt l'arrivée des canots. J'avais, avant mon départ, donné à mes marchands équipeurs la traite et le commerce des postes que j'établissais, les intéressés étant à bout de leur terme.

Les nouveaux intéressés, c'est-à-dire les actionnaires de la nouvelle compagnie, sont beaucoup plus stimulés par le commerce que par le ravitaillement des postes et le financement des explorations. La situation de La Vérendrye, loin de s'améliorer, se détériore. Les malheurs fondent sur lui ; il va de malchance en malchance. Son neveu La Jemerais meurt à la suite d'une courte maladie. Son fils aîné et plusieurs Français sont massacrés par les Sioux, le 6 juin 1736. « L'automne suivant, écrit La Vérendrye, il ne me vint qu'un très petit secours. Je manquais des choses les plus nécessaires, ce qui me fit prendre la résolution, à la sollicitation des Sauvages, de descendre à Montréal pour porter leurs paroles, me demandant avec instance du secours pour se venger de l'indigne coup des Sioux. » L'explorateur va exposer sa situation au gouverneur Beauharnois qui le blâme « d'avoir laissé son poste » et lui fait connaître « que ce n'était pas de cette façon qu'il réussirait dans son entreprise ». « Il m'a dit, écrit Beauharnois à Maurepas, que la situation où il s'était trouvé l'avait empêché de pénétrer plus loin. »

En France, Maurepas trouve que les progrès sont lents. Il écrit à Beauharnois, le 23 avril 1738 :

> J'ai examiné avec attention le journal que vous m'avez envoyé du sieur de La Vérendrye ; et je vous avoue que je n'ai pas été peu surpris d'y voir le peu de progrès que cet officier a fait pour la découverte de la mer de l'Ouest depuis le précédent mémoire qu'il vous en avait remis. Il ne paraît pas en effet que cette entreprise ait été à beaucoup près aussi avancée qu'il y avait lieu de l'espérer. Et si l'on ne la pousse pas avec plus de vivacité, il ne faut pas se flatter d'en voir la fin. Je ne sais même si le zèle du sieur de La Vérendrye est aussi pur que vous le supposez et si les soupçons que j'en avais déjà conçus et que je ne vous ai pas laissé ignorer ne se justifieront pas. Ce qui est certain, c'est que la conduite qu'il a tenue jusqu'à présent est très propre à les fortifier. Et quelque chose qu'il puisse dire sur le dernier voyage qu'il a fait à Montréal, il ne saurait se justifier d'avoir ainsi abandonné son poste, au lieu de profiter du temps pour pénétrer plus loin. Quoiqu'il en soit, on ne peut pour le présent qu'attendre ce qu'il fera : je souhaite qu'il puisse détruire les soupçons auxquels il a donné lieu jusqu'à présent.

Le 18 juin 1738, La Vérendrye quitte Montréal pour l'Ouest. Il doit se rendre au pays des Mandanes et de là atteindre, si possible, la mer de l'Ouest. Le 24 septembre, il rencontre deux chefs cris qui veulent le convaincre de l'inutilité de pousser plus loin car « ni les Mandanes ni les Assiniboines ne savaient chasser le castor ; les premiers ne se couvraient que de peaux de bœufs, ce qui n'était d'aucune utilité pour le commerce ; les Assiniboines n'avaient pas d'esprit et ne pourraient apprendre à chasser utilement ».

Intervention inutile, puisque La Vérendrye continue sa marche. Entre le 3 et le 15 octobre, il fait construire le fort La Reine sur la rive nord de la rivière Assiniboine. Au même moment, un des hommes du découvreur, Louis Damours de Louvières, bâtit le fort La Fourche ou fort Rouge au confluent de l'Assiniboine et de la rivière Rouge, près de l'endroit où se trouve aujourd'hui Winnipeg.

Au pays des Mandanes

Poursuivant sa marche vers l'Ouest, La Vérendrye, accompagné de quelques Français et de centaines d'Assiniboines, se dirige vers le pays des Mandanes qu'il croit situé tout près de la mer de l'Ouest. Le 3 décembre 1738, à quatre heures de l'après-midi, il arrive au fort des Mandanes.

> Escorté de tous les Français et Assiniboines, écrit-il, l'on nous conduisit dans la cabane du premier chef, grande à la vérité, mais pas assez pour y tenir tout le

> monde qui y voulait entrer. La foule était si grande qu'ils se portaient les uns sur les autres, Assiniboines et Mandanes. Il n'y avait que la place où nous étions, monsieur de La Marque, son frère et mes enfants, qu'il y avait de libre. Je demandai que l'on fît sortir le grand monde pour débarrasser nos Français et leur faire mettre leur équipage dans un endroit de sûreté, leur disant qu'il avait tout le temps de nous voir. L'on fit sortir tout le monde. Je m'y pris trop tard : l'on nous avait volé le sac de marchandises où étaient tous mes présents par la grande faute d'un de nos engagés à qui je l'avais donné à soin [...] Le chef des Mandanes me paraissait fort touché de ma perte et il me dit, pour ma consolation, qu'il y avait beaucoup de fripons parmi eux.

Selon Zoltvany, « le village était situé dans la région qui est aujourd'hui le Dakota Nord, près de l'embouchure de la rivière Little Knife ou celle du ruisseau Shell, à environ 20 milles de la ville actuelle de Sanish ». Les Mandanes apprennent à La Vérendrye que, non loin de leur pays, l'on atteignait un territoire où on ne voyait plus la terre « d'un bord à l'autre »... et où l'eau est mauvaise à boire. « Toutes ces terres étaient habitées par des Blancs comme nous, écrit le découvreur, qui travaillaient le fer. Le mot fer parmi toutes les nations d'ici est toutes sortes de métaux qu'on appelle fer ; qu'ils ne marchaient qu'à cheval tant pour la chasse que pour la guerre. L'on ne pouvait point tuer d'homme avec la flèche ni le fusil, étant couvert de fer, mais que, tuant le cheval l'on attrapait l'homme facilement, ne pouvant courir. [...] L'on ne voyait jamais de femme dans les champs. Leurs forts et maisons étaient de pierre. »

Se contentant des détails que lui fournissent les Mandanes, La Vérendrye envoie son fils Louis-Joseph explorer la région dans l'espérance de trouver le cours d'eau dont ses hôtes avaient parlé.

Le 8 décembre 1738, après avoir laissé deux hommes chez les Mandanes pour apprendre leur langue, l'explorateur prend le chemin du retour et il arrive au fort La Reine, le mois suivant. En 1739 et 1740, les Français construisent un deuxième fort Maurepas sur le bord de la rivière Rouge. L'année suivante, le fort Bourbon est érigé au lac Winnipeg ; le fort Dauphin, au lac Winnipegosis.

Louis-Joseph et François La Vérendrye, accompagnés de deux autres Français et de quelques guides amérindiens, quittent le fort La Reine le 29 avril 1742. Le 19 mai suivant, ils arrivent au pays des Mandanes. Ils y séjournent, jusqu'au 23 juillet, dans l'espérance d'y voir arriver des Gens des Chevaux qui devaient les conduire à la mer de l'Ouest. Guidés par deux volontaires mandanes, ils atteignent, le 11 août, la montagne des Gens de Chevaux. « Nos guides ne voulant pas passer outre, écrit le chevalier Louis-Joseph, nous nous mîmes à construire une petite maison pour y attendre les premiers Sauvages que nous pourrions découvrir ; nous allumions des feux de tous bords pour signaux afin d'attirer du monde à nous, étant bien résolus de nous confier aux premières nations qui se présenteraient. »

Un des guides mandanes décide de retourner chez lui. Le second fait de même une vingtaine de jours plus tard. Ils sont remplacés par des membres de la tribu des Beaux Hommes chez lesquels les explorateurs demeurent 21 jours. Ces derniers voyagent toujours dans la direction sud-sud-ouest. Ils traversent le pays des Petits Renards, puis des Pioyas. Ils arrivent enfin dans un village des Gens des Chevaux.

Le 21 novembre 1742, les La Vérendrye arrivent chez les Gens de l'Arc. Le chef leur déclare : « Nous allons marcher du côté des grandes montagnes qui sont proches de la mer, pour y chercher les Gens du Serpent. N'appréhendez point de venir avec nous, vous n'avez rien à craindre, vous y pourrez voir la mer que vous cherchez. »

« Le 1er janvier 1743, note Louis-Joseph dans son journal, nous nous trouvâmes à la vue des montagnes. » Pour la première fois, sans doute, des Blancs contemplent les Rocheuses ! Le 12, tout le monde est au pied des montagnes. Malheureusement pour les Français qui veulent aller plus loin, pas un, parmi leurs guides, ne veut s'aventurer au-delà de la barrière rocheuse. « J'étais très mortifié de ne pas monter sur les montagnes comme j'avais souhaité, écrit Louis-Joseph. Nous prîmes donc le parti de nous en retourner. » Le 2 juillet, La Vérendrye père a le bonheur de voir revenir ses deux fils et leurs compagnons.

Antoine Champagne considère que l'expédition présente plusieurs aspects positifs : « Elle avait augmenté considérablement les connaissances géographiques de l'époque, elle avait assuré aux Canadiens et aux Français l'amitié et la fidélité d'un grand nombre de nations indiennes ignorées jusqu'alors et elle avait jeté ainsi les bases d'opérations commerciales qui pourraient se révéler fort utiles plus tard. Par ailleurs, il s'avérait de plus en plus évident pour La Vérendrye [père], à la suite de cette expédition, qu'il ne fallait plus chercher vers le sud-ouest la route de la mer de l'Ouest, mais plutôt vers le nord-ouest, où une route s'offrait, celle de la rivière Saskatchewan. »

En 1743, âgé de 58 ans, Pierre Gaultier de Varennes et de La Vérendrye demande à être relevé de son poste. Nicolas-Joseph de Noyelles de Fleurimont le remplace comme commandant des postes de l'Ouest.

Une dure retraite

En France, Maurepas est convaincu que le demi-échec des entreprises d'exploration dans l'Ouest est dû à La Vérendrye, plus préoccupé, croit-il, par la traite des fourrures que par la recherche de la mer Vermeille. Le gouverneur Beauharnois, à la suite de la démission de Noyelles, recommande le retour de La Vérendrye à la tête des postes de l'Ouest. Il écrit à Maurepas, le 15 octobre 1746 :

> Je ne crois pas qu'on puisse rien imputer au sieur de La Vérendrye, si les progrès de la mer de l'Ouest ne vous ont point paru, monseigneur, des plus satisfaisants. Il n'en est pas moins vrai qu'il s'y est livré tout entier et qu'il y a sacrifié tous les produits des nouveaux postes qu'il a établis par ses peines et soins et avec bien des risques. J'avancerai même, monseigneur, que cet officier est plus propre que personne à suivre cette découverte et que, sur la demande que m'a faite le sieur de Noyelles de le relever, je ne balancerai point à renvoyer le sieur de La Vérendrye. Il connaît en effet beaucoup mieux les Sauvages de ces quartiers, par l'habitude qu'il a eue, depuis 14 ans, de vivre avec eux. C'est un homme doux, ferme et bien plus en état de tirer d'eux les connaissances nécessaires au progrès de cette découverte à laquelle le sieur de Noyelles n'a aucunement avancé depuis deux ans, malgré les mémoires et les instructions que je lui ai donnés en conséquence.

La Vérendrye, malgré les réticences de Maurepas, obtient le poste de commandant des forts de l'Ouest. Il commence à préparer un autre voyage d'exploration. Cette fois, il songe à emprunter la rivière Saskatchewan pour atteindre la mer. Le nouveau gouverneur de la Nouvelle-France, Roland-Michel Barrin de La Galissonière, se porte à son tour à la défense de La Vérendrye que Maurepas ne cesse d'attaquer. Il répond à ce dernier le 23 octobre 1747 :

> J'ai pensé ne point répondre au sujet de la découverte de la mer de l'Ouest, étant encore trop peu instruit. Il me paraît seulement que ce qu'on vous a mandé au sujet du sieur de La Vérendrye comme ayant plus travaillé à ses intérêts qu'à la découverte est très faux et qu'au surplus tous les officiers qu'on y emploiera seront toujours dans la nécessité de donner une partie de leurs soins au commerce tant que le roi ne leur fournira pas d'autres moyens de subsister, ce qui peut-être ne serait pas convenable, mais ce n'est pas une bonne façon de les encourager que de leur reprocher quelques médiocres profits ou que de leur retarder leur avancement sous ce prétexte, comme le sieur de La Vérendrye prétend qu'il lui est arrivé. Ces découvertes causent de grandes dépenses et exposent à de plus grandes fatigues et à de plus grands dangers que des guerres ouvertes.

La Galissonière vient de mettre le doigt sur le nœud du problème : depuis un siècle, les explorateurs doivent financer eux-mêmes tous les frais de leurs expéditions, prendre possession du territoire au nom du souverain et ce dernier agrandit ses possessions sans qu'il ne lui en coûte beaucoup.

Antoine-Louis, comte de Jouy Rouillé, qui succède à Maurepas au poste de ministre de la Marine et des Colonies, accorde à La Vérendrye la Croix de Saint-Louis. Quelques mois plus tard, le 5 décembre 1749, La Vérendrye meurt, emporté par une courte maladie alors qu'il prévoyait partir au printemps suivant. Jacques Legardeur de Saint-Pierre prend la relève. Mais les conflits qui séparent les différentes tribus amérindiennes l'empêchent de pousser plus loin les explorations des La Vérendrye.

La chasse aux Renards

Les Sioux ne sont pas les seuls à causer des problèmes aux autorités françaises. Pendant près d'un quart de siècle, les Français feront la guerre aux Renards établis dans la région de Détroit. À la fin du XVIIe siècle, alors que ces Amérindiens vivaient à la baie des Puants, sur les rives du lac Michigan, ils épuisèrent les réserves de castors sur leur territoire. Selon l'anthropologue Harold Hickerson, « comme ils occupaient une position stratégique sur l'importante voie commerciale qui reliait les rivières aux Renards et Wisconsin au Mississipi, ils en profitaient pour exiger leur part du commerce en guise de péage ou encore à titre d'intermédiaire ».

Vers 1710, les Renards s'installent près du fort de Détroit, malgré l'hostilité que leur manifestent les autres tribus déjà établies à cet endroit. Leur arrogance suscite de l'animosité et, au mois d'août 1711, le gouverneur Vaudreuil leur suggère de s'établir ailleurs. Moins d'un an plus tard, la guerre éclate, causée par la rivalité qui existait entre les tribus.

Des Renards ayant pénétré dans le fort Pontchartrain et tenté de tuer deux Français, Jacques-Charles Renaud Dubuisson, commandant à Détroit, part en guerre contre eux. Pendant 19 jours, les Renards résistent à l'attaque de leur camp. Vivres et munitions venant à manquer, les assiégés demandent à négocier la paix. Profitant de l'accalmie, ils s'enfuient, mais ils sont rejoints par les soldats français et amérindiens. Selon un rapport de Dubuisson, 1000 Renards, 60 alliés et un Français sont massacrés. Une nouvelle guerre d'extermination vient de commencer.

Le gouverneur de la Nouvelle-France, Vaudreuil, veut mater les Renards à tout prix. Louis de La Porte de Louvigny reçoit mission d'organiser une expédition contre la tribu ennemie.

> Son dessein, écrit Vaudreuil le 16 septembre 1714, est de marcher droit au village des Renards dans le temps que leur blé d'Inde commencera à être bon et, soit qu'ils tiennent dans leur fort soit qu'ils fuient, il ravagera leurs champs, brûlera leurs cabanes et campera sur le lieu jusques aux petites neiges, les faisant harceler continuellement, s'ils fuient, par des partis de Français et de Sauvages qu'il détachera auprès d'eux pour ne leur pas donner le temps de se rassembler, étant très facile de comprendre qu'il faudra qu'ils se séparent eux-mêmes par petites bandes, s'ils veulent faire vivre leurs femmes, leurs enfants et leurs vieillards.

L'expédition de 1715 ayant échoué, Louvigny repart, l'année suivante, avec 400 coureurs des bois et autant d'Amérindiens alliés. Le chef des Renards, Ouachala, est forcé de capituler et de signer la paix.

Le calme n'est que très relatif dans la région de Détroit, car Renards et Illinois sont presque constamment sur un pied de guerre. Beauharnois charge Constant Le Marchand de Lignery de mater encore une fois les Renards. L'expédition de 1728 se soldera par la destruction de quelques villages et l'incendie des récoltes. Deux ans plus tard, une nouvelle marche est organisée. Noyelles de Fleurimont et Robert Groston de Saint-Ange, accompagnés d'une quarantaine de Français et de 600 Amérindiens remportent ce que le gouverneur Beauharnois appelle « la plus complète affaire de guerre qui soit arrivée dans la Nouvelle-France du règne du roi ». Trois cents guerriers Renards trouvent la mort et les femmes et les enfants n'échappent pas au massacre. Il faudra attendre trois ans avant que la paix ne revienne, grâce au départ des survivants pour la région du Mississipi où ils s'allieront aux Sioux.

Des richesses à exploiter

La recherche de mines de toutes sortes demeure une préoccupation au XVIIe siècle en Nouvelle-France, mais il faut attendre le siècle suivant pour que débute l'exploitation de quelques-unes. En 1703, Joseph Trottier, sieur Desruisseaux, seigneur de l'île Perrot, s'associe à un aubergiste de Montréal, René Fézeret, pour exploiter une mine d'argent située sur les bords de la rivière du Lièvre dans l'actuel canton de Buckingham, non loin de la ville d'Ottawa. Les associés engagent quelques employés pour exploiter leur mine, mais, comme l'écrit l'historien J.-Noël Fauteux, « on ne connaît rien des activités de la société Fèzeret-Desruisseaux. Peut-être même n'exista-t-elle que sur papier ». Quelques décennies plus tard, on croit avoir découvert, dans la région du lac Sainte-Marie, un gisement de vif-argent. Charles Pailleurs, un habitant de Montréal, et Guillemo des Castillon, soldat de la compagnie de la Gauchetière, effectuent un voyage de reconnaissance et rapportent environ 400 livres de terre « qui avait la propriété d'argenter les perches qu'on y enfonçait ». L'intendant Gilles Hocquart expédie en France le récit de leur voyage, récit qui ne produit sans doute pas un grand effet, car il ne semble pas que le filon ait été exploité.

La recherche de plomb ne donne pas de meilleurs résultats. En 1711, écrit Gédéon de Catalogne, les habitants de la seigneurie de Varennes « trouvèrent à 30 toises du fort, sur la terre de Louis Ledoux, environ quatre-vingts livres de mine de plomb, partie sur la terre et le reste à deux et trois pieds avant ; ce qui obligea M. D'Aigremont à s'y transporter et où il fit fouiller un trou, sans en avoir trouvé que très peu ».

Tout comme Talon, l'intendant Hocquart, chaque fois qu'on lui fait part de l'existence possible d'une mine quelque part, y envoie des enquêteurs pour vérifier la possibilité d'exploiter du minerai. En 1734, le grand voyer Jean-Eustache Lanoullier de Boisclerc se rend sur la rivière Outaouais, non loin du portage des

Chats, pour y examiner une mine de plomb dont l'existence a été révélée par des Amérindiens. Encore une fois, on se rend compte de la quasi-impossibilité d'exploiter le gisement qui ne semble d'ailleurs pas très riche.

Depuis longtemps déjà, on connaît l'existence de mines de cuivre dans la région sud du lac Supérieur. Le 28 mars 1730, le ministre de la Marine, le comte de Maurepas, écrit au gouverneur Beauharnois et à l'intendant Hocquart :

> Je compte recevoir cette année tous les éclaircissements nécessaires tant sur la situation et l'étendue de cette mine que sur la qualité du cuivre qu'on en pourra tirer, les frais qu'il en coûterait pour la façon et ceux du transport dont vous m'envoyez un état bien détaillé. Vous me ferez plaisir de ne point perdre cet objet de vue. Cela doit vous en faire aussi en marquant votre attention sur tout ce qui peut procurer quelque avantage à la colonie. Vous devez même étendre vos soins sur toutes les découvertes qui pourront se faire dans le pays. M. le marquis de Beauharnois peut en être informé en chargeant les commandants de différents postes de recommander aux voyageurs de prendre des notions des endroits où ils passent et de se faire instruire par les Sauvages des mines en minéraux qui peuvent se trouver sur les terres qu'ils habitent.

Grâce à des Amérindiens, Louis Denys de La Ronde apprend l'existence de mines de cuivre sur des îles du lac Supérieur. Les premiers sondages se révèlent prometteurs. Il songe à construire deux barques pour acheminer le minerai à Montréal. Une nouvelle compagnie se forme et la traite des fourrures au fort Chagouamigon, à l'extrémité sud-ouest du lac Supérieur, fournira les fonds nécessaires à l'exploitation. Une expertise effectuée à l'Hôtel des Monnaies, à Paris, montre que le minerai, à l'état naturel, est pur à 90 pour cent. Dans la métropole, on croit même à un certain moment « que le morceau de cuivre qui avait été envoyé en France n'était pas à l'état naturel, mais qu'il avait déjà été fondu ».

La colonie manque de main-d'œuvre spécialisée. Louis Denys de La Ronde demande qu'on lui envoie de France quelques ouvriers capables d'exploiter la mine de cuivre. À la fin de l'été 1737 arrivent à Québec deux mineurs allemands, John Adam Foster et son fils Christopher Henry. L'année suivante, ils prennent le chemin du lac Supérieur où ils étudient la qualité du métal et la possibilité de l'extraire. De retour à Québec et avant de repartir pour la France, ils visitent d'autres endroits supposément riches en métaux divers.

Leur relation de voyage trace le bilan de leur expertise :

> Ils ont été à la rivière de Tonaqua pour visiter la riche mine de cuivre dont on avait envoyé des échantillons, mais ils n'y ont trouvé qu'un morceau de roc de la pareille mine qui pouvait véritablement contenir un millier de livres pesant de ce cuivre. Hors cela, il ne leur a paru absolument qu'un indice qui peut dénoter à cette place aucune mine. Mais, en rebroussant vers le lac Supérieur, à une lieue et demie de là, ils ont trouvé une veine ou un filon d'où pouvait être sorti ce morceau, d'autant que ce filon contient un peu de cuivre tout pur dans la matrice dont on a coupé et envoyé autant qu'on a pu, n'ayant pas eu les outils nécessaires. L'on ne peut voir une plus belle espérance de mine et il est certain que si l'on y voulait faire des établissements et y employer de l'argent qu'on en pourrait espérer un grand produit de cuivre.

Les experts découvrent d'autres mines : à la rivière à l'Orignal, à la rivière Noire, au lac « Nepecin », à la « Roche Capitaine », à la Chaudière, à la Baie-Saint-Paul et au Cap-aux-Corbeaux.

Les coûts d'exploitation et de transport expliquent pourquoi les autorités jugent préférable de ne pas s'engager dans l'aventure minière du lac Supérieur.

À la recherche du plomb

La découverte d'une mine de plomb à la Baie-Saint-Paul intéresse les autorités de la colonie, car le problème du transport peut être facilement surmonté. Une nouvelle fois, le problème de la main-d'œuvre se pose. Le ministre Maurepas consent à envoyer deux mineurs, mais, on ne sait pourquoi, ces derniers n'effectuent pas le voyage. Profitant du passage à Québec du célèbre naturaliste suédois Pehr Kalm, en 1749, le gouverneur général, le marquis de La Jonquière, ainsi que le général marquis de La Galissonière, demandent au savant d'accompagner le médecin et naturaliste Jean-François Gaultier et un prêtre nommé Jacquereau « qui devaient visiter une mine de plomb et d'argent réputée située près de Baie-Saint-Paul ».

Le mardi 2 septembre, Kalm visite le site de la mine.

> À 8 h du matin, écrit-il dans son journal, nous allons à pied examiner les filons de minerai qui se trouvent près d'ici, à une demi-lieue environ de l'église de Baie-Saint-Paul, en direction du sud, juste au-dessus de la scierie et du moulin à eau qui se trouvent là. [...] La roche se compose ici de ces différents mélanges de pierre que l'on trouve ordinairement dans toutes les roches granitiques. [...] Le minerai de plomb est éparpillé dans cette roche, sous la seule forme de petits morceaux qui sont en moyenne de la taille d'un pois, mais peuvent atteindre la largeur et même la longueur d'un pouce ou davantage. Le minerai se présente la plupart du temps sous la forme de petits cubes, de couleur assez claire, et il ressemble tout à fait au minerai de Sahlberg ; mais la mine d'ici est presque partout pauvre en minerai, à l'exception de quelques endroits où elle est assez bien pourvue. [...] Tout indique donc que l'extraction de ce minerai n'en vaut guère la peine : d'une part, les veines sont assez étroites et resserrées et il faudrait beaucoup de travail pour casser le granit dur qui est sur les côtés ; d'autre part, ce minerai est assez pauvre et serait loin de couvrir les frais qu'il nécessiterait ici, en particulier en raison du coût de la main-d'œuvre dans cette région.

Il n'en faut pas davantage pour que le projet soit relégué aux oubliettes et qu'une nouvelle fois, on passe à côté d'une intéressante source de revenus pour la colonie.

Depuis l'intendant Talon, les autorités de la colonie connaissent l'existence d'un important gisement de sable ferrugineux dans la région des Trois-Rivières. Malheureusement, l'exploitation des sables ne se concrétise jamais. On en parle, mais on ne bouge pas.

Le 13 janvier 1717, les membres du Conseil souverain écrivent au duc d'Orléans qui, à cause de la minorité du roi Louis XV, agit comme régent :

> On ne peut révoquer en doute qu'il y ait des mines de fer aux Trois-Rivières et à la Baie-Saint-Paul, parce qu'en 1687, le sieur Hameau, maître de forge et habile

> fondeur, qui demeure à la Fosse à Nantel, fut envoyé par ordre du roi en ce pays où il fit des épreuves suivant lesquelles les mines de fer des Trois-Rivières furent jugées très bonnes et abondantes, mais les procès-verbaux qui en ont été faits ne se trouvent pas et même aucun de ceux qui ont été présents à la recherche et aux épreuves que ledit Hameau en fit, n'ont conservé précisément l'idée des lieux où elles sont. M. Bégon a fait faire, l'année dernière, la recherche de ces mines par un habitant qui est fondeur, mais n'étant pas mineur et n'ayant pas les connaissances nécessaires pour découvrir les mines, il n'a rapporté qu'environ 80 livres de morceaux de mine qu'il a ramassés sur la terre. Comme il est à craindre que l'idée des lieux où sont ces mines se perde, ils croient qu'il est important de faire passer l'année prochaine, en Canada, un habile mineur auquel ils fourniront le nombre de soldats nécessaires pour faire ouvrir ces mines et en faire des épreuves.

La réponse royale ne se fait pas attendre : « S.A.R. ne juge pas à propos de faire travailler aux mines de fer. Il y en a assez en France pour en fournir tout le Canada. » Voilà une façon directe de rappeler que la colonie est au service de la métropole et que son économie ne doit en rien entrer en compétition avec celle de la mère patrie !

En 1729, un marchand de Montréal, François Poulin de Francheville, offre au ministre de la Marine, Maurepas, d'exploiter, à ses frais, le gisement de fer, moyennant certains privilèges. Il fait valoir qu'il « est le propriétaire de la terre où la mine de fer est la plus abondante et, quand il s'en trouverait dans les terres voisines, il ne serait pas raisonnable que d'autres viennent établir de semblables travaux après qu'il aurait risqué le premier des avances considérables pour cet établissement ».

Comme « le roi ne court aucun risque » et que les autorités de la colonie sont favorables au projet, Francheville obtient son brevet, le 25 mars 1730. L'exploitation du minerai, dit-on, « procurerait des avantages considérables à ladite colonie où il se consomme une grande quantité de fer tant pour la construction des bâtiments de mer que pour d'autres ouvrages ». Francheville obtient donc, pour une période de vingt ans, le privilège exclusif d'exploiter des mines de fer

> dans l'étendue des terrains qui sont depuis et compris la seigneurie de Yamachiche jusque et compris la seigneurie du Cap-de-la-Madeleine en lui permettant de faire construire les forges, fournaises et autres ouvrages qu'il conviendra, offrant de rembourser les propriétaires en terres cultivées et mises en valeur sur lesquelles il fouillera et ce à dire d'experts convenus à l'amiable ou nommés d'office et sans qu'il soit tenu à aucun dédommagement ni remboursement pour l'ouverture et exploitation des terres non cultivées, comme aussi qu'il lui soit permis de faire les mises et retenues nécessaires à ladite entreprise dans les endroits les plus commodes aux offres qu'il fait de faire ouvrir lesdites mines dans l'espace de deux années prochaines.

À l'automne de 1731 arrivent de France les deux ouvriers experts réclamés par Francheville. Le travail commence au printemps suivant. Avec des échantillons de minerai, on fabrique quelques « clous à cheval ». Au cours de l'été de 1732, Jean-Baptiste La Brèche, un forgeron canadien, se rend en Nouvelle-Angleterre, dans la région de Boston, étudier la méthode utilisée pour le traitement du minerai. À son retour, décision est prise d'utiliser la réduction directe du minerai, ce qui permet de retarder quelque peu la construction d'un haut fourneau. Francheville a déjà investi 10 000 livres et, pour aller plus loin, il demande au roi un prêt de 10 000 livres en monnaie de carte remboursable en trois ans, ce qui lui est accordé. Mais, même avant de connaître la réponse des autorités royales, le seigneur de Saint-Maurice forme une compagnie dont il détient la moitié des parts.

La Brèche et deux autres ouvriers retournent en Nouvelle-Angleterre pour parfaire leur connaissance de la réduction directe du minerai. La production des Forges du Saint-Maurice doit commencer au mois de novembre 1733. On coulera « des couteaux, des haches et des outils ». Mais Francheville meurt avant de voir fonctionner l'entreprise. Sa veuve, Thérèse de Couagne, tente de continuer l'opération de la compagnie, sans trop de succès : le problème majeur demeure celui de la main-d'œuvre qualifiée. On décide donc de suspendre les opérations en attendant que des ouvriers spécialisés arrivent de France.

Enfin, ça marche !

Le 3 septembre 1735, descend à Québec Pierre-François Olivier de Vézin, le nouveau maître de forges. Il a exigé un salaire élevé et de nombreux bénéfices marginaux pour accepter de venir en Canada remettre sur pied les Forges du Saint-Maurice. Après une courte visite aux forges, il en arrive à la conclusion que la réduction indirecte, c'est-à-dire grâce à un haut fourneau, est beaucoup plus appropriée que la réduction directe, comme celle qui se pratique en Nouvelle-Angleterre. Les historiens Réal Boissonnault et Michel Bédard résument ainsi les autres considérations du nouveau maître de forges :

> La mine lui paraît abondante, de meilleure qualité que celle de France, et, si elle est bien traitée, elle produira du fer aussi bon que celui de France et d'Espagne. La mine de la Pointe-du-Lac, entre autres, lui semble intarissable et facile d'accès. Le bois franc, la castine et la pierre à bâtir abondent aux alentours des Forges et il n'y aura aucune difficulté à faire transporter les apprêts par les habitants des Trois-Rivières et de la Pointe-du-Lac avec des attelages fournis par les Forges. Enfin, les approvisionnements des ouvriers en vivres et en marchandises pourront se faire dans les temps et aux endroits où ils sont les moins chers, ces vivres étant, à son avis, abondants et peu dispendieux au Canada.

Selon de Vézin, il faut presque repartir à neuf et il faut songer à investir plus de 36 000 livres pour que l'industrie puisse opérer décemment. L'ensemble devrait comprendre : « Un haut fourneau de maçonnerie avec halles et hangar, un lavoir et bocard, une forge comprenant deux affineries, une chaufferie et une taulerie avec halles et appentis, dont deux avec cheminées, marteau, enclumes, halle à charbon, deux boutiques de maréchal, les chemins d'eau, chaussées, mouvements et mécanismes nécessaires, la maison du fondeur et ses quatre ouvriers, la maison du maître de forges, un magasin à fer, une écurie et un four. »

Confrontés à un investissement pareil, les actionnaires de Francheville et compagnie remettent au roi leur privilège d'exploitation et se retirent. Une nouvelle compagnie se forme ce même jour, 23 octobre 1735. Deux anciens actionnaires,

François-Étienne Cugnet et Ignace Gamelin, se joignent à Olivier de Vézin pour former une nouvelle compagnie. Celle-ci demande immédiatement un prêt de 100 000 livres en monnaie de carte pour mettre sur pied l'exploitation du minerai. Le 14 mars 1736, Maurepas donne son accord et il ordonne l'envoi aux Forges d'un second maître de forges, Jacques Simonet d'Abergemont, et de quatre ouvriers spécialisés. Le 16 octobre, la compagnie se dote de deux nouveaux actionnaires : Thomas-Jacques Taschereau et le second maître de forges. Elle prend le nom de Cugnet et Cie.

Un an plus tard, soit au mois d'octobre 1737, les Forges du Saint-Maurice sont devenues une réalité.

> Le complexe du haut fourneau, écrivent Boissonnault et Bédard, est terminé et prêt à fonctionner ; il en est de même de la forge composée de deux chaufferies servant aussi d'affinerie et des bâtiments auxiliaires, chaussée et mécanismes. La forge a d'ailleurs été essayée pour produire les échantillons de fer envoyés au ministre. Vézin a aussi fait construire un magasin pour les forgerons et le maréchal, des écuries ; un magasin à fourrages et d'autres petits bâtiments pour servir de logements aux travailleurs. Quant à la Grande Maison devant servir de logement pour les maîtres et de magasins à vivres et marchandises, la moitié de son carré est élevé.

Pour assurer la réserve de bois nécessaire à la fabrication du charbon de bois, les actionnaires se font concéder le fief de Saint-Étienne qui s'étend jusqu'à une lieue au-dessus des chutes de la Gabelle.

L'allumage officiel du haut fourneau n'a pas encore eu lieu. Le fondeur Lardier tente plusieurs fois, mais presque toujours sans succès, de mettre en opération la fonte du minerai. Une nouvelle mise de fonds de la part des autorités royales est jugée nécessaire. Enfin, le 20 août 1738, entre onze heures et midi, de Vézin et l'ouvrier Delorme allument officiellement le haut fourneau.

La production est moins considérable que prévu, car non seulement le débit d'eau est insuffisant pour faire actionner la grande roue, mais on manque aussi de minerai. Certains actionnaires accusent de Vézin d'incapacité. Malgré tout, entre les mois de novembre 1738 et septembre 1739, la production atteint les 227 000 livres de fer. On compte produire au moins le double de cette quantité lorsque la nouvelle forge haute fonctionnera.

De Vézin se rend en France en 1740 et ramène son frère et treize ouvriers. Le haut fourneau qui ne fonctionnait plus depuis le mois de novembre de l'année précédente est rallumé le 23 mai 1740. La situation financière de l'entreprise est de plus en plus précaire. L'intendant Hocquart suit de près les activités des Forges. Le 7 septembre, il demande à Lanoullier de Boisclerc de se rendre aux Forges du Saint-Maurice pour vérifier « exactement l'étendue, longueur, largeur et épaisseur » de la minière de la Pointe-du-Lac. « Je le prie, ajoute Hocquart, de visiter le fourneau ; s'il est en bon état, s'il ne menace point du côté de l'eau, l'état où se trouvent actuellement la forge haute et la forge basse, si elles sont en bon train et de prendre des connaissances générales sur tout ce qui regarde l'état présent de cet établissement. [...] La santé des ouvriers. Si les deux forges marchent. Combien de bois coupé. Combien de fourneaux dressés. La quantité de mine qui reste près des fourneaux.

Il examinera l'étendue de l'espace d'où l'on a vidé jusques à présent de la mine, pour pouvoir juger de la consommation à venir. »

Par ailleurs, l'intendant cherche à savoir des actionnaires de la compagnie si une réforme des structures administratives n'amènera pas certaines économies, car l'industrie a entraîné des dépenses de plus de 396 000 livres.

L'opposition au sein des actionnaires devient telle que chacun des groupes s'y sont formés demande le retrait de l'autre. À partir du mois d'octobre 1741, les dirigeants des Forges présentent à tour de rôle leur démission. C'est la faillite ! La première industrie lourde au Canada gérée par des particuliers va passer sous le contrôle de l'État. Les causes de l'échec varient selon les interprétations des directeurs de la compagnie. Cugnet accuse de Vézin de mauvaise administration.

De Vézin voit dans le fait de payer les ouvriers en marchandises une source de dépenses supplémentaires. En effet, la compagnie vendait elle-même à ses employés les vivres et les boissons. « Ces vins et eaux-de-vie, écrit de Vézin, excitent des débauches, car tel qui boit ne boirait pas si on ne lui donnait point crédit dans ces magasins. [...] Les vivres leur semblent ne rien coûter à prendre, car tel qui se contenterait de manger simplement de la soupe à son dîner en achetant les vivres avec son argent, mange aujourd'hui, sa femme et toute sa famille, chacun leur demi-livre de lard ou une livre de bœuf par jour. [...] Ils disent effrontément qu'ils ne peuvent ni ne veulent travailler au même prix, qu'il faut augmenter leurs gages ou qu'ils iront travailler ailleurs. »

Les relations patrons-ouvriers ne sont donc pas des plus cordiales !

La faillite

Le 28 octobre 1741, Hocquart charge Guillaume Estèbe de dresser un inventaire complet des biens et avoirs des Forges du Saint-Maurice et d'agir, pour une certaine période, comme subdélégué de l'intendant. Autant que possible, il faut continuer à produire du fer et de la fonte. « Le fourneau étant actuellement en bon train, précise Hocquart dans ses instructions à Estèbe, il est à propos de faire couler une quantité assez considérable d'enclumes et de marteaux pour remplacer ceux qui viendraient à casser dans les forges. »

Les employés des Forges étant considérés comme des têtes fortes, les ordres de l'intendant à leur sujet sont clairs :

> L'article important est de les entretenir dans une exacte subordination ; il [Estèbe] parviendra à la rétablir en leur rendant justice et ne leur passant aucune faute essentielle ; mais le moyen le plus efficace, c'est le parti que nous avons pris de faire payer ces ouvriers en argent tous les quinze jours. [...] Les désordres que l'ivrognerie des forgerons peut occasionner demandent d'être prévenus. Le sieur Estèbe fera punir par des amendes et même par la prison ceux qui en seront les auteurs et, s'il estime nécessaire de rendre quelque ordonnance à ce sujet, il rendra telle ordonnance de police qu'il jugera à propos, qu'il fera publier, afin que les délinquants n'en puissent prétendre ignorance.

Du 6 au 9 novembre 1741, Estèbe dresse un inventaire précis et détaillé de tout ce qui se trouve aux Forges. Comme l'avait recommandé l'intendant, la production continue tant bien que mal. Le 28 juin 1742, Hocquart écrit au roi : « Le fourneau a été remis au feu au commencement de mai et continue à produire 5 milliers de fonte par 24 heures. Les deux forges produisent dans le même temps 10 à 12 milliers de fer par semaine. » Au mois d'août de la même année, le navire *Canada* transporte en France, pour les arsenaux royaux, 118 000 livres de fer fabriqué aux Forges.

Sa mission étant accomplie, Estèbe quitte les Forges du Saint-Maurice, le 20 août 1742. Jean-Urbain Martel de Belleville devient directeur de l'établissement. Le sort de l'industrie n'est pas encore réglé. Les autorités métropolitaines et coloniales se demandent s'il est préférable de former une nouvelle compagnie ou de transformer la régie temporaire en régie permanente. « Pour régulariser une situation qui devenait agaçante, écrit l'historien Albert Tessier, la Cour prit enfin une décision et elle décréta, le 1er mai 1743, le retour des Forges au domaine royal. C'était la consécration officielle de l'état de régie effectivement en force depuis 1741. On abandonnait les projets d'exploitation privée. »

La production de fer et de fonte sert à la fabrication d'objets usuels répondant aux besoins de la colonie. On expédie aussi à Rochefort d'importantes quantités de fer. L'ingénieur du roi Gaspard-Joseph Chaussegros de Léry suggère, en 1744, de couler des pièces militaires aux Forges. Les autorités de la colonie soumettent ce projet à Maurepas. « Les affûts se font très bien ici ainsi que les ustensiles, écrivent Beauharnois et Hocquart, et quant aux boulets, les essais qu'on en a fait faire aux Forges Saint-Maurice nous dispensent de vous en faire aucune demande. » L'entreprise pourrait également couler les pièces nécessaires à l'armement des navires que l'on construit à Québec. L'envoi de quelques ouvriers expérimentés permettrait de réaliser facilement le projet.

En 1744, on commence à couler des poêles à chauffer. Cinquante-neuf sont jugés bons pour la vente. « Les habitants, affirme Hocquart, les préfèrent à ceux de Hollande pour cela seul qu'ils sont moins sujets à casser. Si nous avions un mouleur plus habile et plus sobre, on réussirait dans cette manufacture, ainsi que dans celles des marmites et autres ouvrages de fonte qui donneraient plus de profit que les fers forgés. Les 4624 boulets de différents calibres ont été bien exécutés. »

On demande l'envoi de « quatre modèles en fer pour fondre des marmites et chaudrons sans pied, d'une capacité de 25, 35, 40 et 60 pots de façon à répondre aux besoins des habitants ».

Sous le contrôle de l'État

Le contrôle de l'État est bénéfique aux Forges du Saint-Maurice car, pour la période allant de 1741 à 1745, la production, selon les historiens Boissonnault et Bédard, s'établit ainsi : « 1 715 518 livres de fers forgés, 42 828 livres de marmites et autres ouvrages, 197 poêles à chauffer et 73 243 livres de boulets de canon de tous calibres. »

Mais le problème majeur demeure toujours celui de la main-d'œuvre. Le 12 février 1745, l'intendant signe une ordonnance « qui porte règlement pour les ouvriers employés aux Forges de Saint-Maurice au sujet des boissons, des vaches et moutons gardés par eux, des heures d'ouvrages, des absences, des scandales, débauches, etc. ». L'année suivante, Hocquart se plaint encore des employés des Forges. « Nos poêles et nos marmites sont très mal faits, écrit-il. Il se fait un dégât prodigieux de matière, ce qui n'arriverait pas si nous avions des ouvriers entendus. »

Entre le 9 novembre 1741 et le 1er janvier 1748, les Forges du Saint-Maurice font un profit de 72 000 livres pour une production ainsi détaillée : « 23 064 quintaux, 19 livres en fer en barres et en socs de charrue, 38 000 livres en marmites, 22 118 livres en boulets de tous calibres, 662 poêles à chauffer, 413 plaques de poêles, 207 boîtes pour pierriers et signaux, 383 bombes et trois canons d'une livre. » Il faut remarquer que de 1745 à 1748, c'est la guerre aussi bien en Europe que dans la colonie, ce qui explique l'augmentation de la production militaire. En 1748, on coule quatre mortiers de six pouces et deux canons de quatre et de deux livres.

Au début du mois d'août 1749, le naturaliste suédois Kalm visite les Forges.

> Ce sont les seules, écrit-il, qui existent au Canada. [...] Elles se composent d'un certain nombre de bâtiments : il y a deux marteaux-pilons, chacun dans son bâtiment particulier ; dans chacun de ces bâtiments se trouvent un grand marteau et, en outre, un deuxième plus petit ; les soufflets sont faits en bois et tout le reste est construit comme chez nous, en Suède. Le haut fourneau est placé tout près des marteaux-pilons et il est également monté comme chez nous. [...] On extrait le minerai à deux lieues et demie de l'usine et on l'y transporte en traîneaux durant l'hiver. C'est une espèce de minerai de fer de même qualité que celui de Tula, en Russie ; il se trouve dans le sous-sol, sous forme de veines ; celles-ci, dit-on, se trouvent à un ou deux quarts d'aune seulement au-dessous de la surface du sol et se dispersent en tous sens ; l'épaisseur des veines est de un, deux ou trois quarts d'aune et, en-dessous, on rencontre du sable blanc ; les veines sont bordées également, à droite et à gauche, de sable blanc ; au-dessus d'elles se trouve une fine couche de terreau noir. On dit que le minerai est assez riche et qu'il se trouve sous forme de petites boules éparses qui, pour la plupart, ont un diamètre de un à deux poings, mais peuvent à l'occasion atteindre trois quarts d'aune ; ces masses sont poreuses et les pores sont emplis d'ocre ; leur consistance n'est pas telle qu'il soit impossible de casser la pierre avec les doigts. Un calcaire gris, qui se trouve également non loin d'ici, est mélangé au minerai dans le haut fourneau pour favoriser la fonte et pour que l'on puisse séparer facilement les scories du minerai ; pour ce même usage, on prend aussi de l'argile.

Les officiers et contremaîtres font remarquer au célèbre visiteur que les bénéfices sont moins élevés que ceux escomptés et que, de plus, il est difficile « de se procurer des ouvriers et on doit les payer assez cher ». Pierre-François Rigaud de Vaudreuil, gouverneur de Trois-Rivières, est plus sévère que Kalm sur la bonne marche des Forges. « Les Forges de Saint-Maurice, écrit-il au ministre le 2 septembre 1749, sont aussi dans mon gouvernement. Je les ai vues commencer et assez suivies jusqu'ici. La dépense en est extraordinaire. Elles sont mal gérées. Les feux en consomment les bois ; la coupe s'en fait mal et les bêtes à corne qu'on y laisse en quantité rongent et perdent les bois qui repousseraient et seraient propres à faire le charbon. Il y a plusieurs maîtres. Il n'en faut qu'un qui soit un directeur habile, désintéressé, de qui dépendent les ouvriers et les inspecteurs. »

Vers la même époque, les autorités de la colonie songent à utiliser des militaires comme main-d'œuvre. Antoine-Louis Rouillé de Jouy, le nouveau ministre de la Marine, se range plutôt de l'avis de l'intendant Bigot qui avait suggéré d'installer une compagnie supplémentaire de soldats à Trois-Rivières et d'engager ces derniers pour travailler aux Forges. En 1751, l'officier de la marine royale anglaise, George Clinton, visite les Forges et évalue à 400 environ le nombre de ceux qui y travaillent tous les jours.

Un visiteur consciencieux

Le 28 juillet 1752 l'ingénieur français Louis Franquet, répondant à une invitation de l'intendant Bigot, visite l'établissement des Forges.

> Les logements affectés aux logis des ouvriers, note-t-il dans son récit de voyage, sont situés sur le même côté des forges, mais un peu éloignés ; ils sont plantés ça et là, sans aucune symétrie ni rapport de l'un à l'autre. Chacun a son logement isolé et particulier, de manière qu'il y a une quantité de maisons ainsi que de couverts et appentis pour magasins aux forges au charbon et au feu et d'écuries pour les chevaux dont l'entretien par économie doit constituer une grande dépense. Le principal bâtiment est celui du directeur. Quoique grand, il ne suffit pas à tous les employés qui ont droit d'y loger ; il en coûterait moins cher au roi si tous les autres étaient rassemblés de même, néanmoins distribués en logements différents pour la commodité de chacun que pour l'aisance du service.

Franquet remarque que les ouvriers travaillent à peu près de la même façon qu'en France et qu'ils ont une coutume identique : « Frotter les souliers aux étrangers pour avoir de quoi boire. » Le voyageur évalue à 120 le nombre d'employés des Forges.

Au cours des années qui suivent, la production de matériel militaire augmente. Malheureusement, les documents concernant l'histoire des Forges du Saint-Maurice entre 1756 et 1760 font défaut. Boissonnault et Bédard tirent, à ce sujet, la conclusion suivante : « L'absence d'informations reliées aux opérations de cet établissement est sans doute liée à l'administration de Bigot et aux procès qui lui furent intentés lors de son retour en France, simultanément à la chute de la Nouvelle-France. Il est fort probable qu'une bonne part des papiers pouvant mettre en doute l'intégrité de ses actes furent tout simplement éliminés, de sorte que cette période reste non documentée. Il est permis de supposer que l'affaire se maintint en dépit de la conjoncture de guerre, marquant certes une décélération de la production et de ses activités industrielles. »

À l'épreuve du feu

Le secteur de la construction et celui de la préparation des matériaux qui s'y relient occupent une place encore plus importante que l'industrie minière. Les incendies demeurent en Nouvelle-France une menace omniprésente. Les autorités de la colonie s'intéressent donc aux matériaux qui diminueraient les risques de conflagration. Le bardeau dont on se sert habituellement pour couvrir les toits constitue une matière hautement combustible. L'utilisation de l'ardoise serait préférable. En 1721, Chaussegros de Léry écrit au Conseil de Marine : « J'ai remis à M. l'intendant un état des ardoises nécessaires pour couvrir les magasins du roi de Québec et de Montréal, ne l'étant que de bardeaux, par ce moyen les effets de Sa Majesté seront en sûreté. Il est nécessaire aussi de couvrir avec de l'ardoise les autres bâtiments qui lui appartiennent. Il arrive, dans ce pays, que, lorsqu'une maison est en feu, on ne peut pas garantir celles qui sont auprès, à cause qu'elles sont couvertes en planches ou en bardeaux. [...] Les couvertures en ardoises durent longtemps et les réparations ne sont pas grandes, au lieu qu'une couverture en bardeaux, il faut la changer souvent et réparer de même. »

Le problème réside dans le fait que l'ardoise coûte cher et qu'il faut l'importer de France. Il existe bien une ardoisière au lac Champlain, mais on ne sait pas comment fendre la pierre. Il y a aussi celle qui se trouve sur la concession accordée en 1697 à François Hazeur et Denis Riverin « six lieues au-dessous de la Vallée des Monts Notre-Dame », en Gaspésie. Mais elle n'a pas encore été mise en opération. Au printemps de 1728, on « redécouvre » l'ardoisière. Elle est située, écrit le gouverneur Beauharnois au ministre, « sur les bords du fleuve Saint-Laurent, à cent lieues environ au-dessous de Québec et à la côte du sud de ce fleuve ». « Elle s'étend, ajoute-t-il, depuis le Grand-Étang qui forme un port très commode pour la charger jusqu'à la rivière de la Petite Vallée, ce qui fait environ huit lieues de pays. On a aussi vu de l'ardoise entre le Grand-Étang et Gaspé ; mais celle qui est entre le Grand-Étang et la rivière de la Petite Vallée est beaucoup plus belle et plus noire. » On demande donc « deux bons ouvriers qui pourront venir dans le courant de l'année prochaine par le vaisseau du roi ».

La famille Hazeur et le médecin Michel Sarrazin (ce dernier ayant épousé Marie-Anne Hazeur) sont propriétaires de l'ardoisière. Les expertises montrent que les ardoises sont de qualité. Une de ces ardoises est installée sur le toit de la maison des jésuites à Québec. Le commissaire de la Marine à Montréal, Jean-Baptiste de Silly, écrit : « Elle a passé tout l'hiver, qui a été long et très froid sans qu'elle soit altérée. Même, ajoute-t-il, quelques mots qu'on y avait tracés légèrement s'y sont trouvés aussi entiers que quand on les a écrits, ce qui ferait présumer de la bonté de cette ardoise, si effectivement elle a été prise à ladite Anse des Monts Notre-Dame. »

En 1729, trois ouvriers se rendent à Grand-Étang « pour ouvrir la terre » et fendre des ardoises. Le navire de pêche à la morue qui a transporté les hommes doit les ramener à Québec, mais le maître du vaisseau refuse de transporter les 20 000 ardoises qui demeurent sur les lieux. Sarrazin et les Hazeur s'associent à l'abbé Louis Lepage de Sainte-Claire, seigneur de Rimouski, et à Nicolas Rioux, seigneur de Trois-Pistoles. Le 14 octobre de la même année, l'intendant Hocquart signe une ordonnance qui fait « très expresses inhibitions et défenses à toutes personnes, de quelque qualité et condition qu'elles soient, de troubler ledit sieur de Sarrazin ou ses associés, dans le choix qu'ils doivent avoir sur leur établissement de pêche dans lesdits lieux, ni de s'y établir pour faire la pêche qu'après qu'ils auront pris le terrain qui leur convient à cet effet, comme aussi de les troubler et s'immiscer en aucune manière dans l'exploitation de l'ardoisière, appartenant audit sieur Sarrazin, à peine, contre les contrevenants, de cinquante livres d'amende et de plus grande peine si le cas y échoit ».

L'ardoisière commence à produire, mais le coût d'exploitation fait que les pièces doivent se vendre plus cher que celles importées de France ! En 1731, trois ouvriers venus expressément de France se mettent à l'ouvrage. L'intendant Hocquart vient de commander à Sarrazin les 101 600 ardoises nécessaires pour couvrir le palais de l'intendant à Québec. Le contrat se signe au prix de 51 francs le mille, soit 10 francs de plus que le prix français. Hocquart sent le besoin de justifier son geste. Il écrit à Maurepas le 18 octobre :

> Le sieur Sarrazin m'a justifié par le compte qu'il a tenu des dépenses qu'il a faites pour l'exploitation de son ardoisière qu'il ne pourrait sans une perte évidente la donner à un moindre prix que 51 livres. J'ai jugé, monseigneur, parce que me faites honneur de m'écrire que votre intention était de soutenir cet établissement que le sieur Sarrazin aurait abandonné s'il avait trouvé une perte considérable dans ses premières fournitures. Je lui ai cependant fait entendre que, dans cette affaire, vous regardiez moins l'avantage du roi que l'intérêt général de la colonie et que ce ne serait pas seconder vos vues s'il se bornait à ne livrer que la quantité d'ardoise nécessaire pour la couverture du Palais, des poudrières et des autres bâtiments de Sa Majesté qui sont en petit nombre en Canada, sans s'embarrasser de chercher les moyens de fournir le public à un prix qui pût l'engager à en faire usage. Je lui ai expliqué que je ne ferai payer qu'à 45 livres celle qu'il pourra fournir, l'année prochaine, pour les deux nouvelles poudrières, deux petits magasins à poudre de Montréal.

Voilà donc un nouveau secteur de l'économie canadienne que le roi doit pratiquement subventionner, pour qu'il puisse se développer !

Le 26 août 1731, Hocquart demande à Jean-Baptiste Gatien de se rendre à Grand-Étang étudier les moyens à prendre pour rentabiliser l'exploitation. Satisfaits des remarques de l'enquêteur, les associés l'engagent au mois de mai de l'année suivante pour gérer l'ardoisière. Le problème majeur devient celui de la qualité du matériel : « L'ardoise n'est pas assez lisse, assez unie ; elle est difficile à fendre. » Moins de deux ans plus tard, on se rend compte qu'il faut songer, à brève échéance, à refaire les toitures recouvertes avec l'ardoise de Grand-Étang.

Michel Sarrazin meurt le 8 septembre 1734. Sa mort coïncide presque avec la décision des autorités de la colonie de ne plus acheter d'ardoise de Grand-Étang. Une année plus tard, le jugement définitif est prononcé : « Celle fournie par le sieur Sarrazin est moins une ardoise qu'une pierre de grès noir qui se feuillette à la vérité à peu près comme l'ardoise de France, mais qui ne peut résister à la gelée ; même celle qui paraît, au sortir de la carrière, la plus sonnante et la plus belle. »

Les recherches à l'Île-Verte et à Pointe-à-la-Chevelure, près du lac Champlain, sont aussi décevantes. Voilà donc un autre produit qu'il faudra importer longtemps.

Une vraie tuile !

Si une briqueterie s'installe à Québec dès le début de la colonie, cette industrie se développe peu au cours de la première moitié du XVIIIe siècle. Lors de son séjour en

Nouvelle-France en 1749, Kalm est frappé par le petit nombre de maisons de briques. « De nombreuses maisons rurales sont en bois, écrit-il, avec de l'argile solidement enfoncée dans les interstices et une cheminée au milieu du toit, quant aux maisons en pierre, il s'agit bien de pierre et non de briques ; parfois elles ne comportent qu'une seule cheminée, à l'une des extrémités, parfois il y en a trois en tout. »

Comme la pierre est abondante et que la main-d'œuvre qualifiée est rare, les habitants utilisent peu la brique. Le Conseil de la Marine de Paris étudie, le 26 février 1717, une demande des autorités de la colonie selon laquelle « il serait nécessaire d'envoyer dans les recrues deux ouvriers qui sussent faire de la brique et de la tuile, n'y ayant dans le pays que deux ou trois habitants qui se mêlent de faire de la brique et même peu entendus dans ce métier ».

Vaudreuil et Bégon, dans la même lettre au Conseil de la Marine, demandent des tuiliers. « On a fait des essais de tuile parmi lesquels il a paru qu'il y a de la terre fort propre pour en faire et, si on avait de bons ouvriers, plusieurs personnes en feraient couvrir les maisons et, peu à peu, chacun en ferait de même pour se garantir des incendies fort communs dans le pays qui se communiquent d'une maison à l'autre par la couverture qui n'étant que de bardeau, de bois de cèdre fort gommeux, brûle aussi facilement que de la paille. Toutes les maisons de la Nouvelle-Angleterre sont couvertes d'ardoises et de tuiles. »

Le problème ne réside pas seulement dans un manque d'ouvriers spécialisés, mais surtout dans la croyance qu'ont les habitants que la tuile ne convient pas au climat canadien. L'intendant Jacques Raudot, dans une lettre au ministre datée du 11 octobre 1711, fait part des réticences des Canadiens : « Les habitants, par rapport à la tuile, ont toujours prétendu que cela ne leur serait d'aucun usage, tant parce qu'on ne pourrait pas la joindre si bien sur le toit d'une maison que cela pût empêcher la neige dans les poudreries d'entrer dans les greniers, que parce que la neige y demeurant tout l'hiver, le froid est si grand qu'elle consommera la tuile. » Un autre problème est celui du poids d'une toiture en tuiles.

Dans les années 1720, deux projets de tuileries, un à Montréal avec Charles de Ramezay et l'autre à Québec avec Gaspard Adhémar de Lantagnac, ne connaissent que des débuts de réalisation. Nicolas-Marie Renaud d'Avène Des Méloizes décide, en 1732, de prendre la relève. Il demande un prêt de 6000 livres pour mettre sur pied une tuilerie à Québec. L'avance est autorisée en monnaie de carte au mois d'avril 1734. Avec l'aide d'un engagé, Des Méloizes réussit, en 1735, à faire fabriquer 4000 tuiles « qui, aux dires de Hocquart et Beauharnois, nous ont paru d'une aussi bonne qualité que celles que l'on fait en France ; elles sont sonnantes, bien ceintes et bien moulées »

Pour vérifier la qualité de tuiles, l'intendant en achète 3500 qu'il fait poser sur le toit d'un des magasins du roi. Il faudra attendre jusqu'au printemps de 1737 avant qu'une décision soit prise sur la qualité du produit, car on veut lui faire subir l'épreuve de deux hivers. Dès le 12 octobre 1736, les autorités de la colonie font rapport au ministre Maurepas des résultats de l'expérience : « Il ne s'en est trouvé sur cette quantité [3500] que 35 qui ont été gâtées et endommagées par la gelée, ce qu'ils attribuent à un défaut de cuisson auquel nous croyons qu'on peut remédier. Cependant pour s'assurer davantage de la qualité de cette tuile ils sont convenus avec le sieur des Méloizes qu'il suspendrait ses travaux jusqu'à l'année prochaine. Ils feront faire alors une nouvelle visite de ces mêmes tuiles et, s'il est reconnu que les gelées d'hiver n'ayant fait aucune impression sur ce qui reste bon, le sieur des Méloizes prendra les mesures nécessaires pour continuer son entreprise. »

Lors de l'inspection du printemps suivant, on découvre 200 nouvelles tuiles endommagées par la gelée. Selon les ouvriers responsables de la visite du toit, la cause de la défection des tuiles serait « le mortier avec lequel les tuiles avaient été posées », car, comme il n'avait pas séché assez promptement, « il avait humecté et attendri les tuiles que la gelée étant survenue, elle les avait fait rompre en les bouleversant ». On croit que des tuiles percées que l'on fixe au toit avec des clous seraient plus résistantes. On en fait donc un essai sur deux ans.

Le nouveau délai décourage le lieutenant Des Méloizes qui offre au roi le remboursement de son prêt. Ce dernier lui accorde, en 1741, un délai de trois ans. Mais il semble bien que Des Méloizes ait déjà décidé d'abandonner la direction de sa tuilerie. Barthélemy Cotton fils prend sa succession. La mauvaise récolte de 1743 le force à fermer son industrie. Ce nouvel échec s'ajoute à ceux qui jalonnent l'histoire de l'industrie canadienne au cours de la première moitié du XVIIIe siècle. L'historien Donald J. Horton tire de ces diverses expériences les conclusions suivantes :

> Sous plusieurs aspects, l'échec de Des Méloizes représente les problèmes types reliés à l'établissement des entreprises industrielles en Nouvelle-France. Il n'était sûrement pas de la classe bourgeoise, manquant à la fois des ressources financières et de l'esprit spéculatif nécessaires à la mise sur pied d'une ambitieuse entreprise industrielle. Cependant, plus important encore était le fait que la colonie manquait du capital, de la main-d'œuvre et des conditions techniques et climatiques nécessaires au fonctionnement rentable d'une telle industrie. La perspective d'un important marché local, l'assistance financière du roi, la coopération des fonctionnaires de la colonie et ses propres liens avec la communauté de marchands ne suffirent même pas à compenser ces lacunes fondamentales.

Le bois, la terre et l'eau

Au XVIIe siècle, l'économie de la Nouvelle-France repose surtout sur le commerce des fourrures et sur les pêcheries. Au cours de la première moitié du siècle suivant, l'industrie forestière prend de plus en plus d'importance. L'intendant Claude-Thomas Dupuy a bien senti l'évolution des divers secteurs économiques. « On doit considérer le bois, écrit-il au mois d'octobre 1727, comme le fruit du Canada qui va succéder à la pelleterie qui diminue de tous côtés. Les blés et les bois vont faire son grand commerce ; c'est donc un fruit substitué à l'autre par la Providence pour en user et non pour en abuser. »

L'État, assez rapidement, va contrôler une partie de l'exploitation forestière, surtout celle qui vise les bois propres à la construction navale. Le chêne fera l'objet d'une attention particulière. Sa coupe est fortement contrôlée. On s'en sert pour la construction des mâts de navire. Débité en planches, on l'utilise aussi pour le revêtement du corps du bâtiment. On le retrouve encore dans la fabrication des tonneaux. Les merrains sont du « bois de chêne fendu en menues planches dont on fait des panneaux, des douves de tonneaux et d'autres ouvrages ». Aux Forges du Saint-Maurice, on utilise parfois le chêne pour la fabrication du charbon de bois.

Le pin et l'épinette fournissent parfois de bons mâts. En 1725, Jean-Baptiste Legardeur de La Mothe-Tilly et son fils visitent la région avoisinant la rivière Chicoutimi. Près de la rivière Pepavitiche, ils remarquent une pinière importante « dans laquelle, disent-ils dans leur rapport, il y a quantité de pins blancs ; nous en avons remarqué 70 [mesurant] depuis 22 jusqu'à 30 pouces de diamètre et même au-dessus de 15 pieds du gros bout. Tous les mâts de cette pinière pourraient avoir 40 à 50 pieds de long sans branches et ensuite les branches en général ne paraissent pas préjudiciables. Cette pinière a environ une demi-lieue en carré, de laquelle nous n'avons pu visiter qu'environ la cinquième partie par rapport au mauvais temps. Tous pins blancs et rouges, bien faciles à tirer au bord des rivières. »

Les mâts d'épinette blanche n'obtiennent pas la faveur des constructeurs de navires royaux de Rochefort. En 1731, l'intendant Hocquart en avait expédié dix qui sont rejetés parce que les bois sont « trop secs et sans humeur ». Cette remarque n'a pas l'heur de plaire au fonctionnaire qui écrit au ministre au mois d'octobre de l'année suivante : « Tous les habitants de ce pays s'en servent. Les mers y sont grosses et je n'ai point entendu parler depuis que je suis en Canada d'aucun démâtement ni de fracture de mâts. » L'épinette est utilisée aussi et ce, sans problème, comme éparts, « pièces de bois qui lient ensemble les brancards d'une charrette ». Quant au pin, on en tire surtout des planches et des madriers.

En raison de sa dureté, le merisier est utilisé dans la fabrication des quilles de navires, la pruche pour les bordages et le frêne, pour les chevrons. L'orme a, lui aussi, une utilité « maritime ». Le 2 décembre 1741, Hocquart signe une ordonnance imposant « au sieur Boisclerc, grand voyer, de partir incessamment avec Étienne Corbin, maître charpentier, et autres pour se rendre au Sault de Montmorency et le long de la rivière du Sault à l'effet de visiter les ormes propres pour la construction des vaisseaux de Sa Majesté qui pourraient se trouver le long de ladite rivière et dans les îles adjacentes et de marquer lesdits arbres à la marque du roi ».

L'érable sert à la fabrication d'avirons et de mécanismes pour les moulins à eau ou à vent. On l'utilise aussi pour faire du charbon de bois.

Diverses essences forestières servent à la confection de meubles : le pin blanc, le merisier, le noyer tendre, le frêne, l'orme, l'épinette, le sapin et le cèdre. Outre la construction navale et domiciliaire, le bois de nos forêts sert, bien sûr, au chauffage des maisons.

Il faut surveiller la ligne

La consommation de bois de chauffage, l'hiver, est importante en Nouvelle-France. Les sulpiciens, qui sont les seigneurs propriétaires de l'île de Montréal, s'étaient réservé le droit de prendre sur les terres concédées tout le bois qu'ils voudraient, mais les habitants de Montréal s'en plaignent à l'intendant Raudot. Ce dernier, par une ordonnance datée du 2 juillet 1706, limite les droits des religieux.

> Nous ordonnons, précise-t-il, suivant les offres desdits seigneurs et l'acceptation desdits habitants, qu'à l'égard du bois de chauffage, lesdits seigneurs de Montréal en prendront un arpent seulement en chaque habitation de soixante arpents et, dans les autres, à proportion, lequel arpent lesdits seigneurs prendront à leur volonté, le plus près des déserts [endroits déboisés] où le bois n'aura point été couru, duquel bois ils disposeront ainsi que bon leur semblera, au moyen de quoi lesdits seigneurs sont déchus du droit qu'ils prétendaient avoir de prendre tout le bois de chauffage dont ils auraient besoin dans lesdites concessions, leur réservant toujours le droit qu'ils ont de prendre sur lesdites habitations tous les bois qui leur seront nécessaires pour leurs bâtiments et pour les ouvrages publics.

Les habitants des villes doivent acheter leur bois de chauffage des habitants de la campagne ou des commerçants. Des règlements de police fixent la longueur et la qualité du bois vendu dans les villes. Les contrevenants sont, malgré cela, nombreux et les plaintes se multiplient. Le 20 septembre 1748, l'intendant François Bigot émet une ordonnance précise sur ce sujet.

> Nous ordonnons, dit-il, qu'à commencer du premier juin prochain, tout le bois de corde qui sera amené dans toutes les villes de cette colonie, soit en traînes, en barques, cageux ou autrement, aura trois pieds et demi entre les deux coupes, pour avoir quatre pieds en tout, à peine de confiscation du bois qui sera trouvé de moindre longueur, et de cinquante livres d'amende contre les propriétaires dudit bois ou ceux qui l'exposeront en vente, le tout applicable moitié à l'Hôpital-Général et l'autre moitié à l'Hôtel-Dieu. Enjoignons à tous les bûcheurs à gages de faire le bois de corde de la longueur ci-dessus expliquée, sous peine de perdre leurs salaires et, en outre, de vingt livres d'amende, applicable à la Fabrique de la paroisse où la contravention aura été commise. Enjoignons pareillement à tous les vendeurs de bois de corde, soit en barques, cageux, traînes ou autrement, de le livrer et mesurer à la corde avant d'en pouvoir exiger le paiement, avec défense, sous les mêmes peines de confiscation et d'amende, d'y mêler du bois pourri ou vermoulu, ni même du bois de pruche et de sapin, à l'effet de quoi il sera par nous nommé une personne intelligente qui aura une chaîne à la marque du roi, tant pour vérifier la longueur dudit bois, mesurer la corde, que pour veiller à ce qu'il n'y en soit point mêlé de mauvaise qualité.

L'ordonnance de Bigot, qui voulait faire disparaître certains abus, crée des problèmes inattendus, car les cheminées et les poêles ne peuvent contenir du bois de trois pieds et demi. Les citadins « sont obligés de le faire scier en deux pour pouvoir s'en servir et même en trois pour l'usage des poêles ». Comme la main-d'œuvre est rare et chère, l'intendant émet une nouvelle ordonnance, le 1er octobre 1749, stipulant qu'à l'avenir le bois de corde aura deux pieds et demi de longueur entre les deux coupes pour avoir trois pieds en tout.

Une mauvaise habitude

Plusieurs habitants ne se gênent pas pour aller bûcher leur bois de chauffage sur la terre des voisins. Le 27 décembre 1713, l'intendant Michel Bégon interdit aux habitants de Québec d'aller faire leur provision de bois sur les terres de la côte Saint-Jean, sans la permission des propriétaires. Les contrevenants paieront non seulement une amende de 50 livres, mais les traînes et les chevaux seront saisis. Cette défense ne semble pas être observée car, le 5 avril 1725, l'intendant Dupuy revient à la charge, interdisant cette fois aux seigneurs comme aux habitants de couper du bois sur des terres qui ne leur appartiennent pas. Interdiction, bien sûr, de s'emparer des bois abattus ou renversés par le vent.

« Ton moulin, ton moulin... »

Le développement de l'exploitation forestière amène une multiplication des moulins à scie. En 1717, on en dénombre 17. On en compte 28 en 1720, 30 en 1721 et 52 en 1734. Dès 1702, Claude de Ramezay opère un moulin à scie à la Baie-Saint-Paul. Quatre ans plus tard, il en fait construire un dans la région de Montréal. Vers 1710, Charles Le Moyne de Longueuil fait construire un moulin avec des crémaillères de bois sur « une petite rivière qui se trouve en partie dans ladite seigneurie de Longueuil, du côté de Chambly ». D'autres moulins s'établissent le long des cours d'eau. Le curé et seigneur de Terrebonne, Louis Lepage, en a fait construire quelques-uns sur le territoire de sa seigneurie.

En 1738, Pierre de Lestage, seigneur de Berthier-en-Haut, fait construire, sur une des pointes de sa seigneurie, un moulin à scie mesurant 62 pieds sur 30 pieds et capable de scier « des planches de 35 à 36 pieds de longueur et moins ».

Le projet de la rivière Pepavitiche, connue aujourd'hui sous le nom de rivière du Moulin, est plus ambitieux. « Ce moulin, écrit J.-N. Fauteux, devait avoir deux scies qui, fonctionnant jour et nuit, pourraient produire de 140 à 150 planches par 24 heures. Le bois serait transporté en cageux jusqu'à la crique, trois lieues plus bas que le moulin. Le lieu d'entrepôt et de chargement serait à Tadoussac. Le moulin aurait marché sans interruption, les scieurs se relevant par quart, depuis le milieu d'avril jusqu'au 15 octobre. » Le père jésuite Claude-Godefroy Coquart, dans son rapport adressé à l'intendant Bigot, en 1750, mentionne ce moulin à scie. Parlant de la décennie précédente, Fauteux affirme : « À cette époque, il n'était guère de partie habitée de la colonie où ne se trouvaient pas un ou parfois plusieurs moulins à scie. Et [...] les propriétaires de ces moulins se rencontraient dans toutes les classes de la société et jusque dans les rangs du clergé. [...] L'exploitation de la forêt canadienne était devenue une entreprise rémunératrice et nombreux étaient ceux qui s'y livraient. »

Un vrai cul-de-sac

Pour des raisons géographiques et économiques, la construction de navires dans la colonie est d'une grande importance. Talon l'avait compris. C'est sous son intendance que l'industrie navale prend naissance. Après son départ en 1672, elle connaît un ralentissement, même si les besoins sont encore les mêmes. « Isolée par l'océan et dépourvue de réseau routier, écrit l'historien Jacques Mathieu, la colonie dépendait en tout de la marine : la flotte marchande assurait son progrès économique tandis que la marine de guerre constituait son rempart de défense avancée. L'exportation des fourrures, l'importation des produits nécessaires à la vie des Européens en Amérique, l'exploitation des pêcheries, l'expansion à l'intérieur du continent et même les relations entre les zones peuplées et entre ville et campagne mobilisaient une quantité importante de navires et d'embarcations. »

Au début du XVIIIe siècle, Louis Prat construit le *Joybert*, un navire corsaire, puis, plus tard, il achète le *Normand*. L'armateur de Québec s'intéresse de plus en plus à la construction de navires. En 1710, il fait aménager à ses frais le Cul-de-Sac, un bassin naturel situé près de la Batterie royale à Québec. C'est l'endroit « où s'échouent les navires pour se faire radouber et caréner ». « Le Cul-de-Sac, écrit l'intendant Raudot le 23 octobre 1710, était plein de grosses roches qui crevaient les navires qui y entraient, les exposant même à se perdre auparavant que d'y pouvoir arriver. »

Prat fait enlever toutes les roches dangereuses. En récompense de son geste, il est nommé, l'année suivante, capitaine du port de Québec. En 1712, il fait construire à l'Anse des Mères, située un peu plus à l'ouest, un vaisseau de guerre de

300 à 400 tonneaux, monté de 36 canons. Le ministre Pontchartrain ne cache pas son contentement. Il écrit à Bégon le 3 juillet 1713 :

> Je suis persuadé que, si les autres négociants veulent imiter son exemple, ils y trouveront une grande utilité soit qu'ils les fassent naviguer pour leur compte ou qu'ils les vendent en France. C'est un des plus grands commerces des Anglais dans les pays qu'ils habitent et ils trouvent par le moyen de ces constructions outre l'emploi des bois, celui des hommes et fournissent par ce moyen un grand nombre de navires au royaume d'Angleterre qui donnent l'occasion de former un grand commerce. Les Français de la Nouvelle-France peuvent faire ces constructions avec autant de facilité que les Anglais et outre l'utilité particulière qu'ils y trouveront, cela fera un grand bien au commerce du royaume. Vous ne devez point manquer de les y exciter en leur faisant connaître tous ces avantages.

Les négociants de la colonie trouvent moins onéreux d'acheter des navires construits en Nouvelle-Angleterre que de financer un chantier naval. Malgré tout, en 1723, il se construit à Québec deux vaisseaux de guerre et six navires marchands. L'année suivante, sept navires sont mis en chantier. Deux choses pourraient alors favoriser l'industrie navale à Québec : une subvention et des commandes régulières de navires destinés à la flotte du roi. Louis XV prend la décision, le 8 mai 1731, de subventionner la construction navale au Canada. Il écrit à Beauharnois et à Hocquart :

> [Sa Majesté] a vu aussi la proposition faite par le sieur Hocquart de faire construire pour le compte de Sa Majesté une flûte de 500 tonneaux et d'en faire une chaque année d'un plus grand port. Sa Majesté s'y déterminerait volontiers ; mais comme la main-d'œuvre est trop chère, il convient de se borner, quant à présent, à soutenir et animer les dispositions où les gens du pays paraissent être de s'adonner eux-mêmes à cette construction. C'est dans cette vue que Sa Majesté veut bien accorder une gratification de 500 livres pour chaque vaisseau de 200 tonneaux qui y sera construit, 150 livres pour chaque bateau de 30 jusqu'à 60 tonneaux, et 200 livres pour ceux de 60 jusqu'à 100 tonneaux, en rapportant par les propriétaires des certificats de vente de ces bâtiments, soit dans les ports de France, soit aux îles (Antilles). Elle a fixé cette gratification pour l'année prochaine à deux vaisseaux et six bateaux et elle augmentera par la suite le nombre de bâtiments, suivant le progrès.

Des navires subventionnés

Entre 1732 et 1735, grâce à l'appui royal, on construit dix-huit navires. Vingt et un autres sont lancés sans bénéficier de la gratification royale. Il est à remarquer qu'un de ces navires a été construit à Chambly. En 1737, les négociants de la colonie préfèrent acheter treize navires en Nouvelle-Angleterre, se contentant d'en faire construire seulement deux à Québec.

Ici, comme dans bien d'autres secteurs de l'économie, le problème de la main-d'œuvre qualifiée est crucial. En 1732, l'intendant Hocquart avait écrit au ministre : « Les charpentiers de ce pays ont une facilité extraordinaire à s'instruire et à se perfectionner, mais ils sont accoutumés à faire des ouvrages imparfaits. Il me paraît donc nécessaire que vous m'envoyiez un bon sous-contracteur et deux ou trois bons contremaîtres pour les former dans le bon goût du travail et leur apprendre que ce n'est pas assez d'aller vite, car ils sont très expéditifs. J'ai vu construire [...] un bâtiment de 130 tonneaux par six charpentiers qui avaient fait l'entreprise pour 2500 francs. Ce bâtiment n'a été que six mois sur le chantier*. »

Enfin, le 15 mai 1738, le roi autorise la mise en chantier d'une flûte pour la Marine royale. Le bâtiment qui servira au transport des troupes et du matériel de guerre sera du port de 500 tonneaux et pourra être armé de 40 canons. Sa longueur sera de 119 pieds et sa largeur de 31 pieds 10 pouces. Sa profondeur, mesurée « du dessus de la carlingue au-dessous du maître-bau », sera de 14 pieds. Le roi demande que les ferrures soient fabriquées aux Forges du Saint-Maurice. Le constructeur René-Nicolas Levasseur doit se rendre à Québec pour diriger les travaux de construction.

La flûte est mise en chantier au cours de l'été de 1739. Le 22 septembre, Levasseur écrit au président du Conseil de Marine : « Je n'ai pu destiner jusqu'à présent que peu de charpentiers pour travailler à la construction de la flûte, outre qu'il n'est pas possible d'en employer un grand nombre dans les commencements ; tous les ouvriers de cette profession ont été occupés l'automne à finir les hauts de deux navires marchands qui ont été construits et aux radoubs de plusieurs autres ; si je les avais fait commander, ces navires n'auraient pu sortir. »

Pour assurer un approvisionnement adéquat en bois de chêne, l'intendant Hocquart émet, le 20 mars 1740, une ordonnance interdisant aux propriétaires de l'île Jésus, de l'île Bizard et des seigneuries du Lac-des-Deux-Montagnes, de Vaudreuil et d'Argenteuil et aussi à quiconque « d'y couper ni faire couper aucuns chênes, jusqu'à ce que nous en ayons fait faire la visite et que nous ayons fait marquer et retenir ceux desdits chênes qui se trouveront propres pour la construction des vaisseaux de Sa Majesté ». Le même jour, il ordonne à Manthet, Lanoullier de Boisclerc, Henri Parent et Blaise Marié de se rendre, lorsque la navigation le permettra, dans la région du fort Frontenac, pour y marquer les chênes valables pour la construction navale et examiner la possibilité de les acheminer par eau jusqu'à Québec.

Les charpentiers et les ouvriers qui travaillent au chantier de la rivière Saint-Charles prennent l'habitude d'apporter chez eux du bois pour se chauffer. L'abus se généralise si bien que, le 5 octobre 1740, l'intendant Hocquart est obligé de produire le règlement suivant :

> 1e Ne pourront les ouvriers employés audit chantier enlever ni emporter aucuns copeaux qu'à l'heure de midi et le soir, après le son de la cloche. 2e Ne seront censés copeaux les rognures des pièces et les bordages, quelque petites qu'elles soient, ni même ceux faits avec la hache qui pourront servir à faire des coins et des gouvernables. 3e Défendons auxdits ouvriers et journaliers employés audit chantier de fendre ni débiter aucune pièce de bois pour en faire des éclats, pour les confondre ensuite avec les copeaux, à peine de vingt livres d'amende contre les contrevenants et de la prison. 4e Faisons pareilles défenses à tous autres, même aux

* Depuis 1731, le chantier naval avait été établi sur la rivière Saint-Charles, «à quatre ou cinq arpents» du palais de l'intendant.

> personnes du sexe et aux enfants du quartier et autres de venir ramasser des copeaux au chantier du roi pendant les heures de travail, à peine de trois livres d'amende contre ceux qui seront surpris en contravention. Et les pères et mères seront responsables de ladite amende que leurs enfants auront encourue. 5e Et afin de s'assurer qu'aucun desdits ouvriers n'a abusé de la permission que nous leur donnons par le présent règlement d'enlever les copeaux pour aider à leur chauffage, ordonnons qu'aux heures de débauche ils ne pourront sortir du chantier pour s'en retourner chez eux que par la rue de la Croix.

L'année suivante, Hocquart doit sévir cette fois contre ceux qui quittent le chantier pendant les heures de travail pour aller prendre un verre ou fumer dans l'un des nombreux cabarets qui se sont installés dans le voisinage.

La flûte *Le Canada* aurait dû, d'après les prévisions initiales, être lancée au cours de l'année 1741. Mais, le 10 octobre, sa construction n'est pas encore achevée. Levasseur écrit au ministre : « La flûte *Le Canada* est en partie finie ; il n'y a plus que ses ponts à calfeutrer ; il reste à lui faire sa dunette, vaigrer une partie sous les gaillards ; mettre ses seiullets [*sic*] des sabords de la deuxième batterie, faire ses bouteilles, son éperon, toute sa menuiserie et sa mâture. Je compte le lancer à l'eau dans les grandes mers de mai. »

Le climat canadien pose un problème que ne connaissent pas les chantiers français.

> Les froids extrêmes qu'est obligé d'essuyer un navire couvert de neige pendant les gelées excessives, note Levasseur, en font beaucoup pérécliter le bordage et il eut fallu reborder à neuf la flûte *Le Canada* si ce navire eut été obligé à essuyer ce second hiver sans être calfeutré. [...] L'effort que font les bois en ce pays est incompréhensible. Les gelées les font fendre beaucoup plus que le soleil et je crois que la neige ne contribue pas peu à leur pourriture en fondant dans ces gerces et en y séjournant. Il serait donc utile à ce que je crois au service de ne laisser passer les vaisseaux qu'un hiver sur le chantier et de les mettre à l'eau la seconde année, ce qui se pratiquera précisément si Votre Grandeur l'ordonnait pour faire partir ces navires à la fin de l'automne.

Le 19 mai 1742, *Le Canada* est prêt à prendre la mer, mais des vents contraires en retardent le lancement jusqu'au 4 juin. À Rochefort, on trouvera que la flûte a été bien construite. On met immédiatement en chantier un nouveau vaisseau, *Le Caribou*, du port de 700 tonneaux pouvant être armé de 45 canons. Ses dimensions sont un peu plus impressionnantes que celles du *Canada* : 130 pieds de longueur par 35 de largeur. On utilisera des bois de pin et de chêne. Pour être assuré de la qualité des fournitures, Hocquart, dans une ordonnance du 20 février 1744, demande à Levasseur de partir incessamment de Québec et de se rendre « aux Trois-Rivières, Saint-François, Sorel, Chambly, lac Champlain et dans le gouvernement de Montréal afin de faire la visite et exploitation des arbres de chêne et pin nécessaires pour la construction des vaisseaux de Sa Majesté ».

Le *Caribou* est mis à l'eau le 13 mai 1744. Hocquart s'empresse d'écrire le même jour au président du Conseil de la Marine : « Le vaisseau *Le Caribou* a été heureusement lancé à l'eau aujourd'hui à sept heures du matin et ensuite de la même marée en rade où il est actuellement mouillé. [...] Il ne reste à faire que quelques ornements dans les hauts de la poupe, les soutes et quelques aménagements, ce qui s'exécutera en rade comme sur le chantier. Il est prêt à recevoir sa mâture, sa garniture et son artillerie. »

Comme pour *Le Canada*, c'est un équipage français qui doit venir prendre livraison du *Caribou*. Cent quatre hommes levés dans le port de Brest quittent Québec à la mi-juillet, à destination de Louisbourg. Le vaisseau a la vie courte car, après cinq ans de navigation, on est « obligé de le mettre au rancart parce qu'il était déjà pourri ». Le chantier de la rivière Saint-Charles est très actif : en 1745, on y construit la frégate *Le Castor* et la corvette *Le Carcajou*. L'année suivante, c'est la frégate *La Martre*, puis, en 1748, *Le Saint-Laurent*, monté de 60 canons.

Un Original *à la vie courte*

Le chantier de la rivière Saint-Charles pose quelques problèmes, entre autres celui de la profondeur de l'eau. En 1745, Hocquart songe à transporter le chantier royal au Cul-de-Sac. Le gouverneur Beauharnois suggère de l'installer plutôt à l'île d'Orléans. Le ministre de la Marine se rallie au projet de l'intendant. « Pressé de mener ces travaux à bonne fin, écrit l'historien Jacques Mathieu, Hocquart expropria aussitôt les terrains de la rue Champlain, prohiba la construction de nouveaux édifices dans le voisinage et empêcha la restauration des bâtiments qui tombaient en ruines. La lenteur des procédures d'expropriation ne devait pas ralentir l'aménagement des chantiers : le roi avait pris possession des emplacements, il paierait plus tard. »

Au début du mois d'octobre 1748, on commence à construire au chantier du Cul-de-Sac un vaisseau pouvant porter jusqu'à 72 canons. C'est le navire le plus important commandé par le roi à Québec. Levasseur choisit lui-même les chênes, les pins rouges et les cyprès nécessaires pour le bâtiment. Le lancement a lieu le 2 septembre 1750 en présence de plusieurs centaines de personnes. Les réjouissances sont de courte durée, car le navire fait immédiatement naufrage ! Le gouverneur La Jonquière et l'intendant Bigot, dans une lettre au ministre datée du 1er octobre, racontent l'accident : « On avait pris la précaution de mouiller deux grosses ancres au milieu de la rivière où l'on avait destiné son mouillage et le bout de ses câbles était dans une gabarre, sur lesquels étaient amarrés trois grelins épissés ensemble, dont le bout était à bord du vaisseau et qu'on devait abraquer en le lançant. » Le câble ne put retenir le vaisseau qui alla s'échouer « sur un banc de rochers au-dessous du Cap-aux-Diamants ». C'est une perte quasi totale.

Les jours suivants, on s'affaire à sauver ce qui peut l'être de l'*Orignal*. « Il était complètement fini ; jusqu'à la moindre minutie ; il était même peint, écrit Bigot. J'ai fait sauver la plus grande partie de ses courbes, ses caps de moutons et chaînes d'aubans, quantité de chevilles, toute la menuiserie qui servira à un autre, n'étant point endommagée, ses cabestans, ses pompes et sa galerie qui était de fer ; elle est aussi légère qu'en bois et peut-être plus et elle tient moins de place. » Plusieurs des pièces récupérées servirent dans la construction de *L'Algonquin*, un vaisseau de 72 canons qui est lancé au mois de juin 1753.

Jusqu'à la chute de Québec, d'autres navires seront mis en chantier tant à Québec qu'à Sorel ou au lac Champlain.

Même si le chantier naval royal de Québec réussit à construire une dizaine de navires pour la flotte de Sa Majesté, l'opération se solde par un quasi-échec.

> De fait, conclut l'historien Jacques Mathieu, la construction navale à Québec fut une industrie métropolitaine par ses capitaux et sa finalité, dans ses méthodes, par l'encadrement de la main-d'œuvre, en somme dans sa nature même. À l'échelon le plus important, les décisions se prenaient en France ; elles étaient conçues et valables pour la métropole, non pour la colonie. Ainsi Maurepas imposa à l'intendant un type de construction qui ne convenait pas aux ressources forestières de la Nouvelle-France. On ne réussit pas plus à adapter les méthodes françaises aux conditions canadiennes. Les ouvriers spécialisés venus de France n'incitèrent pas le Canadien à sortir de sa réclusion volontaire. [...] Au caractère artificiel de cette structure se rattachent presque tous les problèmes survenus dans cette industrie. On a vu trop grand pour les possibilités industrielles de la Nouvelle-France au milieu du XVIIIe siècle.

Deux industries secondaires

Le développement de la construction navale en Nouvelle-France va favoriser la fabrication du goudron et du brai nécessaire pour imperméabiliser le bois et la culture du chanvre dont on se servira pour la fabrication des cordages et des voiles.

En 1712, on ne fabrique du goudron qu'à un seul endroit : Baie-Saint-Paul, une seigneurie qui appartient au Séminaire de Québec. Lors de sa visite de l'endroit, Gédéon de Catalogne note : « Les montagnes entrecoupées de petits vallons contiennent de toutes sortes de bois, particulièrement de gros pins, et c'est dans ce seul endroit où l'on fait le goudron, quoiqu'il y en ait plusieurs autres où l'on pourrait faire. »

Le coût de fabrication et surtout la cherté de la main-d'œuvre font que le produit se vend plus cher en Nouvelle-France que dans l'ancienne, ce qui fait que son exportation est rendue difficile. En 1721, l'intendant Bégon demande aux autorités de la métropole d'accepter d'acheter le goudron canadien à un prix plus élevé que le goudron français afin de favoriser le développement de cette industrie dans la colonie. La production augmentant, les prix pourront diminuer en conséquence, tout comme cela s'est produit en Nouvelle-Angleterre.

Le 15 avril 1724, par une ordonnance, l'intendant Bégon « permet à Pierre Tremblay, seigneur des Éboulements, de commencer, la présente année, l'établissement d'une goudronnerie dans tel lieu qu'il jugera à propos depuis le cap aux Corbeaux jusque et compris la seigneurie des Éboulements, d'y faire des fourneaux et des cabanes pour retirer les gens qui y travailleront, à la condition qu'il fournira à Sa Majesté tous les goudrons qu'il y fera, lesquels lui seront payés après la livraison qu'il en aura faite dans les magasins du roi à Québec, à raison de quinze livres le baril de quarante-cinq pots et lui sera payé en outre le fret desdits barils jusqu'à Québec ».

Médard-Gabriel Vallette de Chévigny établit une goudronnerie à Grande-Anse, dans la seigneurie de La Pocatière, où il emploie 25 soldats et deux sergents. Il en coûte 43 livres pour fabriquer un baril de goudron et on doit le vendre en

France entre 20 et 25 livres. Pour améliorer les méthodes de production, on fait venir de France deux goudronniers dont la tâche sera de montrer aux habitants comment fabriquer un meilleur goudron à un prix moindre.

Des goudronneries s'établissent à Kamouraska, Rivière-Ouelle, Chambly, Longueuil et au fort Sainte-Thérèse. On entaille des pins pour recueillir le brai et la résine. On en produit dans la région du lac Champlain et dans celle d'Autray, non loin de Montréal. Après 1754, avec la guerre qui recommence et par suite de la crise économique de 1745 qui débalance l'économie de la colonie, l'industrie du goudron disparaît presque. On continue à en fabriquer encore en petites quantités à Kamouraska et à la Rivière-Ouelle.

Sous son intendance, Talon avait introduit la culture du chanvre. Après son départ, la production avait diminué ; mais, au début du XVIIIe siècle, avec la faillite de la Compagnie de la Colonie qui s'occupait de la traite des fourrures, quelques habitants recommencent à cultiver le chanvre. En 1721, l'intendant Bégon veut relancer cette culture, mais avec l'aide financière du gouvernement royal. « Si les chanvres étaient reçus en Canada dans les magasins du roi et payés à un haut prix dans les commencements, écrit-il au Conseil de la Marine, tous les habitants s'attacheraient à en cultiver et, lorsqu'ils seraient dans cet usage, ils continueraient nonobstant la diminution du prix mais cette culture ne peut se faire que lorsqu'il y aura des nègres. »

Avant même de connaître l'opinion du Conseil de Marine, l'intendant envoie une lettre à tous les curés de la colonie leur demandant d'avertir les habitants « qu'il fera payer le chanvre qui sera fourni dans les magasins du roi, à Québec, à Montréal et à Trois-Rivières, à raison de 60 livres le quintal ».

Comme la colonie ne dispose pas de graines de chanvre en quantité suffisante, Bégon en demande 30 barriques. Cette nouvelle politique augmente la production de chanvre, surtout dans la région de Batiscan et de Champlain. Mais le prix de 60 livres le quintal est trop élevé, car, en Bretagne, on le paie 17 ou 18 livres le quintal. En 1729, on ne verse plus, dans les magasins du roi, que 40 livres le quintal et, l'année suivante, le prix descend à 25 livres. La conséquence immédiate de la baisse des prix est une diminution de la production.

L'établissement d'un chantier royal de construction navale à Québec favorise peu la culture du chanvre. Le 28 septembre 1740, Hocquart écrit au ministre : « La culture du chanvre se maintient comme à l'ordinaire ; les habitants de Champlain et de Batiscan continuent d'en livrer dans les magasins. Il y en a aujourd'hui trente milliers de reste qui n'ont pu être consommés par les trois cordiers établis à Québec. Les navigateurs sont si mécontents de leur ouvrage que ce n'est que dans une nécessité pressante qu'ils les emploient. »

La production annuelle oscille entre 15 000 et 20 000 livres. Elle est insuffisante pour les besoins de la colonie. Nicolas-Gaspard Boucault, qui fut secrétaire de l'intendant Bégon, déclare en 1754 : « Le chanvre vient fort beau au Canada ; il s'en fait néanmoins très peu à présent et depuis que M. Bégon est sorti du Canada ; parce que le prix a extrêmement changé, les habitants aiment mieux semer du lin pour leurs usages. »

La morue de la Gaspésie

À la suite du traité d'Utrecht, les Français sont dans l'obligation de réaménager leurs habitudes de pêches à la morue. La perte de l'Acadie et surtout de Terre-Neuve va favoriser le développement du golfe Saint-Laurent et de la Gaspésie. Un mémoire anonyme rédigé en 1723 localise les principaux endroits de pêche à la morue.

> Réponse aux demandes de la pêche des morues dans le golfe Saint-Laurent, y lit-on, à commencer à l'ouest de l'île Royale où les morues n'entrent ou du moins ne se font sentir que vers le vingt et vingt-quatre du mois de juin où elles sont attirées par la grande quantité de harengs qui y entrent et montent jusqu'à Matane où se trouve le dernier fonds en montant le fleuve où les morues se sont fait sentir et, du côté nord du fleuve, depuis Mingan ou la pointe de l'île Anticosti jusqu'à Belle-Île passant le Labrador. Les ports ou havres où les vaisseaux vont en pêche pour faire de la morue salée en sec sont Labrador, porte choix [*sic*] et ses continents ; à la bande du sud est l'île Saint-Jean [Île du Prince-Édouard] depuis quatre ans connue pour une des plus abondantes pêches de tout le golfe ; en montant ensuite est la baie des Chaleurs où il y a deux ports pour les vaisseaux qui sont Caraquet et Port-Daniel et Pabos pour de petits bâtiments. Remontant plus avant à l'embouchure de la baie des Chaleurs est l'Île de Bonaventure, l'île Percée et la baie de Gaspé. En remontant le long de la côte où se font les pêches et où il ne peut entrer que de petits bâtiments à la faveur des hautes mers sont la rivière au Renard, le Grand et Petit-Étang, la rivière de la Madeleine, le Mont-Louis, Sainte-Anne près du cap Chat et Matane qui est le dernier et où l'on ne pêche presque point, faute de havre commode.

Le poisson pêché en Gaspésie est surtout expédié dans les ports européens, de sorte que l'économie canadienne profite peu de ce commerce. En 1724, on dénombre onze bateaux de pêche dans la baie de Gaspé. En 1740, il y en a une cinquantaine et, cinq ans plus tard, le nombre de pêcheurs atteint 360. L'état de guerre qui existera après 1745 ralentira le développement de cette région. « Il semble, écrit l'historien David Lee, que ce ne soit qu'au moment de la guerre de succession d'Autriche (1744-1748) que l'on ait tenté pour la première fois de laisser des hommes dans la baie (de Gaspé) pendant l'hiver. Des sentinelles furent postées à proximité, au cap des Rosiers, afin de signaler le passage des bateaux. À ce moment-là, un Canadien nommé Arbour cultivait du blé, du sarrazin, du foin et divers légumes avec un certain succès. Ce Canadien est censé avoir résidé en permanence à cet endroit ; il fut probablement le premier à s'y fixer. »

Le 9 avril 1725, deux marchands de Québec, les sieurs Peyre et Becquet, envoient à l'Anse du Grand-Étang un canot monté par cinq hommes pour y retenir en leur nom « une étendue de grève pour la pêche à la morue ». Mais il y a un problème. Un autre marchand de Québec, Jean Gatin, vient de prendre à bail « les terres et seigneuries et fiefs de la Grande Vallée des Monts Notre-Dame, de la rivière de la Madeleine et de l'Anse du Grand-Étang » avec l'intention d'y établir une pêche sédentaire de morue. Gatin est sur le point d'envoyer dans la région qu'il vient de louer de Michel Sarrazin et de la famille Hazeur « trois bâtiments de quarante tonneaux chacun avec quatorze chaloupes de pêche et soixante-cinq hommes d'équipage ». L'intendant Bégon est appelé à régler le problème. Il émet donc une ordonnance, le 10 mai, dans laquelle il édicte « que le sieur Gatin jouira seul de la pêche au Grand-Étang et à la rivière de la Madeleine et qu'à l'égard de la Grande-Vallée des Monts Notre-Dame, ledit sieur Gatin y prendra la grave, des cabanots et vignots pour sept chaloupes et cédera le surplus pour la pêche du sieur Peyre ».

Selon l'historien David Lee, l'économie de la Gaspésie, au cours de la première moitié du XVIIIe siècle, est centrée sur la morue et une société particulière s'y développe.

> L'importance de la morue sèche en Gaspésie, écrit-il, a manifestement contribué à créer une société bien différente de celle du Canada dont les moyens de subsistance étaient beaucoup plus diversifiés. Il semble que les habitants de Pabos aient été en meilleure santé que ceux du reste de la Nouvelle-France, ce qui indique un niveau de vie plus élevé. Les Anglais ont aussi signalé que de Bellefeuille à Pabos, Révol à la baie de Gaspé et Maillet à Mont-Louis semblaient vivre à l'aise. Ils ont probablement même vécu plus richement que la moyenne des seigneurs au Canada. De plus, ils tiraient leurs revenus, non pas de la terre comme au Canada, mais de la mer dont ils ne s'éloignaient guère. D'ailleurs, par ses attaches familiales, la population se sentait bien plus proche de la France que du Canada.

La pêche aux marsouins

Dès le début du XVIIIe siècle, on commence à pêcher le marsouin blanc dans la région de la Rivière-Ouelle. En plus de donner une huile remarquable, ce mammifère cétacé a une peau qui se tanne facilement. « On la gratte longtemps, note le père Charlevoix, et elle devient comme un cuir transparent ; quelque mince qu'elle soit, jusqu'à être propre à faire des vestes et des hauts-de-chausses, elle est toujours très forte et à l'épreuve d'un coup de feu. Il y en a de dix-huit pieds de long sur neuf de large : on prétend que rien n'est meilleur pour couvrir une impériale de carrosse. »

Un groupe de marchands obtient, pour une durée de quinze ans, un privilège de pêche aux marsouins « à Kamouraska, Rivière-Ouelle, Pointe-aux-Trembles et autres lieux du fleuve Saint-Laurent ». Certains habitants de la Rivière-Ouelle, à partir de 1705, avec l'accord de leur seigneur, Deschamps de Boishébert, s'unissent pour exploiter en commun une pêcherie de marsouins devant leurs concessions. Il s'agit de Jean de Lavoye, Étienne Bouchard, Pierre Soucy, Jacques Gagnon, Pierre Boucher et François Gauvin. Deux années plus tard, soit le 13 juillet 1707, l'intendant Raudot défend à qui que ce soit de les troubler dans leur pêche sous peine de dommages et intérêts. Le groupe de marchands dirigés par Hazeur et Peyre proteste et, selon J.-N. Fauteux, « il fut décidé néanmoins qu'ils ne prendraient plus que le quart au lieu du tiers de la production d'huile provenant de la pêche faite en commun ».

Pour encourager la production d'huile de marsouins, Louis XIV décrète que les ports de Rochefort et de Port-Louis devront utiliser de l'huile produite au Canada. Mais, encore là, il y a un problème : plusieurs propriétaires de navires refusent de transporter en France les barriques d'huile. Ainsi, en 1707, la compagnie

Hazeur-Peyre produit 100 barriques d'huile de marsouins et seulement 18 barriques peuvent être acheminées dans la métropole.

Mais ces difficultés n'empêchent pas la pêche aux marsouins de prendre des proportions impressionnantes. À la fin de l'année 1721, on évalue à une quinzaine les nouvelles pêches et on projette d'en établir sept autres l'année suivante. Le Séminaire de Québec, à lui seul, en possède deux dans la région de la Baie-Saint-Paul.

En 1722, un groupe d'habitants de Petite-Rivière, dans la région de la Baie-Saint-Paul, établit ce que l'on considère comme « la plus ancienne coopérative connue en terre québécoise ». Paul Cartier, René de Lavoye, Jacques Fortin père, Anne Dodier faisant pour Noël Simard son mari, Claude Larouche et Jacques Fortin fils veulent établir deux pêches aux marsouins.

> Pour ne point se nuire les uns aux autres et faciliter ledit établissement, stipule leur accord, ils ont fait une société entre eux, dont l'acte sous seing privé a été rédigé par le sieur Jorian, leur curé, et signé de lui, en date du dix-huit avril dernier, contenant leurs conventions, qui sont : 1° Que chacun des associés contribuera aux dépenses nécessaires à faire pour l'établissement de ces deux pêches, par rapport à la devanture de leur terre ; 2° Que les profits qui proviendront desdites pêches seront partagés également entre eux au prorata de la devanture de leur terre ; 3° Que les hommes nécessaires pour les établissements seront fournis également ; 4° Qu'il sera loisible à chacun des associés de disposer des huiles et peaux qui reviendront à chacun d'eux desdites pêches ; 5° Que la société durera pendant neuf années, sans pouvoir par aucun des associés céder son droit à un autre ; 6° Qu'en fin de ladite société il leur sera loisible d'en faire une autre ou de la renouveler suivant les avantages qu'ils auront trouvés dans celle-ci ; 7° Que les associés qui voudront se retirer de la société pourront le faire, sans pouvoir par eux tendre sur la devanture de leur terre pour nuire à celle établie ; 8° Que les profits de la société seront partagés tous les ans, à fur et à mesure que la pêche se fera ; 9° Qu'il sera loisible à chacun des associés de se désister de ses droits par chaque année, pour autant de temps qu'il voudra, à la charge d'avertir les autres associés au mois de mars de chacune année, auquel cas il n'entrera ni dans la dépense ni dans les profits, comme aussi qu'il pourra rentrer en ladite société quand bon lui semblera, en avertissant dans le même mois de mars de l'année suivante.

Le développement trop rapide de l'industrie de la pêche aux marsouins va causer son recul. « Ces pêches ont donné quelques profits en différentes années, écrit le marchand Peyre en 1723, ce qui a engagé les habitants que j'avais employés à travailler à former de nouveaux établissements si proches les uns des autres qu'ils se nuisent, empêchant le succès que l'on pourrait espérer dans ces entreprises par le peu de distance de l'une à l'autre, ce qui épouvante le marsouin et le fait tenir au large. » Les pêcheurs d'anguille se plaignent aussi que leurs poissons séjournent moins longtemps dans les eaux du fleuve et qu'ils descendent trop rapidement vers le golfe.

Quelques établissements continuent à fonctionner. Au mois de novembre 1736, une ordonnance rappelle aux habitants de la seigneurie de La Pocatière qu'ils doivent verser à leur seigneur la dixième partie des huiles que produit leur pêche aux marsouins.

Chasse ou pêche ?

La pêche aux marsouins ressemble à celle du loup-marin.

> Quand la marée est basse, raconte le père Charlevoix en 1721, on plante dans la vase ou dans le sable des piquets assez près les uns des autres et l'on y attache des filets en forme d'entonnoirs, dont l'ouverture est assez large ; de sorte néanmoins que, quand le poisson y a passé, il ne la peut plus retrouver pour en sortir. On a soin de mettre au haut des piquets des bouquets de verdure. Quand la marée monte, ces poissons, qui donnent la chasse aux harengs, lesquels gagnent toujours les bords, et attirés par la verdure qu'ils aiment beaucoup, s'engagent dans les filets et s'y trouvent enfermés.

Au XVIIe siècle, on chassait ou pêchait le loup-marin pour fabriquer des manchons avec sa peau. Au siècle suivant, les peaux servent à couvrir les malles et les coffres. « Quand elles sont tannées, écrit le père Charlevoix, elles ont presque le même grain que le maroquin : elles sont moins fines, mais elles ne s'écorchent pas si aisément et elles conservent plus longtemps toute leur fraîcheur. On en fait de très bons souliers et des bottines qui ne prennent point l'eau. On en couvre aussi des sièges dont le bois est plutôt usé que la couverture. »

On pêche le loup-marin sur la côte du Labrador. Plusieurs privilèges exclusifs de traite sont accordés dans les années 1720-1730. Ainsi, le 2 mai 1738, Jean-Baptiste Pommereau « obtient pour une période de dix ans la concession d'un emplacement de quatre lieues » dans la région de Gros Mécatina, sur la côte du Labrador. Entre 1740 et 1745, la compagnie de Pommereau recueille 2730 barriques d'huile de loup-marin et le nombre de peaux, pour les années 1742-1745, s'élève à plus de 10 000.

La baleine fournit elle aussi de l'huile. Les Basques la pêchaient dans les eaux du fleuve Saint-Laurent bien avant l'arrivée de Cartier. Le 17 mars 1733, le constructeur et navigateur Hilaire Brideau obtient, pour une durée de quatre ans, le privilège de pêche à la baleine dans le golfe Saint-Laurent. Vers la même époque, deux négociants de Saint-Jean-de-Luz, en France, renouent avec la tradition basque et viennent faire la pêche à la baleine à Bon Désir, non loin de Tadoussac.

Au cours des dernières décennies du régime français, la pêche à la baleine connaîtra peu de développement. Selon l'intendant Dupuy, il faudrait une plus grande expérience des Canadiens dans le secteur de la pêche pour que cette partie de l'économie se développe.

Trop de peaux

Sous le gouvernement de Frontenac, la traite des fourrures avait pris de l'expansion. Le marché français est incapable d'absorber tous les envois de peaux du Canada. En 1697, les surplus, en seules peaux de castor, dépassent les 850 000 livres pesant. Ces stocks sont énormes si l'on considère qu'au cours des douze années précédentes, les ventes totales n'avaient pas dépassé les 620 000 livres pesant. Le roi suggère de diminuer le prix payé pour les peaux et même de fermer certains postes de traite. Dans la colonie, administrateurs et négociants décident de former une compagnie pour gérer le commerce des fourrures. La Compagnie du Canada, connue aussi sous le nom de Compagnie de la Colonie, connaîtra vite de graves problèmes financiers. Le droit du quart qu'elle perçoit sur la vente du castor est insuffisant pour lui permettre de payer les montants nécessaires à l'administration de la colonie. À cette nouvelle, au mois de novembre 1704, la colonie « entre en grand mouvement ». « Tout le monde proteste avec véhémence, écrit l'historien Émile Salone, et les marchands qui courent à la ruine et les fonctionnaires qui redoutent de ne point être payés de leurs appointements. On voit les hôpitaux se fermer aux malades qu'ils ne pourront plus entretenir, et même s'organiser une grève inattendue, celle des curés qui menacent, s'ils sont privés de leur supplément, d'abandonner leurs ouailles. Tout est perdu sans le secours de la métropole. » Le gouverneur Vaudreuil et l'intendant Beauharnois prennent sur eux de tirer sur les fonds de l'État 54 000 livres en lettres de change pour payer les dépenses courantes.

En 1706, la Compagnie du Canada déclare faillite. Une nouvelle compagnie se forme qui regroupe Louis-François Aubert, un marchand français établi à Amsterdam et deux bourgeois de Paris, Jean-Baptiste Néret et Jean-Baptiste Gayot. Leur exclusivité de commerce ne porte que sur le castor et le bail de cession se terminera le 31 décembre 1717.

Les autorités françaises ne peuvent se permettre de laisser tomber la traite des fourrures, car alors les Amérindiens iraient vendre le produit de leur chasse aux Anglais de la Nouvelle-Angleterre et forcément s'allieraient à ces derniers en cas de conflit. De plus, le commerce des fourrures représente le secteur le plus important de l'économie de la Nouvelle-France. Mais la traite engendre des problèmes majeurs : la vente de l'eau-de-vie aux Amérindiens et la contrebande avec les Anglais.

Le 2 avril 1716, l'intendant Bégon émet une ordonnance « qui fait défense à toutes personnes de quelque qualité et condition qu'elles soient d'aller, sous quelque prétexte que ce soit, à Orange, Manhatte, Boston et autres lieux de la domination anglaise, sans une permission du gouverneur général de ce pays, qu'il soit justifié ou non que lesdites personnes aient porté du castor dans lesdites colonies ou qu'elles en aient rapporté ou non des étoffes en ce pays, à peine de deux mille livres d'amende pour la première fois et de punition corporelle en cas de récidive ».

Deux années plus tard, cinq habitants de la région de Trois-Rivières se retrouvent devant un juge pour s'être rendus sans permission à Orange : Pierre Gouin et son frère, Grondin fils, François Hamelin et un nommé Rivêt. Les condamnations n'empêchent pas la contrebande de fleurir de plus belle. Au mois de décembre 1724, tous les habitants qui possèdent des canots d'écorce doivent en faire déclaration au greffe de la juridiction royale la plus proche de leur domicile. Il est interdit de prêter les embarcations ou de les vendre à ceux qui veulent se rendre soit en Nouvelle-Angleterre soit dans les Pays d'En-Haut sans la permission écrite du gouverneur particulier de l'endroit ou, en son absence, du commandant.

Les soldats effectuent des saisies de marchandises étrangères que l'on peut trouver chez des particuliers. À partir du 11 juillet 1730, il est interdit aux particuliers, marchands ou autres, « de recevoir en gages des Sauvages aucunes couvertes ou autres marchandises de fabrication étrangère » et ce sous peine d'amende. Au mois d'août 1742, on saisit dans un berceau que portait une Amérindienne « une pièce indienne à fond blanc à fleurs rouges ». La « coupable » s'apprêtait à entrer dans la maison d'un nommé Leduc, sur le chemin de Montréal. Même les maisons des ecclésiastiques sont soumises à des fouilles.

Les Amérindiens préfèrent les écarlatines de fabrication anglaise. Ce sont des couvertes de draps rouges avec une large bordure noire. L'écarlatine bleue française plaît moins. On cherche bien à imiter les tissus anglais, mais les marchands français ont des réticences. Mais certaines circonstances forcent les autorités françaises à faire appel à la production de leurs rivaux. Ainsi en 1723, « la contagion qui a affligé la Provence et les environs du Languedoc n'a pas permis de tirer cette année des écarlatines de la manufacture de Saint-Gely de Montpellier, ce qui a déterminé Sa Majesté d'accorder des permissions aux négociants de La Rochelle d'en tirer d'Angleterre ; mais, comme elles y sont beaucoup plus chères qu'on ne pourrait les vendre en Canada, il n'y a pas apparence qu'ils envoient cette année ».

Le roi demande donc de faire tout « pour empêcher que les Anglais ne s'attirent le commerce des Sauvages des pays d'en haut au préjudice des Français ».

En 1716, le système des congés de traite est rétabli. Deux ans plus tard, la Compagnie des Indes occidentales prend en charge le commerce des peaux de castor. L'historien Jean Hamelin note qu'à cette époque, « environ 72 % du revenu du commerce du castor s'en va dans la métropole, que 14 % se concentre dans les mains des négociants canadiens, que 9 % s'éparpille dans la colonie, que 5 % sert à défrayer les charges du pays ». Ce commerce, qui laisse peu de profit dans la colonie, représente, en 1739, 70 % de la valeur totale des exportations ; les produits agricoles, 18 % ; la pêche, 9 % ; le fer 1,3 % et le bois, 0,5 %.

Une guerre inutile

Depuis la signature du traité d'Utrecht, en 1713, et le réaménagement du territoire nord-américain, la même année, une paix relative avait subsisté entre les colonies anglaises et françaises. À plusieurs reprises, de part et d'autre, on s'était servi des Amérindiens pour maintenir l'esprit de guerre sur le continent. La mort de l'empereur Charles VI d'Autriche, au mois d'octobre 1740, engendre une course à la succession, car le défunt n'avait pas d'héritier mâle. La France, la Prusse et la Bavière soutiennent les prétentions au trône de Frédéric II, Électeur de Bavière, alors que l'Angleterre accorde son appui à Marie-Thérèse, fille de Charles VI et héritière présomptive. Même si la guerre n'est pas encore déclarée, la France et l'Angleterre participent à diverses batailles.

La traversée de l'Atlantique devient hasardeuse. Le *Rubis* quitte le port de La Rochelle le 27 juin 1743, avec à son bord, le père Jean-Baptiste de Saint-Pé, supérieur des missions jésuites de la Nouvelle-France. Le 5 août, vers les quatre heures et demie du matin, trois vaisseaux anglais armés en guerre s'avancent vers le navire français. « Ils arborèrent le pavillon anglais, raconte un des témoins, et l'assurèrent d'un coup de canon ; nous arborâmes pavillon français et l'assurâmes aussi d'un coup de canon. Environ les six heures, nous nous vîmes environnés de ces vaisseaux à la distance d'une portée de pistolet. »

Un des commandants anglais somme le navire d'amener ses voiles et de mettre en panne. Les Français refusent d'obéir et les Anglais leur envoient une volée de trois boulets de canon. Les assaillants envoient un émissaire à bord du navire français. « Le capitaine le reçut avec hauteur, lui fit des reproches sur le procédé de son commandant et le renvoya brusquement. Alors, le bruit se répandit dans le vaisseau que la guerre était déclarée entre la France et l'Angleterre et qu'il fallait se rendre ou se battre. Cependant les vaisseaux anglais s'approchèrent pour délibérer entre eux. Ils conclurent d'envoyer deux officiers à notre bord pour s'assurer si nous étions effectivement Français. Notre capitaine leur fit voir sa commission. On les fit déjeuner, après quoi ils retournèrent à leur bord. Nous continuâmes notre route. »

Le *Rubis* arrive sain et sauf à Québec le 1er octobre, après une traversée qui avait duré 96 jours.

Le 15 mars 1744, Louis XV déclare officiellement la guerre à l'Angleterre. Après avoir énuméré les injures et les outrages que l'Angleterre a fait subir à la France, le souverain français conclut :

> Tels sont les justes motifs qui ne permettent plus à Sa Majesté de rester dans les bornes de la modération qu'elle s'était prescrite et qui la force à déclarer la guerre, comme elle la déclare par la présente par mer et par terre, au roi d'Angleterre, Électeur d'Hanovre ; leur fait [aux sujets français] très expresses inhibitions et défenses d'avoir ci-après avec eux [les Anglais] aucune communication, commerce ni intelligence, à peine de vie ; et, en conséquence, Sa Majesté a dès à présent révoqué et révoque toutes permissions, passeports, sauvegardes et sauf-conduits qui pourraient avoir été accordés par elle ou par ses lieutenants généraux et autres officiers contraires à la présente et les a déclarés et déclare nuls et de nul effet et valeur, défendant à qui que ce soit d'y avoir aucun égard.

Moins de quinze jours après la déclaration de la guerre, le sieur de Saint-Clair reçoit l'ordre de commander le vaisseau *L'Ardent* et de se rendre en Amérique « mettre les navires français qui font la pêche de la morue à l'abri des corsaires anglais de la Nouvelle-Angleterre, interrompre la pêche et le commerce de cette nation et [...] procurer en même temps des secours à la colonie de l'Île-Royale ».

Le 3 mai, le gouverneur de l'île, Jean-Baptiste-Louis Le Prévost Duquesnel, apprend que la France a déclaré la guerre à l'Angleterre. Le gouverneur de Boston, William Shirley, ne connaîtra la chose que le 2 juin. Duquesnel organise immédiatement l'attaque du poste anglais de Canseau (Grassy Island) en Nouvelle-Écosse. L'officier français Joseph Du Pont Duvivier commande 140 hommes. Alors que les Français commencent à bombarder le fortin anglais, le 24 mai, le commandant anglais Patrick Heron décide de se rendre sans combattre. Aux termes de la capitulation, les soldats anglais demeureront prisonniers à Louisbourg pour la durée d'un an, mais les dames des officiers, si Duquesnel le permet, pourront aller « où elles le jugeront à propos ». Comme la forteresse de Louisbourg manque de vivres et que des prisonniers anglais décident de passer du côté français, un nouveau texte de capitulation est rédigé au mois de septembre. Les soldats anglais obtiennent alors le droit de retourner à Boston à la condition de ne pas servir contre les Français avant le 1er septembre 1745. Leur libération se fait en échange de celle de quelques prisonniers français ou canadiens retenus à Boston.

Selon l'historien George A. Rawlyk, « le gouvernement britannique et le gouverneur du Massachusetts, William Shirley, refusèrent d'accepter les nouvelles clauses de la capitulation et ainsi on envoya les troupes de Canseau à Annapolis Royal au début de l'été de 1745 ».

Les mutins mènent le bal

À la fin du mois de juillet 1744, Duquesnel charge Duvivier d'aller s'emparer d'Annapolis Royal, l'ancien Port-Royal. Après un siège de quatre semaines, l'opération se termine sans succès. Les Acadiens qui, depuis un quart de siècle, se sont promis de demeurer neutres, ne veulent pas prêter main-forte aux Français. La cinquantaine d'hommes que commandait Duvivier rentrent à Louisbourg où Duquesnel est décédé, le 9 octobre. Louis Du Pont Duchambon assure le commandement.

Tous les membres de la garnison de la forteresse ne semblent pas heureux. Les soldats suisses qui forment le détachement Karrer signent le 22 ou le 23 décembre une pétition qu'ils veulent remettre à Duchambon. « Vous savez, monsieur, que l'injustice règne à toutes mains en ce pays », affirment-ils. Les mécontents en veulent surtout au commissaire ordonnateur François Bigot. Les Suisses gagnent à leur cause quelques soldats français. Le soulèvement a lieu le 27 décembre et il est motivé par le désir qu'ont les Suisses de « se rendre maîtres de la ville et la livrer aux ennemis au printemps prochain, sous prétexte qu'on leur avait fait mille injustices, qu'ils avaient patienté pendant la paix, mais que la guerre leur donnait lieu de se venger ». C'est du moins ce que croient Bigot et Duchambon dans la lettre qu'ils envoient au ministre quatre jours après le début des événements.

> À la pointe du jour, racontent-ils encore, les Suisses prirent les armes et se mirent en bataille dans la cour du fort. L'officier suisse qui y couche les fit rentrer dans leurs chambres après leur avoir promis tout ce qu'ils demandèrent. Au lieu de rester tranquilles, ils furent dans celles des Français leur reprocher leur lâcheté, qu'ils avaient promis de les suivre et qu'ils n'avaient fait aucun mouvement. Ce reproche les anima. Ils se mirent en bataille tous armés dans la cour du fort et firent battre par force aux tambours la générale dans la ville, en les faisant conduire par 30 fusiliers la baïonnette au bout du fusil. Tous les officiers se rendirent sur-le-champ au fort où ils n'entrèrent que par ruse et application, n'ayant pu ébranler l'épée à la main les sentinelles que les troupes avaient mis à l'avance pour défendre l'entrée qui leur mettaient la baïonnette sur l'estomac en les couchant en joue. Ce fut un coup du ciel de ce qu'il ne partit pas un coup de fusil, tant par maladresse que par volonté. Si ce malheur fut arrivé, tous les officiers auraient été tués, étant chacun couché en joue par les révoltés.

Le major des troupes ne peut mater la révolte. Des soldats le tiennent en joue. On promet aux mutins tout ce qu'ils veulent. Le calme revient, mais les insurgés semblent demeurer maîtres de la situation, puisque, le 31 décembre, Duchambon et Bigot écrivent :

> Nous sommes ici leurs esclaves, ils font tout le mal qu'ils veulent, se font donner par les marchands et aux prix qu'ils jugent à propos, ce qu'ils achètent en les menaçant de ne point les épargner dans l'occasion. Les bourgeois et les marchands, qui ne sont point armés et en trop petit nombre, n'étant que 40 ou 50 pour pouvoir s'assembler, sont plus morts que vifs et pensent tous à passer en France l'automne prochain s'ils peuvent sauver leur vie cet hiver. Il ne s'agit de pas moins, dans les discours du soldat, que d'être tous passés au fil de l'épée après quoi ils se rendront chez l'ennemi. [...] Nous pensons qu'il faut relever sur-le-champ les Suisses. Il ne doit jamais y en avoir en garnison dans la colonie, après une action pareille causée par eux qui ne s'oubliera jamais. Il n'y a pas de secours ici à attendre des habitants, comme à la Martinique et à Saint-Domingue. Cent cinquante Suisses sont en assez grand nombre pour faire faire aux Français tout

ce qu'ils voudront, les trois quarts de ces derniers étant des misérables capables de tous les crimes.

Même si officiellement, l'insurrection est matée au tout début de 1745, l'insatisfaction demeure et l'esprit qui règne à Louisbourg n'est pas des plus encourageants. Pendant ce temps-là, en Nouvelle-Angleterre, on se prépare à attaquer le Gibraltar d'Amérique. Le gouverneur Shirley cherche à convaincre les membres de la Chambre des représentants du Massachusetts que les colonies doivent organiser et financer elles-mêmes l'expédition. « Comme nous devons attendre dans le courant de cette guerre le plus grand ennui pour notre navigation et pour notre commerce en général et la capture fréquente de nos vaisseaux de ravitaillement et la destruction de notre industrie de pêche, en particulier du fait du port de Louisbourg, déclare-t-il le 9 janvier 1745, il est évident que rien ne pourra plus être effectivement de l'intérêt de cette province, dans cette situation, que la réduction de cette place. »

William Pepperrell, un riche marchand armateur, est chargé du commandement des troupes coloniales, alors que Peter Warren, qui vient de se voir confier la direction de tous les vaisseaux des colonies situées au nord de la Virginie, doit prêter son aide à l'expédition contre Louisbourg. L'armée coloniale se compose d'un peu plus de 3000 hommes « indisciplinés et sans formation militaire, munis d'armes mais sans artillerie ».

« Dès le 14 mars, raconte Bigot dans sa relation du siège, il parut devant Louisbourg plusieurs frégates de 20 à 30 canons qui bloquèrent le port et dont le nombre augmenta jusqu'au 11 de mai qu'on aperçut à la pointe du jour une flotte de 90 à 100 voiles soutenue par un vaisseau de guerre de 60 canons, deux de 40 et les autres bâtiments qui avaient paru auparavant sur la côte. »

La forteresse de Louisbourg ne dispose que de 1430 hommes, de peu de vivres et de peu de munitions. Les secours attendus de France arriveront trop tard. Une partie des troupes coloniales met pied à terre dans la baie de Gabarus. Deux jours plus tard, elle occupe la Batterie Royale qui avait été abandonnée. Le 18 mai au matin, Pepperrell et Warren somment Duchambon de rendre la place. Le commandant de la forteresse leur répond : « Le roi de France, le nôtre, nous ayant confié la défense de ladite ville, nous ne pouvons qu'après la plus vigoureuse attaque écouter une semblable proposition ; et nous n'avons de réponse à faire à cette demande que par la bouche de nos canons. »

Le siège de Louisbourg continue. Duchambon a déjà fait raser les maisons du faubourg situé près de la porte Dauphine et couler quelques voiliers dans le port. Les canons anglais bombardent la ville presque tous les jours. Le 30 mai, le *Vigilant*, qui transportait quelques centaines de soldats, des vivres et des munitions, est capturé.

Les Amérindiens qui combattent aux côtés des Français sont accusés de torturer les prisonniers anglais. Warren proteste auprès de son prisonnier Alexandre de La Maisonfort Du Boisdecourt, commandant du *Vigilant*. Ce dernier écrit donc à Duchambon le 18 juin :

> Je vous envoie ci-joint la copie de la lettre que m'écrit monsieur Warren commandant de l'escadre anglaise, qui m'apprend que les Français ont usé de

cruauté et inhumanité sur quelques prisonniers anglais, ce que je ne peux croire, l'intention du roi, notre maître, étant qu'ils soient bien traités, ainsi qu'ils le font aux nôtres qui sont en Angleterre et en toutes occasions. [...] Il est bon que vous soyez informé que messieurs les capitaines et officiers nous traitent non pas en prisonniers mais comme leurs bons amis et qu'ils ont une attention particulière pour que rien ne manque à mes officiers et équipages ; il me paraît juste d'en user de même à leur égard et de faire punir ceux qui pourraient s'écarter et faire aucune insulte aux prisonniers que vous pourriez faire. [...] Vous ne pouvez avoir trop d'attention pour les prisonniers anglais que vous ferez ni les trop bien traiter, puisqu'ils font la guerre envers nous si noblement et ont tant de soin de ceux qu'ils font.

Le gouverneur Duchambon rétablit les faits dans une lettre à La Maisonfort, le 19 juin :

> Je suis persuadé, écrit-il, que vous me rendez assez de justice pour être persuadé que les maltraitements que les prisonniers anglais ont pu recevoir de la part des Sauvages n'ont pas été autorisés par moi. Je n'ai su que depuis quelques jours ce qu'ils avaient exercé à leur sujet, et c'est un chef de parti français qui me l'a appris. Il a fait rendre un prisonnier anglais qui leur restait ; il me l'avait renvoyé. Il ne m'est cependant point parvenu, je comptais qu'il avait été repris par sa nation. Je ferai défendre à ces Sauvages, lorsque je pourrai avoir communication avec eux, d'en user de même par la suite. Je souhaite que mes ordres, à ce sujet, soient exécutés. [...] J'ai d'ailleurs toutes les attentions convenables pour les prisonniers que j'ai ; je les fais traiter comme les sujets du roi, tant blessés que malades, que ceux qui se portent bien. Assurez-en je vous prie, monsieur Warren.

L'inexpugnable forteresse se rend

Le 25 juin, après près de sept semaines de siège, les Anglais décident de frapper le grand coup. Warren vient de déclarer qu'il « aimerait mieux laisser sa vie à Louisbourg que de ne pas réussir à prendre la ville ». Bombes et boulets de canon continuent à pleuvoir sur la forteresse dont les réserves en poudre ne sont plus que de 47 barils. Louisbourg dispose encore de 455 soldats et de 800 habitants, matelots et pêcheurs « servant pour la milice ». Tous ou presque se rendent compte que, tôt ou tard, il faudra se rendre aux Anglais. Le 26, Duchambon convoque un conseil de guerre. Ce dernier, « ayant le tout mûrement examiné et considéré, ainsi que la requête présentée le jour d'hier à mondit sieur Duchambon par les habitants de cette ville, tendante, vu les forces considérables de l'ennemi, à demander à capituler ; ledit conseil de guerre a délibéré sur le parti à prendre, soit pour tenir plus longtemps ou pour capituler suivant les avis et ainsi qu'il suit ».

La suite se trouve dans une lettre de Duchambon à Warren et Pepperrell et qui précise : « Voulant faire cesser les actes d'hostilités et arrêter l'effusion du sang de part et d'autre, je vous envoie un officier de notre garnison pour vous remettre la présente aux fins de vous demander une suspension d'armes qu'il me sera nécessaire pour vous faire les propositions aux conditions desquelles je me déterminerai à vous remettre la place que le roi, mon maître, m'a confiée. »

À huit heures et demie du soir, le même jour, Warren et Pepperrell acceptent de suspendre les armes jusqu'à huit heures le lendemain matin et révèlent que la proposition de Duchambon arrive au moment même où ils s'apprêtaient à déclencher une attaque générale contre Louisbourg.

Selon les termes de la capitulation, tous les sujets du roi de France qui se trouvent à Louisbourg et dans les territoires adjacents conserveront leurs biens mobiliers et auront la liberté « de se transporter avec leursdits effets dans telle partie de la domination du roi de France en Europe qu'ils jugeront convenable ». Le texte stipule aussi « que si quelques personnes de la ville ou de la garnison souhaiteraient n'être point aperçues par les Anglais, il leur serait permis de sortir masquées ; que les troupes du roi de France, actuellement à Louisbourg, pourraient sortir de la place avec leurs armes et leurs drapeaux qui seraient alors remis aux Anglais et ne seraient rendus à ces troupes qu'après leur arrivée en France ».

Le 27 juin au matin, le drapeau anglais remplace le drapeau français sur la forteresse que les Français considéraient comme inexpugnable ! Les vainqueurs tirent du canon et crient trois hourras pour saluer leur victoire. À deux heures de l'après-midi, la flotte commandée par Warren entre dans le port de Louisbourg. Deux heures plus tard, l'armée de terre anglaise pénètre dans la ville par la porte du côté sud. L'armée française la salue « avec toute la décence et le décorum » imaginables.

Les navires anglais ne sont pas en nombre suffisant pour évacuer toute la population de l'île Royale. Des ordres ont été donnés aux soldats anglais de respecter la population, mais plusieurs habitants se plaignent de vol. Le 11 juillet, Duchambon et Bigot font part à Warren et Pepperrell des doléances de la population qui, tous les jours, essuie les insultes « des troupes de Boston qui entrent chez eux, étant armés, pour les voler ». « On peut vous citer, ajoutent-ils, que messieurs Beauharnois, Rodrigue Fautour, Janson Dufour et Me Doux qui ont été volés ; madame Prévost, femme du commissaire des guerres, ainsi que beaucoup d'autres dames qui ont été insultées par lesdites troupes, sans avoir pu obtenir aucune justice. »

Au mois d'août, la plupart des officiers et soldats sont arrivés au port de Rochefort, en France. Le ministre Maurepas ordonne alors de faire enquête sur les mutins du mois de décembre précédent. Cinq sont condamnés à mort : un meurt en prison, un autre s'évade, deux sont pendus et le dernier est décapité. Au mois de janvier 1746, cinq autres soldats suisses sont pendus et deux autres sont condamnés à vivre le reste de leurs jours sur les galères royales.

Lorsqu'arrive à Boston la nouvelle de la chute de Louisbourg, c'est la réjouissance générale et les cloches battent à toute volée. Pepperrell est nommé baronet et Warren accède au grade de contre-amiral avant de devenir gouverneur du Cap-Breton, le 1er septembre 1745. Avec Pepperrell, il assure la direction de l'île Royale. Ils doivent faire face à un soulèvement des miliciens coloniaux qui protestent contre une solde trop mince. Au cours de l'hiver et du printemps suivants, le scorbut, la fièvre maligne et la dysenterie font, selon Byron Fairchild, de 1200 à 2000 victimes.

La contre-attaque se prépare

À Québec, la population ne souhaite qu'une chose : reconquérir Louisbourg. L'ingénieur Chaussegros de Léry écrit au ministre, le 9 novembre 1745 : « La prise de Louisbourg intéresse toute la marine et met cette colonie en danger de tomber entre les mains des Anglais. Vous en connaissez, monseigneur, les conséquences mieux que moi. Nous espérons qu'elle ne sera pas longtemps entre les mains des ennemis et que l'été prochain elle sera à son premier maître. [...] Tout le pays espère que le roi ne laissera pas cette place aux Anglais. »

Lorsqu'il prend connaissance de la missive, Maurepas a déjà pris sa décision. Jean-Baptiste-Louis-Frédéric de La Rochefoucauld de Roye, duc d'Anville, dirigera une escadre dont la mission sera « de tenter de reprendre la citadelle, d'entreprendre les opérations contre les établissements anglais d'Acadie et de Terre-Neuve ». Les autorités françaises croient qu'il sera facile de chasser les Anglais de l'Acadie, car « les habitants sont tous de familles françaises qui y sont restées depuis la cession faite de ce pays-là à l'Angleterre par le traité d'Utrecht et [...] ils n'ont jamais cessé de désirer de rentrer sous la domination de Sa Majesté ».

L'auteur du *Mémoire du roi* est prudent : on pourra déporter les Acadiens infidèles. « S'il y en a sur la fidélité desquels il juge qu'on ne puisse pas compter, écrit-il, il les fera sortir de la colonie et les enverra soit à la vieille Angleterre, soit dans quelqu'une des colonies de cette nation suivant les facilités qu'il pourra avoir pour cela ; et, à l'égard des habitants qui devront rester, il en prendra le serment de fidélité à Sa Majesté, ou s'il n'en a pas le temps, il donnera les ordres pour le leur faire prêter entre les mains du commandant qu'il laissera dans la colonie. »

À Rochefort et à Brest, on regroupe les vivres et les munitions. Tout se passe dans le plus grand secret, car on se méfie des espions à la solde de l'Angleterre. Bigot, entre autres, s'occupe d'achat de vivres. À la mi-mai, la flotte est prête à partir, mais des vents contraires l'en empêchent. L'inquiétude gagne les responsables de l'expédition qui craignent qu'en raison de la saison avancée il ne soit trop tard pour réussir l'attaque de Louisbourg. Enfin, à quatre heures du matin, le 22 juin, l'escadre française lève l'ancre. Elle se compose de « 10 vaisseaux de ligne, 3 frégates, 2 corvettes, 2 flûtes, 2 brûlots, 1 navire-hôpital, 15 transports de troupes et 19 transports de vivres, outre 18 bâtiments qui profitèrent de cette puissante escorte jusqu'au cap Finisterre ». Sept mille personnes ont été réparties sur les 72 voiles.

La malchance s'acharne

Vents contraires et absence de vent se succèdent, retardant ainsi l'avance des vaisseaux. La maladie fait son apparition et, à cause des nombreux délais, il faut rationner les vivres. Le 13 septembre, alors que les navires approchent de la côte acadienne, une violente tempête, suivie d'une forte brume, frappe l'escadre et la disperse. Plusieurs bâtiments arrivent par la suite un à un dans la baie de Chibouctou, lieu fixé comme point de rencontre. Les vivres manquent. Bigot adresse à l'abbé Jean-Louis Le Loutre une lettre demandant « de lui faire trouver une cinquantaine de bœufs au moins, pour les besoins de l'escadre et dont il payera le prix comptant ».

Dans cette même lettre du 21 septembre, il prie aussi l'abbé de se rendre à Chibouctou et « de faire avertir les habitants de l'Acadie qui auront des billets de fournitures faites au détachement de Français et Sauvages qui y ont séjourné, d'envoyer lesdits billets à Chibouctou où il en payera comptant ».

Le nombre de malades augmente continuellement. *L'Ardent*, à lui seul, dénombre 50 morts et 400 malades. On établit à terre un hôpital temporaire. Et le temps passe à attendre les navires de Conflans qui manquent toujours à l'appel. Le 25 septembre, le commandant de la flotte, le duc d'Anville, est gravement malade ; il présente les symptômes du scorbut et de l'hydropisie. Il meurt deux jours plus tard.

Le jour même de la mort du duc d'Anville, Constantin-Louis d'Estourmel, commandant du *Trident*, arrive dans la baie de Chibouctou. Deux jours plus tard, un conseil de guerre le désigne comme chef d'escadre. L'officier, qui n'avait pas dormi depuis dix-sept jours, semble écrasé par la nomination. Au cours de la nuit du 30, il est saisi d'une fièvre ardente qui dégénère en délire. Il voit des ennemis partout, si bien qu'il saisit son épée et tente de se suicider. Le 1er octobre, il remet sa démission et Jacques-Pierre de Taffanel de La Jonquière hérite du commandement. Ce dernier, qui avait été nommé gouverneur général de la Nouvelle-France le 19 mars précédent, ne songe plus à attaquer Louisbourg. La Jonquière décide de se rendre à Annapolis Royal, considérant l'endroit comme une prise facile, avec le peu de combattants qui lui reste, car quatorze navires ont dû être transformés en hôpital pour les malades. Le 24 octobre, la flotte lève l'ancre, mais des vents contraires en retardent la marche. Trois jours plus tard, La Jonquière donne l'ordre de retourner en France. Selon un relevé en date du 15 du même mois, sur un effectif total de 7006 matelots et soldats, 587 sont morts et 2274 sont malades. Par ailleurs, le commandant de la *Renommée*, Guy-François de Coëtnempren de Kersaint, évalue à 3000 les pertes de vie.

> L'expédition fut un échec total, qui s'explique par plusieurs raisons dont la malchance n'était pas la moindre, affirme l'archiviste Étienne Taillemite. Cet échec souligna cruellement la faiblesse de la marine française et par conséquent les difficultés auxquelles on se heurtait pour venir au secours des colonies françaises d'Amérique du Nord. Tout cela était la conséquence logique de l'état d'abandon dans lequel on avait laissé la marine française depuis la mort de Louis XIV : les navires étaient en nombre insuffisant et les officiers ainsi que les hommes d'équipage, ne naviguant presque plus depuis des années, manquaient d'entraînement.

Au cœur de la colonie

La vallée du Saint-Laurent vit dans la hantise d'une nouvelle invasion anglaise. Au mois de décembre 1745, la rumeur court que les miliciens de la Nouvelle-Angleterre veulent attaquer le fort Saint-Frédéric. Deux corps expéditionnaires quittent Montréal pour renforcer la garnison du fort. À la mi-mars 1746, Jean-Baptiste Boucher de Niverville commande un groupe de Canadiens et d'Abénaquis pour aller faire la petite guerre dans la région de Boston. Il revient avec des prisonniers et des « chevelures ». Le 29 du même mois, « est parti un parti de Sauvages Iroquois du lac des Deux-Montagnes de 14 guerriers qui ont été dans la contrée d'Orange et sont revenus avec des prisonniers et des chevelures ».

L'ouverture de la navigation fait appréhender la venue d'une flotte anglaise. Au mois d'avril 1746, on établit des feux de signaux de Lévis à Rimouski. On donne aussi l'ordre aux capitaines des côtes « de faire faire des cabanes dans le bois pour faire mettre les familles en sûreté et de faire rendre les habitants à Québec, en cas d'approche d'une flotte ennemie ». Les capitaines de l'île d'Orléans doivent « au premier avis qu'ils auront de l'approche de l'ennemi de faire passer leurs familles et leurs bestiaux avec le plus de vivres qu'ils pourront à la côte du nord et de se rendre ensuite à Québec pour contribuer à la conservation de la ville ».

Le gouverneur prend les mesures pour faire lever 600 hommes. Iroquois, Abénaquis et Népissingues multiplient les raids et accumulent les scalps. Des prisonniers anglais révèlent que Boston se fortifie dans la crainte de la venue d'une flotte française. Les rumeurs de toutes sortes se multiplient. Le 23 juillet, un prisonnier anglais révèle que quinze vaisseaux de guerre et de nombreux corsaires s'apprêtent à venir attaquer Québec.

Le 12 août, au château Saint-Louis, à Québec, se tient une grande réunion regroupant les « principaux officiers de la colonie, tant militaires que civils et des habitants de Québec ». Il s'agit de décider s'il faut ou non continuer à fortifier la ville, car le ministre Maurepas vient d'avertir les autorités de la colonie que les frais de construction seront à la charge des habitants. Après d'âpres discussions, il est décidé de continuer les travaux de fortification.

Le nombre des prisonniers anglais retenus dans la colonie atteint 250 au début d'octobre 1746. Beauharnois et Hocquart comptent renvoyer en France « ceux qui sont de l'ancienne Angleterre et encore ceux de la Nouvelle qui sont garçons pour être échangés ».

De part et d'autre, on se plaint de la cruauté exercée par certains Amérindiens contre les prisonniers. Le gouverneur Shirley fait part de ses doléances à Beauharnois qui lui répond, le 26 juillet 1747 :

> Je voudrais pouvoir déraciner entièrement du cœur des Sauvages la barbarie qui semble née chez la plupart d'entre eux et c'est pour y parvenir que, lorsqu'ils sont venus me demander pour aller en guerre, je leur ai donné autant que j'ai pu des officiers canadiens à qui j'ai donné ordre de protéger les prisonniers contre toutes sortes d'insultes. J'ai fait plus, touché du malheureux sort de ceux qui sont tombés entre les mains des Sauvages, j'en ai racheté aux dépens du roi autant que j'ai pu leur en arracher, mais je n'ai pu vaincre l'obstination que quelques-uns ont eue de garder les prisonniers. [...] Mais je ne puis vous cacher que les prix fixés dans plusieurs gouvernements de la Nouvelle-Angleterre de 5 livres par chevelure, 20 livres par prisonnier, etc, ainsi que je l'ai vu dans les lettres anglaises qui me sont tombées entre les mains, sont des preuves évidentes que tout le monde ne pense pas apparemment aussi chrétiennement que vous là-dessus et j'espère que votre avis prévaudra pour abolir dans ces gouvernements de telles dispositions que tous les princes chrétiens et leurs sujets devraient, comme vous dites, avoir en horreur.

Il faut fortifier la colonie

Le 17 septembre 1747 arrive à Québec le nouveau gouverneur général, Roland-Michel Barrin de La Galissonière. Il se rend compte que la colonie a besoin de plus d'argent pour pouvoir résister à l'ennemi. Il affirme le 7 novembre :

> La guerre ne se fait nulle part sans dépense. Je suis à plaindre d'être envoyé dans un pays rempli de braves gens que je ne puis laisser agir. Le roi l'est davantage si on le détourne d'y donner les secours nécessaires et que vous [Maurepas] avez sans doute demandés. [...] L'inaction n'épargnera rien. Si nous n'attaquons pas, on nous attaquera et la dépense de la défensive excèdera celle de l'offensive. Les Sauvages oisifs coûtent plus que ceux qu'on emploie. Les petites incursions où nous nous réduisons irritent l'ennemi sans l'affaiblir. Notre fort est d'attaquer. Si on nous attaque, nous serons abandonnés et peut-être trahis par nos plus affidés Sauvages. Boston se flatte d'un grand armement dans la vieille Angleterre. Mettez-nous en état de porter la guerre chez l'ennemi : c'est le seul moyen de n'avoir rien à craindre ici.

Maurepas recommande les plus grandes mesures d'économie. Mais la colonie doit vivre et se fortifier. La Galissonière charge Chaussegros de Léry, à la fin de mars 1748, de se rendre à Saint-Jean, sur le Richelieu, pour diriger les travaux de construction d'un nouveau fort, dans le but de mieux protéger le fort Saint-Frédéric et d'assurer la surveillance d'une partie de la rivière. Il faut, précise le gouverneur, que le fort en pieux coûte le moins cher possible. La maladie et la mauvaise volonté des ouvriers nuisent aux travaux qui, pourtant, avancent rapidement. L'intendant Bigot accuse l'officier de Léry de malversation dans l'administration des voyages de terre, accusation que réfute le gouverneur.

Même si, à la fin du mois d'avril 1748, les métropoles décident de suspendre les armes, la guerre ne continue pas moins en Amérique où l'on ignore cette nouvelle. Ainsi, le 26 juin, « le parti commandé par le sieur Villiers de Jumonville est de retour à Montréal avec cinq chevelures anglaises ; il n'a pas eu le temps d'enlever celles de 9 à 10 Anglais pareillement tués ; il a frappé contre trois forts sur un parti ennemi qui a fait bonne résistance ; deux de nos Iroquois ont été tués ainsi que le sieur Hertel le jeune ».

Le 13 juillet, les navires *Le Brillant* et *L'Heureux* jettent l'ancre devant Québec. Ils amènent avec eux un petit navire anglais à bord duquel il y avait « une vingtaine de filles irlandaises ou écossaises ; on les distribue chez différents particuliers où elles ont été engagées de bonne volonté ». Le 2 août, les autorités de la colonie apprennent la nouvelle de la suspension d'armes. Dès le lendemain, « on expédie un courrier pour Montréal pour informer de cette suspension, ordre d'avertir toutes les nations de ne plus aller en guerre dans la Nouvelle-Angleterre, qu'on ne leur payera plus ni prisonniers ni chevelures, leur recommander néanmoins d'être toujours sur leurs gardes et de n'avoir aucune liaison avec les Anglais ni avec les Cinq-Nations. Malgré cet avertissement, nos Sauvages, particulièrement les Abénaquis domiciliés, pourront continuer leur hostilité : ils ont perdu des guerriers et n'ont pas eu encore l'occasion de se venger à leur satisfaction. Nous y tiendrons la main autant qu'il sera en notre pouvoir ».

« *Bête comme la paix* »

La guerre de Succession d'Autriche se termine à Aix-la-Chapelle le 28 octobre 1748 par la signature d'un traité de paix aux termes duquel on retourne à la situation existant avant la déclaration de guerre. Les conquêtes sont annulées et Louisbourg doit être remis à la France. Tout le monde est insatisfait et, en France, naît l'expression « Bête comme la paix ».

En Amérique du Nord, la situation est trop détériorée pour que la paix signifie la fin de l'hostilité et des revendications. Le gouverneur La Galissonière évalue la vraie situation à sa juste mesure : « Tandis que la paix paraît avoir assoupi la jalousie des Anglais en Europe, affirme-t-il, elle éclate de toute sa force en Amérique ; et si on n'y oppose dès à présent des barrières capables d'en arrêter les effets, cette nation se mettra en état d'envahir entièrement les colonies françaises au commencement de la première guerre. »

Il faut, de toute urgence, préciser les frontières de l'Acadie et celles des Grands Lacs. Une commission bipartite est mise sur pied. La Galissonière et le ministre français Étienne de Silhouette représentent la France, alors que William Shirley et William Mildmay sont les commissaires anglais. Selon ces derniers, toute la région de la rivière Saint-Jean comprise entre Canseau et Gaspé est territoire anglais, « ce qui, selon La Galissonière, leur donnerait, contre tous les traités, plusieurs postes dans le golfe Saint-Laurent, mais encore les rendrait souverains de tout le pays occupé par les Abénaquis catholiques et sujets du roi, nation qui n'a jamais reconnu ni dû reconnaître leur domination et qui est la plus fidèle que nous ayons en Canada ».

Si la France accepte de céder ce territoire aux Anglais, elle n'aura plus de communication par terre avec l'Acadie. « Par cet abandon, ajoute le gouverneur de la Nouvelle-France, on mettra les Acadiens au désespoir ; les Anglais n'auront plus nulle raison de les ménager : ils y détruiront à leur aise la religion et n'y souffriront plus de missionnaires, enfin ils empêcheront la communication de l'Acadie avec Louisbourg dont la subsistance dépendra absolument d'eux. »

Louisbourg, forteresse française

Charles Des Herbiers de La Ralière quitte le port de Rochefort au mois de mai 1749 avec la mission de reprendre possession de Louisbourg au nom du roi de France. Le 28 juin, étant à la vue de la terre, il envoie une lettre à Peregrine Thomas Hopson, gouverneur de la place, l'avertissant de son arrivée. À midi, le lendemain, le navire français va mouiller dans le port. Les négociations commencent le même jour et se poursuivent jusqu'au 23 juillet, date de la remise officielle de la forteresse entre les mains des Français. Il faut alors remettre l'île Royale en état de défense et restaurer la pêche à la morue. Des Herbiers cherche à attirer les Acadiens sur les îles Royale et Saint-Jean. Quant aux Anglais qui occupaient Louisbourg, ils vont, pour la plupart, s'installer dans la nouvelle colonie établie dans la baie de Chiboutou devenue Halifax.

C'est là que va se modifier d'abord la politique anglaise vis-à-vis des Acadiens dont la majorité persiste à ne pas vouloir prêter le serment de fidélité au roi d'Angleterre.

L'abbé Jean-Louis Le Loutre, missionnaire auprès des Amérindiens de l'Acadie, est chargé par le gouvernement français de maintenir la fidélité des Acadiens pour leur ancienne mère patrie. Il écrit au ministre, le 4 octobre 1749 :

> Le général Cornwallis, envoyé de la part du roi d'Angleterre pour l'établissement de Chibouctou, prétend que les Acadiens ne peuvent plus sortir de l'Acadie, que ceux qui en sortent sont et doivent être regardés comme des déserteurs et punis comme tels ; en conséquence, le général a fait défense aux Acadiens de sortir sous de graves peines. Il fait passer dans les Mines [près de Grand-Pré] 700 à 800 hommes et il fait travailler à construire un fort pour contenir et soumettre l'habitant à sa volonté et il y a continuellement deux bâtiments armés dans l'entrée des Mines pour empêcher les habitants d'en sortir avec leurs petites voitures. La raison de ce général est que, par le traité d'Utrecht, les Acadiens avaient un an pour délibérer et choisir de demeurer ou sortir de l'Acadie avec leurs effets mobiliers, que les Acadiens ayant choisi d'y demeurer, il ne doit plus être dans le pouvoir d'en sortir, vu que, depuis 1714, ils sont devenus sujets du roi d'Angleterre.

Selon les dires de Le Loutre, plusieurs Acadiens songeraient à émigrer dans la région de la rivière Saint-Jean s'ils sont assurés que ce territoire restera français ou si Cornwallis veut encore les forcer à prêter le serment de fidélité au roi d'Angleterre. Les Acadiens seront bientôt obligés de prendre position.

À l'ouest, du nouveau

L'Ouest, et en particulier la vallée de l'Ohio, bien que considérée comme territoire français, fait l'objet de la convoitise des habitants de la Virginie et de la Pennsylvanie qui ont déjà établi les compagnies de colonisation de l'Ohio. La Galissonière sait qu'il doit défendre ce territoire réunissant la Louisiane et le Canada. Pierre-Joseph Céloron de Blainville reçoit donc la mission d'en prendre officiellement possession au nom du roi de France et de « dresser une carte du parcours et chasser les trafiquants anglais ». L'expédition, forte de 213 hommes, quitte Montréal, le 15 juin 1749. Près de la rivière Allegheny, Blainville enfouit en terre une première plaque de plomb dont le texte revendique le territoire « comme propriété de la France. » Tout au long de sa route, il répète ce geste. D'autres plaques sont clouées à des arbres. Céloron rencontre des trafiquants anglais et les enjoint de quitter le territoire. L'officier des troupes de la Marine constate que plusieurs tribus amérindiennes que l'on croyait sympathiques aux Français ont épousé la cause anglaise.

Après avoir parcouru la vallée de l'Ohio, l'expédition revient à Montréal, le 9 novembre. La Galissonière vient de réaliser une partie de son plan de conservation de la Nouvelle-France au sein des colonies françaises. Selon lui, il faut coloniser la région de Détroit, détruire le fort Oswego, fortifier le fort Niagara, s'emparer de la baie d'Hudson et empêcher les Anglais de déborder l'Acadie.

De nouveaux forts

La Jonquière débarque à Québec le 14 août 1749 : il vient remplir le poste de gouverneur général de la Nouvelle-France en remplacement de La Galissonière, rappelé en France. Poursuivant la politique élaborée par son prédécesseur, il décide de faire construire un fort à Toronto. Le 9 octobre, conjointement avec l'intendant Bigot, il écrit au ministre Antoine-Louis Rouillé de Jouy qui vient de succéder à Maurepas : « Les nations sauvages du Nord passent ordinairement à Toronto sur la côte ouest du lac Ontario, à vingt-cinq lieues de Niagara et à soixante lieues du fort Frontenac pour aller à Chouaguen [Oswego] porter leurs pelleteries. Il est très à propos d'établir un poste dans cet endroit et d'y envoyer un officier, quinze soldats et quelques ouvriers pour y construire un petit fort de pieux. On ne saurait prendre trop de précautions pour empêcher lesdits Sauvages de continuer leur commerce avec les Anglais ; ils trouveront dans ce poste ce dont ils pourront avoir besoin à aussi bon marché qu'à Chouaguen. »

Le 20 mai 1750, Pierre Robinau de Portneuf entreprend le voyage à Toronto où il arrive quelque temps plus tard. Il se met immédiatement à construire un petit fort de pieux et une maison « pour mettre les effets du roi en sûreté ». La traite s'avère si profitable que La Jonquière décide de faire édifier un fort plus important non loin de là. Dès l'hiver, on commence les nouveaux travaux. Le gouverneur peut écrire, le 6 octobre 1751 : « Le fort est de pièces sur pièces, tout de chêne. Il est entièrement fermé et le garde-magasin logé ; les autres bâtiments ne sont point finis, la plus grande partie des ouvriers n'ayant pu travailler avec assiduité à cause des maladies qu'ils ont eues. » Avec l'accord du ministre, le fort de Toronto prend le nom de fort Rouillé.

Pendant ce temps, la région de l'Acadie doit, elle aussi, se fortifier. À la fin de 1749, on commence à bâtir un fort au fond de la baie de Fundy, non loin du village de Beaubassin. Louis de La Corne est chargé de la direction des travaux de construction. Le fort Beauséjour sera terminé l'année suivante.

Les Anglais établis à Halifax craignent cette présence française à la limite de leur territoire, et peut-être même sur leur territoire, car la commission territoriale n'a pas encore présenté ses conclusions. Le major Charles Lawrence, à la tête d'un détachement anglais, se rend à Beaubassin au début de mai 1750.

> À l'instigation de l'abbé Le Loutre, écrit l'historien Jean Bruchési, les Sauvages mettent le feu aux maisons des Acadiens qui se réfugient sur le territoire réclamé par la France. À Lawrence qui le somme de se retirer plus au nord, le chevalier de La Corne répond qu'il restera, au besoin par la force des armes, sur la rivière Mésagouèche, à Beauséjour. Et c'est Lawrence qui s'en va ; mais pas pour longtemps, puisqu'au mois de septembre de l'année suivante, les Anglais reviennent à Beaubassin et y construisent, sur les ruines de l'ancien village, un fort qui prend le nom de Lawrence. N'étant plus désormais séparés que par la petite rivière Mésagouèche, à moins de deux milles les uns des autres, les adversaires peuvent attendre les événements et les ordres de Londres ou de Versailles que transmettront Halifax et Québec.

Un autre fort s'ajoute aux deux premiers : le fort Gaspareau, érigé en 1751 près de l'embouchure de la rivière du même nom, sur l'isthme de Chigectou.

À coups de lettres et de fusil

À l'autre extrémité de la colonie, la situation est tout aussi explosive. Au cours de l'année 1753, on construit trois forts dans la vallée de l'Ohio : Venango, Le Bœuf et Presqu'Île. Le commandant du fort Le Bœuf, Paul Marin de La Malgue, y meurt à la fin d'octobre de la même année. Jacques Legardeur de Saint-Pierre, nommé pour lui succéder, se rend donc à la hâte pour prendre la relève. La Virginie accepte mal cette présence militaire française sur un territoire qu'elle considère sien. Le gouverneur de cette colonie, Robert Dinwiddie, charge un jeune officier de 21 ans, George Washington, de sommer les Français de quitter la place. Ce dernier, accompagné de sept hommes, arrive au fort Le Bœuf le 11 décembre et remet à Legardeur la note du gouverneur.

Le commandant du fort accorde trois jours d'hospitalité au Virginien puis lui remet la lettre suivante à l'intention de Dinwiddie :

> Monsieur, comme j'ai l'honneur de commander ici en chef, M. Washington m'a remis la lettre que vous avez écrite au commandant des forces françaises. J'aurais souhaité que vous lui eussiez donné ordre ou qu'il eût été disposé à aller jusqu'en Canada pour y voir notre général, à qui appartiendra plus qu'à moi de mettre en évidence les droits incontestables du roi, mon maître, sur les terres situées le long de l'Ohio, et de réfuter les prétentions du roi de la Grande-Bretagne sur icelles. Je ferai passer votre lettre à M. le marquis Duquesne. Sa réponse sera ma loi et, s'il m'ordonne de vous la communiquer, vous ne devez pas douter, monsieur, que je ne vous la fasse parvenir en diligence. Pour la réquisition que vous faites de me retirer, je ne crois pas devoir y obéir. Quelles que soient vos instructions, les miennes sont d'être ici par ordre de mon général, et je vous prie, monsieur, d'être persuadé que je tâcherai de m'y conformer avec toute l'exactitude et la résolution qu'on doit attendre d'un bon officier.

Le gouverneur Dinwiddie décide d'affirmer le droit de possession de son pays en envoyant, au mois de mars 1754, le capitaine Trent au confluent de l'Ohio et de la Monongahéla pour construire un fort. Les Français, au nombre d'un millier, arrivent et chassent facilement la quarantaine de Virginiens. Claude-Pierre Pécaudy de Contrecœur ordonne la poursuite des travaux et le fort, une fois achevé, prend le nom de Duquesne.

À la fin du mois d'avril, Washington, à la tête de 120 miliciens, reprend le chemin de la vallée de l'Ohio, « pour renforcer, dit-on, Trent ». Contrecœur, mis au courant de cette marche, demande à Joseph Coulon de Villiers de Jumonville, enseigne dans les troupes de la Marine, de prendre la tête d'une trentaine d'hommes et d'aller vérifier « si Washington avait réellement envahi le territoire que la France réclamait pour sien ». L'officier est porteur d'une sommation rédigée par Contrecœur. La petite troupe quitte le fort Duquesne le 23 mai. Elle passe la nuit du 27 au 28 dans un vallon. Vers les huit heures du matin, les Virginiens attaquent le camp français sans aucun avertissement. « Washington, écrit l'historien W. J. Eccles, donna l'ordre de tirer. Les Canadiens qui réussirent à échapper à la rafale se jetèrent sur leurs armes mais ils furent rapidement réduits à l'impuissance. Les Français soutinrent par la suite que Jumonville fut abattu pendant qu'il signifiait sa mise en demeure officielle. Dix Canadiens furent tués, un fut blessé et les autres, à l'exception d'un, faits prisonniers. Washington et ses hommes se retirèrent, abandonnant aux loups les cadavres de leurs victimes. » À part Jumonville, les Canadiens qui trouvent la mort sont : Deroussel et Caron, de Québec ; Charles Bois, de Pointe-Claire ; Jérôme, de Laprairie ; L'Enfant, de Montréal ; Paris, de Mille-Isles ; Languedoc, de Boucherville ; Martin, de Boucherville, et LaBatterie, tambour.

Quelques jours après l'attaque, Washington et ses hommes commencent à construire un petit fort avec palissade auquel il donne le nom de Necessity. Le 26 juin, arrive au fort Duquesne Louis Coulon de Villiers, le frère de Jumonville. Contrecœur avait déjà mis sur pied un corps expéditionnaire de 500 hommes dont il avait confié la direction à François-Marc-Antoine Le Mercier. Coulon de Villiers note dans son journal : « Comme j'étais l'ancien de cet officier, que je commandais les Nations et que mon frère avait été assassiné, M. de Contrecœur m'honora de ce commandement. »

Le lendemain, les principaux officiers du fort se réunissent pour préciser la bonne marche de l'entreprise. Le résultat de cette conférence est ainsi résumé :

> Qu'il était convenable de marcher avec le plus de Sauvages et de Français qu'il serait possible pour aller à la rencontre des Anglais pour nous venger et les châtier d'avoir violé les lois les plus sacrées des nations policées ; que l'action qu'ils ont faite mérite de n'avoir nul égard à la dernière paix ; que, comme l'intention du roi était de maintenir la paix entre les deux couronnes, que, sitôt le coup fait et qu'on les saura chassés de dessus les terres du domaine du roi, l'officier commandant envoiera un prisonnier au commandant anglais du lieu le plus proche pour lui annoncer que notre intention a été de soutenir les sommations que nous leur avons fait faire de se retirer de dessus les terres du domaine du roi et venger l'assassinat qu'il nous ont fait ; que maintenant ils doivent ressentir le prix de l'indignité de leur action [...]

Les 600 Français et Canadiens, accompagnés d'une centaine d'Amérindiens, se mettent en marche, le 28 juin, vers les dix heures du matin. « Le 1er juillet, note Coulon de Villiers, nous fîmes mettre nos pirogues en sûreté ; nous arrangeâmes nos effets et tout ce dont nous pouvions nous passer. Dans le hangar, j'y laissai un bon sergent avec vingt hommes et quelques soldats malades ; on donna de la munition et on se mit en marche vers les onze heures. Nous trouvâmes des chemins si pénibles que, dès la première pause, l'aumônier n'était pas en état de continuer le voyage. Il nous donna l'absolution générale et retourna au hangar. Nous aperçûmes des pistes, ce qui nous fit suspecter d'être découverts. »

Le 3 juillet, Coulon de Villiers arrive à l'endroit où son frère a été assassiné et il voit encore des cadavres. Les Virginiens découvrent les troupes françaises et se préparent à les attaquer. La présence d'Amérindiens aux côtés des Français et le cri de guerre que les deux groupes lancent en même temps impressionnent les Anglais qui se replient « dans un retranchement qui tenait à leur fort ».

> Le feu des ennemis, raconte le commandant français, se ralluma vers les six heures du soir avec plus de vigueur que jamais et dura jusqu'à huit heures ; comme nous avions essuyé toute la journée la pluie, que le détachement était très fatigué, que les Sauvages me faisaient annoncer leur départ pour le lendemain et qu'on débitait entendre au loin la caisse et tirer du canon, je proposai à M. Le Mercier d'offrir aux Anglais de parler. Il fut de mon avis et nous fîmes crier que, s'ils voulaient nous parler, nous ferions cesser le feu. Ils acceptèrent la proposition. Il vint un capitaine à l'attaque où j'étais. Je détachai M. Le Mercier pour le recevoir et me rendis dans la prairie où nous leur dîmes que, n'étant pas en guerre, nous voulions bien leur éviter les cruautés où ils s'exposaient de la part des Sauvages, s'ils s'obstinaient à une résistance plus opiniâtre ; que, dès cette nuit, nous leur ôterions toute espérance de pouvoir s'évader, que nous consentions maintenant à leur faire grâce, n'étant venus que pour venger l'assassinat qu'ils avaient fait de mon frère en violant les lois les plus sacrées et les obliger à déguerpir de dessus les terres du domaine du roi.

À huit heures du soir, le même jour, George Washington, le futur président des États-Unis d'Amérique, signe la capitulation. Le préambule, qui fait partie intégrante du texte, précise que le but poursuivi par Coulon de Villiers et ses hommes était « seulement de venger l'assassinat qui a été fait sur un de nos officiers porteur d'une sommation et sur son escorte, comme aussi d'empêcher aucun établissement sur les terres du domaine du roi, mon maître ».

Les sept articles de la capitulation accordent aux Virginiens le droit de se retirer dans leur pays, d'emporter leurs effets à l'exception de l'artillerie et des munitions de guerre et d'avoir les honneurs de la guerre. De plus, ils laisseront deux otages entre les mains des Français jusqu'à la remise en liberté des prisonniers faits lors du coup contre Jumonville. Enfin, ils pourront laisser une partie de leurs bagages jusqu'à ce qu'ils puissent venir les chercher plus tard, « aux conditions qu'ils donneront paroles d'honneur de ne plus travailler à aucun établissement dans ce lieu-ci ni en-deçà de la hauteur des terres pendant une année à compter de ce jour ».

Le 4 juillet 1754, un détachement de Français et de Canadiens prend possession du fort Necessity. « La garnison défila, écrit Coulon de Villiers dans son journal, et le nombre de leurs morts et de leurs blessés m'excita à la pitié, malgré le ressentiment que j'avais de la façon dont ils avaient fait périr mon frère. Nos Sauvages qui avaient en tout adhéré à mes volontés prétendirent au pillage. Je m'y opposai, mais les Anglais, encore pétris d'effroi, prirent la fuite et laissèrent jusqu'à leur pavillon et un de leurs drapeaux. Je démolis leur fort et M. Le Mercier fit casser leurs canons, ainsi que celui qui était accordé par la capitulation, les Anglais n'ayant pu l'emporter. »

La défaite du fort Necessity a un grand retentissement dans la presse de la Nouvelle-Angleterre. *The New York Mercury*, dans son édition du 5 août, rapporte les propos du gouverneur du Maryland : « Les intentions des Français doivent maintenant être bien claires aux yeux de chacun de nous. »

Maintenant, puisque chacun est à sa place, la vraie guerre peut commencer !

La déportation

En Nouvelle-Angleterre, on respire l'odeur de la poudre. Les plans de conquête et les appels aux armes se multiplient. James Glen, gouverneur de la Caroline du Sud, fait écho à l'état d'esprit qui règne dans les colonies anglaises dans un discours prononcé le 11 janvier 1755. « Nous préparer à la guerre, déclare-t-il, c'est le moyen le plus efficace de conserver la paix. »

Le major-général Edward Braddock, récemment nommé généralissime britannique en Amérique, débarque à Hampton, en Virginie, au mois de février, à la tête de deux régiments venus se joindre aux autres soldats et miliciens des colonies. À la mi-avril, à la suite d'une réunion regroupant tous les gouverneurs des colonies, le plan de conquête de la Nouvelle-France se précise : Braddock doit s'emparer du fort Duquesne et de la vallée de l'Ohio ; William Shirley, le gouverneur du Massachusetts, attaquera le fort Niagara, alors que le superintendant des Affaires indiennes William Johnson, à la tête de miliciens et d'Amérindiens, délogera les Français du fort Saint-Frédéric, ouvrant ainsi le chemin à une invasion qui s'effectuera par la vallée du Richelieu. Charles Lawrence, gouverneur de la Nouvelle-Écosse, avec l'appui de renforts venant de la Nouvelle-Angleterre, chassera les garnisons des forts Beauséjour et Gaspareau. Pendant ce temps, en France, on prépare l'envoi en Nouvelle-France de 3000 hommes placés sous la direction de Jean-Armand Dieskau agissant comme « commandant des troupes régulières françaises au Canada ».

Tous ces projets et ces préparatifs s'élaborent alors que la paix existe toujours entre la France et l'Angleterre. Cette dernière justifie ses prises de position en faisant valoir qu'elle veut tout simplement chasser les Français établis sur des territoires appartenant au roi de la Grande-Bretagne.

Malgré la disproportion numérique qui existe entre les colonies anglaises et les colonies françaises en Amérique du Nord, le sort de la Nouvelle-France est loin d'être réglé. Avec ses 85 000 habitants, elle en impose toujours aux 1 500 000 de la Nouvelle-Angleterre !

Une première attaque

Le colonel Robert Monckton quitte le port de Boston, le 19 mai 1755, ayant pour mission de s'emparer des forts Beauséjour et Gaspareau. À la trentaine de voiles qu'il commande s'en ajoutent une dizaine d'autres qui le rejoignent à Halifax. Le 2 juin à cinq heures du matin, les habitants du fort Beauséjour apprennent par un habitant du Cap-Maringouin l'arrivée de la petite flotte. Le commandant du fort français, Louis Du Pont Duchambon de Vergor, envoie des courriers à Québec, à Louisbourg, à l'île Saint-Jean, dans la région de la rivière Saint-Jean et dans les villages avoisinants demander du secours. Il donne ordre aux habitants des alentours « de prendre les armes et de faire feu sur les Anglais au moment qu'ils tenteraient de passer sur les terres du roi ou d'attaquer le fort ».

Deux jours après l'arrivée des assaillants, l'officier Alexander Murray, cantonné au fort Edward, donne aux Acadiens l'ordre de remettre entre ses mains pistolets et fusils ; il fait également saisir les canots et les embarcations. Des habitants des Mines, de Piziquid et de la Rivière-aux-Canards signent, le 10 juin, une pétition au gouverneur Lawrence dans laquelle ils font valoir les embarras que leur cause une telle décision.

> Sous prétexte, écrivent-ils, que nous transportons notre blé à la pointe de Beauséjour et à la Rivière Saint-Jean, il ne nous est plus permis de faire le moindre transport de blé par eau d'un endroit à un autre ; nous supplions votre Excellence de croire que nous n'avons jamais transporté aucune provision de vivre ni à la pointe ni à la Rivière Saint-Jean. [...] Quant à nous, monseigneur, nous n'avons jamais délinqué sur ces sortes de matières ; par conséquent, nous devrions, ce qui nous semble, ne pas être punis ; au contraire, nous espérons qu'il plaira à son Excellence nous rendre la même liberté que nous avions ci-devant en nous rendant l'usage de nos canots...

Les pétitionnaires insistent ensuite sur les dangers qu'ils devront affronter sans leurs armes.

> De plus, ajoutent-ils, nos fusils, que nous regardons comme nos propres meubles, nous ont été enlevés, malgré qu'ils nous sont d'une dernière nécessité, soit pour défendre nos bestiaux qui sont attaqués par les bêtes sauvages, soit pour la conservation de nos enfants et de nous-mêmes ; tel habitant qui a ses bœufs dans les bois et qui en a besoin pour ses travaux n'oserait s'exposer à aller les chercher sans être en état de se défendre et de se conserver. Il est certain, monseigneur, que depuis que les Sauvages ne fréquentent plus nos quartiers, les bêtes féroces ont extrêmement augmenté et que nos bestiaux en sont dévorés presque tous les jours. D'ailleurs les armes que l'on nous enlève sont un faible garant de notre fidélité. Ce n'est pas ce fusil que possède un habitant qui le portera à la révolte, ni la privation de ce même fusil qui le rendra plus fidèle, mais sa conscience seule le doit engager à maintenir son serment.

Les Acadiens font enfin valoir un dernier argument pour tenter de convaincre les autorités anglaises de ne pas les désarmer : s'ils remettent leurs fusils, les Amérindiens qui ont épousé la cause française les accuseront de fournir des armes à leurs ennemis pour les tuer, alors, disent-ils, « les Sauvages peuvent venir nous menacer et nous saccager ».

Pendant ce temps, les soldats et miliciens anglais, au nombre d'environ 2250, assiègent le fort Beauséjour. Les Français ne peuvent compter que sur l'appui de 220 Acadiens. « On envoya M. de Boucherville avec huit habitants pour faire venir ceux qui étaient dans leurs maisons. Il revint au fort seulement avec deux hommes et rendit compte au commandant que les habitants, qu'il avait été chercher, n'avaient pas voulu venir ; qu'ils avaient mis les armes bas et jeté leurs munitions, disant qu'ils ne voulaient pas courir le risque d'être pendus, comme les Anglais les en avaient menacés s'ils prenaient les armes contre eux et, à la réserve de quelques bons sujets qui demeurèrent sur les ouvrages, tout le reste disparut comme fumée. »

Le missionnaire Jean-Louis Le Loutre excite « les habitants au travail et les Sauvages à inquiéter les ennemis et à tâcher de faire quelques prisonniers ».

Le 13 juin, les assiégeants commencent à tirer des bombes de sept ou huit pouces. Le lendemain, Vergor apprend que Louisbourg ne peut lui faire parvenir aucun secours. Le 15, la situation se détériore. Un soldat que l'on venait de faire sortir de prison où il séjournait pour viol déserte.

> Les Acadiens ne s'occupaient plus qu'à prendre des précautions pour se garantir des bombes et se fourrer dans les casemates, quoiqu'il n'y en eût qu'un des leurs tué dans cette journée. Cela occasionna du tumulte parmi eux, note l'officier Louis-Thomas Jacau de Fiedmont. Les principaux et les plus considérés portèrent la parole pour tous les autres et représentèrent que, puisqu'ils n'avaient point d'espoir de secours, il n'y avait plus moyen de résister à tant de forces, et qu'ils ne voulaient pas se sacrifier inutilement.

Le 16 juin, à la suite d'un bombardement violent qui tue quatre ou six personnes, dont le prisonnier anglais Alexander May, les Acadiens supplient le commandant du fort de capituler. Si Vergor ne se rend pas à leur demande, « ils ne respecteraient plus la garnison dont ils ne craignaient point les menaces, [...] ils tourneraient leurs armes contre les officiers et les troupes et livreraient le fort aux Anglais ».

Face à une telle détérioration de la situation, un officier français se rend au camp anglais pour négocier les termes d'une capitulation. Les officiers anglais acceptent les conditions suivantes : la garnison a droit aux honneurs de guerre et sera envoyée à Louisbourg ; elle s'engage à ne pas servir en Amérique pour une durée de six mois. Enfin, les Acadiens « comme ils ont été forcés de prendre les armes sous peine de vie, [...] seront pardonnés pour le parti qu'ils viennent de prendre ».

Monckton offre au commandant du fort Gaspareau, Benjamin Rouer de Villeray, de se rendre aux mêmes conditions que celles acceptées au fort Beauséjour. L'officier français capitule le 17 juin, sans combattre et sans détruire son fort, ce qui le conduira devant un conseil de guerre au mois d'octobre 1757. Tout comme pour Vergor, Villeray s'en tirera facilement.

La chasse est ouverte

Depuis quelques décennies, la présence acadienne en Nouvelle-Écosse pose des problèmes aux autorités coloniales. En 1729-1730, plusieurs Acadiens de la rivière Annapolis, des Mines, de Piziquid et du district de Beaubassin ont prêté le serment suivant : « Je promets et jure sincèrement en foi de chrétien que je serai entièrement fidèle et obéirai vraiment à Sa Majesté le roi George le Second, que je reconnais pour le souverain seigneur de la Nouvelle-Écosse ou de l'Acadie. »

Par contre, des centaines d'Acadiens ont refusé de prêter les serments demandés. Ils se considèrent tous comme n'étant pas liés à la cause anglaise et ont demandé à ne pas prendre les armes contre les Français advenant une guerre. Le fait de ne pas prêter serment ou de le faire avec des réserves « inhabituelles » a pour conséquence que les Acadiens ne sont pas considérés comme sujets britanniques. Les lords du Commerce de Londres, dans une lettre au gouverneur Lawrence, le 4 avril 1754, sont clairs sur cette question. « En loi, de par le traité d'Utrecht et de par les instructions de Sa Majesté, écrivent-ils, ils n'ont en fait aucun droit sur leurs propriétés qu'à la condition de prêter un serment d'allégeance absolue et sans aucune réserve que ce soit. » La question de la propriété des terres est importante, puisque les Acadiens occupent les sols les plus producteurs et qu'ils acheminent bien peu de leurs produits vers les marchés anglais.

Comme quelques centaines d'Acadiens ont combattu aux côtés des Français au fort Beauséjour, Lawrence décide de régler leur sort. Puisque la guerre est inévitable, il est convaincu que, non seulement il ne peut compter sur l'appui des Acadiens, mais surtout que ces derniers risquent de prêter à nouveau main-forte aux Français et aux Canadiens. Le 28 juin, le gouverneur écrit aux lords du Commerce qu'il a donné ordre à Monckton de chasser les Acadiens « du pays ». Le 3 juillet, Lawrence rencontre des délégués du bassin des Mines. Il leur lance un ultimatum : prêter un serment inconditionnel ou subir les conséquences de leur refus. Les députés acadiens se disent prêts à prononcer le serment demandé à la condition de n'être pas obligés de prendre les armes contre les Français. Ils sont alors emprisonnés sur l'île George, non loin d'Halifax. Lorsqu'ils seront prêts, une dizaine de jours plus tard, à se soumettre au désir du gouverneur, ce dernier leur fait savoir qu'il est trop tard !

C'est légal !

Le 28 juillet 1755, le juge en chef de la Nouvelle-Écosse, Jonathan Belcher, lit devant le gouverneur et les membres du Conseil son avis juridique sur la déportation des Acadiens de cette colonie.

> Je crois, dit-il, qu'il est de mon devoir de faire connaître les raisons qui me persuadent que nous ne devons pas permettre aux habitants français de prêter le serment ni les tolérer dans la province. 1° Depuis le traité d'Utrecht jusqu'à cette date, ils se sont conduits comme des rebelles envers Sa Majesté dont ils sont devenus les sujets par la cession de la province. En outre, en vertu du traité, ils devinrent des habitants de ladite province. 2° Pour ces raisons, les tolérer dans cette province serait contraire à la lettre et à l'esprit des instructions de Sa Majesté au gouverneur

Cornwallis et, à mon humble avis, encourrait le déplaisir de la Couronne et du Parlement, et de plus, 3° cela rendrait stériles les résultats qu'on attendait de l'expédition de Beauséjour ; 4° et entraverait d'une manière déplorable le progrès de la colonisation et empêcherait la réalisation des projets que la Grande-Bretagne avait en vue lorsqu'elle a fait des dépenses considérables dans cette province. 5° Lorsque ces habitants auront de nouveau recours à la perfidie et à la trahison, procédés dont ils se serviront certainement et avec plus de haine que par le passé, la province, après le départ de la flotte et des troupes, se trouvera dans l'impossibilité de les chasser de leurs possessions.

Le juge Belcher analyse ensuite, une à une, les cinq raisons qui, selon lui, justifient la déportation. Il rappelle qu'en 1749, le gouverneur Edward Cornwallis avait reçu instruction de faire prêter aux Acadiens un serment inconditionnel. « Cette instruction, précise-t-il, fut transmise à une époque où le gouvernement n'était pas assez puissant pour affirmer ses droits contre les habitants français qui encouraient la confiscation de leurs biens. »

Selon les évaluations du juriste, la population de la Nouvelle-Écosse est de 13 000 habitants, dont 5000 Anglais, soit une supériorité de 3000 pour les Acadiens. « Ces chiffres ne sont pas exacts, affirme l'historien Guy Frégault, mais la proportion de l'un à l'autre semble exprimer assez bien l'écart qui existe entre les deux populations. »

« Une telle supériorité du côté de ceux qui ont juré de ne pas devenir sujets du roi, conclut Belcher, est propre à inquiéter les colons actuels et à décourager ceux qui auraient l'intention de venir s'établir dans cette province, car il est bien connu que, s'ils prêtent serment, ils ne se croiront pas engagés après en avoir obtenu dispense. »

Les derniers mots du juge en chef de la Nouvelle-Écosse scellent le sort des Acadiens : « À ces causes, je crois que ces raisons et la nécessité impérieuse — qui est la loi du moment — de protéger les intérêts de Sa Majesté dans la province, m'obligent à conseiller humblement la déportation de tous les habitants français. »

La séance du Conseil de la colonie tenue chez le gouverneur à Halifax, le lundi 28 juillet 1755, se termine par cette dernière décision :

> Comme il avait été décidé antécédemment d'expulser les habitants français de la province s'ils refusaient de prêter le serment, il n'y avait plus par conséquent qu'à prendre les mesures nécessaires pour opérer leur expulsion et à décider à quels endroits les déporter. Après mûre délibération, il fut convenu à l'unanimité que, pour prévenir le retour des habitants français dans la province et les empêcher de molester les colons qui pourraient s'être établis sur leurs terres, il est urgent de les disperser dans les diverses colonies sur le continent et de noliser immédiatement un nombre de vaisseaux pour les y transporter.

Les Anglais de la Nouvelle-Écosse convoitent les terres ainsi que le bétail des Acadiens. Le 31 juillet, Lawrence écrit à Monckton :

> Afin de les empêcher de s'enfuir avec leurs bestiaux, il faudra avoir grand soin que ce projet ne transpire pas ; et le moyen le plus sûr pour cela me paraît d'avoir recours à quelque stratagème qui fera tomber les hommes, jeunes et vieux

(surtout les chefs de famille) en notre pouvoir. Vous les détiendrez ensuite jusqu'à l'arrivée des transports afin qu'ils soient prêts pour l'embarquement. Une fois les hommes détenus, il n'est pas à craindre que les femmes et les enfants ne s'enfuient avec les bestiaux. Toutefois, il serait très prudent, pour prévenir leur fuite, non seulement de vous emparer de leurs chaloupes, de leurs bateaux, de leurs canots et de tous les autres vaisseaux qui vous tomberont sous la main, mais en même temps de charger des détachements de surveiller les villages et les routes. Tous leurs bestiaux et leurs céréales étant confisqués au profit de la Couronne, par suite de leur rébellion et devant être appliqués au remboursement des dépenses que le gouvernement devra faire pour les déporter de ce pays, il faudra que personne n'en fasse l'acquisition sous aucun prétexte. Tout marché de ce genre serait de nul effet, parce que, depuis l'arrêté du Conseil, les habitants français sont dépourvus de leurs titres de propriété et il ne leur sera permis de rien emporter, à l'exception de leurs mobiliers et de l'argent qu'ils possèdent présentement.

Le Grand Dérangement

Les Acadiens de l'isthme de Chignecto où se trouvait le fort Beauséjour, que l'on accuse d'avoir trahi, « ne méritent aucune faveur » et seront les premiers à devoir s'embarquer.

Les autorités se rendent compte des problèmes qu'il y aura à regrouper toute la population acadienne. Le 8 août, Lawrence indique l'attitude à adopter. Il écrit à Monckton : « Comme il sera peut-être très difficile de s'emparer des habitants, vous devrez, autant que possible, détruire tous les villages des côtés nord et nord-ouest de l'isthme, situés aux environs du fort Beauséjour et faire tous les efforts possibles pour réduire à la famine ceux qui tenteraient de se cacher dans les bois. Il faudra prendre grand soin de sauver les animaux et la récolte sur le champ, que vous pourrez faire rentrer sans exposer vos hommes au danger ; vous devrez aussi, autant que possible, empêcher les Français fugitifs et les Sauvages d'enlever ou de détruire les bestiaux. »

La population acadienne ignore encore ce qui se trame contre elle. Le 9 août, note le lieutenant-colonel John Winslow, « les habitants de la baie Verte et des villages circonvoisins ont été sommés de comparaître pour entendre la lecture des ordres de Son Excellence le gouverneur Lawrence ; mais n'ayant pas réussi à convoquer une assemblée générale des habitants, ceux qui se sont présentés ont été renvoyés avec instruction de revenir demain matin ».

Le 10 août, un certain nombre d'Acadiens se présentent et on les retient pendant toute la nuit « sous la gueule du canon de la garnison ». Le lendemain, les habitants de Tintamare, de Wescoak, d'Olake, de la baie Verte et de Beauséjour sont rassemblés au fort Cumberland (le nouveau nom du fort Beauséjour) où ils apprennent qu'ils seront déportés.

Winslow arrive à Grand-Pré le 19 août. Il décide d'installer ses hommes près de l'église. « J'ai envoyé chercher les vieillards pour leur faire enlever les choses sacrées afin qu'elles ne soient pas souillées par les hérétiques », note-t-il ironiquement dans son journal. Il écrit à Shirley trois jours plus tard : « Nous détenons prisonniers actuellement dans les forts Lawrence et Cumberland, 400 des principaux d'entre eux ; les femmes et les enfants ont la permission de rester dans leurs maisons. Il est probable que les habitants de toute la province, bien que coupables à un degré moindre que ceux de Chignectou et de la baie Verte qui ont commis des actes de violence, subiront le même sort. »

Comme on craint quelque représailles de la part des Acadiens, Winslow fait construire une palissade autour du campement militaire. Le 28 août, elle est terminée et le lieutenant-colonel se dit prêt à s'atteler à l'ouvrage : « Nous avons entrepris de nous débarrasser de l'une des plaies d'Égypte. »

Le même jour, Winslow reçoit des ordres concernant la façon de procéder pour expulser la population acadienne. Des navires en nombre suffisant pour transporter mille personnes doivent bientôt arriver de Boston. Ils transporteront les habitants dans les colonies de la Nouvelle-Angleterre. D'autres bâtiments assureront le transport d'au moins mille autres Acadiens.

> Dans vos instructions aux capitaines, précise Lawrence, vous devrez leur enjoindre sévèrement de prendre les plus grandes précautions et d'exercer la plus stricte surveillance pendant la traversée, afin de prévenir toute tentative des déportés pour s'emparer des vaisseaux. En conséquence, les capitaines ne devront tolérer à la fois qu'un petit nombre de passagers sur le pont et ne rien négliger pour éviter toute tentative de ce genre ; ils devront aussi prendre bien garde que les habitants, lors de l'embarquement, n'emportent avec eux ni armes ni quoi que ce soit qui pourrait en tenir lieu, et voir à ce que les vivres soient distribués conformément à la ration fixée par les instructions données à M. Saul [le préposé aux vivres].

Les soldats anglais sont autorisés à employer la manière forte, si nécessaire, lors de l'embarquement. « Si les moyens de douceur ne réussissent pas, déclare Lawrence, vous aurez recours aux mesures les plus énergiques pour les embarquer et pour enlever à ceux qui prendront la fuite toute possibilité de se mettre à l'abri, en brûlant leurs maisons et en détruisant dans le pays tout ce qui pourrait leur servir de subsistance. »

Comme on prévoit manquer d'espace sur 25 navires, Lawrence revient à la charge et il écrit à Winslow, le 11 août : « Bien qu'il soit permis aux habitants d'emporter avec eux leurs effets, il faudra cependant ne pas les laisser encombrer les vaisseaux de choses inutiles. Après avoir embarqué les habitants et leurs lits, s'il reste de l'espace pour autre chose, vous pourrez leur permettre d'emporter des objets qui ne causeront pas trop d'embarras. »

À la fin d'août, c'est le temps des récoltes. Les Acadiens ont eu le temps de couper leur blé, mais le mauvais temps les a empêchés de l'engranger. On retarde donc de quelques jours l'annonce de la déportation, le temps de mettre la récolte à l'abri !

La grande battue

À Annapolis Royal, le 31 août, le major John Handfield envoie un détachement s'emparer d'une centaine de chefs de famille et de jeunes gens, car un des transports vient d'arriver. « Tous les chefs de famille se sauvèrent dans les bois, emportant avec eux leurs literies, etc., et nos hommes n'en trouvèrent aucun dans les villages. Je désire, écrit-il à Winslow, que vous m'envoyiez aussitôt que vous pourrez en disposer un renfort de quelques hommes, afin que je puisse leur faire entendre raison. »

Le 1er septembre, les habitants de Grand-Pré commencent à s'inquiéter, car trois navires sont à l'ancre. Quelques Acadiens sont montés à bord s'informer du pourquoi de leur présence. Les capitaines répondent, comme ils en ont reçu l'ordre, « que ces transports avaient été envoyés pour l'utilité des troupes ».

Le 4 septembre, les habitants du district de Grand-Pré, de la rivière des Mines, de la rivière aux Canards et autres endroits adjacents prennent connaissance d'une sommation enjoignant aux hommes de se réunir le lendemain à l'église. Le vendredi, 5 septembre 1755, à trois heures de l'après-midi, 418 des principaux habitants de Grand-Pré sont entassés dans la petite église du village.

Winslow a fait apporter une table au centre de l'église et là, assisté de ses officiers, il fait traduire le texte de sa déclaration par René Leblanc ou François Landry :

> Messieurs, j'ai reçu de Son Excellence le gouverneur Lawrence, les instructions du roi que j'ai entre les mains. [...] Le devoir que j'ai à accomplir, quoique nécessaire, m'est très désagréable et contraire à ma nature et à mon caractère, car je sais que cela vous affligera puisque vous possédez comme moi la faculté de sentir. Mais il ne m'appartient pas de m'élever contre les ordres que j'ai reçus ; je dois m'y conformer. Ainsi, sans autre hésitation, je vais vous faire connaître les instructions et les ordres de Sa Majesté, qui sont que vos terres et vos maisons et votre bétail et vos troupeaux de toutes sortes sont confisqués au profit de la Couronne, avec tous vos autres effets, excepté votre argent et vos mobiliers, et que vous-mêmes vous devez être transportés hors de cette province. Les ordres péremptoires de Sa Majesté sont que tous les habitants français de ces districts soient déportés ; et grâce à la bonté de Sa Majesté, je dois vous accorder la liberté d'emporter votre argent et autant d'effets que possible, sans encombrer les navires qui doivent vous transporter. Je ferai tout en mon pouvoir pour que ces effets soient laissés en votre possession, que vous ne soyiez pas molestés en les emportant, et que chaque famille soit réunie dans le même navire, afin que cette déportation qui, je le comprends, doit vous causer de grands ennuis, vous soit rendue aussi douce que le service de Sa Majesté peut le permettre. J'espère que, quelles que soient les parties du monde où le sort va vous jeter, vous serez des sujets fidèles et un peuple heureux et paisible. Je dois aussi vous informer que c'est le plaisir de Sa Majesté que vous soyez retenus sous la garde et la surveillance des troupes que j'ai l'honneur de commander.

Les Acadiens doivent rester prisonniers, sauf les vingt d'entre eux désignés pour aller annoncer la nouvelle de la déportation aux femmes et aux enfants. Comme tous les navires ne sont pas encore arrivés, Winslow informe ses prisonniers qu'il appartiendra à la famille de chacun de les nourrir. Les habitants de la région de Grand-Pré semblent se résigner au sort qui les attend. Quelques jeunes gens veulent s'enfuir, mais le fils de René Leblanc les en dissuade.

À Annapolis Royal, la situation semble plus tendue. Le capitaine Alexander Murray ne cache pas le sentiment de ses hommes. « Quand je pense à ceux d'Annapolis, écrit-il à Winslow le 8 septembre, je me réjouis de les avoir sommés de venir au rendez-vous. Je crains qu'il y ait des pertes de vie avant que nous ayons terminé le rassemblement ; vous savez que nos soldats les détestent et qu'ils profiteront de tout prétexte pour les tuer. »

Les Acadiens de la région du fort Edward montrent plus de docilité. « Je suis grandement surpris, note Murray, de constater l'indifférence des femmes qui sont réellement ou paraissent indifférentes à leur sort. »

L'embarquement

Après cinq jours de détention, les prisonniers de Grand-Pré commencent à s'agiter. Winslow, après avoir consulté ses officiers, ordonne de faire monter cinquante Acadiens à bord de chacun des cinq navires mouillés en rade, à commencer par les jeunes gens. Toute la garnison est appelée sous les armes « et placée derrière le presbytère, entre l'église et les deux portes de l'enceinte palissadée ». Le capitaine Adams ordonne à 141 jeunes gens de sortir des rangs des hommes placés en rangée de six.

> J'ordonnai aux prisonniers de marcher, écrit Winslow. Tous répondirent qu'ils ne partiraient pas sans leurs pères. Je leur répondis que c'était une parole que je ne comprenais pas, car l'ordre du roi était pour moi absolu et devait être exécuté impérieusement ; que je n'aimais pas les mesures de rigueur et que le temps n'admettait pas de pourparlers ou de délais. J'ordonnai à toutes les troupes de mettre la baïonnette au canon et de s'avancer sur les Français. Je commandai moi-même aux quatre rangées de droite des prisonniers, composées de 24 hommes, de se séparer du reste ; je saisis l'un d'entre eux qui empêchait les autres d'avancer et je lui ordonnai de marcher. Il obéit et les autres le suivirent, mais lentement. Ils s'avançaient en priant, en chantant et en se lamentant, et sur tout le parcours [un mille et demi], les femmes et les enfants à genoux priaient et faisaient entendre leurs lamentations. J'ordonnai ensuite à ceux qui restaient de choisir parmi eux 109 hommes mariés qui devaient être embarqués après les jeunes gens. La glace était rompue et le nombre indiqué fut rassemblé sous la surveillance du capitaine Adams.

Les vivres nécessaires pour la traversée n'arrivent toujours pas. Les officiers anglais commencent à s'impatienter. « Je suis fatigué d'entendre des lamentations », déclare Winslow, le 11 septembre. On profite des jours d'attente pour faire des razzias dans les villages avoisinants. Le 17, Winslow croit avoir en sa possession tous les habitants mâles « à l'exception de 30 vieillards invalides dont je me soucie guère de m'embarrasser avant le départ de la population ». Le 19, au camp de Grand-Pré, on dénombre 2000 Acadiens prêts à partir. Les troupes ont saisi 6000 bêtes à cornes, 8000 moutons, 4000 cochons et 50 chevaux.

Après un mois d'attente, quelques Acadiens commencent à douter de leur déportation. Le 6 octobre, Winslow note dans son journal : « Suivant l'entente que j'ai eue avec mes capitaines, il a été décidé que les familles ne devaient pas être séparées et que les habitants d'un même village devaient être placés sur le même navire autant que les circonstances le permettaient. Je leur donnai ordre de se tenir prêts à embarquer avec leurs effets, etc. Malgré les dispositions que je venais de prendre à leur égard, je n'ai pu les convaincre que j'étais sérieux. »

Le lendemain, 24 jeunes gens réussissent à s'enfuir d'un navire. Ceux qui doutent encore du sort que les Anglais leur réservent doivent se rendre à l'évidence, le 8 octobre 1755.

> Nous avons commencé à embarquer les habitants qui abandonnèrent leurs domiciles à regret et malgré eux, note toujours Winslow ; les femmes très affligées portaient leurs nouveau-nés dans leurs bras, d'autres traînaient dans des charrettes leurs parents infirmes et leurs effets. Ce fut une scène où la confusion se mêlait au désespoir et à la désolation. Environ 80 familles ont été mises à bord des transports des capitaines Church et Milburry. Je fis faire l'enquête la plus rigoureuse afin de savoir comment ces jeunes gens s'étaient évadés hier et, après avoir pris connaissance des faits, je constatai qu'un nommé François Hébert qui se trouvait à bord du navire et y embarquait ce jour-là ses effets en avait été l'auteur ou l'instigateur. Je le fis venir à terre et le conduisit devant sa propre maison et là, en sa présence, je fis brûler sa maison et sa grange. Je donnai ensuite avis à tous les Français que, si les fugitifs ne se rendaient pas dans l'intervalle de deux jours, tous les amis des déserteurs subiraient le même sort ; que de plus je confisquerais tous leurs effets et que, si jamais ces déserteurs tombaient entre les mains des Anglais, il ne leur serait accordé aucun quartier.

Le 12, une patrouille rencontre un des déserteurs qui fuit à cheval. On tire au-dessus de sa tête, mais comme il continue sa course, « l'un de nos hommes le renversa mort d'un coup de fusil ». Le lendemain, 22 déserteurs reviennent se rendre et sont embarqués de nuit sur un des navires.

À la fin d'octobre, les navires ont déjà fait voile en direction de la Nouvelle-Angleterre. Six d'entre eux arrivent à Boston, le 5 novembre. Pendant ce temps, en Nouvelle-Écosse, les soldats anglais brûlent les maisons, les granges et les moulins des Acadiens. Entre le 2 et le 7, dans la seule région du bassin des Mines, 698 bâtiments sont rasés par les flammes. La déportation des Acadiens ne se terminera qu'en 1762. Les autorités de la Nouvelle-Angleterre essaieront de se faire rembourser par le gouvernement anglais les frais encourus pour loger et nourrir les Acadiens dénués de tout. On les laissera partir pour l'Angleterre, d'où plusieurs gagneront la France puis, plus tard, la Louisiane. « Aux Canadiens que menaçaient, en ces terribles années 1755, la conquête et ses suites inévitables, conclut l'historien Guy Frégault, l'exemple acadien pouvait enseigner ce que signifie nécessairement la défaite. »

Partie nulle

Pendant qu'en 1755 les autorités anglaises déportent entre 6000 et 7000 Acadiens, les autres parties de la Nouvelle-France connaissent quelques combats importants. La France et l'Angleterre décident, au début de 1755, d'envoyer des renforts dans leurs colonies respectives. Le 4 février, Edward Boscawen est nommé vice-amiral de l'escadre bleue. Il doit se rendre avec une escadre dans les eaux nord-américaines « pour intercepter tous les renforts français qui pouvaient gêner ou compromettre la sécurité des colonies anglaises ».

Le 1er mars, Jean-Armand Dieskau reçoit le commandement des troupes formant l'escadre française, composée de 18 vaisseaux et de 4 frégates. Elle quitte le port de Brest, le 3 mai 1755, après plusieurs semaines d'attente d'un vent favorable. Les équipages représentent 9450 hommes. Les six bataillons destinés à la Nouvelle-France sont ceux de La Reine, d'Artois, de Bourgogne, du Languedoc, de Guyenne et du Béarn, comptant, en tout, 3300 hommes.

Les derniers jours de mai, alors que l'escadre approche des côtes de Terre-Neuve, sont marqués par la présence d'épais bancs de brume qui compliquent la navigation. Le *Lys*, l'*Alcide* et le *Dauphin royal* se retrouvent seuls. Le 8 juin, à la pointe du jour, ils font la rencontre de navires anglais commandés par le vice-amiral Boscawen. Le commandant de l'*Alcide* fait mettre le pavillon et la flamme qu'il assure d'un coup de canon à poudre et au vent. « L'ennemi mit le sien sans l'assurer. »

> La mer était unie comme une glace et il ventait très peu, raconte le commandant Hocquart ; et quoique je ne pusse douter à la manœuvre de l'ennemi qu'il ne m'attaquât, je voulus attendre qu'il commençât les hostilités. Lorsque j'étais parti d'Europe, il n'y avait point de guerre déclarée et je sentais toute la conséquence de paraître l'agresseur. J'étais sûr que l'ennemi s'en prévaudrait pour m'accuser d'avoir le premier commencé la guerre et pour me donner le tort dans toute l'Europe. Ces réflexions et ces considérations ne tardèrent pas à m'être très nuisibles.

Le *Dunkirk*, du port de 60 canons, commandé par l'amiral Howe, s'approche de l'*Alcide* « à la demi-portée de la voix ».

> Je fis donc, continue Hocquart, crier trois fois en anglais : Sommes-nous en paix ou en guerre ? On répondit : Nous n'entendons pas. La même question fut alors faite en français, même réponse. Je pris alors le porte-voix et demandai encore deux fois : Sommes-nous en paix ou en guerre ? Le capitaine me répondit lui-même par deux fois bien distinctement et en très bon français : La paix, la paix. Cependant le signal de commencer le combat avait été [donné] quelque temps auparavant à bord de l'amiral par un pavillon rouge au petit mât de hune. Je demandai encore comment s'appelait l'amiral. On me répondit : l'amiral Boscawen. Je le connais, dis-je ; il est de mes amis. Et vous, monsieur, votre nom ? reprit-on. Hocquart, répondis-je. La conversation ne fut pas plus longue. Le temps de prononcer mon nom et l'ennemi, le mot de paix, fut immédiatement suivi de la bordée haute et basse à bout touchant avec la mousquetterie qui nous a ainsi déclaré la guerre.

Encore une fois, l'attaque a lieu en pleine paix. Les navires anglais lancent des doubles boulets ramés. L'*Alcide* est entouré de vaisseaux qui le canonnent. En peu de temps, une centaine d'hommes sont tués ou blessés. « Les manœuvres étaient hachées, les voiles criblées, le grand mât percé de deux boulets au milieu à côté l'un de l'autre ; le petit mât de hune percé et prêt à tomber, les vergues coupées, toute la mâture offensée, plusieurs canons démontés. »

L'*Alcide* doit se rendre. Quant au *Lys*, après un court combat, il fait de même. Seul le *Dauphin royal* réussit à s'échapper. À l'annonce de ce combat, Louis XV ordonne à son ambassadeur à Londres de quitter l'Angleterre. *The Maryland*

Gazette, dans son édition du 17 juillet, écrit : « Ce combat inaugure sans aucun doute une guerre générale. »

Le lundi 23 juin, le reste de l'escadre de Dieskau arrive à Québec. Une quinzaine de jours auparavant, l'Hôtel-Dieu venait d'être détruit par un incendie criminel qui avait également dévasté la principale partie des casernes. Les soldats sont logés chez les habitants, sauf un bataillon qui trouve à s'abriter dans ce qui reste des casernes. Québec revêt l'aspect d'une ville militaire.

Du tabac et du vin

André Doreil, le commissaire des guerres en Nouvelle-France, voit à ce que les soldats reçoivent leur solde et la nourriture nécessaire.

> La ration que l'on fournit ici au soldat en garnison, écrit-il le 6 juillet, est composée d'une livre et demie de bon pain, de quatre onces de lard ou d'une demi-livre de bœuf frais en place de lard, mais on n'en donne que fort rarement ; on donne aussi journellement quatre onces de pois secs. En détachement ou en marche, on donne deux livres de pain et on ajoute deux coups d'eau-de-vie. Il n'est point d'usage de fournir le sel et le tabac aux troupes de la colonie, cependant je sollicite très vivement M. Bigot à ce sujet. J'ai déjà obtenu qu'il serait fourni à nos troupes une livre de tabac par homme par mois sur mes certificats qui constateront le nombre ; je n'ose me flatter d'avoir gain de cause pour le sel, mais je ne me rebuterai pas. J'ai aussi obtenu de M. Bigot qu'il serait fourni du vin aux soldats malades aux hôpitaux lorsque les médecins et chirurgiens leur permettraient d'en boire. Il n'a jamais été d'usage d'en donner aux soldats de la colonie.

Le 10 juillet, les premières compagnies se mettent en route pour Montréal. « Les officiers auront des calèches et des chevaux avec des couvertures, les habitants n'ayant point de selles, stipule l'ordre du jour ; il s'y trouvera aussi quelques charrettes pour mener le petit bagage des officiers et, s'il y en a assez, on y mettra les havresacs des soldats. On marchera à la légère ; le soldat ne pourra avoir dans son havresac que deux chemises et une paire de souliers. Il portera aussi sa couverture. »

Les soldats effectuent le trajet à pied et sont logés et nourris par les habitants. La durée du voyage est fixée à 13 jours. Lors de son passage à Trois-Rivières, la première division du bataillon de Béarn cause du désordre. Pour y mettre fin, on adopte un nouvel ordre : « Il est défendu sous peine de cachot pour la première fois de boire avec les Sauvages et de leur vendre de l'eau-de-vie et, à la récidive, de passer par les verges. »

Pendant que la majeure partie des nouvelles troupes se dirige vers le fort Frontenac, la situation se corse dans la région de l'Ohio.

Le général meurt !

Edward Braddock, à la tête de 3000 soldats anglais et américains, marche vers le fort Duquesne qu'il doit détruire. Ne voulant courir aucun risque, l'officier anglais apporte avec lui une dizaine de canons de 18 livres. Il faut traîner ces lourdes pièces dans un pays sauvage. Les soldats doivent abattre des arbres, aplanir un chemin, construire des radeaux. L'armée avance à pas de tortue. Claude-Pierre Pécaudy de Contrecœur, commandant du fort Duquesne, veut absolument arrêter la marche de l'ennemi avant que ce dernier n'atteigne le fort.

Le 9 juillet 1755, à huit heures du matin, Daniel-Hyacinthe-Marie Liénard de Beaujeu, à la tête de 108 officiers et soldats des troupes réglées de la Marine, de 146 miliciens canadiens et de 637 Amérindiens, va au devant de l'armée de Braddock. Cette dernière s'avance sur un chemin allant du fort Necessity, à trois lieues du fort Duquesne, formée en une colonne. Quelques régiments de grenadiers ouvrent la marche, avec quinze hommes de front ; l'artillerie occupe le centre et deux petits corps de cavalerie légère forment l'arrière. Beaujeu divise les Amérindiens en deux groupes qu'il installe de chaque côté du chemin, non loin de la rivière Monongahéla. Canadiens et Amérindiens, cachés derrière les arbres, tirent continuellement sur les soldats anglais et américains. Braddock tente d'encercler les assaillants.

Beaujeu est tué à la troisième décharge et Jean-Daniel Dumas prend la relève. Braddock a cinq chevaux tués sous lui. Le combat qui débute vers les onze heures et demie du matin ne prend fin que vers les quatre à cinq heures du soir. Les pertes anglaises se chiffrent à 977 hommes tués ou blessés. « La maîtresse du général Braddock, belle comme l'Amour, habillée en amazone et montée sur un superbe cheval, a été tuée combattant à côté de son amant, malgré toute l'envie qu'on avait de la conserver », écrit l'officier Michel Le Courtois de Surlaville. Son amant lui-même a été mortellement blessé, mais les Anglais l'ont emporté. Les effets et bijoux, trouvés sur la maîtresse de Braddock, ont été estimés à 10 000 livres. Parmi les prisonniers, on compte sept femmes et plusieurs autres se trouvent parmi les morts.

Le butin qui tombe aux mains des Français, des Canadiens et des Amérindiens est considérable : 21 pièces d'artillerie, 1940 cartouches à mousquet, 1700 livres de poudre, des bombes et des grenades, plusieurs chariots, 500 chevaux, 100 bœufs ou vaches et « beaucoup de moutons ». Les pertes françaises sont minimes : 23 morts et 16 blessés. Mais le plus grand butin est sans nul doute les papiers de Braddock qui contiennent des instructions secrètes, une lettre de l'espion Stobo, etc.

Une défaite française

La défaite anglaise à la Monongahéla jette l'inquiétude dans les colonies de la Nouvelle-Angleterre. On songe à la vengeance, mais le colonel Thomas Dunbar, qui prend la succession de Braddock, ne semble pas pressé de marcher contre le fort Duquesne. Le lieutenant-gouverneur de la colonie de New York recommande d'envahir immédiatement le Canada. Il déclare le 6 août : « Nous avons, sous l'œil de Dieu, les moyens en mains. Mettons donc en œuvre avec unanimité, courage et résolution ces moyens que le Ciel nous a donnés ; servons-nous en pour défendre notre religion contre le papisme, nos personnes contre l'esclavage et nos biens contre un pouvoir arbitraire. La sécurité, l'existence même des colonies britanniques évoluent vers une crise. »

Alors que le gouverneur Vaudreuil croit que les Anglais vont attaquer les forts Frontenac et Niagara, une armée anglaise se dirige vers le fort Saint-Frédéric, dans la région du lac Champlain. Le 15 août, alors que depuis quelques jours des détachements français marchent vers le fort Saint-Frédéric, Vaudreuil signe une feuille d'instructions au baron Dieskau. Il faut empêcher les soldats du colonel William Johnson de s'emparer du fort dont la sûreté « décide en partie de cette colonie », affirme le gouverneur de la Nouvelle-France. « Pour remplir une mission essentielle, ajoute-t-il, nous avons remis à M. le baron de Dieskau une armée de 3000 hommes ou environ composée d'un bataillon de la Reine et de Languedoc, des troupes détachées de la marine, des milices de la colonie et des Sauvages de différentes nations. »

Voulant protéger une retraite possible, Johnson fait construire un fort à 14 milles du lac Saint-Sacrement qu'on rebaptise lac George. Le fort Edward, connu aussi sous le nom de fort Lydius, sera complété par un autre qu'on songe à construire sur les bords mêmes du lac, et qui, celui-là, recevra le nom de fort William-Henry.

Le 4 septembre, Dieskau, qui a établi son camp à Carillon, avertit Vaudreuil qu'il a décidé d'attaquer.

> Un petit parti que j'ai envoyé à la découverte vient de m'amener un prisonnier et une chevelure. Ils rapportent [...] que le gros de l'armée ennemie s'en est retourné et que le fort qu'ils ont construit à la maison de Lydius n'était pas achevé encore, le jour que le prisonnier a été pris, mais que le fossé qu'ils ont fait autour du fort est fait et fraisé. [...] Sur quoi, j'ai pris mon parti de marcher avec toute la diligence possible audit fort pour tâcher de le surprendre à la tête de 1500 hommes, savoir 600 Sauvages, sous les ordre de M. de Saint-Pierre, 600 miliciens sous les ordres de M. de Repentiny, 300 hommes y compris les deux compagnies de grenadiers des troupes de France et la compagnie de canoniers.

Le 7, l'armée de Dieskau n'est plus qu'à quelques milles du fort Edward. L'ordre de la veille avait précisé : « Il est défendu de tirer, de crier dans la marche et de faire feu dans le camp de demain, attendu que nous approchons de l'ennemi et qu'il est question de le surprendre ; on partira du camp sans battre. Chacun tiendra son arme en état, mais personne ne déchargera son fusil qu'avec le tireboure. »

Les Amérindiens qui accompagnent les Canadiens et les Français refusent d'attaquer le fort Edward, par crainte du canon. Dieskau décide alors de se rendre au fort William-Henry dont la construction est peu avancée. Comme Johnson avait décidé d'envoyer du renfort au fort Edward, les deux armées se rencontreront à mi-chemin. Les Anglais sont surpris de se voir tirer dessus de presque tous les côtés. La panique s'empare d'eux et la fuite vers le fort William-Henry s'engage.

Les Amérindiens s'occupent plus de surveiller leurs prisonniers que de poursuivre les survivants. Les Canadiens sont épuisés et le baron de Dieskau ordonne d'assiéger le camp de William-Henry. L'armée française se regroupe, mais entre-temps, Johnson a réussi à dresser quelques fortifications rudimentaires, mais suffisantes pour arrêter l'attaque des hommes de Dieskau. Après quelque six heures d'engagement, les assaillants se retirent. Le commandant Dieskau, blessé par trois fois à la jambe, refuse de se laisser évacuer. Fait prisonnier, il sera envoyé à New York, puis à Londres.

Le gouverneur Vaudreuil est déçu de l'issue de l'engagement. Dans une lettre au ministre Rouillé de Jouy, le 25 septembre 1755, il ne peut s'empêcher d'écrire : « Je n'ai garde, monseigneur, de penser à censurer la conduite de M. Dieskau. On ne saurait être plus pénétré que je le suis de son malheur. Mais je ne puis me dispenser d'avoir l'honneur de vous représenter que si, suivant et conformément à mes instructions, il eût marché avec toute son armée, il aurait été en état non seulement de forcer l'ennemi dans son retranchement au lac Saint-Sacrement, mais même de réduire le fort Lydius. »

Le plan de William Pitt est simple : s'emparer de Louisbourg.

L'ANNONCE DE LA DÉFAITE

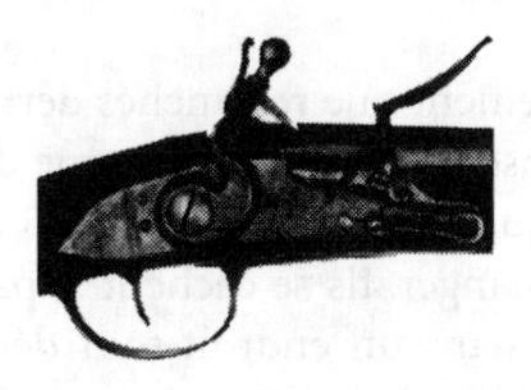

LORSQUE DÉBUTE L'ANNÉE 1756, LA PAIX SUBSISTE ENCORE EN EUROPE OCCIDENTALE, mais la guerre est de plus en plus imminente. Le ministre français de la Marine, Jean-Baptiste de Machault d'Arnouville, en est convaincu. « Quoiqu'il n'y ait point encore de déclaration de guerre, écrit-il le 17 janvier à Vaudreuil, il faut s'attendre que les Anglais feront de nouveaux efforts pour avoir, cette année, plus de succès qu'ils n'en ont eu l'année dernière dans l'exécution de leurs projets contre le Canada. »

Pour avoir les mains plus libres en Amérique, l'Angleterre signe un traité d'alliance avec la Prusse, forçant ainsi la France à multiplier ses zones de combat. Le 17 mai, le roi d'Angleterre George II déclare officiellement la guerre à la France qui vient d'envahir l'île de Minorque. Le souverain britannique justifie sa décision au moyen des diverses agressions françaises. « La conduite injustifiable des Français dans les Indes occidentales et en Amérique du Nord depuis le traité d'Aix-la-Chapelle, déclare-t-il, les usurpations et les empiétements qu'ils ont commis sur nos territoires et sur les établissements de nos sujets dans ces contrées, en particulier dans notre province de la Nouvelle-Écosse, ont été si flagrants et si répétés qu'il est impossible de n'y pas voir la preuve évidente de la résolution et du dessein, mûris à leur Cour, d'adopter systématiquement toutes les mesures propres à promouvoir leurs vues ambitieuses, sans le moindre égard aux traités et aux engagements les plus solennels. »

Le 9 juin, c'est au tour de Louis XV d'énumérer tous les motifs justifiant la France à entrer en guerre contre l'Angleterre. « Tandis que les ministres anglais, sous l'apparence de la bonne foi, en imposaient à l'ambassadeur du roi par de fausses protestations, on exécutait déjà dans toutes les parties de l'Amérique septentrionale des ordres directement contraires aux assurances trompeuses qu'ils donnaient d'une prochaine réconciliation. »

Les autorités de la Nouvelle-France et de la Nouvelle-Angleterre n'avaient pas attendu la décision officielle de leurs autorités métropolitaines respectives pour se faire la guerre. Tout au cours de l'hiver 1755-1756, de part et d'autre, des bandes d'Amérindiens attaquent des individus ou des petits groupes. Les colonies limitrophes du Canada vivent dans un état de panique continuel. Elles ignorent quand elles seront victimes des sévices des alliés des Français. Le gouverneur de la Nouvelle-France encourage la petite guerre, car rien n'est plus propice « à dégoûter les peuples de ces colonies et leur faire désirer le retour à la paix ».

Français et Anglais utilisent les Amérindiens comme espions, éclaireurs ou guides. Ces derniers apprécient d'ailleurs assez peu la manière européenne de faire la guerre.

> Ils ne se battent ordinairement que retranchés derrière les arbres ou une motte de terre, écrit à sa dame l'enseigne Louis-Guillaume de Parsacau du Plessis ; et, dans cette posture, il y en a qui attendront pendant 5 ou 6 jours leurs ennemis, sans bouger et presque sans manger. Ils se cachent si parfaitement qu'il est impossible de les apercevoir, même dans un endroit tout découvert. Ils se tapissent à plate terre, tenant une poignée d'herbe qu'ils présentent jusqu'à ce qu'on soit à la portée de leurs fusils, alors ils tirent et ne manquent jamais. Ils se moquent de nos troupes qu'ils virent combattre dans l'affaire où M. Dieskau fut pris. Ils étaient, disent-ils, comme une muraille qui ne branlait pas, malgré la grêle de coups de fusil, et marchait toujours sans craindre la mort, ce qui est un manque d'esprit selon eux ; ils disent qu'une vingtaine des leurs les auraient tous tués l'un après l'autre comme des tourterelles. Ils n'approuvent point du tout notre façon de faire la guerre.

La manière de combattre des Canadiens se rapproche de celle des Amérindiens. « On peut considérer les Canadiens comme troupes légères, note encore Parsacau du Plessis ; ils font la guerre à la manière des Sauvages, étant plus propres pour surprendre l'ennemi et en embuscade qu'à attaquer à découvert. Ils sont robustes et habitués, dès leur bas âge, à courir les bois et à supporter les fatigues de la chasse. Les Anglais qui ne sont ni aussi alertes ni aussi braves se laissent toujours surprendre parce qu'ils ne s'exercent pas comme nos Canadiens à faire la guerre dans les bois, ce qui nous donnera toujours la supériorité, puisqu'on ne peut se battre que dans les bois qui couvrent toute l'étendue de ce pays, à moins de se tenir enfermés dans les forts, ainsi que les Anglais le font. »

Mais les Américains, c'est-à-dire les Anglais nés dans les colonies nord-américaines, apprendront rapidement les techniques amérindiennes.

Pour le gouverneur Vaudreuil, le fort Oswego symbolise l'envahissement de la région des Grands Lacs par les Anglais. Il est donc impérieux de s'emparer de cette place forte. Au mois de février 1756, Gaspard-Joseph Chaussegros de Léry reçoit le commandement d'un détachement de 400 hommes, dont 86 Amérindiens, pour aller détruire deux fortins servant d'entrepôts aux munitions de guerre et aux vivres destinés à Oswego. Les deux établissements « gardés par environ 140 hommes logés dans des cabanes d'écorce ou sous les tentes, sont situés sur le portage reliant Corlaer [Schenectady] à Oswego ». Le détachement quitte Pointe-Claire le 26 février au matin. Trois jours plus tard, alors que les 76 soldats réguliers prennent les devants, Léry s'arrête pour permettre aux Amérindiens de célébrer le début de la guerre.

Le froid rend la marche pénible. Les hommes transportent sur des traînes à éclisses les bateaux et les vivres. Arrivé au fort La Présentation, le commandant passe ses troupes en revue et il voit à la distribution des munitions et des vivres pour le voyage. Chaque homme reçoit quinze livres de biscuits, dix livres de farine, quinze livres de lard, six livres de farine de blé d'Inde et du sucre. Le 24 mars, les troupes n'ont plus de vivres.

Le Bull tombe

Le 27, la petite armée arrive au chemin du Portage entre les deux forts. On attend avec impatience que passent les premières voitures de vivres. « À 9 heures 15, mes découvreurs arrivent avec deux Anglais du fort le plus près de Chouaguen [Oswego]. Pour intimider ces prisonniers, continue Léry, je les préviens que je n'ignore rien et que je les livrerai aux Sauvages du moment que je m'apercevrai qu'ils déguisent la vérité ; mais qu'aussi, s'ils sont de bonne foi, je les délivrerai des mains des Sauvages. Ils répondent à mes interrogations. »

Dix autres prisonniers faits par les Amérindiens trois quarts d'heure plus tard viennent confirmer les dires des deux premiers : le fort Bull, gardé par 70 soldats, est construit en forme d'étoile ; il n'y a pas de canon, mais beaucoup de grenades. Il est « en très gros pieux de 15 à 18 pieds hors de terre, rendoublés en dedans jusqu'à hauteur d'homme ».

Comme les Anglais attendent du renfort, Léry décide de lancer ses hommes immédiatement à l'attaque du fort Bull. « À 15 arpents du fort, raconte l'officier, je fais laisser les paquets. L'aumônier donne l'absolution générale, après quoi je fais mettre la baïonnette au bout du fusil aux troupes et je les exhorte à entrer sans tirer un seul coup dans le fort, que je compte surprendre et dont j'espère trouver la porte ouverte, et de s'emparer des corps de gardes. »

Malgré les ordres, à cinq arpents du fort, les Amérindiens lancent leur cri de mort. Canadiens et Français doivent courir pour tenter de pénétrer à l'intérieur de la place. Les Anglais ont le temps de fermer la porte que les assaillants tentent d'enfoncer à coups de hache.

> La porte du fort est plus forte que je n'aurais pensé ; je ne puis la mettre bas que par morceaux. Je ranime la troupe et les Canadiens par des cris de *Vive le roi*. Je somme les Anglais de se rendre, que je leur accorderai la vie. Ma sommation n'opère rien. Le feu de l'ennemi n'en est que plus vif et plus opiniâtre. Enfin, je mets la porte bas, ayant été bûchée sans relâche pendant une heure. L'ennemi fait son dernier effort. Je ne lui donne pas le temps de reprendre des grenades, j'entre dans le fort avec mon détachement, criant : *Vive le roi*. Je ne puis modérer l'ardeur du soldat et du Canadien. Ils tuent tout ce qui se présente à eux. Quelques soldats se retranchent dans les casernes, ils y sont forcés.

On jette la poudre à l'eau. Tout à coup, le feu se déclare dans une maison. Un des assaillants s'était attaqué à la femme du commandant. Comme elle se défend opiniâtrement, il la jette dans le feu de la cheminée. Sa jupe s'enflamme. Dans sa fuite, elle met le feu à la maison située au-dessus de la réserve de poudre. Les hommes de Léry s'enfuient. Ils n'ont pas franchi quatre arpents que le fort, les entrepôts et les maisons sont soufflés par une explosion.

Les Anglais dénombrent une soixantaine de morts et une quarantaine de prisonniers et les Français, seulement trois, dont deux Amérindiens. Vingt-trois prisonniers sont ramenés à Montréal. Vaudreuil continue à faire harceler Oswego. « À compter du mois d'avril, écrit l'historien Guy Frégault, la forteresse britannique est progressivement isolée du reste des établissements anglais. Canadiens et Sauvages viennent scalper des travailleurs et capturer des soldats sous les murs mêmes de la place. Le 24 mai, des Indiens font incursion jusque dans une rue de « la ville ». La forêt environnante retentit sans cesse de coups de feu. »

En juin, les raids se multiplient. Le 6 du même mois, les autorités du Maryland acceptent de verser la somme de 50 livres « à quiconque remettra un scalp indigène à un magistrat ». Le *New York Gazette* ne cesse de rapporter des cas d'attaque de Canadiens ou d'Amérindiens affiliés. Les habitants de quelques colonies anglaises se réfugient dans les villes.

Un nouveau général

À Versailles, au début de l'année 1756, les autorités songent à envoyer des renforts en Nouvelle-France. Le gouverneur Vaudreuil avait demandé l'envoi d'artillerie lourde et de soldats. La capture de Dieskau rend vacant le poste de commandant des troupes régulières. Le 25 janvier, à minuit, le ministre de la Guerre, Marc-Pierre de Voyer, comte d'Argenson, écrit au marquis Louis-Joseph de Montcalm : « Le roi a donc déterminé sur vous le choix pour vous charger du commandement de ses troupes dans l'Amérique septentrionale et il vous honorera à votre départ du grade de maréchal de camp. »

Le 14 mars suivant, le roi signe un mémoire d'instruction qui décrit la mission de Montcalm et les limites de son autorité.

> [...] le sieur marquis de Montcalm ne peut exercer le commandement que Sa Majesté lui a confié que sous l'autorité de ce gouverneur auquel il doit être subordonné en tout, et que les dispositions qu'il pourra y avoir à faire, soit pour faire échouer les projets des Anglais, soit pour faire réussir ceux qui pourront être formés pour le bien du service de Sa Majesté et la gloire de ses armes, doivent dépendre des circonstances et être combinées avec toutes les forces de la colonie et avec la situation où elle pourra se trouver dans toutes les parties, le sieur marquis de Montcalm n'aura qu'à exécuter et à faire exécuter par les troupes qu'il aura sous son commandement tout ce qui lui sera ordonné par le gouverneur général.

Pour qu'il n'y ait aucun équivoque, le roi revient plusieurs fois sur le sujet et de façon on ne peut plus explicite : « En un mot, ce sera au gouverneur général à tout régler et à tout ordonner pour les opérations militaires. Le sieur marquis de Montcalm sera tenu de les exécuter telles qu'il les aura ordonnées. Il pourra cependant lui faire les représentations qui lui paraîtront convenables sur les projets dont l'exécution sera ordonnée. Mais si le gouverneur général croit avoir des raisons pour n'y pas déférer et pour persister dans les dispositions, le sieur marquis de Montcalm s'y conformera sans difficulté ni retardement. »

Montcalm arrive à Québec, le 12 mai. Le lendemain, débarquent les 450 soldats réguliers qui constituent les renforts fournis par la France. L'intendant Bigot s'empresse d'inviter le général à dîner avec 40 autres personnes. « La magnificence et la bonne chère, note le marquis dans son journal, annoncent que la place est bonne, qu'il s'en fait honneur et un habitant de Paris aurait été surpris de la profusion de bonnes choses en tout genre. »

Samedi le 22 mai, Montcalm se rend à Montréal en chaise, alors que son aide de camp Louis-Antoine de Bougainville effectue le voyage en canot. Le général français rencontre à Montréal le gouverneur, Canadien de naissance. Assez rapidement, une certaine opposition, pour ne pas dire davantage, naît entre les deux hommes.

Pendant ce temps, à Carillon, on s'affaire à construire un fort. Les travaux progressent lentement. Le 3 juillet, Montcalm et son commandant en second François-Gaston de Lévis se rendent inspecter la place. Le fort a la forme d'un parallélogramme « flanqué de quatre bastions et entouré de fossés ». « L'enceinte, ajoute l'historien Henri-Raymond Casgrain, moitié en pierre moitié en bois, était un assemblage de troncs d'arbres reliés ensemble par des pièces transversales, dont les interstices étaient remplis de cailloux et de gravier. » Le général veut que les travaux soient exécutés plus rapidement. Il se couche à minuit, se lève à quatre heures et en plus il tient parfois un conseil de guerre avec les Amérindiens pendant cinq à six heures.

À la mi-juillet, Montcalm se rend au fort Frontenac préparer l'attaque contre le fort Oswego dont les environs n'ont pas été aménagés. Au début du mois, Louis Coulon de Villiers, à la tête de 400 hommes, avait attaqué un convoi de 300 à 400 bateaux transportant sur la rivière Chouaguen des vivres et des munitions. Selon Bougainville, « il a fait 24 chevelures, 61 prisonniers et tué ou blessé dans la déroute, suivant son estime, environ 300 hommes ».

Une chute pénible

Au fort Frontenac, Montcalm tient, le 30 juillet, un grand conseil de guerre avec des Amérindiens de différentes nations dans le but de les convaincre de participer à l'attaque de la forteresse anglaise.

Montcalm éprouve quelques réticences à attaquer Oswego qui se compose en fait de trois forts : le fort Ontario, placé à la droite de la rivière, entouré de pieux de 18 pouces de diamètre, le vieux fort Chouaguen, sur la rive gauche, constitué d'une maison en pierre à machicoulis de bois entourée d'une muraille de trois pieds d'épaisseur et de dix de hauteur ; et enfin, le fort George, situé à 300 toises du vieux fort Chouaguen qu'il domine. Ce dernier « était fait de pieux très faibles et mal retranchés en terre, sur les deux faces qui regardaient les bois ».

Le 11 août, un groupe de Canadiens et d'Amérindiens commandé par Rigaud de Vaudreuil va s'établir à un quart de lieue du fort Ontario. Le lendemain, on commence à creuser une tranchée. Le 13 au soir, on s'aperçoit que la garnison anglaise vient d'abandonner le fort et s'est retranchée au Vieux Chouaguen. Le 14, un peu après minuit, les canons de Chouaguen commencent à tirer sur le fort Ontario. Vers les huit heures, la garnison du fort George se replie sur Chouaguen.

Une heure plus tard, James Mercer, le commandant de la place, est tué d'un coup de canon. Un conseil d'officiers, dirigé par le lieutenant Littlehales, décide de capituler. On arbore un pavillon blanc. Bougainville, qui parle l'anglais, va lui-même négocier les articles de la capitulation qui seront rédigés par le chevalier Jean-Guillaume de Lapause. La garnison anglaise voulait sortir avec les honneurs de la guerre, mais Montcalm n'accepte pas et les vaincus doivent quitter Chouaguen sans armes. Plus de 1650 Anglais se constituent prisonniers de guerre.

Le soir du 14 juin, à huit heures, Coulon de Villiers « part pour aller porter à M. le marquis de Vaudreuil les cinq drapeaux que les Anglais avaient dans la place ». Deux de ces drapeaux seront déposés à la cathédrale de Québec, deux autres à l'église de Montréal et le dernier à celle de Trois-Rivières.

Dès le 16 août 1756, les Français et les Canadiens entreprennent de démolir les trois forts et de combler les fossés. Le 21, les troupes allant vers Montréal emportent avec elles l'artillerie de fonte des forts anglais. Les prisonniers anglais complètent le cortège. Canadiens et Français se vantent, chacun de leur côté, d'avoir remporté la victoire. Montcalm revendique pour lui les honneurs du succès, alors que Vaudreuil est convaincu que sans l'apport des Canadiens et des Amérindiens, le commandant des troupes régulières n'aurait pas osé attaquer.

Un mal nécessaire

L'annonce de la chute d'Oswego est soulignée à Québec par quelques processions et chants d'action de grâces. En Nouvelle-Angleterre, par contre, la crainte grandit. On peut lire dans le *New York Gazette* du 13 septembre : « Nous avons jusqu'ici gaspillé notre force à vouloir ébrancher l'arbre, alors qu'il eût fallu porter la hache à la racine. Le Canada, c'est le Canada qui doit être détruit. *Delenda est Carthago*, ou c'en est fait de nous. »

Oswego n'est pas la seule défaite que subissent les Anglais en 1756. Au début du mois d'août, le chevalier de Villiers s'était emparé du fort Granville, en Pennsylvanie, et l'avait détruit.

Comme on craint une attaque anglaise du côté des forts Carillon et Saint-Frédéric, une partie des troupes françaises et canadiennes y établit un camp. L'engagement appréhendé n'a pas lieu et les Amérindiens, accompagnés de quelques Canadiens, font la petite guerre. Pour Bougainville, la participation des Amérindiens à la guerre constitue un mal nécessaire. Ainsi écrit-il dans son journal le 20 octobre :

> Je ne crois pas que ce soit une bonne politique, dans le cas d'une défensive telle que celle sur laquelle nous sommes aujourd'hui, d'envoyer à la fois à l'armée une aussi grande quantité de Sauvages que celle que M. de Vaudreuil nous avait envoyée à la fin du mois dernier. Ils s'ameutent, délibèrent entre eux et délibèrent lentement, veulent aller faire coup tous ensemble et du même côté parce qu'ils aiment des gros bataillons. Entre la résolution prise et l'exécution, il se passe un temps considérable ; tantôt une nation arrête la marche, tantôt une autre. Il faut que tous aient le temps de s'enivrer et cependant la consommation qu'ils font est énorme ; ils partent enfin et, dès qu'ils ont frappé, n'eussent-ils fait qu'une chevelure ou un prisonnier, ils reviennent et repartent pour leurs villages. Alors,

pendant un intervalle considérable, l'armée reste sans Sauvages. Chaque particulier s'en trouve bien, mais les opérations de la guerre en souffrent, car enfin ils sont un mal nécessaire. Il vaudrait mieux n'avoir à la fois qu'un nombre réglé de ces maringouins qui fussent ensuite relevés par d'autres, de manière qu'il y en eût toujours.

Malgré ce point de vue tout à fait français et métropolitain de l'apport des Amérindiens, Bougainville sait reconnaître que, sans ces derniers, la poursuite de la guerre contre les Anglais serait quasi impossible.

À la fin d'octobre, les différents bataillons commencent à prendre leurs quartiers d'hiver chez l'habitant. Beaupré, Beauport, Québec, Chambly, Laprairie, Longueuil, Boucherville, Pointe-aux-Trembles et Montréal donnent le gîte et le couvert aux soldats de l'armée régulière. Quant aux Canadiens, ils ont regagné leurs logis à temps pour effectuer la récolte des grains.

La colonie éprouve des problèmes d'approvisionnement. Le 13 novembre 1756, Bougainville écrit : « La récolte a été mauvaise et, dès à présent, on est obligé de mêler de l'avoine avec de la farine dans le pain. » Le 22, il revient sur le même sujet : « Comme l'année a été fort mauvaise, on mêle des pois avec la farine pour faire du pain, quart de pois sur quart de farine. On avait voulu d'abord y mêler de l'avoine ; le mélange s'en faisait mieux et le pain était meilleur ; mais l'avoine ne produit presque pas de farine, elle ne donne que du son. »

La mauvaise récolte n'est pas seule responsable du manque de nourriture. Les malversations de Bigot et de sa bande, ainsi que la monopolisation qu'ils pratiquent, commencent à produire de mauvais effets. Toute une série d'ordonnances adoptées au cours de 1756 avaient permis à l'intendant de monopoliser plusieurs secteurs de l'économie. Le 22 avril, défense avait été faite aux forgerons et aux serruriers de la ville de Québec « d'acheter de qui que ce soit des ferrailles ou ustensiles qui puissent avoir rapport aux ferrures de l'artillerie ou autres choses appartenant au roi sans au préalable avoir obtenu la permission de l'intendant ». Le 30 juin, interdiction est faite à qui que ce soit d'exporter du bois sans la permission de l'intendant. Le 18 septembre, interdiction aux bouchers de Québec « d'acheter sous quelque prétexte que ce soit, dans les campagnes ou en ville des veaux ou moutons vifs ou morts pour les vendre ensuite au public ». Le 26 octobre, interdiction « à tous particuliers qui auraient dessein de faire fabriquer des farines ou biscuits ou de faire des achats de légumes non seulement pour les faire sortir de la colonie pour le compte de l'année prochaine, mais encore de les vendre à d'autres particuliers ou capitaines de navires qui seront dans le cas de les en faire sortir eux-mêmes ». Le 16 novembre, interdiction aux tonneliers de fabriquer ou vendre des quarts à farine. Le même jour, l'intendant fixe le prix de vente des minots de blé. Le 30 novembre, les sieurs Chalou, Pascaud et de Linel sont les seuls qui auront le droit de fabriquer à Québec du pain et du biscuit pour la vente au public. Le 9 décembre, Dupont et Dolbec obtiennent le monopole de la vente du bœuf au public pour la ville de Québec. Ainsi, presque à chaque fois, Bigot étend son contrôle et multiplie ses gains ainsi que ceux de ses associés.

Au mois de décembre 1756, William Pitt devient premier ministre de la Grande-Bretagne. L'homme politique est convaincu d'une chose : la guerre se gagnera en Amérique et non en Europe. Charles-Louis-Auguste Fouquet de Belle-Isle, le ministre français de la Guerre, écrit à son sujet, le 13 janvier 1757 : « J'ai deux correspondants en Angleterre dont un très parfaitement instruit. Ils me confirment tous les deux la résolution prise par le nouveau ministre de faire les principaux efforts du côté de l'Amérique. Monsieur Pitt veut, à quelque prix que ce soit, y reprendre la supériorité et satisfaire la faction anglaise intéressée au commerce de l'Amérique, laquelle faction est aujourd'hui la plus puissante, et dans la ville de Londres et dans la Chambre des Communes. »

Le plan de Pitt est simple : s'emparer de Louisbourg, puis de Québec. Selon le premier ministre, une fois ces deux places tombées, le reste de la colonie suivra.

Mais avant que l'Angleterre puisse envoyer en Amérique les renforts nécessaires, Canadiens et Amérindiens continuent à semer la panique et à lever des chevelures. À Québec, plusieurs centaines de prisonniers de guerre anglais, libres sur parole, vivent avec la population. Ils sont au courant de tout ce qui se passe, de tous les mouvements et préparatifs. « Ils peuvent savoir avec les dernières précisions, constate Bougainville, le nombre des troupes, le temps du départ, le lieu de rendez-vous. » Sans doute, savent-ils qu'un raid se prépare contre le fort Lydius. Au mois de mars, un détachement se rend dans le voisinage du fort dont on somme le commandant de se rendre. Sur son refus et, considérant l'issue du siège incertaine, on se contente de brûler 300 bateaux, 4 barques et deux hangars avant de revenir sans plus tarder à Carillon et à Saint-Frédéric.

La chute de William-Henry

Au mois de juin 1757, Québec affronte la famine. « On meurt de famine à Québec, note Bougainville dans son journal. Tout le monde y est à la ration pour le pain. » Le manque de vivres n'empêche pas le gouverneur de songer à attaquer le fort William-Henry. Le 29 juillet, plus de 8000 hommes marchent contre l'établissement anglais, soit 2570 hommes de troupes de terre, 3470 hommes de troupes de la marine ou de la milice, 180 canonniers et 1799 Amérindiens. Le 2 août, l'armée est à la portée des découvreurs ennemis. Au cours de la nuit du 2 au 3, l'armée française s'approche du fort. À trois heures de l'après-midi, Montcalm demande à Fontbrune, aide de camp de Lévis, de porter au lieutenant-colonel George Monro, commandant du fort, la lettre suivante :

> J'ai investi ce matin votre place avec des forces nombreuses et une artillerie supérieure et grand nombre de Sauvages d'en Haut, dont un détachement de votre garnison ne vient que de trop éprouver les cruautés. Je dois à l'humanité de vous sommer de rendre votre place. Je serais encore maître de contenir les Sauvages et de faire observer une capitulation, n'y en ayant eu jusques à présent aucun de tué. Je pourrais n'en être pas le maître dans d'autre circonstance et votre opiniâtreté à défendre votre place ne peut en retarder la perte que de quelques jours et exposer nécessairement une malheureuse garnison qui ne peut être secourue, attendu la position que j'ai prise. Je demande une réponse décisive sur l'heure.

Monro refuse de céder au chantage à l'Amérindien. Montcalm fait alors creuser une tranchée pour que les canons puissent tirer de plus près sur le fort. Le

5 août, plus de 1000 hommes travaillent à la tranchée et y installent deux batteries. Deux jours plus tard, Bougainville, accompagné d'un tambour et de 15 grenadiers, se rend au fort William-Henry remettre au commandant George Monro une lettre du général Webb saisie deux jours auparavant et demandant des secours pour le fort Lydius.

Le 8 août au matin, les soldats français réussissent à construire un boyau les conduisant à 600 pieds du fort anglais. Les canons des assaillants bombardent déjà la place depuis quarante-huit heures. Le 9, à sept heures du matin, on hisse le drapeau blanc au fort William-Henry. Les articles de la capitulation stipulent que les 2000 hommes restés à l'intérieur du fort en sortiront avec les honneurs de la guerre et qu'ils seront conduits, sous bonne garde, au fort Lydius, à la condition qu'ils demeurent dix-huit mois sans servir et que tous les Français, Canadiens et Amérindiens faits prisonniers depuis le début de la guerre soient remis en liberté en moins de trois mois.

« À midi, rapporte Bougainville, le fort fut livré aux troupes de la tranchée et, la garnison en étant sortie avec ses bagages, il fallut y laisser entrer les Sauvages et les Canadiens pour piller tous les effets restants. À grande peine, put-on conserver les vivres et les munitions de guerre. »

La crainte de Montcalm et de ses officiers est que les Amérindiens massacrent les prisonniers. Le général lui-même rappelle tout le monde à l'ordre.

> On avait d'abord résolu de faire partir les Anglais dans le milieu de la nuit en silence, pour mieux échapper aux Sauvages, raconte le capitaine Jean-Nicolas Desandrouins. On espérait, leur coutume n'étant pas de rôder la nuit, qu'ils n'auraient aucune connaissance du départ et que les Anglais seraient rendus à l'armée de Webb, qui était au fort Lydius, à cinq ou six lieues de là, avant d'avoir été rejoints par ces barbares. Aussi, hors d'inquiétude à leur sujet, on n'assigna, pour les escorter, que deux cents hommes. [...] On paraissait en pleine sécurité et on attendait minuit pour partir, lorsqu'un bruit se répandit et obtint croyance trop légèrement que les Sauvages, instruits qu'on se préparait à s'évader furtivement, s'étaient embusqués dans les bois, le long du chemin.

À cause de cette alarme, le départ des prisonniers est reporté au lendemain. Pendant la nuit, femmes et enfants les accompagnant ne dorment pas, inquiétés par les cris des Amérindiens. Le 11 août au matin, la colonne se met en marche. Une cinquantaine d'Amérindiens s'approchent du groupe dont une partie, abandonnant les bagages, tente de s'enfuir.

> Les Sauvages, continue Desandrouins, trouvèrent, dans la plupart de ces paquets, du rhum et autres liqueurs fortes dont ils s'enivrèrent. Alors ce furent de véritables tigres en fureur. Le casse-tête à la main, ils tombèrent impitoyablement sur les Anglais qui, remplis d'effroi, achevèrent de se disperser, se croyant à la fin véritablement sacrifiés par les Français. Aucun d'entre eux ne songea à chercher son salut ailleurs que dans la fuite. Notre escorte, trop peu nombreuse, protégea autant qu'elle put, principalement les officiers. Mais forcée de garder les rangs pour se faire respecter, il ne lui fut plus possible que de mettre à l'abri ceux qui se trouvaient à sa portée. Les Sauvages s'attachèrent aux fuyards. Ceux qui, les premiers, étaient revenus dans leur campement, fort contents des dépouilles prises d'abord, retournèrent à toute course faire des prisonniers ou des chevelures :

chacun voulait en avoir. Tout autre trophée n'est rien à leurs yeux en comparaison d'une chevelure. Les femmes, les enfants, rien ne fut épargné. Ceux auxquels ils conservaient la vie furent mis nus comme la main et outragés à leur manière. Étant entrés à l'hôpital où étaient nombre de malades et de blessés trop impotents pour avoir pu suivre la colonne, ils les massacrèrent tous inhumainement pour profiter de leurs chevelures.

Montcalm, les officiers, des Canadiens et quelques missionnaires accourent et tentent de ramener le calme ; mais rien n'y fait. Montcalm crie alors aux Amérindiens en découvrant sa poitrine : « Puisque vous êtes des enfants rebelles, qui manquez à la promesse que vous avez faite à votre père et qui ne voulez plus écouter sa voix, tuez-le le premier. »

Dans le *New York Mercury* du 22 août, on retrouve, avec quelques exagérations, le récit de ce que l'on appellera *le massacre de William-Henry.* « Les assaillants, y lit-on, coupèrent la gorge à la plupart des femmes sinon à toutes, leur ouvrirent le ventre, leur arrachèrent les entrailles et les jetèrent en tas sur la face de leur cadavre. [...] Ils prenaient les jeunes enfants par les talons et leur écrasaient la tête contre les arbres et les pierres ; pas un ne fut sauvé. »

Certains évaluent à une cinquantaine le nombre de victimes. Quelques centaines d'Anglais furent emmenés prisonniers dans les villages amérindiens, après que les Français eurent réussi à en racheter environ 400. La Nouvelle-Angleterre est secouée par le récit des événements de William-Henry. L'agressivité contre la Nouvelle-France atteint presque son point culminant.

Du 11 au 15 août, les soldats français et quelques miliciens canadiens travaillent à la démolition du fort. À la fin du mois d'août, lors d'une grande réunion à Montréal, les Amérindiens, en échange de présents, remettent entre les mains des autorités de la colonie presque tous les Anglais faits prisonniers à William-Henry.

Une fin d'année de faim

L'année 1757 est surtout marquée par la défaite anglaise de William-Henry. Le projet d'attaque contre Louisbourg ne se réalise pas. Prévoyant une nouvelle offensive contre l'île Royale, la France y avait envoyé une flotte de 11 vaisseaux de guerre commandée par l'amiral Emmanuel-Auguste de Cahideuc, comte Dubois de La Motte. Douze autres navires provenant de Saint-Domingue et de Toulon viennent compléter l'escadre à Louisbourg. Le 25 septembre, la flotte anglaise, sous le commandement du vice-amiral Francis Holburne, est dispersée par une tempête, alors qu'elle est encore au large de Louisbourg.

Alors qu'en Nouvelle-Angleterre, on croit la saison des attaques et des combats terminée, le gouverneur Vaudreuil confie à François-Marie Picoté de Belestre 300 hommes avec mission d'aller attaquer le village de German Flatts, situé sur la rive nord de la rivière Mohawk. L'endroit comprend une soixantaine de maisons habitées par des familles allemandes originaires du Palatin. Vaudreuil crut que ces immigrants se rallieraient à la cause française. Mais, face à leur refus, il décide de les punir. Le 13 novembre, à trois heures du matin, une centaine de Canadiens et deux cents Amérindiens poussent dans la nuit leurs cris de guerre dans le village où tous les habitants dorment. Trente-deux Allemands sont tués et scalpés et 150 autres se constituent prisonniers, dont le maire de l'endroit, Jean Pétrie. Le village pillé est ensuite incendié ; puis les prisonniers et le butin, ramenés à Montréal.

La récolte a été mauvaise et les vivres commencent, encore une fois, à se faire rares. Le 14 septembre 1757, le marquis de Montcalm écrit à Lévis :

> On espère que les habitants nourriront les bataillons qui seront dans les côtes ; ainsi il n'y a rien à prescrire à cet égard, que d'exhorter les soldats à se contenter du genre de nourriture de son habitant. Pour dans les villes, à compter du 1er novembre, suivant ce qui vient d'être arrêté après un examen du peu de ressources que nous avons dans le pays, la ration du soldat sera de une demi-livre de pain et un quarteron de pois par jour ; six livres de bœuf frais et deux livres de morue par huit jours. Et il est à craindre que nous ne puissions soutenir ce taux et qu'on ne soit obligé, avec le temps, de donner un peu de cheval. On ne donnera pas de lard actuellement, parce que cette ressource ne peut manquer, que les bœufs sont actuellement dans le temps de l'année où ils sont les meilleurs et rendent plus.

Un mois plus tard, soit le 14 octobre, il est ordonné qu'il n'y aura plus, lors des repas, qu'un seul service. « J'ai été d'avis, écrit Montcalm, qu'il ne fallait de tout l'hiver ni bals, ni violons, ni fêtes, ni assemblées. J'ai donné hier mon dernier grand repas, où j'avais nos puissances et cinq dames. »

Il n'y a bien entendu que les officiers qui sont soumis à une telle réglementation. Mais la disette, ou le bon exemple, force quelques particuliers à pratiquer l'économie. Le 22 octobre, Bigot supprime à sa table les pâtisseries, à cause du manque de farine. Les « gens du peuple » commencent à protester, car ils sont convaincus que la famine est artificiellement provoquée par ce que l'on appelle la Grande Société, c'est-à-dire la clique ou la bande à Bigot. Montcalm note, le 7 novembre : « J'ai été d'autant plus content du ton des soldats d'ici, entre nous, qu'ils ont été sollicités par le peuple à se mutiner ; et cela vient de ce que ce même peuple n'a point confiance dans le gouvernement. Il croit, quoique cela ne soit pas vrai, que c'est une famine artificielle pour contenter l'avidité d'aucuns. Il a tort, mais l'exemple du passé et du présent l'autorise à cette opinion. »

À la fin de novembre, la garnison de Québec est contrainte à manger du cheval. Quelques semaines plus tard, on veut imposer le même régime aux soldats de Montréal qui logent chez l'habitant. La population civile est plus récalcitrante à manger du cheval. Des femmes manifestent devant la résidence du gouverneur Vaudreuil. Quatre d'entre elles obtiennent la permission de rencontrer le représentant du roi pour faire valoir leur grief.

Des soldats du régiment de Béarn protestent contre le menu chevalin mais, comme Lévis les menace de la potence, le calme revient. Pendant que le petit peuple ne mange pas à sa faim, chez les grands on fait bombance et Bigot continue d'étendre ses contrôles. Le 24 décembre, il émet une ordonnance « pour sceller la plupart des moulins, pour empêcher de moudre le blé des habitants et les obliger par là à faire une moindre consommation de blé, étant par là réduits à un demi-minot par mois pour chaque personne ; et les empêcher de manger le blé nécessaire pour les semailles du printemps prochain ». Seules quelques personnes dévouées aux intérêts de l'intendant ont la permission de continuer à moudre.

Au cours de l'hiver 1757-1758, à Québec, la grande, la belle société, se concentre sur le pharaon, un jeu de cartes où certains misent des sommes énormes. Le 26 janvier 1758, Bigot perd 80 000 francs au jeu ; le lendemain ses pertes se chiffrent à 91 000 livres. Le 3 février, en trois quarts d'heure, il débourse au jeu 1500 louis et, le même jour, Montcalm se plaint de la rareté des grains à Québec !

La guerre continue

Le premier ministre de l'Angleterre, William Pitt, croit que le grand coup doit être donné en Amérique. En 1758, la Nouvelle-Angleterre dispose de 33 000 hommes pour envahir la Nouvelle-France, soit 12 000 soldats réguliers et 21 000 miliciens. Alors que, du côté français, les plans de campagne sont encore imprécis, l'ennemi décide d'attaquer presque simultanément Louisbourg, le fort Duquesne et le cœur de la colonie. Il est vrai que le Canada est replié sur lui-même, plus préoccupé par la famine que par la menace anglaise.

Au début du mois d'avril 1758, la ration quotidienne de pain consentie à la population de Québec est réduite à deux onces. Dans les campagnes, plusieurs doivent « vivre d'herbe », selon Bougainville. Dans la capitale, des femmes manifestent devant la maison de François Daine, lieutenant général civil et criminel de la Prévôté de Québec. Le 15 mai de la même année, Montcalm note dans son journal : « La colonie est à deux doigts de sa perte. » Pour permettre à quelques régiments d'avoir à manger, on les expédie à Carillon où il y a des réserves de nourriture.

Enfin, le 22 mai, arrivent les premiers navires de la saison avec, à leur bord, de la farine, du lard et du bœuf. « La joie fut si grande, raconte l'annaliste des ursulines, qu'on montait sur les toits et sur les cheminées des maisons pour s'en assurer et l'annoncer à tout le monde. » Mais le peuple profitera peu de l'arrivée de nourriture. La situation s'améliore si peu qu'à Montréal, le 17 juin, des femmes manifestent et demandent du pain aux autorités de la place.

Comme on prévoit une attaque du côté de Carillon, Montcalm se rend à ce fort à la fin du mois de juin. Dès son arrivée, François-Charles de Bourlamaque lui déclare : « Mon général, dans quelques heures, nous aurons les Anglais sur les bras. D'Hébécourt, que j'ai envoyé à la découverte, et tous nos éclaireurs s'accordent à dire qu'il y a vingt-cinq mille hommes à la tête du lac Saint-Sacrement. Ils ont mille chevaux et une quantité de bœufs employés à faire les transports et ils sont à la veille de lever leur camp. »

Effectivement, une armée d'environ 15 000 hommes commandée par James Abercromby avance vers Carillon. Le 1er juillet, on bat la générale du côté français ; Montcalm, accompagné de quelques officiers et ingénieurs, va « reconnaître les environs du fort Carillon pour déterminer un champ de bataille et la position d'un camp retranché ». Le lendemain, « il a été décidé d'occuper les hauteurs qui dominent Carillon par un camp retranché, avec des redoutes et des abattis, la gauche appuyée à la rivière de la Chute et la droite, à celle qui va à Saint-Frédéric ; de faire de plus un retranchement en arrière appuyé par la gauche à Carillon, par la droite à une grosse redoute qui flanquera un abattis prolongé jusqu'à la rivière ». Comme les miliciens canadiens et les troupes de la colonie ne sont pas encore arrivés, les travaux avancent lentement.

Le 5 juillet, au petit matin, l'armée anglaise se met en route. Sur le lac Saint-Sacrement, s'avancent 900 bateaux, 135 berges et plusieurs bateaux plats pour le transport de l'artillerie. « Chaque régiment avait ses drapeaux et sa fanfare qui remplissait l'air d'une musique martiale. » Le soir même, il y a échange de coups de feu entre les patrouilles françaises et les éclaireurs anglais qui viennent par voie de terre. Le 6, lors d'un engagement au portage reliant le lac Saint-Sacrement au lac Champlain, le brigadier George Augustus Howe trouve la mort. Comme il est commandant en second de l'armée d'invasion, sa disparition retarde de vingt-quatre heures l'attaque contre Carillon. Ce contretemps permet à Montcalm de terminer le travail des abattis.

Au cours de la nuit du 7 au 8 juillet, Lévis arrive au camp accompagné de 400 hommes : 250 miliciens canadiens et 150 membres des troupes de la Marine. Lorsque l'on bat la générale, à la pointe du jour, Montcalm dispose de 3526 hommes, dont 15 Amérindiens. Vers les dix heures trente, les Amérindiens accompagnant William Johnson commencent à tirer sur l'armée française installée sur les hauteurs de Carillon. Leur feu ne cause aucun dommage et n'empêche pas les soldats d'achever les travaux de retranchement. Deux heures plus tard, le gros de l'armée anglaise débouche devant les fortifications et le combat s'engage. La fusillade se termine à sept heures du soir. Abercromby donne à ses hommes l'ordre de se replier. Les assiégés ne songent même pas à poursuivre l'armée anglaise.

> L'obscurité de la nuit, l'épuisement et le petit nombre de nos troupes, les forces de l'ennemi qui, malgré sa défaite, était encore infiniment supérieur à nous, écrit Bougainville ; la nature de ces bois dans lesquels on ne pouvait sans Sauvages s'engager contre une armée qui en avait 4 ou 500, plusieurs retranchements que les ennemis avaient élevés les uns derrière les autres depuis le champ de bataille jusqu'à leur camp ; voilà les obstacles qui nous ont empêchés de les suivre dans leur retraite.

Du côté anglais, les pertes s'élèvent à 550 morts, 1355 blessés et 27 disparus ; quant à l'armée de Montcalm, elle ne déplore que 106 tués et 266 blessés. Montcalm vient de remporter la dernière grande victoire française en terre d'Amérique !

Une dernière chute

À Carillon, le 12 juillet, l'armée reprend les armes pour chanter un *Te Deum*. Au même moment, Louisbourg subit son dernier assaut. L'amiral Edward Boscawen commande une escadre de 39 bâtiments de guerre et dispose de 14 000 hommes, alors qu'une armée de terre de 13 000 soldats avance, sous le commandement du général Jeffery Amherst. Le gouverneur de Louisbourg, Augustin de Boschenry de Drucour, ne dispose que de 6000 soldats, matelots ou miliciens.

Le 8 juin, les soldats anglais débarquent dans la baie de Gabarus, située à quatre milles de Louisbourg. On sait que la forteresse peut difficilement se défendre contre une attaque par voie de terre. Le 19, James Wolfe et ses hommes canonnent la batterie de l'îlot et les navires français encore amarrés dans la rade. Le bombardement de la ville et de la forteresse est quasi incessant. Le 21 juillet, trois navires brûlent dans le port. Les assiégés tentent bien quelques sorties, mais aucune n'est fructueuse. Le 26, à dix heures du matin, on hisse le drapeau blanc. Les officiers de la garnison avaient, lors d'un conseil de guerre, décidé de continuer le combat, mais les habitants venaient de présenter au gouverneur une requête demandant de capituler. Ce qui, enfin, est accepté. Amherst refuse d'accorder les honneurs militaires aux soldats français. Alors « les hommes du régiment de Cambis brisèrent leurs mousquets et brûlèrent leurs drapeaux ». Louisbourg avait vécu. Deux ans après la capitulation, la forteresse sera rasée.

Wolfe veut immédiatement se rendre dans le Saint-Laurent soit pour attaquer Québec, ou pour prêter main-forte à Abercromby au cas où celui-ci songerait à attaquer à nouveau le fort Carillon. Wolfe écrit à Amherst le 8 août : « Je ne peux regarder de sang-froid les incursions sanglantes de cette meute infernale, les Canadiens ; et si nous ne pouvons accomplir rien de plus je dois exprimer le désir de quitter l'armée. »

Amherst, par la suite, donne ordre à Robert Monckton de détruire les établissements français de la rivière Saint-Jean. Wolfe doit abattre ceux du golfe Saint-Laurent et Andrew Rollo reçoit l'ordre d'aller prendre possession de l'île Saint-Jean, remise aux Anglais lors de la capitulation de Louisbourg.

Wolfe met le feu

Le 29 août, quelques navires anglais quittent le port de Louisbourg à destination de Gaspé où ils jettent l'ancre, le 4 septembre. Wolfe envoie son aide de camp Thomas Bell porter une lettre à Pierre Révol, principal négociant et citoyen de la place. Mais ce dernier est mort depuis le mois de février. Les habitants, à la vue des navires anglais, s'étaient enfuis dans les bois. Bell ne rencontre que Pierre Arbour, sa femme et cinq autres habitants. Les sept personnes se rallient à la cause anglaise. Le lendemain, les Anglais débarquent à la pointe Penouille, s'emparent du bétail et du poisson et détruisent chaloupes et gréments. Le 10 et le 11 septembre, tous les bâtiments de la région sont brûlés, dont un moulin à scie. Les deux jours suivants, Miramichi, Grande-Rivière et Mont-Louis sont ravagés. Pabos n'échappe pas à la destruction. Bell note dans son journal : « On a brûlé 27 maisons dont 17 indifférentes ; environ 3500 quintaux de poissons, une très bonne goélette remplie de poisson, une très grande quantité de sel. Le magasin qui était très grand contenait toutes les réserves d'hiver, en habits, boisson, nourriture. [...] Tout fut brûlé, y compris une grande quantité de bois de construction et environ 40 chaloupes. »

Enfin, le 27 septembre, les navires anglais reprennent le chemin de Louisbourg. « Nous avons fait beaucoup de dommage, écrit Wolfe, répandu la terreur des armes de Sa Majesté par tout le golfe ; mais nous n'avons rien fait pour en grandir la renommée. »

Deux, coup sur coup

Au mois d'août 1758, selon le gouverneur Vaudreuil, l'ennemi que la colonie doit craindre le plus n'est pas l'Anglais, mais la famine. En conséquence, il ordonne aux miliciens cantonnés au fort Frontenac de réintégrer leurs villages pour y faire les récoltes. La garnison du fort, commandée par Pierre-Jacques Payen de Noyan et de Chavoy, ne comprend plus que 80 hommes. Le 24 août, une armée d'environ 3000 soldats, sous les ordres du lieutenant-colonel John Bradstreet, commence à débarquer et à construire des tranchées. Le 26, on commence à se canonner réciproquement. Le lendemain, comme les Anglais ont ouvert une brèche, Noyan décide de capituler. « Après la capitulation faite, lit-on en appendice aux articles accordés, le colonel Bradstreet a permis à tous les Français qui étaient dans le fort Frontenac de partir pour Montréal, en Canada, sous la promesse que M. de Noyan a faite de faire rendre pareil nombre de personnes et qualité le plus tôt que faire se pourra et les faire rendre au fort George. »

Dans la vallée de l'Ohio, le fort Duquesne est encore à conquérir. Aux mois de septembre et octobre, quelques engagements mineurs ont pour principale conséquence du côté français l'épuisement des vivres et des munitions. Le colonel John Forbes, à la tête de 7000 hommes, s'avance vers le fort Duquesne. Le 24 novembre, alors que l'armée anglaise n'est plus qu'à six milles du fort, le commandant François-Marie Le Marchand de Lignery fait sauter le fort avant de se replier sur le fort Machault. Le lendemain, note l'historien Ian K. Steele, « Forbes prit possession d'un emplacement en cendres et le renomma Pittsburg ».

Montcalm, le vainqueur de Carillon, demande son rappel quelques jours à peine après sa victoire. L'animosité qui règne entre lui et le gouverneur Vaudreuil justifie, croit-il, son retour en France. Cette faveur lui étant refusée, Montcalm devra diriger les opérations militaires de 1759 sous l'autorité de Vaudreuil.

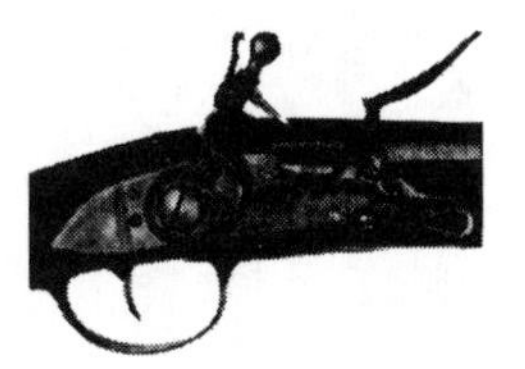

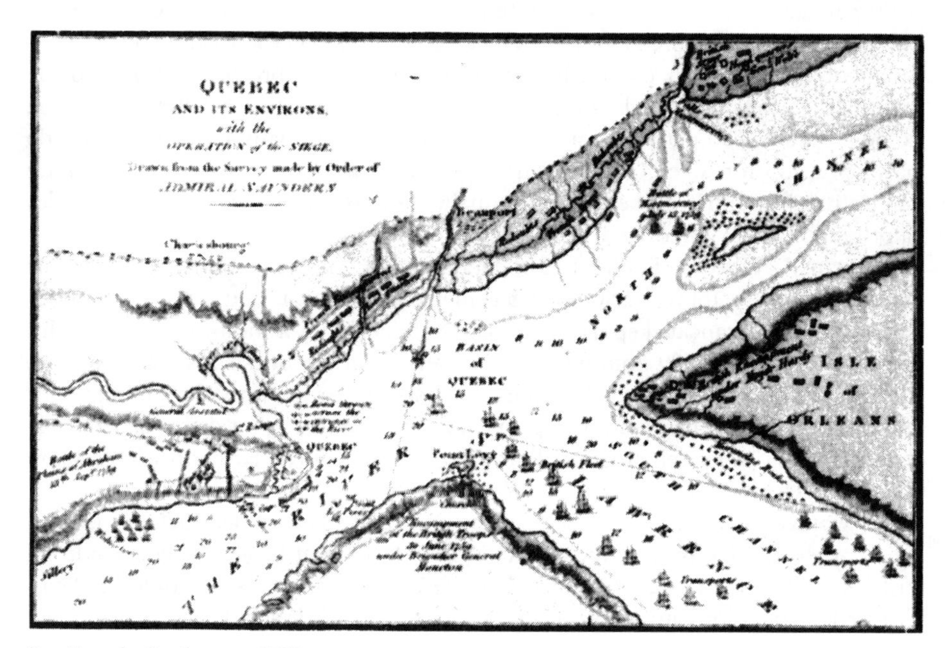

Le siège de Québec en 1759

Le siège de Québec

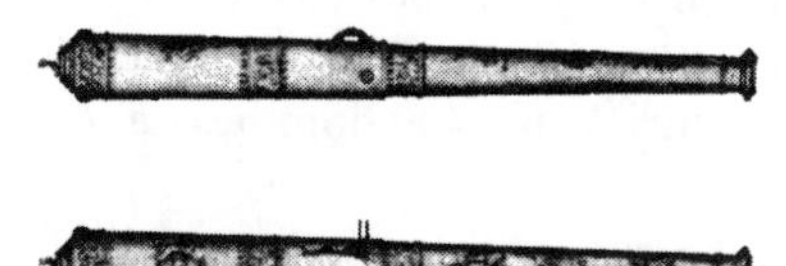

À l'automne de 1758, la situation de la colonie est presque désespérée. Le gouverneur Vaudreuil envoie deux émissaires à la Cour demander du renfort et des vivres. André Doreil, le commissaire ordonnateur des guerres en Nouvelle-France, s'embarque, le 11 novembre, sur l'*Outarde*, alors que Bougainville voyage à bord de la *Victoire*. À la fin du mois de décembre, Bougainville rencontre Nicolas-René Berryer, ministre de la Marine, et lui remet une série de mémoires concernant le Canada.

> Il me paraît donc que la Cour doit traiter aujourd'hui le Canada comme un malade qu'on soutient par des cordiaux, c'est-à-dire n'y envoyer que l'absolu nécessaire à une défense plus longue. Si nous sautons la crise de cette année, on est en droit d'espérer des lumières, des intentions du ministre actuel de la Marine, de sa constance à suivre un projet, d'espérer, dis-je, que le pays sera sauvé pour toujours.

Le même mémoire, daté du 29 décembre, demande 400 000 à 500 000 livres de poudre « et des cornes à poudre immensément ». Pour pallier le manque de vivres, l'auteur du mémoire écrit : « Je ne sais pas aussi pourquoi on n'enverrait pas en Canada cette poudre alimentaire des Invalides ; personne ne serait plus dans le cas de s'en servir que des troupes exposées à faire dans des bois impraticables des marches longues où il faut tout porter sur le dos. »

Quant au renfort en hommes, on se contente d'en demander mille. Dans un mémoire de janvier 1759, on avance l'idée que des Canadiens ne seraient peut-être pas fâchés de changer d'allégeance.

> Les peuples du Canada, doivent naturellement être bien ennuyés de la guerre ; plusieurs y ont péri ; ils sont chargés des travaux les plus pénibles ; ils n'ont point le temps d'augmenter leurs biens et même de rétablir leurs maisons ; on leur a enlevé une partie de leur subsistance ; plusieurs ont été sans pain pendant trois mois ; ils logent des troupes qui les incommodent ; ils ne sont pas nourris pendant toute l'année, autant qu'ils croient en avoir besoin. On leur débite que les Anglais

leur laisseraient la liberté de religion, qu'ils leur fourniraient à meilleurs marchés les marchandises, qu'ils paieraient largement le moindre travail. Ces idées se répandent ; quelques personnes au-dessus du peuple ne rougissent pas de parler sur le même ton. Il est naturel que les peuples murmurent et qu'ils se laissent séduire. Les habitants des villes le seront plus facilement.

Même si le ministre de la Marine accueille bien Bougainville, il ne juge pas nécessaire de recommander au roi l'envoi de renfort important. « Ce ministre, raconte Bougainville, aimait les paraboles et me dit fort pertinemment qu'on ne cherchait point à sauver les écuries quand le feu était à la maison. Je ne puis donc obtenir, pour ces pauvres écuries, que 400 hommes de recrue et quelques munitions de guerre. »

Le 10 février 1759, Berryer rédige une lettre à l'intention de Vaudreuil et de Montcalm. Il y envisage même la perte du Canada. « L'objet principal que vous ne devez pas perdre de vue, écrit-il, doit être de conserver du moins une portion suffisante de cette colonie et de vous y maintenir pour pouvoir se promettre d'en recouvrer la totalité à la paix. » En conséquence, il faut, selon le ministre, utiliser au maximum les Canadiens. « Les besoins de la guerre et la culture des terres doivent déterminer les arrangements que vous prendrez à cet égard, et vous ne devez pas hésiter, si le cas l'exige, de faire marcher tous les hommes en état de porter les armes, en laissant aux vieillards, aux femmes et aux enfants le soin de continuer les travaux de la terre. Je suis persuadé qu'ils s'y porteront avec zèle et avec fidélité pour le service de Sa Majesté et la conservation de leur pays. »

Les Canadiens, entre les mains desquels on semble remettre le sort de la colonie, ont faim. Le 2 janvier 1759, l'intendant Bigot réduit la ration de pain à un quart de livre par jour par personne. Plus de 400 femmes vont manifester devant le palais de l'intendant et elles obtiennent que cette ration soit portée à une demi-livre. Pendant ce temps, la Grande Société regroupant l'entourage du gouverneur et de l'intendant organise avec les officiers supérieurs des pique-niques, des soirées, des grands repas et des bals. Montcalm écrit dans son journal : « Les plaisirs, malgré la misère et la perte prochaine de la colonie, ont été des plus vifs à Québec. Il n'y a jamais eu autant de bals ni de jeux de hasard aussi considérables. »

Au cours de janvier 1759, Vaudreuil fait effectuer un recensement des hommes âgés de 16 à 60 ans capables de porter les armes, soit 15 229 miliciens possibles ; 7511 pour le gouvernement de Québec ; 6405 pour celui de Montréal et 1313 pour celui de Trois-Rivières. En tenant compte des soldats réguliers, c'est bien peu comparé aux 60 000 soldats et miliciens que les Anglais, croit-on, peuvent aligner.

Un trident menaçant

En Angleterre, Pitt prépare la campagne de 1759. Son plan est clair : attaquer Québec avec 12 000 hommes commandés par Wolfe ; envahir le Canada par le Richelieu avec une armée dirigée par Amherst et s'emparer de Niagara pour « couper toute communication entre le Canada et les établissements français du Sud ». Le 12 janvier, Pitt écrit à l'amiral Charles Saunders pour lui confier la direction d'une flotte devant transporter 10 000 hommes à New York en vue d'une attaque contre Québec. Le lendemain, il expédie une autre missive, cette fois au major général Amherst, lui demandant de se procurer la quantité de mélasse nécessaire à la fabrication de la bière d'épinette ainsi que du rhum pour les troupes que doit commander Wolfe. Ce dernier reçoit, le 5 février, les ordres secrets de George II concernant l'attaque de Québec. Le départ a lieu le 16 février. L'escadre n'arrive à Halifax que le 30 avril.

Pertes sans combat

Pendant que la flotte anglaise s'apprête à remonter le fleuve Saint-Laurent, le gouverneur Vaudreuil envoie au fort Carillon trois bataillons et environ 1000 miliciens canadiens sous le commandement de Bourlamaque.

> Cet officier, écrit le major Armand Joannès, avait ordre de le mettre dans le meilleur état possible et de travailler à la réparation des retranchements qu'on avait élevés l'année d'auparavant, quoiqu'il eut un ordre secret pour évacuer et faire sauter ce fort, ainsi que Saint-Frédéric, à l'approche de l'ennemi, et se retirer à l'île-aux-Noix, à l'entrée du lac Champlain, position reconnue dès le printemps par M. le chevalier de Lévis, laquelle assurait la communication des vivres pour cette frontière et mettait cette partie en état d'être secourue plus efficacement, si l'ennemi s'y présentait en forces, puisqu'elle était plus rapprochée de l'intérieur de la colonie.

Alors que Montcalm préconise la réduction des garnisons des forts Carillon et Saint-Frédéric, Vaudreuil juge ces places comme étant presque essentielles au système défensif de la colonie. Comme le gouverneur a le dernier mot, il ordonne l'envoi de 2500 hommes à ces endroits.

Avant même que l'armée ennemie ne paraisse, l'on commence à vider le fort Carillon. Le 26 juin, l'officier ingénieur Jean-Nicolas Desandrouins note dans son journal : « Ce déblaiement, quoique fait le plus secrètement possible, n'en est que plus remarqué du soldat qui est surpris qu'on attende la nuit pour embarquer des effets. » Des éclaireurs signalent la présence d'une armée de 11 000 hommes. Elle avance très lentement, car Amherst fait élever une série de petits postes fortifiés destinés à protéger une retraite possible.

Le 21 juillet, l'armée anglaise monte sur des centaines de berges. Le lendemain, elle débarque non loin du fort Carillon. Bourlamaque envoie un détachement pour retarder la marche de l'ennemi. Au cours de la nuit du 22 au 23, Canadiens et Français, soit environ 3600 personnes, quittent le fort. Seule y demeure une arrière-garde de 400 hommes, qui s'affaire à mettre le feu aux deux hôpitaux, aux hangars et aux baraques. Pendant quatre jours, du 23 au 26 juillet, les canons ennemis bombardent le fort où sont retranchés les hommes du capitaine d'Hébécourt. Le 26, vers les dix heures du soir, après avoir miné le fort et chargé tous les canons, la garnison quitte tout doucement la place forte. Vers minuit, l'explosion démolit une bonne partie du fort.

Le 31 juillet, les garnisons de Carillon et de Saint-Frédéric quittent ce dernier fort qui explose à son tour ! Tous se replient sur l'île-aux-Noix que l'on fortifie.

Amherst ne se lance pas à la poursuite des Français et des Canadiens. Il occupe ses hommes à reconstruire le fort Carillon auquel il donne le nom de Ticonderoga. Quant à Saint-Frédéric, il devient Crown Point. Tranquillement, la toponymie de la Nouvelle-France prend un autre visage, un autre accent...

Pour réaliser la deuxième partie du plan Pitt, une armée composée de 5000 réguliers et miliciens et de 943 Amérindiens, sous les ordres du général John Prideaux, marche contre le fort Niagara. La garnison du poste se compose de 500 hommes commandés par Pierre Pouchot. Le 7 juillet, l'officier français envoie un courrier à François-Marie Le Marchand de Lignery qui, à la tête d'une petite armée, marche contre le fort Pitt, dans la vallée de l'Ohio. L'armée anglaise s'affaire à creuser des tranchées et à établir des batteries. Le bombardement du fort commence le 13 juillet. Le 18, Prideaux est tué par l'éclat d'une bombe d'un de ses mortiers. William Johnson prend la relève. Six jours plus tard, l'armée de Lignery tombe dans une embuscade, au moment même où elle arrivait au fort. Sentant la situation désespérée, Pouchot capitule, le 25 juillet, avec les honneurs de la guerre. Les prisonniers seront conduits à New York. « La chute du fort Niagara, que beaucoup croyaient imprenable, écrit l'historien Peter N. Moogk, signifiait pour les Français la perte du contrôle vital de la route de portage qui reliait le lac Ontario aux postes des lacs Huron, Michigan et Supérieur et de la vallée du Mississipi. Les voies de canot vers le nord étaient inutilisables pour le transport lourd. »

Branle-bas à Québec

Depuis le début du mois de mai, le Canada sait qu'il ne peut compter sur des renforts importants. La nouvelle s'est vite répandue avec l'arrivée de Bougainville à Québec, le 10 mai au soir. Heureusement, la population apprend la venue prochaine d'une flotte de 17 vaisseaux « venant de Bordeaux chargés de munitions de guerre et de bouche ». Un témoin note dans son journal : « Jamais joie ne fut plus générale ; elle ranima le cœur de tout un peuple qui, pendant le cours d'un hiver des plus durs, avait été réduit à un quarteron de pain et demi-livre de cheval. »

Faisant preuve d'une grande prudence, l'évêque de Québec, Henri-Marie Dubreil de Pontbriand, expédie à Montréal et à Trois-Rivières les archives et divers effets de l'évêché. À Québec, on sait déjà que la ville sera assiégée. Montcalm est de retour dans la capitale le 22 mai au soir. Dès le lendemain, un conseil de guerre évalue les moyens à prendre pour fortifier la ville. « Il fut décidé, selon Foligné, que l'on armerait en brûlots plusieurs des bâtiments de la flotte de [Jacques] Kanon et que l'on construirait nombre de cageux, des chaloupes carcassières armées chacune d'un canon de 24 et nombre de bateaux armés chacun d'une pièce de 12. Il fut aussi déterminé d'échouer à l'entrée de la rivière Saint-Charles deux bâtiments dunquerquois sur lesquels on construirait des batteries pour la défense du fleuve dans cette partie. »

Depuis plusieurs années déjà, un système de communication par feux existait sur la rive sud, entre Lévis et la rivière du Loup. En cas d'alerte, on allumait un bûcher de proche en proche pour avertir Québec de l'imminence d'un danger. Dans la nuit du 24 au 25 mai, « les feux destinés à annoncer les ennemis furent allumés à la pointe de Lévis et le canon de la ville en répéta le signal ». On apprendra, quelques heures plus tard, que 14 navires anglais ont été aperçus à la hauteur de Saint-Barnabé, non loin de Rimouski. Ces bâtiments forment l'avant-garde de la flotte d'invasion. Philip Durell la commande et James Cook, qui deviendra célèbre comme explorateur, agit comme maître du *Pembroke.* Montcalm ordonne l'évacuation des habitations de la Côte Sud : les femmes, les enfants et les bestiaux sont repoussés à l'intérieur des terres, alors que tous les hommes valides doivent se rendre à Québec. Les miliciens et une partie des troupes régulières descendent à Québec le plus rapidement possible. On les établit sur la rive droite de la rivière Saint-Charles où ils travaillent aussitôt aux fortifications de la ville.

Le 25 mai, Bigot écrit au munitionnaire Joseph-Michel Cadet « de faire faire une provision de biscuits et de prendre ses arrangements pour fournir la subsistance à ration d'habitants à un corps de dix à douze mille hommes et peut-être plus, qui vont se rendre et camper aux environs de Québec pour s'opposer aux entreprises des ennemis, ainsi que pour les officiers qui auront la ration comme dans les forts ». Le lendemain, le munitionnaire des vivres en Canada répond à l'intendant qu'il n'est pas obligé, par son contrat, de fournir des vivres en dehors de Québec, Montréal et Trois-Rivières ou pour les forts et postes de Sa Majesté. Mais, si on consent à y mettre le prix, il est prêt à ravitailler le nouveau campement. Bigot rétorque que le ministre de la Marine décidera du bien-fondé de la revendication.

Tous les jours de nouveaux renforts arrivent à Québec. « On vit arriver au camp des vieillards de quatre-vingts ans et des enfants de douze à treize ans, raconte un témoin, qui ne voulurent jamais profiter de l'exemption accordée à leur âge. »

Les Anglais devant Québec

L'amiral Durell s'établit à l'île aux Coudres que ses habitants ont désertée. Au début de juin, quelques Canadiens campés à la rivière du Gouffre, à Baie-Saint-Paul, font un raid sur l'île aux Coudres. Ils s'embusquent dans les bois et, sous la direction de François Savard, réussissent à faire trois prisonniers, dont le petit-fils de Durell qui « polissonnait sur l'île aux Coudres », selon Bourlamaque.

Le 4 juin, la flotte commandée par l'amiral Saunders quitte Louisbourg. Le point de ralliement sera Gaspé. Le même jour, à Québec, Montcalm « fit battre un ban par lequel il faisait exhorter tous ceux et celles qui seraient inutiles au service de notre armée ou qui seraient dans le cas d'avoir peur de se retirer dans les gouvernements des Trois-Rivières ou de Montréal ».

La ville de Québec se prépare fébrilement au siège. Depuis le 27 mai, les 28 étudiants du Séminaire de Québec sont en vacances forcées, car normalement leur année scolaire ne se termine qu'en août. Il en va de même pour les cinq prêtres qui s'en occupent. Le 5 juin, l'évêque de Québec émet une lettre circulaire à l'intention de son clergé. « Si par hasard, y lit-on, l'ennemi descendait dans une paroisse et s'en rendait le maître, le curé lui fera toutes les politesses possibles, le priera d'épargner le sang et les églises. Il ne sera point armé, non plus que les aumôniers des camps. » Plusieurs curés ne suivront pourtant pas les ordres de monseigneur de Pontbriand.

L'île d'Orléans est vidée de ses habitants et du bétail. À Québec, La Rochebaucourt, aide de camp de Montcalm, forme un corps de cavalerie de 200 hommes

« pour être en état de se porter en peu de temps aux endroits qui pourraient être attaqués ; tous les selliers de la ville sont occupés à faire des selles ». Le 13 juin, les hommes de la cavalerie défilent pour la première fois dans les rues de Québec et vont présenter les armes au gouverneur. « Leur costume est bleu avec parements et collet rouges et croise sur l'estomac. »

Pendant ce temps, la flotte anglaise remonte le fleuve moins rapidement que ne le désire Wolfe. Le 18 juin, elle jette l'ancre en face du Bic, non loin de Rimouski. Les vaisseaux de Durell attendent le reste des navires non loin de l'île d'Orléans, où il y a depuis quelques jours des escarmouches avec des détachements français ou canadiens.

À Québec, note Montcalm, « les voitures manquent pour les fortifications, mais non pour voiturer les matériaux nécessaires pour faire une casemate chez Madame Péan ». En effet, Bigot, pour protéger sa belle, a décidé de lui faire construire un abri antibombes ! Les habitants de la basse ville « envoient leurs effets chez ceux de la haute et ces derniers envoient les leurs à la campagne, preuve qu'ils ne se croient pas en sûreté chez eux ».

Le 24 juin, les premiers navires de Saunders arrivent à la hauteur de l'île d'Orléans. L'officier anglais John Knox est surpris de l'aspect du pays. Le 25 juin, il note : « À l'île d'Orléans, nous avons devant nous une contrée claire et ouverte parsemée de villages et d'églises innombrables. Vues de nos navires, les maisons blanchies à la chaux ont un air propret et élégant. » L'île n'est pas aussi enchanteresse que pourraient le croire les arrivants. Dans la nuit du 26 au 27, un groupe d'Amérindiens va faire le coup contre les soldats anglais qui ont mis pied à terre. Un de ces derniers est tué et scalpé.

Le 27 juin au matin, les troupes anglaises débarquent sur l'île d'Orléans et occupent la paroisse de Saint-Laurent. James Wolfe rédige alors son premier placard où il établit ses positions et ses propositions.

> Le roi mon maître, justement irrité contre la France, dit-il, a résolu d'en rabattre la fierté et de venger les insultes faites aux colonies anglaises ; s'est aussi déterminé à envoyer un armement formidable de mer et de terre que les habitants voient avancer jusque dans le centre de leur pays. Il a pour but de priver la couronne de France des établissements les plus considérables dont elle jouit dans le Nord de l'Amérique.
>
> C'est à cet effet qu'il lui a plu de m'envoyer dans ce pays à la tête de l'armée redoutable actuellement sous mes ordres. Les laboureurs, colons et paysans, les femmes, les enfants, ni les ministres sacrés de la religion ne sont point l'objet du ressentiment du roi de la Grande-Bretagne ; ce n'est pas contre eux qu'il élève son bras ; il prévoit leur calamité, plaint leur sort et leur tend une main secourable. Il est permis aux habitants de venir dans leurs familles, dans leurs habitations. Je leur promets ma protection et je les assure qu'ils pourront, sans craindre les moindres molestations, y jouir de leurs biens, suivre le culte de leurs religions ; en un mot, jouir au milieu de la guerre de toutes les douceurs de la paix, pourvu qu'ils s'engagent à ne prendre directement ni indirectement aucune part à une dispute qui ne regarde que les deux couronnes. Si, au contraire, un entêtement déplacé et une valeur imprudente et inutile leur font prendre les armes, qu'ils

> s'attendent à souffrir tout ce que la guerre offre de plus cruel. Il leur est aisé de se représenter à quel excès se porte la fureur d'un soldat effréné ; nos ordres seuls peuvent en arrêter le cours, et c'est aux Canadiens, par leur conduite, à se procurer cet avantage. [...] Les cruautés inouïes que les Français ont exercées contre les sujets de la Grande-Bretagne établis aux représailles les plus sévères ; mais l'Anglais réprouve une barbare méthode. Leur religion ne prêche que l'humanité, et son cœur en suit avec plaisir le précepte.
>
> Si la folle espérance de nous repousser avec succès porte les Canadiens à refuser la neutralité que je leur propose et leur donne la présomption de paraître les armes à la main, ils n'auront sujet de s'en prendre qu'à eux-mêmes lorsqu'ils gémiront sous le poids de la misère à laquelle ils se seront exposés par leur propre choix. [...] Quant à moi, je n'aurai rien à me reprocher. Les droits de la guerre sont connus et l'entêtement d'un ennemi fournit les moyens dont on se sert pour le mettre à la raison.

Dans ce texte affiché à la porte de l'église de Saint-Laurent, Wolfe met en parallèle la France qui a abandonné sa colonie et « l'Angleterre qui leur tend une main puissante et secourable ». « Que les Canadiens consultent leur prudence, conclut-il ; leur sort dépend de leur choix. » Un placard semblable est cloué sur la porte de l'église de Beaumont, le 29 juin, au moment où les soldats de Robert Monckton envahissent le village. À cet endroit, les Anglais tuent trois Canadiens qu'ils scalpent. Ils incendient une maison où, dans la cave, se sont réfugiés quelques femmes et enfants. Le lendemain, quelques centaines de soldats anglais prennent pied à la pointe de Lévis. Un groupe de Canadiens et d'Amérindiens tente en vain de les en chasser. On réussit quand même à faire un prisonnier et à lever quelques chevelures. Les Rangers, des coloniaux américains, pratiqueront eux aussi le scalp. Wolfe interdira cette pratique « excepté quand les ennemis seraient des Indiens ou des Canadiens habillés en indien ».

Québec, ville fermée

Le 30 juin, note le curé Jean-Félix Récher, « les portes de la ville ferment pour la première fois ». Depuis la veille, les cloches des églises ne sonnent plus pour aucun office, baptême ou enterrement. On les entendra seulement le soir à dix heures. Les sonneries sont réservées aux alertes pour avertir les troupes campées à l'extérieur de la ville. De plus, on fait mettre deux pavillons dans le haut du clocher.

Début juillet, les soldats anglais installent l'artillerie près de l'église de Lévis. De cet endroit, ils se proposent de bombarder la ville de Québec. À l'île d'Orléans, ils construisent un hôpital.

Les escarmouches se multiplient entre les belligérants. Les Canadiens, les Rangers américains et les Amérindiens ont des mœurs plus rudes que celles des Français ou des Anglais. Ces derniers, au cours des mois qui suivent, suspendront à plusieurs reprises les hostilités pour des missions parlementaires. La première a lieu le 4 juillet. « À une heure après-midi, raconte le curé Récher, une berge anglaise se détache des vaisseaux, ayant son pavillon derrière et pavillon français devant, ce qui fait juger qu'elle vient pour sommer la ville de se rendre. »

L'adjudant général en second Isaac Barré, fils d'un réfugié calviniste de La Rochelle, déclare avoir une lettre de Wolfe pour le gouverneur Vaudreuil dans laquelle il annonce son intention d'attaquer Québec. Il désire que la guerre se déroule avec humanité et que l'on abandonne la pratique du scalp. Il offre de libérer une vingtaine de dames françaises ou acadiennes faites prisonnières en cours de route. Il demande des nouvelles des trois Anglais faits prisonniers à l'île aux Coudres.

Vers les cinq heures du soir, François Le Mercier se rend à bord du navire de Wolfe porter les différentes réponses. L'officier français passe presque toute la nuit à bord du *Trent* à discuter amicalement avec Wolfe et quelques autres officiers. Le général s'amuse à taquiner Le Mercier sur l'aventure des brûlots, c'est-à-dire les embarcations enflammées qui devaient mettre le feu à la flotte anglaise, vers le 28 juin, mais qui n'ont causé aucun dommage. L'officier français revient à Québec avec une lettre de la sœur de Bigot, lettre que l'on avait saisie en cours de route, ainsi que quelques bouteilles de liqueur que le capitaine Charles Douglas destine à l'intendant. Le lendemain, les 23 prisonnières retrouvent la liberté et Bigot remercie Douglas en lui faisant parvenir « 4 à 5 panerées d'herbes ». La trêve est de courte durée, car, dès le 6 juillet, une batterie flottante et les canons installés à Lévis échangent des coups. Au même moment, la basse ville de Québec et les faubourgs adjacents sont évacués.

Régulièrement, Wolfe émet des ordres concernant divers points. Celui du 5 juillet précise que « l'objet de la campagne est de compléter la conquête du Canada et de terminer la guerre en Amérique ». Il y est aussi précisé qu'« aucune église, maison ou édifice de quelque nature ne sera incendié ou détruit sans un ordre exprès ». « Les paysans demeurant encore dans leur maison, leurs femmes et leurs enfants seront traités avec humanité ; si une femme est victime de violence, le coupable sera puni de mort. Si quelqu'un est accusé de vol dans une tente des officiers ou des soldats, il sera certainement exécuté, s'il est jugé coupable. » Du côté français, les règlements sont à peu près les mêmes. Au début du mois, un soldat qui s'était enfui a la tête cassée.

Les Anglais débarquent sur la rive gauche de la chute Montmorency. Le 9 juillet, au cours de la nuit, des bombes incendiaires mettent le feu à plusieurs maisons de la basse ville et à l'église de Notre-Dame-des-Victoires. Le même jour, les Anglais occupent la paroisse de l'Ange-Gardien. La situation s'aggrave.

Les installations anglaises, à Lévis, préoccupent à juste titre les habitants de Québec. Le 10 juillet, les bourgeois de la capitale rédigent un placet demandant au gouverneur d'organiser une expédition pour aller démolir les batteries anglaises avant qu'elles ne commencent à bombarder la ville, « à faute de quoi les trois quarts sortiraient de la ville pour mettre leur vie en sûreté, voyant qu'on ne voulait rien faire pour y mettre leurs biens ». Le document est remis à Vaudreuil, le 11 à huit heures du matin. Une expédition est formée, regroupant environ 1500 personnes, dont quelques étudiants du Séminaire de Québec, formant ce que l'on a appelé le Royal-Syntaxe. Le groupe, commandé par Dumas, le major général des troupes, se met en marche le 12 au soir. L'aventure tourne à la débandade avant même que la petite armée n'ait réussi à traverser le fleuve.

Québec sous les bombes

À partir du 12 juillet et pendant deux mois, Québec est bombardée presque tous les jours. La sarabande débute le 12 à neuf heures du soir. « Cinq mortiers et quatre gros canons tirent de 25 en 25 minutes jusqu'au 13 à midi sans interruption, ce qui remplit la ville d'effroi et endommage considérablement plusieurs maisons et églises, spécialement la cathédrale, les jésuites et la congrégation, note le curé Récher. Notre presbytère a été percé de deux boulets de 32 livres. » En moins d'une semaine, au moins 240 des plus belles maisons sont incendiées ou démolies. Les ursulines et les religieuses de l'Hôtel-Dieu de Québec se réfugient à l'Hôpital Général.

Du côté des chutes Montmorency, les camps français et anglais échangent régulièrement quelques coups et les Amérindiens vont lever des chevelures dans le camp ennemi. Mais ce n'est pas suffisant pour un Montcalm réaliste qui écrit à son aide de camp Bougainville le 15 juillet : « Je ne suis plus surpris de ce qui arrive et arrivera. Je crois bien que 4 ou 500 Canadiens voyageurs choisis sont capables de bien faire, mais la moitié de cette milice sont des vieillards ou des enfants, qui ne sont pas en état de marcher et qui n'avaient jamais été ni en détachement ni à la guerre ; ainsi je commence à croire qu'ils font encore plus qu'il ne faudrait espérer. Je suis persuadé que Wolfe sagement ne nous attaquera ni ne se compromettra pas et attendra l'événement des pays d'En Haut, et je compte le Canada pris en entier par cette campagne. »

Les Anglais établis à Lévis bombardent toujours Québec. Plusieurs habitants sont tués. Le 16 juillet, neuf maisons de la Côte de la Montagne sont incendiées. Deux jours plus tard, sept navires anglais remontent le fleuve au-dessus de Québec. On craint un débarquement à l'ouest de la ville et d'avoir ainsi à faire face à trois camps anglais.

Le 20 juillet, un détachement commandé par James Murray occupe le village de Lotbinière dont les habitants acceptent de se soumettre, après avoir pris connaissance d'un manifeste affiché à la porte de l'église paroissiale. Le lendemain, environ 400 grenadiers débarquent à la Pointe-aux-Trembles, près de Neuville, encerclent les maisons situées autour de l'église et s'emparent de 200 femmes et enfants, dont quelques dames qui avaient fui Québec. Les assaillants s'emparent aussi de trois miliciens. Tous sont embarqués sur les navires, ainsi que le père Jean-Baptiste de La Brosse, la sœur Sainte-Agnès, de la Congrégation, et ses huit pensionnaires. Après une nuit passée à bord où les passagères sont très bien traitées, quelques-unes dînant même à la table de Wolfe, il y a trêve parlementaire. Tout le monde est remis en liberté, sauf les trois miliciens.

« Chaque officier a donné son nom aux belles prisonnières qu'il avait faites. Les Anglais avaient promis de ne pas canonner ni bombarder jusqu'à neuf heures du soir, pour donner aux dames le temps de se retirer où elles jugeraient à propos. » En échange de cette libération, les autorités françaises laissent passer devant Québec quelques barques transportant des blessés anglais. Du 23 au 26 juillet, par quatre fois, on suspend les bombardements, pour permettre des échanges diplomatiques qui sont les prétextes d'incursions d'espionnage.

Le 24 juillet, on évalue à 15 000 le nombre de bombes lancées contre Québec.

Finie la bonté !

Le camp anglais de Lévis est continuellement soumis à une guerre d'escarmouches nourrie par Canadiens et Amérindiens. Le 25 juillet, le major John Dalling et le colonel Fraser dirigent des opérations de nettoyage entre Beaumont et Lévis. Plusieurs centaines de Canadiens sont arrêtés, dont, entre autres, le curé de la Pointe-Lévis, Charles Marie-Madeleine d'Youville, le fils de mère d'Youville.

Le même jour, Wolfe émet une proclamation, qui sera affichée à la porte de l'église Saint-Henri de Lauzon :

> Son Excellence, piqué du peu d'égards que les habitants du Canada ont eus à son placard du 27e du mois dernier, a résolu de ne plus écouter les sentiments d'humanité qui le portaient à soulager des gens aveuglés dans leur propre misère. Les Canadiens se montrent par leur conduite indignes des offres avantageuses qu'il leur faisait. C'est pourquoi il a donné ordre au commandant de ses troupes légères et à d'autres officiers de s'avancer dans le pays pour y saisir et amener les habitants et leurs troupeaux, et y détruire et renverser ce qu'ils jugeront à propos. Au reste, comme il se trouve fâché d'en venir aux barbares extrémités dont les Canadiens et les Indiens leurs alliés lui montrent l'exemple, il se propose de différer jusqu'au premier août prochain à décider du sort des prisonniers qui peuvent être faits, avec lesquels il usera de représailles ; à moins que pendant cet intervalle les Canadiens ne viennent se soumettre aux termes qu'il leur a proposés dans son placard et, par leur soumission, toucher sa clémence et le porter à la douceur.

Le 30 juillet, Montcalm écrit à Amherst et il lui fait quelques remarques sur les déclarations de Wolfe.

> Il paraît surpris que nous nous servions d'Indiens, comme si les gouverneurs et généraux de Sa Majesté britannique n'en avaient jamais employés. Ses billets et déclarations, tour à tour mêlés de douceur et de menaces pour débaucher les troupes provinciales dont Sa Majesté très chrétienne se sert ainsi que le fait Sa Majesté britannique, ne produiront aucun effet. Nos armées sont on ne saurait plus près. Il faut espérer que nous pourrons nous mesurer et mériter réciproquement l'estime que nos nations, quoiqu'en guerre, sont faites pour s'accorder. Personne n'est plus pénétré que moi de ces sentiments pour la nation anglaise et pour ses généraux.

Montcalm n'est pas autant assuré de la fidélité des Canadiens qu'il l'écrit à Amherst, car il vient justement de déclarer à Lévis : « Je crains que les gens de l'Ange-Gardien et de la côte de Beaupré ne fassent leur paix particulière. [...] Il faudrait quelques gros détachements de Sauvages et de Canadiens pour les corriger. »

Depuis plus de cinq semaines, les Anglais sont campés dans les environs de Québec et aucun engagement sérieux n'a eu lieu. L'impatience gagne une partie des troupes. De part et d'autre, on reproche aux généraux leur inertie. Le 31 juillet, Wolfe se décide enfin à attaquer. Il ordonne un débarquement à la rivière Montmorency qui se solde par une défaite anglaise et la perte d'environ 400 hommes. Les désertions, depuis quelques jours, sont plus nombreuses dans les deux armées. Les informations que l'on tire des déserteurs sont rarement véridiques. Plus utiles sont celles recueillies par les parlementaires que l'on s'échange les 2 et 4 août. À Québec, on profite de la trêve pour nettoyer la ville. De 300 à 400 ouvriers nettoient « les rues des débris dont le canon les avait comblées et où personne n'osait aller travailler pendant que l'ennemi tirait ».

Le 6 août, Wolfe enjoint Monckton de tout détruire, de Beaumont à la rivière Chaudière. George Scott, à la tête d'un fort détachement, ravage la rive sud du fleuve Saint-Laurent. Le 19 septembre, l'officier anglais dresse le bilan suivant : « En somme, nous avons marché sur une distance de 52 milles et, sur le parcours, nous avons brûlé 998 bons bâtiments, deux sloops, deux schooners, dix chaloupes, plusieurs bateaux plats et petites embarcations, nous avons capturé quinze prisonniers (parmi eux, six femmes et cinq enfants) et fait cinq prisonniers chez l'ennemi ; il y a eu un blessé parmi nos réguliers et, chez les Rangers, deux morts et quatre blessés. »

Scott avait conduit ses hommes jusqu'à Kamouraska. La décision de Wolfe de dévaster le pays avait été prise lors de la traversée de l'Atlantique. « Si nous nous apercevons que Québec ne semble pas devoir tomber entre nos mains (tout en persévérant jusqu'au dernier moment), écrit-il à Amherst, je propose de mettre la ville à feu avec nos obus, de détruire les moissons, les maisons et le bétail tant en haut qu'en bas [de Québec] et d'expédier le plus de Canadiens possible en Europe et de ne laisser derrière moi que famine et désolation ; belle résolution et très chrétienne ! ; mais nous devons montrer à ces scélérats à faire la guerre comme des gentilshommes. »

Le 13 août, des Canadiens attaquent un détachement de 400 hommes du major Dalling et en blessent quatre. Le village de Sainte-Croix de Lotbinière où avait eu lieu l'attaque et celui de Saint-Antoine-de-Tilly sont incendiés en guise de représailles. L'attitude anglaise se durcit, car il se passe peu de jours sans que quelques soldats ne soient scalpés. Le 14, on découvre quatre cadavres de marins scalpés sur l'île d'Orléans. Le lendemain, les Rangers de Joseph Goreham incendient une quarantaine de maisons à Baie-Saint-Paul.

Le dimanche 19 août, un millier de soldats anglais débarquent à Deschambault et se rendent à la maison du capitaine de milice Perrault où se trouvent « les effets les plus précieux et même l'argenterie et l'argent des troupes, tant des officiers que des soldats ». « Quelqu'un a dit, rapporte Récher, qu'il y avait 1 800 000 livres en espèces. » Cette maison et deux autres sont incendiées. Les soldats rassemblent une centaine de bêtes à cornes dans l'église.

Dès qu'il connaît la nouvelle du débarquement anglais, Bougainville court à Deschambault. Les assaillants quittent la place après avoir échangé quelques coups de fusil et perdu une vingtaine d'hommes. Montcalm arrive aussitôt après le départ des Anglais.

La mort d'un curé

Vers le 22 août, on commence à brûler les villages de la côte de Beaupré. Philippe-René Robinau de Portneuf, curé de Saint-Joachim, tente d'empêcher l'ennemi de s'attaquer à sa paroisse. Selon John Knox, qui n'assiste pas aux événements, mais les rapporte en se basant sur des ouï-dire, le prêtre envoie « un billet à l'un de nos officiers qui commande un poste dans les environs, le priant de lui faire l'honneur d'aller dîner avec lui en compagnie de quelques-uns de ses lieutenants, l'assurant que lui-même et ceux qui seraient assez bons de l'accompagner s'en retourneraient en toute sûreté. Il ajoute que l'officier anglais se battant pour son roi et pour la gloire l'excusera, il l'espère, de se battre lui-même avec ses pauvres paroissiens pour la défense de leur pays. Notre officier a répondu qu'il regrette de ne pouvoir pas se rendre à cette invitation, mais qu'il espère dîner bientôt dans le camp anglais, avec le galant prêtre et ses adhérents. »

Le lendemain, Portneuf et une vingtaine de ses paroissiens tombent dans une embuscade et la majeure partie sont tués et scalpés. Les Rangers qui ont fait le coup affirmeront avoir fait la chevelure des Canadiens parce qu'ils étaient déguisés en Indiens !

Montcalm notera dans son journal, le 1er septembre : « Les Anglais, fidèles imitateurs de la férocité de nos Sauvages, ont fait la chevelure à quelques habitants de la côte du Sud. Croirait-on qu'une nation policée s'acharne de sang-froid à mutiler des cadavres ? Cette barbarie aurait été abolie parmi les Sauvages, s'il était possible de les corriger. » Et pourtant, les Amérindiens qui se battent aux côtés de Français ne se cachent pas pour scalper.

Une trop longue attente

Wolfe se remet à peine du mauvais état de sa santé qui l'a obligé à s'aliter depuis près d'une dizaine de jours. Le 27 août, il se convainc qu'il est temps de frapper le grand coup, avant que la température automnale ne soit une source de problèmes. Il demande donc aux trois généraux de brigade quel est le meilleur plan d'attaque. Selon lui, il faut déloger Montcalm et ses hommes de leur camp de Beauport avant d'investir la ville. Le 20, les trois officiers supérieurs se réunissent « dans le but de trouver les mesures les plus efficaces pour le bon ordre du service ».

> Nous sommes, par conséquent, d'opinion que la stratégie la plus susceptible de porter un coup définitif, serait d'amener les troupes [de Montmorency] sur la rive sud et de porter les opérations en amont de la ville ; lorsque nous serons établis sur la rive nord, nous imposerons au général français nos propres conditions de combat ; nous nous placerons entre lui et ses approvisionnements, entre lui et l'armée qui fait face au général Amherst.

Le plan est simple : couper Québec de Montréal et empêcher les convois de vivres qui empruntent la rive nord de se rendre dans la capitale. Il faut que les Anglais aient l'initiative du combat !

Pendant ce temps, Montcalm est toujours convaincu que l'attaque viendra du côté de Beauport et que c'est là que doit demeurer le gros des troupes. Bougainville est installé dans la région de Saint-Augustin avec les troupes nécessaires pour protéger les convois ; près de 3000 hommes campent à l'île-aux-Noix au cas où l'armée d'Amherst, campée à Crown Point, déciderait de marcher sur Montréal.

Le 31 août, Wolfe écrit à sa mère que l'ennemi ne veut courir aucun risque et qu'il ne peut en conscience mettre son armée en état de péril. « Le marquis de

Montcalm, affirme-t-il, est à la tête d'un grand nombre de mauvais soldats et moi, je suis à la tête d'un petit nombre de bons. »

Au moment où il écrit, la nouvelle stratégie commence déjà à se concrétiser : on abandonne le camp de Montmorency et un groupe s'installe à l'île d'Orléans pendant que la majeure partie gagne Lévis. Vers le 9 septembre, Wolfe modifie le plan original : ses hommes débarqueront le plus près possible de Québec et non dans la région de Neuville tel que prévu. Ainsi, les Anglais prendront position entre la ville et l'armée de Bougainville, empêchant si possible cette dernière de se porter à la défense de Québec.

L'impossible se réalise

Les mouvements de navires deviennent de plus en plus fréquents. Jean-Baptiste-Claude-Roch de Ramezay, commandant de Québec, écrit le 10 septembre : « Les ennemis parurent construire un nouveau retranchement au-dessus de leurs batteries de la Pointe de Lévis ; nous ne comprîmes pas quel en pouvait être le véritable objet. Leur petite flotte s'étendait depuis le Cap-Rouge jusqu'à la Pointe-aux-Trembles. »

Montcalm n'est pas trop inquiet, car il est convaincu que les Anglais ne peuvent effectuer une descente entre Sillery et Québec. Il avait d'ailleurs écrit à Vaudreuil le 29 juillet : « Il n'y a que Dieu qui sache, monsieur, faire des choses impossibles. [...] Et il ne me faut pas croire que les ennemis aient des ailes pour, la même nuit, traverser, débarquer, monter des rampes rompues et escalader : d'autant que, pour la dernière opération, il faut des échelles. »

Le lieutenant général des armées en Nouvelle-France est tellement convaincu de son point de vue qu'il croit avoir percé les visées de Wolfe. Il écrit à Bourlamaque le 2 septembre : « Je crois que Wolfe fera comme un joueur de tope et tingue qui, après avoir topé à la gauche du tope [c'est-à-dire Montmorency], et à la droite [Pointe-aux-Trembles], tope au milieu [Beauport]. »

Le 12, Wolfe avertit ses officiers que le débarquement est prévu pour le lendemain. Monckton, Townshend et Murray sentent le besoin d'écrire au général pour se plaindre de leur manque d'informations « sur la ou les places que nous devons attaquer ». Comme ils ne veulent pas commettre de fautes, ils demandent des ordres particuliers sur l'opération projetée. Wolfe confie alors à son état-major personnel « que les généraux de brigade l'avaient conduit en amont de fleuve et que maintenant ils reculaient ». Il en accuse deux d'être des lâches et le troisième, un scélérat !

Les soldats anglais apprennent par une proclamation de Wolfe l'ordre du jour du jeudi 13 septembre :

> Les forces de l'ennemi sont divisées ; il y a maintenant une grande disette de vivres dans leur camp et un mécontentement universel parmi les Canadiens. Le second officier en commandement [Lévis] est allé à Montréal ou à Saint-Jean, ce qui nous donne raison de penser que le général Amherst s'avance dans l'intérieur de la colonie. Un coup vigoureux frappé par notre armée, dans cette conjoncture, peut décider du sort du Canada. Nos troupes au-dessous de Québec sont prêtes à se

joindre à nous ; toute notre artillerie légère et les outils sont embarqués à la Pointe-Lévis et les troupes débarqueront là où les Français s'y attendent le moins. Le premier corps qui débarquera marchera directement à l'ennemi et le chassera de tous les petits postes qu'il peut occuper ; les officiers auront soin que les corps qui suivront ne tirent pas par erreur sur ceux qui marcheront en avant. Les bataillons se formeront sur la hauteur avec promptitude et se tiendront prêts à charger tout ce qui se présentera à eux. Quand l'artillerie et les troupes seront débarquées, un détachement sera laissé pour garder le lieu de débarquement, tandis que le reste marchera en avant et tâchera de forcer les Français et les Canadiens à se battre. Les officiers et les troupes doivent se rappeler ce que le pays attend d'eux, et ce qu'un corps de soldats déterminés, endurcis à la guerre, est capable de faire contre cinq faibles bataillons français mêlés à des paysans sans discipline. Les soldats devront être attentifs et obéissants à leurs officiers et résolus à exécuter leur devoir.

Le munitionnaire Joseph-Michel Cadet, installé au camp de Beauport, avertit Bougainville, installé à Cap-Rouge, qu'au cours de la nuit des bateaux chargés de vivres doivent descendre le fleuve vers Québec. Il le prie donc « de bien vouloir faire passer les bateaux ». Les hommes des trois postes de garde entre Sillery et Québec connaissent l'existence du convoi de vivres. Le premier poste comprend six hommes ; le second, situé à l'anse au Foulon, est commandé par Louis Du Pont Duchambon de Vergor. Il devrait y avoir là une centaine de soldats et miliciens, mais le commandant a permis à 70 d'entre eux d'aller faire les récoltes à Lorette. Les commandants des postes de garde ignorent cependant qu'un contre-ordre empêche le convoi de se mettre en marche.

Au cours de la soirée du 12, des navires anglais vont se poster non loin de Beauport et dans les environs de Cap-Rouge, pour faire croire à Bougainville et à Montcalm qu'une attaque est possible contre ces deux points. La ville est bombardée comme à l'accoutumée. Tout donc semble normal.

À partir de neuf heures du soir, l'embarquement des troupes commence à Lévis. À deux heures le 13 au matin, les bateaux plats anglais transportent les soldats à terre. Une sentinelle française qui avait entendu du bruit demande : « Qui vive ? » Et le capitaine Fraser ou le capitaine Donald MacDonald répond : « France ». Le garde, croyant avoir affaire à un des hommes du convoi de vivres, laisse passer sans rien faire. Lorsque les sentinelles du poste de garde commandé par Vergor se rendent compte de la présence anglaise sur les Plaines d'Abraham, il est déjà trop tard. Après un court échange de coups de feu, la trentaine d'hommes se rend. Vergor est, dit-on, réveillé par le bruit de la fusillade !

Surprise !

Une heure avant le lever du jour, les soldats anglais sont déjà installés sur les Plaines d'Abraham. Répartis sur trois rangées, ils font face à la ville. Les 4800 hommes de Wolfe sont prêts. Quelques-uns occupent déjà la maison Borgia et sa voisine. On a réussi à monter sur les Plaines deux pièces de canons. Les coups de feu ont réveillé les habitants de Québec. Le lieutenant colonel d'infanterie de Bernetz, qui commande pendant l'absence de Ramezay, expédie immédiatement une partie de sa garnison et deux piquets du régiment de Guyenne pour tirer sur l'ennemi et l'empêcher de progresser vers la ville.

Au lever du jour, un Canadien arrive à bout de souffle au camp de Beauport, annonçant que les Anglais ont débarqué à l'anse au Foulon. Il faisait partie du poste de garde de Vergor et il a réussi à s'échapper. Montcalm demeure incrédule. Marcel, le secrétaire du général, écrit : « Nous connaissions si bien les difficultés de pénétrer par ce point, pour peu qu'il soit défendu, qu'on ne crut pas un mot du récit d'un homme à qui nous crûmes que la peur avait tourné la tête. J'allai me reposer chez moi, en priant M. Dumas d'envoyer au quartier général pour avoir des nouvelles et de me faire avertir s'il y avait quelque chose à faire. On entendait toujours quelques coups de fusils de loin en loin. »

Un courrier expédié par Bernetz réussit à convaincre Montcalm du bien-fondé de la nouvelle. Vers les six heures, Montcalm se met en route. Un quart d'heure auparavant, le gouverneur Vaudreuil avait appris le débarquement, mais l'événement lui est présenté de telle façon qu'il croit que les Anglais se préparent à quitter la place. Il ne mesure la gravité de la situation qu'une demi-heure après le départ de Montcalm. À sept heures et quart, il envoie un message à Bougainville :

> Il paraît bien certain que l'ennemi a fait un débarquement à l'anse au Foulon. Nous avons mis bien du monde en mouvement. Nous entendons quelques petites fusillades. M. le marquis de Montcalm vient de partir avec 100 hommes du gouvernement des Trois-Rivières pour renforcer ; sitôt que je saurai positivement ce dont il sera question, je vous donnerai avis. Il me tarde bien d'avoir de vos nouvelles et de savoir si l'ennemi a fait quelque tentative de votre côté. [...] Les forces ennemies paraissent considérables. Je ne doute pas que vous soyez attentif à ses mouvements et à les suivre. C'est sur quoi je m'en rapporte à vous.

Lorsque Montcalm arrive sur les Plaines, des miliciens canadiens y font déjà le coup de feu contre les troupes anglaises. Celles-ci ripostent peu. Quelques centaines d'Amérindiens, cachés dans des bosquets, tirent également sur les hommes de Wolfe. Le général français place soldats et miliciens en ordre de bataille. Un cavalier d'ordonnance du gouverneur Vaudreuil lui remet un billet où il lit : « L'avantage que les Anglais avaient eu de forcer nos postes, devait naturellement être la source de leur défaite ; mais il était de notre intérêt de ne rien prématurer. Il fallait que les Anglais fussent en même temps attaqués par notre armée, par quinze cents hommes qu'il nous était fort aisé de sortir de la ville, et par le corps de M. de Bougainville, au moyen de quoi ils se trouveraient enveloppés de toutes parts et n'auraient d'autres ressources que leur gauche pour leur retraite, où leur défaite serait encore infaillible. »

Montcalm ne semble pas vouloir suivre le conseil de Vaudreuil. Il n'envoie personne avertir Bougainville. Il dispose d'environ 3500 hommes, surtout des miliciens peu habitués à une bataille rangée, alors que ceux qui leur font face sont en grande majorité des troupes régulières.

> M. le marquis de Montcalm, raconte Foligné qui se trouvait sur place, n'eut pas reconnu les forces et la situation avantageuse des ennemis qui occupaient la hauteur ordonna qu'on amena cinq pièces de canons de douze, six et quatre de calibres avec poudre et balles. Les ordres de M. le marquis s'exécutèrent avec promp-

titude. Les canons arrivèrent, dont deux furent placés à la gauche de notre colonne, du côté de la porte Saint-Louis, un au centre qui regardait le long du chemin de Sainte-Foy, et un à la droite qui longeait la côte d'Abraham. À mesure que le monde arrivait, il était rangé dans l'ordre de bataille ordonné par M. le marquis de Montcalm qui fit placer sur les ailes de notre colonne sept à huit cents Canadiens et Sauvages qui, par leur fusillade et le feu qu'ils mirent à la maison de Borgia vers les neuf heures, engagèrent le fort de l'action que M. de Montcalm crut devoir soutenir et profiter du moment que la troupe paraissait le mieux disposée pour avancer avec notre colonne jusqu'au bas de la hauteur qu'occupaient les ennemis où à une demi-portée de fusil notre général engagea l'action. Les ennemis après avoir essuyé de pied ferme trois décharges de notre colonne descendirent presque à bond toucher [?]. Jamais action ne fut plus opiniâtre pendant près d'une demi-heure.

Le combat se déroule entre neuf et dix heures, selon les témoins et dure moins d'une demi-heure. Les Canadiens n'ont pas l'habitude de se battre sur un terrain découvert. Ils retardent la marche des troupes régulières. Qui, des soldats réguliers ou des miliciens, sont les premiers déroutés ? Les témoins ne sont pas d'accord. Un aide de camp français écrit dans son journal :

> Lorsque les troupes et Canadiens du gouvernement de Québec ayant fait demi-tour, pressés par le feu de l'ennemi qui faisait un mouvement pour les envelopper, entraînèrent successivement la retraite de toute l'armée qui se fit avec bien du désordre malgré le zèle, la bonne contenance et les propos de tous les officiers. Rien de tout cela ne fut capable d'arrêter les fuyards qui n'écoutaient plus que les impressions d'une terreur sans égale. Enfin, le désordre fut si grand qu'il ne fut pas possible de rallier les troupes, dont les tristes débris se retirèrent, les uns jusqu'au bout de la rivière Saint-Charles, et les autres sous la place de Québec qui n'avait du canon que dans ses flancs et, par conséquent, peu utile pour protéger notre retraite si l'ennemi eût profité de son avantage.

L'armée anglaise, malgré sa victoire, est un peu désemparée. Wolfe est mortellement blessé et Monckton est atteint d'une balle. Le général de brigade George Townshend tarde à prendre le commandement qui lui revient ; l'hésitation permet aux Français et aux Canadiens de s'enfuir.

Bougainville, qui apprend à neuf heures du matin le débarquement anglais, marche aussitôt vers Québec. « Mais quand j'arrivai à portée de combattre, écrit-il, notre armée était battue et en déroute. Toute l'armée anglaise s'avança pour m'attaquer. Je fis ma retraite devant elle et me postai de façon à couvrir la retraite de notre armée, à me joindre à elle et à remarcher aux ennemis, si on le jugeait à propos. »

« Le 13 septembre, affirme l'historien Guy Frégault, devrait être connu sous le nom de la Journée des Fautes. » Wolfe ne s'était ménagé presque aucune possibilité de retraite. Quant à Montcalm, il aurait dû agir avec moins de précipitation et attendre les renforts de Bougainville qui commandait « la fine fleur de l'armée ». Il aurait pu aussi mieux utiliser les miliciens canadiens. « Il fallait l'attendre et profiter de la nature du terrain pour placer par pelotons dans les bosquets de broussailles dont il était environné, ces mêmes Canadiens qui, arrangés de la sorte, surpassent certainement par l'adresse avec laquelle ils tirent toutes les troupes de l'univers », lit-on dans un mémoire anonyme de l'époque.

Québec capitule

Le jour même de la bataille des Plaines d'Abraham, le gouverneur Vaudreuil réunit un conseil de guerre où l'on retrouve l'intendant Bigot et les principaux officiers.

> Ce gouverneur général, rapporte le compte rendu, y a proposé s'il y avait quelque moyen à pouvoir réattaquer l'ennemi, avis qui a été unanimement rejeté et par la faiblesse, et par la dispersion et par le harassement des troupes. Se replier a paru le seul parti militaire à prendre, la position du camp de Beauport devenant insoutenable et pour n'être pas séparée d'une armée victorieuse et supérieure en force, tant par le nombre que par l'espèce et pour n'avoir devant soi qu'une rivière gayable presque partout à basse mer et retranchée sur laquelle l'ennemi pouvait se porter dès le soir même. [...] L'unique dépôt de nos vivres et la seule ressource que nous ayons étant au-dessus de la rivière Jacques-Cartier, la position bonne par elle-même ne pouvant être attaquée de front ni tournée par sa gauche a été jugée la meilleure dans l'occurrence présente et absolument indispensable à occuper dans la crainte que l'ennemi ne vienne à nous y devancer... Au camp de Beauport, à six heures du soir.

Dès le même soir, on abandonne donc le camp de Beauport. Plusieurs jours avant la bataille, Montcalm avait rédigé un projet de capitulation de Québec. Le jour même de l'engagement, Vaudreuil fait parvenir à Ramezay, le commandant de la ville, un mémoire dans lequel il commente les articles de la capitulation. « Nous prévenons M. de Ramezay, écrit le gouverneur, qu'il ne doit pas attendre que l'ennemi l'emporte d'assaut ; ainsi, sitôt qu'il manquera de vivres, il arborera le drapeau blanc et enverra l'officier de sa garnison le plus capable et le plus intelligent pour proposer la capitulation conformément aux articles ci-après que nous appuyons de nos observations en marge. »

Montcalm est mis au courant de la décision de ses officiers. Agonisant, il venait d'écrire à Townshend un court billet « lui livrant la ville », selon les mots de l'historien Eccles. « Obligé de céder Québec à vos armes, j'ai l'honneur de demander à Votre Excellence ses bontés pour nos malades et blessés et de lui demander l'exécution du traité d'échange qui a été convenu entre Sa Majesté très chrétienne et Sa Majesté britannique. Je la prie d'être persuadée de la haute estime et de la respectueuse considération avec laquelle, j'ai l'honneur d'être, monsieur, votre très humble et très obéissant serviteur, Montcalm. »

Le 15 septembre, Québec n'a plus de vivres, à demi-ration, que pour huit jours. Les bourgeois de Québec présentent une requête au commandant Ramezay et aux officiers majors leur demandant de capituler, car, outre le manque de nourriture, la ville est presque incapable de résister à une attaque anglaise. La même journée, Ramezay réunit un conseil de guerre ; il est décidé de capituler de la façon la plus honorable possible. Seul l'officier Louis-Thomas Jacau de Fiedmont s'y oppose. Il faut, selon lui, « réduire encore la ration et pousser la défense de la place jusqu'à la dernière extrémité ».

Au moment où Lévis et Bougainville s'apprêtent à venir prêter main-forte à la ville assiégée et remettre à la population les vivres dont elle a besoin pour résister, Ramezay demande à Joannès, capitaine aide-major au régiment de Languedoc, major de la place, de hisser le drapeau blanc. L'officier refuse. La journée du 17 septembre se passe en négociations et en discussions entre Ramezay et différents officiers. Pendant ce temps, une partie de la flotte anglaise exécute des manœuvres devant Québec. Le 18, Ramezay capitule. Lévis ne peut cacher son indignation : « Il est inouï que l'on rende une place sans qu'elle soit attaquée ni investie. »

Québec, ce n'est pas qu'une ville qui se rend. Cette reddition est le prélude à la fin de la Nouvelle-France. Elle ne saurait tarder.

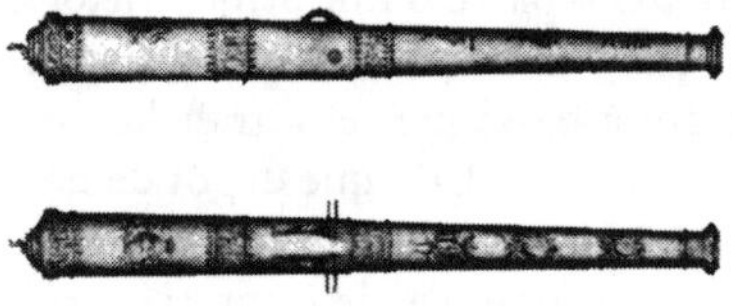

La colonie capitule

Québec, au moment de sa reddition, est à peu près complètement démolie. Pendant deux mois, elle a été bombardée et canonnée quasi sans arrêt. Selon l'évêque, monseigneur de Pontbriand, « 180 maisons ont été incendiées par des pots à feu, toutes les autres criblées par le canon et les bombes. » Même les Anglais sont surpris des effets de leur bombardement. Le capitaine John Knox note dans son journal, le 20 septembre 1759 :

> De fait, le ravage est inconcevable. Les maisons restées debout sont toutes plus ou moins perforées par nos boulets. La ville basse est tellement en ruines qu'il est presque impossible de circuler dans les rues. Les parties de la ville les moins endommagées sont les rues qui conduisent aux portes Saint-Jean, Saint-Louis et du Palais. Cependant, quoique plus éloignées de nos batteries, elles portent les marques d'une destruction presque générale. Les maisons bâties sur le sommet de la montagne, depuis le palais de l'évêque jusqu'au cap Diamant, sont les plus endommagées et doivent subir d'incroyables réparations pour être tant soit peu habitables.

Québec est une ville non seulement démolie, mais aussi désertée. Depuis le début du siège, plusieurs ont fui à la campagne. Au cours des derniers jours, même des soldats et des miliciens ont déserté. Le 15 septembre, il ne reste plus à l'intérieur des murailles que 2600 femmes et enfants et environ 1200 malades ou blessés.

Un nouveau chef

Quelques heures avant que Ramezay décide de capituler, le chevalier de Lévis arrive à la hâte de Montréal, afin de prendre la direction de l'armée française décimée. On lui remet un paquet scellé depuis le 11 mars 1756, paquet qu'il ne devait ouvrir qu'advenant la mort de Montcalm. La lettre qu'il contient est signée de la main du roi.

> Sa Majesté, y lit-on, jugeant à propos de pourvoir à ce que le commandement des troupes de renfort qu'elle envoie en Canada et de celles qui y sont actuellement, sous les ordres du sieur marquis de Montcalm, ne puisse être contesté, s'il venait à vaquer par l'absence, mort, maladie ou autre empêchement dudit sieur marquis de Montcalm, et que celui qui devra lui succéder soit désigné de manière à prévoir toute difficulté, elle a ordonné et ordonne qu'auxdits cas d'absence, mort, maladie ou autres empêchements quelconques dudit sieur marquis de Montcalm, le commandement desdites troupes sera dévolu au sieur chevalier de Lévis.

Le nouveau chef des armées françaises s'apprête à attaquer le camp anglais établi devant Québec ; mais il apprend bientôt avec stupeur que l'amiral Charles Saunders et le général de brigade George Townshend, ont apposé leur signature au bas des articles de capitulation. Selon ce document, les habitants de la ville conserveront la possession de leurs maisons, biens, effets et privilèges dès qu'ils mettront bas les armes. De plus, le vainqueur s'engage à ne pas toucher « aux effets des officiers et habitants absents, et à ne pas forcer qui que ce soit à quitter sa maison jusqu'à ce qu'un traité définitif entre Sa Majesté très chrétienne et Sa Majesté britannique ait réglé leur état ». Enfin, on accorde le « libre exercice de la religion romaine », ainsi que des sauvegardes « à toutes personnes religieuses ainsi qu'à monsieur l'évêque qui pourra venir exercer librement et avec décence les fonctions de son état lorsqu'il le jugera à propos, jusqu'à ce que la possession du Canada ait été décidée entre Sa Majesté britannique et Sa Majesté très chrétienne ».

Ramezay a demandé les honneurs de la guerre pour la garnison qui pourra réintégrer les rangs de l'armée française avec « armes, bagages, six pièces de canon de fonte et deux mortiers ou obusiers et douze coups à tirer par pièce ». Cette demande n'est acceptée qu'à moitié. Les officiers anglais écrivent en marge du document : « La garnison de la ville, composée des troupes de terre, de marine et matelots, sortira de la ville avec armes et bagages, tambour battant, mèche allumée avec deux pièces de canon de France et douze coups à tirer pour chaque pièce et sera embarquée le plus commodément possible pour être mise en France au premier port. »

L'entrée du vainqueur

La journée même de la capitulation, trois compagnies de grenadiers, commandées par le lieutenant colonel James Murray, prennent possession des portes de la ville. L'ordre du jour communiqué à l'armée campée encore devant Québec rappelle que « tout acte de violence ou de rigueur ainsi que le pillage sont strictement défendus ».

> Les soldats, ajoute-t-on, ne devraient pas oublier que Québec, appartenant désormais à Sa Majesté britannique et non pas au roi de France, peut devenir une garnison et qu'elle doit être conservée à cette fin. En se rendant sans coup férir, cette ville a épargné à nos troupes beaucoup de souffrances et peut-être même des maladies. La conquête de la colonie entière dépendra peut-être, en une telle conjoncture, de la conduite des soldats. Cette conduite aura une influence sur nos approvisionnements d'hiver. En conséquence, la transgression de cet ordre constituera un délit de la plus haute gravité, perpétré contre le service du roi et dont

l'auteur sera passible de mort en vertu du code militaire. Après cet avertissement, toute personne reconnue coupable par le conseil de guerre ne pourra espérer recevoir son pardon. Cet ordre sera lu en tête de chaque compagnie.

Pour prendre possession de la ville elle-même, « 50 hommes d'artillerie avec le nombre d'officiers en proportion et une pièce de campagne, suivie d'une mèche allumée, se rendront à la Place d'armes et précéderont le commandant et quelques officiers pour prendre possession de la ville et auxquels seront remises toutes les clefs des forts ».

Le 20 septembre, la garnison française est embarquée à bord de quatre vaisseaux de transport pour être conduite en France. La veille, on avait déposé à bord du *Royal William* la dépouille embaumée de Wolfe.

« Je serai fidèle » et affamé

Tranquillement, la vie reprend à Québec. Le 21 septembre, Murray permet aux habitants ayant quitté la ville de revenir prendre possession de leurs biens, à la condition de prêter ce serment de fidélité : « Je promets et jure devant Dieu solennellement que je serai fidèle à Sa Majesté britannique, le roi George Second, que je ne prendrai point les armes contre lui et que je ne donnerai aucun avertissement à ses ennemis qui lui puisse en aucune manière nuire. » Le même jour, le commissaire des guerres Benoît-François Bernier se plaint à Ramezay que les 300 à 400 blessés français et canadiens hospitalisés n'ont plus rien à manger.

Aux dires de Bernier, Murray lui aurait déclaré « que les Anglais n'étaient pas venus pour nourrir le pays ». Dans une proclamation rendue publique le 22 septembre, le commandant en chef des troupes de Sa Majesté britannique dans la rivière de Saint-Laurent, Robert Monckton, précise que les Anglais « ne sont pas venus pour ruiner et détruire les Canadiens, mais pour leur faire goûter les douceurs d'un gouvernement juste et équitable », pourvu que les Canadiens « rendent les armes, prêtent le serment de fidélité et demeurent chez eux en repos. »

En prévision de l'hiver

Les habitants qui ont les matériaux nécessaires ou l'argent pour s'en procurer réparent ou font réparer leurs maisons en prévision de l'hiver. Les soldats réaménagent le couvent des récollets ainsi que le collège des jésuites dont les trois quarts sont convertis en entrepôt. Les troupes entrent en ville le 29 septembre pour prendre leurs quartiers d'hiver. Le soir même, on ferme les portes de la ville. Les soldats s'installent un peu partout, entre autres chez les récollets.

La présence militaire dans Québec cause bien des problèmes. L'ordre du jour du 1er octobre enjoint aux officiers de surveiller de plus près leurs hommes. « Comme on est entré par effraction dans les maisons et dans les caves des habitants pour y commettre des dépravations, le général demande aux officiers commandant les gardes de voir à ce que leurs hommes ne s'enivrent pas et à ce qu'ils ne restent pas seuls ; à cette fin, les officiers feront souvent l'appel et emprisonneront ceux qui ne tiennent pas compte des ordres. En outre, il désire que ceux qui dirigent des équipes de pionniers prennent des mesures pour ne pas laisser leurs hommes inoccupés ; ils devront, au contraire, les astreindre toujours à des travaux, car de nombreux travaux doivent être terminés avant la venue de l'hiver. » Cependant, comme il est impossible que la flotte de l'amiral Saunders hiverne à Québec, la majeure partie des vaisseaux quitte la rade et fait voile vers l'Angleterre, le 18 octobre.

Une coexistence très pacifique

James Murray, maintenant porteur du titre de gouverneur général de Québec et du pays conquis, souhaite que Canadiens et Anglais vivent en harmonie. Le 14 novembre, il émet un manifeste où il reproche au gouverneur Vaudreuil de venir faire de la maraude dans les paroisses conquises pour inciter les Canadiens à se joindre au corps d'armée en formation.

> Comme les généraux des ennemis, affirme Murray, ont jugé à propos de lever des contributions sur les paroisses qui nous sont soumises, les lois de la guerre et de la justice m'obligent d'user de représailles sur celles d'en haut ; en cela, comme pour l'avenir, leur conduite réglera toujours la mienne. Il serait heureux pour les Canadiens, que moins soigneux de leur gloire, ils songeassent uniquement au bien de l'État ; les courses sur les Canadiens seraient réprimées ; l'habitant jouirait du repos ; ouvrez les yeux sur vos propres intérêts : toute communication avec l'océan étant bouchée [...] sans espoir, sans ressource, avec un grand corps des troupes aguerries dans le sein du pays, un autre à ses portes, presque tous les postes d'en haut emportés ou abandonnés. Nous vous exhortons avec empressement d'avoir recours à un peuple libre, sage, généreux, prêt à vous tendre les bras pour vous affranchir d'un despotisme vigoureux et à vous faire goûter avec eux les douceurs d'un gouvernement juste, modéré et équitable ; que, si vous ne profitez pas de cet avis, vous avez à attendre le traitement le plus sévère, qui puisse être permis par le droit de la guerre.

Certains Canadiens n'ont pas attendu l'appel à la bonne entente pour fraterniser avec les troupes anglaises, puisque, dès le 6 octobre, un ordre du jour précise que « le général désire que les commandants des régiments ne permettent pas à leurs hommes d'épouser des Françaises ». Les petits bourgeois et les membres des communautés religieuses sont parmi les premiers à nouer de bonnes relations avec l'occupant. À ce sujet, Lévis avait vu juste. Il écrit le 1er novembre : « Les Canadiens, par ce que nous voyons de ceux de Québec, ne seront pas longtemps à s'accoutumer au gouvernement anglais à cause de la facilité qu'ils trouveront dans le commerce. » L'intendant Bigot partage le même avis : « Un chacun à Québec pense à raccommoder ses affaires et peu aux intérêts du roi et à ceux de la colonie. [...] Tous les Français qui sont à Québec cherchent à faire leur cour pour se procurer des aisances. Je le connais, parce que ces négociants me le répètent eux-mêmes. »

L'historien Guy Frégault donne les raisons expliquant l'attitude des négociants de Québec. « Ce sont les petits commerçants qui se trémoussent autour de Murray, non pas les grands négociants, écrit-il ; ceux-ci restent avec le gouvernement canadien, sur lequel ils ont d'ailleurs d'énormes créances, dans la capitale provisoire de Montréal. »

Le 26 septembre, la supérieure de l'Hôpital Général de Québec, sœur Saint-Claude Ramezay, sœur du lieutenant-gouverneur de la ville, fait parvenir une lettre à Monckton, dans laquelle elle écrit : « Les dames de l'Hôpital Général sont pleines d'empressement de présenter leur respect à votre excellence et de lui témoigner la vive reconnaissance de la protection dont elle veut bien les honorer ; elles la supplient de la leur continuer, font des vœux pour le recouvrement de sa santé et espèrent qu'elle voudra bien agréer les confitures qu'elles prennent la liberté de lui présenter. »

L'évêque de Québec, réfugié à Montréal, recommande aux religieuses de l'Hôtel-Dieu de Québec une attitude semblable. Il écrit donc à la supérieure de l'institution, le 12 octobre : « Il faut se prêter à tout ce qu'il [le nouveau gouvernement] demandera et vous gêner pour tout ce qui peut être utile aux malades. La religion chrétienne exige pour les princes victorieux et qui ont conquis un pays, toute l'obéissance, le respect que l'on doit aux autres, de sorte, mes très chères Filles, que vous et toutes vos sœurs pouvez mériter le même mérite que lorsque vous serviez les Français. »

Tous n'acceptent pas avec autant de rapidité et de principes la présence anglaise dans Québec. Le 17 novembre, un Canadien est pendu pour avoir incité des soldats anglais à déserter. Le lendemain, lors d'un conseil de guerre, il est décidé de sévir contre l'abbé Charles-Louis Beaudoin, accusé lui aussi d'incitation à la désertion. Le capitaine John Knox se présente chez lui et le met aux arrêts au nom de Sa Majesté britannique. « Le pauvre vieillard, note l'officier dans son journal, était grandement terrifié et il me demanda de lui dire honnêtement de quel crime il était coupable. » Le prêtre est aussitôt chassé de la ville.

On promène encore la torche

La garnison anglaise de Québec et les autorités militaires sont aux aguets et nerveuses. On sait que des navires marchands français, sous le commandement de Jacques Kanon, vont essayer de passer devant la ville et tenter de se rendre en France. Dans la nuit du 18 au 19, chacun est à son poste, car on est convaincu que les navires vont profiter de la nuit pour échapper aux canons anglais. « Le clergé et les habitants sont étroitement surveillés. » Le colonel Hunt Walsh et le colonel Hussey viennent d'aller incendier le village de Saint-Joseph, près de Neuville, parce que les habitants de l'endroit n'auraient pas respecté leur serment de fidélité.

Le 24 novembre, entre onze heures et minuit, alors que la nuit est des plus sombres, la petite flotte française profite de la marée descendante pour passer devant Québec. Les canons anglais tirent une centaine d'obus. Un des navires est touché et s'échoue sur la rive. On décide, par la suite, de renforcer la défense de la ville. On établit, « au moyen de barriques remplies de neige une autre ligne de défense à l'intérieur des remparts, à partir de la citadelle jusqu'aux casernes d'Amherst ». « Toutes les ruelles, ajoute l'enseigne John Bruyères, et tous les passages de la basse ville furent fermés. »

Québec prend de plus en plus l'allure d'une ville occupée. L'ordre du jour du 4 novembre réglemente autant la vie du soldat que celle de l'habitant. Le matin et le soir, un coup de canon indique l'heure du lever et du coucher des soldats. Matin et soir aussi, on procède à l'appel nominal des hommes. Il est interdit aux soldats de travailler pour les habitants de la ville. À cause de la rareté du bois de chauffage, il faut chauffer les maisons le moins possible. Il est interdit aux habitants d'acheter divers effets des soldats. Bien plus, les habitants doivent éteindre leurs lumières à dix heures du soir et déclarer au gouverneur les étrangers logeant chez eux. Il leur est interdit de sortir le soir, à moins d'avoir un fanal et, après dix heures, personne ne doit se trouver dans la rue. Ceux qui se hasarderont à l'extérieur après le couvre-feu seront mis sous arrêt. Comme les habitants ont obtenu par la capitulation la liberté de religion, ils pourront faire des processions dans les rues et, lorsque celles-ci auront lieu, les officiers devront « leur payer le compliment du chapeau ».

Les températures, au cours de l'hiver 1759-1760, seront souvent extrêmement froides.

> Aux heures de parade, raconte Knox, nos gardes ont une apparence des plus grotesques sous leurs divers accoutrements. Les moyens que nous inventons pour nous garantir contre l'extrême rigueur de ce climat sont variés au-delà de toute imagination. L'uniforme si propre et si régulier du soldat est enseveli sous la grossière robe de fourrure des habitants de la froide Laponie. Nous ressemblons plutôt à une mascarade qu'à un corps de troupes régulières, et il m'arrive souvent d'être accosté par des personnes de ma connaissance que je reconnais à la voix, mais qu'il m'est impossible de distinguer sous leur costume. En outre, tout le monde paraît continuellement pressé, car au lieu de marcher tranquillement dans les rues, chacun se précipite et va au pas de course.

Les religieuses prennent en pitié les genoux des soldats du régiment des Highlanders écossais qui occupent une partie du monastère et leur tricotent des bas en remerciement pour des travaux que ces derniers exécutent pour elles : leur apporter du bois de chauffage ou enlever la neige devant leur monastère.

Pendant ce temps...

Il n'y a que Québec et la région avoisinante qui soient sous le contrôle de l'armée anglaise. Le reste de la colonie continue à vivre sous domination française. Le gouverneur Vaudreuil, l'intendant Bigot et l'évêque de Québec demeurent à Montréal. Les soldats sont soit au fort de l'île-aux-Noix, soit au fort Lévis situé sur l'île aux Galops, non loin de l'actuelle ville de Prescott, ou chez l'habitant. Peu après la bataille des Plaines d'Abraham, une partie de l'armée française s'est retirée sur les bords de la rivière Jacques-Cartier où elle édifie un fort. La place forte, défendue par une clôture de pieux, est de forme irrégulière et possède un fossé profond du côté opposé au fleuve. L'endroit est trop petit pour héberger toute l'armée.

> Une partie se cantonna dans les environs, écrit l'abbé Félix Gatien dans son *Histoire du Cap-Santé*. Les soldats se firent des cabanes avec tout ce qu'ils purent trouver. Tout ce que les habitants des environs avaient soit en provisions, soit en animaux, fut enlevé pour fournir à l'armée ce dont elle avait besoin pendant son séjour en ce lieu. À peine dans chaque famille put-on conserver ce qui était absolument nécessaire pour la subsistance. Heureuse celle où on laissait une seule vache. Ceux des habitants qui purent conserver un mouton ou deux, n'y réus-

sirent qu'en cachant soigneusement ces animaux jusque dans leurs caves, pour les soustraire aux recherches continuelles que l'on faisait pour se procurer des aliments.

À Montréal, on a plus peur de la faim que de l'Anglais. Le 7 novembre 1759, Vaudreuil écrit au ministre Berryer : « Dans les circonstances où nous sommes, nous avons à craindre l'ennemi ; mais nous sommes encore plus menacés d'une famine dont les suites seraient certainement funestes, quel que pût être le sort de cette colonie. L'unique remède à nos maux serait la paix ; mais quand même la guerre continuerait, nous n'aurions pas moins besoin, monseigneur, de recevoir des comestibles en prime. »

Un projet de reconquête

Dès le début du mois de décembre, Lévis a son plan de reconquête de Québec : il veut attaquer la ville en hiver avant l'arrivée de secours soit par mer soit par voie de terre. On s'affaire à construire des échelles pour faciliter l'escalade des murs. On essaie d'accumuler des vivres. Mais les froids excessifs empêchent les moulins de moudre la farine nécessaire. L'opération est donc retardée.

Pendant que, dans la colonie, on espère du secours de la France, à Versailles, François Le Mercier demande au ministre de la Guerre, au nom de Vaudreuil et de Lévis, des vivres, des munitions et 4000 hommes. « Si la Cour n'envoie pas un secours suffisant pour faire le siège de Québec, il est inutile d'y envoyer et la colonie sera certainement perdue. » Le Mercier insiste sur le fait que Québec doit être reprise au plus tard au mois de mai, c'est-à-dire avant l'arrivée de renforts anglais. Le maréchal de Belle-Isle écrit à Lévis le 9 février 1760 :

> Sa Majesté est bien persuadée que le commandement ne pouvait passer, après lui, [Montcalm], en de meilleures mains que les vôtres et que vous soutiendrez jusqu'au bout l'honneur de ses armes, à quelque extrémité que les affaires puissent être réduites. Au reste, M. Bernier vous fait passer des secours de toute espèce, en vivres, en munitions de guerre et en recrues ; au moyen de quoi, malgré l'avantage que les Anglais ont d'occuper la ville de Québec, qui leur a été rendue trop légèrement, vous serez en état de leur disputer le terrain pied à pied et de prendre, peut-être, des avantages sur eux, capables d'arrêter leurs progrès.

Berryer, le ministre français de la Marine, ne saisit pas l'enjeu du combat qui se déroule en Amérique. La Nouvelle-France n'a droit qu'à 400 soldats de renfort, au lieu des 4000 demandés. Pour défendre la colonie contre une flotte anglaise, il faudra compter sur le *Machault*, une frégate de 28 canons. Les vivres expédiés comprennent surtout du bœuf et du cheval « pourris ». Le convoi, qui comprend en tout six navires, quitte le port de Bordeaux le 10 avril. Il est beaucoup trop tard.

La marche vers la victoire

Avril 1760 marque le moment choisi par les Français pour attaquer Québec. Au début du mois, Lévis « rappelle l'armée sous les drapeaux ». Il compte sur la bonne volonté des miliciens canadiens, soit environ 3000 hommes qui viendront se joindre aux 4200 soldats réguliers. Le commandant en chef exhorte ses officiers à traiter moins durement les miliciens. « Vous savez, leur écrit-il, qu'on nous accuse d'agir avec trop de sévérité envers eux ; il est essentiel de les bien traiter et qu'ils vivent en bonne intelligence avec les troupes. »

Dès les 14 et 15 avril, un corps de cavalerie composé d'environ 200 hommes se met en route pour le fort Jacques-Cartier. L'évêque de Québec émet un mandement demandant des prières publiques pour le succès de la campagne qui commence. « Déjà, écrit-il, les troupes et les milices animées d'un nouveau courage partent avec joie, sous la conduite d'un général dont la famille a donné à l'État tant d'illustres défenseurs, et qui sait conserver dans l'action la plus vive cette tranquillité d'âme qui fait les grands hommes. Continuons, nos très chers frères, de recourir au Seigneur encore avec plus de ferveur, s'il est possible, et espérons tout de son bras tout-puissant. »

Enfin, le gouverneur Vaudreuil prête main-forte au Seigneur en obligeant, sous peine de mort, les miliciens à prendre les armes...

Le 20 avril, l'armée s'embarque sur des bateaux que Bigot a fait construire au cours de l'hiver. Lévis y va de ses dernières recommandations.

> Je vous prie, demande-t-il aux officiers, de tenir la main à ce que les habitants emportent des fusils en état, les munitions qu'ils auront, des marmites et des ustensiles, ainsi qu'il leur est ordonné et des vêtements, ne devant rien espérer des magasins qui sont dépourvus de tout. Il put avoir attention qu'on mette quelques planches ou écorces sous les vivres pour empêcher que les bateaux qui feraient eau ne les gâtent et ordonner aussi qu'ils soient couverts avec les tentes ; car il n'est point de cas qui puissent leur procurer d'autres vivres avant l'expiration des huit jours.

Car les miliciens n'ont de la nourriture que pour huit jours. Malgré les glaces, l'armée réussit à se regrouper à Pointe-aux-Trembles les 24 et 25 avril. Il est alors résolu, note le chevalier de Lapause, « qu'on se rapprocherait jusqu'à Saint-Augustin par eau, où l'on débarquerait et, après avoir tiré les bateaux à terre, on se mettrait en marche pour aller jeter des ponts vers le haut de la rivière de Cap-Rouge, d'où l'on entrerait dans la paroisse de la vieille Lorette et, après, passant un marais appelé la Suette, on irait attaquer le poste qu'ils [les Anglais] avaient à l'église de Sainte-Foy qu'ils avaient retranchée avec du canon et les troupes qui gardaient cette hauteur ».

En effet, depuis le 11 novembre 1759, des soldats anglais campent dans les églises de Sainte-Foy et de Lorette pour mieux contrôler « les avenues vers Québec », maintenir la population en paix et empêcher une attaque-surprise contre la ville.

Murray ignore encore que Lévis marche sur Québec. Quatre déserteurs français lui ont bien révélé qu'une attaque est imminente, mais on ignore quand précisément. Par mesure de prudence, le gouverneur anglais fait afficher sur toutes les places publiques de la ville, le 21 avril à dix heures du matin, une proclamation avertissant les habitants « que l'ennemi se prépare à nous attaquer ». En conséquence, « tous doivent quitter la ville avec leurs familles et leurs effets et attendre d'autres ordres avant de revenir ». On accorde aux Canadiens « trois fois vingt-quatre heures pour déménager ».

À deux heures du matin, le dimanche 27 avril, les autorités anglaises apprennent de façon certaine que Lévis est en route vers Sainte-Foy. La pluie tombe sans arrêt, retardant la marche des Français et des Canadiens. Vers dix heures, ces derniers traversent le marais de la Suette. À cinq heures du soir, on apprend que les Anglais se retirent de l'église de Sainte-Foy, après y avoir mis le feu.

« On marcha sur-le-champ pour pouvoir les joindre, excepté les volontaires, raconte Lapause, mais, ayant laissé avant d'entrer dans Québec un poste à une maison qui était fortifiée et à une demi-lieue de la place et un autre à une redoute qui était à même hauteur ; comme il était nuit, l'armée cantonna dans les maisons depuis les postes des ennemis jusqu'à l'église de Sainte-Foy. »

Au petit matin, le 28 avril, alors que la journée s'annonce splendide, Lévis et Murray, chacun de leur côté, font une tournée de reconnaissance. Vers les sept heures, l'armée anglaise, forte de 3900 hommes, commence à marcher vers les Plaines d'Abraham, « avec une artillerie respectable » d'une vingtaine de pièces. Lévis peut compter, quant à lui, sur 7000 soldats ou miliciens.

> Nos grenadiers, raconte le témoin Joseph Fournerie de Vézon, prirent poste à la maison de Dumont, proche d'un moulin à vent. Cependant, monsieur Murray sortit de la place avec toute sa garnison et se mit en bataille : sa droite en face de nos grenadiers et sa gauche à l'anse des Mères. Nos grenadiers se dispersèrent sur le front, tandis que monsieur le chevalier de Lévis donna ordre à toute l'armée de s'avancer. Elle déboucha par le grand chemin de Sainte-Foy, à environ neuf heures du matin et vint se mettre en bataille en face des ennemis. On n'a jamais su par quelle manœuvre la brigade de La Reine, qui devait occuper la droite, se trouva par derrière et ne donna point. La brigade du Royal Roussillon occupa cette droite ; celle de La Sarre, la gauche ; celle de Berry, celle de la Marine et celle des milices de la ville de Montréal occupaient le centre. La précipitation de cette manœuvre fut cause que le centre de notre armée se trouva tellement engorgé qu'il n'était pas possible de faire aucun mouvement. M. de Lévis, pour remédier à cet inconvénient, fit faire à toute l'armée un demi-tour à droite pour gagner la tête d'un petit bois, qui facilitait à nous former et nous éloignait un peu de l'artillerie des ennemis dont nous étions accablés. Dans cet instant, monsieur Murray crut que nous prenions la fuite et fit un mouvement en avant ; mais, tout à coup, les pelotons des milices, de la brigade de la Marine firent face et commencèrent un feu qui leur en imposa, tandis que cette brigade marchait la baïonnette au bout du fusil et que celle de Royal Roussillon se longeant sur sa droite, chargeait la gauche des ennemis avec quelque succès.

Le feu fait rage depuis plus d'une heure. Les Anglais, craignant « d'être enfoncés », prennent la fuite. « Ils furent poursuivis avec beaucoup plus d'ardeur que les fatigues que l'on venait d'essuyer ne devaient le faire espérer, poursuit Vézon. La brigade de la Marine et les milices qui y étaient attachées dépassèrent de beaucoup le centre des ennemis. M. de Charly, aide-major d'un bataillon de cette brigade, fut sur le point de se saisir d'un drapeau ; mais nos ennemis, moins fatigués que nous, nous gagnèrent en vitesse et entrèrent dans la ville, sans avoir pu cependant sauver une seule pièce d'artillerie. »

Dans l'engagement, l'armée anglaise avait perdu 259 hommes et 829 étaient blessés. Quant aux troupes de Lévis, leurs pertes sont légèrement moins élevées : 193 tués ou morts de leurs blessures et 640 blessés. Immédiatement après la bataille, le général français ordonne à une garde d'aller prendre possession de l'Hôpital Général. Les blessés des deux camps y sont transportés.

Québec assiégée

Après le combat de ce jour, note Murray dans son journal, rien de plus ne peut être fait ; il est nécessaire de donner aux hommes un peu de repos. » Le soir du 28 avril, le général anglais émet un ordre pour faire le point sur la situation.

> Le 28 avril, déclare-t-il, a été malheureux pour les armes britanniques, la situation n'est pas aussi désespérée ni irrémédiablement compromise. Le général a souvent expérimenté la bravoure des troupes qu'il commande maintenant et il est convaincu qu'elles s'efforceront de regagner celles qu'elles ont perdu. La flotte peut arriver d'une heure à l'autre. Les renforts sont là, tout près ; et perdrions-nous en un instant le fruit de tant de sang. Tant les officiers que les soldats doivent supporter patiemment leur fatigue et être prêts à s'exposer chèrement à quelques dangers ; tel est le devoir qu'ils doivent à leur roi, à leur pays et à eux-mêmes.

L'armée de Lévis commence, dès le 29, à creuser des tranchées en vue du siège de la ville. En ce dernier endroit, la situation est explosive.

Lévis et Murray n'attendent qu'une chose : l'arrivée du premier navire. S'il bat pavillon français, Québec devra se rendre. S'il est de nationalité anglaise, le général français saura que tout est fini ! Des centaines de personnes scrutent l'horizon du côté de l'est tous les jours. Le 9 mai, vers les onze heures du matin, une frégate paraît au-delà de la Pointe-Lévis. « La ville arbore par trois fois pavillon anglais sur la citadelle ; la frégate met le même pavillon et vient mouiller entre les deux églises. » Le *Lowestoff*, commandé par le capitaine Joseph Deane, annonce l'arrivée prochaine d'une flotte anglaise.

« La joie des troupes est impossible à exprimer, raconte Knox ; officiers et soldats montèrent sur les remparts en face de l'ennemi et remplirent l'air de hourras en agitant leurs chapeaux pendant près d'une heure. La garnison, le camp des ennemis, le bassin, et tous les environs à plusieurs milles de distance retentirent de nos acclamations et du tonnerre de notre artillerie. Les canonniers étaient si transportés qu'ils ne firent que tirer et charger pendant un temps considérable. » Du côté français, on répond par les cris de « Vive le roi. »

Le 10 mai, Murray écrit à Lévis pour lui demander de lui rendre les prisonniers anglais hospitalisés à l'Hôpital Général et il lui prête quelques journaux qu'il vient de recevoir d'Angleterre. Il le remercie aussi pour la pruche qu'il lui a fait parvenir, comme remède contre le scorbut. « Ayez la bonté de lui présenter un fromage de Chester de ma part ; c'est tout ce que j'ai de mieux à lui offrir dans les circonstances présentes », écrit Murray. Le lendemain matin, vers les dix heures, les canons français commencent à bombarder Québec. Mais les munitions diminuent rapidement. Le chevalier de Lapause note, le 13 mai : « Voyant le peu d'effet de nos batteries tant par l'éloignement que par la faiblesse de la poudre et vu le peu qu'il nous en restait, on prit le parti de ne tirer que peu pour rester dans cette position jusqu'à ce qu'il nous arriva des munitions, désespérant alors de pouvoir prendre Québec sans cela, ni de sauver la colonie. »

Vézon, moins optimiste, avait écrit la veille : « Il eût été à souhaiter que l'on eût pris dès lors le parti de la retraite ; mais toujours flattés de l'espoir que nos secours nous parviendraient en prime, on se contenta d'en parler sans s'occuper d'aucuns des moyens qui pouvaient nous la procurer. »

Les dés sont jetés, le 15 mai à huit heures et demie du soir. Deux navires de guerre anglais jettent l'ancre devant Québec : le *Vanguard*, du port de 74 canons, et la frégate *Diane*. Lévis apprend la nouvelle « à rentrée de la nuit ». « Il jugea, ajoute Lapause, qu'ils étaient anglais et, en conséquence, il envoya des ordres pour faire retirer les bâtiments où étaient les vivres et le dépôt d'artillerie, et de faire rembarquer tout ce qui était à terre, de faire retirer l'artillerie des tranchées et, au sieur Vauquelin, de se tenir sur ses gardes avec l'autre frégate. »

Le 16 mai, vers les quatre heures du matin, alors que « le temps est brun et couvert », Jean Vauquelin, commandant de l'*Atalante*, aperçoit « dans le bassin entre Québec et la pointe d'Orléans un vaisseau et une frégate arrivés pendant la nuit ». Immédiatement après, arrive un officier envoyé par Lévis pour prévenir le capitaine de la présence des navires anglais. Trois quarts d'heure plus tard, le *Vanguard* et la *Diane* se lancent à la poursuite de la petite flotte française. L'ordre est alors donné de faire couper les câbles.

« La *Pomone*, raconte Vauquelin, ayant par malheur abattu du mauvais côté, n'a pu doubler la pointe de l'Anse au Foulon et s'est trouvée échouée dedans. » « Les navires chargés de vivres et d'artillerie, qui avaient appareillé au premier signal, ajoute Lapause, se sentant gagnés par les frégates anglaises, retardaient la marche de l'*Atalante* qui voulait les couvrir ; le commandant leur ordonna de s'échouer dans rentrée de la rivière de Cap-Rouge, ce qu'ils firent. »

Les deux vaisseaux anglais ne cessent de canonner l'*Atalante*. Vauquelin cherche alors un endroit où échouer son navire afin de « pouvoir sauver les équipages du roi, qui peuvent être très nécessaires à la colonie, où l'espèce manque ». Il choisit la rive devant la Pointe-aux-Trembles, près de Neuville.

De l'aveu des deux capitaines anglais, ils auraient tiré contre l'*Atalante* plus de 850 boulets de canon. L'eau s'engouffre de plus en plus dans la frégate française qui penche dangereusement. L'équipage a commencé à gagner la rive à bord d'un bateau que des habitants ont fini, après bien des demandes, par leur envoyer. « La nécessité d'avoir quelque chose pour descendre nos équipages à terre et nos blessés, nous a fait travailler à faire un mauvais radeau, ce à quoi l'on est parvenu. » Les Anglais cessent de tirer et vont cueillir Vauquelin, cinq officiers et six hommes d'équipage à bord de l'*Atalante*.

Plusieurs miliciens canadiens et quelques soldats désertent l'armée française dont la majeure partie se replie sur Montréal. Lévis arrive à ce dernier endroit le 29 mai et rend compte immédiatement au gouverneur Vaudreuil de l'évolution de la situation. « En conséquence, note Lapause, on donna des ordres pour avoir des vivres, faire réparer les armes, fournir des secours aux postes de l'île-aux-Noix et au fort Lévis, disposer tous les habitants en état de porter les armes pour marcher, tenter de ranimer les Sauvages qui paraissaient disposés à s'en aller dans la profondeur des bois, faire construire quelques bateaux et autres petits bâtiments pour défendre la rivière [Saint-Laurent], soutenus par la flûte *La Mane* que nous avions sauvée. »

Que de mauvaises nouvelles !

Au cours de la journée du 13 juin, les autorités civiles et militaires de la colonie cachent mal leur déception et leur colère. Pendant la nuit précédente, un courrier a apporté les dépêches de Versailles ainsi que la triste nouvelle de l'arrêt forcé de la flottille de secours française obligée de jeter l'ancre dans la baie des Chaleurs pour ne pas être capturée par des navires anglais qui patrouillaient l'entrée du fleuve Saint-Laurent. C'en est fait des secours que l'on attendait impatiemment. Une autre nouvelle jette la consternation : le roi cesse de rembourser le papier monnaie et il ne paiera les troupes que pour huit mois seulement. Comment espérer encore, sans ressources et sans appuis ?

Le 15 juin, Vaudreuil et Bigot font parvenir à tous les capitaines de milice des paroisses de la colonie la lettre suivante :

> Nous venons de recevoir, monsieur, une lettre du ministre qui nous ordonne d'annoncer de la part du roi aux colons et habitants du Canada, la suspension que Sa Majesté a été forcée de faire au paiement des lettres de change du trésor ; elle nous enjoint de leur expliquer que les lettres de change tirées en 1757 et 1758 seront exactement payées trois mois après la paix, avec les intérêts à compter de l'échéance jusqu'au paiement ; que celles tirées en 1759 le seront dans 18 mois et que les billets de caisse ou ordonnances seront retirés et bien payés dès que les circonstances le permettront. Sa Majesté ordonne en même temps d'assurer tous ses sujets qu'il ne fallait pas moins qu'un épuisement total de ses finances pour se résoudre à prendre un tel parti, mais qu'elle compte assez sur leur fidélité et attachement, dont ils ont donné tant de preuves, pour qu'ils attendent patiemment et avec confiance le paiement de tous ces capitaux. Vous lirez cette lettre à la porte de l'église un jour de fête, à l'issue de la messe et vous la ferez bien comprendre aux habitants.

Murray, dès le 27 juin, fait parvenir à son tour une lettre aux capitaines de milice où il ironise sur l'attitude du roi de France. « Comme ceci embrasse le papier de toutes les autres colonies, aussi bien que celui du Canada, il ne faut pas être grand arithméticien pour supputer dans combien d'années on payera cent ou cent vingt millions, à raison de six millions par an. »

Lévis écrit au ministre Berryer le 28 : « Les habitants sont désespérés, s'étant sacrifiés pour la conservation du pays, et se trouvent ruinés sans ressources. »

On apprendra plus tard une autre mauvaise nouvelle. Inutile de compter sur la petite flotte de renforts commandée par François Chenard de La Giraudais ! Le 8 juillet, le commodore John Byron se lance à l'attaque du *Machault.* Le combat s'engage vers les cinq ou six heures du matin et ne se termine vraiment que dix-sept heures plus tard. Le *Machault* est alors coulé au fond de la baie de Ristigouche.

La dernière offensive

Le temps est venu de réduire complètement le Canada et de le faire passer sous gouverne britannique. Montréal doit maintenant tomber et les villages qui jalonnent le fleuve doivent ployer à leur tour.

« Plus de 18 000 hommes vont envahir le Canada, écrit Frégault : l'armée Amherst en compte près de 11 000, dont 5600 réguliers ; l'armée Haviland, 3400, dont 1500 réguliers ; l'armée Murray, 3800, tous réguliers — appuyés par une artillerie prodigieuse comportant au moins 105 canons. » La première armée doit descendre le Saint-Laurent vers Montréal ; la seconde empruntera le Richelieu et la troisième remontera le fleuve.

Murray quitte Québec le 14 juillet, y laissant 2759 hommes, dont quelques invalides. Dans la région de Neuville, la flotte qui comprend 79 bateaux de différents tonnages essuie quelques coups de canons et de fusils sans subir de dommage. La même cérémonie d'accueil se répète, le 17 juillet, à la hauteur de Deschambault.

À cause des vents contraires, la remontée du fleuve s'effectue tranquillement. Les Anglais descendent régulièrement à terre. Plusieurs habitants déposent les armes. Certains, surpris de l'attitude bienveillante des envahisseurs, échangent avec des soldats du beurre, des œufs et du lait contre du porc salé. Le 19, Murray descend à Sainte-Croix de Lotbinière recevoir le serment de neutralité de 55 habitants ; à Lotbinière même, 69 hommes prêtent le même serment. Le gouverneur anglais en profite pour haranguer les Canadiens. « Considérez votre intérêt et ne nous provoquez plus », leur déclare-t-il. Le 23 juillet, les habitants de Saint-Antoine-de-Tilly, debout, en cercle, lèvent la main droite et prêtent le serment. Murray est courroucé. Il vient d'apprendre qu'un groupe d'Amérindiens s'apprête à attaquer les soldats anglais. Il envoie un émissaire à Dumas, le commandant de Deschambault, pour l'avertir « que, si ces Sauvages ne sont pas immédiatement rappelés ou si quelque cruauté est exercée contre nos troupes, l'ordre sera immédiatement donné de ne donner aucun quartier ni aux réguliers ni à qui que ce soit qui tombera entre nos mains et tout le pays où nous débarquerons subira les foudres militaires ».

Le même jour, Murray émet une proclamation où transpire sa colère. « Vous êtes encore, pour l'instant, maîtres de votre sort. Cet instant passé, une vengeance sanglante punira ceux qui oseront avoir recours aux armes. Le ravage de leurs terres, l'incendie de leurs maisons, seront les moindres de leurs malheurs. » Les menaces n'empêchent pas quelques habitants de Batiscan de tirer sur les navires qui vont les canonner pendant une demi-heure.

Trois-Rivières et Sorel

La flotte anglaise passe devant Trois-Rivières, sans attaquer les quelques 2000 soldats français qui y campent. « Il eut été absurde de s'y attarder, note Knox ; car ce misérable poste devait suivre le sort de Montréal, lors de la jonction de notre armée avec celles qui descendent par les lacs. »

Le 21 août, Murray arrive en face de Sorel. Il a mal digéré l'attaque menée contre ses hommes par un prêtre, quatre jours auparavant. Il envoie le message suivant à la population : « Votre entêtement continue, vous me forcez, malgré mon humanité, à mettre à exécution les menaces que je vous ai faites. Il est temps de commencer. Je vous avertis que dorénavant je traiterai à la rigueur les Canadiens que je prendrai les armes à la main, et que je brûlerai tous les villages que je trouverai abandonnés. »

Il met sa menace à exécution et, au cours de la nuit suivante, il fait incendier le village de Sorel. Le 24, il écrit au premier ministre Pitt : « J'ai été dans la cruelle obligation de brûler la plus grande partie des maisons de ces malheureux habitants. Je prie Dieu que cet exemple suffise, car ma nature se révolte quand cela devient une partie de ma tâche. »

Les Canadiens ne savent plus trop quelle attitude adopter, car ceux qui refusent de prendre les armes pour les Français et pour défendre en somme leur patrie sont menacés de mort et ceux qui prêteront le serment de neutralité et remettront leurs armes aux Anglais verront leurs maisons brûlées.

Le trident

Murray ne se presse pas trop pour arriver à Montréal. Il attend la venue des deux autres armées. William Haviland met pied à terre non loin du fort de l'île-aux-Noix, le 16 août. Une semaine plus tard, le fort commence à essuyer le feu de l'artillerie anglaise. Le 27, la garnison française commandée par Bougainville se replie sur le fort Saint-Jean, lequel est incendié avant d'être abandonné quelques jours plus tard.

Presque au même moment, Amherst réussit, après treize jours de siège, à s'emparer du fort Lévis. Le 25 août au soir, le commandant Pierre Pouchot accepte de capituler. Le 4 septembre, l'armée d'Amherst campe sur l'île Perrot, alors que celle de Murray s'établit à Longueuil. Haviland, le même jour, « se mit en mouvement pour s'approcher de Laprairie ». Le 6, Murray reçoit le chef des Hurons de Lorette venu lui présenter la soumission des membres de sa tribu. Ce même jour, vers les onze heures du matin, Amherst arrive à Lachine.

> Nos volontaires firent leur retraite pied à pied, écrit Lapause. [Les soldats anglais] vinrent s'établir à environ demi-lieue du faubourg des Récollets. On prit alors la résolution, vu le petit nombre d'hommes qui nous restait, par la désertion qui avait réduit nos bataillons et les troupes de la marine à peu de chose, et n'ayant pas un milicien ni Sauvage ; on plaça chacun dans l'endroit qu'il devait défendre. On laissa seulement quelques détachements dans les faubourgs. Les habitants de Montréal refusèrent de prendre les armes ; tout le monde semblait vouloir se révolter sur ce qu'on voulait encore se défendre et nous accusait de vouloir les sacrifier.

Les autorités de la colonie se réunissent et on propose de demander une suspension d'armes jusqu'au 1er octobre. Civils et militaires se résolvent à capituler. « L'intérêt général de la colonie, note Lévis dans son journal, exigeait que les choses ne fussent pas poussées à la dernière extrémité et qu'il convenait de préférer une capitulation avantageuse au peuple et honorable aux troupes qu'elle conserverait au roi, à une défense opiniâtre qui ne différerait que de deux jours la perte du pays. »

Bougainville est chargé d'aller présenter à Amherst les articles de la capitulation de la Nouvelle-France. La journée du 7 septembre est occupée à des négociations, car l'article premier demande pour l'armée de Lévis les honneurs de la guerre, ce que refuse le général anglais. « Toute la garnison de Montréal doit mettre bas les armes et ne servira pas pendant la présente guerre », écrit-il en marge du texte. Le 8 septembre, au petit matin, Lévis, au nom des officiers et des soldats, proteste contre la décision d'Amherst dans une lettre au gouverneur Vaudreuil.

> Nous occupons la ville de Montréal qui, quoique très mauvaise et hors d'état de soutenir un siège, est à l'abri d'un coup de main et ne peut être prise sans canon. Il serait inouï de se soumettre à des conditions si dures et humiliantes pour les troupes sans être canonnés. D'ailleurs, il reste encore assez de munitions pour soutenir un combat, si l'ennemi voulait nous attaquer l'épée à la main, et pour en livrer un, si M. de Vaudreuil veut tenter la fortune, quoique avec des forces extrêmement disproportionnées et peu d'espoir de réussir. Si M. le marquis de Vaudreuil, par des vues politiques, se croit obligé de rendre présentement la colonie aux Anglais, nous lui demandons la liberté de nous retirer avec les troupes dans l'île Sainte-Hélène, pour y soutenir en notre nom l'honneur des armes du roi, résolus de nous exposer à toutes sortes d'extrémités plutôt que de subir des conditions qui nous y paraissent si contraires.

Vaudreuil répond au bas de la lettre : « Attendu que l'intérêt de la colonie ne nous permet pas de refuser les conditions proposées par le général anglais, lesquelles sont avantageuses au pays dont le sort m'est confié, j'ordonne à M. le chevalier de Lévis de se conformer à la présente capitulation et faire mettre bas les armes aux troupes. »

Le 8 septembre 1760, à huit heures du matin, la Nouvelle-France capitule. Tout n'est peut-être pas perdu, croient certains. Bien menées, les négociations de paix redonneront peut-être le pays à la France... La mort dans l'âme, Lévis ordonne à ses troupes « de brûler leurs drapeaux pour se soustraire à la dure condition de les remettre aux ennemis ».

Vue de la côte de la Montagne à Québec à la suite des bombardements de 1759

LE RÉGIME MILITAIRE 1760-1763

LE 8 SEPTEMBRE 1760, EN FIN DE JOURNÉE, le général Jeffery Amherst s'empresse d'écrire à William Pitt, premier ministre anglais : « J'envoyai le major Abercrombie à la ville [Montréal] pour me rapporter les articles de la capitulation signés par le marquis de Vaudreuil. Je fis parvenir à celui-ci un duplicata portant ma signature, puis le colonel Haldimand avec les grenadiers et l'infanterie légère prit possession d'une porte et, demain, il mettra à exécution les articles de la capitulation. »

L'accord de reddition de la Nouvelle-France comprend 55 articles ; les 26 premiers concernent l'armée et l'administration. La garnison de Montréal et les troupes postées dans les autres forts ou établissements doivent mettre bas les armes et ne point servir « pendant la présente guerre ». Quant aux milices, « elles retourneront chez elles sans pouvoir être inquiétées sous quelque prétexte que ce soit, pour avoir porté les armes ». En marge de l'article 11, il est stipulé que « Le marquis de Vaudreuil et tous ces messieurs [Lévis, Bigot, les officiers principaux et majors, les ingénieurs et le commissaire des Guerres] seront maîtres de leurs maisons et s'embarqueront dès que les vaisseaux du roi seront prêts à faire voile pour l'Europe ; et on leur accordera toutes les commodités qu'on pourra. » En vertu de l'article 17, « les officiers de troupes et marins, qui seront mariés, pourront emmener avec eux leurs familles ; et tous auront la liberté d'embarquer leurs domestiques et bagages. Quant aux soldats et matelots, ceux qui seront mariés pourront emmener avec eux leurs femmes et enfants et tous embarqueront, leurs havresacs et bagages. Il sera embarqué dans ces vaisseaux les subsistances convenables et suffisantes aux dépens de Sa Majesté Britannique ».

Amherst accorde la permission à « tous ceux dont les affaires particulières » exigent qu'ils « restent dans le pays » et qui ont obtenu l'autorisation du gouverneur Vaudreuil, de demeurer dans la colonie « jusqu'à ce que leurs affaires soient terminées ».

Le second point important touché par la capitulation concerne la religion ; les articles 27 à 35 y sont consacrés. Dans le texte soumis par les autorités françaises, on demandait que subsiste, en son entier, « le libre exercice de la religion catholique, apostolique et romaine [...] en sorte que tous les états et peuples des villes et des campagnes, lieux et postes éloignés pourront continuer de s'assembler dans les églises et de fréquenter les sacrements, comme ci-devant, sans être inquiétés en aucune manière, directement ni indirectement. Ces peuples seront obligés par le gouvernement anglais à payer aux prêtres qui en prendront soin les dîmes et tous les droits qu'ils avaient coutume de payer sous le gouvernement de Sa Majesté très chrétienne. » Ce à quoi Amherst répond en marge : « Accordé pour le libre exercice de leur religion. L'obligation de payer la dîme aux prêtres dépendra de la volonté du roi. » Permission est aussi accordée aux prêtres, curés et missionnaires ainsi qu'aux membres du Chapitre de continuer à exercer leur ministère et fonctions curiales dans les paroisses des villes et des campagnes.

Monsieur de Pontbriand étant décédé en juin 1760, les grands vicaires obtiennent le droit « d'administrer le diocèse pendant la vacance épiscopale ». Les autorités françaises demandent aussi, advenant le cas où le Canada demeure possession anglaise, que le roi de France continue à nommer l'évêque de la colonie, ce qui, évidemment, est refusé.

En vertu de l'article 32, « les communautés de filles seront conservées dans leurs constitutions et privilèges. Elles continueront à observer leurs règles. Elles seront exemptes du logement de gens de guerre et il sera fait défense de les troubler dans les exercices de piété qu'elles pratiquent ni d'entrer chez elles ; on leur donnera des sauvegardes si elles en demandent ». Les communautés religieuses d'hommes ont moins de chance, car le général refuse « jusqu'à ce que le plaisir du roi soit connu », d'accorder le même privilège aux jésuites, aux récollets et aux sulpiciens.

L'article 36 accorde la permission de rentrer en France. « Si par le traité de paix, y lit-on, le Canada reste à Sa Majesté britannique, tous les Français, Canadiens, Acadiens, commerçants et autres personnes qui voudront se retirer en France, en auront la permission du général anglais qui leur procurera le passage. Et, néanmoins si, d'ici à cette décision, il se trouvait des commerçants français ou canadiens ou autres personnes qui voulussent passer en France, le général anglais leur en donnerait également la permission. Les uns et les autres emmèneront avec eux leurs familles, domestiques et bagages. » La propriété des biens meubles et immeubles des habitants et seigneurs est assurée par l'article 37.

Même dans le texte de la capitulation de Montréal, l'acharnement anglais contre les Acadiens se poursuit. L'article 38 demandait : « Tous les peuples sortis de l'Acadie qui se trouveront en Canada, y compris les frontières du Canada du côté de l'Acadie, auront le même traitement que les Canadiens et jouiront des mêmes privilèges qu'eux. » Amherst n'accepte pas cette exigence et répond : « C'est au roi à disposer de ces anciens sujets ; en attendant ils jouiront des mêmes privilèges que les Canadiens. » Par l'article 39, les Anglais s'engagent à ne déporter, soit en Angleterre soit en Nouvelle-Angleterre, aucun Canadien ou Français habitant la colonie, ou de les rechercher pour avoir pris les armes. La demande est refusée pour les Acadiens.

Le poids de la Conquête commence déjà à se faire sentir avec la réponse d'Amherst à la demande formulée dans l'article 41 : « Les Français, Canadiens et Acadiens qui resteront dans la colonie, de quelque état et condition qu'ils soient, ne seront ni ne pourront être forcés à prendre les armes contre Sa Majesté très chrétienne, ni ses alliés, directement, dans quelque occasion que ce soit. Le gouvernement britannique ne pourra exiger d'eux qu'une exacte neutralité. » La réponse de l'officier anglais est brève et claire : « Ils deviennent sujets du roi. » L'article 42, ainsi formulé, reçoit la même réponse : « Les Français et Canadiens continueront d'être gouvernés suivant la coutume de Paris et les lois et usages établis pour ce pays et ils ne pourront être assujettis à d'autres impôts qu'à ceux qui étaient établis sous la domination française. »

La capitulation maintient l'esclavage au Canada. L'article 47 précise : « Les nègres et panis des deux sexes resteront en leur qualité d'esclaves en la possession des Français et Canadiens à qui ils appartiennent ; il leur sera libre de les garder à leur service dans la colonie ou de les vendre, et ils pourront aussi continuer à les faire élever dans la religion romaine. » Cette demande est accordée « excepté ceux qui ont été faits prisonniers ».

Alors que, sous le régime français, la liberté commerciale était très restreinte, les vainqueurs accordent aux habitants et négociants « tous les privilèges du commerce aux mêmes faveurs et conditions accordées aux sujets de Sa Majesté Britannique tant dans les pays d'en-haut que dans l'intérieur de la colonie ». Des réglementations ultérieures viendront quand même restreindre cette liberté.

Un seul article, le quarantième, est consacré aux Amérindiens. La demande française est ainsi formulée : « Les Sauvages ou Indiens alliés de Sa Majesté très chrétienne seront maintenus dans les terres qu'ils habitent, s'ils veulent y rester ; ils ne pourront être inquiétés sous quelque prétexte que ce puisse être pour avoir pris les armes et servi Sa Majesté très chrétienne. Ils auront comme les Français, la liberté de religion et conserveront leurs missionnaires. Il sera permis aux vicaires généraux actuels et à l'évêque, lorsque le siège épiscopal sera rempli, de leur envoyer de nouveaux missionnaires, lorsqu'ils le jugeront nécessaire. » Réponse : « Accordé à la réserve du dernier article qui a déjà été refusé. »

On veut éviter le pillage

Dès le 9 septembre 1760, les soldats anglais s'installent à Montréal et ce que l'on a appelé le régime militaire commence. Amherst envoie un détachement à Pointe-aux-Trembles et à Longue-Pointe, sur l'île de Montréal, pour empêcher les marins anglais de débarquer et de piller les habitants. Quelques Amérindiens qui avaient combattu aux côtés des Anglais se livrent au pillage et Amherst doit sévir avec dureté.

Dès le 17 septembre, des ingénieurs de l'armée anglaise, commandés par John Montresor, commencent à visiter les paroisses situées entre Montréal et Sorel pour en faire une description précise. Dans toutes ces paroisses, les capitaines de milice deviendront des personnages importants. Ils représentent les autorités anglaises, transmettent leurs ordres et voient à leur exécution. Ainsi, le 19 septembre, Ralph

Burton, qui commande dans le gouvernement de Trois-Rivières, fait appel à eux pour empêcher qu'il ne soit vendu aux passants aucune sorte de denrée. L'ordre est ainsi formulé :

> La molle complaisance des habitants de ce gouvernement, qui se laissent persuader à se défaire de leurs moutons, volailles et autres choses nécessaires à la vie en faveur des passants qui traversent le gouvernement, pourrait tirer à conséquence et épuiser le pays de ces rafraîchissements ; il est donc expressément défendu par ces présentes aux habitants du gouvernement des Trois-Rivières de se défaire de leurs volailles, moutons et autres choses nécessaires à la vie en faveur des passants, de telle qualité ou sous quelque prétexte que ce soit, sans un ordre signé de Son Excellence, jusqu'à ce qu'il lui plaise d'en ordonner autrement. S'il arrivait que l'on use de force pour les obliger à désobéir à la présente ordonnance, il leur est enjoint de faire connaître les contrevenants en les dénonçant au capitaine de milice, qui aura soin d'en faire son rapport pour qu'ils soient punis avec rigueur.

Jusqu'au rétablissement du gouvernement civil, en 1764, de multiples ordonnances en régleront ainsi les principaux aspects de la vie quotidienne.

Une colonie à réorganiser

Amherst, à titre de commandant en chef des troupes et forces de Sa Majesté le roi de la Grande-Bretagne dans l'Amérique septentrionale, jette les bases de l'organisation de la colonie. Le 15 septembre, il envoie des officiers dans plusieurs villages pour y ramasser les armes et faire prêter le serment d'allégeance aux habitants. Le 16, il nomme Burton gouverneur de Trois-Rivières et le 22, Thomas Gage, gouverneur de Montréal. Le 22 encore, Amherst signe un placard précisant certains points administratifs.

> Savoir faisons, [...] que tous les habitants du gouvernement des Trois-Rivières qui n'ont pas encore rendu les armes aient à les rendre aux endroits nommés par monsieur Burton. Que, pour d'autant mieux maintenir le bon ordre et la police dans chaque paroisse ou district, il sera rendu aux officiers de milice leurs armes ; et si par la suite il y avait quelques-uns des habitants qui désireraient en avoir, ils devront en demander la permission au gouverneur, signée par ledit gouverneur ou ses subdélégués, afin que l'officier des troupes, commandant au district où ces habitants seront résidents, puisse savoir qu'ils ont droit de porter les armes. Que par nos instructions les gouverneurs sont autorisés de nommer à tous emplois vacants dans la milice et de débuter par signer des commissions en faveur de ceux qui en ont dernièrement joui sous Sa Majesté très chrétienne. [...] Que les troupes, tant dans les villes que dans leurs cantonnements, sont nourries par le roi en nature et qu'il leur est ordonné expressément de payer tout ce qu'elles achètent de l'habitant en argent comptant et espèces sonnantes. [...] Que le peu de secours que le Canada a reçu de la France depuis deux années l'ayant épuisé de bien de rafraîchissement et de nécessaire, nous ayons pour le bien commun des troupes et de l'habitant recommandé par nos lettres aux différents gouverneurs des colonies anglaises les plus proximes du Canada d'afficher et publier des avis à leurs colons pour se transporter ici avec toutes sortes de denrées et de rafraîchissements et nous nous flattons qu'on ne tardera pas de voir remplir ce projet ; et, lorsqu'il le

> sera, un chacun en sera instruit pour qu'il puisse y participer aux prix courants et sans impôts. Le commerce sera libre et sans impôts à un chacun, mais les commerçants seront tenus de prendre des passeports des gouverneurs qui leur seront expédiés gratis.

Dans son placard, Amherst fait appel à la bonne volonté de tous. « Comme il est expressément enjoint aux troupes de vivre avec l'habitant en bonne harmonie et intelligence, nous recommandons pareillement à l'habitant de recevoir et de traiter les troupes en frères et concitoyens. Il leur est encore enjoint d'écouter et d'obéir tout ce qui leur sera ordonné tant par nous que par leurs gouverneurs et ceux ayant droit de nous et de lui ; et tant que lesdits habitants obéiront et se conformeront auxdits ordres, ils jouiront des mêmes privilèges que les anciens sujets du roi et ils peuvent compter sur notre protection. »

Le placard règle aussi le mode d'administration de la justice.

> Pour terminer autant que possible tous différends qui pourraient survenir entre les habitants à l'amiable, lesdits gouverneurs sont enjoints d'autoriser l'officier de milice commandant dans chaque paroisse ou district d'écouter toutes plaintes et, si elles sont de nature qu'il puisse les terminer, qu'il ait à le faire avec toute la droiture et la justice qu'il convient ; s'il n'en peut prononcer pour lors il doit renvoyer les parties devant l'officier des troupes commandant dans son district, qui sera pareillement autorisé de décider entre eux, si le cas n'est pas assez grave pour exiger qu'il soit remis devant le gouverneur même, qui, dans ce cas, comme en tout autre, fera rendre justice où elle est due.

La remise des armes

Les habitants sont tenus de remettre leurs armes à feu entre les mains des officiers de milice. Le 23 septembre, « les gentilshommes et autres personnes habitant cette ville des Trois-Rivières » se rendent au parloir du couvent des récollets à neuf heures du matin, avec les armes qu'ils doivent remettre. On leur fait, par la même occasion, prêter le serment de fidélité et de soumission à Sa Majesté Britannique, George II.

> Je jure que je serai fidèle et que je me comporterai honnêtement envers Sa Sacrée Majesté George Second, par la grâce de Dieu, roi de la Grande-Bretagne de France et d'Irlande, défenseur de la Foi, et que je défendrai lui et les siens, dans ce pays, de tout mon pouvoir, contre tous ses ennemis ou les leurs ; et ferai connaître à Sa Majesté, son général, ou ceux agissant sous lui, autant qu'il dépendra de moi, tous traîtres ou toutes conspirations qui pourraient être formées contre Sa Sacrée Personne, ce pays ou son gouvernement.

À Montréal, les armes saisies sont entreposées à l'arsenal. Amherst écrit en français à Haldimand, le 19 septembre : « Les armes vous ferez loger dans l'arsenal où il se trouvera des officiers de l'Artillerie pour les recevoir. Et, comme il se pourra que par la suite il sera convenable de leur rendre ces armes, il serait bon que chacun attache à son sien propre un billet portant son nom et la compagnie à laquelle il appartient pour que, dans l'occurrence susdite, on puisse livrer à chacun ses propres armes. »

Dans le gouvernement de Trois-Rivières, les officiers de milice envoient les armes « par gens sûrs ». Afin de permettre à certains d'aller chasser pour subvenir à leur subsistance et à celle de leurs dépendants, les gouverneurs autorisent la remise de quelques armes. Comme l'avait précisé Amherst dans son placard, les capitaines de milice peuvent garder leurs armes. La même permission est également accordée à quelques seigneurs et à quelques curés.

Mais le 20 juin 1761, pour le gouvernement de Trois-Rivières, Burton émet un ordre à tous les capitaines de milice enjoignant « de faire rendre les armes à ceux de votre paroisse à qui elle [Son Excellence] avait permis de s'en servir et de reprendre aussi les permissions ». Le 4 juillet de la même année, Burton se ravise et élargit la possibilité de disposer d'armes de chasse.

On accorde finalement un nombre fixe de fusils par paroisse. Les armes seront prêtées tour à tour aux habitants pour leur usage personnel. Il circule dans le gouvernement de Trois-Rivières un fusil par 43 habitants. Les Canadiens seront sensibles à la perte de leurs armes de chasse. Haldimand écrira à Murray, le 30 mars 1764 : « En privant les Canadiens des armes qu'on leur avait confiées, c'est les punir par un endroit bien sensible. »

Les corvées

Au cours des jours qui suivent la capitulation de la colonie, la majeure partie des troupes anglaises quitte la vallée du Saint-Laurent. Dès le début de l'année suivante, les troupes d'occupation sont réduites au minimum. En 1762, seulement 3500 soldats et officiers anglais résident dans la colonie. Le gouvernement de Québec en compte 1800, celui de Montréal, 1800 et celui de Trois-Rivières n'en dénombre que 320.

Tout comme durant le régime français, bon nombre de ces militaires demeurent chez l'habitant. Mais il y a une différence importante : ce dernier est obligé d'héberger un occupant !

À Trois-Rivières, le 30 juin 1761, Burton décide d'installer la plus grande partie des troupes de ce gouvernement sur le terrain de la commune « pour le soulagement des habitants ». Dans certaines paroisses, les officiers logent au presbytère. L'historien Marcel Trudel cite le cas du curé Charles Duchouquet, de Saint-Thomas-de-Montmagny, qui cède à trois capitaines et à un chirurgien la moitié de son presbytère. Au début, les relations sont telles que le prêtre donne des leçons de français aux officiers. Après neuf mois d'occupation, la situation se détériore. Le curé se plaint des envahisseurs dans une lettre au vicaire général Jean-Olivier Briand. « Je n'ai pu m'appliquer à mes devoirs, écrit-il, tant par la concurrence du monde qui était tous les jours chez moi que par la règle de vie de ces messieurs qui ne se mettent à table le soir qu'à neuf heures pour y souper et qui y demeurent jusqu'à onze heures en chantant et se divertissant et, bien souvent, ne se couchaient qu'à deux heures, à trois et quatre heures du matin. »

À Québec, les Anglais occupent l'Hôtel-Dieu, une partie du couvent des récollets et du collège des jésuites.

Tous les soldats anglais ne semblent pas priser la vie dans la colonie. Les désertions sont assez nombreuses. Le 28 octobre 1760, le gouverneur Gage fait savoir aux habitants du gouvernement de Montréal « qu'il est défendu à tous habitants ou autres de garder chez eux aucuns déserteurs ou favoriser leur fuite, sous peine de vingt écus d'amende. Il leur est enjoint de dénoncer tous ceux qu'ils soupçonneront pour tels devant le capitaine de milice, à qui il est ordonné, par ces présentes, de les faire conduire, sous main-forte, devant l'officier commandant le bataillon de la ville. » Le 11 octobre précédent, le gouverneur Burton avait émis un ordre identique pour son gouvernement.

Il est aussi « défendu à toutes personnes d'acheter ou troquer avec les soldats, leurs armes, habits, souliers, guêtres, fournitures, chapeaux ou autres choses fournies par le roi, sous peine aux contrevenants de 20 écus d'amende et de punition corporelle, en cas de récidive ». Le 4 juin 1762, Haldimand, qui remplace momentanément Burton, fait savoir « à tous bourgeois et habitants de cette ville [Trois-Rivières] et gouvernement qu'il leur est défendu, sous peine de vingt piastres d'amende, d'acheter à l'avenir, soit à prix d'argent ou autrement, de soldats ou autres personnes aucune pelle, pioche ou autre out il appartenant à Sa Majesté ».

Plusieurs paroisses sont soumises à la corvée du bois de chauffage, dont le nombre de cordes est déterminé par ordonnance. Le bois doit être transporté aux endroits où les troupes sont cantonnées. Occasionnellement, les habitants doivent aussi fournir de la paille tant pour les chevaux que pour les lits des soldats.

L'administration de la justice

Le placard d'Amherst demande de rendre la justice, autant que possible, à l'amiable. Pour le gouvernement de Québec, Murray, dans une ordonnance du 31 octobre 1760, demande que les jugements rendus dans les causes civiles soient sans appel et « les parties contraintes d'y satisfaire suivant ce qui sera prononcé, à l'exception des affaires que nous jugerons de renvoyer au Conseil militaire pour être jugées ». Les audiences, au civil, ont lieu les mardis de chaque semaine depuis dix heures jusqu'à midi ; quant au Conseil de guerre, il s'assemble les mercredi et samedi de chaque semaine dans la maison de monsieur de Beaujeu, sur la rue Saint-Louis. Le 2 novembre suivant, Murray établit une cour et un Conseil supérieur « pour rendre une prompte et bonne justice aux habitants de notre gouvernement ». Jean-Claude Panet est nommé greffier de cette cour et François-Joseph Cugnet, procureur général de la côte nord du district de Québec.

Le district de Montréal connaît une réforme importante le 13 octobre 1761. Le gouverneur Gage décide alors de diviser la partie rurale de son gouvernement en cinq districts où la justice sera rendue séparément. La chambre d'audience du premier district siège à Pointe-Claire. Elle dessert les habitants des Cèdres, Vaudreuil, Île-Perrot, Sainte-Anne-de-Bellevue, Sainte-Geneviève, Sault-au-Récollet, Lachine et Saint-Laurent. Le second district, qui regroupe les paroisses de Chambly, Châteauguay, Laprairie, Boucherville et Varennes, siège à Longueuil. Le troisième district comprend les paroisses de Sorel, Saint-Ours, Saint-Denis, Contrecœur, Saint-Charles et Verchères et rend justice à Saint-Antoine. Quant au quatrième, il se réunit à Pointe-aux-Trembles pour les habitants de Longue-Pointe, Rivière-des-Prairies, Sainte-Rose, Saint-François-de-Sales, Saint-Vincent-de-Paul, Terrebonne, Mascouche et Lachenaye. Les paroisses de l'Assomption, Lanoraie,

Repentigny, Saint-Sulpice, Berthier, île Dupas, et les autres îles adjacentes, dépendent du tribunal de Lavaltrie.

La justice est rendue par au moins cinq officiers de milice et pas plus de sept, qui siègent les premier et quinze de chaque mois. Les jugements sont consignés dans un registre spécial. Les témoins assignés sont obligés de comparaître sous peine d'amende, mais ils reçoivent une compensation monétaire payée « par la partie qui succombera ». Les plaideurs insatisfaits du jugement rendu ont droit d'appel à un tribunal supérieur, sauf pour les procès n'excédant pas vingt livres. Dans ce cas, la Chambre de district siège en dernier ressort. S'il se produit « quelque crime atroce, comme assassinat, viol ou autres capitaux, chaque officier de milice est autorisé à arrêter les criminels et leurs complices et à les faire conduire sous bonne et sûre garde à Montréal, avec l'état du crime et la liste des témoins ». En pareil cas, le droit criminel anglais est appliqué.

Les capitaines de milice acceptent volontiers de rendre justice, mais ils posent certaines exigences qu'accepte le gouverneur Gage, le 17 octobre 1761. Les règlements stipulent que :

> 1. Nous administrerons la justice gratuitement ainsi que nous l'avons fait par le passé, demandant seulement, comme une faveur à Son Excellence, qu'il lui plaise nous exempter du logement de gens de guerre, ainsi que de tous temps nous avons été exempts ; [...] 3. Comme il faudra que cette Chambre soit échauffée pendant l'hiver, il sera pris sur les amendes la somme nécessaire pour acheter six cordes de bois ; [...] 5. Comme nos sergents de milice ne savent point écrire ou ne le font qu'imparfaitement, et par cette raison ne peuvent point mettre nos jugements à exécution, nous choisirons deux sergents capables auxquels nous ferons un tarif de leurs ouvrages capable de les faire vivre sans molester le public. Nous aurons chaque jour de nos audiences un de nos sergents de milice qui appellera les causes et il lui sera alloué deux sols par chaque appel de cause suivant le passage.

Pierre Panet agit alors comme greffier de la cour de Montréal.

Le gouvernement de Trois-Rivières connaît lui aussi une réforme judiciaire, le 5 juin 1762. Haldimand le divise en quatre districts ; une paroisse de chacun de ces districts devient le siège d'un tribunal : Champlain, Rivière-du-Loup (Louiseville), Saint-François et Gentilly. Le gouverneur intérimaire établit à peu près les mêmes structures que Gage pour le gouvernement de Montréal, mais le corps d'officiers est ramené à un minimum de trois et à un maximum de cinq. Les registres seront tenus par un écrivain. Quant au droit d'appel au Conseil des officiers des troupes de Sa Majesté, il existe dans tous les cas.

Haldimand tient à surveiller de près la façon dont les capitaines de milice rendent justice. À cet effet, l'article 25 de la réglementation précise « que les registres des causes qui paraîtront et seront décidées dans les différentes chambres susnommées soient envoyés tous les trois mois à commencer de la date du présent règlement à notre secrétariat pour y être par nous examinés et approuvés ainsi que de raison ».

Les procès semblent nombreux à cette époque. Haldimand écrit à Amherst, le 22 juin 1762, que les habitants sont « aussi litigieux que ceux de Montréal et les officiers de milice tourmentés par les mauvais plaideurs ».

La vie commerciale

Même si, selon le placard d'Amherst, le commerce est libre, il est quand même soumis à plusieurs réglementations. Dans le gouvernement de Trois-Rivières, par exemple, un permis est nécessaire pour faire du commerce. Ce document est signé par le gouverneur et la durée du permis est laissée au bon vouloir des autorités. La formule est la suivante :

> Il est permis au Sr..., sous notre bon plaisir, de s'aller établir dans la paroisse de..., dans notre gouvernement des Trois-Rivières, pour y faire un commerce fixe. Si le peu d'encouragement, ou autres raisons, l'engageaient à changer le lieu de sa résidence, il sera tenu de vous en faire part [aux capitaines de milice] et d'obtenir notre permission à cet effet ; et il est défendu à qui que ce soit de l'interrompre ou molester dans le présent établissement, en tant qu'il se comportera comme il se doit et se conformera aux ordres qui peuvent être par nous donnés, suivant notre volonté, pour le bon ordre et la police de notre gouvernement.

En 1760 et 1762, on évalue à 38 le nombre de permis de commerce émis pour le gouvernement de Trois-Rivières. De ce nombre, six le sont à des anglophones.

Plusieurs « vagabonds » s'improvisent acheteurs de denrées le long des côtes. Burton, dans un placard daté du 24 août 1761, défend de vendre denrées et marchandises aux « coureurs de côtes ». Le 27 novembre 1761, Gage sévit contre les vendeurs itinérants. « Nous ordonnons, déclare-t-il, à tous les officiers de milice de faire arrêter tous les pacotilleurs qui se présenteront en pacotille dans leurs environs, sans une permission signée de nous, et les faire arrêter et conduire avec leurs marchandises confisquées à Montréal. »

Une nouvelle classe marchande

Le commerce d'importation, cela va sans dire, est entre les mains de marchands anglais. Les unités de mesure de longueur ne sont pas les mêmes que sous le régime français, ce qui occasionne des difficultés « aux négociants anglais résidant en cette ville [Montréal] pour la reddition de leurs comptes avec leur commettant en Angleterre ». En conséquence, Gage, gouverneur de la ville, ordonne, le 3 août 1762, « que l'on fasse usage en cette ville de Montréal de la verge d'Angleterre, conformément à un étalon qui sera déposé chez le major de la Place, auquel étalon tous les négociants et marchands seront obligés de faire étalonner leur verge ou mesure et, pour ce, donnons vingt jours pour toute préfixion et délais à compter du jour de la publication de notre présente ordonnance ». À l'avenir, toute autre unité de mesure de longueur est interdite sous peine d'une piastre d'amende.

La traite avec les Amérindiens est libre, mais il faut un passeport pour passer d'un gouvernement à l'autre. Burton interdit aux habitants du gouvernement de Trois-Rivières d'aller au devant des Amérindiens Têtes-de-Boule. Le 11 octobre 1761, on affiche dans les lieux publics le placard suivant dénonçant la conduite de ceux qui sont allés troquer avec les Amérindiens avant leur arrivée à Trois-Rivières. « Une pareille conduite est contraire à l'intention du gouvernement anglais qui veut que le commerce soit libre et ouvert à toutes personnes. Nous sommes de plus persuadés que ceux dont l'avarice les a portés à faire ce commerce avaient en vue de tirer avantage de l'ignorance de ces peuples et que, pour y parvenir et retenir cette nation crédule et craintive, ils lui ont tenu des discours injurieux à l'honneur de la nation anglaise, crime qui mériterait une punition exemplaire et qui serait sûrement puni, si les coupables étaient connus avec certitude. »

En conséquence, il est expressément défendu sous peine de confiscation de marchandises et autres punitions « de remonter les rivières par lesquelles les Têtes de Boule ont coutume de descendre pour faire la traite de leurs pelleteries ».

L'expédition des fourrures se fait, elle aussi, par l'intermédiaire de négociants anglais, dont les premiers avaient suivi de près la marche des conquérants « En arrivant, écrit l'historien Michel Brunet, les négociants anglais se rendirent maîtres du commerce extérieur. L'opération s'accomplit sans difficulté puisqu'ils étaient les seuls importateurs et exportateurs de la colonie [...] Ceux-ci eurent le champ libre. Le commerce extérieur, dont les profits étaient considérables, fut la base même de la domination économique de la bourgeoisie anglaise du Canada. »

Le commerce d'importation et d'exportation est soumis à des droits douaniers. Un bureau de douanes est établi au port de Québec, le 5 avril 1762. Thomas Knox est nommé percepteur des droits et Thomas Ainslie, contrôleur des douanes. Le 15 novembre suivant, une ordonnance de Gage établit un poste de douanes à Montréal. Thomas Lambs en devient le directeur et Richard Oakes, le visiteur. Cette décision favorisera le développement du port de Montréal.

> Tous armateurs et autres intéressés dans le commerce, précisait l'ordonnance, sont avertis que tous les bâtiments venant d'Europe ou des colonies, chargés pour le compte des négociants de Montréal et autres qui voudront y venir en commerce, pourront suivre leurs destinations jusqu'à Montréal, sans être obligés de décharger et recharger leurs marchandises à Québec, sous quelque prétexte que ce puisse être, à moins qu'ils ne soient soupçonnés de porter des marchandises de contrebande, dans le dessein d'y faire un commerce prohibé.

Un problème monétaire

Au cours des dernières décennies du régime français, les paiements et les transactions s'effectuaient surtout avec de la monnaie fictive : lettres d'ordonnance et lettres de change, la première s'apparentant à la monnaie de carte. En 1760, les Canadiens possèdent des lettres de change pour une valeur de sept millions de livres et des lettres d'ordonnance pour trente-quatre millions. Au mois de juin de la même année, Vaudreuil et Bigot avaient averti la population que le remboursement en espèces était différé de quelques années. Au mois de novembre suivant, Murray avait interdit la circulation de la monnaie de papier dans le gouvernement de Québec.

Burton envoie la lettre suivante à tous les capitaines de milice de son gouvernement, le 22 septembre 1760 :

> Je suis extrêmement surpris d'apprendre que, malgré les déclarations publiques et publiées de monsieur le général Murray, et toutes les précautions prises pour faire connaître aux Canadiens la non-valeur de leur monnaie de papier, depuis l'édit du roi de France daté du 15 octobre dernier, qu'il se trouve encore des habitants assez

aveugles sur leurs intérêts particuliers pour recevoir cette monnaie imaginaire en échange pour des marchandises réelles et utiles. Ce ne peut être que par mauvaise foi et ignorance de part et d'autre que cet argent est employé par les vendeurs et les acheteurs, et comme j'ai résolu très fermement de ne pas souffrir le premier vice de mon gouvernement et que je regarde comme partie de mon devoir d'éclairer ceux à qui l'ignorance ferait commettre des erreurs. Je vous donne ordre de faire assembler votre compagnie et les habitants de la paroisse pour leur lire la présente et leur faire savoir, de ma part, que je leur défends de recevoir ou de donner, en paiement pour leurs effets et marchandises, les cartes ou monnaie de papier connues sous le nom de billets d'ordonnance et que je ferai punir, dans l'étendue de mon gouvernement, ceux qui en imposeront à la crédulité des habitants et les forceront de se contenter de ce paiement frauduleux.

Malgré les interdictions gouvernementales, la monnaie de papier continue à circuler, mais de façon marginale. Des négociants l'acceptent à vil prix, lorsque l'acheteur n'a rien d'autre pour payer. Ainsi, les négociants anglais finissent par amasser une quantité assez importante de ce papier pour demander l'intervention du gouvernement anglais auprès de son homologue français pour le remboursement en espèces des billets d'ordonnance.

En 1762, des marchands anglais « faisant le commerce avec le Canada et intéressés dans la prospérité du pays », font parvenir à sir Charles Wyndham, comte d'Egremont, l'un des principaux secrétaires d'État du roi d'Angleterre, un mémoire où ils expriment leur inquiétude sur le remboursement des billets, advenant une cession définitive du Canada à l'Angleterre, si le mode de paiement n'est pas prévu dans les négociations de paix alors en cours.

Les signataires, écrivent-ils, craignent que la perte complète d'une si considérable somme d'argent et d'une si grande partie des biens de plusieurs milliers d'individus, habitants du Canada, ne soit suivie de plusieurs conséquences fatales au commerce et à la prospérité de cette importante colonie qui est dans son enfance comme colonie britannique, attendu que la ruine immédiate de nombreux sujets industrieux résultera de l'anéantissement de la présente confiance qu'ils ont dans la validité de ces effets de commerce, et attendu que le commerce de la Grande-Bretagne en général et celui de plusieurs pionniers anglais en ces territoires se ressentiront immédiatement des suites d'une telle diminution de la richesse de la colonie. Les signataires craignent que plusieurs marchands anglais au Canada n'aient donné de bonnes valeurs contre des sommes considérables de ces effets de commerce et que l'invalidité desdites sommes ne cause une perte considérable à ces pionniers.

Il faudra attendre après la signature du traité de Paris, en 1763, pour qu'une décision soit prise à ce sujet.

La présence anglaise au Canada vient encore compliquer le problème monétaire par l'introduction de nouvelles monnaies. Plusieurs Canadiens possèdent encore des pièces françaises : louis et écus d'or, louis d'argent, liards, deniers, sols, etc. Les Anglais introduisent la livre sterling, la guinée d'Angleterre, le chelin, le souverain, ainsi que la piastre espagnole. Une telle multiplicité de monnaie engendre des problèmes. Les gouverneurs émettent des ordonnances fixant le taux de change et la valeur de chacune des pièces. Mais les tables d'équivalence varient : à Québec, on adopte le cours d'Halifax et, dans les deux autres gouvernements, on utilise celui de New York.

Une cohabitation pacifique

L'occupation du territoire canadien par l'armée anglaise se déroule sans problèmes majeurs. Comme le fait remarquer l'historien Michel Brunet, « lorsqu'une collectivité tombe sous la domination d'un conquérant, il est rare que les classes populaires en souffrent immédiatement ». « Les premières victimes, ajoute-t-il, sont les membres des classes dirigeantes obligées de céder la place aux vainqueurs qui viennent s'installer aux postes de commande dans le pays conquis. Le reste de la population, soit l'immense majorité, ne subit que plus tard les conséquences de son état de servitude collective. » Quant à l'historien Fernand Ouellet, il partage, en partie, cette opinion.

> Le pays était en partie dévasté, la famine sévissait, les mécanismes de la production étaient désorganisés, l'inflation régnait en maître, une pénurie extrême se faisait sentir pour tous les produits nécessaires à la reprise du commerce tandis qu'une profonde incertitude existait à l'endroit du papier-monnaie. La guerre avec son cortège de malheurs et de fortunes nauséabondes avait tout détraqué. Il fallait maintenant réparer les désastres et amorcer la reconstruction. Quelle sera l'attitude des dirigeants britanniques face à une situation qu'à l'époque on aurait pu juger désespérée ? Le drame de la conquête avait-il, comme certains l'ont soutenu, tellement entamé les forces vitales des Canadiens qu'on ne puisse désormais miser que sur leur défaitisme ? Rassurons-nous : le choc brutal de la conquête n'affecta pas surtout les contemporains de l'événement fatal mais, rétrospectivement, leurs plus vulnérables descendants et cela de 1800 jusqu'à nos jours.

La présence militaire se fait quand même sentir dans la population. Les allées et venues sont contrôlées. Les lettres sont souvent scrutées par des officiers. Hector Theophilus Cramahé, le secrétaire de Murray, écrit à l'abbé Jean-Olivier Briand, le 20 juin 1762 : « Quoiqu'il y ait un ordre général de viser toutes les lettres, Son Excellence n'a point voulu qu'on ouvrît la vôtre. La manière pleine de droiture et de franchise dont vous en avez usé, depuis qu'il gouverne cette province du Canada, ne lui permet point d'avoir aucun soupçon à votre égard. Il m'a commandé de vous en assurer. » Mais la confiance ne règne pas toujours de cette façon puisque, le 31 octobre suivant, le même secrétaire fait parvenir au même abbé une lettre de l'abbé l'Isle-Dieu... dûment inspectée !

La présence militaire inquiète plusieurs curés : l'ivrognerie ne cesse d'augmenter pendant que les jeux de l'amour captivent les soldats et les Canadiennes. Louis-Michel Guay, curé à Sainte-Anne-de-la-Pérade, dénonce du haut de la chaire « le scandale de quelques débauchées qui se libertinaient avec des soldats anglais ». Le commandant militaire de la paroisse menace le prêtre canadien d'emprisonnement, mais ne passe pas aux actes. Le grand vicaire de Trois-Rivières, Joseph-François Perrault, écrit à l'abbé Briand, à la fin de mars 1762, à la suite de cette affaire : « Nous aurons de grands arrangements à prendre, bien des croix et des humiliations à essuyer, supposé que le pays reste à l'Angleterre, pour y soutenir et défendre la religion. »

Thomas Blondeau, qui avait été nommé curé de Saint-Vallier, décide de ne plus administrer les sacrements aux membres d'une famille dont la fille vit en concubinage avec un soldat anglais. Le curé est sommé de se rendre auprès du gouverneur pour justifier sa conduite, mais il se contente de lui écrire, malgré l'ordre impératif. Le récollet Félix Berey Des Essarts est moins heureux : desservant de la mission abénaquise de Saint-François-du-Lac qui est « totalement dérangée par la boisson et le voisinage de la garnison anglaise », il fait signer par les habitants une requête qu'il fait parvenir au gouverneur Burton ; ce dernier expulse aussitôt le religieux de son gouvernement.

Aux yeux de l'Église, le cas le plus grave est le mariage entre Canadiens catholiques et Anglais protestants. Les mariages mixtes, dont on doute parfois de la validité s'ils sont célébrés devant un pasteur protestant, sont dénoncés par le clergé. Les principales conséquences de cette nouveauté sont, d'après Marcel Trudel, de briser l'homogénéité de la vie sociale canadienne : « Des militaires ou des civils anglais s'intègrent désormais dans cette société fermée, en épousant des Canadiennes ; les mariages mixtes ont même pour effet de dissocier les Canadiens eux-mêmes en créant des malaises dans les familles. »

La bonne entente

Le 12 décembre 1761, lord Egremont fait parvenir à Amherst quelques recommandations sur la conduite à tenir envers les Canadiens.

> Vous avertirez les gouverneurs ci-dessus nommés [de Montréal, Trois-Rivières et Québec] de donner des ordres précis et très exprès, pour empêcher qu'aucun soldat, matelot ou autre n'insulte les habitants français qui sont maintenant sujets du même prince, défendant à qui que ce soit de les offenser en leur rappelant d'une façon peu généreuse cette infériorité à laquelle le sort des armes les a réduits ou en faisant des remarques insultantes sur leur langage, leurs habillements, leurs modes, leurs coutumes et leur pays, ou des réflexions peu charitables et peu chrétiennes sur la religion qu'ils professent.

Le texte de la lettre ci-haut n'est pas conforme à celui écrit par le secrétaire d'État. Dans sa version originale, il se terminait par cette phrase qu'on ne devait pas se moquer des Canadiens « sur les erreurs de l'aveugle religion qu'ils ont le malheur de suivre ». Burton avait demandé que le texte soit lu au prône, le dimanche, dans toutes les églises de son gouvernement ; le vicaire général Perrault ayant refusé, le gouverneur local avait alors modifié la traduction et le texte fut tout simplement affiché aux portes des églises.

À part ces accrochages quasi inévitables entre anciens ennemis, les gouverneurs sont convaincus que le peuple est satisfait du nouveau gouvernement. Dans son rapport du 6 juin 1762, Murray peut affirmer « avec la plus grande certitude que, depuis la conquête, nos troupes ont constamment vécu avec les habitants dans une harmonie sans exemple, même dans notre pays ». Pour Burton, « les habitants, particulièrement les paysans, paraissent très satisfaits d'avoir changé de maître.

Jouissant du libre exercice de leur religion, ils commencent à comprendre qu'ils ne sont plus des esclaves et qu'ils jouissent complètement des bienfaits et des bontés de cet excellent gouvernement qui fait la félicité particulière de tous les sujets de l'empire britannique ».

Gage partage le même avis que ses deux confrères. Il écrit dans son rapport du 20 mars 1762 :

> L'Anglais et le Canadien sont sur le même pied et considérés au même degré sujets d'un même prince ; les soldats vivent en paix avec les habitants et de ce contact naissent des sentiments d'affection réciproque. Néanmoins j'ai communiqué à tous les commandants les intentions de Sa Majesté à l'égard des Canadiens, afin que tous en soient instruits ; ce qui, j'en suis convaincu, donnera beaucoup de force aux ordres et aux instructions déjà émises à ce sujet. Je puis vous assurer que les troupes qui ont toujours manifesté le plus grand enthousiasme pour les intérêts de Sa Majesté et la plus entière obéissance à ses ordres, vont témoigner à qui mieux mieux leur sentiment d'affection fraternelle aux Canadiens, sur lesquels Sa Majesté a répandu ses royales faveurs et sa protection. Les Sauvages ont été traités avec la même humanité ; ils ont obtenu justice immédiate pour tous les torts qui leur ont été faits jusqu'à présent et, dans les transactions qui ont eu lieu avec eux, aucune tentative n'a été essayée en vue de les frauder.

Haldimand exagère peut-être un peu lorsqu'il écrit à Amherst, le 25 août 1762, que les Canadiens « seraient au désespoir de voir arriver une flotte et des troupes françaises dans ce pays en quel nombre qu'elles fussent ; sentant très bien qu'ayant une communication aussi facile avec nos colonies, ils en seraient les seules victimes et en général les Canadiens commencent trop à goûter le prix de la liberté pour être dupes des Français en pareil cas ». L'opinion de cet officier sur les Canadiens changera rapidement après 1764.

Un clergé conciliant

Les communautés religieuses de femmes ont des problèmes de recrutement et d'approvisionnement. La sœur Dagneau Douville, des hospitalières de l'Hôtel-Dieu de Montréal, dans une lettre aux Mères de France, décrit la situation de la communauté montréalaise à la fin du régime militaire :

> Nous sommes à la veille de prendre des habits séculiers, n'y ayant point d'étoffe propre pour nous chez nos négociants. Nous avons chacune une robe et un voile pour les deux saisons qui nous passeront à peine celle-ci et point de nouveau pour les raccommoder, les ayant toujours rapiécés depuis sept ans que nous n'avons rien reçu de France. Je vous dirai en confiance que, sans la charitable compassion du respectable ecclésiastique dont je vous parle, il y a plus de trois ans que nous serions mortes d'inanition n'ayant pas de quoi avoir du pain et de la viande ; et avec tant de misère il nous faut veiller continuellement dans nos salles qui sont encombrées de malades et également à l'infirmerie où nous avons toujours de nos chères sœurs malades et languissantes.

Chez les ursulines de Québec, on manque aussi de beaucoup de choses, mais partout la vie continue !

Le haut clergé, en particulier le vicaire général de Québec, l'abbé Briand, s'acclimate assez bien du nouveau régime. Au début de l'année 1761, le gouverneur Murray décide de venir en aide aux pauvres de son gouvernement et il ordonne une collecte chez les officiers et les soldats anglais. L'abbé Briand fait parvenir une lettre circulaire aux curés des différentes paroisses.

> L'intention de Son Excellence est que vous lui envoyiez une liste des familles de votre paroisse qui souffrent le plus de la pauvreté, vous marquerez le nombre de personnes dont elles sont composées, vous spécifierez celles qui sont dans la plus grande et presque extrême indigence et encore les personnes pauvres de Québec réfugiées chez vos paroissiens, afin que M. Murray puisse mesurer aux besoins ses aumônes et les différents secours qu'il veut leur procurer ; il espère que vous ferez cette liste dans la plus exacte vérité. Voilà, monsieur, ce que Son Excellence attend de vous et ce qu'il m'a chargé de vous marquer ; vous n'oublierez pas d'annoncer à vos peuples l'étroite obligation que leur imposent la piété et la reconnaissance de former des vœux pour Son Excellence, monsieur notre Gouverneur, le charitable et généreux bienfaiteur.

Le mariage du roi George III à la princesse Charlotte de Mecklembourg-Strelitz amène les trois vicaires généraux à émettre des mandements spéciaux. Pour le gouvernement de Montréal, l'abbé Étienne Montgolfier ordonne

> 1° que dimanche prochain [après le 1er février 1762] 7e de ce mois, le *Te Deum* sera chanté solennellement et en la manière ordinaire, dans l'église paroissiale de Montréal immédiatement après les vêpres. 2 ° que la même chose s'observera dans toutes les autres églises de ce gouvernement, le premier dimanche après la réception du présent mandement. 3° que dans la paroisse de Montréal et dans toutes les autres dudit gouvernement, en la formule du prône, dans l'endroit où il est dit : Nous prierons... pour le roi N., l'on substituera ces paroles : nous prierons pour notre très gracieux souverain Seigneur roi George, notre très gracieuse Reine Charlotte, la princesse douairière de Galles et toute la famille royale.

Le mandement du chanoine Perrault de Trois-Rivières est dans la même veine. Quant à l'abbé Briand, il demande de prier pour le roi George « à la messe, à l'endroit du canon où l'on prie pour le roi », en ajoutant *Georgio.* Selon le futur évêque, la conquête a été voulue par la Providence. Ce thème, qu'il développera plus tard, est contenu dans son mandement du 14 février 1762 : « Le Dieu des armées qui dispose à son gré des couronnes, et qui étend ou restreint selon son bon plaisir les limites des empires, nous ayant fait passer selon ses décrets éternels sous la domination de Sa Majesté Britannique, il est de notre devoir, fondé dans la loi naturelle même, de nous intéresser à tout ce qui peut la regarder. » Selon lui, suivant en cela l'enseignement des Pères de l'Église, il est ordonné « d'être soumis au roi et à tous ceux qui participent à son autorité ».

Quelques membres du clergé protestent contre l'introduction du nom de George au canon de la messe, en particulier l'abbé Henri-François Gravé, d'origine française. Le chanoine Briand avait senti le besoin d'ajouter à son mandement la note suivante à l'intention des différents curés du gouvernement de Québec : « Peut-être blâmerez-vous quelques-uns des articles de mon mandement ; s'il avait été possible, j'eusse demandé sur une matière aussi difficile le sentiment de messieurs les curés ; je m'en suis rapporté à celui du clergé de la ville, qui pense presque unanimement qu'il n'est point défendu dans les prières publiques de nommer un hérétique non dénoncé. Au reste, je vous prie d'expliquer à vos paroissiens dans quel sens nous pouvons prier pour ceux qui sont hors de l'Église. »

Dans une lettre à l'abbé Montgolfier, le chanoine Briand résume ainsi la principale raison évoquée : « Pour moi, je n'ai pu souffrir qu'on m'apportât pour raison, qu'il est dur de prier pour ses ennemis. Ils sont nos maîtres, et nous leur devons ce que nous devions aux Français quand ils l'étaient. L'Église défend-elle à des sujets de prier pour leur Prince ? Les catholiques du royaume de Grande-Bretagne ne prient-ils point pour leur roi ? »

Quelques semaines avant la publication de son mandement, Briand avait reçu de Murray en cadeau, la somme de vingt livres anglaises, l'équivalent de 480 livres françaises « pour sa bonne conduite et parce qu'il a peu ou point de revenus », note le gouverneur dans le livre des comptes...

La naissance du prince de Galles va signifier trois nouveaux mandements et l'introduction de son nom dans les prières pour la famille royale. L'abbé Montgolfier déborde d'enthousiasme. « Nous avons déjà fait éclater notre joie en mêlant nos voix aux acclamations publiques qui ont accompagné la naissance de cet auguste enfant. Mais la religion exige encore de nous quelque chose de plus. [...] C'est en remerciant le Seigneur du don précieux qu'il nous a fait et de le prier avec ferveur de vouloir bien lui-même couronner son ouvrage, en conservant cet auguste enfant dans sa grâce, et répandant sur lui ses plus abondantes bénédictions qui en feront le bonheur de sa nation, le digne appui de la couronne de ses pères et l'héritier de leurs vertus. »

L'attitude conciliante du haut clergé, durant le régime militaire, constitue un précédent dangereux pour sa liberté. Mais peut-être est-ce là le prix qu'il lui faut payer pour continuer à exister. « Bien loin de sortir des conditions onéreuses dans lesquelles l'avait plongée l'état d'urgence de 1759, affirme l'historien Marcel Trudel, l'Église canadienne se soumet de plus en plus à la servitude d'un gouverneur, cependant que Briand se félicite sans cesse du comportement aimable de Murray à son égard. »

Le général Amherst, dans une lettre à la supérieure de l'Hôtel-Dieu de Montréal, le 25 septembre 1760, manifeste aux hospitalières sa reconnaissance pour leur dévouement en faveur des soldats anglais blessés. De part et d'autre, on échange des fruits, du sirop et du vin. Jusqu'en 1768, les Anglais utiliseront la chapelle de l'Hôtel-Dieu de Montréal pour leurs offices religieux. Ce qui fit écrire à l'annaliste que les Hospitalières « virent des sectaires s'emparer du saint lieu après l'office divin et exercer un culte affreux ».

Et la France alors ?

Pendant que les Canadiens vivent sous le régime militaire, leur sort se joue en Europe où la guerre continue. La capitulation de Montréal signifie le retour en France des troupes françaises. Leur embarquement débute à Montréal, le 13 septembre, jour du premier anniversaire de la bataille des Plaines d'Abraham ! Selon le chevalier de Lévis, plus de 500 soldats ont déserté au cours des jours qui ont suivi la capitulation. La descente vers Québec dure une vingtaine de jours. Les dirigeants civils et militaires de la Nouvelle-France s'embarquent pour l'Europe à bord de vaisseaux anglais. *The Two Partners* arrive à Saint-Malo, le 13 novembre. Peu après arrive à Morlaix « un paquebot anglais venant de Plymouth avec six compagnies de troupes qui étaient à Montréal, composées de 9 officiers, 1 cadet à l'aiguillette, 131 officiers et soldats, indépendamment de 33 femmes et enfants et six domestiques qui étaient sur le même bateau. Ces troupes seront licenciées. » Le marquis de Vaudreuil, qui a fait la traversée à bord de l'*Aventure*, débarque à Brest à la fin du mois de novembre. Le président du Conseil de la Marine lui écrit le 5 décembre 1760 pour lui reprocher d'avoir capitulé trop tôt. « Sa Majesté ne s'attendait pas à apprendre si tôt la reddition de Montréal et de toute la colonie. »

À part les militaires de carrière et les dirigeants de la colonie, très peu de gens retournent en France. Mais on ne possède pas de statistiques précises à ce sujet. On a cru, pendant longtemps, que la Nouvelle-France avait subi « la décapitation sociale », pour reprendre les mots de l'historien Lionel Groulx. Les études les plus récentes nous montrent que tel ne fut pas le cas. Il est vrai qu'un autre groupe quittera la colonie lors de sa cession définitive à la Grande-Bretagne.

Dès le printemps de 1761, la France et l'Angleterre commencent à parler de paix. Les deux pays échangent des plénipotentiaires dont la mission est de déblayer le terrain en vue d'un éventuel traité de paix. Le 15 juillet, la France se dit prête à céder le Canada « tel qu'il a été possédé ou dû l'être par la France, sans restriction » L'Angleterre exige en plus le droit exclusif de pêche « qui est inséparablement attaché à la possession des susdites côtes et des canaux ou détroits qui y mènent ». La France veut conserver l'île de Miquelon pour faire sécher son poisson. Une entente ne pouvant intervenir, les négociations sont rompues le 20 septembre. Le 14 novembre suivant, la ville de La Rochelle proteste, dans un mémoire à Choiseul, ministre d'État aux départements de la Guerre et de la Marine, contre l'abandon possible du Canada à la Grande-Bretagne. On veut mettre « devant les yeux du ministre une partie des maux que va causer à la France la perte du Canada et l'état de force où il met l'ennemi pour tenter de nouvelles conquêtes ». Les pétitionnaires énumèrent les différentes richesses que l'on peut tirer de la Nouvelle-France et ils demandent un coup de force de la France. « Effrayons du moins l'Angleterre par notre fermeté, concluent-ils, un seul coup hardi peut dans le moment lui arracher toutes les dépouilles dont elle se pare ; et s'il ne faut pour l'oser que du génie, de grandes vues, une âme ferme et courageuse, qui dirige, soutienne et anime l'exécution, la France va être vengée. »

Le 22 décembre 1761, les directeurs du Commerce de la province de Guyenne protestent à leur tour contre la cession définitive du Canada à l'Angleterre. Mais Choiseul semble bien peu tenir à l'ancienne colonie, cela malgré les pressions exercées par les provinces reliées au commerce avec le Canada.

Depuis mai 1759, les Anglais occupent aussi la Guadeloupe. Le problème est de savoir laquelle des deux colonies est la plus importante sur le plan commercial. Au cours de 1761, se publie à Londres un pamphlet anonyme intitulé : *Reasons for keeping Guadeloupe at a Peace, preferable to Canada, Explained in five Letters, from a Gentleman in Guadeloupe to his Friend in London.* La conclusion de l'auteur est catégorique, voire quelque peu visionnaire : « La Grande-Bretagne n'a pas de meilleure garantie contre la révolte de l'Amérique du Nord que l'aménagement sur ce continent de positions françaises capables de contenir les Américains. [...] Si nous allions prendre le Canada, nous trouverions bientôt l'Amérique du Nord trop puissante et trop populeuse pour être gouvernée d'aussi loin. »

Une nouvelle ronde de négociations de paix débute à l'été 1762. Cette fois-ci, le succès couronne les efforts et les préliminaires de la paix sont signés le 3 novembre 1762. Le tout sera ratifié, le 10 février 1763, par la signature du traité de Paris. Le sort de la Nouvelle-France est réglé définitivement : elle passe aux mains anglaises.

La bande du Canada

Plusieurs officiers et administrateurs français, peu après leur retour dans leur mère patrie, se retrouvent en prison. L'intendant Bigot se retrouve à la Bastille le 17 novembre 1761. Michel-Jean-Hugues Péan, Joseph-Michel Cadet, Jean-Victor Varin, Jacques-Michel Bréard, Louis Pennisseaut et François Maurin subissent le même sort. Le 12 décembre suivant, le Conseil émet un arrêt « qui ordonne que, par le sieur Sartine, lieutenant général de police et les gens tenant le Châtelet, le procès sera instruit, fait et parfait aux auteurs des monopoles, abus, vexations et prévarications commises en Canada, à la requête, poursuite et diligence du sieur Moreau, procureur du roi au Châtelet ».

Après un procès qui s'échelonne sur deux années, les accusés sont condamnés à l'amende ou au bannissement. Barbier, avocat au Parlement de Paris, explique ainsi les jugements rendus : « Les preuves n'étaient pas assez fortes pour la condamnation à mort ; mais ces bannissements et ces restitutions feront toujours un exemple pour empêcher à l'avenir les malversations. » Plusieurs autres accusés sont libérés, faute de preuves concluantes. Dans une bonne partie de l'opinion publique de l'époque, la bande à Bigot portera l'odieux de la perte du Canada. Mais les raisons exactes résident ailleurs. On parlera plus volontiers de l'abandon du Canada par la France.

LE GOUVERNEMENT CIVIL DE MURRAY 1763-1766

LE 10 FÉVRIER 1763, À LA DEMEURE DE JOHN RUSSELL, duc de Bedford, ambassadeur extraordinaire et plénipotentiaire du roi de la Grande-Bretagne auprès du roi de France, est signé le traité de Paris, mettant fin à la Guerre de Sept Ans. César-Gabriel de Choiseul-Chevigny, duc de Praslin, représentant le roi de France, et le marquis Gerom Grimaldi, représentant le trône espagnol, apposent leur signature sur ce document long de 27 articles rédigé en français.

En vertu de l'article 3 du traité, « tous les prisonniers faits de part et d'autre tant par terre que par mer, et les otages enlevés ou donnés, pendant la guerre, et jusqu'à ce jour, seront restitués sans rançon dans six semaines au plus tard, à compter du jour de l'échéance de la ratification du présent traité ».

L'article 4 règle le sort des Canadiens de façon définitive.

> Sa Majesté très chrétienne renonce à toutes les prétentions qu'elle a formées autrefois ou pu former à la Nouvelle-Écosse, ou l'Acadie, en toutes ses parties et la garantit toute entière et avec toutes ses dépendances, au roi de la Grande-Bretagne. De plus, Sa Majesté très chrétienne cède et garantit à Sa Majesté britannique, en toute propriété, le Canada avec toutes ses dépendances ainsi que l'île du Cap-Breton et toutes les autres îles et côtes, dans le golfe et fleuve Saint-Laurent, et généralement tout ce qui dépend desdits pays, terres, îles et côtes, avec la souveraineté, propriété, possession et tous droits acquis par traité ou autrement, que le roi très chrétien et la Couronne de France ont eus jusqu'à présent sur lesdits pays, îles, terres, lieux, côtes et leurs habitants, ainsi que le roi très chrétien cède et transporte le tout audit roi et à la Couronne de la Grande-Bretagne et cela de la manière et dans la forme la plus ample, sans restriction et sans qu'il soit libre

de revenir sous aucun prétexte contre cette cession et garantie, ni de troubler la Grande-Bretagne dans les possessions sus-mentionnées. De son côté, Sa Majesté britannique convient d'accorder aux habitants du Canada la liberté de la religion catholique ; en conséquence, elle donnera les ordres les plus précis et les plus effectifs pour que ses nouveaux sujets catholiques romains puissent professer le culte de leur religion selon le rite de l'Église romaine, en tant que le permettent les lois de la Grande-Bretagne. Sa Majesté britannique convient en outre que les habitants français ou autres, qui auraient été sujets du roi très chrétien en Canada, pourront se retirer en toute sûreté et liberté où bon leur semblera et pourront vendre leurs biens, pourvu que ce soit à des sujets de Sa Majesté britannique, et transporter leurs effets ainsi que leurs personnes, sans être gênés dans leur émigration, sous quelque prétexte que ce puisse être, hors celui de dettes ou de procès criminels ; le terme limité pour cette émigration sera fixé à l'espace de dix-huit mois à compter du jour de l'échange des ratifications du présent traité.

La France ne perd pas tout ce qu'elle possédait en Amérique du Nord. Elle conserve son droit de pêche et de sécherie sur une partie de la côte de Terre-Neuve, tel qu'accordé par le traité d'Utrecht. Elle obtient, de plus, la propriété des îles Saint-Pierre et Miquelon « pour servir d'abri aux pêcheurs français ». Elle s'oblige, par contre, « à ne point fortifier lesdites îles, à n'y établir que des bâtiments civils pour la commodité de la pêche et à n'y entretenir qu'une garde de cinquante hommes pour la police ». Cette dernière restriction fera l'objet de pourparlers entre la France et l'Angleterre lors de la Deuxième Guerre mondiale.

Le traité de paix est ratifié par les différentes parties le 10 mars suivant. La colonie n'apprendra la nouvelle qu'avec l'arrivée des premiers navires à Québec. Thomas Gage, gouverneur de Montréal, émet une proclamation sur le sujet le 17 mai. Burton fait de même à Trois-Rivières, le 21 mai. Le pouvoir religieux ne tarde pas à emboîter le pas. Dès le 22, le vicaire général Perrault ordonne le chant d'un *Te Deum* et la récitation de la prière *Domine salvum fac regem* dans toutes les églises du gouvernement de Trois-Rivières. Par son mandement du 4 juin, le chanoine Briand, après avoir énuméré toutes les qualités du gouverneur Murray, avertit les curés « de l'étroite obligation où ils sont d'expliquer à leurs peuples les motifs qui doivent les porter à l'obéissance et à la fidélité envers le nouveau gouvernement, et de leur faire comprendre que leur bonheur, leur tranquillité, l'exercice de leur religion et leur salut en dépendent ». Quant au vicaire général Montgolfier, il ordonne les mêmes cérémonies que ses confrères, le 28 juillet.

À l'occasion de la proclamation de la paix, un groupe de notables de la ville de Québec présente une adresse au gouverneur Murray dans laquelle ils déclarent qu'ils sont « agrégés sans retour au corps des sujets de la couronne d'Angleterre ». Tous pourtant n'éprouvent pas le même sentiment de joie. Le curé de Saint-Joseph-de-Beauce écrit à Briand, le 22 juin : « J'ai chanté le *Te Deum* selon votre mandement *oculis lacrymantibus.* »

Mère Marguerite d'Youville n'est pas la seule à penser ce qu'elle affirme à l'abbé Villard, de Paris, le 5 août 1763 :

Nous avons été surprises et nous nous sommes toujours flattées que la France ne nous abandonnerait pas, mais nous nous sommes trompées dans notre attente ;

> Dieu l'a permis ainsi. Si nous sommes aussi libres d'exercer notre religion et de faire tout le bien que nous trouvons à faire comme nous l'avons été depuis que nous sommes sous la domination anglaise, nous ne serons pas à plaindre pour le spirituel ; mais pour le temporel, il y aura plus de misères ; on ne trouve pas à gagner sa vie avec eux comme avec les Français, mais j'espère que la Providence y suppléera.

Le même sentiment semble habiter les ursulines de Québec. L'une d'elles écrit aux Mères ursulines de Paris : « La paix si longtemps désirée, mais conclue à des conditions si opposées à nos désirs, a mis le comble à notre douleur. Nous avons été d'autant plus sensibles à cette triste nouvelle, que nous nous flattions pour lors, plus que jamais, de l'apprendre à d'autres titres pour nous, ne pouvant nous persuader que le Canada entier eût été donné à si bas prix. »

Vers un pouvoir civil

Le traité de Paris ne règle pas tout. Les frontières de la colonie n'y sont pas précisées et les structures administratives restent à définir. Trois autres questions demeurent en suspens le remboursement de la monnaie de papier, la nomination d'un évêque et l'administration de la justice.

La Proclamation royale du 7 octobre 1763 apporte quelques solutions. Sur le plan territorial, *The Province of Quebec* — car tel est le nouveau nom de la colonie — est amputée aux extrémités pour éviter que les Canadiens n'aient des contacts trop fréquents avec les Français qui ont droit de pêche sur le banc de Terre-Neuve et qui possèdent encore les îles de Saint-Pierre et Miquelon. L'article premier de la Proclamation stipule que

> le gouvernement de Québec sera borné sur la côte du Labrador par la rivière Saint-Jean et de là par une ligne s'étendant de la source de cette rivière à travers le lac Saint-Jean jusqu'à l'extrémité sud du lac Nipissing, traversant de ce dernier endroit le fleuve Saint-Laurent et le lac Champlain par 45 degrés de latitude nord, pour longer les terres hautes qui séparent les rivières qui se déversent dans ledit fleuve Saint-Laurent de celles qui se jettent dans la mer, s'étendre ensuite le long de la côte nord de la baie des Chaleurs et de la côte du golfe Saint-Laurent jusqu'au cap Rozière, puis traverser de là l'embouchure du fleuve Saint-Laurent en passant par l'extrémité ouest de l'île d'Anticosti et se terminer ensuite à ladite rivière Saint-Jean.

Le roi permettait aussi, « dès que l'état et les conditions des colonies le permettront », l'établissement de chambres d'assemblée. Cette permission soulèvera plusieurs problèmes dans la province de Québec. Il est vrai que la Nouvelle-Écosse élisait ses propres députés depuis 1752 et que les colonies de la Nouvelle-Angleterre possédaient, elles aussi, des structures administratives semblables, mais une remise en cause des pouvoirs réels de telles chambres d'assemblée commence déjà à créer du remous dans ces colonies.

La Proclamation royale autorisait en outre la création « de tribunaux civils et des cours de justice publique dans nosdites colonies pour entendre et juger toutes les causes aussi bien criminelles que civiles, suivant la loi et l'équité, conformément autant que possible aux lois anglaises ».

Le même document enjoint aux gouverneurs des diverses colonies de concéder gratuitement « aux officiers réformés qui ont servi dans l'Amérique du Nord pendant la dernière guerre » des terres de 5000 acres s'ils sont officiers supérieurs, de 3000, s'ils sont capitaines, de 2000 aux officiers subalternes ou d'état major et de 200 acres aux sous-officiers. Les simples soldats qui ont été ou qui seront licenciés en Amérique, à la condition qu'ils résident dans la colonie et qu'ils fassent personnellement une demande, ont droit à une terre de cinquante acres.

Dans tous les cas, on ne pourra exiger des nouveaux propriétaires une redevance égale à celle payée pour des terres situées dans la même province « qu'à l'expiration de dix années ». Les marins qui ont servi lors des prises de Louisbourg et de Québec possèdent les mêmes avantages.

La Proclamation royale s'arrête enfin au sort des Amérindiens. « Nous déclarons de plus que c'est notre plaisir royal ainsi que notre volonté de réserver pour le présent, sous notre souveraineté, notre protection et notre autorité, pour l'usage desdits sauvages, toutes les terres et tous les territoires non compris dans les limites de nos trois gouvernements ni dans les limites du territoire concédé à la Compagnie de la Baie d'Hudson, ainsi que toutes les terres et tous les territoires situés à l'ouest des sources des rivières qui de l'ouest et du nord-ouest vont se jeter dans la mer. »

S'il y a déjà des Blancs qui habitent ces territoires, ils doivent les quitter immédiatement après avoir pris connaissance de la décision royale. Par contre, la traite des fourrures devient libre pour tous, à la condition de posséder une licence qui doit être émise gratuitement, et de se conformer aux règlements qui seront adoptés à ce sujet.

Monnaie de peu de valeur !

Avec la signature du traité de Paris et la cession définitive de la Nouvelle-France à l'Angleterre, plusieurs craignent de subir des pertes considérables avec le papier-monnaie qu'ils ont encore entre les mains. Le 12 février 1763, alors que l'on ignore encore dans la colonie que la paix est officiellement rétablie, un groupe de citoyens de Montréal, comprenant « le corps du clergé, le corps de la noblesse et le corps du commerce », soit en tout 62 signataires, dont 52 commerçants, adresse une pétition au roi de la Grande-Bretagne. Les pétitionnaires tentent d'émouvoir le souverain par la description de leurs misères.

> Dès cette époque [1758], affirment-ils, la monnaie de papier seule qui circulait en ce pays est devenue totalement discréditée et entièrement inutile. La suspension du paiement des lettres de change nous porta le dernier coup ; enfin tous les États à la fois se sont trouvés et se trouvent aujourd'hui dans une détresse affreuse et la situation la plus déplorable. Les marchés publics sont couverts de meubles et des dépouilles les plus nécessaires pour subvenir à la subsistance de nos familles. [...] Cependant l'avenir effraie encore davantage les citoyens du Canada ; que deviendront-ils si l'on diffère plus longtemps le paiement de leur monnaie ? Que vont devenir leurs familles ? Le laboureur des campagnes trouvera du moins dans la fertilité de la terre la récompense de ses labeurs, il vivra ; mais plus malheureux

que lui, les habitants des villes n'auront aucunes ressources, ils seront tous dans l'impuissance de se soulager parce que leurs maux seront communs.

Les principaux signataires sont le vicaire général Montgolfier, la sœur Saint-Simon, supérieure de la Congrégation Notre-Dame, la sœur Martel, supérieure de l'Hôtel-Dieu de Montréal, la veuve d'Youville, directrice de l'Hôpital Général, Trottier Desrivières Beaubien, d'Ailleboust d'Argenteuil, d'Ailleboust de Cuisy, La Corne Saint-Luc. Vers la même date, dans l'ancienne métropole, le duc de Choiseul signe une déclaration annexée au traité de Paris dans laquelle le roi de France déclare « que lesdits billets et lettres de change seront exactement payés, d'après une liquidation faite dans un temps convenable, selon la distance des lieux et la possibilité ».

À la suite de l'engagement de Choiseul, les bourgeois, négociants et habitants de Québec sont invités à faire l'enregistrement des lettres de change et des billets de monnaie ou d'ordonnance qu'ils possèdent. On procède au même inventaire dans les gouvernements de Montréal et de Trois-Rivières. L'historien Fernand Ouellet évalue à 30 ou 33 millions le total de la monnaie de papier demeurée au Canada. Cet enregistrement avait pour but non seulement de connaître les valeurs détenues par chacun, mais surtout d'empêcher que les billets emportés en France ne reviennent dans la colonie dans l'espoir d'un remboursement plus rapide.

Les commerçants anglais parcourent villes et villages dans l'idée d'acheter à 15 pour cent de leur valeur nominale les billets de monnaie. Le gouverneur Murray sent le besoin de réunir les marchands canadiens pour leur faire remarquer « comme il était absurde de leur part de se départir de leur argent pour presque rien » et qu'il était « certainement plus avantageux pour eux d'attendre avec patience les résultats de celles-ci [les stipulations de la déclaration de Choiseul] que de les vendre à des marchands qui ne les achèteraient pas, s'ils n'étaient pas certains d'en retirer un immense profit ».

L'enregistrement de la monnaie de papier se continue dans les premiers mois de 1764. Le 29 juin de la même année, le Conseil d'État du roi de France rend un arrêt concernant la liquidation « des lettres de change et billets de monnaie du Canada ». Les lettres de change émises avant 1759 seront remboursées en entier ; les lettres de change émises en 1760 pour la subsistance des armées seront elles aussi pleinement remboursées ; les autres lettres de change seront remboursées à 50 pour cent de leur valeur déclarée ; pour les autres billets de monnaie, « Sa Majesté [française] veut bien faire acquitter le quart des sommes pour lesquelles ils ont été fabriqués ».

La France tarde à respecter les engagements pris en 1764. Une convention intervient le 29 mars 1766 : les sommes dues seront payées, mais plus tard ; en attendant, elles porteront intérêt à 4 1/2 pour cent, à compter du 1er janvier 1765. L'affaire connaît son dénouement en 1771, alors que la France décide de ne pas rembourser ses dettes. L'historien Fernand Ouellet tire de cette décision les conclusions suivantes : « En tenant compte des clauses de compensation acceptées par la France, on estimera finalement les pertes effectives des Canadiens à un peu plus de 300 000 livres sterling. On doit bien croire que ces pertes ont eu leur rôle dans les faillites commerciales des années 1764 à 1771. Toute proportion gardée eu égard à l'effectif démographique, les pertes des Britanniques sont beaucoup plus considérables que celles des Canadiens. »

Les retours en France

Le traité de Paris accordait dix-huit mois de délai à ceux qui voulaient retourner en France. Ce délai expire le 10 août 1764, jour où le régime militaire se termine officiellement et que débute le gouvernement civil.

Le 22 mars 1764, le gouverneur Murray ordonne aux capitaines de milice « d'assembler, aussitôt que faire se pourra, les habitants des paroisses, à commencer à Beaumont jusqu'au Cap-Saint-Ignace et de leur faire signer un écrit par lequel ils marqueront s'ils doivent continuer dans ce pays ou passer en France, afin que leur choix à cet égard soit déposé au bureau du Secrétariat ».

Ralph Burton, qui est devenu gouverneur de Montréal, demande par un ordre du 26 avril, à tous ceux qui veulent retourner en France d'envoyer dans les trois semaines suivantes au secrétariat de la ville, une déclaration contenant « leurs noms, noms de baptême, profession [c'est-à-dire officier, gentilhomme, bourgeois, marchand ou habitant], femme, nombre d'enfants mâles ou femelles, et nombre de domestiques mâles ou femelles, et si ces derniers sont nés Canadiens ou Français, qu'ils se proposent d'emmener avec eux ».

Quant à Haldimand, pour le gouvernement de Trois-Rivières, il pose à peu près les mêmes exigences que son confrère de Montréal et il sent le besoin de rassurer ceux qui ont choisi de partir. « Ces personnes peuvent être assurées qu'on ne souffrira pas qu'il leur soit fait aucune imposition ni vexation de la part des capitaines de vaisseaux, soit pour le prix de leur passage ou celui de leurs effets. Le prix en sera réglé à Québec et ils peuvent être certains qu'ils seront traités à tous ces égards sur le même pied que le seraient les sujets nés de Sa Majesté. »

Bien peu se prévalent du droit d'émigrer. Le 23 avril 1764, Murray écrit à lord Halifax : « Je n'ai pas encore reçu des districts du haut du fleuve un rapport du nombre des immigrants pour le prochain été, mais je puis, en toute certitude, informer Votre Seigneurie qu'il ne sera nul besoin de nouveaux vaisseaux pour transporter ces émigrants, car leur nombre est insignifiant, en autant que j'en puis juger par ce district. » Dans un rapport du 24 août, le gouverneur déclare qu'il n'émigrera pas plus de 270 personnes, « principalement des officiers et leurs familles ».

Un gouvernement civil

Le 21 novembre 1763, George III nomme James Murray « notre capitaine général et gouverneur en chef de notre province de Québec, en Amérique ». Le 7 décembre suivant, le souverain signe les instructions pour son représentant. Les 88 articles touchent à peu près tous les secteurs de l'activité gouvernementale. La ville de Québec devient « le principal siège du gouvernement ».

L'article 2 autorise la formation d'un conseil « pour vous assister dans la direction du gouvernement, conseil qui, pour le présent, devra se composer des personnes que nous avons nommées nos lieutenants-gouverneurs de Montréal et de

Trois-Rivières, de notre juge en chef de notre dite province, de l'inspecteur général des douanes en Amérique pour le district du nord et de huit autres personnes que vous choisirez parmi les habitants les plus marquants ou personnes de moyens dans notre dite province ». Le quorum est fixé à cinq et le conseil aura des pouvoirs législatifs et exécutifs. L'article 16 autorise l'établissement de cours de judicature et de justice.

L'aspect religieux retient particulièrement l'attention du roi d'Angleterre : plus d'une dizaine d'articles sont consacrés à ce sujet. En vertu de l'article 29, le gouverneur devra, aussitôt que possible, réunir les habitants pour leur faire prêter le serment d'allégeance et la déclaration d'abjuration. « Ils devront prêter ce serment devant la personne ou les personnes que vous nommerez à cette fin ; et si quelqu'un de ces habitants français refuse de prêter ce serment et de faire et souscrire la déclaration d'abjuration, ainsi que dit plus haut, vous devrez l'obliger à quitter immédiatement notre dit gouvernement. »

La déclaration d'abjuration dénie le droit des catholiques au trône d'Angleterre et reconnaît le droit des héritiers de feue la princesse Sophie, « qui sont tous protestants ». Le gouverneur profitera du rassemblement des habitants professant la religion de l'Église catholiques que romaine venus prêter serment pour leur faire déclarer, aussi sous serment, « les armes et munitions de toutes sortes qu'ils auront en leur possession et qu'ils rendent aussi compte de temps à autre, de celles qu'ils recevront ».

L'enseignement passe aussi sous le contrôle du gouverneur : aucun instituteur venant de la Grande-Bretagne ne pourra enseigner sans la permission du Lord Évêque de Londres et tout instituteur demeurant actuellement dans la province ou qui viendra d'ailleurs ne peut tenir école sans une autorisation du gouverneur. Ce dernier devra de plus faire rigoureusement appliquer les lois contre « le blasphème, les jurements, l'adultère, la fornication, la polygamie, l'inceste, la profanation du jour du Seigneur, les imprécations et l'ivrognerie ».

Le vendredi 10 août 1764, à onze heures du matin, sur la Place d'Armes, devant le château Saint-Louis à Québec, alors que les troupes sont sous les armes, on lit les lettres patentes nommant Murray gouverneur en chef de la province de Québec. La cérémonie se déroule, selon la *Gazette* de Québec nouvellement fondée, « devant une assemblée bien nombreuse ». Une fois la lecture terminée, « on fit tirer le canon des remparts et les vaisseaux de guerre qui sont dans la rade y répondirent ainsi que les régiments qui sont en garnison ici par des volées de mousqueterie et le jour finit avec les réjouissances ordinaires et toutes les marques d'un contentement général ».

Le lendemain, des bourgeois et citoyens de la capitale présentent une adresse au général où ils affirment que leur ambition « ne consiste qu'à disputer avec les anciens sujets quels seront les plus fidèles ». Dans sa réponse, Murray les remercie et ajoute : « J'ai eu commandement de Sa Majesté d'encourager l'agriculture et de protéger le commerce ; par inclination autant que par devoir, j'y vais donner toute mon attention : Heureux ! si en répondant à des vues si sages, je puis parvenir à procurer le bonheur du peuple qu'il a confié à mes soins, et à rendre cette province aussi florissante que je le désire. »

Un Conseil tout « british »

Pour former son Conseil, le gouverneur Murray ne fait appel qu'à des protestants choisis parmi les 250 habitants d'origine britannique que compte la colonie à cette époque. En plus des personnes énumérées dans les instructions royales, le Conseil se compose du juge en chef William Gregory, de Paulus Æmilius Irving, qui avait pris part au siège de Québec, d'Hector Theophilus Cramahé, huguenot français né en Angleterre, de Samuel Holland, né au Pays-Bas et participant à l'attaque contre Québec, d'Adam Mabane, Écossais d'origine et chirurgien de la garnison de Québec en 1760, de Thomas Dunn, natif d'Angleterre et commerçant de fourrures depuis la Conquête, de Walter Murray, neveu du gouverneur, et de François Mounier, un huguenot né à La Rochelle et arrivé dans la colonie à la fin des années 1740. Ce dernier est le seul des conseillers nommés le 13 août 1764 qui soit de langue maternelle française, bien que la majorité de ces notables parlent français.

Comme la prestation du serment du Test est obligatoire pour siéger au Conseil ou pour exercer une fonction importante dans l'administration gouvernementale, les Canadiens catholiques en étaient du fait même exclus. Cependant Murray et, plus tard, Carleton, acceptèrent d'accorder certains postes à des Canadiens sans les obliger à prêter ces serments contraires à leur foi.

Le serment d'abjuration est ainsi formulé : « Je jure que j'abhorre du fond de mon cœur et que je déteste et abjure, comme étant impie et pleine d'hérésie, cette doctrine et maxime affreuse que les princes qui sont excommuniés ou privés de leur royaume ou territoires par le pape ou par aucune autorité du siège de Rome, peuvent être détrônés ou mis à mort par leurs sujets ou par d'autres personnes quelconques. Et je déclare que nul prince, personnes, prélat, état ou potentat étranger a, ou doit avoir, aucune juridiction, pouvoir, supériorité, prééminence ou autorité ecclésiastique ou spirituelle dans ce royaume. »

Le serment du Test se complète par les deux déclarations suivantes :

> Je, A.B., déclare que je crois qu'il n'y a pas dans le sacrement de la Sainte Cène de Notre Seigneur Jésus-Christ aucune transsubstantiation des éléments de pain et de vin, ni dans le moment de leur consécration, ni après leur consécration, par quelque personne que ce soit. Je, A.B., professe, témoigne et déclare solennellement et sincèrement dans la présence de Dieu que je crois que, dans le sacrement de la Sainte Cène de notre Seigneur Jésus-Christ il n'y a aucune transsubstantiation des éléments de pain et de vin en le corps et le sang de Jésus-Christ dans le temps et après le temps de leur consécration par quelque personne que ce soit ; et que l'invocation ou l'adoration de la Vierge Marie et de tout autre saint, le sacrifice de la messe, comme elles sont aujourd'hui pratiquées dans l'Église de Rome, sont superstitieuses et idolâtreuses. Et je professe, témoigne et déclare que je fais cette déclaration et chaque partie de celle-ci dans le sens naturel et ordinaire des mots qui m'ont été lus, comme ils sont entendus communément par les Anglais protestants, sans aucune évasion, interprétation équivoque, ou réservation mentale quelconque, et sans aucune dispense déjà accordée à moi pour cette occasion par le pape ou par aucune autorité ou personne quelconque et sans aucune espérance d'obtenir une dispense pour cette occasion de par aucune personne ou autorité quelconque et sans penser que je suis ou que je puisse être,

> devant Dieu ou les hommes, censé libre de l'obligation te cette déclaration ou que je puisse être absous de celle-ci ou d'aucune partie de celle-ci, quoique le pape ou tout autre personne ou puissance quelconque m'en dispensât ou l'annulât ou déclarât qu'elle a été nulle et de nulle validité depuis son commencement.

Il faudra attendre l'Acte de Québec, en 1774, pour que disparaisse l'obligation de prêter le serment du Test pour occuper une fonction dans l'administration. L'exclusion des Canadiens de l'administration n'est pas sans causer de mécontentement. Guy Carleton, nommé lieutenant-gouverneur, en 1766, affirmera, le 20 janvier 1768 :

> L'élévation au rang de conseillers de trois ou quatre Canadiens en vue dont les fonctions consisteraient à peu près à l'honneur de porter ce titre, bien que, dans certaines occasions, ils pourraient se rendre utiles, et l'organisation de quelques compagnies canadiennes d'infanterie commandées par des officiers judicieusement choisis avec la concession de trois ou quatre emplois sans importance dans l'administration civile, produiraient un grand changement dans l'opinion de la population. On réussirait au moins à diviser les Canadiens et, dans le cas d'une guerre avec la France, nous en aurions un certain nombre pour nous qui stimuleraient le zèle des troupes nationales du roi.

La zizanie judiciaire

La fin du régime militaire fait disparaître la cour martiale et provoque un urgent besoin de cours civiles. Le 17 septembre 1764, le gouverneur en conseil émet une ordonnance « pour organiser et établir des cours de judicature, des sessions trimestrielles, de même que tout ce qui concerne l'administration de la justice dans cette province et pour instituer des juges de paix et des baillis ».

La cour du Banc du Roi est le plus haut tribunal de la province. Présidé par le juge en chef, elle tient deux termes par année : à la Saint-Hilaire, le 21 janvier, et à la Trinité, terme qui débute le 21 juin. La justice est rendue, pour toutes causes criminelles et civiles « suivant les lois d'Angleterre et conformément aux ordonnances de cette province ». « Dans tous les procès instruits devant cette cour, précise l'ordonnance, tous les sujets de Sa Majesté dans la colonie devront être appelés sans distinction à remplir la charge de jurés. »

Cette décision soulève bien des problèmes, car certains anglophones n'acceptent pas de partager ce devoir avec les conquis. Murray explique ainsi la raison de ce choix :

> Comme il n'y a que deux cents sujets protestants dans la province, dont la plus grande partie est composée de soldats licenciés, de petite fortune et de peu de capacité, il est considéré injuste d'empêcher les nouveaux sujets catholiques romains de faire partie des jurys, car une telle exclusion constituerait lesdits deux cents protestants juges perpétuels de la vie et des biens non seulement des quatre-vingt mille nouveaux sujets, mais de tous les militaires dans cette province ; de plus, si les Canadiens ne doivent pas être admis à faire partie des jurys, beaucoup émigreront. Cette organisation n'est donc rien autre chose qu'un expédient tem-

> poraire pour laisser les choses dans leur état actuel jusqu'à ce que soit connu le plaisir de Sa Majesté sur ce point critique et difficile.

La cour du Banc du Roi siégera deux fois par an, en dehors de Québec : une fois à Montréal et une deuxième, à Trois-Rivières. Les décisions rendues ne sont pas finales dans les causes impliquant plus de 300 louis sterling. Dans ce cas, le perdant a droit d'appel au gouverneur et à son conseil. Si la cause porte sur un litige de plus de 500 louis sterling, on peut alors en appeler au roi en son conseil.

Alors que les avocats ou procureurs canadiens sont exclus des causes plaidées devant la cour du Banc du Roi, par contre ils sont admis à celles de Plaids ou plaidoyers communs. Cette cour de judicature inférieure juge des contestations portant sur une valeur excédant dix louis. Si l'une ou l'autre des parties le demande, la contestation sera tranchée par jury. Le droit d'appel est maintenu si le montant en jeu est assez important. L'entreprise d'anglicisation du système judiciaire joue peu au niveau de la cour inférieure.

> La cour des plaids communs, note Murray, est établie seulement pour les Canadiens : ne pas admettre une cour semblable jusqu'à ce qu'on puisse supposer qu'ils soient familiarisés suffisamment avec nos lois et nos méthodes concernant l'administration de la justice dans nos cours, équivaudrait à lancer un navire sur la mer sans boussole. Et vraiment la situation des premiers serait encore plus cruelle — car le navire pourrait se sauver, la chance le pousserait peut-être dans quelque port hospitalier — tandis que les pauvres Canadiens ne pourraient éviter ni les artifices des trompeurs, ni la voracité de certains praticiens ; ils doivent être protégés contre de tels abus durant les premiers mois de leur ignorance, abus qui auraient pour résultat d'inspirer aux Canadiens de la méfiance et du dégoût à l'égard de notre gouvernement et de nos lois.

Il est donc alors normal que les juges de la cour des Plaids communs décident « suivant l'équité en tenant compte cependant des lois d'Angleterre en autant que les circonstances et l'état actuel des choses le permettront, jusqu'à ce que le gouverneur et le Conseil puissent rendre des ordonnances conformes aux lois d'Angleterre, pour renseigner la population. Les lois et les coutumes françaises seront autorisées et admises dans toutes les causes soumises à cette cour, entre les natifs de cette province, si la cause de l'action a été mue avant le 1er octobre 1764 ».

L'ordonnance du 17 septembre 1764 autorise la nomination de juges de paix qui, obligatoirement, devront être de religion protestante pour juger, devant un juge seul, toutes les causes concernant la propriété et dont la valeur en litige ne dépasse pas cinq louis ; devant deux juges, des causes impliquant au maximum dix louis et devant trois juges pour les causes entre dix et trente louis. Comme le gouvernement de Trois-Rivières ne possède pas assez de sujets protestants, la province est divisée en deux districts judiciaires : celui de Québec et celui de Montréal, la frontière étant, sur la rive sud, la rivière Godefroy, et, sur la rive nord, la rivière Saint-Maurice.

L'application des lois, le bien-être et la sécurité des habitants sont assurés par des baillis, « parce que les nouveaux sujets comprennent mieux ce mot que celui de constable ». Les représentants de la loi sont élus chaque année par la majorité des habitants tenant feu et lieu. Chaque paroisse possédera son bailli et son sous-bailli, lesquels seront choisis annuellement parmi les six hommes compétents élus par les habitants.

> Les baillis, précise l'ordonnance, seront chargés de la surveillance des grands chemins du roi et des ponts publics et ils devront y faire exécuter les réparations requises et nécessaires ; ils devront arrêter et saisir tous les criminels contre lesquels ils seront munis de mandat ou d'ordres à cette fin, les garder et les conduire, en passant par les paroisses dans lesquelles il se trouvera des baillis en exercice, à telle prison ou tel endroit indiqué par le mandat ou l'ordre. Ils devront aussi faire l'examen de tous les corps exposés qui porteront des marques de violence en présence de cinq notables tenant feu et lieu dans la même paroisse, qu'ils sont par les présentes autorisés à convoquer à cette fin, et adresser ensuite un rapport par écrit de l'état du cadavre et des circonstances, au magistrat le plus rapproché afin qu'un autre examen soit ordonné si la chose est nécessaire.

De plus, le bailli réglera les problèmes de bris ou de réparations de clôtures. Dans un tel cas, chaque partie se choisira trois arbitres et le bailli présidera ce tribunal sommaire.

Les accusations fusent

La décision de Murray et de son Conseil d'admettre les Canadiens catholiques à siéger comme jurés soulève l'indignation de plusieurs sujets anglais qui la considèrent comme un privilège injustifié consenti aux Canadiens. À la mi-octobre 1764, les grands jurés de Québec rendent public leur mécontentement. Ils font remarquer que plusieurs juges de paix sont incompétents.

> En considération de la portée du serment imposé aux jurés et des conséquences qui peuvent résulter des décisions rendues à l'égard des sujets soumis à la discussion, nous avons décidé que notre devoir envers nous-mêmes et nos compatriotes nous obligeait de ne plus siéger à l'avenir dans aucune cour que ne présidera pas un homme suffisamment au courant des lois.

Quatorze signataires s'arrêtent à ce qui leur apparaît comme l'abus le plus important :

> Il s'agit, écrivent-ils, des personnes pratiquant la religion de l'Église de Rome, qui reconnaissent la suprématie et la juridiction du pape, considèrent les bulles et les brefs, les absolutions, etc., émanant de ce pontife comme des ordonnances liant leurs consciences, et qui n'en ont pas moins été appelés à faire partie du jury d'accusation et du jury du jugement, même quand il s'agissait d'un litige entre deux protestants. Considérant que les membres du jury d'accusation d'un chef-lieu de district du royaume d'Angleterre sont engagés par leur serment à déférer à une cour d'assises ou de sessions trimestrielles toute violation manifeste des lois, des statuts du royaume et de tout ce qui constitue une nuisance envers les sujets de Sa Majesté ou un danger pour sa couronne et pour la dignité et la sécurité de ses possessions, nous croyons par conséquent qu'il n'y a rien de plus dangereux que de laisser assermenter comme jurés des personnes exclues par les lois de remplir aucune charge de confiance ou d'exercer aucun pouvoir particulièrement en matière judiciaire. [...] Nous croyons donc que l'admission parmi les jurés de

> personnes appartenant à la religion romaine et qui reconnaissent l'autorité, la suprématie et la juridiction de l'Église de Rome, constitue une violation manifeste de nos lois et de nos libertés les plus sacrées, conduit à la destruction de la religion protestante et menace le pouvoir, l'autorité et les droits de Sa Majesté, dans la province où nous vivons.

Les sept jurés de langue française protestent, à leur tour, le 26 octobre contre l'attitude de leurs confrères protestants. Parlant de l'admission d'avocats canadiens en cour, ils remarquent « qu'il est naturel pour les nouveaux sujets canadiens de se servir de personnes qu'ils entendent et de qui ils sont entendus, avec d'autant plus de raison qu'il n'y a pas un avocat anglais qui sache la langue française et avec lequel il ne fallut un interprète qui ne rendrait presque jamais le vrai sens de la chose, d'ailleurs en quelques frais exorbitants ne se verraient pas constitué les parties sans cette sage ordonnance qui fait la tranquillité des familles ». Les signataires font aussi valoir qu'ils se sentent aptes à agir comme jurés et que la conduite des jurés de langue anglaise est répréhensible.

Une autre pétition, signée par 94 « habitants français », vient appuyer celle des jurés.

> Qui sont ceux qui veulent nous faire proscrire ? se demandent-ils. Environ trente marchands anglais, dont quinze au plus sont domiciliés. Qui sont les proscrits ? Dix mille chefs de famille qui ne respirent que la soumission aux ordres de Votre Majesté ou de ceux qui le représentent, qui ne connaissent point cette prétendue liberté que l'on veut leur inspirer, de s'opposer à tous les règlements qui peuvent leur être avantageux, et qui ont assez d'intelligence pour connaître que leur intérêt particulier les conduit plus que le bien public. [...] Que deviendrait la justice si ceux qui n'entendent point notre langue ni nos coutumes en devenaient les juges par le ministère des interprètes ? Quelle confusion ! Quels frais mercenaires n'en résulterait-il point ? De sujets protégés par Votre Majesté, nous deviendrions de véritables esclaves ; une vingtaine de personnes, que nous n'entendons point, deviendraient les maîtres de nos biens et de nos intérêts ; plus de ressources pour nous dans les personnes de probité auxquelles nous avions recours pour l'arrangement de nos affaires de famille et qui, en nous abandonnant, nous forceraient nous-mêmes à préférer la terre la plus ingrate à celle fertile que nous possédons.

Le gouverneur Murray ne demeure pas indifférent à l'agitation causée par son ordonnance du 17 septembre. Il envoie à Londres le conseiller Cramahé porter les différentes pétitions et expliquer aux autorités anglaises la situation exacte de la colonie. Il écrit, à ce sujet, aux lords du Commerce, le 29 octobre :

> Peu, très peu suffira à contenter les nouveaux sujets mais rien ne pourra satisfaire les fanatiques déréglés qui font le commerce hormis l'expulsion des Canadiens qui constituent la race la plus brave et la meilleure du globe peut-être, et qui encouragés par quelques privilèges que les lois anglaises refusent aux catholiques romains en Angleterre, ne manqueraient pas de vaincre leur antipathie nationale à l'égard de leurs conquérants et deviendraient les sujets les plus fidèles et les plus utiles de cet empire américain. Je me flatte qu'il y aura moyen de trouver un remède, même dans les lois, pour améliorer le sort de ce peuple et je suis convaincu que le sentiment populaire en Angleterre approuverait l'adoption d'une telle mesure et

que le bon cœur du roi pourrait sans crainte suivre ses inclinations à cette fin. J'ai espoir aussi que mon royal maître approuvera la décision unanime de Son Conseil d'établir des cours de justice, sans quoi il n'eut pas été possible d'empêcher un grand nombre de Canadiens d'émigrer ; en outre, je suis convaincu que, si ceux-ci ne sont pas admis à faire partie des jurés et s'il ne leur est pas accordé des juges et des avocats comprenant leur langue, Sa Majesté perdra la plus grande partie de cette utile population.

La campagne des marchands

Les marchands anglais de la colonie continuent leur campagne de dénigrement contre le gouverneur Murray jugé trop conciliant pour les vaincus. Ces marchands présentent une nouvelle pétition au roi où ils accusent Murray de les traiter « souvent avec un emportement et une rudesse de langage et de conduite aussi déplacés et aussi indignes du poste de confiance qu'il tient de Votre Majesté que pénibles à ceux qui en sont l'objet ». Les accusations pleuvent : « sa partialité flagrante qui le pousse à susciter des factions, à prendre des mesures propres à entretenir la séparation entre les anciens et les nouveaux sujets de Votre Majesté et à encourager ceux-ci à demander des juges de leur langue. [...] Son indifférence à l'égard de la religion protestante en s'abstenant presque totalement d'assister au service de l'église. [...] Notre commerce se trouve sérieusement restreint et réduit à la détresse. »

Les 21 marchands signataires brandissent eux aussi la menace d'un départ : si un autre gouverneur n'est pas nommé, ils se trouveront dans la nécessité de quitter la province de Québec. Conscients de leur importance, ils demandent enfin l'établissement d'une chambre d'assemblée dans la colonie. « Il s'y trouve en effet un nombre plus que suffisant de protestants loyaux et intéressés, à l'exclusion des officiers militaires, pour former une assemblée législative, et les nouveaux sujets de Votre Majesté pourront être autorisés, si Votre Majesté le croit à propos, à élire des protestants sans avoir à prêter de ces serments que ne leur permet pas leur conscience. »

Voilà ! D'autres pétitions, pour ou contre Murray, circulent dans la colonie. Thomas Walker ameute Londres contre la conduite du gouverneur qui l'avait destitué de son poste de juge de paix. Les administrateurs anglais demandent donc à Murray de venir en personne expliquer la situation.

Le samedi 28 juin 1766, à onze heures du matin, le gouverneur Murray s'embarque à bord du *Petit Guillaume.* « Son Excellence a été suivi jusqu'au bord de l'eau par des officiers publics, par plusieurs ordres religieux, par des commerçants et autres habitants et il a été accompagné à bord sous un salut de canon de la grande Batterie. »

Paulus Æmilius Irving devient administrateur de la colonie pendant l'absence du gouverneur en titre. Le principal problème auquel cet officier doit faire face demeure celui de l'administration de la justice. Le 10 juin de l'année précédente, le procureur général et le solliciteur général de la Grande-Bretagne, consultés par les lords du Commerce, avaient conclu que les Canadiens « ne sont pas sujets dans ces colonies aux incapacités, aux inhabilités et aux pénalités auxquelles les catholiques romains sont assujettis dans ce royaume, par les lois sanctionnées à cette fin ». Le 1er juillet 1766, Irving, agissant comme président du Conseil de Sa Majesté, signe une ordonnance qui reconnaît « que tous les sujets de Sa Majesté de ladite province de Québec, sans distinction, jouissent de la prérogative de siéger en qualité de jurés et d'en remplir les fonctions dans toutes les causes civiles ou criminelles, du ressort des cours de judicature dans les limites de la province ». Depuis le 1er janvier 1765, l'âge de la majorité ayant été abaissé à vingt et un ans, un plus grand nombre de Canadiens peuvent devenir jurés.

L'ordonnance du 1er juillet 1766 établit aussi une justice quasi ethnique.

> Pour rendre l'administration de la justice plus uniforme et plus impartiale, y lit-on, il est aussi ordonné et déclaré par l'autorité susmentionnée, que, dans toute cause ou action civile entre sujets nés britanniques, le jury devra se composer de sujets nés britanniques seulement ; que, dans toute cause ou action entre Canadiens, le jury devra se composer de Canadiens seulement ; et que, dans toute cause ou action entre sujets nés britanniques et Canadiens, le jury devra se composer d'un nombre égal de chaque nationalité, si l'une ou l'autre partie en fait la demande dans les cas ci-dessus mentionnés. Et il est de plus ordonné et déclaré par l'autorité précitée qu'il sera et qu'il est par la présente permis et alloué aux sujets canadiens de Sa Majesté de remplir les fonctions d'avocat, d'attorney et de procureur, dans toutes ou chacune desdites cours de ladite province, conformément aux règlements qui seront prescrits par lesdites cours à l'égard de l'exercice de ces fonctions.

Ces concessions ne sont que des bribes de solution à « la crise judiciaire ». Le fond du problème apparaîtra bientôt : doit-on maintenir les lois civiles françaises ?

Un Pondiac vengeur

Pendant que, dans la province de Québec, Canadiens et Anglais apprennent à cohabiter, dans la région des Grands Lacs, un chef amérindien veut chasser les Anglais et rétablir la Nouvelle-France. Depuis la capitulation de la colonie, la traite des fourrures a changé de style dans les anciens postes français. Les Amérindiens sont obligés de venir troquer leurs fourrures dans des endroits précis et le régime de présents est terminé. De plus, le trafic du rhum est interdit. La révolte gronde chez les Amérindiens de la région de Détroit. Certains souhaitent un retour de l'autorité française ; d'autres désirent carrément chasser tous les Blancs.

« Chez les Abénaquis, rapporte Jean-Jacques-Blaise d'Abbadie, commissaire général en Louisiane, un homme de cette nation n'a pas eu de peine à convaincre tous les siens et successivement tous les hommes rouges que Dieu lui était apparu et lui avait dit : Je vous avertis que, si vous souffrez l'Anglais chez vous, vous êtes morts. Les maladies, la picotte et leur poison vous détruiront totalement. Il faut me prier et ne rien faire qui n'ait rapport à moi. »

Le chef des Outaouais, Pontiac, connu aussi sous le nom de Pondiac, veut déclencher une guerre sainte contre les Anglais. Le 27 avril 1763, il tente de galvaniser les Outaouais, les Sauteux et les Renards. L'historien Charles-Marie Boissonnault résume ainsi ses propos : « Le roi de France s'est endormi. Il se réveillera bientôt pour chasser les intrus qui saccagent les territoires de ses frères rouges. Nous ne recevrons plus aucune provision. Les Anglais nous vendent les marchandises deux fois plus cher et leur pacotille ne vaut rien. Ils nous refusent tout crédit, de sorte que l'hiver nous nous trouvons dépourvus de tout. Quand nous sommes dans le deuil, au lieu de pleurer avec nous, ils se moquent ; ils en font autant si nous leur demandons des remèdes pour nos malades. Vous voyez bien qu'ils veulent notre ruine. Frappons-les pendant qu'ils sont peu nombreux. »

L'orateur amérindien conclut sa harangue par une exhortation au combat : « Mes frères, il importe au plus haut point de détruire la nation anglaise pour qui notre mort est le seul souci. Vous devez comprendre que nous ne pouvons plus assurer notre subsistance comme par le passé. [...] En conséquence, il nous faut les exterminer sans délai. »

Pondiac invite donc à la révolte le plus grand nombre de tribus. Le poste de Détroit est la première cible des insurgés qui ignorent encore que la paix est intervenue entre la France et l'Angleterre et que cette dernière est devenue propriétaire de la colonie française d'Amérique du Nord. Henry Gladwyn, commandant de Détroit, apprend par une Amérindienne dont il était amoureux, comme le veut la légende, que les Amérindiens, prétextant une visite officielle, veulent s'introduire dans le fort avec des armes cachées sous leurs habits pour attaquer la garnison. Il fait doubler le nombre de soldats de garde le 7 mai 1763 alors que 300 Amérindiens se présentent sous le commandement de Pondiac.

« Mais, raconte Amherst à Monckton, quand ils virent les dispositions que Gladwyn avait prises pour les recevoir ils refusèrent presque de s'asseoir au Conseil. Le même jour, un parti de ces perfides et exécrables coquins s'empara, à l'entrée du lac Huron, d'un bateau qui allait faire des sondages. Le lieutenant [Charles] Robertson et sir Robert Davers se trouvaient à bord. Ils les massacrèrent ainsi que tout l'équipage. »

Le chef outaouais engage les Canadiens de la région de Détroit à faire cause commune avec lui. Bien peu acceptent. Malgré cela, en moins de six semaines, les Amérindiens s'emparent d'au moins huit forts, alors que Détroit est toujours assiégée. Des renforts, sous le commandement du capitaine James Dalyell, y arrivent le 29 juillet. Deux jours plus tard, cette petite armée est taillée en pièces.

Le 7 juillet précédent, Amherst avait écrit au colonel Henry Bouquet : « N'y aurait-il pas moyen de communiquer la petite vérole aux tribus indiennes mécontentes ? Nous devons utiliser tous les moyens à notre disposition pour les anéantir. » L'officier lui répond : « Je vais essayer de la répandre grâce à des couvertures que nous trouverons le moyen de leur faire parvenir. » Convaincu que l'arme bactériologique est plus efficace que le fusil, Amherst revient à la charge : « Vous ferez bien de la répandre ainsi que d'user de tous autres procédés capables d'exterminer cette race abominable. » Les documents ne nous révèlent pas si cette arme fut utilisée, mais il ne semble pas qu'à cette époque la petite vérole ait fait rage chez les hommes de Pondiac.

Le soulèvement de Pondiac sème la crainte auprès des autorités de la province de Québec. Le 3 août 1763, le gouverneur de Montréal, Thomas Gage, émet une ordonnance faisant « très expresse inhibition et défense à tous négociants, marchands, voyageurs ou autres personnes de transporter dans lesdits pays aucunes marchandises, munitions de guerre et de bouche ou autres effets à leur usage et même y contribuer en prêtant la main directement ou indirectement à ceux qui auraient dessein d'y passer. Et ce, sous peine de punition exemplaire ».

Soupçonnant certains Canadiens de favoriser la cause de Pondiac, Gage avait interdit le commerce avec les pays d'En-Haut, convaincu que cette interdiction ramènerait les Canadiens « à la raison en leur faisant subir également les inconvénients dont sont victimes les marchands britanniques [...] Et les Indiens, ajoute-t-il, vont se rendre compte qu'ils doivent compter uniquement sur les Anglais pour leurs armes et leur poudre et les autres articles dont ils ont besoin ».

Des soldats canadiens

Les Amérindiens habitant les villages du Québec sont soumis à une étroite surveillance. Les Abénaquis de Saint-François-du-Lac que le gouverneur de Trois-Rivières, Haldimand, juge comme « gens qui sont reconnus pour avoir le cœur mauvais », voient une garnison de 25 soldats s'installer non loin de leur village. Une partie de l'armée anglaise se rend à Montréal.

La discorde et les défections s'installent entre Pondiac et plusieurs de ses alliés. Le 29 octobre, on apprend la signature du traité de Paris et la cession du Canada. Deux jours plus tard, le chef outaouais écrit au commandant de Détroit : « Mon frère, la parole que mon père a envoyée pour faire la paix, je l'accepte. Tous mes jeunes gens ont enterré leur hachette. Je pense que tu oublieras les mauvaises choses qui sont passées, il y a quelque temps. De même, j'oublierai ce que tu peux m'aviser faire pour ne penser que de bonnes [choses]. Moi, les Sauteux, les Hurons, nous devons t'aller parler quand tu nous demanderas. Fais-nous la réponse. Je t'envoie le Conseil, afin que tu le vois. Si tu es bien comme moi, tu me feras réponse. Je te souhaite le bonjour. »

Pendant que Pondiac essaie de rallier d'autres tribus à sa cause, les autorités anglaises songent à mettre sur pied un régiment formé de Canadiens, non pas tant pour aller combattre les insurgés que pour les convaincre que même les Canadiens se sont ralliés à la cause anglaise et que les Amérindiens n'ont plus aucun secours à attendre d'eux.

Le problème est de savoir si le recrutement des miliciens canadiens se fera par voie de conscription ou s'il sera volontaire. Le 5 février 1764, Murray écrit à Gage, le nouveau commandant en chef des forces britanniques : « Ces pauvres gens [les Canadiens] n'ont eu à peine que le temps de respirer ; après une longue série ininterrompue de malheurs, ils se sont flattés que, sous notre gouvernement, on les exempterait enfin du poids intolérable du service militaire sous lequel ils ont auparavant gémi ; d'où une raison de plus de rendre volontaire le service que vous leur demandez à présent. Dans ces conditions, il ne sera pas au pouvoir des émissaires français, des prêtres ou autres personnes mal disposées, de faire servir cette mesure à leurs fins et ainsi d'en amener plusieurs à quitter cette province, qui autrement n'y auraient pas songé. »

Au moment où Murray écrit ces lignes, les Canadiens et les Français de la colonie ont encore jusqu'au 10 août 1764 pour émigrer en France. Il importe de les ménager en ne leur imposant pas la guerre.

Une bonne solde

Le plan de Gage est simple : lever cinq compagnies de 60 hommes chacune, soit deux dans le gouvernement de Québec, deux dans celui de Montréal et une dans celui de Trois-Rivières. Burton, devenu gouverneur de Montréal, semble être le seul à s'opposer à la participation des Canadiens à la guerre contre Pondiac. Il écrit à Murray, le 2 mars 1764 : « À mon avis, il est encore trop tôt pour enrôler les Canadiens dans une campagne contre les Sauvages ; surtout quand nous avons encore parmi nous tant de prêtres et d'officiers français qui, nous ne pouvons nous empêcher de les en soupçonner, seraient capables d'empoisonner l'esprit des Canadiens allant à la guerre. »

Le 6 mars 1764, Murray fait publier sur tout le territoire du gouvernement de Québec le placard suivant :

> Sa Majesté attentive au bonheur et à la tranquillité de ses sujets a résolu de faire revenir à la raison quelques nations sauvages dont la mauvaise volonté s'est manifestée par la violence et la trahison. À cette fin, le gouvernement s'est déterminé d'associer aux troupes qui doivent marcher à ces fins cinq compagnies de volontaires canadiens. [...] On n'engagera dans ce corps de troupes que ceux qui de leur plein gré seront déterminés à rester sous l'empire de Sa Majesté britannique. Pour reconnaître et récompenser la bonne volonté de ceux qui s'enrôleront, on donnera pour gratification douze piastres en argent à chaque volontaire. On leur délivrera un capot, deux paires de souliers sauvages, une paire de mitaines ; on les pourvoira d'armes, de munitions et de vivres durant tout le temps de la campagne ; la solde affectée à chaque homme sera de six sols anglais par jour. On aura soin de les faire accompagner par un prêtre catholique pour y exercer les fonctions de son ministère. Le service de ces volontaires finira avec la campagne, après laquelle chacun sera libre de ses volontés et s'en retourner chez soi. On ne peut faire trop de diligence pour former ces enrôlements.

Avant même d'écrire aux capitaines de milice de son gouvernement pour les inviter à recruter des volontaires, le gouverneur Haldimand est assuré du succès de l'opération. Il écrit à Murray, le 10 mars : « J'apprends qu'ils [les Canadiens] calculent déjà au coin de leur feu à combien se montera leur paie pour six mois avec les 12 piastres d'engagement et ils trouvent que 180 livres, argent de France, fait une grosse somme aujourd'hui. Demain, je ferai publier la proclamation afin qu'ils en soient assurés et, quelques jours après, lorsqu'ils auront eu le temps de faire des projets dans leur imagination avec les 180 livres, j'envoyerai des enrôleurs parmi eux et je ne doute point que je ne forme la compagnie pour le temps prescrit. » À Québec, Murray partage les mêmes sentiments. « Si le roi avait besoin de mille volontaires outre son contingent, confie-t-il à Haldimand le 11 mars, il les trouverait facilement dans mon district. »

Il est vrai que le clergé prête une main secourable aux agents recruteurs. Le 8 mars, le vicaire général Briand avait écrit aux curés une lettre les invitant à favoriser la formation du corps de volontaires :

> Son Excellence est dans le dessein de former un corps de volontaires commandés par des officiers canadiens ; ils auront un aumônier catholique. Le but de notre

> général est d'en imposer aux peuples sauvages des pays d'En-Haut et de les forcer à demander la paix. Nous devons tous prendre intérêt au succès d'un projet si avantageux à cette colonie, dont le commerce se trouve notablement diminué par la révolte de quelques-unes de ces nations. Vous encoureriez l'indignation de Son Excellence si vous paraissiez devant le peuple blâmer cet enrôlement. Je l'ai assuré que je ne connaissais aucun curé capable de tomber dans cette faute que je regarderais comme un crime, et que j'étais convaincu que tous, s'il était nécessaire, exhorteraient les peuples à entrer dans ses vues. Je suis persuadé que vous n'avez pas d'autres sentiments et me tiens assuré de la sagesse et de la prudence de votre conduite sur cet article.

Le gouvernement de Montréal, sans doute parce qu'il est plus touché que les autres par l'interdiction de commercer avec les Amérindiens des Grands Lacs, forme assez facilement ses deux compagnies. Les gouvernements de Trois-Rivières et de Québec connaissent quelques difficultés. Haldimand fait écho aux craintes des Canadiens, dans sa lettre du 25 mars adressée à Gage. « Ces peuples accoutumés à servir par obligation et à être commandés, écrit-il, ont été surpris de voir qu'on leur offrait de l'argent, se sont forgés mille chimères : ils se figurent qu'ils vont être soldats pour la vie, qu'ils vont être menés dans nos colonies dont ils ne reviendront jamais et ce qui surprendrait le plus de gens qui ne connaissent pas ce pays, c'est que ces idées ont fait impression sur les Canadiens de tout ordre, quoique la plupart fassent leur possible pour le dissimuler. »

Les habitants de la paroisse de Batiscan et de la rivière Batiscan refusent de se porter volontaires. N'oubliant pas la récente confiscation de leurs armes, ils affirment que, puisqu'on les avait désarmés à la conquête du pays, ils ne reprendraient plus jamais les armes ». Dans un geste de colère, le 28 mars, le gouverneur Haldimand ordonne au capitaine de milice de l'endroit « d'apporter immédiatement aux Trois-Rivières toutes les armes qui vous avaient été confiées pour l'usage des habitants de votre paroisse ; des gens qui refusent aussi insolemment de s'en servir pour le bien du public ne méritent pas d'en avoir l'usage pour leur intérêt personnel ». « Je suis fâché d'en devoir venir à cette extrémité, mais la mauvaise volonté de vos habitants est trop manifeste pour qu'il me soit permis de la tolérer davantage. »

La tiédeur des habitants de certaines paroisses soulève l'indignation du gouverneur Murray. Le 22 mars, il écrit aux capitaines de milice de ces paroisses :

> Le succès n'a point répondu à mon attente. Les paroisses situées au-dessus de Québec ont montré un éloignement qui me surprend. Je vous donne avis, monsieur, que, si elles persistent dans ces sentiments et que si chacune d'entre elles ne fournit pas de plein gré à proportion de la multitude de ses habitants le nombre d'hommes suffisant pour compléter deux compagnies, je serai obligé de donner des ordres pour faire ces enrôlements et pour lever autant de miliciens que les besoins du service le demanderont. Je ne m'en tiendrai point à ce coup d'autorité : je dépouillerai de leurs armes tous les habitants de la paroisse, à commencer par les officiers de milice.

À ces menaces s'ajoute un ordre donné aux capitaines de milice des paroisses situées entre Beaumont et Cap-Saint-Ignace : si vingt volontaires ne se présentent pas, ils devront tirer au sort 50 hommes de ces compagnies de milice. À la demande de Murray, le curé de Saint-Pierre-de-Montmagny, Charles Duchouquet, reçoit ordre de Briand de quitter immédiatement sa paroisse à la suite de sa prétendue opposition au recrutement militaire. Dans une lettre du 10 avril à son vicaire général, le curé proteste de son innocence : « Je n'ai jamais rien dit contre les ordres de monsieur le général ; au contraire, dans tous mes prônes, depuis un mois, je faisais mon possible pour exciter mes paroissiens à l'exécution desdits ordres. »

Le meurtre de Pondiac

Le 20 avril 1764, les cinq compagnies de volontaires canadiens quittent Lachine en direction de Niagara. Jean-Baptiste Des Bergères de Rigauville commande les hommes. Malgré l'agitation de Pondiac, la plupart des tribus de la région des Grands Lacs veulent la paix, qui intervient le 7 septembre à Détroit. Mais le chef outaouais est absent. Devant la tournure des événements, la présence des volontaires canadiens n'est plus jugée nécessaire et, à la fin du mois de novembre, les compagnies sont de retour dans la colonie. Quant à Pondiac, il signera la paix avec les autorités anglaises à Oswego le 24 juillet 1766. Moins de trois ans plus tard, soit le 20 avril 1769, il est assassiné à Cahokia, dans l'actuel État de l'Illinois, par un Amérindien soudoyé par un nommé Williamson, un marchand anglais.

Selon l'historien Michel Brunet, « la guerre de Pontiac inaugura une nouvelle forme de collaboration entre les conquérants anglais et les administrateurs ecclésiastiques. Ceux-ci devinrent obligés de défendre auprès de la population les expéditions militaires des Britanniques et de jouer, en quelque sorte, le rôle de véritables agents recruteurs à leur service. »

Québec vue de Pointe-Lévy, 1761

Les revendications 1763-1773

Tandis que le traité de Paris tolère le culte catholique « en tant que le permettent les lois de la Grande-Bretagne », les articles 32 et 33 des instructions royales au gouverneur Murray, en date du 7 décembre 1763, apportent certains éclaircissements :

> Vous ne devez admettre aucune juridiction ecclésiastique émanant du siège de Rome ni aucune autre juridiction ecclésiastique étrangère dans la province confiée à votre gouvernement. Et afin de parvenir à établir l'Église d'Angleterre, tant en principe qu'en pratique, et que lesdits habitants puissent graduellement être induits à embrasser la religion protestante et à élever leurs enfants dans les principes de cette religion, nous déclarons par les présentes que c'est notre intention, lorsque ladite province aura été exactement arpentée et divisée en cantons, districts, ressorts ou paroisses, tel que prescrit ci-après, que tout l'encouragement possible soit donné à la construction d'écoles protestantes dans les districts, cantons et ressorts, en désignant, réservant et affectant à cette fin des étendues suffisantes de terre de même que pour une glèbe et l'entretien d'un ministre et de maîtres d'écoles protestants.

Le peuple canadien semble s'intéresser assez peu au sort de sa religion. Telle est du moins l'opinion du vicaire général Briand. « Il est étonnant, écrit-il en 1763, combien il paraît d'indolence dans le peuple canadien pour s'assurer sa religion. Quelle différence de nos villes de France : cela vient peut-être de ce qu'il n'y a point de corps, ni de maison de ville. Si vous ôtez cinq ou six de nos bourgeois, tout le reste demeure dans une stupide et grossière indifférence. » Quelques Canadiennes ne craignent pas d'épouser un Anglais et ce, devant un ministre protestant. Une « disette » de prêtres se fait sentir, car l'Église catholique a perdu le tiers de ses effectifs au cours du régime militaire. Quelques religieux ont défroqué pour adhérer au protestantisme. Mais le problème majeur demeure celui de l'absence d'un chef. Depuis le décès de Pontbriand en juin 1760, la Nouvelle-France n'a plus d'évêque et l'ordination de nouveaux prêtres ne peut se faire sans un séjour à l'étranger car, sans évêque, le sacerdoce ne peut pas être conféré.

Londres assiégée

La nomination d'un évêque catholique pour prendre la succession de monseigneur Pontbriand ne peut se faire sans l'assentiment des autorités de Londres. Le doyen du chapitre de Québec, l'abbé Joseph-Marie de Lacorne, qui vit en France, se rend en Angleterre quelques jours après la signature du traité de Paris. Il multiplie rencontres et mémoires.

Enfin, le 18 mai, il rencontre le comte d'Egremont, secrétaire d'État, à qui il remet un mémoire présentant une solution habile au problème religieux canadien : « À Québec, écrit-il, il y a un évêque en titre, un Chapitre et un séminaire. C'était le roi de France, sous l'ancien régime, qui nommait l'évêque. La chose n'ayant plus lieu maintenant, il y a deux alternatives : entretenir au Canada un vicaire apostolique ou évêque *in partibus*. Cet évêque, soumis à une puissance étrangère et toujours dépendant d'elle, pourrait être suspect et causer quelque inquiétude. L'on propose l'autre alternative : faire élire l'évêque par le Chapitre, comme c'était autrefois la coutume universelle, comme ce l'est encore dans plusieurs diocèses. »

Charles de Beaumont, plus connu sous le nom de chevalier d'Éon, secrétaire d'ambassade à Londres, obtient quelques autres rendez-vous importants pour l'abbé Lacorne. Ce personnage trouble, que l'Histoire a retenu à cause de l'ambiguïté au sujet de son sexe, et qui probablement a été un homme continuellement vêtu en femme, annonce le succès de la mission du doyen du chapitre dans une lettre au duc de Choiseul, le 13 juin : « M. l'abbé de Lacorne, doyen de Québec, que le zèle a conduit ici il y a quelques mois pour solliciter le maintien de la religion catholique au Canada, se conduit avec beaucoup de prudence et de sagesse. Il a obtenu non sans peine et grandes discussions que son chapitre aurait la permission de se choisir publiquement un évêque catholique. Ce point était le plus important pour les Canadiens et pour nous. »

Certains accusent Lacorne de faire des gestes intéressés. Le gouverneur Murray y fait écho.

> Si Sa Majesté, écrit-il au comte de Shelburne le 22 juillet 1763, juge à propos de donner un chef au clergé catholique romain de ce pays, il y a certaines circonstances touchant ce monsieur qui, dans mon humble opinion, le rendent tout à fait inapte à ce poste. La bigoterie bien connue et la superstition de sa famille, l'aversion de ses frères pour tout ce qui porte un nom anglais, les cruautés incessantes qu'ils ont exercées naguère contre nous : tout cela laisse peu d'espoir à une conversion soudaine pour nos intérêts. Je dois en justice à la vérité de déclarer ici que M. Briand, vicaire général de ce diocèse, a agi en toutes circonstances avec une candeur, une modération, une délicatesse qui méritent les plus grands éloges, et que je m'attendais peu de trouver dans une personne de sa robe, étant donné les maximes très peu charitables de la religion qu'il professe et dans laquelle il a été élevé.

Voilà une préférence bien marquée pour un éventuel candidat au poste d'évêque !

Un mauvais choix

Cinq membres du chapitre se réunissent à Québec, le 12 septembre 1763. Le lendemain, ils rédigent une adresse au gouverneur Murray dans laquelle ils demandent le maintien du chapitre et exposent qu'ils ne tiennent à rien d'autre qu'à ne conserver de l'épiscopat « que ce qui est absolument et indispensablement nécessaire ». Briand va présenter immédiatement l'adresse à Murray et revient siéger. Les chanoines chargent le vicaire général Étienne Montgolfier, qui part pour l'Europe, d'obtenir des autorités compétentes la permission d'élire officiellement un évêque.

Le 15 septembre, les cinq membres du chapitre décident de procéder immédiatement au choix d'un évêque. Le supérieur des sulpiciens de Montréal, le vicaire général Montgolfier, qui ne fait pas partie du chapitre, est élu comme aspirant évêque. L'historien Marcel Trudel résume ainsi les principales raisons de ce choix : Montréal peut loger plus convenablement un évêque que Québec, dans les circonstances actuelles ; le Séminaire de Montréal peut subvenir aux besoins financiers du candidat et, enfin, Montgolfier entretient d'amicales relations avec le gouverneur Gage qui allait devenir, croyait-on alors, le premier gouverneur civil.

Le jour même de son élection, Montgolfier est prévenu et présente son acceptation devant les chanoines réunis. La nouvelle est gardée secrète et le nouvel élu doit aller lui-même à Londres faire approuver sa candidature. On décide alors de faire appel à la population catholique de la province pour exercer plus de pression auprès de la cour d'Angleterre. Le 18 septembre, lors d'une réunion des marguilliers de Québec, il est décidé de faire signer une requête par les citoyens suppliant Sa Majesté « d'accorder à ses nouveaux sujets un évêque à Québec pour gouverner au spirituel l'Église du Canada avec le clergé, le collège et les séminaires pour y instruire et former de nouveaux sujets. » En outre, la requête prie le roi « de conserver les communautés d'hommes et de femmes ». Étienne Charest et Amyot doivent présenter la requête au gouverneur Murray qui devra l'acheminer, par les voies normales, au gouvernement britannique. Quant à Charest, une somme de 6000 livres est votée pour lui permettre de se rendre à Londres plaider, au nom des Canadiens, la cause de l'évêque. Diverses réunions se tiennent dans plusieurs paroisses pour faire accepter les frais de la députation.

La veille de l'élection de Montgolfier, soit le 14 septembre, le gouverneur Murray écrit à son sujet à Shelburne :

> Le vicaire général de Montréal doit partir très prochainement pour l'Angleterre. Quels sont ses plans ? Je ne les connais pas d'une manière certaine, car il ne me les a pas communiqués. Vise-t-il la mitre ? C'est très probable. Mais combien il est peu fait pour être évêque [...]. Il est allé jusqu'à faire déterrer les corps de quelques soldats, sous prétexte que ces soldats étaient hérétiques et que les hérétiques ne devaient pas être inhumés en terre sainte. Une telle conduite ne pouvait manquer d'être très insultante aux sujets anglais de Sa Majesté en ce pays. Un prêtre si hautain, si impérieux, si en rapport, d'ailleurs, avec la France, placé à la tête de

l'Église du Canada, ne pourrait manquer de faire beaucoup de mal, à la première occasion qu'il aurait de déployer sa rancune et sa malice.

De toute évidence, Montgolfier, qui quitte Québec pour Londres au début d'octobre, n'est pas le candidat de Murray !

Le 23 octobre, Murray apprend par une lettre du comte d'Egremont que le roi lui confie le gouvernement du Canada. Dans la même missive écrite le 13 août, le secrétaire d'État ajoute :

> Sa Majesté croit qu'il est très important de vous communiquer qu'elle a reçu certaines informations qui lui donnent raison de craindre que les Français aient l'intention de profiter de la liberté accordée aux habitants du Canada de pratiquer la religion catholique, pour entretenir des relations avec ces derniers et la France et conserver par le moyen des prêtres une influence suffisante sur les Canadiens pour induire ceux-ci à se joindre à eux, si l'occasion se présente de tenter de recouvrer ce pays. Il est donc de la plus grande importance de surveiller les prêtres de très près et de déporter aussitôt que possible tous ceux qui tenteront de sortir de leur sphère et de s'immiscer dans les affaires civiles. Bien que le roi, par l'article 4 du traité définitif ait consenti à accorder la liberté de religion catholique aux habitants du Canada et que Sa Majesté n'ait pas la moindre intention d'empêcher ses nouveaux sujets catholiques romains de pratiquer le culte de leur religion suivant les rites de l'Église romaine, néanmoins la condition exprimée par le même article ne doit pas être perdue de vue, savoir : en autant que le permettent les lois de la Grande-Bretagne, lesquelles lois n'admettent absolument pas de hiérarchie papale dans aucune possession appartenant à la couronne de la Grande-Bretagne et ne peuvent que tolérer l'exercice de la religion. [...] En général, vous empêcherez tout prêtre régulier de se rendre au Canada, en vous efforçant de prévenir, autant que possible, qu'on remplisse les vides qui pourraient se produire dans les ordres religieux.

Le contenu de cette lettre est vite connu à Québec et l'abbé Henri-François Gravé de La Rive confie à un ami, le 25 octobre : « Que nous sommes tristes ! Il y a deux jours que nous reçûmes l'affligeant règlement de la cour qui nous refuse un évêque, comme une chose contraire aux lois de la Grande-Bretagne... Cela ne nous empêchera pas de presser monsieur le député du peuple [Charest] de partir... Il part en effet demain. »

Arrivé à Londres vers la mi-décembre, Charest présente au comte d'Halifax une lettre de Murray dans laquelle ce dernier propose une solution aux problèmes religieux canadiens : encourager le Séminaire de Québec à former des jeunes en vue du sacerdoce et les envoyer « aux dépens du trésor dans des états amis pour être faits prêtres et ils nous reviendraient pour exercer ici leur ministère » ; obliger les sulpiciens à vendre leurs biens, excepté s'ils consentent à rompre leurs liens avec Paris et unir les deux séminaires ; forcer les jésuites à se démettre, moyennant pension et attendre patiemment leur extinction. Selon le gouverneur, « ceci paraît être le moyen le plus praticable de créer un clergé national sans maintenir un évêque. Il donnerait satisfaction générale et, avec le temps, les Canadiens oublieraient leurs liaisons ».

Charest n'obtient pas un succès total dans sa mission mais, le 14 janvier 1764, il reçoit comme réponse « qu'il est contre le serment que le roi prête à son avènement à la Couronne, de permettre qu'il y ait en Canada un évêque en titre, mais qu'on permettra qu'il en passe un ou même deux sous le nom de supérieurs des Séminaires, après avoir prêté serment de fidélité au roi ». Comme la fonction importe plus que le titre, Charest accepte le verdict. Après un bref séjour à La Rochelle, il revient à Québec.

Un nouveau choix

L'indisposition de Murray envers Montgolfier incite ce dernier à démissionner. Le 9 septembre 1764, près de deux mois après son retour dans la colonie, le sulpicien d'origine française signe la formule suivante : « Vu aujourd'hui l'état des choses et la disposition des puissances temporelles, je renonce librement, purement et parfaitement, en tant que de besoin, à ladite élection et certifie en même temps que je ne connais personne dans cette colonie plus en état de remplir cette place que monsieur Olivier Briand, prêtre, chanoine et grand vicaire du diocèse, qui, à la pureté de la foi, au zèle, à la science, à la prudence et à la piété la plus distinguée que je connaisse dans cette colonie, joint en sa faveur le suffrage du clergé et des peuples et la protection la plus marquée du gouvernement politique. »

Le 11 septembre, on procède au choix d'un nouvel évêque. À haute voix, selon l'ordre et le rang de chacun, les chanoines se prononcent en faveur de Briand, candidat qui sera certainement accepté par le gouverneur Murray.

Au problème déjà soulevé par Londres est venu s'en ajouter un autre tout aussi grave, émanant cette fois de Rome. Le cardinal Joseph-Marie Castelli, préfet de la Propagande, avait signé, le 28 mars 1764, des « instructions pour le Nonce de Paris ». On y précise, entre autres, que « le Saint-Siège ne peut admettre un évêque élu par ce chapitre ». Cette élection constitue « un attentat dangereux contre les droits du Saint-Siège ». Le cardinal stipule que l'on devra se contenter d'un vicaire apostolique « revêtu du caractère épiscopal, avec un titre *in partibus*, et qui, avec tous les pouvoirs d'un évêque compétent, gouvernera toute cette chrétienté ».

Le chapitre de Québec élit quand même Briand au poste d'évêque et prépare à cet effet deux documents : un où l'on précise que le grand vicaire est élu évêque de Québec et un second où on le présente au titre d'évêque.

Le 20 septembre 1764, deux navires, *Le Général Murray* et le *Londres*, quittent le port de Québec en direction de Londres. Le vicaire général Briand est à bord de l'un d'eux. Il arrive au port de Douvres au tout début de novembre, souffrant depuis douze jours d'un mal de gorge. Il décide cependant de poursuivre le voyage sur le même bateau. Le 16, il est reçu par lord Halifax, qui lui demande d'attendre la décision des lords du Commerce. Les semaines passent ; rien n'aboutit. L'appui de Murray a moins de poids qu'auparavant. Les dénonciations portées contre le gouverneur par des marchands ont produit leur effet. Bien plus : un jésuite passé du côté anglais, Pierre-Joseph-Antoine Roubaud, présente aux autorités anglaises une « remontrance » contre la nomination d'un évêque. Le 12 janvier, Cramahé écrit à Murray : « Le pauvre Briand est toujours ici en attente. Roubaud s'est opposé à son affaire par un mémoire qui semble avoir du poids auprès de certaines personnes. »

Le secrétaire du gouverneur revient sur le sujet, le 9 février suivant : « Ce pauvre Briand fait pitié à voir ; et je crains que l'affaire de l'évêché de Québec, qui aurait réussi l'année dernière s'il avait été ici, n'échoue maintenant. Je n'ai pas craint de dire mon opinion, que la mesure en question était nécessaire pour satisfaire le peuple canadien au point de vue religieux. On paraît le croire également, mais on craint, je pense, de donner des armes à l'opposition : il y a ces troubles récemment arrivés en Irlande et il y en a qui ne se gênent pas pour dire qu'ils ont été fomentés par quelques prêtres. »

En décembre 1765, il n'y a toujours pas de décision officielle de rendue. Officieusement, on fait comprendre à Briand qu'il n'y a qu'un moyen de régler la situation : « Qu'il aille donc se faire consacrer où bon lui semble, en France, s'il l'aime mieux : on ne dira rien, on fermera les yeux sur son départ ; il reviendra à Londres tranquillement et sans bruit, consacré évêque, mais sans afficher ce titre, sans parler d'épiscopat ; il sera reconnu comme Supérieur majeur de l'Église du Canada. Tout le monde se réjouira du fait accompli et il partira pour le Canada, content. »

Et c'est ce que décide de faire le vicaire général. Il obtient la permission des autorités anglaises de se rendre en Bretagne voir sa vieille mère. De là, il fait route vers Paris. À Rome, le pape Clément XIII signe, le 21 janvier 1766, la bulle nommant Jean-Olivier Briand évêque de Québec. Le 16 mars suivant, dans la chapelle d'un château situé à Suresne, en banlieue de Paris, l'évêque de Blois, accompagné des évêques de Rodez et de Saintes, lui donne la consécration épiscopale.

Selon la *Gazette* de Québec, après un séjour de cinq semaines à Londres où tous semblent heureux du dénouement de « l'affaire », le nouvel évêque s'embarque à bord du *Commerce.* Le navire jette l'ancre devant Québec, le 28 juin à onze heures du soir. Le seul journal de la province de Québec rapporte que

> le lendemain, à cinq heures du matin, les cloches de toutes les églises annoncèrent son arrivée à toute la ville ; ce qui causa une si grande satisfaction à tous les Canadiens qu'on en vit plusieurs pleurer de joie. C'était quelque chose de touchant de les voir se féliciter les uns les autres partout où ils se rencontraient, et se dire sans cesse : *C'est donc vrai, nous avons donc un évêque ; Dieu a eu pitié de nous.* Et de les voir courir en foule à l'église de la paroisse, pour avoir la consolation de voir cet évêque, qu'ils regardaient comme le soutien de leur religion et comme un gage de la bonté paternelle pour eux. [...] Ce qui les flatte encore beaucoup, c'est de recevoir à ce sujet les félicitations de tout ce qu'il y a ici de personnes considérables de notre nation [anglaise], qui en effet ont paru prendre beaucoup de part à leur joie et nous ne doutons point que les Canadiens qui nous paraissent fort susceptibles de reconnaissance, n'en deviennent plus unis avec nous.

Le 19 juillet 1766, monseigneur Briand prend possession du siège de Québec. Officiellement, il porte, sur le plan administratif, le titre de *Superintendant of the romish church.* Dès le lendemain, il confère la prêtrise à Jean-François Hubert qui deviendra plus tard le neuvième évêque de Québec. À la fin de l'année, le cardinal Castelli dictera la conduite à tenir : « Il faudra que les ecclésiastiques et l'évêque du Canada se comportent avec toute la prudence et la discrétion possible pour ne point causer de jalousie d'État au gouvernement ; qu'ils oublient sincèrement à cet égard qu'ils sont Français. »

Une religion en danger

Le sacre de monseigneur Briand ne signifie pas que toutes les difficultés ont disparu et que la religion catholique a obtenu un droit officiel et légal d'exister. Francis Maseres, qui vient d'être nommé procureur général de la province de Québec, se penche sur la question avant son départ de Londres. Après avoir analysé les lois et les statuts anglais, « nous pouvons conclure, écrit-il en 1766, que l'exercice de la religion catholique ne peut, en vertu des lois de la Grande-Bretagne, être toléré dans la province de Québec. Néanmoins il est sûrement très raisonnable, et tous ceux qui aiment la paix, la justice et la liberté de conscience doivent le désirer, que l'exercice de cette religion soit toléré. Mais alors, en vertu de quelle autorité sera-t-il toléré ? C'est la seule question qui reste à résoudre. »

Consultés par le roi sur les divers problèmes canadiens, les lords du Commerce et des Plantations présentent leur rapport, le 10 juillet 1769. Leurs recommandations, si elles avaient été acceptées, auraient signifié la mise en tutelle de l'Église catholique du Québec.

> Tel surintendant, affirment-ils, ne pourra déployer aucune magnificence ou pompe extérieure attachée à la dignité épiscopale dans les pays catholiques romains ; il ne pourra lui-même prendre connaissance ni nommer quelqu'un pour prendre connaissance des causes de nature civile, criminelle ou ecclésiastique, excepté lorsqu'il s'agira de la conduite du clergé inférieur en matière religieuse ; cependant il ne pourra même en ce dernier cas, exercer aucune autorité ou juridiction sans le consentement et l'approbation du gouverneur ; en outre, ledit surintendant ne pourra exercer d'autres pouvoirs que ceux que le gouverneur et le Conseil croiront absolument nécessaires à l'exercice de la religion catholique romaine par les nouveaux sujets de Sa Majesté. [...] Aucune personne n'obtiendra un bénéfice ecclésiastique dans l'Église romaine de ladite province de Québec sans le consentement et l'autorisation du gouverneur ou du commandant en chef ; il ne pourra non plus permettre aucune procession publique, ni aucune cérémonie s'accompagnant de pompe ou de parade ; il devra, en toute occasion, avoir soin que les rites de l'Église de Rome soient pratiqués avec modération et simplicité dans tous les cas, dans le but d'éviter tout sujet de friction et de dispute entre les sujets protestants et catholiques de Sa Majesté.

Les mêmes lords du Commerce et des Plantations recommandent l'abolition de l'ordre des jésuites et de celui des récollets, l'abolition du chapitre, la fusion des Séminaires de Québec et de Montréal et la fin du recrutement des communautés religieuses de femmes. Cette attitude vis-à-vis des jésuites reflète le comportement général adopté envers cet ordre religieux. En novembre 1764, Louis XV ordonne l'abolition de la Société de Jésus sur le territoire français et confisque les biens de la communauté. Vers la même époque, plusieurs autres souverains adoptent la même attitude et, le 8 juin 1773, le pape supprime la Compagnie de Jésus.

La cour d'Angleterre cherche une solution aux problèmes religieux canadiens. Le solliciteur général Alexander Wedderburn, le procureur général Edward Thurlow et l'avocat général James Marriott étudient la situation de la colonie et présentent des opinions différentes sur le problème de la religion. Le premier est favorable à son maintien et le dernier affirme que « la religion catholique ne peut ni tolérer ni être tolérée ». Il faut attendre l'Acte de Québec et la rébellion américaine pour que l'Angleterre prenne position sur ce point.

Le 22 juin 1773, le lieutenant-gouverneur de la province de Québec, Théophilus Cramahé, exprime l'attitude conciliante que les autorités voudraient voir adopter :

> J'avoue que j'ai toujours pensé que le moyen le plus sûr et le plus efficace de gagner l'affection des sujets canadiens de Sa Majesté à l'égard de sa royale personne et du gouvernement était de leur accorder toute la liberté et toute l'indulgence possible concernant l'exercice de leur religion à laquelle ils sont extrêmement attachés et que toute entrave qui leur serait imposée à ce sujet ne ferait que retarder au lieu de hâter le changement de leurs idées en matière religieuse. Les vieux prêtres disparaissent graduellement et, dans quelques années, la province sera entièrement pourvue d'un clergé canadien ; ce résultat ne pourrait être obtenu sans une personne remplissant ici des fonctions épiscopales, outre que l'approbation d'un coadjuteur fera disparaître la nécessité pour l'évêque d'aller se faire consacrer au-delà des mers et d'avoir des rapports personnels avec ceux qui n'entretiennent peut-être pas des dispositions très amicales à l'endroit des intérêts britanniques.

Lois anglaises ou françaises ?

Toute aussi importante que la question religieuse est celle de la survivance des lois françaises. Alors que les Canadiens semblent préférer les lois criminelles anglaises à celles de l'ancien régime, ils ne veulent pas voir disparaître les lois civiles régissant leur droit de propriété et de succession.

En Angleterre, les juristes ne sont pas tous du même avis sur le maintien des lois françaises. Le 14 avril 1766, le procureur général Charles Yorke et le solliciteur général William de Grey présentent un rapport au sujet du gouvernement civil de la province de Québec. Selon eux, « à l'égard de procès ou d'actions au sujet de titres de terre, de transmission, d'aliénation, de douaire et d'hypothèques concernant les biens immeubles, il serait tyrannique de bouleverser, sans mûre et sérieuse considération et sans l'aide des lois qui devront être promulguées à l'avenir pour la province, les coutumes et les usages locaux qui existent encore. [...] Les sujets britanniques qui achètent des terres dans cette colonie peuvent et doivent se conformer aux règles locales suivies à l'égard de la propriété au Canada, comme ils sont tenus de le faire dans certaines parties de ce royaume et dans les autres possessions de la Couronne. » Quant aux causes criminelles découlant d'une offense capitale « il est très opportun (autant que possible) d'avoir recours aux lois anglaises pour établir la définition et la nature de l'offense elle-même ainsi que pour la manière de procéder en vue d'admettre le prisonnier à caution ou de le retenir en prison ».

Guy Carleton, qui devient lieutenant-gouverneur de la province de Québec en 1766, trouve, après une année d'administration, que l'imbroglio judiciaire actuel provient de l'adoption de l'ordonnance de 1764 qui demande de rendre justice autant que possible selon les lois anglaises. « Si je ne me trompe, écrit-il à Shelburne le 24 décembre 1767, aucun conquérant n'a eu recours dans le passé à des procédés aussi sévères, même lorsque des populations se sont rendues à discrétion et soumises à la volonté du vainqueur sans les garanties d'une capitulation. » Il demande donc de « maintenir pour le moment des lois canadiennes presque intactes ».

La plupart des sujets britanniques venus s'installer dans la colonie depuis la conquête ne sont pas d'accord sur le retour aux lois françaises. Ils ont interprété la Proclamation royale en comprenant que les lois anglaises devenaient les lois appliquées au Québec.

> Par suite d'une telle interprétation de cette proclamation, fait remarquer Francis Maseres, ils disent qu'ils ont quitté leur pays natal pour venir s'établir dans cette province avec la confiance qu'ils ne faisaient que changer de climat en cherchant dans une autre contrée à réaliser des profits dans le commerce, mais qu'ils ne s'attendaient pas à y être assujettis aux lois d'un peuple vaincu, lois qui leur sont entièrement inconnues et contre lesquelles ils entretiennent (peut-être sans raison) de grands préjugés.

Certains Canadiens profitent de l'ambiguïté de la situation pour jouer avec les deux systèmes de lois. On cite le cas des jésuites qui donnent à bail, dans la région de Québec, des terres pour une période de 21 ans, alors que la loi française stipule que l'affermage ne doit pas dépasser neuf ans. Certains seigneurs, affirmant que le droit féodal français n'existe plus, augmentent le montant des rentes seigneuriales. Les censitaires refusent de payer en vertu de la même abolition !

En 1770, cinquante-neuf Canadiens signent une pétition au « Très Gracieux Souverain », lui demandant de restaurer les lois civiles françaises. « Rendus à nos coutumes et à nos usages, administrés suivant la forme que nous connaissons, concluent-ils, chaque particulier saura la force de ses titres et le moyen de se défendre, sans être obligés à dépenser plus que la valeur de son fonds pour se maintenir dans sa possession. Devenus capables de servir en toute condition notre roi et notre patrie, nous ne gémirons plus de cet état d'humiliation qui nous rend, pour ainsi dire, la vie insupportable et semble avoir fait de nous une nation réprouvée. »

Le « pauvre peuple » est sans doute celui qui a le plus à souffrir de la situation judiciaire. En 1770, Joseph Desrosiers, « ci-devant capitaine de milice », fait écho aux doléances populaires. « Ce ne sont que procès mal intentés au préjudice de tout le pauvre peuple qui se trouve accablé et ruiné totalement par les injustices qui lui sont faites, écrit-il ; on ne voit tous les jours que procès sur procès, pour des choses de néant ; pour vingt ou trente sous, on forme un procès qui se monte le plus souvent à quarante, cinquante et soixante livres par la multitude de frais qui sont faits à ces pauvres gens. »

De 1772 au début de 1774, la position des principaux juristes anglais se précise : sur le plan civil, retour aux lois françaises ; au criminel, maintien des lois anglaises. L'avocat général James Marriott va plus loin : « Il est peut-être à propos, écrit-il en 1774, de permettre que toutes les plaidoiries aient lieu en français ou en anglais dans toutes les cours, à l'option des parties indistinctement, et il devrait être connu dans une semblable contrée que les parties peuvent plaider pour elles-mêmes. »

Tout comme pour le problème religieux, la question légale et judiciaire trouvera son dénouement avec l'Acte de Québec.

Un peuple à assimiler

S'il faut croire Murray, la première vague d'immigrants anglais à s'installer au Québec n'est pas des plus valables. Mais il faut se rappeler que le premier gouverneur civil doit faire face à une série de dénonciations de ces mêmes Anglais qu'il dénonce.

> La plupart, écrit-il à Shelburne le 20 août 1766, sont venus à la suite de l'armée, gens de peu d'éducation ou soldats licenciés à la réduction des troupes. Tous ont leur fortune à faire, et je crains que plusieurs ne soient guère scrupuleux quant aux moyens d'y parvenir. Je déclare qu'ils constituent en général la plus immorale collection d'individus que j'aie jamais connue et qu'ils sont naturellement bien peu aptes à faire aimer par les nouveaux sujets nos lois, notre religion et nos coutumes, encore moins à appliquer ces lois et à exercer le gouvernement. D'autre part, les Canadiens, accoutumés à l'arbitraire et à une sorte de gouvernement militaire, sont une race frugale, industrieuse et morale, qui, grâce au traitement juste et modéré des officiers de Sa Majesté, pendant les quatre années de leur gouvernement, était bien revenue de son antipathie naturelle envers les conquérants. [...] On a dû choisir les magistrats et les jurés parmi les quatre cent cinquante méprisables trafiquants et cantiniers. [...] Ils détestent la noblesse canadienne parce que sa naissance et sa conduite méritent le respect ; ils détestent les paysans canadiens parce qu'ils n'ont pu les soumettre à l'oppression dont cette classe était menacée.

L'opposition entre les francophones et les anglophones inquiète les autorités métropolitaines. Pour Maseres, la solution est simple : l'assimilation des Canadiens.

> Il s'agit de maintenir dans la paix et l'harmonie et de fusionner pour ainsi dire en une seule, deux races qui pratiquent actuellement des religions différentes, parlent des langues qui leur sont réciproquement étrangères et sont par leurs instincts portées à préférer des lois différentes. La masse des habitants est composée ou de Français originaires de la vieille France ou de Canadiens nés dans la colonie, parlant la langue française seulement et formant une population évaluée à quatre-vingt-dix mille âmes, ou comme les Français l'établissent par leur mémoire, à dix mille chefs de famille. Le reste des habitants se compose de natifs de la Grande-Bretagne ou d'Irlande ou des possessions britanniques de l'Amérique du Nord qui atteignent actuellement le chiffre de six cents âmes. Néanmoins si la province est administrée de manière à donner satisfaction aux habitants, ce nombre s'accroîtra chaque jour par l'arrivée de nouveaux colons qui y viendront dans le dessein de se livrer au commerce ou à l'agriculture, en sorte qu'avec le temps il pourra devenir égal, même supérieur à celui de la population française.

Le lieutenant-gouverneur Carleton n'est pas du tout convaincu que les Anglais vont supplanter numériquement les Canadiens. Il écrit à Shelburne le 25 novembre 1767 : « Tandis que la rigueur du climat et la pauvreté de la contrée découragent tout le monde, à l'exception des natifs, la salubrité ici est telle que ces derniers se multiplient chaque jour ; en sorte que, s'il ne survient aucune catastrophe qu'on ne saurait prévoir sans regret, la race canadienne dont les racines sont déjà si vigoureuses et si fécondes, finira par peupler ce pays à un tel point que tout élément nouveau qu'on transplanterait au Canada s'y trouverait entièrement débordé et effacé, sauf dans les villes de Québec et de Montréal. »

Malgré leur supériorité numérique, les Canadiens se rendent compte de la situation qu'on veut leur créer. Les seigneurs de Québec présentent un mémoire au roi où ils dénoncent, à leur tour, le sort qu'on leur réserve : « Les anciens sujets, du moins le plus grand nombre depuis l'époque du gouvernement civil, n'ont cherché qu'à nous opprimer et à nous rendre leurs esclaves et peut-être à s'emparer de nos biens. »

Des postes, s.v.p.

Les bourgeois canadiens et la petite noblesse se sentent évincés des postes de commande, d'où, selon Carleton, l'explication partielle de leur attitude. Le 20 janvier 1768, il suggère à Shelburne un moyen de renverser la vapeur : nommer trois ou quatre Canadiens au Conseil et accorder quelques emplois dans la fonction publique. « En outre, ajoute-t-il, les gentilshommes auraient raison d'espérer que leurs enfants, sans avoir reçu leur éducation en France et sans faire partie du service français, n'en pourraient pas moins supporter leurs familles en servant le roi leur maître et en exerçant des charges qui les empêcheraient de descendre au niveau du bas peuple par suite des divisions et des subdivisions des terres à chaque génération. »

Les lords du Commerce et des Plantations partagent un peu le même avis que Carleton. Dans un rapport au roi, en date du 10 juillet 1769, ils suggèrent de porter le nombre des membres du Conseil à quinze, alors qu'il est limité à douze, et d'accorder au maximum cinq sièges à des Canadiens.

Les conseillers de George III divergent d'opinion sur la politique à adopter face au peuplement de la province de Québec. Selon le solliciteur général Wedderburn, il faut arrêter l'immigration. Parlant des anciens et des nouveaux sujets, il écrit en 1772 : « Les opinions de ces deux classes d'hommes ne peuvent être entièrement mises de côté et la préférence devrait être accordée aux habitants indigènes plutôt qu'aux émigrants anglais, non pour la seule raison que les premiers sont plus nombreux, mais parce qu'il n'est pas dans l'intérêt de la Grande-Bretagne que les sujets de ce pays aillent s'établir dans cette colonie. »

Quant à Marriott, l'assimilation des Canadiens n'est, pour lui, qu'une question de temps. « Les grandes lignes de l'Union du Canada au royaume de la Grande-Bretagne, affirme-t-il en 1774, sont tracées dès maintenant en vertu de la conquête. L'assimilation de l'administration de cette colonie au gouvernement de la métropole, quant aux tribunaux, est déjà un fait accompli, tandis que l'assimilation des coutumes suivra lentement et s'opérera nécessairement comme une conséquence naturelle de la conquête. »

Mais l'assimilation ne se produit pas assez rapidement selon la plupart des Anglais établis au Québec. Le 31 décembre 1773, un comité (formé d'anciens sujets de Sa Majesté résidant dans le district de Québec) proteste, entre autres, contre cette situation. Les signataires, Jenkin Williams, John Welles, John Lees, John McCord, Charles Grant, Malcolm Fraser et Zachary Macauly, se plaignent du manque d'écoles et de séminaires protestants nécessaires à l'éducation et l'instruction de la jeunesse anglaise. Ils doivent faire face à l'alternative suivante : ou laisser leurs enfants sans instruction ou les envoyer dans des écoles tenues par le clergé catholique, avec les risques d'assimilation que cela comporte ! Le 15 janvier de l'année suivante, un comité anglophone formé à Montréal formule les mêmes revendications et appréhensions. Parmi les signataires, on retrouve les noms de James McGill, James Finlay et Lawrence Ermatinger.

Pour la minorité anglophone de la province de Québec, un genre de solution miracle se dessine : une Chambre d'assemblée qui contrôlerait, d'une certaine façon, l'adoption des lois et la taxation. Par ailleurs, l'agitation qui secoue les Treize Colonies de la Nouvelle-Angleterre provoque quelques soubresauts dans la colonie et fait germer de bonnes idées dans la région arrosée par le fleuve Saint-Laurent. « No taxation without representation », clament plusieurs habitants des Treize Colonies. Les Anglais de la province de Québec sont d'accord avec ce principe, à la condition d'être les seuls citoyens éligibles.

La Chambre de la minorité

Le 2 septembre 1765, le Conseil du Commerce ou *Board of Trade* se prononce en faveur de l'établissement d'une Chambre d'assemblée dans la province de Québec.

> Quant à la création d'une Chambre de représentants, écrivent-ils, nous comprenons que le seul obstacle à son établissement consiste dans l'état actuel de la population de la province dont la grande majorité se compose de catholiques romains qui, conformément aux prescriptions de la commission de Votre Majesté, sont exclus de la charge de représentants dans une telle assemblée. Nous nous permettons de représenter qu'une division de toute la province en trois districts ou comtés avec les villes de Montréal, de Québec et de Trois-Rivières pour capitales, permettrait à notre sens de trouver dans chaque comté un nombre suffisant de personnes aptes à remplir les fonctions de représentants, dont le choix pourrait être fait par tous les habitants desdits comtés, car nous ne connaissons pas de loi excluant les catholiques romains comme tel du droit du suffrage. Nous croyons qu'une semblable mesure donnerait beaucoup de contentement aussi bien aux nouveaux sujets qu'à ceux qui sont nés sujets de Votre Majesté ; en outre, elle répondrait à toutes les exigences qu'un gouvernement civil est appelé à satisfaire et à l'égard desquelles les pouvoirs limités du gouverneur et du Conseil sont insuffisants. Elle permettrait surtout de créer un système de revenus permanent et constitutionnel pour faire face aux besoins de l'État, au moyen de l'imposition d'une taxe uniforme conformément à une évaluation que Votre Majesté, de l'avis de ses serviteurs, ordonnera de leur transmettre.

Remettre le sort des Canadiens entre les mains d'une infime minorité anglophone constitue une injustice qui n'échappe pas au regard souvent clairvoyant de Maseres. Ce dernier affirme en 1766 :

> D'ici à plusieurs années, il est probable qu'il ne sera pas jugé expédient de prendre des mesures pour établir une Chambre d'assemblée dans cette province. Si une telle assemblée devait être constituée maintenant et si les directions que renferme la commission du gouverneur devaient être suivies, directions [...] par lesquelles aucun membre élu pour faire partie de cette Assemblée ne pourra y siéger ou y voter sans avoir au préalable signé la déclaration contre la papauté, il en résulterait une exclusion de tous les Canadiens, c'est-à-dire de la masse des habitants établis dans la province. Une assemblée ainsi constituée pourrait prétendre composer un corps représentatif de la population de cette colonie, mais elle ne représenterait en vérité que les six cents nouveaux colons anglais et deviendrait dans les mains de ceux-ci un instrument de domination sur les 90 000 Français. Une semblable Assemblée pourrait-elle être considérée comme juste et utile, et serait-elle de nature à faire naître l'harmonie et l'amitié entre les deux races ? Elle produirait certainement un effet contraire.

Selon Maseres, les Canadiens sont sujets britanniques depuis trop peu de temps pour détenir le privilège de devenir députés. D'une part, ils sont encore trop attachés au pape et, d'autre part, ils ne connaissent pas assez les lois et les coutumes de la Grande-Bretagne.

> Il est à présumer, ajoute-t-il, que, pendant quelques années, les Canadiens n'appuieront pas les mesures prises en vue d'introduire graduellement la religion protestante, l'usage de la langue anglaise et l'esprit des lois britanniques. Il est plus probable qu'ils s'opposeront à toutes tentatives de ce genre et se querelleront à ce sujet avec le gouverneur et le Conseil ou les membres anglais de l'Assemblée pour les avoir prônés. Ajoutons qu'ils ignorent presque tous la langue anglaise et qu'ils sont absolument incapables de s'en servir dans un débat, en sorte que, si une telle assemblée était constituée, la discussion s'y ferait en français, ce qui tendrait à maintenir leur langue, à entretenir leurs préjugés, à enraciner leur affection à l'égard de leurs maîtres d'autrefois de même qu'à retarder pendant longtemps et à rendre impossible peut-être cette fusion des deux races ou l'absorption de la race française par la race anglaise au point de vue de la langue, des affections, de la religion et des lois : résultats si désirables qui s'obtiendront avec une ou deux générations peut-être, si des mesures opportunes sont adoptées à cet effet.

Ajoutant à tout cela que les Canadiens semblent être contre l'établissement d'une Chambre d'assemblée, Maseres conclut qu'il « serait prématuré d'établir une Assemblée dans la province de Québec ».

Les dirigeants britanniques étudient diverses possibilités, tout en rejetant l'exclusion complète des Canadiens des postes de députés. On suggère de leur accorder la moitié de la représentation ou encore le quart. C'est du moins l'opinion de Shelburne en mai 1767. À Québec, le négociant John McCord se fait le plus fidèle promoteur d'une Chambre d'assemblée. Il organise des réunions et fait signer des pétitions. Le lieutenant-gouverneur Carleton prise assez peu la campagne menée par son compatriote.

> J'avais raison de croire, écrit-il à Shelburne le 20 janvier 1768, qu'on avait renoncé à toute tentative à ce sujet, lorsque, dernièrement, un nommé John McCord, qui ne manque pas d'intelligence et d'honnêteté et qui autrefois tenait un petit débit de bière dans un pauvre faubourg d'une ville de province du nord de l'Irlande, a

> réussi en se montrant zélé pour la croyance presbytérienne et en accumulant un petit capital, à acquérir un certain crédit auprès des gens de son entourage. Ce personnage a acheté ici quelques lopins de terre et s'en est fait concéder d'autres à proximité des casernes sur lesquels il a construit des cabanes et y a installé de pauvres gens qui vendent des liqueurs spiritueuses aux soldats ; mais, un jour, les casernes ayant été entourées d'un mur afin d'empêcher les soldats de s'enivrer à toute heure du jour et de la nuit, et par suite trouvant que son débit n'était pas aussi lucratif, McCord s'est fait patriote et, avec l'aide de l'ancien procureur général et de trois ou quatre autres encouragés par des lettres reçues d'Angleterre, il s'est mis à l'œuvre pour obtenir l'établissement d'une Chambre d'assemblée et se propose de faire signer une pétition à cette fin par tous ceux qu'il pourra influencer.

Le 10 juillet 1769, les lords du Commerce et des Plantations suggèrent la création d'une Chambre d'assemblée composée de 27 membres, dont sept représentant la ville de Québec, quatre la ville de Montréal et trois celle de Trois-Rivières. Les députés élus par les électeurs de ces trois villes devront être obligatoirement protestants. Quant aux autres, même s'ils sont de religion catholique, cela n'a plus d'importance, du moment que la majorité est acquise aux anciens sujets.

Les francs-tenanciers, marchands et trafiquants anglais de la province de Québec, commencent à manifester de l'impatience devant les atermoiements des autorités britanniques. Trente et un d'entre eux, dont James McGill et John McCord, signent, en décembre 1773, une pétition demandant l'établissement immédiat d'une chambre des députés.

> Si Votre Majesté n'ordonne pas la convocation prochaine d'une Assemblée générale pour mettre en vigueur les lois destinées à encourager l'agriculture, à réglementer le commerce et à mettre un frein aux importations des autres colonies qui ont pour effet d'appauvrir cette province, vos pétitionnaires ont de graves raisons de craindre pour eux la ruine et pour la province en général. Il se trouve actuellement un nombre suffisant de sujets protestants de Votre Majesté domiciliés dans cette province qui y possèdent des biens-fonds et les autres qualités requises pour devenir membres d'une Assemblée générale.

Pour les signataires, il est évident que seuls les protestants peuvent être élus à cette Chambre. Il est intéressant de constater que les protestants reçoivent l'appui de quelques Juifs, dont le marchand Aaron Hart de Trois-Rivières.

Alors qu'à Londres Wedderburn se prononce contre l'établissement d'une Chambre d'assemblée, dans la colonie 90 citoyens de langue anglaise signent une nouvelle pétition en faveur d'une telle création. Le mois suivant, 148 pétitionnaires présentent la même demande ; cette dernière réquisition comprend quelques noms de Canadiens, même si l'ensemble des habitants canadiens semble demeurer contre l'idée d'une telle Chambre. En décembre 1773, soixante-cinq d'entre eux apposent leur signature au bas d'une pétition dans laquelle ils déclarent : « Nous représentons humblement que cette colonie, par les fléaux et calamités de la guerre et les fréquents incendies que nous avons essuyés, n'est pas encore en état de payer ses dépenses et, par conséquent, de former une Chambre d'assemblée. Nous pensons qu'un conseil plus nombreux qu'il n'a été jusqu'à présent, composé d'anciens et de nouveaux sujets, serait beaucoup plus à propos. »

Devant l'évolution alarmante de la situation des colonies en Nouvelle-Angleterre, les dirigeants britanniques jugeront à propos d'attendre quelque peu avant d'accorder à la province de Québec sa Chambre d'assemblée, même si la colonie de la Nouvelle-Écosse possède la sienne depuis 1752. Dans l'immédiat, les autorités britanniques sont de l'avis du nouveau premier ministre, lord North, qui croit qu'un conseil législatif peut remplir à peu près les mêmes fonctions qu'une chambre d'assemblée.

Où sont les ennemis ?

En 1765, les Communes de Londres adoptent un projet de loi intitulé *The Stamp Act* imposant une taxe spéciale sur les journaux, les almanachs, les papiers légaux, les polices d'assurances, les jeux de cartes, etc. Un timbre indiquant que la taxe a été acquittée doit être apposé sur le papier. Les sommes ainsi recueillies serviront à défrayer le coût des troupes. Benjamin Franklin proteste contre la mesure car, selon lui, « c'est dans les colonies conquises, c'est au Canada, qu'on dépensera ce revenu et non pas dans les colonies qui le paieront ».

La Nouvelle-Angleterre n'accepte pas la nouvelle taxe. Une société secrète, les Sons of Liberty, veut empêcher le fonctionnement de l'acte du Timbre. Le 1er novembre 1765, jour d'entrée en vigueur, tous les agents du timbre ont déjà donné leur démission. Dans la province de Québec, le seul journal, la *Gazette* de Québec, publié chaque semaine en édition bilingue, cesse de paraître. Devant la réaction américaine, le gouvernement britannique décide de faire marche arrière et, le 1er mai 1766, la loi cesse d'être en vigueur. Le 29 du même mois, la *Gazette* de Québec reprend sa parution. Dans un avis aux lecteurs, les imprimeurs ne cachent plus leur pensée sur « un acte plus terrible que les glaçons de notre hiver rigoureux, dont les vents funestes répandent la désolation dans les campagnes en même temps qu'ils bouchent la source du commerce ».

Les éditeurs William Brown et Thomas Gilmore profitent de la circonstance pour dissiper une équivoque. « Un bruit ayant été répandu et industrieusement circulé, que notre *Gazette* était sous l'inspection du secrétaire ; afin donc de prévenir le tort que ce préjugé pourrait nous causer, nous pensons qu'il est nécessaire de déclarer que depuis l'établissement du gouvernement civil, notre *Gazette* a toujours été et elle continuera toujours d'être exempte d'inspection et de restrictions de la part de qui que ce soit, qu'elle l'est actuellement d'impôt de Timbres et que ledit bruit était prématuré et peu généreux au suprême degré. »

Dans ses colonnes, la *Gazette* de Québec accordera un certain espace aux nouvelles américaines. Mais à partir de 1768, selon une étude de l'historien Pierre Tousignant, elle pratiquera un genre d'autocensure « sur le mouvement prérévolutionnaire des colonies voisines ». Elle était inspirée, sans doute, par la crainte de perdre d'importants contrats d'impressions du gouvernement de la province de Québec !

Il faut se fortifier

Ce qui se passe dans les Treize Colonies ne laisse pas le lieutenant-gouverneur Carleton indifférent. Le 15 février 1767, dans une lettre à Thomas Gage, alors commandant en chef de l'Amérique britannique du Nord, il trace un bilan peu encourageant du système défensif de la province de Québec.

> Les forts de Crown Point, de Ticonderoga et le fort George sont dans un sérieux état de détérioration et j'ai raison de croire que Votre Excellence en a été informée. Si vous jugez à propos de maintenir ces postes, il serait bon de les réparer le plus tôt possible. Comme il vous a plu de me demander mon avis à ce sujet, je dois vous dire franchement que, plus je considère l'état des choses sur ce continent, plus je crois avoir raison de me convaincre qu'il est non seulement opportun mais absolument nécessaire dans l'intérêt de la Grande-Bretagne et du service de Sa Majesté de tenir ces forts en bon état et, en outre, d'ériger près de la ville de New York une place d'armes suffisamment équipée et une citadelle dans la ville de Québec ou à proximité de celle-ci. [...] La situation naturelle et politique des provinces de Québec et de New York est telle qu'elle leur donnera toujours un poids et une influence considérable dans le système adopté pour l'Amérique.

Quant aux murs de Québec, ajoute-t-il, ils « n'ont pas été réparés depuis le siège ; à cette époque, des brèches ont été faites dans la maçonnerie et les murs tomberont bientôt en ruine si des réparations n'y sont faites prochainement ».

Carleton se méfie des Treize Colonies, mais il craint encore plus une guerre avec la France. « Si une guerre avec la France éclatait, déclare-t-il à Shelburne le 25 novembre 1767, cette province, dans l'état où elle se trouve, serait prise à l'improviste et les officiers canadiens qui seraient envoyés de France avec des troupes pourraient s'adjoindre un nombre de Canadiens tellement considérable, que l'autorité du roi sur cette province défendue par quelques troupes disséminées dans un poste étendu et ouvert en maints endroits se trouverait dans une situation très précaire. »

Le lieutenant-gouverneur est aussi convaincu qu'il ne peut compter sur les « gentilshommes » canadiens : « Nous nous abuserions en supposant qu'ils se dévoueraient à la défense d'une nation qui les a dépouillés de leurs honneurs, de leurs privilèges, de leurs revenus et de leurs lois et a introduit dans la colonie, un déluge de lois nouvelles, inconnues et non publiées qui sont synonymes de dépense, de chicane et de confusion. »

Selon Carleton, la tâche la plus urgente est la construction d'une citadelle à Québec.

Carleton, qui est assermenté gouverneur général de la province de Québec le 26 octobre 1768, continue à douter de la fidélité des Canadiens, car il est convaincu « de leur attachement secret à la France. [...] Je crois, ajoute-t-il au comte de Hillsborough, secrétaire d'État pour les colonies, que ce sentiment persistera aussi longtemps qu'ils seront exclus de toute charge sous le gouvernement britannique et qu'ils resteront convaincus que, sous la domination française, ils seraient réintégrés dans leurs anciennes fonctions qui constituaient pour eux et pour leurs familles à peu près l'unique moyen de subsistance. »

Dans cette lettre du 20 novembre, le représentant du roi dit qu'il ne serait pas surpris si les Canadiens se révoltaient.

> J'avoue que le fait de ne pas avoir découvert de correspondance échangée en vue de trahison ne m'a jamais paru une preuve suffisante pour me convaincre qu'il ne se machinait pas quelque chose ; mais je suis porté à croire que, si un tel message a été expédié, bien peu ont été mis au courant de ce secret. [...] Or, si la France, après avoir commencé la guerre avec l'espoir que les colonies britanniques en profiteront pour se porter aux extrémités, se décide à supporter celles-ci dans leur idée d'indépendance, il est probable que le Canada deviendra le principal théâtre sur lequel se décidera le sort de l'Amérique. Au point où en sont les choses, le Canada tombé aux mains de la France, au lieu de rester un ennemi des colonies britanniques, deviendrait pour celles-ci un allié, un ami et un protecteur de leur indépendance. Votre Seigneurie doit entrevoir immédiatement que, si une telle guerre éclatait, la Grande-Bretagne aurait à lutter contre de nombreux inconvénients ; en outre, Votre Seigneurie doit également entrevoir quel parti l'on peut tirer du Canada pour la protection des intérêts britanniques sur ce continent, si l'on considère que ce pays ne se trouve attaché par aucun motif commun d'intérêt ou d'ambition aux autres provinces opposées au siège suprême du gouvernement et qu'il suffirait pour y fortifier la domination du roi, d'ériger une citadelle que quelques troupes nationales pourraient défendre, et de nous attirer l'attachement des natifs en les engageant par des motifs d'intérêt à rester sujets du roi.

Les circonstances vont faire que le gouvernement anglais sera bientôt obligé de prendre position sur les problèmes canadiens, non pas tant dans un geste de bonté que pour « aider » les Canadiens à demeurer fidèles à la Grande-Bretagne.

Joie des « Papistes » après l'adoption de l'Acte de Québec

L'Acte de Québec 1774

Pendant qu'à Londres se continue la ronde des mémoires et des pétitions sur les réformes à apporter aux structures administratives de la province de Québec, la situation continue à se détériorer en Nouvelle-Angleterre. Dans son édition du 27 janvier 1774, la *Gazette* de Québec publie une courte nouvelle dont on ne saisit pas, alors, toute l'importance : « Par le journal de la Nouvelle York du 23 du mois dernier, il paraît que la populace de Boston a mis en pièces, le 16 du mois dernier [décembre 1773] 342 caisses de thé sujet à un droit, appartenant à la compagnie des Indes Orientales, et l'a ensuite jeté à la mer. »

Le *Boston Tea Party*, dénoncé par Benjamin Franklin comme une injuste violence, allait donner naissance à une série d'actes violents et à des mesures coercitives. Par leur geste, les Bostonnais protestaient contre une loi adoptée le 10 mai 1773, exemptant la Compagnie des Indes Orientales des droits de départ d'Angleterre sur le thé exporté par cette entreprise. Cette dernière pouvait, grâce à des mesures et au fait qu'elle avait décidé de vendre directement ses produits à la population, établir un monopole du thé, ce qui ne plaisait pas à certains marchands de Boston, distributeurs de thés hollandais.

Cette situation dans les Treize Colonies ne laisse pas les Canadiens indifférents. Un lecteur de la *Gazette* de Québec écrit, le 3 février 1774 : « L'esprit bostonnais, si tenace pour les droits et privilèges, s'est maintenant étendu au 45e et n'arrêtera peut-être point là ; je laisse à ceux qui ont eu une meilleure occasion de connaître la constitution de notre dame très estimée la Grande Charte et les petites chartes, à déterminer si cet esprit est bon ou non ! »

Adoptant la rigidité plutôt que la conciliation, la Chambre des communes de Londres adopte, le 25 mars, la première d'une série de cinq lois qu'en Amérique on qualifiera d'intolérables. La mesure ordonne la fermeture du port de Boston jusqu'à ce que la Compagnie des Indes Orientales soit complètement indemnisée pour ses pertes. Le 20 mai suivant, l'adoption de *The Administration of Justice Act* autorise le transfert en Angleterre des personnes qui transgresseront les nouvelles lois, car l'on soupçonne les juges américains d'éprouver une trop grande sympathie pour les contestataires. Le *Massachusetts Government Act*, adopté le même jour, contrôle les assemblées publiques et diminue l'autorité de la Chambre des représentants de cette colonie. La quatrième mesure, votée le 2 juin, oblige les habitants des villes du Massachusetts à loger les troupes de Sa Majesté.

Le cinquième projet de loi, dont l'étude débute à la Chambre des lords le 2 mai, ne concerne pas directement les colonies américaines en ébullition, mais il les touche de biais... Une des clauses du *Quebec Bill* prévoit l'extension des frontières territoriales vers l'ouest jusqu'à l'Ohio et au Mississipi. L'intention des dirigeants britanniques est de soustraire cette région aux habitants des Treize Colonies. William, comte de Dartmouth, qui devient secrétaire d'État pour les colonies au mois d'août 1772, écrit à son prédécesseur, le comte de Hillsborough, le 1er mai 1774 : « S'il n'est pas désirable que des sujets anglais s'établissent dans cette région, rien ne peut mieux les dissuader d'une telle tentative que cette partie essentielle du bill, sans laquelle Votre Seigneurie sait très bien qu'il est impossible de les en empêcher dans l'état où se trouve actuellement cette région. »

Le 17 mai, les lords approuvent la quatrième version du projet de loi. À la Chambre des communes, le débat est des plus animés. La question des lois civiles françaises et d'une certaine reconnaissance de la religion catholique soulève l'opposition de plusieurs représentants britanniques. « Je croirais essentiel de ne pas rendre aux Canadiens leurs lois ; elles maintiendront leur perpétuel recours à ces lois et coutumes qui continuera à faire d'eux un peuple distinct », déclare le député de l'opposition John Cavendish. Son confrère Edmund Burke va plus loin : « Les deux tiers de tous les intérêts commerciaux du Canada vont être livrés à la loi française et à la judicature française, déclare-t-il. Est-ce pour les Anglais ? Assurément les marchands anglais ont droit à la protection de nos lois plus que la noblesse canadienne. Aucun marchand anglais ne se croit armé pour défendre son bien, s'il n'est armé du droit anglais. Je demande protection pour 360 familles anglaises que je connais, contre les préjugés de la noblesse canadienne que je ne connais pas. »

Plusieurs personnes reliées directement à la politique canadienne témoignent devant la Chambre des communes. Parmi elles, on remarque le gouverneur Carleton, l'ancien procureur général de la province de Québec devenu baron de l'Échiquier, Francis Maseres, l'ex-juge en chef William Hey et le seigneur canadien Michel Chartier de Lotbinière.

Ce dernier résume ainsi une partie de son intervention :

> Le bill semble vouloir exprimer que c'est en grande partie pour complaire au désir des Canadiens qu'on supprime dans leur pays toutes lois et manières de procéder pour le criminel à la française et qu'on y substitue toutes les lois criminelles anglaises et manières de procéder en conséquence, ce que je puis annoncer pour certain est que, dans la demande qu'ils font de leurs lois, il n'est nullement question d'en excepter celles qui regardent le criminel ; et ils n'auraient manqué de l'exprimer, s'ils eussent préféré la loi anglaise pour cette partie. [...] Enfin, un point qui mérite attention et qui doit être fixé, est que la langue française étant

> générale et presque l'unique en Canada, que tout étranger qui y vient n'ait que ses intérêts en vue, il est démontré qu'il ne peut les bien servir qu'autant qu'il s'est fortifié dans cette langue et qu'il est forcé d'en faire un usage continuel dans toutes les affaires particulières qu'il y traite ; qu'il est de plus impossible, vu la distribution des établissements et habitations du pays, de prétendre y introduire jamais la langue anglaise comme générale. Pour toutes ces raisons et autres non détaillées, il est indispensable d'ordonner que la langue française soit la seule employée dans tout ce qui se traitera et sera arrêté pour toute affaire publique, tant dans les cours de justice que dans rassemblée du corps législatif, etc., car il paraîtrait cruel que, sans nécessité, l'on voulut réduire presque la totalité des intéressés à n'être jamais au fait de ce qui serait agité ou serait arrêté dans le pays.

La Chambre des communes ne donnera pas suite à la demande de Lotbinière qui parlait « tant en son nom qu'au nom des Canadiens », c'est-à-dire qu'elle ne légiférera pas sur la langue.

Vote sans intérêt

Bien peu de députés anglais sont présents en Chambre le 13 juin, lorsqu'a lieu le vote en troisième lecture du *Quebec Bill*: 56 votent en faveur de son adoption et 20 contre, alors que, le 25 mai précédent, 105 s'étaient prononcés affirmativement et 29 pour la négative.

> Le 13 juin, rapporte la *Gazette* de Québec, le bill pour le gouvernement de Québec a occasionné de grandes contestations dans la Chambre des communes, qui avait reçu une requête contre ledit bill de la part des marchands commerçant avec cette province, et une autre de la part du Lord Maire, échevin du conseil de la ville de Londres ; mais, malgré toutes les oppositions, il fut ordonné de l'enregistrer.

À la suite des modifications apportées au projet de loi par les membres de la Chambre des communes, l'Acte de Québec retourne pour étude à la Chambre des lords. L'article le plus attaqué est peut-être celui qui accorde une certaine reconnaissance à la religion catholique. Bien qu'il soit malade, William Pitt, ancien premier ministre devenu lord Chatham, se rend à la Chambre dénoncer cette loi « atroce, sotte, inepte » qu'on doit rejeter. Son adoption « enlèverait à Sa Majesté l'affection et la confiance de ses sujets d'Angleterre et d'Irlande et finalement lui aliénerait les cœurs de tous les Américains ». Malgré l'opposition, le projet de loi est adopté par 26 voix contre 7.

Le mercredi 22 juin 1774, George III se rend à Westminster où sont réunies les deux Chambres du Parlement pour donner son accord royal aux projets de lois adoptés au cours de la session. Plusieurs Londoniens, au passage du carrosse de Sa Majesté, lancent le fameux cri *No popery*, voulant ainsi protester contre l'Acte de Québec. Ce geste hostile n'empêche pas le roi de sanctionner le projet de loi en déclarant : « Les circonstances particulières et embarrassantes dans lesquelles la province de Québec était enveloppée, avaient rendu l'accommodement et le règlement du gouvernement de celle-ci une matière de grande difficulté. Le Bill que vous avez préparé pour ce sujet, et auquel je viens de donner mon consentement, est fondé sur les plus clairs principes de la justice et de l'humanité ; et je ne doute pas qu'il ne produise le meilleur effet pour tranquilliser les esprits et avancer le bonheur de mes sujets canadiens. »

La Grande Charte

L'Acte de Québec, que certains appellent la Grande Charte des droits des Canadiens français, touche quatre points principaux : les frontières de la colonie, la religion catholique, les lois et le mode de gouvernement.

Le territoire de la province est considérablement agrandi par les dispositions de l'acte :

> Que tous les territoires, îles et régions dans l'Amérique du Nord, appartenant à la Couronne de la Grande-Bretagne, bornés au sud par une ligne partant de la baie des Chaleurs pour longer les terres hautes qui séparent les rivières qui se déversent dans le fleuve Saint-Laurent de celles qui se déversent dans la mer, jusqu'à un point du 45e degré de latitude nord, sur la rive est de la rivière Connecticut ; s'étendre de là en suivant la même latitude, directement à l'ouest à travers le lac Champlain jusqu'à ce que dans cette direction elle atteigne le fleuve Saint-Laurent ; de là, longer la rive est dudit fleuve jusqu'au lac Ontario ; traverser le lac Ontario et la rivière appelée communément Niagara ; longer la rive est et sud-est du lac Érié et suivre ladite rive jusqu'à son point d'intersection avec la borne septentrionale concédée par la charte de la province de Pennsylvanie, si toutefois il existe un tel point d'intersection ; longer de là lesdites bornes à l'est et à l'ouest de ladite province jusqu'à l'intersection de ladite borne de l'ouest avec l'Ohio, mais s'il n'est pas trouvé un tel point d'intersection sur ladite rive dudit lac, ladite ligne devra suivre ladite rive jusqu'à son point le plus rapproché de l'angle nord-ouest de ladite province de Pennsylvanie ; s'étendre directement de cet endroit jusqu'à l'angle nord-ouest de ladite province ; longer la borne occidentale de ladite province jusqu'à ce qu'elle atteigne la rivière Ohio, puis la rive de ladite rivière dans la direction de l'ouest jusqu'aux rives du Mississipi et s'étendre dans la direction du nord, jusqu'à la borne méridionale du territoire concédé aux marchands aventuriers d'Angleterre qui font la traite à la baie d'Hudson [Hudson's Bay Company].

Les nouvelles frontières englobent donc des territoires concédés à Terre-Neuve lors de la Proclamation royale de 1763 et d'autres réservés à la Couronne par le même décret. Ces derniers territoires étaient, depuis un certain temps, réclamés par les colonies voisines.

Un serment acceptable

Plusieurs articles de la nouvelle loi touche la question religieuse. Alors que le traité de Paris autorisait le culte catholique « en autant que le permettent les lois de la Grande-Bretagne » (qui ne le toléraient pas de toute façon), l'Acte de Québec soumet la religion à la suprématie royale.

> Pour la sécurité la plus complète et la tranquillité des esprits des habitants de ladite province, précise-t-on, il est par les présentes déclaré que les sujets de Sa Majesté professant la religion de l'Église de Rome, et ce dans ladite province de

Québec, peuvent jouir du libre exercice de la religion de l'Église de Rome sous la suprématie du roi qui s'étend, tel que déclaré et établi par un acte voté dans la première année du règne de la reine Élizabeth, sur tous les territoires et possessions qui appartenaient alors ou devaient appartenir par la suite à la couronne impériale de ce royaume ; et que le clergé de ladite Église peut conserver et percevoir les dus et redevances ordinaires [dîmes] et en jouir, mais que ceux-ci ne seront exigibles que des personnes professant ladite religion.

Le serment du Test, qui empêchait les catholiques d'accéder à la fonction publique et à l'administration de la province, ne sera plus exigible et il est remplacé par le suivant : « Je, A.B., promets et jure sincèrement que je serai fidèle et porterai vraie allégeance à Sa Majesté le roi George, que je le défendrai de tout mon pouvoir contre toutes conspirations perfides et tous attentats quelconques, dirigés contre sa personne, sa couronne ou sa dignité ; et que je ferai tous mes efforts pour découvrir et faire connaître à Sa Majesté, ses héritiers et successeurs, toutes trahisons et conspirations perfides et tous attentats que je saurai dirigés contre lui ou chacun d'eux ; et tout ceci, je le jure sans aucune équivoque, subterfuge mental ou restriction secrète, renonçant pour m'en relever à tous pardons et dispenses de personnes ou pouvoir quelconque. Ainsi que Dieu me soit en aide. »

Les lois françaises

Les Canadiens, par l'Acte de Québec, obtiennent aussi gain de cause au sujet des lois civiles :

> Qu'il soit de plus décrété [...] que tous les sujets canadiens de Sa Majesté dans la province de Québec, à l'exception seulement des ordres religieux et des communautés, pourront conserver la possession et jouir de leurs propriétés et de leurs biens avec les coutumes et usages qui s'y rattachent et de tous les autres droits civils, au même degré et de la même manière que si ladite proclamation et les commissions, ordonnances et autres actes et instruments n'avaient pas été faits et que leur permettront leur allégeance et leur soumission à la couronne et au parlement de la Grande-Bretagne ; qu'à l'égard de toute contestation relative à la propriété et aux droits civils, l'on aura recours aux lois du Canada, comme règle pour décider à leur sujet ; et que toutes les causes concernant la propriété et les droits susdits, qui seront portées par la suite devant quelqu'une des cours de justice, qui doivent être établies dans et pour ladite province, par Sa Majesté, ses héritiers et successeurs, y seront jugées conformément auxdites lois et coutumes du Canada, jusqu'à ce que celles-ci soient changées ou modifiées par quelques ordonnances qui seront rendues de temps à autre dans ladite province par le gouverneur, le lieutenant-gouverneur ou le commandant en chef en exercice, de l'avis et du consentement du Conseil législatif qui sera établi. [...] À la condition aussi qu'il soit et puisse être loisible à et pour toute personne qui possède des terres, des biens meubles ou des intérêts dans ladite province et qui a le droit d'aliéner lesdits intérêts, biens meubles et terres durant sa vie, par vente, donation ou autrement, de les transmettre ou léguer à sa mort, par testament ou acte de dernière volonté, nonobstant les lois, usages ou coutumes contraires de quelque façon que ce soit à cette disposition, qui ont prévalu jusqu'à présent ou qui prévalent actuellement

> dans ladite province ; tel testament étant fait conformément aux lois du Canada ou conformément aux formes requises par les lois anglaises.

Les lois civiles françaises obtiennent donc une remise en vigueur, mais elles pourront être modifiées ou abrogées par d'autres lois. Quant au mode de concession des terres, il pourra se faire en franc et commun soccage, c'est-à-dire « sans redevance annuelle et en toute propriété ».

L'Acte de Québec décrète qu'à l'avenir, seules les lois criminelles anglaises auront force légale :

> Considérant que, depuis neuf ans, les lois criminelles de l'Angleterre ont été uniformément appliquées et que les habitants se sont rendus compte de la fermeté et de la douceur ainsi que des bienfaits et des avantages desdites lois : — À ces causes, qu'il soit décrété en vertu de l'autorité susdite que lesdites lois continueront d'être en vigueur et qu'elles seront appliquées comme lois dans ladite province de Québec, à l'égard des définitions et de la gravité de l'offense, du mode de poursuite et de procès, ainsi que des punitions et amendes infligées par lesdites lois, à l'exclusion de toute autre règle de droit criminel ou mode de procédure à ce sujet, qui a prévalu ou pu prévaloir dans ladite province, avant l'année de Notre-Seigneur mil sept cent soixante-quatre, nonobstant toute chose contraire à cette fin, contenue dans cet acte de quelque manière que ce soit.

On prévoit aussi que les lois criminelles alors en vigueur pourront être modifiées par les autorités compétentes.

Point de députés

Les législateurs anglais ne donnent pas suite à la demande des anciens sujets d'établir une Chambre d'assemblée dans la province de Québec. Par contre, l'Acte de Québec prévoit l'élargissement des cadres du conseil législatif. Les membres du conseil, dont le nombre « n'excédera pas vingt-trois et ne sera pas moins de dix-sept », seront nommés par le roi et devront habiter la province.

Les pouvoirs du Conseil législatif sont limités : il ne peut imposer d'autres taxes « que celles qui doivent être affectées à des chemins ou édifices publics. » De plus, toutes les ordonnances adoptées par ledit conseil sont sujettes à l'approbation royale. Enfin, toute ordonnance concernant la religion ou visant à imposer une peine « plus sévère qu'une amende ou un emprisonnement de trois mois », doit d'abord obtenir l'assentiment du roi avant d'entrer en vigueur.

La date d'entrée en vigueur de l'Acte de Québec est fixée au 1er mai 1775 ; il sera complété par une autre loi adoptée à la même époque et visant à « établir un fonds pour pourvoir aux dépenses de l'administration de la justice et au soutien du gouvernement civil dans la province de Québec ». L'Acte du revenu de Québec fixe les droits à payer sur l'eau-de-vie, la mélasse et le sirop, ainsi que pour l'opération d'une auberge.

Les clauses de l'Acte de Québec reçoivent leur première interprétation dans les instructions de Sa Majesté au gouverneur Carleton, datées du 3 janvier 1775. On n'y envisage pas un rétablissement complet des lois civiles françaises. L'article 12 des instructions est clair à ce sujet :

> Si, d'une part, c'est notre bienveillante attention, conformément à l'esprit et à la portée dudit acte du Parlement, d'accorder à nos sujets canadiens l'avantage d'avoir recours à leurs propres lois, usages et coutumes dans toutes les contestations concernant les titres de terre, les tenures, la transmission, l'aliénation, l'hypothèque et l'arrangement relatifs à la propriété immobilière et le partage de la propriété mobilière de personnes mortes sans avoir fait de testament, d'autre part, il sera du devoir du Conseil législatif de bien considérer lorsqu'il s'agira d'élaborer des ordonnances qui pourront être nécessaires pour l'établissement des cours de justice et la bonne administration de la justice, si les lois anglaises, sinon entièrement, du moins en partie, ne devraient pas servir de règle dans tous les cas d'actions personnelles au sujet des dettes, de promesses, de contrats et de convention en matière commerciale ou autrement et au sujet des torts qui doivent être compensés par des dommages intérêts, surtout si, dans les procès, de quelque genre qu'ils soient, nos sujets nés britanniques de la Grande-Bretagne, d'Irlande ou des autres colonies qui résident à Québec ou qui iront s'y fixer ou qui y auront placé des capitaux ou y posséderont des propriétés, sont demandeurs ou défenseurs dans tout procès civil de cette nature.

Les instructions au gouverneur Carleton prévoient la division du territoire en deux districts pour l'administration de la justice : le district de Montréal et celui de Québec. Chaque division comprendra une cour des plaids communs. « Trois juges seront nommés pour chaque cour des plaids communs, précise-t-on ; l'un d'eux sera canadien et les deux autres devront être des sujets nés britanniques de la Grande-Bretagne, d'Irlande ou de nos autres colonies. »

Les districts moins peuplés et plus éloignés de Détroit, de l'Illinois, de Saint-Vincenne, de Michillimakinac et de Gaspé auront chacun une cour du Banc du Roi. Le juge devra obligatoirement être né en Grande-Bretagne ou dans une colonie anglaise. On lui adjoindra comme assistant un Canadien « qui sera consulté par ledit juge en toute occasion et aussi souvent que celui-ci le jugera nécessaire ; mais ledit assistant ou assesseur n'aura ni le pouvoir ni l'autorité d'entendre ou de décider dans une instance ou de participer à aucun jugement, décret ou ordonnance ».

La liberté religieuse accordée aux Canadiens par l'Acte de Québec est, elle aussi, limitée dans son exercice par les articles 20 et 21 des instructions au gouverneur Carleton. « Il sera de votre devoir absolu, précise-t-on au représentant du roi, de prendre des mesures qui donneront entière satisfaction aux nouveaux sujets dans tous les cas où ils auront droit à quelque indulgence, sans perdre de vue toutefois qu'ils ne doivent jouir que de la tolérance de la pratique de la religion de l'Église de Rome et non des pouvoirs et des privilèges de celle-ci comme Église établie, pouvoirs et privilèges exclusivement réservés à l'Église protestante d'Angleterre seulement. »

L'autorité et le champ d'action de l'évêque et des membres du clergé et des communautés religieuses sont restreints au seul secteur de la pratique religieuse, du moins en principe. Carleton et ses successeurs ne se prévaudront pas toujours des droits que leur accordaient les instructions :

> Que tout appel à une juridiction ecclésiastique étrangère et toute correspondance avec celle-ci soient absolument défendus sous des peines très sévères ; qu'aucune

personne professant la religion de l'Église de Rome ne puisse exercer de fonctions épiscopales ou vicariales autres que celles absolument requises pour le libre exercice de la religion catholique romaine ; [...] personne ne pourra recevoir les ordres sacrés et n'aura charge d'âmes sans avoir au préalable obtenu de vous une permission à cette fin ; [...] qu'aucune personne professant la religion de l'Église de Rome ne puisse devenir ministre titulaire d'une paroisse dont la majorité des habitants solliciteront la nomination d'un ministre protestant. En ce cas, le titulaire sera protestant et aura droit à toutes les dîmes payables dans cette paroisse. Toutefois les catholiques romains pourront se servir de l'église pour le libre exercice de leur religion à tels moments qui ne dérangeront pas le service religieux des protestants ; et réciproquement, dans toute paroisse dont la majorité des paroissiens seront catholiques romains, les protestants pourront se servir de l'église pour y pratiquer leur culte, lorsque leur présence ne dérangera pas le service religieux des catholiques romains ; [...] que les ecclésiastiques désireux d'embrasser le saint état du mariage soient relevés de toutes les peines qui pourraient leur être infligées en ce cas, en vertu de toute autorité émanée du siège de Rome ; que la liberté d'inhumer les morts dans les églises et dans les cimetières soit accordée aux chrétiens de toute croyance sans distinction ; [...] c'est aussi notre bon plaisir que toutes les autres institutions religieuses et les séminaires (sauf seulement l'ordre des Jésuites) restent pour le moment en possession de leurs établissements actuels, jusqu'à ce que nous soyions mieux renseignés sur leur véritable état et que nous sachions jusqu'à quel point elles sont essentielles au libre exercice de la religion de l'Église de Rome tel que permis dans notre dite province. Mais, à l'exception des communautés de femmes, vous ne permettrez l'admission de nouveaux membres dans aucune desdites sociétés ou communautés sans nos instructions formelles à cette fin. Quant à la Société de Jésus, elle doit être supprimée et dissoute et elle ne peut exister plus longtemps comme corps constitué et politique ; ses droits, ses biens et ses propriétés nous seront dévolus pour être utilisés de la manière qu'il nous plaira de faire connaître et de prescrire ultérieurement. Néanmoins, nous croyons devoir déclarer notre royale intention d'allouer aux membres actuels de ladite société, établis à Québec, des traitements et des legs suffisants durant leur vie naturelle. Tous les missionnaires établis parmi les Sauvages qui relèvent de la juridiction des Jésuites ou qui ont été envoyés par ceux-ci, de même que ceux qui relèvent de toute autre autorité ecclésiastique de l'Église romaine, devront être retirés graduellement et remplacés par des missionnaires protestants, lorsque le temps et les circonstances permettront de le faire sans déplaire aux Sauvages, afin de ne pas compromettre la sécurité publique. Il sera défendu à tout ecclésiastique de l'Église de Rome, sous peine de destitution, d'influencer les testateurs, d'induire les protestants à devenir papistes ou de chercher à les corrompre en matière religieuse ; et il sera aussi défendu aux prêtres romains de parler dans leurs sermons contre la religion de l'Église d'Angleterre, de marier, de baptiser, d'inhumer nos sujets protestants ou de visiter ceux d'entre eux qui seront malades si un ministre protestant se trouve sur les lieux.

La préoccupation réelle du roi George III de limiter l'étendue d'application des lois civiles françaises et de restreindre le plus possible les droits religieux montre que ce que l'on a appelé la Grande Charte des droits des Canadiens français n'est en fait qu'une concession que l'on souhaite limitée dans le temps et l'espace. De plus, il est fort probable que, sans la marche des colonies américaines vers l'indépendance, le Parlement britannique aurait encore attendu longtemps avant de concéder des droits aux nouveaux sujets de la province de Québec. « L'Acte de Québec, fait remarquer avec justesse l'historien Duncan McArthur, fut rédigé l'œil fixé, non sur Québec mais sur Boston. » L'historien Stanley B. Ryerson tire une conclusion exacte lorsqu'il affirme que « la clé de l'acte de Québec se trouve dans la révolution américaine ».

Réactions anglaises

En Angleterre, l'adoption de l'Acte de Québec soulève une série de protestations. On dénonce le papisme de la nouvelle loi et on menace le roi d'un soulèvement populaire. En Nouvelle-Angleterre, la réaction est encore plus violente. L'avocat bostonnais Josiah Quincy Jr voit dans l'adoption de la mesure un moyen d'écraser les aspirations américaines. « Eh quoi ! s'écrie-t-il, nous les Américains, avons-nous dépensé autant de sang et de richesse au service de la Grande-Bretagne dans la conquête du Canada, pour que les Britanniques et les Canadiens puissent maintenant nous subjuguer ? »

Alexander Hamilton, le futur premier secrétaire du Trésor des États-Unis, craint les lois en faveur de la religion catholique : « L'affaire du Canada est encore plus grave, si cela est possible, que celle de Boston. [...] Est-ce que votre sang ne se glace pas dans vos veines, lorsque vous songez qu'un Parlement anglais a pu adopter un acte pour établir le pouvoir arbitraire et le papisme dans un pays aussi étendu ? [...] Il peut tout aussi bien établir le papisme dans le New York et dans les autres colonies. »

Quelques-unes des Treize Colonies demandent le rappel pur et simple de l'Acte de Québec. Les 6 et 9 septembre 1774, le comté de Suffolk, dans le Massachusetts, adopte la résolution suivante : « Il est résolu que le dernier acte du Parlement pour l'établissement de la religion catholique romaine et des lois françaises dans ce vaste pays qui s'appelle le Canada, est un péril extrêmement grave pour la religion protestante et pour les libertés et les droits civils dans toute l'Amérique ; et, par conséquent, en tant que citoyens et protestants chrétiens, nous sommes en toute nécessité contraints de prendre toutes les mesures qu'il faut pour assurer notre sécurité. »

Des représentants des colonies de la Nouvelle-Angleterre se réunissent à Philadelphie à partir du 4 septembre 1774. Ce premier congrès général adopte, le 21 octobre suivant, une *Adresse au peuple de la Grande-Bretagne* : « Nous ne pouvons nous empêcher, y lit-on, d'être étonnés qu'un Parlement britannique ait consenti à établir une religion qui a inondé de sang votre île et qui a répandu l'impiété, la bigoterie, la persécution, le meurtre et la rébellion dans toutes les parties du monde. »

Comme Londres a décidé de maintenir la ligne dure avec ses colonies, les protestations des représentants de la Nouvelle-Angleterre présentées au roi par Benjamin Franklin n'ont pas de suite.

Vive le roi !

Dans la province de Québec, les réactions à l'adoption de l'Acte de Québec sont beaucoup plus variées. Les Canadiens, dont quelques-uns ont pris connaissance du contenu de l'acte paru dans la *Gazette* de Québec du 6 septembre, se rendent accueillir en foule le gouverneur Carleton qui revient dans la capitale le 18 septembre 1774.

Le clergé s'empresse de lui présenter une adresse signée par monseigneur Briand, ainsi que par les supérieurs du Séminaire de Québec, des jésuites et des récollets : « Permettez qu'en félicitant Votre Excellence sur son heureux retour, nous nous félicitions nous-mêmes et la Province, de vous avoir pour conservateur de nos lois et privilèges religieux. L'histoire placera votre nom parmi les braves guerriers et les sages politiques, mais pour notre reconnaissance elle l'a déjà gravé dans tous les cœurs canadiens. Nous connaissons la confiance avec laquelle vous avez soutenu nos intérêts et le témoignage que vous avez rendu à notre gracieux souverain et au Parlement de notre fidélité. »

Les sujets canadiens de la ville de Québec présentent eux aussi une adresse à Carleton où l'Acte de Québec est qualifié de « très favorable ». « Permettez-nous aussi, y lit-t-on, de vous supplier de faire passer aux pieds du trône de notre auguste et bien-aimé Souverain les assurances de notre profond respect, de notre attachement et de notre inviolable fidélité. Recevez-en nos serments et assurez-le pour nous, qu'il n'aura point de sujets plus fidèles et plus soumis que les Canadiens et que nous serons, en tout temps et en toutes occasions, toujours prêts à sacrifier nos vies et nos biens pour soutenir et défendre, envers et contre tous, Son auguste Personne, sa couronne, son Parlement et ses armes. »

Le 26 septembre, c'est au tour des Canadiens de Montréal de faire preuve de fidélité envers le roi et son représentant. « Il y eut un bal magnifique dans la maison de la Compagnie des Indes et un souper splendide où messieurs du militaire assistèrent, rapporte la *Gazette* de Québec du 6 octobre 1774. La plupart des maisons furent illuminées ainsi que celle où se tenait l'assemblée. Il parut dans cette fête une unanimité parfaite à exprimer l'amour que les Canadiens ont pour leur souverain et l'attachement qu'ils ont pour leur gouverneur. »

L'évêque de Québec ne cache ni sa joie ni sa satisfaction.

> La religion y est parfaitement libre, écrit-il le 10 mars 1775 ; j'y exerce mon ministère sans contrainte, le gouverneur m'aime et m'estime ; les Anglais m'honorent. J'ai rejeté un serment que l'on avait proposé et le Parlement de la Grande-Bretagne l'a changé et établi tel que tout catholique put le prendre ; dans le bill qui autorise la religion, on a pourtant mis le mot de suprématie, mais nous ne jurons pas par le bill. J'en ai parlé à son Excellence notre gouverneur, qui m'a répondu : « Qu'avez-vous à faire du bill ? Le roi n'usera point de ce pouvoir, et il consent bien et il prétend même que le pape soit votre supérieur dans la foi, mais le bill n'aurait pas passé sans ce mot. On n'a point dessein de gérer votre religion et le roi ne s'en mêlera pas autant que fait celui de France ; on ne demande pas, comme vous le voyez par le serment, que vous reconnaissiez cette suprématie. Laissez-le dire et croyez ce que vous voudrez. »

Les fidèles

Alors que l'habitant ne réalise pas complètement l'importance de l'acte adopté par le Parlement anglais, les seigneurs saisissent rapidement les avantages qu'ils peuvent en tirer. « Ceux-ci, écrira le juge en chef William Hey le 28 août 1775, se sont trop enorgueillis et s'enorgueillissent encore trop des avantages dont ils espèrent bénéficier de la restauration de leurs anciens privilèges et coutumes et ils se sont permis, à ce sujet, des réflexions et des paroles propres à blesser non seulement les Canadiens mais aussi les marchands anglais. »

Si Carleton peut être heureux de l'attitude des sujets canadiens, il a moins raison de l'être de celle des Anglais de la province de Québec. Des assemblées se tiennent à Québec et à Montréal. À ce dernier endroit, un comité se forme pour « surveiller les intérêts communs et préparer les voies pour obtenir une réforme ». Thomas Walker, James Price, John Black et Isaac Todd se chargent de recueillir des fonds pour financer la présentation d'une pétition au roi, à la Chambre des lords et à la Chambre des communes. On compte aussi offrir à Francis Maseres « un magnifique cadeau en espèces » pour qu'il achemine bien les pétitions.

Le comité des quatre hommes se rend à Québec pour que la même opération soit mise sur pied. « Immédiatement après son arrivée, raconte le gouverneur Carleton dans une lettre au secrétaire d'État Dartmouth du 11 novembre 1774, ses émissaires ayant préparé la voie, un avis anonyme fut affiché dans un hôtel invitant tous les sujets nés britanniques à s'assembler dans une certaine taverne et un messager fut chargé de transmettre une invitation verbale à ceux qui n'avaient pas pris connaissance de l'avis écrit. À la première réunion, un comité de sept membres [...] fut nommé pour préparer les voies et s'entendre avec ceux de Montréal. Plusieurs personnes d'ici [Québec] et de Montréal ont cru devoir refuser de prendre part à ces assemblées dès qu'elles en ont connu l'objet. »

Le 12 novembre 1774, près de 190 personnes, en très grande majorité anglophones, signent une pétition au roi déplorant qu'avec l'Acte de Québec ils sont « privés des privilèges accordés par les prédécesseurs royaux de Votre Majesté » et dont ils avaient hérité de leurs aïeux.

> Nous avons perdu la protection des lois anglaises, si universellement admirées pour leur sagesse et leur douceur et pour lesquelles nous avons toujours entretenu la plus sincère vénération et, à leur place, doivent être introduites les lois du Canada qui nous sont complètement étrangères, nous inspirent de la répulsion comme Anglais et signifient la ruine de nos propriétés en nous enlevant le privilège du procès par jury. En matière criminelle, l'Acte d'*habeas corpus* est abrogé et nous sommes astreints aux amendes et aux emprisonnements arbitraires qu'il plaira au gouverneur et au Conseil d'infliger ; et ceux-ci pourront à volonté rendre les lois criminelles instables en vertu du grand pouvoir qui leur est conféré, de leur faire subir des modifications. En conséquence, nous supplions très humblement Votre Majesté de prendre notre malheureuse situation en votre royale considération et de nous accorder le secours que Votre Majesté croira à propos dans sa royale sagesse.

Dans leur pétition faite à la Chambre des communes, les signataires demandent tout simplement « que ledit acte soit abrogé ou amendé, que les avantages et la protection des lois anglaises leur soient accordés quant à ce qui concerne la propriété immobilière et que leur liberté leur soit assurée conformément à leurs anciens droits et privilèges constitutionnels accordés jusqu'à présent à tous les fidèles sujets de Sa Majesté d'un bout à l'autre de l'empire britannique ».

La réaction des anciens sujets rend le gouverneur Carleton mal à l'aise, surtout que plusieurs Canadiens lui font des remarques sur la conduite des anglophones de la colonie. Les Canadiens, confie-t-il à Dartmouth, « sont surpris qu'on tolère ces assemblées et la cabale nocturne qui se poursuit dans le but de jeter le trouble dans l'esprit de la population par des rapports faux et séditieux ». Le gouverneur sent le besoin de donner l'assurance aux Canadiens « que de semblables démarches n'affecteraient en rien la dernière mesure adoptée à leur égard ».

L'invitation américaine

Carleton voit juste lorsqu'il soupçonne les habitants des colonies voisines d'être responsables de l'état d'esprit des anciens sujets demeurant à Montréal. « J'ignore, écrit-il à Dartmouth, le 11 novembre 1774, si ces derniers sont naturellement plus portés à l'agitation, si des colonistes installés au milieu d'eux les ont soulevés ou si réellement ils ont reçu, comme on l'a dit, des lettres du congrès général. [...] Je suis informé que toutes personnes de Boston qui viennent au Canada sont fouillées, de crainte qu'elles ne transportent des lettres, et qu'elles sont strictement questionnées au sujet de tout message verbal que le général Gage pourrait leur confier pour moi. »

Lorsque les anciens sujets signent une pétition dénonçant l'Acte de Québec, ils ont déjà pris connaissance de la « lettre adressée aux habitants de la province de Québec, ci-devant le Canada, de la part du Congrès général de l'Amérique septentrionale, tenu à Philadelphie ». En effet, le 26 octobre, les représentants des Treize Colonies avaient adopté la résolution suivante : « Que l'adresse du Congrès à la population du Canada soit signée par le président et que les représentants de la province de Pennsylvanie en surveillent la traduction, l'impression, la publication et la diffusion ; et il est recommandé aux représentants du New Hampshire, du Massachusetts et du New York de concourir à hâter la diffusion de ladite adresse. »

Henry Middleton, un délégué de la Caroline du Sud, signe la lettre qui sera imprimée en 2000 exemplaires chez l'imprimeur d'origine française Fleury Mesplet. Selon le « témoin oculaire » Simon Sanguinet, « en moins de quinze jours, cette lettre du Congrès adressée aux habitants du Canada fut distribuée de l'extrémité de la province à l'autre. Plusieurs marchands anglais parcouraient toutes les campagnes sous prétexte d'acheter du blé des habitants afin de leur lire cette lettre et de les exciter à la rébellion ».

Mais, en réalité, quoiqu'en dise le « témoin oculaire », il semble bien que la lettre du Congrès ne fut connue des Canadiens que beaucoup plus tard, puisqu'on peut lire, dans un écrit du 18 janvier 1775 : « La traduction française de l'adresse aux habitants de ce pays, laquelle devait nous être envoyée par ordre du Congrès, ne nous est pas encore parvenue. Mais une traduction en a été faite à Québec et des copies manuscrites (notre imprimeur n'ose rien publier de cette nature) ont circulé parmi les bourgeois français. Ils sont si peu accoutumés à penser et à parler sur ces matières, ils craignent tant d'offenser en quoi que ce soit le Gouvernement qu'ils éviteront de prendre aucune part au mouvement. »

Dans leur lettre aux habitants de la province de Québec, les représentants des colonies les invitent à faire cause commune avec eux contre l'Angleterre en dénonçant surtout l'*Acte de Québec*. Après avoir énuméré les droits appartenant naturellement à l'homme, ils ajoutent :

> Mais que vous offre-t-on à leur place par le dernier Acte du Parlement ? La liberté de conscience pour votre religion : non, Dieu vous l'avait donnée, et les Puissances temporelles avec lesquelles vous étiez et êtes à présent en liaison, ont fortement stipulé que vous en eussiez la pleine jouissance. [...] A-t-on rétabli les lois françaises dans les affaires civiles ? Cela paraît ainsi, mais faites attention à la faveur circonspecte des ministres qui prétendent devenir vos bienfaiteurs ; les paroles du statut sont que l'on se réglera sur ces lois jusqu'à ce qu'elles aient été modifiées ou changées par quelques ordonnances du gouverneur et du Conseil. » Il en va de même pour les lois criminelles anglaises qui pourront, elles aussi, être modifiées n'importe quand. « C'est de ces conditions si précaires que votre vie et votre religion dépendent seulement de la volonté d'un seul.

Après avoir déploré le fait que les Canadiens ne possèdent pas de Chambre d'assemblée et que le seul pouvoir du Conseil législatif est d'établir des taxes pour la construction des routes et des édifices publics, les participants au Congrès de Philadelphie ajoutent : « Peuple infortuné qui est non seulement lésé, mais encore outragé. Ce qu'il y a de plus fort, c'est que, suivant les avis que nous avons reçus, un ministère arrogant a conçu une idée si méprisante de votre jugement et de vos sentiments, qu'il a osé penser et s'est même persuadé que, par un retour de gratitude pour les injures et outrages qu'il vous a récemment offerts, il vous engagerait, vous nos dignes concitoyens, à prendre les armes pour devenir des instruments en ses mains pour l'aider à nous ravir cette liberté dont sa perfidie vous a privée, ce qui vous rendrait ridicules et détestables à tout l'Univers. »

Les congressistes font appel au philosophe français Montesquieu et à son *Esprit des lois* pour inciter les Canadiens à faire cause commune avec eux. Ils prêtent au philosophe les exhortations suivantes :

> Saisissez l'occasion que la Providence elle-même vous offre, votre conquête vous a acquis la liberté si vous vous comportez comme vous devez, cet événement est son ouvrage ; vous n'êtes qu'un très petit nombre en comparaison de ceux qui vous invitent à bras ouverts de vous joindre à eux ; un instant de réflexion doit vous convaincre qu'il convient mieux à vos intérêts et à votre bonheur, de vous procurer l'amitié constante des peuples de l'Amérique septentrionale, que de les rendre vos implacables ennemis. Les outrages que souffre la ville de Boston ont alarmé et uni ensemble toutes les colonies, depuis la Nouvelle-Écosse jusqu'à la Georgie, votre province est le seul anneau qui manque pour compléter la chaîne forte et éclatante de leur union. Votre pays est naturellement joint au leur ; joignez-vous aussi dans vos intérêts politiques ; leur propre bien-être ne permettra jamais qu'ils vous abandonnent ou qu'ils vous trahissent. Soyez persuadés que le

> bonheur d'un peuple dépend absolument de sa liberté et de son courage pour la maintenir. La valeur et l'étendue des avantages que l'on vous offre sont immenses ; daigne le Ciel ne pas permettre que vous ne reconnaissiez ces avantages pour le plus grand des biens que vous pourriez posséder, qu'après qu'ils vous auront abandonnés à jamais.

Prévoyant que la question de religion peut devenir un obstacle, les rédacteurs de l'adresse font valoir l'exemple des Cantons suisses où les habitants catholiques et protestants vivent « ensemble en paix et en bonne intelligence ».

De plus, ils ne demandent pas aux Canadiens de prendre les armes contre l'Angleterre, mais simplement « à vous unir à nous par un pacte social, fondé sur le principe libéral d'une liberté égale et entretenu par la suite de bons offices réciproques qui puissent le rendre perpétuel ».

En conséquence, les Canadiens sont invités à élire des députés qui les représenteront lors du prochain congrès général « de ce continent qui doit ouvrir ses séances à Philadelphie le 10 mai 1775 ».

Un régiment canadien

Le général Gage, qui est cantonné à Boston, sent le besoin de renforcer la garnison anglaise de cette région. Le 4 septembre 1774, il demande donc au gouverneur Carleton de faire embarquer le plus rapidement possible les 10e et 25e Régiment, si cela n'affaiblit pas trop la colonie québécoise.

Dans sa réponse du 20 septembre, le gouverneur Carleton montre peut-être un peu trop d'optimisme. Après avoir souligné la joie des Canadiens à la suite de l'adoption de l'Acte de Québec, il ajoute : « La formation d'un régiment canadien mettrait le comble à leur bonheur ; et, avec le temps, ce nombre pourrait être porté, en cas de nécessité, à deux ou trois bataillons et même plus. Cependant jusqu'à ce que le service du Roi exige davantage, il suffit pour le moment de former un régiment canadien pour satisfaire la population et je suis convaincu que nous pourrons compter sur sa fidélité et sur son dévouement. [...] J'apprends que les Sauvages de cette province sont très bien disposés. La formation d'un bataillon canadien les maintiendrait dans de bonnes dispositions et exercerait une grande influence sur eux ; mais d'autre part, vous connaissez quelle sorte de gens ils sont ! » Les mois à venir obligeront le gouverneur à changer d'idée.

Au cours de l'hiver 1774-1775, des marchands anglais parcourent les campagnes pour faire valoir des arguments en faveur de la cause américaine. Ils dénoncent les salaires des juges de la cour des plaidoyers communs, du gouverneur et de tous les autres officiers civils.

> Quelques marchands anglais dans les villes chez qui les habitants allaient pour acheter de la marchandise, affirme Sanguinet dans son journal, leur répétaient le même langage que la seule ressource pour eux était de laisser venir les Bostonnais dans la province de Québec, — qui n'y venaient que pour les rendre heureux et les remettre en liberté, — que c'était le seul moyen de les tirer de l'oppression et de la tyrannie où ils étaient exposés et qu'ils ne devaient pas ignorer que c'étaient les provinces unies qui leur avaient fait ôter le papier timbré qui avait emporté aux

Canadiens au moins quatre mille louis. Ce discours fit beaucoup d'impression sur l'esprit des habitants des campagnes. Ils perdirent la confiance qu'ils avaient toujours eue jusqu'alors dans les personnes des villes de les détromper, et la mirent dans de mauvais sujets qui agissaient de concert avec le Congrès. Cela vint à un point où les honnêtes gens fidèles à leur roi furent obligés de se taire et le crime se montrait la tête levée sans être puni.

Un espion bien informé

Un comité du Congrès du Massachusetts se charge de la cause des Canadiens, « considérant qu'il paraît être le but manifeste du ministère actuel de s'assurer les Canadiens et les tribus indiennes éloignées afin de harasser et désoler ces colonies et de les réduire à un état d'esclavage absolu ». Il lui apparaît primordial de bien connaître la situation réelle de la province de Québec et les dispositions d'esprit de ses habitants. Le colonel John Brown, à la demande du comité spécial, vient en visite au Québec et en profite, entre autres, pour présenter une nouvelle adresse du comité de Boston invitant les Canadiens à envoyer des représentants à la réunion de mai.

Brown atteint Montréal par le lac Champlain. Il se serait déclaré « marchand de chevaux » pour mieux accomplir sa mission. Des marchands anglophones de la ville l'accueillent.

> Il y eut une assemblée à Montréal, note Sanguinet, les choses s'y passèrent secrètement. Les députés auraient désiré que les Canadiens eussent été de rassemblée, mais il n'en fut pas un seul, et les marchands anglais de Montréal leur dirent qu'ils savaient que les Canadiens ne voulaient point entrer dans l'union proposée. Effectivement, le plus grand nombre prit le parti de la neutralité, sous prétexte qu'ils avaient fait serment de ne point prendre les armes contre les Anglais. Il était de la politique de les entretenir dans cette opinion, c'est à quoi les mauvais sujets ne manquaient pas. Par l'impunité de toutes ces démarches nocturnes, la ville de Montréal fut bien vite remplie d'espions qui avaient correspondance avec plusieurs marchands anglais de Montréal et de Québec. Enfin, ils combinèrent à faire leur entreprise sur la province de Québec : il leur était d'autant moins difficile qu'ils étaient assurés de la disposition de la plus grande partie des habitants. Ils savaient en outre tout ce qui se passait dans la province, le peu de troupes qui y était. Un grand nombre de marchands anglais se montrèrent publiquement dévoués en faveur des Bostonnais par leurs discours et cherchaient à soulever le peuple et à mettre la confusion.

Le 29 mars 1775, à Montréal, Brown rédige son rapport de mission au Congrès provincial du Massachusetts. Il ne se fait plus d'illusion sur la participation des Canadiens au projet d'indépendance des colonies voisines : la masse du peuple va probablement demeurer neutre, alors que la petite noblesse va continuer à épouser la cause anglaise. « Les Français du Canada, affirme-t-il, constituent une sorte de gens qui ne connaissent aucune autre façon de se procurer la richesse et l'honneur qu'en se faisant sycophantes de cour ; et, comme l'introduction des lois françaises va donner des places à la petite noblesse française ils se pressent autour du gouverneur. »

Selon l'envoyé du Congrès, le petit peuple et le bas clergé, même s'ils choisissent de demeurer neutres, n'éprouvent pas moins une certaine sympathie pour la cause américaine. Il illustre ce jugement par l'anecdote suivante : « À Laprairie, petit village à environ neuf milles de Montréal, je remis à mon bourgeois, Irlandais catholique, un exemplaire de l'adresse, et comme il y avait dans le village quatre curés à prier au corps d'un vieux frère, le pamphlet leur parvint bientôt. Ils envoyèrent un messager pour en acheter plusieurs. Je leur en fis cadeau d'un à chacun et ils me prièrent de leur faire une visite au couvent chez les bonnes Sœurs. Ils paraissent n'avoir aucune indisposition à l'égard des colonies, mais ils préfèrent plutôt demeurer neutres. »

Quatre anciens sujets du Comité de Montréal, Thomas Walker, James Price, John Welles et William Heywood, signent, le 8 avril 1775, une lettre au comité de Boston pour l'avertir qu'il ne doit pas compter sur l'appui des Canadiens.

Orange à l'horizon

Pendant ce temps, dans les colonies de la Nouvelle-Angleterre, la situation se détériore. Des affrontements entre les troupes régulières et les Américains ont déjà eu lieu, entre autres à Lexington, le 19 avril. Dans la province de Québec, on est inquiet. François Baby, de Québec, fait part de ses appréhensions à Pierre Guy de Montréal, dans une lettre datée du 27 avril 1775 : « Avec la présente, j'ai remis à monsieur Moquin un paquet cacheté contenant le traité des anciennes lois sur la propriété en Canada et le traité des fiefs. [...] Je n'ai pas été plus dupe que toi de cette fatale époque pour notre triste colonie : il y a trois mois que je prévois l'orage et quelques-uns de vos messieurs de Montréal n'y ont pas peu contribué ; ce sont des monstres qui auraient dû être étouffés dans le berceau ! Je crains bien que le temps ne soit pas éloigné où les Canadiens ne pourront se consoler d'avoir demandé la nouvelle forme de gouvernement. »

Le lundi 24 avril 1775, Carleton fait lire en public les lettres patentes le nommant capitaine général et gouverneur en chef de la province de Québec, avec ses nouvelles frontières. Avec le même document, il avait dû recevoir les instructions royales concernant la liste des personnes devant former le nouveau conseil législatif : le lieutenant-gouverneur Cramahé, le juge en chef Hey, Hugh Finlay, Thomas Dunn, James Cuthbert, Colin Drummond, François Lévesque, Edward Harrison, John Collins, Adam Mabane, Claude-Pierre Pécaudy de Contrecœur, Pierre-Roch de Saint-Ours, Charles-François Tarieu de La Naudière, George Pownall, George Allsopp, Saint-Luc de La Corne, Joseph-Gaspard Chaussegros de Léry, Alexander Johnston, Conrad Gugy, François-Marie Picoté de Belestre, Charles-Régis Des Bergères de Rigauville et John Fraser, soit huit Canadiens sur vingt-deux conseillers.

Quelques jours avant l'entrée en vigueur de l'Acte de Québec, le gouverneur Carleton établit des structures judiciaires temporaires. Son ordonnance du 26 avril 1775 constitue Adam Mabane, Thomas Dunn, John Fraser et John Marteilhe « gardiens de la paix » pour les districts de Québec et de Montréal, « durant mon bon plaisir ou jusqu'à ce que des cours convenables de judicature puissent être établies dans lesdits districts ». Deux Canadiens les assistent : René-Ovide Hertel de Rouville, à Montréal, et Jean-Claude Panet, à Québec.

Le 1er mai 1775, une nouvelle constitution est adoptée, accordant un statut particulier à la province de Québec. Un seul incident souligne sa mise en place : le même jour, à Boston, un nommé Jonathan Brewer présente au Congrès provincial du Massachusetts une résolution qui, même si elle n'est pas approuvée, illustre bien l'esprit des insurgents : « Le soussigné, désirant de toutes ses forces contribuer au bien de son pays, demande la permission de proposer à cet honorable Congrès de marcher sur Québec avec un corps de cinq cents volontaires, par la voie des rivières Kennebec et Chaudière. »

La veille, Benedict Arnold avait proposé de s'emparer de Ticonderoga, l'ancien fort Carillon. Une menace d'invasion plane donc sur la province de Québec !

Arrivée à Québec de renforts anglais en mai 1776

L'INVASION AMÉRICAINE 1775

DEUX FORTS DÉFENDENT, TANT BIEN QUE MAL, LA FRONTIÈRE DU LAC CHAMPLAIN, qui constitue l'une des principales voies d'invasion de la province de Québec : Ticonderoga, l'ancien fort Carillon, disposant d'une garnison inférieure à une cinquantaine d'hommes, et le fort de Crown Point, connu durant la période française sous le nom de la Pointe-à-la-Chevelure, dont la défense n'est assurée que par une dizaine d'hommes.

Le comité de correspondance d'Albany accueille, le 1er mai 1775, deux personnes de la Nouvelle-Angleterre ; ces dernières lui apprennent qu'à Ticonderoga on trouvera plusieurs pièces de canon de cuivre ou d'artillerie et une quantité impressionnante de poudre. Déjà, le camp de Boston avait accepté que l'on prépare l'attaque du fort que l'on sait mal défendu. Benedict Arnold, un homme d'affaires de New Haven, au Connecticut, obtient la permission d'attaquer le fort de Ticonderoga. Presque au même moment, Ethan Allen se voit confier la même mission.

Le 9 mai, Arnold et Allen semblent se mettre d'accord sur un plan d'attaque. Une chose est certaine : le commandant de Laplace capitule. La version des événements varie suivant les narrateurs. Selon le témoin Simon Sanguinet, « le nommé Arnold qui commandait ce parti fit cogner à la porte en disant que c'était un courrier qui apportait des ordres pour le commandant ; alors le sergent de garde fit avertir le capitaine de Laplace qui avait quarante-cinq hommes de garnison. L'ordre fut donné d'ouvrir la porte. À l'instant, les deux cents hommes de la colonie entrèrent dans le fort, firent le commandant prisonnier et la garnison, sans tuer un seul homme et s'emparèrent du fort, de l'artillerie, des vivres et de tous les effets du roi. Cette entreprise, quoique hardie fut d'autant moins difficile que la garnison se trouva ivre par le moyen des habitants des colonies qui avaient entré la veille avec du rhum dans le fort pour faire boire la garnison afin de réussir dans leur entreprise. »

Le récit d'Arnold est quelque peu différent. Ce sont ses hommes et non ceux d'Allen qui veulent marcher contre le fort à l'occasion de la nuit. Les Green Mountain Boys d'Allen suivent. Les Américains réussissent à pénétrer dans le fort en suivant la sentinelle sortie pour voir d'où venait le bruit qu'elle avait entendu. La garnison est surprise dans son sommeil et le commandant de Laplace n'a plus qu'à se rendre.

Deux jours plus tard, un groupe de Green Mountain Boys oblige la petite garnison de Crown Point à capituler. Un succès aussi facile et aussi rapide incite Arnold à descendre le Richelieu jusqu'aux environs du fort Saint-Jean. Le 18 mai au matin, il débarque non loin du fort dont il surprend la garnison qui ne comprenait qu'un sergent et dix hommes. Il s'empare de la barque armée, le *George*, de quatre bateaux chargés de vivres et il repart aussitôt « avec les embarcations, les prisonniers et les vivres sur lesquels il avait fait main basse ». Le capitaine réformé Moses Hazen, qui demeurait non loin de là, part immédiatement pour Montréal avertir le commandant, puis il se rend à Québec faire part de la nouvelle au gouverneur Carleton.

La nouvelle de l'attaque de Saint-Jean par les Américains sème la confusion à Montréal. « Le lieutenant-colonel Templer, qui y commandait, note Sanguinet dans son journal, fit partir aussitôt environ cent quarante hommes de troupes pour le fort Saint-Jean sous le commandement du major Preston. » Avant que les renforts n'atteignent Saint-Jean, Allen et ses hommes font leur apparition au fort « pour glaner ».

Un nommé Bindon, marchand de Montréal, traverse à Longueuil avec les troupes du roi. Sitôt rendu sur la rive sud du fleuve Saint-Laurent, « il monta à cheval pour se rendre en diligence à Saint-Jean, pendant que les troupes allaient à pied. Il y arriva le même jour [18 mai] à huit heures du soir, y trouva le nommé Allen avec quatre-vingts hommes des colonies ». Il révèle aux occupants qu'on marche contre eux. Les braves Green Mountain Boys décident alors de rebrousser chemin et retournent dans la région du lac Champlain.

Dans une lettre à Dartmouth, le gouverneur Carleton explique la réaction des habitants de la province de Québec à l'attaque subite des Américains contre les trois forts.

> Le peu de troupes que nous avons dans la province, écrit-il le 7 juin 1775, a été immédiatement mis sur pied et a reçu ordre de s'assembler à Saint-Jean ou à proximité de cet endroit. Les nobles du voisinage ont été invités à rassembler les habitants pour se défendre eux-mêmes. Les Sauvages de ces endroits ont reçu aussi les mêmes ordres. Mais bien que les gentilshommes aient montré beaucoup d'empressement, ils n'ont pu gagner le peuple ni par leurs sollicitations ni par leur exemple. Un certain nombre de nobles, comprenant principalement des jeunes gens résidant à cet endroit et dans les environs, ont formé un petit groupe de volontaires sous le commandement de M. Samuel Mackay et ont pris leurs quartiers à Saint-Jean. Les Sauvages ont montré aussi peu d'empressement que les paysans canadiens. Dans les villes et les campagnes, ajoute le gouverneur, la consternation a été intense et générale. Chacun semblait se rendre compte de notre situation impuissante, car bien qu'il n'y ait pas d'agitation à craindre à l'intérieur nous ne sommes préparés ni pour l'attaque ni pour la défense. Sur tout le parcours de cette longue rivière, il ne se trouve pas six cents hommes en état

de servir et nous n'avons ni bâtiment de guerre ni place forte. L'ancienne troupe provinciale est affaiblie et dispersée, tout esprit de subordination est détruit et le peuple est empoisonné par l'hypocrisie et les mensonges mis en œuvre avec tant de succès dans les autres provinces et que les émissaires et les amis de celles-ci ont répandus partout ici avec beaucoup d'adresse et d'activité. [...] Depuis quelques jours, les Canadiens et les Sauvages semblent être revenus un peu à la raison.

On organise la milice

La tiédeur des Montréalais pour la défense du territoire impatiente le colonel Dudley Templer, commandant du 26e Régiment en garnison à Montréal. Le samedi 20 mai, il rassemble tous les citoyens dans la plaine de Sainte-Anne, dans le but d'organiser la milice. Huit délégués sont alors nommés « pour faire le recensement et les rôles des citoyens ». Peu après la réunion, les soldats du major Preston sont de retour de Saint-Jean, courroucés de ce que Bindon leur ait fait manquer leur expédition. Ils s'emparent du traître et le conduisent sur la place du marché où est installé le pilori, pour le pendre, mais... on n'a pas trouvé d'échelle. Les officiers réussissent à calmer les soldats et à libérer Bindon.

Pendant ce temps, dans les Treize Colonies, l'attaque des forts soulève quelque inquiétude. Les représentants aux divers Congrès ne veulent pas indisposer les Canadiens ni les voir se transformer en ennemis. On multiplie les résolutions et les lettres où l'on tente de minimiser l'importance du geste. Le Congrès de la colonie du New York, lors de sa réunion du 25 mai, approuve la résolution suivante : « Vu que les ennemis de la liberté de l'Amérique s'efforcent sans cesse de désunir ces colonies et que, pour y réussir, des gens mal intentionnés peuvent donner à entendre que les Colonies du nord ont formé le projet d'attaquer nos compatriotes du Canada : Nous avons résolu que ce Congrès recommande très instamment à toutes personnes généralement quelconques de ne point commettre d'hostilités contre les habitants dudit pays, et qu'il déclare à tous que nous regardons de tels procédés comme infâmes et tendant à faire un très grand tort à toutes les colonies. »

Le Congrès général de Philadelphie approuve, le 29 mai, une nouvelle lettre ouverte aux Canadiens où il fait valoir la sympathie croissante de la France pour la cause américaine. Il n'est pas à souhaiter alors que les Canadiens soient obligés de prendre les armes contre l'ancienne mère patrie. La lettre se termine par une menace à peine voilée : « Comme le souci que nous avons pour votre bien nous donne droit à votre amitié, nous nous flattons que vous ne nous réduirez pas, en nous faisant tort, à la désagréable nécessité de vous traiter en ennemis. »

Arnold et Allen, chacun de leur côté, veulent convaincre les représentants du peuple de la nécessité de s'emparer de la province de Québec. « Je suis convaincu que deux mille hommes pourraient très facilement le faire », déclare le premier. Et il expose son plan de conquête qui sera rejeté par le Congrès.

Fermez vos oreilles...

La mise sur pied des milices de la province de Québec devient primordiale. Carleton demande le concours et l'appui de monseigneur Briand. Celui-ci est prêt à envoyer une lettre à toutes les paroisses, mais le gouverneur exige un mandement. « Je n'ai eu que depuis onze heures jusqu'à deux pour faire mon mandement, le faire transcrire, aussi a-t-il des copies mal écrites », raconte l'évêque à Pierre Garreau dit Saint-Onge, vicaire général de Trois-Rivières.

Après avoir rappelé les bontés récentes de Sa Majesté envers les Canadiens, Briand enchaîne, dans son mandement du 22 mai :

> Mais des motifs encore plus pressants doivent parler à votre cœur dans le moment présent. Vos serments, votre religion, vous imposent une obligation indispensable de défendre de tout votre pouvoir votre patrie et votre roi. Fermez donc, chers Canadiens, les oreilles et n'écoutez pas les séditieux qui cherchent à vous rendre malheureux et à étouffer dans vos cœurs les sentiments de soumission à vos légitimes supérieurs, que l'éducation et la religion y avaient gravés. Portez-vous avec joie à tout ce qui vous sera commandé de la part d'un gouvernement bienfaisant, qui n'a d'autres vues que vos intérêts et votre bonheur. Il ne s'agit pas de porter la guerre dans les provinces éloignées : on vous demande seulement un coup de main pour repousser l'ennemi, et empêcher l'invasion dont cette province est menacée. La voix de la religion et celle de vos intérêts se trouvent ici réunies et nous assurent de votre zèle à défendre nos frontières et nos possessions.

L'enrôlement dans la milice se fait lentement. Le gouverneur Carleton se rend à Montréal le 26 mai et il reçoit avec une certaine froideur un groupe de citoyens canadiens venus l'accueillir. L'attitude des nouveaux sujets le choque quelque peu. Briand éprouve la même réaction. Le 4 juin, il écrit à Jean-Marie Verreau, curé à Sainte-Marie-de-Beauce : « Nous avons appris avec une vraie douleur, monsieur, que les habitants de Saint-Joseph et de Saint-François ont résisté aux ordres du gouverneur. Faites donc entendre qu'outre le péché qu'ils commettent contre leur serment, ils s'exposent à de grandes punitions. [...] Je ne me serais pas figuré que la rébellion et la désobéissance commençat [*sic*] par votre petit endroit. »

La loi martiale

Dans une ordonnance du 9 juin, signée à Montréal, le gouverneur Carleton met la province sous la loi martiale et ordonne « en conséquence qu'on mette incessamment sur pied les milices de ladite province ». Cette décision change peu la situation. « Toute la ville de Montréal murmurait, raconte Sanguinet, et, pour comble de malheur, la populace refusait de se mettre en milice, sous prétexte que le colonel Templer leur avait promis qu'ils se formeraient en compagnie de trente hommes et qu'ils auraient la liberté de nommer leurs officiers. Tout cela se passait sous les yeux du gouverneur. »

Ce dernier envoie dans les paroisses avoisinant Montréal quelques jeunes officiers pour faire la revue des milices. À Terrebonne, le sieur Lacorne, devant la tiédeur des habitants, les menace de la prison et des fers. Comme il avait déclaré que les troupes viendraient les mater, plusieurs habitants de Terrebonne, Lachenaie, Mascouche et Repentigny « s'assemblèrent au nombre de trois ou quatre cents et se transportèrent au passage de Lachenaie pour s'opposer au passage des troupes que leur avait annoncées le sieur Lacorne, mais le Général [Carleton] blâma entièrement la conduite du sieur Lacorne et envoya un officier des troupes qui tranquillisa les esprits et ils s'en retournèrent paisiblement chez eux ».

À Trois-Rivières, le notaire Jean-Baptiste Badeaux lit l'ordonnance, le 13 juin, jour de la fête de saint Antoine, au sortir de la messe célébrée chez les récollets. Le recrutement ne se fait pas sans peine. Plusieurs habitants de Québec trouvent que, dans leur région, on tarde à mettre sur pied la milice, d'autant plus qu'ils considèrent que la capitale n'est pas en état de se défendre de façon adéquate depuis qu'une partie de la garnison a été transférée à Montréal. Le 29 juin, un groupe de citoyens et de bourgeois de Québec signent une supplique au gouverneur où ils déclarent attendre « de Votre Excellence, de moment en moment, en conséquence de sa proclamation, des ordres pour nous mettre en milices telles qu'elles étaient précédemment et ainsi que Votre Excellence vient d'établir à Montréal, afin de maintenir le bon ordre et veiller à la tranquillité publique ».

Dans sa réponse du 3 juillet, Carleton laisse planer la menace de représailles contre les sympathisants de la cause américaine : « Je me flatte que ceux qui cherchent à donner atteinte à la tranquillité de cette province par les armes et la violence ou par des rapports séditieux et faux seront châtiés comme leurs crimes le méritent. »

On enrégimente les Amérindiens

Tout comme pendant les conflits précédents, même si légalement l'état de guerre n'existe pas, les autorités anglaises veulent s'assurer l'appui effectif des Amérindiens. Le gouverneur Carleton invite ces derniers à prendre les armes contre les Bostonnais. Les Iroquois du Sault-Saint-Louis sont réticents à s'opposer ouvertement aux Américains. À la fin de juillet, à Montréal, dans l'église des récollets, se tient un grand conseil réunissant plusieurs centaines d'Amérindiens, accompagnés de leurs femmes et de leurs enfants. Ils renouvellent leur intention de combattre aux côtés des sujets fidèles à l'Angleterre. Le 3 août suivant, les Six-Nations, regroupant tous les Iroquois, proclament qu'ils n'attaqueront que s'ils sont d'abord attaqués.

Chez les Américains, la situation évolue rapidement. Déjà, le 27 juin, le major général Philip John Schuyler se voit confier par le Congrès le commandement du fort Ticonderoga. Lors des discussions, les congressistes précisent que « si Schuyler trouvait que l'invasion du Canada était praticable et point désagréable aux Canadiens, il était autorisé à l'entreprendre ». À la suite des démarches incessantes d'Allen et d'Arnold, l'idée d'une invasion de la colonie voisine trouve de plus en plus d'adeptes. Le 20 août, George Washington, désigné à titre de commandant suprême des forces armées des colonies, fait part à Schuyler d'un plan de conquête de la province de Québec : deux armées envahiront la colonie, une par le Richelieu, l'autre par la rivière Kennebec.

Deux jours plus tard, le 22 août, un premier affrontement a lieu dans la région de la rivière Lacolle. Ce jour-là, le lieutenant Willington, accompagné de huit Amérindiens, quitte le fort Saint-Jean pour effectuer une tournée de reconnaissance vers le lac Champlain. Tous ont reçu l'ordre de ne pas tirer les premiers. Tout à coup, seize Américains, « cachés dans un bateau couvert de branches », les attaquent. Les éclaireurs ripostent et tuent un nommé Baker, marchand anglais ayant épousé la cause américaine. Le lendemain, lorsque les Amérindiens découvrent le cadavre, ils lui coupent la tête et l'apportent au fort Saint-Jean, puis à Montréal. Dans les poches des habits de Baker, on découvre une lettre de Thomas Walker « qui l'informait qu'il avait quinze cents hommes à leur service ».

Voici les Yankees

Dès le début du mois de septembre 1775, les Américains sont prêts à envahir la province de Québec. Le 5, Schuyler signe une lettre aux Canadiens les invitant à bien accueillir les envahisseurs qui n'en veulent qu'aux Britanniques. Deux jours plus tard, George Washington s'adresse à son tour « au peuple du Canada » dans une lettre dont environ 300 exemplaires seront distribués plus tard dans la province de Québec. Le futur président des États-Unis veut, à tout prix, conserver l'amitié des Canadiens qu'il appelle « amis et frères ». Sa lettre est une nouvelle invitation à épouser la cause américaine.

> Nous nous réjouissons surtout, écrit-il, que nos ennemis se sont trompés à votre égard. Ils se sont flattés — ils ont osé dire que les peuples du Canada ne furent nullement capables de distinguer entre les douceurs de la liberté et les misères de la servitude — qu'on n'aurait qu'à flatter la vanité d'un petit nombre de votre noblesse pour éblouir les yeux des Canadiens. Ils ont cru, par cet artifice, vous rendre faciles à toutes leurs vues. Mais ils se sont heureusement trompés. Au lieu de trouver en vous cette bassesse d'âme et pauvreté d'esprit, ils voient avec un chagrin égal à notre joie que vous êtes hommes éclairés, généreux et vertueux, que vous ne voulez ni renoncer à vos propres droits ni servir d'instruments pour en priver les autres. Venez donc, mes chers confrères, unissons-nous dans un nœud indissoluble, courons ensemble au même but. Nous avons pris les armes en défense de nos biens, de notre liberté, de nos femmes et de nos enfants. Nous sommes déterminés de les conserver ou de mourir. Nous regardons avec plaisir ce jour peu éloigné (comme nous l'espérons) quand tous les habitants de l'Amérique auront le même sentiment et goûteront les douceurs d'un gouvernement libre.

Washington passe ensuite à l'essentiel de son message : justifier, aux yeux des Canadiens, l'envahissement de leur territoire.

> Incité par ce motif et encouragé par l'avis de plusieurs amis de la liberté chez vous, le grand Congrès américain a fait entrer dans votre province un corps de troupes sous les ordres du général Schuyler, non à piller mais à protéger, pour animer et mettre en action les sentiments libéraux que vous avez fait voir et que les agents du despotisme s'efforcent d'éteindre par tout le monde. Pour aider à ce dessein et pour renverser le projet horrible d'ensanglanter nos frontières par le carnage des femmes et des enfants, j'ai fait marcher le sieur Arnold, colonel, avec un corps de l'armée sous mes ordres pour le Canada. Il lui est enjoint — et je suis certain qu'il se conformera à ses instructions — de se considérer et agir en tout comme dans le pays de ses patrons et meilleurs amis. Les nécessaires et les munitions de toutes sortes que vous lui fournirez, il recevra avec reconnaissance et en paiera la pleine valeur. Je vous supplie donc, comme amis et frères, de pourvoir à tous ses besoins, et je vous garantis ma foi et mon honneur pour une bonne et ample récompense, aussi bien que votre sûreté et repos. Que personne n'abandonne sa maison à son

approche, que personne ne s'enfuie. La cause de la liberté et de l'Amérique est la cause de tous vertueux citoyens américains, quelle que soit sa religion, quel que soit le sang dont il tire son origine. Les colonies unies ignorent ce que c'est que la distinction hors celle-là que corruption et esclavage peuvent produire. Allons donc, chers et généreux citoyens, rangez-vous sous l'étendard de la liberté générale que toute la force et l'artifice de la tyrannie ne soient jamais capables d'ébranler.

On ferme les portes

Depuis le 4 septembre, Schuyler et mille hommes campent à l'île aux Noix, attendant le moment propice pour attaquer le fort Saint-Jean, ce qui a lieu le 6. Le major Charles Preston, commandant de la place, ordonne au capitaine Tyce de diriger un groupe d'éclaireurs pour connaître la marche de l'ennemi. Une soixantaine d'Amérindiens et les deux Lorimier forment le détachement qui s'avance jusqu'à deux cents pas des ennemis. Le combat s'engage et, malgré la disproportion des deux parties, les éclaireurs mettent les Américains en fuite. Quatre Amérindiens sont tués. Les pertes bostonnaises sont un peu plus élevées. Le capitaine Tyce est blessé. Un officier américain écrit : « C'était une de mes vieilles connaissances, mais il paraît maintenant qu'il était un tory renforcé. » Les liens d'amitié ou de sang qui existent entre Anglais et Américains obligés de se faire face expliquent, partiellement, la répugnance qu'éprouvent certains à faire feu sur ceux qui les attaquent !

Dès le mardi 5 septembre, les habitants de Montréal savent que les Américains sont installés à l'île aux Noix. On fait aussitôt battre la générale et tous doivent se trouver à dix heures du matin au Champ de Mars. Trois à quatre cents hommes s'y présentent.

> Le général [Prescott] fit des compliments aux Anglais, raconte la veuve Benoist, et leur dit qu'il ne serait pas fâché de mourir en combattant avec de si braves personnes. Il ne parut pas faire grand cas des Canadiens ; il les congédia en leur donnant l'ordre, qu'il fit publier au son du tambour, de la part du roi, à tous les Canadiens de se rendre au Champ de Mars à cinq heures du soir. Il s'en présenta un peu plus que le matin, mais tous de bien bonne volonté et tous prêts à partir. Le commandant dit qu'il fallait garder la ville. On fit fermer et barricader toutes les portes, deux exceptées dont les guichets restent ouverts. On y mit quarante hommes à veiller pour garder les brèches des murs de Jéricho qui tombent de toutes parts et qu'on travaille maintenant en grande hâte à réparer. Hier [6 septembre], on fut assez tranquille jusqu'à cinq heures trois quarts du soir qu'il arriva un courrier avec la nouvelle que Saint-Jean était attaqué par trois barques et une quarantaine de bateaux. Le commandant donna l'ordre de s'assembler de nouveau au Champ de Mars où l'on resta jusqu'à neuf heures du soir à prendre les noms et à faire des rôles. Les Canadiens s'attendaient à partir et le désiraient, mais on leur donna l'ordre de garder la ville et de mettre quatre-vingts hommes de garde, anglais et français, moitié dehors de la ville, et l'autre dedans autour des murs.

Montréal attend l'ennemi à tout moment.

Le major Prescott envoie aux capitaines de milice des paroisses avoisinant Montréal l'ordre de lever quinze hommes par compagnie, mais les miliciens refusent d'obéir. « Nous nous trouvons dans la circonstance la plus critique qu'il soit possible d'imaginer, écrit le 7 septembre Pierre Guy à François Baby ; les habitants sont si corrompus par les anciens sujets qu'il n'est pas possible de leur faire entendre raison et les ramener. »

La situation est bien peu différente chez les Américains cantonnés à l'île aux Noix. L'indiscipline et la maladie font déjà du ravage parmi les hommes de Schuyler. Ce dernier, à cause de son mauvais état de santé, se voit dans l'obligation de confier la direction de l'armée à Richard Montgomery. Le nouveau commandant décrit à sa femme Janet, le 12 septembre, l'état d'esprit qui règne au camp.

> Je suis tout navré, lui écrit-il ; mes troupes se conduisent si mal que je me repens amèrement d'avoir accepté ce commandement. [...] Pour résumer, jamais de ma vie je n'ai vu une collection plus complète d'aussi lâches misérables. Ah ! si je pouvais, sans éclabousser mon honneur, laisser aujourd'hui cette armée, je ne resterais pas ici une heure de plus. J'ai grand peur qu'on ne nous ait représenté bien que trop exactement le caractère de ce peuple. Néanmoins, il y a ici certains hommes qui m'inspirent de la confiance. Ils s'occupent beaucoup du soldat, de son instruction, de son bien-être, et tous ces soins me laissent sous l'impression qu'ils peuvent réussir à en faire des hommes. Le pis, c'est que nous sommes assez malheureux pour avoir des Canadiens qui sont témoins de toutes ces hontes ! Que vont-ils penser des braves Bostonnais ? Je n'en sais rien. S'ils les jugent comme moi, ils ne sont pas prêts à mettre leur confiance entre les mains de pareils amis.

Contrôle des étrangers

Les sympathisants à la cause américaine et plusieurs espions circulent librement dans la ville de Montréal. Les autorités n'osent sévir. À Québec, le lieutenant-gouverneur Cramahé décide de fermer la ville aux étrangers.

Dans une proclamation datée du 16 septembre 1775, il déclare :

> J'ordonne et je commande par ces présentes à toutes personnes qui ne sont point censées être habitants de cette place, qui sont arrivées dans la ville de Québec depuis le trente et unième jour du mois d'août dernier ou qui y arriveront par la suite, de paraître immédiatement en personne ou de déclarer devant un des conservateurs de la paix ou devant telles personnes qui seront dans aucun temps nommées à cet effet, leurs noms, le lieu de leur demeure et les raisons pour lesquelles ils sont venus en cette ville ; sous peine d'être regardées et traitées comme espions, si elles y demeurent l'espace de deux heures sans paraître en personne ou donner les connaissances ci-dessus. Et j'ordonne et je commande aussi rigoureusement à tous hôteliers, cabaretiers et à toutes personnes qui recevront aucuns étrangers quelconques, après la publication de cette proclamation, de donner les noms, le lieu des demeures, etc., de tous tels étrangers, de la même manière, à l'une ou l'autre des personnes ci-dessus mentionnées, dans les deux heures de l'arrivée de tels étrangers, sous les peines et dangers ci-dessus exprimés.

À Québec, on ignore encore que, la veille de la publication de la proclamation, une armée d'environ mille hommes quittait Cambridge pour marcher sur la capitale en empruntant les rivières Kennebec et Chaudière. Sur le front du Richelieu, la situation évolue. Le 17 septembre, Montgomery, avec deux mille hommes, commence le siège du fort Saint-Jean. Le premier engagement armé a lieu le lendemain matin.

> Pierre, fils de Michel Beauchamp, de Mascouche, raconte le notaire Antoine Foucher, arriva tout essouflé, disant qu'il avait vu deux ou trois cents Bostonnais au-delà du pont, à une demi-lieue de Saint-Jean qui s'y retranchaient après avoir saisi quatre charrettes chargées de provisions pour Saint-Jean et nos bêtes à corne, et que le pont était déjà démanché. À l'instant, on cria : *Aux armes !* Cent soldats avec le capitaine Strong partirent pour leur donner l'attaque. M. de Bélestre s'opposa à mon départ me pria de prendre soin de notre bagage et je restai aux tentes avec cinq ou six volontaires vieillards ou faibles jambes comme moi.

L'engagement dure environ une demi-heure et, parmi les quelques morts, se trouve le volontaire canadien Beaubien Desaulniers. Au cours des jours qui suivent, les Américains travaillent à la construction d'une batterie qui leur permettrait de canonner le fort avec précision. Les assiégés l'apprennent, le 22 septembre à midi. « Un soldat ennemi a déserté vers nous, le fusil sur le dos, la crosse en l'air, nous a confirmé la batterie qu'ils établissent à la grosse pointe, dit qu'il y a 300 hommes à leur camp, 500 qui ferment le passage et deux cents de répandus dans les côtés avec les Sauvages pour recruter des Canadiens. Il dit que la famine est dans leur camp, qu'il est le premier déserteur, mais que bientôt on en verra beaucoup d'autres. » Le fort Saint-Jean déplore aussi des désertions. Le 26 septembre, six volontaires canadiens de Yamachiche s'enfuient : Carte, Madore Desjardins, Adam Labranche, Joseph Hamelin, Joseph Chaîné et Cécile.

Pendant que la majeure partie de l'armée de Montgomery assiège Saint-Jean, de petits groupes s'installent à Laprairie et à Longueuil. Ethan Allen, à la tête de 150 hommes du camp de la Pointe-Olivier, décide de s'emparer de Montréal. Le 24 septembre, vers les dix heures du soir, il traverse de Longueuil au Courant Sainte-Marie, dans le faubourg Québec, là où se trouve aujourd'hui la rue Delorimier. Ses hommes passent la nuit chez les habitants. Le lendemain matin, un lundi, vers les neuf heures, un nommé Desautels, qui s'en allait travailler sur sa terre, aperçoit les Bostonnais réfugiés dans plusieurs maisons. Il revient à la course à Montréal. Aussitôt, on ferme les portes de la ville et on fait battre la générale. Trois cents Canadiens et une trentaine d'Anglais marchent immédiatement vers le faubourg Québec. Près de trente soldats réguliers les accompagnent.

« Le feu fut vif de part et d'autre, écrit Sanguinet. Des Canadiens cernèrent les Bostonnais du côté du bois et leur coupèrent chemin. Il fut fait prisonniers dans cette action environ trente-six Bostonnais avec Allen qui était leur chef. Il y en eut plusieurs de blessés et tués et le reste prit la fuite. » Le gouverneur Carleton, qui séjourne à Montréal, fait mettre Allen aux fers et l'expédie à Londres par le premier navire qui quitte la colonie. L'Américain y sera gardé prisonnier jusqu'en 1778.

L'inertie de Carleton

De nombreux Canadiens souhaitent que le gouverneur Carleton organise une expédition contre les Américains établis à Laprairie, Longueuil et en face du fort

Saint-Jean. Le représentant du roi ne fait rien. On lui reproche son attitude, surtout lors de la tentative d'Allen. « Pendant le combat, note Sanguinet, le général Guy Carleton et le brigadier Prescott restèrent dans la cour des casernes avec environ quatre-vingts et quelques soldats, lesquels avaient leurs havresacs sur le dos et leurs armes, prêts à s'embarquer dans les navires, si les citoyens de la ville étaient repoussés. Mais tout le contraire heureusement arriva. » D'ailleurs, quelques officiers de l'armée britannique couchent tous les soirs à bord de navires en rade de Montréal, prêts à partir à la moindre alerte !

Au fort Saint-Jean, le siège se prolonge. Le 2 octobre, le notaire Foucher note dans son journal : « On nous a retranché aujourd'hui la moitié de nos rations, en n'observant que nous n'avons eu du vin que les deux premiers jours, ayant manqué tout d'un coup, pendant quelques jours, on nous en cédait par grâce à 40 la bouteille, mais à présent on n'en peut plus avoir. La faim ne nous fait pas encore souffrir, mais bien le sommeil que nous perdons par la dureté de notre couche, reposant sur le bois et n'ayant de matelas que nos couvertes seulement. »

Le siège du fort Saint-Jean dure déjà depuis quelques semaines. De part et d'autre, la lassitude grandit. Le 6 octobre, Montgomery écrit à son épouse Janet : « Il y a peu de changements ici, depuis ma dernière lettre. J'attends toujours des renforts. Il m'en est venu, mais ces troupes tombaient de suite malades, et elles rentraient au pays à mesure qu'elles arrivaient. Depuis assez longtemps nous sommes comme des rats à demi noyés ; nous mangeons, nous dormons, nous marchons, nous nous traînons dans un marécage. Heureusement le temps s'est mis au beau et nous faisons des vœux pour que cela continue. »

Des Canadiens fournissent aux Américains des vivres en autant qu'ils sont payés comptant et en espèces sonnantes. Un certain nombre épousent complètement la cause américaine. Le 29 septembre, le jour de la Saint-Michel, à Saint-Michel-de-Bellechasse, un paroissien profère « des paroles outrageantes contre l'autorité civile en pleine église, pendant la célébration de l'office divin. » L'évêque de Québec veut absolument connaître le nom de ce paroissien pour sévir contre lui. « On dit, écrit-il au curé de la paroisse, que les prêtres prêchent la guerre. Non, je ne la prêche pas, mais l'obéissance et la subordination, la fidélité au serment et à leur roi qu'ils ont promises. »

Briand veut sévir contre ceux qui s'affichent ouvertement pour les Américains. Le 25 octobre, il écrit à Jean-Baptiste Petit Maisonbasse, curé de Saint-Thomas de Montmagny, qu'il considère comme hérétiques les Canadiens « qui ont embrassé la cause des Bostonnais » et il défend d'administrer les sacrements à ceux qui refuseront de rétracter leur « erreur ».

> Quant aux sacrements, vous ne les donnerez point, pas même à la mort, sans rétractation et réparation publiques du scandale, ni à hommes ni à femmes : et ceux qui mourront dans l'opiniâtreté vous ne les enterrerez pas en terre sainte sans notre permission, ou si vous les y enterrez, ce que nous ne vous défendons pas de faire absolument, vous n'y assisterez qu'en soutane, comme surveillant et sans réciter aucune prière, et les corps n'entreront point dans l'église que nous vous ordonnons de tenir fermée, hors le temps des offices. Vous ne recevrez aucune rétribution des messes à dire pour les défunts rebelles. Vous n'admettrez

> les vivants à aucune fonction ecclésiastique ni de parrains, ni de témoins. [...] Je devrais même mettre toutes les églises et même presque tout le diocèse en interdit. Je suspends encore par l'espérance que j'ai qu'on ouvrira les yeux sur les malheurs et temporels et éternels auxquels mes aveugles, mes indociles, mais toujours chers enfants s'exposent et dont ils seront victimes certainement quelque tournure que prennent les choses.

L'évêque avait déjà écrit au même curé : « On dit de moi, comme on dit de vous que je suis Anglais. Je suis Anglais, en effet, vous devez l'être aussi, puisqu'ils en ont fait serment et que toutes les lois naturelles, divines et humaines le leur commandent. Mais ni moi, ni vous, ni eux ne doivent être de la religion anglaise. »

On aide les absents

Les Canadiens qui servent dans la milice ne peuvent faire leurs récoltes. Le 14 octobre 1775, le gouverneur Carleton ordonne la publication d'une ordonnance obligeant les habitants restés chez eux « à faucher les foins, couper les avoines ou autres grains, serrer et engranger le tout bien conditionné, faire les guérêts et labours, réparer et mettre les bâtiments en état d'hivernement » de tous ceux qui servent Sa Majesté.

Alors que les Britanniques ont des problèmes à maintenir leurs effectifs et que le peuple murmure de plus en plus contre l'inertie du gouverneur, Montgomery reçoit 600 hommes de renfort. Le 18 octobre, après moins de deux jours de siège, le major Stopford, commandant du fort Chambly, se rend, livrant aux assaillants de la poudre, des armes et des canons, sans compter quelques centaines de barils de nourriture. À Saint-Jean, la situation devient presque désespérée. Les boulets de canon ont presque tout détruit. La faim se fait sentir. Dans la nuit du 1er novembre, note Foucher, « il nous a déserté un soldat du 7e Régiment ; la cause de sa désertion provient de 150 coups de fouet qu'on lui fit donner avant-hier à dix heures du soir, pour avoir pris en passant dans la cuisine de monsieur Christie environ un quarteron de pain qu'il avait trouvé sur le bout d'une table ». À neuf heures du matin, le même jour, la nouvelle batterie américaine commence à attaquer le fort de boulets et de bombes. Au début de l'après-midi, Lacoste, un perruquier de Montréal, se présente à la porte du fort, les yeux bandés, accompagné d'un tambour. Il est porteur d'une lettre de Montgomery à l'intention du major Preston.

> C'est avec le plus grand regret du monde, écrit le commandant américain, que je vois une troupe aussi vaillante et de si bons patriotes si obstinés à répandre leur sang et à défendre une place qui n'est plus soutenable par aucun endroit. J'ai appris par un de vos déserteurs que vous perdiez vos munitions et vos instruments de guerre. Une telle conduite pourrait me forcer dans la suite à jurer devant mon armée que je serais excusable des extrémités auxquelles pourraient se porter mes soldats. Faites, je vous prie, vos réflexions à ce sujet.

La reddition

Le capitaine Strong retourne au camp américain avec le perruquier pour demander une suspension d'armes jusqu'au lendemain à midi. Le 2 novembre au soir, les termes de la capitulation sont arrêtés. Le lendemain, à dix heures, Montgomery fait son entrée dans le fort.

> Pendant plus d'une heure et demie, raconte Foucher, il y eut un pourparler entre lui et notre commandant. Il rappela six déserteurs que nous avions dans notre camp, condamnés à être pendus chez lui, puis les armes à la main avec deux pièces de canon, mèche allumée, au son des fifres et tambours, on nous fit faire le tour de nos forts. On nous fit border une haie entre les deux camps, puis deux compagnies de Bostonnais, canonniers et autres, passèrent devant nous, ensuite de quoi M. le commandant nous fit mettre armes basses. M. le major bostonnais nous dit que de braves gens comme nous méritaient quelqu'exception à l'usage de rendre les armes et que chacun des officiers et volontaires reprissent leurs épées et sabres, ce que nous fîmes. Nous nous rendîmes au bord de l'eau où 20 bateaux nous attendaient.

Les officiers et soldats anglais sont gardés prisonniers, alors que la plupart des volontaires canadiens, après quelques jours de détention, obtiennent la permission de retourner chez eux à la condition de ne pas prendre les armes contre les Américains tant que durera le conflit.

Vers Montréal

La chute de Saint-Jean, après 45 jours de siège, ouvre le chemin de Montréal. Le 3 novembre, un officier américain, cantonné à Laprairie, fait le bilan de la situation.

> Notre armée est répandue dans tout le pays : une petite garnison à Chambly, le colonel Easton et le major Brown, avec environ trois cents provinciaux, avec le colonel James Livingston et cinq ou six cents Canadiens, sont descendus à l'embouchure de la rivière Sorel, pour s'opposer à cent vingt réguliers et cinq cents Canadiens qui s'y retranchent ; à Longueuil, se trouve le colonel Warren avec environ trois cents hommes du second bataillon et les Green Mountain Boys. Pour moi, je suis posté à Laprairie avec cent hommes de notre régiment. [...] Les Canadiens de ce côté du fleuve nous sont bien dévoués en général, presque unanimement sur la rivière Sorel [Richelieu], où ils sont tous maintenant enrôlés et sous les armes. Ici, ils ne sont pas aussi actifs ; mais je pense qu'ils vont commencer à se remuer maintenant, parce qu'ils paraissent inquiets sur la réduction de Saint-Jean, et qu'ils ne croyaient pas les Bostonnais — comme ils nous appellent — très ardents jusqu'au moment de la prise de ce fort. [...] On ne saurait trouver de gens plus hospitaliers que les Canadiens. Quand vous entrez chez un habitant, à quelque heure que ce soit, il met aussitôt devant vous un pain et un bol de lait. Tout le pays, aussi loin que le regard peut s'étendre est une plaine basse et marécageuse que chaque averse couvre d'eau.

Quelques jours après la reddition de Saint-Jean, l'armée de Montgomery vient s'établir au fort Laprairie. « Le général Guy Carleton, écrit Sanguinet, fit alors enclouer les canons qui étaient sur la citadelle de la ville de Montréal, renvoya les habitants de la campagne chacun chez eux, ainsi que les Sauvages, fit bûcher les bateaux et fit charger à bord des vaisseaux toutes les munitions, vivres, bagages, etc. »

Le 9 novembre, Montgomery adresse une lettre aux habitants de Montréal, les invitant à capituler.

> La vive douleur que je ressens à la vue du malheureux sort dont votre ville est menacée, me porte à vous exhorter d'employer tout le crédit que vous pouvez avoir sur l'esprit de la bourgeoisie pour la déterminer à prendre les mesures nécessaires pour prévenir la position de mes batteries contre Montréal. Quand je considère les suites funestes d'un bombardement, l'extrême détresse qui accompagne l'incendie, mais plus encore dans une saison qui ne vous permet pas d'en réparer à temps les ruines. Quand je me représente combien de personnes innocentes souffriront dans cette catastrophe et que les amis mêmes de la liberté qui peuvent se trouver parmi vous seront enveloppés dans une même ruine avec les organes iniques de la tyrannie, mon cœur frémit de la nécessité où je me trouve de livrer cette ville infortunée à la fureur des flammes. Je vous conjure donc par ce que vous avez de plus cher et par les liens sacrés de l'humanité de faire votre possible pour engager votre gouvernement à compatir aux misères qui menacent le peuple commis à ses soins, dans le temps qu'une vaine résistance ne pourrait servir qu'à augmenter les malheurs de votre état et pour ternir chez lui le caractère de l'humanité. [...] P. S. Je viens d'apprendre qu'on vous a malicieusement rapporté que nous venions dans le dessein de mettre la ville au pillage ; pour réfuter une calomnie aussi odieuse, j'en appelle à la conduite que nous avons tenue jusqu'ici, et que vous ne sauriez ignorer. Avez-vous ouï quelqu'un se plaindre d'un pareil procédé de notre part, depuis notre entrée dans cette province ?

Le 11 novembre, vers les onze heures du matin, les Américains commencent à débarquer à l'île Saint-Paul, située en face de Montréal. Carleton, jugeant qu'il est inutile de défendre la ville, l'abandonne à son propre sort. Le même jour vers les cinq heures, il s'embarque avec 130 hommes de troupes et la plupart des officiers de l'armée. La petite flotte qui comprend onze navires commence à descendre le fleuve en route vers Québec.

Le dimanche 12 novembre, dès neuf heures le matin, les Américains débarquent à la pointe Saint-Charles. À Montréal, l'inquiétude et l'agitation grandissent. Les habitants de la ville décident d'envoyer quatre délégués auprès de Montgomery afin de connaître ses intentions. Le brigadier général de l'Armée du continent accorde aux envoyés quatre heures pour rédiger un projet de capitulation. À quatre heures de l'après-midi, les Bostonnais occupent le faubourg des Récollets. Pendant ce temps, en ville, la discussion sur les articles de la capitulation se prolonge.

À minuit, dans le faubourg des Récollets, on signe les douze articles de la capitulation de la ville de Montréal. Douze citoyens apposent leur signature au bas du document : John Porteous, Pierre Panet, John Blake, Pierre Mézière, James Finlay, Georges-Hippolyte Saint-Georges Dupré, James McGill, Louis Carignan, Richard Huntly, François Malhiot, Edward William Gray et Pierre Guy.

Les articles proposés demandent que chacun soit maintenu dans la libre jouissance de ses biens meubles et immeubles ; que le libre exercice de la religion soit reconnu ; que le commerce soit libre et que les passeports soient accordés à cet effet ; que les Montréalais « ne seront point obligés, sous quelque prétexte que ce soit, de prendre les armes contre la mère patrie ni de contribuer en aucune manière à porter les armes contre elle » ; que ceux qui ont pris les armes pour la défense de leur province et qui sont actuellement prisonniers soient remis en liberté ; « que les cours de justice seront établies pour la décision de toutes affaires civiles et que les juges desdites cours seront élus par le peuple » ; enfin, « que les habitants de la ville de Montréal ne seront pas obligés de loger les troupes » et qu'aucun habitant des campagnes ou Amérindiens ne soit autorisé « d'entrer dans la ville jusqu'à ce que le commandant ait pris possession de la ville et qu'il ait pourvu à sa sûreté ».

Montgomery acquiesce à la plupart des demandes. Il fait, par contre, des restrictions au sujet des passeports. De plus, les habitants « ne seront obligés à loger les troupes que dans le cas de nécessité, duquel cas le général sera juge. »

Le 13 novembre, à neuf heures du matin, les troupes américaines entrent par la porte des Récollets et prennent possession de la ville. « Les officiers anglais défilèrent devant mes soldats, sans que je fisse semblant de les voir, écrit Montgomery. J'en rougis encore pour l'uniforme de Sa Majesté, mais les troupes se rendirent prisonnières, dès qu'elles virent quelques pièces en batterie. » Le même jour, le général écrit à son épouse : « J'ai fait appel à toute ma vertu et à toute ma patience pour tenir tête à la légion de femmes qui ne cessent de m'importuner au sujet de leurs maris ou de leurs frères faits prisonniers. »

Les habitants de trois faubourgs de Montréal félicitent Montgomery pour sa « victoire » dans une lettre vraisemblablement rédigée par Valentin Jautard, qui deviendra l'un des premiers journalistes de la ville. Les quarante signataires de la lettre font état du mépris que leur manifestent plusieurs citoyens de Montréal. « Nous regardons aujourd'hui ces mêmes citoyens comme un peuple conquis — et non comme un peuple uni, écrivent-ils. Ils nous traitent d'ignorants. Il est vrai que nous avons passé pour tels, le despotisme nous absorbait. »

Trois-Rivières capitule !

Devant la tournure des événements, surtout à la suite de la reddition du fort Saint-Jean, les habitants de Trois-Rivières, sans même être menacés directement d'attaque, décident de capituler. Le 9 novembre, les principaux citoyens de la ville s'assemblent à cet effet à la maison des récollets. Ils se mettent d'accord sur le texte de l'adresse à présenter à Montgomery :

> Supplient très humblement les citoyens de la ville des Trois-Rivières : — Qu'il vous plaise leur permettre d'exposer à Votre Excellence que, depuis quelques jours, ils s'attendent à voir arriver dans leur ville un détachement des troupes qui ont l'honneur d'être sous vos ordres ; et que, dans l'incertitude où ils sont si Votre Excellence serait en tête, ils osent vous supplier de vouloir bien ordonner qu'ils fussent traités aussi favorablement que ceux qui ont tombé entre vos mains, dans le cours de vos différentes conquêtes. C'est pourquoi les suppliants espèrent que Votre Excellence voudra bien ordonner à l'officier commandant qui prendra possession de cette place, de donner ses attentions pour que ses soldats ne fassent aucunes insultes ni troubles dans la propriété de leurs biens et la jouissance paisible de leurs intérêts particuliers, ainsi que leur sûreté personnelle. Connaissant les sentiments d'honneur et d'humanité inséparables de votre personne, les suppliants ont tout lieu d'espérer la grâce qu'ils vous demandent, avec le respect qu'ils

ont l'honneur de se dire très sincèrement de Votre Excellence les très humbles serviteurs.

Deux délégués, un pour chaque groupe ethnique, doivent se rendre à Montréal présenter l'adresse au général américain. Pierre Baby et William Morris, ne pouvant obtenir de chevaux pour effectuer leur voyage, le retardent. De plus, Baby veut que l'on défraie le coût de ses déplacements, de sorte que, le 17 novembre, rien n'a encore été fait au sujet de la capitulation anticipée. Personne n'ose parler du projet au gouverneur Carleton lorsque celui-ci s'arrête quelques heures à Trois-Rivières, en route vers Québec. Le 18 au matin, le notaire Jean-Baptiste Badeaux, qui avait été choisi comme délégué avant Baby, se rend compte que les anglophones de la ville songent à capituler seuls et que Morris s'apprête à se rendre à Montréal à cet effet. Baby ne veut pas l'accompagner parce que personne ne veut défrayer ses frais. « Hé bien, déclare Badeaux, si c'est là la raison, je suis prêt à partir avec vous et j'espère que le public n'ira pas au contraire de nous rembourser nos frais, quand nous serons de retour. »

Le 20 novembre, après un voyage de deux jours, les deux délégués trifluviens sont présentés à Montgomery qui les reçoit avec gentillesse. Il donne à leur adresse une réponse écrite : « Messieurs, Je suis très mortifié que vous soyez dans quelque appréhension de votre propriété. Je suis convaincu que les troupes du Continent ne seront jamais ternies d'aucune imputation d'oppression. Nous sommes venus pour conserver et non pour détruire. Si la Providence continue de favoriser nos travaux, cette province sera sous peu un heureux gouvernement libre. »

Forts de cet engagement, les deux délégués reprennent immédiatement le chemin de Trois-Rivières où ils arrivent dès le lendemain. « Tout le public a été satisfait, note Badeaux, mais il s'en faut de beaucoup que je le sois moi, car l'on ne se presse guère à me rembourser l'argent que j'ai dépensé dans ce voyage. »

En route vers Québec

La flottille qui transportait Carleton, des officiers et soldats anglais à Québec tombe aux mains des Américains à Sorel. Cependant, le gouverneur Carleton a réussi à s'échapper quelques heures auparavant. Les navires sont de retour à Montréal le 22 novembre. Montgomery va donc les utiliser pour descendre vers la capitale rejoindre les troupes d'Arnold qui sont déjà arrivées. « Demain, écrit le général à sa femme, le 24 novembre, j'espère être en route pour Québec, où je ferai une jonction avec Arnold. Il est important de nous voir. Sa petite armée a enduré les fatigues les plus extraordinaires. Elle a fait une marche mémorable, tout en crevant de faim et en étant à moitié nue. Si la fortune continue à nous sourire, notre besogne sera bientôt terminée. »

Montgomery et une partie de son armée quittent Montréal, le 28 novembre, à bord des navires anglais capturés à Sorel. Le commandement de la ville est laissé à David Wooster. Cinq jours plus tard, soit le 3 décembre, à Pointe-aux-Trembles, à quelques kilomètres de Québec, les deux armées se rencontrent.

La longue marche d'Arnold

L'armée de Benedict Arnold, forte au départ de 1100 hommes, doit remonter la rivière Kennebec à bord de 200 petits bateaux construits à la hâte et pesant chacun environ 400 livres. Le voyage s'effectue péniblement. Des roches coupantes ou des troncs d'arbre à demi-submergés disloquent des embarcations. Petit à petit, les désertions et la maladie déciment les troupes. Les marais, les moustiques, le gel et surtout la famine rendent la marche extrêmement pénible. Isaac Senter raconte qu'ils en sont réduits à manger des feuilles d'arbre, à faire bouillir et frire des pantalons de peau d'orignal. Le sac d'un barbier fournit un genre de soupe et on doit faire ses délices d'un civet de chien terreneuve !

Le 30 octobre, à l'embouchure de la rivière Famine, les soldats américains voient les premières maisons canadiennes. Arnold communique immédiatement aux quelques Canadiens et Amérindiens qu'il rencontre le texte de la lettre de Washington. Des émissaires partent au devant de l'armée pour inviter la population de la Beauce à aider les Américains. À Saint-Joseph, l'enseigne Louis Paré « a lu plusieurs fois les manifestes que les rebelles ont envoyés un peu avant leur arrivée ». Contre de l'argent, on vend aux envahisseurs de la farine, des vaches, des moutons et des chevaux. Le 4 novembre, le capitaine Dearborn arrive, en avant-garde, à Saint-Joseph. À l'auberge du village, il peut acheter du rhum. Divers habitants lui vendent toutes sortes de victuailles. Dans son journal, l'officier rapporte qu'une vieille femme se met à danser et à chanter le *Yankee Doodle*, quand elle apprend que son visiteur est un Américain.

Lors de l'enquête menée par Baby, Taschereau et Williams le 27 juin 1776, on notera que : « Lorsque les rebelles ont passé par cette paroisse, ils ont été servis avec affection par les habitants, dont le plus grand nombre ont fourni leurs canots en payant pour les descendre en bas. » En effet, les habitants de Saint-Joseph avaient consenti à transporter les soldats au tarif de « cinquante cents par homme pour chaque douze milles ».

Jacques Parent et Joseph Gagnon, deux habitants de Sainte-Marie de Beauce, se rendent auprès des Américains établis à Saint-Joseph « leur dire que les habitants de la Pointe-Lévis les engageaient à venir promptement parce que le roi voulait leur faire prendre les armes et qu'on avait déjà retiré tous leurs canots ». Le 8 novembre, Arnold établit son quartier général dans le manoir seigneurial des Taschereau, à Sainte-Marie. Le capitaine de milice Étienne Parent ne cache pas sa sympathie pour la cause américaine.

> Cet homme, noteront les enquêteurs royaux, qui, dans le premier moment, montra son zèle et son affection pour le service du roi, n'a été corrompu que par sa femme dont l'esprit a de tout temps semé la zizanie dans la paroisse parmi les habitants, dit mille impertinences des curés et de tous les honnêtes gens et qui notamment dans l'affaire présente n'a cessé de tenir des discours séditieux par toute la paroisse et dans les paroisses voisines.

Ce même jour, les soldats d'Arnold commencent à arriver à Lévis, après une marche pénible sur des chemins détrempés par la pluie. Le 10 novembre, environ 500 soldats (voilà tout ce qui restait de l'armée initiale) s'installent provisoirement à Lévis, chez les habitants « bien disposés envers les officiers et les soldats et prêts à faire ce qu'ils pouvaient pour assurer notre confort », note l'officier Simon Fobes. Quatre jours plus tard, les hommes d'Arnold traversent le fleuve et vont narguer la garnison de Québec qui tire sur eux. Trois maisons du faubourg de la porte Saint-Louis sont incendiées par les rebelles.

Québec peut alors compter, selon des chiffres compilés par le capitaine Patrick Daly, sur 1126 hommes, soit 300 miliciens britanniques, 480 miliciens canadiens, 200 *Royal Fusileers and Emigrants* débarqués deux jours plus tôt ; 24 marins, 32 artificiers de Terre-Neuve et 90 recrues provenant de Terre-Neuve et de l'île Saint-Jean.

L'Hôpital Général de Québec, situé en dehors des murs de la ville, « capitule » le jeudi 16 novembre.

> Nous avons été faites prisonnières [...] par la troupe de M. Arnold qui est venu par la Nouvelle-Beauce, écrit la sœur Saint-Michel, « apothicairesse ». Et le 18 au soir, il mouva sa garde pour la camper plus loin de notre maison qui allait être bien incommodée par les canons de la ville : par ce moyen, mon cher ami [Louis de Salaberry], nous sommes en sûreté, non seulement notre hôpital, mais encore tous nos biens ; semblablement à la ville de Montréal, nous nous sommes rendues sans tirer un coup de fusil. Cela n'est pas surprenant, des religieuses qui aiment la paix la souhaitent ardemment en tous lieux. Mais tu m'avoueras qu'il est honteux qu'une ville se rende sans figurer un peu. Je crois qu'il n'en sera pas ainsi de celle de Québec. Si vos vainqueurs deviennent les nôtres, ils acquerront plus de gloire, car je crois qu'ils auront beaucoup de peine à y pénétrer, la ville n'étant remplie que de gens déterminés à vaincre ou à périr.

Le gouverneur Carleton arrive à Québec, le 19 novembre, en fin d'après-midi. Pendant son absence, le lieutenant-gouverneur Cramahé a fait travailler à la fortification de la ville, même s'il est peu enthousiaste face à l'avenir. Il avait écrit à Dartmouth le 9 novembre : « Possédant la force, les rebelles ont de leur côté les paysans canadiens, que ni les efforts zélés de leur noblesse, du clergé ou de la bourgeoisie ne pourraient convaincre de remplir leur devoir. Nous ne pourrions, non plus, ni les y amener ni les y forcer. Deux bataillon, ce printemps, auraient pu sauver la province. Je doute si vingt pourraient la reprendre. »

Le 20, des miliciens britanniques, commandés par le major John Nairne, obligent les Américains à retraiter jusqu'à « Sans-Bruit », puis jusqu'à la Pointe-aux-Trembles.

Deux jours plus tard, le gouverneur Carleton, par une proclamation officielle, ordonne

> rigoureusement par ces présentes à tous et chacun des sujets quelconques, capables de servir dans la milice, résidant à présent à Québec, qui ont refusé ou évité de faire inscrire leurs noms dans les listes de la milice, et de prendre les armes avec les bons sujets de Sa Majesté en cette ville, et qui refusent et évitent encore de le faire, ainsi que ceux qui ont une fois pris les armes, qui les ont ensuite mis bas et qui ne les reprendront point, de vider la ville avec leurs femmes et leurs enfants dans quatre jours de la date des présentes, et de se retirer hors des limites du district de Québec, avant le premier jour de décembre prochain, sous peine d'être

traités comme rebelles ou espions, s'ils sont, après ce temps, trouvés dans lesdites limites.

Ceux qui décident de quitter la ville ne peuvent emporter avec eux quelques provisions que ce soit : le gouvernement les achètera et les paiera comptant avant leur départ.

Le 30 novembre, la garnison de Québec comprend 1600 hommes, soldats, marins ou miliciens. Plus de 3200 femmes et enfants demeurent en ville. Les munitions et les provisions sont abondantes, mais les réserves de bois de chauffage et d'avoine sont plutôt maigres. Les hommes d'Arnold essaient d'intercepter les approvisionnements destinés à la capitale.

Enfin, le 3 décembre 1775, les soldats des deux armées d'invasion américaines se retrouvent à Pointe-aux-Trembles, près de Neuville, tandis que Québec se prépare à subir son quatrième siège depuis sa fondation.

L'ÉCHEC AMÉRICAIN 1776

Dès le début de décembre 1775, la ville de Québec ne peut plus compter sur des renforts en provenance de la mère patrie. La saison de navigation est terminée et, si auparavant les autorités de la province de Québec avaient pu compter sur l'aide des Treize Colonies voisines, c'est maintenant contre elles qu'on doit se défendre.

À cette époque, on évalue à environ 5000 personnes le nombre de ceux vivant à l'intérieur des fortifications ; les femmes et les enfants forment les deux tiers de la population. Les rumeurs les plus fantaisistes circulent dans la capitale qui s'attend à être assiégée d'une heure à l'autre, car on apprend que les armées de Montgomery et d'Arnold viennent d'effectuer leur jonction. On évalue leurs forces à plus de 4500 hommes, alors qu'en réalité elles ne comptent pas plus d'un millier de soldats. On évalue à environ 500 les Canadiens venus prêter main-forte aux envahisseurs. Un habitant déclare même qu'une flotte transportant 7000 Russes remonte la rivière ; on l'envoie en prison attendre l'arrivée des étonnants visiteurs.

Montgomery installe son quartier général dans la maison Holland, située sur le chemin de Sainte-Foy ; quant à Arnold, il choisit une maison du faubourg Saint-Roch. La plupart des soldats trouvent le gîte chez les habitants des paroisses voisines. Dès le 5, la garnison britannique commence à canonner quelques maisons du faubourg Saint-Roch où l'on croit que les Américains se sont établis.

Le soir du même jour, Montgomery écrit pour la dernière fois à son épouse : « En ville, on est sur le qui-vive, et avec raison. Carleton, nous dit-on, ne peut compter entièrement sur sa petite garnison, et le nombre de ses troupes ne suffit pas pour couvrir l'étendue de ses fortifications. Je voudrais de tout mon cœur que cette guerre fût terminée et je soupire après mon humble chez moi de la Nouvelle-Angleterre. Certes, je n'oublierai pas notre descente de lit en peau de castor et, si je me retire sain et sauf de cette expédition, j'y joindrai des peaux de martre pour votre mère. »

Les Américains veulent bloquer complètement l'accès de la ville, afin d'empêcher le ravitaillement de ses habitants. Le 6, une vieille femme du quartier Saint-Roch se présente à la porte du Palais avec un drapeau blanc. Elle est porteuse d'un message du brigadier des troupes du Continent, Richard Montgomery, destiné au gouverneur Carleton. La messagère est conduite auprès du représentant du roi et veut lui remettre la missive. Carleton fait venir un tambour auquel il ordonne de s'emparer de la lettre avec des pinces et de la jeter au feu. Des assiégeants, utilisant des flèches, lancent alors d'autres lettres par-dessus les fortifications. Un des messages est destiné au gouverneur et les autres aux habitants de la ville.

> Monsieur, écrit Montgomery à Carleton le 6 décembre, malgré l'injure personnelle que j'ai soufferte de votre part, malgré la cruauté avec laquelle vous avez traité mes malheureux prisonniers qui sont tombés entre vos mains, les sentiments d'humanité m'engagent à prendre cette voie pour vous sauver de la ruine prochaine qui menace votre pauvre garnison. Permettez-moi de vous dire que votre situation m'est très bien connue. En outre, un vaste contour de murailles qui de leur nature sont incapables de défense, pour garnison un mélange de matelots dont la plupart sont nos amis, de bourgeois dont le plus grand nombre souhaite de nous voir dans ces murs, et d'une poignée d'une plus chétive levée qui ne soit jamais parée du nom de soldats, sans espérance de ressource, avec une entière certitude que vous ne manquerez à manquer des choses les plus nécessaires. D'ailleurs, nous nous contentons de vous tenir bloqués. Tout cela démontre l'absurdité d'une impuissante résistance. [...] Vous avez fait faire feu sur les pavillons de trêve, ce qui avait été jusqu'ici sans exemple, même parmi les Barbares. [...] Ne vous avisez point de détruire les magasins d'aucunes provisions, appartenant soit aux particuliers, soit au public, comme vous avez fait à Montréal et en rivière, car si vous le faites, je prends le ciel à témoin qu'il n'y aura pas de quartier pour vous, Carleton.

Dans sa lettre aux citoyens de Québec, le chef des armées américaines dans la province de Québec utilise à peu près les mêmes expressions et images menaçantes que dans la sommation envoyée aux habitants de Montréal.

> Nous faisons profession de venir chez vous pour y déraciner la tyrannie, pour y donner la liberté et la jouissance paisible de ses biens à cette province opprimée, ayant toujours respecté comme sacrée parmi nous, la propriété des particuliers. Vous avez ci-incluse ma lettre au général Carleton, parce qu'il a toujours adroitement évité de vous laisser prendre aucune connaissance qui fût propre à vous ouvrir les yeux sur vos véritables intérêts. S'il s'obstine et si vous le laissez persister à vous envelopper dans une ruine qu'il désire peut-être pour couvrir sa honte, ma conscience ne me reprochera pas d'avoir manqué à vous avertir de votre danger.

Peu après leur arrivée, la petite vérole commence à décimer les troupes américaines. Des deux côtés, les désertions se multiplient. À partir du 10 décembre, les bombardements deviennent réguliers entre les deux camps. Quelques soldats de la garnison vont incendier des maisons du faubourg Saint-Jean situées trop près de la porte donnant accès à la ville. Les Américains songent à établir une batterie à la Pointe-Lévis afin de bombarder plus facilement la basse ville. Quelques assiégeants s'installent dans la coupole du Palais de l'intendant et font feu sur la ville. De part et d'autre, les morts sont peu nombreux et les dommages matériels, légers.

Le 15 décembre, vers les neuf heures du matin, trois hommes s'approchent des fortifications, l'un joue du tambour et un autre porte un chiffon blanc au bout d'un bâton. Ils se disent envoyés par Montgomery et à ce titre, demandent à rencontrer le gouverneur. Ce qui leur est refusé. Un des émissaires crie alors : « Faites savoir à votre général qu'il aura à répondre des conséquences de son geste. »

Dans la ville, la rumeur d'une attaque prochaine prend de plus en plus d'ampleur. Le 17 décembre, à cinq heures moins quart, les tambours et la grosse sonnent l'alarme, car une sentinelle a cru voir 600 hommes défiler dans les rues du faubourg Saint-Roch. Chacun se rend à son poste. Les soldats de la garnison, qui déjà depuis quelque temps se couchent tout habillés, arrivent les premiers. À sept heures, réalisant qu'il s'agit d'une fausse alerte, le gouverneur ordonne à tous de regagner leurs locaux.

Des habitants de la capitale installent un cheval de bois sur la muraille donnant sur le faubourg Saint-Jean et placent une botte de foin devant « l'animal ». Au cou du cheval, ils suspendent une affiche sur laquelle on peut lire : « Quand ce cheval aura mangé cette botte de foin, nous nous rendrons. »

Le 23 décembre, nouvelle alerte : on s'attend à ce que les Américains profitent de la nuit suivante pour attaquer la ville. Ils disposent de 500 échelles pour escalader les murs, et les commandants ont offert la somme de 200 livres à chaque homme qui participera à l'attaque et qui contribuera à la réussite de l'entreprise. Montgomery et Arnold doivent offrir une telle prime, car plusieurs songent à quitter les rangs de l'armée, parce que leur engagement se termine bientôt. La garnison passe la nuit sous les armes, mais, encore une fois, rien ne se produit. Le 24, on s'attend à une autre attaque, car on a appris que le général Montgomery a déclaré à ses hommes que, le jour de Noël, il mangerait à Québec ou en enfer. Tout Québec est sur la défensive depuis qu'un nommé Wolfe, déserteur, a révélé aux autorités anglaises le projet d'attaque.

Au cours de la nuit de Noël, les Québécois aperçoivent des signaux lumineux dans les faubourgs Saint-Jean et Saint-Roch. La milice de la haute ville campe dans le couvent des récollets, alors que celle de la basse ville passe elle aussi cette nuit de fête sous les armes. Le 30, un autre déserteur révèle que la ville sera attaquée lors de la première nuit noire et orageuse. La nuit du 31 est très sombre et il neige en abondance. Un fort vent du nord-est souffle en bourrasque.

La délation à laquelle se sont livrés les déserteurs impose à Montgomery une modification de son plan d'attaque. Il commandera les troupes new-yorkaises qui devront pénétrer dans la basse ville par un sentier qui court sous le Cap-aux-Diamants. Quant aux hommes d'Arnold, ils devront se rendre au Sault-au-Matelot, après avoir traversé le faubourg Saint-Roch. Une fois la basse ville conquise, les deux armées se lanceront à l'attaque de la haute ville. Les Américains misent tant sur la sympathie des Canadiens de la ville que sur l'appui effectif de quelques-uns d'entre eux. Le plan se complète d'une opération « diversion » : « Les Canadiens de Livingston avec quelques Américains des provinces, commandés par Brown, feraient une bruyante diversion à la porte Saint-Jean. »

Vers les quatre heures du matin, le capitaine Malcolm Fraser du Royal Highland Emigrants effectue sa ronde dans la haute ville. Non loin du poste de garde de la porte Saint-Louis, il aperçoit des signaux lumineux sur les Plaines d'Abraham. Convaincu que c'est le signal de l'attaque, il descend à la course la rue Saint-Louis en criant : « Levez-vous ». Il ordonne de sonner la cloche d'alarme et fait battre le tambour. En moins de deux minutes, chaque homme est à son poste. Carleton fait avancer vers la porte Saint-Jean la majeure partie de la garde. Vers la même heure, l'alarme est aussi donnée dans la basse ville et les hommes se réunissent sur la place du Marché.

« Deux fusées lancées par les ennemis du pied du Cap Diamant, note Thomas Ainslie dans son journal, furent immédiatement suivies d'un feu nourri tiré par un groupe de soldats postés derrière un monticule à moins de quatre-vingts verges du mur, au Cap Diamant. » Immédiatement, la porte Saint-Jean est attaquée et des canons postés dans le faubourg Saint-Roch bombardent la ville. Montgomery, à la tête d'environ 350 hommes, s'avance vers Près-de-Ville dans l'intention d'attaquer la basse ville par l'ouest, en empruntant un sentier situé entre le fleuve et la falaise, à demi-obstrué par des blocs de glace poussés sur la rive par la marée et les courants. Les hommes avancent presque à la queue leu leu. Ils franchissent assez aisément une première barricade de pieux puis une seconde. Une trentaine de miliciens canadiens commandés par le capitaine Joseph Chabot et le lieutenant Alexandre Picard, et quelques marins sont embusqués dans la maison de Simon Fraser, connue sous le nom de la Potasse. Lorsque les premiers assaillants ne sont plus qu'à une douzaine de mètres de ce poste improvisé, l'ordre de tirer est donné. Montgomery et ceux qui le suivent tombent sous le feu des canons chargés à la mitraille. Les autres se replient, laissant là morts et blessés.

Pendant ce temps, les 700 hommes de Benedict Arnold s'avancent vers le Sault-au-Matelot. Plusieurs ont épinglé à leur coiffure des inscriptions de : « Vive la Liberté ! » ou encore « Mors aut Victoria ». Plusieurs barricades ont été dressées. Les Américains réussissent à franchir la première, qui ferme l'entrée de la rue du Sault-au-Matelot. Des étudiants du Séminaire de Québec, formant une partie du corps de garde, se retrouvent au milieu des assaillants qui déjà courent vers la seconde barricade fermant cette fois l'autre extrémité de l'étroite rue. Les Américains veulent leur donner la main en disant : « Vive la liberté ! »

« À ces mots, raconte Simon Sanguinet, les écoliers, s'apercevant qu'ils étaient au milieu de leurs ennemis, se trouvèrent dans un triste embarras. Plusieurs d'entre eux commencèrent à s'évader, mais les Bostonnais voyant leur dessein les désarmèrent. » Arnold, blessé à un genou, est transporté chez Isaac Senter, médecin de la troupe. Les Américains veulent franchir la deuxième barricade au moyen d'échelles. Mais des renforts, venus de la haute ville, leur bloquent le passage. Le milicien Charles Charland, un vrai colosse, renverse une des échelles. Des fenêtres des maisons voisines, on fait feu sur les assaillants. Bientôt pris entre deux feux, il ne reste plus aux Américains qu'à se constituer prisonniers ou tenter vainement de fuir.

« Les Bostonnais demandèrent quartier en disant qu'ils se constituaient prisonniers, raconte Sanguinet. Les uns jetèrent leurs armes par les portes et les fenêtres des maisons où ils étaient logés, et les autres, saisis de frayeur, se cachèrent dans des caves, des greniers et la plus grande partie présenta la crosse de leurs fusils. » Les documents d'époque ne concordent pas sur le nombre de prisonniers, de morts et de blessés. Ainslie affirme que 426 Américains furent faits prisonniers ; Jacob Danford en compte 416. Le général David Wooster, dans une lettre à Seth Warner, trace le bilan suivant : « Je suis vraiment très désolé en vous écrivant pour vous mettre au courant de l'assaut malheureux sur Québec, qui eut lieu entre quatre et six heures du matin, le 31 décembre. Malheureux, en effet, car notre brave général Montgomery a été tué ainsi que son aide de camp Macpherson, le capitaine Cheeseman, le capitaine Hendricks des Fusiliers, deux ou trois officiers subalternes et entre 60 et 100 simples soldats, dont le nombre exact n'est pas connu ; 300 officiers et soldats sont également prisonniers. [...] Le colonel Arnold, blessé à la jambe, et le major Ogden, blessé au bras, ont été conduits à l'Hôpital Général. »

Carleton fait incendier plusieurs maisons du faubourg du Palais ayant servi d'abri aux Américains, ainsi que le Palais de l'intendant. Le jour de l'An, on découvre dans la neige le corps de Montgomery. Le lieutenant-gouverneur Cramahé commande un cercueil et, le lendemain, on procède à l'inventaire des biens du défunt, enterré dans la soirée du 4 janvier 1776.

Et le siège continue

Les officiers prisonniers sont confinés au Séminaire de Québec, alors que les simples soldats se retrouvent au couvent des récollets. Un des prisonniers, le major Return Jonathan Meigs, est autorisé à se rendre au camp américain pour rapporter les effets personnels de ses compatriotes incarcérés à Québec.

La trentaine d'officiers logés au Séminaire sont bien traités. On leur fournit, en moyenne, douze bouteilles de vin par jour, des pots de lait gelé, du pain blanc, du bœuf et de l'agneau, du beurre en quantité, du lard, des pois, du riz, des pommes, du sucre royal, etc.

Quelques prisonniers sont victimes de la petite vérole et, comme on craint qu'une épidémie ne se déclare dans la ville, on fait vacciner les malades. Le 7 janvier, 94 prisonniers, tous d'origine européenne, présentent une pétition dans laquelle ils déclarent qu'ils sont prêts à servir sous les ordres de Sa Majesté le roi d'Angleterre. Ils sont intégrés au régiment Royal Highland Emigrants, après avoir prêté les serments d'usage. Leur engagement doit se terminer le 1er juin 1776.

Le bombardement de la ville se continue de façon sporadique et l'espionnage va bon train de part et d'autre. Le 17 janvier, une jeune fille nommée « Babauche », informatrice à la garnison, qui avait été incarcérée par les rebelles, réussit à s'enfuir et à revenir à Québec. Elle révèle que « deux cents d'entre eux [les rebelles] ont déserté depuis leur défaite et qu'ils parlent d'une autre attaque avec 400 hommes ».

Après six semaines de siège, Québec commence à manquer de bois de chauffage. Des habitants du faubourg Saint-Roch se risquent à venir en vendre en ville. Les Américains brûlent de plus en plus de maisons dans ce quartier : 8 le 20 janvier ; 19, le 22 ; 7, le 26, et ainsi de suite.

Un changement d'attitude

À la suite de l'échec de Québec, David Wooster, promu commandant américain à Montréal, durcit sa position face aux royalistes. Il fait mettre sous arrêt les plus farouches opposants à la présence des Insurgés dans la province de Québec et il les fait incarcérer au fort Chambly. Quelques-uns sont même déportés dans les colonies voisines.

À Montréal, les sentiments de la population canadienne se modifient sensiblement. Le nombre de sympathisants diminue car, d'une part, Wooster fait preuve d'intransigeance et, d'autre part, les occupants commencent à manquer d'argent et le sort des armes ne leur semble pas très favorable. Plusieurs familles canadiennes sont divisées. « Même dans les familles où les sentiments étaient partagés, affirme Sanguinet, il y avait une animosité extraordinaire qui leur causait souvent de grandes disputes, au point de se battre entre eux. L'on voyait les pères et les enfants en divorce. »

Même si on leur offre une solde alléchante, peu de Canadiens acceptent de prendre les armes pour les Américains. Moses Hazen, un marchand anglais établi à Iberville, et James Livingstone, un Américain vivant à Chambly, sont les deux principaux agents recruteurs.

> Les Bostonnais perdant tout espoir de prendre Québec et craignant que les habitants des campagnes prissent les armes contre eux, ainsi qu'ils en étaient menacés, d'ailleurs leur blé étant tombé à un prix très modique et les marchandises renchéries, note encore Sanguinet, les Bostonnais commencèrent à faire courir le bruit que, si les Canadiens ne se joignaient point à eux pour prendre Québec, qu'ils étaient tous perdus, que leurs maisons seraient brûlées par les troupes du roi. Mais ces raisonnements ne firent aucun effet sur l'esprit des Canadiens. Au contraire, ils restèrent toujours tranquilles à l'exception de quelques coquins qui s'envolèrent avec les Bostonnais. Le plus grand nombre étaient des soldats français qui avaient resté dans le Canada à la conquête.

À la fin de février, les « habitants de la province du Canada » prennent connaissance d'une nouvelle lettre que leur adresse le Congrès américain réuni à Philadelphie. Après avoir rappelé le contenu des lettres précédentes, le président John Hancock remercie les Canadiens des services rendus à la cause américaine et annonce l'envoi de deux bataillons et la levée de six autres pour délivrer la province de Québec de la tyrannie anglaise ; la lettre du 24 janvier se termine par un appel à l'élection de députés « pour former une assemblée provinciale chez vous et que cette assemblée nomme des délégués pour vous représenter à ce Congrès ». Des renforts promis, bien peu franchissent la frontière. Du 25 janvier au 18 mars, seulement 1213 nouvelles recrues viennent grossir les rangs de l'armée d'Arnold.

Quelques affrontements

Les batteries américaines installées sur la Pointe-Lévis causent certains dommages à la ville de Québec. Le seigneur de l'île-aux-Grues, Louis Liénard de Beaujeu de Villemonde, décide d'organiser un corps expéditionnaire pour aller détruire ces installations. Il accordera l'amnistie à tous ceux qui joindront ses rangs même si déjà ils avaient accepté de venir en aide aux rebelles. En peu de temps, on réussit à lever plus d'une centaine de miliciens dans les villages de Kamouraska, de la Rivière-Ouelle, de Sainte-Anne-de-la-Pocatière et de Saint-Roch-des-Aulnaies. La petite troupe se met en marche le 23 mars 1776 au matin.

> Le temps devint si affreux, raconte P.-A. Porlier, curé de Sainte-Anne-de-la-Pocatière, que, croyant se rendre à la Pointe-à-la-Caille [Montmagny], ils ne purent passer, les uns Saint-Jean [Port-Joli], les autres l'Islet. Ils trouvèrent les paroisses la plupart neutres, qui ne cherchaient qu'à les décourager. Cela n'empêcha pas de se rendre la nuit du 24 au deuxième quartier général à Saint-Thomas. On disposa une partie pour faire des recrues d'armes et d'hommes.

Le 25, une partie des troupes royalistes s'installe dans la maison du capitaine de milice Michel Blais, à Saint-Pierre-du-Sud, non loin de Montmagny. Arnold, mis au courant de la marche, envoie un détachement composé de soldats américains et d'environ 150 Canadiens. La maison de Blais est attaquée à coups de canon et de mousquet. Joseph et François Morin, de Saint-Roch-des-Aulnaies, ainsi que le fils de Janot, de Saint-Thomas-de-Montmagny, sont tués. L'abbé Charles-François Bailly de Messein, qui agit comme aumônier des royalistes, est blessé au cours de l'engagement. Près d'une quarantaine de Canadiens, dont le futur évêque de Québec, sont faits prisonniers par les Américains et leurs sympathisants.

Lors du combat, des membres de mêmes familles et des amis se retrouvent dans les deux camps. De part et d'autre, on accuse des membres du clergé d'être responsables des pertes. Le curé Porlier doit faire face à un mouvement de colère. « La déroute fut bientôt sue, rapporte-t-il. Il me fallut essuyer les reproches des pères et des mères qui me redemandaient leurs enfants : "Voilà ce que c'est vous autres, gens d'Église, de vous mêler de ce qui ne vous regarde point. Nous le voyons bien que ce M. Bailly ne rôdait ici que pour nous séduire. Qu'allons-nous devenir ? Et vous, monsieur, nous allons vous perdre." Il me fallut plier le dos ; mais ce n'était pas le plus dur à supporter : j'appris que les ordres étaient de nous piller et brûler ensuite. »

Heureusement, les représailles appréhendées ne se concrétisent pas. Presque partout où les Américains passent ou séjournent, les relations s'enveniment. La source de l'agressivité vient de ce que les envahisseurs manquent d'argent. Moses Hazen lui-même le confesse : « On entra par force et violence dans la maison d'un prêtre et on le dépouilla de sa montre ; dans une autre maison, on fit une dette d'environ vingt chelins, et parce que l'homme voulait être payé, on lui passa une baïonnette à travers le cou. Les femmes et les enfants ont été terrorisés et forcés, à la pointe des baïonnettes, de fournir des chevaux aux simples soldats sans perspective de paiement. »

Les officiers américains appréhendent le jour où toute la population se tournera contre eux. Mais on a presque l'impression qu'ils font tout pour que cela se produise. Ainsi, le 18 mars, à Trois-Rivières, les soldats font le tour des maisons, en quête de nourriture, disant qu'ils crèvent de faim. « Je leur ai donné, malgré moi, raconte le notaire Badeaux, environ quatre ou cinq livres de lard en différentes fois. Une dizaine ont été chez monsieur de Tonnancour qui leur donna à manger ; mais non contents de cela, ils voulaient à toute force ôter la viande qui était à la broche, malgré la cuisinière. À la fin, on les menaça du commandant ; ils s'en furent en donnant des coups de baïonnettes dans les cloisons et dans les portes. »

Pour le transport des marchandises, l'armée américaine a recours aux corvées non payées, ce qui déplaît souverainement aux Canadiens.

De la grande visite !

Il est important de ramener les Canadiens à de meilleurs sentiments démocratiques. Le 12 février 1776, Moses Hazen et Prudent Lajeunesse se présentent devant les membres du Congrès de Philadelphie pour leur expliquer que le clergé et les seigneurs sont responsables de la désaffection des Canadiens à l'égard de la cause américaine et qu'il est important de leur démontrer qu'indépendance et religion peuvent faire bon ménage. Le 15, Benjamin Franklin, Samuel Chase et Charles Carroll reçoivent la mission de se rendre dans la province de Québec pour rassurer les Canadiens et les rallier de nouveau au mouvement indépendantiste. Comme preuve vivante que le Congrès ne songe pas à priver les Canadiens de leur religion, les diplomates se feront accompagner du jésuite John Carroll, un cousin de Charles.

La délégation américaine se compose d'hommes prestigieux. Franklin, journaliste, inventeur et homme politique, est connu dans la colonie ; Chase joue un rôle important au Congrès et Carroll est peut-être l'homme le plus riche des Treize Colonies. Au moins deux des délégués parlent bien français. L'historien Marcel Trudel résume ainsi la mission confiée à ces diplomates, le 20 mars :

> Inviter les Canadiens à choisir librement la forme de gouvernement qu'ils jugeraient opportune et à s'unir aux Treize Colonies ; affirmer aux Canadiens que c'était l'intention bien arrêtée du Congrès de leur assurer la liberté de religion et la liberté de presse ; promettre que le commerce canadien serait mis sur le même pied que le commerce américain ; régler les disputes entre Canadiens et Américains, corriger les abus qui s'étaient déjà commis en grand nombre, siéger au conseil de guerre, contrôler les dépenses, encourager le commerce avec les Indiens, faire circuler dans le pays le numéraire du Congrès et lever des bataillons de volontaires canadiens.

Les trois délégués arrivent à Montréal le 29 avril, accompagnés du jésuite Carroll, du major général John Thomas et de Fleury Mesplet. Ce dernier, imprimeur de profession, a apporté avec lui une presse qu'il installe au château Ramezay. Les commissaires logent dans la maison de Thomas Walker. Arnold, qui commande alors à Montréal, fait tirer du canon pour souligner l'arrivée des illustres visiteurs.

Dès le premier soir, il y a réception à la demeure du général. « On nous servit un verre de vin, pendant que les gens se pressaient pour nous présenter leurs hommages, raconte le jésuite Carroll à sa mère ; cette première cérémonie terminée, nous fûmes amenés dans une autre salle et nous fûmes surpris d'y trouver un grand nombre de dames, la plupart françaises. Après le thé et quelque temps de repos, nous sommes allés prendre un élégant souper, qui fut suivi de chant exécuté par les dames ; le tout s'avéra fort agréable. »

Les visiteurs se rendent vite compte que la situation est, pour leur parti, désespérée. Une dizaine de jours à peine après son arrivée, Franklin, prétextant la fatigue et son âge avancé [il a 70 ans], reprend le chemin de Philadelphie. Le jésuite

Carroll l'accompagne. L'inventeur du paratonnerre a vite fait de tirer ses conclusions : « Il en coûterait sans doute moins cher aux États-Unis d'acheter le Canada que de le conquérir ! »

Quant à Samuel Chase et Charles Carroll, ils demeurent à Montréal jusqu'à la mi-mai, convaincus que la province de Québec ne deviendra américaine que par la force.

« *Surprise* ! »

Au moment où les deux diplomates du Congrès sont sur le chemin du retour, des renforts britanniques sont déjà débarqués à Québec. Depuis le début du mois, les habitants de Québec, toujours bloqués à l'intérieur des murs de la ville, surveillent la venue du premier navire. Le 6 mai, vers les six heures du matin, on en aperçoit un qui contourne la pointe ouest de l'île d'Orléans. À bord, on tire cinq coups de canon, puis on hisse au mât le *St. George Ensign*. Les canons des fortifications répondent aussitôt et la garnison ne cache pas sa joie. Vers les sept heures, le *Surprise*, ayant à son bord une compagnie du 29e Régiment, jette l'ancre en face de Québec. Deux autres navires font ensuite leur apparition : le sloop *Martin* et l'*Isis*, du port de 50 canons. Vers midi, un premier groupe d'une centaine d'hommes marche contre les Américains ; une demi-heure plus tard, un second groupe, composé de 825 soldats ayant à leur tête Carleton lui-même, met les Américains en fuite. Dans leur précipitation, ces derniers abandonnent tout sur le champ de bataille. « On fit prisonniers quelques habitants des campagnes et des faubourgs qui avaient pris les armes et assisté les Bostonnais. On entra en ville trois cents voitures chargées de vivres, valises et du bagage des officiers et soldats bostonnais et huit pleines charrettes chargées de fusils. On en trouva beaucoup dans les champs que les Bostonnais avaient cassés. On délivra plusieurs personnes que les Bostonnais avaient mises en prison. »

Sanguinet, dans son inventaire, fait aussi état de trois pièces de canon, de deux obusiers et d'une quantité de bombes dont quelques-unes avaient certainement été coulées aux Forges du Saint-Maurice. Selon le notaire Badeaux, Christophe Pélissier, directeur des Forges, aurait commencé, le 1er mai 1776, à fabriquer pour les Américains des bombes de 13, 9 et 7 pouces. « Mais les forgerons anglais, ajoute-t-il, disent que ces bombes ne pourront point éclater et que, de plus, elles ne seront prêtes que dans cinq semaines ; ainsi ils pensent qu'elles serviront plutôt au roi qu'aux Yankees. Je le souhaite. »

Depuis le 3 mai, les troupes américaines se replient sur Montréal et Sorel. La ville de Québec est libre, mais quelques règlements de compte s'ébauchent.

Le 12 mai, le gouverneur Carleton signe une proclamation qui sonne comme un coup d'envoi :

> Comme j'ai trouvé nécessaire d'ordonner et d'enjoindre, par une Proclamation en date du vingt-deuxième jour de novembre 1775, à toutes et chacune personnes quelconques capables de servir dans la milice, résidentes à Québec, qui ont refusé ou éludé de faire inscrire leurs noms dans les rôles de la milice et de prendre les armes conjointement avec les bons sujets de Sa Majesté de cette dite ville, ainsi

> qu'à celles ayant une fois pris les armes, les ont ensuite mis bas et refusé de les reprendre, de vider la ville, sous quatre jours de la date d'icelle, avec leurs femmes et leurs enfants, j'ordonne présentement par ces présentes que toutes telles personnes désignées ci-dessus, qui ont quitté la ville de Québec en conséquence de ladite proclamation, ainsi que celles qui ont déserté ou sorti d'aucun corps à qui elles avaient une fois appartenu, ne prétendent point entrer encore dans ladite ville, sans une permission par écrit donnée sous mon seing ou sous le seing du lieutenant-gouverneur de cette province.

Quelques jours avant la proclamation, le gouverneur avait écrit à lord Germain, secrétaire d'État aux Colonies américaines : « Les Canadiens reprendront cet esprit d'obéissance qu'ils avaient pour leur ancien gouvernement, mais ce sera une œuvre du temps et, jusqu'à ce que la chose soit accomplie d'une manière stable, il faudra une force militaire afin de soutenir l'autorité civile. »

L'autorité civile pourra compter sur l'autorité religieuse dans son désir de ramener les Canadiens à des sentiments de loyauté envers l'Angleterre. Le 12 mai, monseigneur Briand émet un mandement enjoignant aux curés de faire chanter un *Te Deum* d'action de grâces à l'occasion de la fin du siège. « Fasse le ciel, ajoute le prélat, que ce bienfait signalé de la divine Providence, pour une ville que nous devons tous regarder comme le dernier boulevard qui restait à la province et à la religion de nos pères, puisse dessiller les yeux à tous ceux de nos frères que l'esprit d'erreur et de mensonge avait aveuglés ! »

Victoire sur victoire

La petite garnison établie au fort La Galette, sur le haut Saint-Laurent, n'avait pas été importunée par les Américains pendant les premiers mois de l'année. Le capitaine George Forster décide, à la mi-mai, d'aller chasser les rebelles établis dans un fort en pieux construit aux Cèdres, sur le fleuve Saint-Laurent, entre l'île Perrot et Beauharnois. Son corps expéditionnaire se renforce de quelques centaines d'Amérindiens et de Canadiens. Le 18 mai, la petite armée attaque le fort américain, sans trop de succès, malgré les cris lancés par les Amérindiens qui avaient semé la panique chez les assiégés. Le lendemain, la garnison capitule. Des renforts américains venus de Montréal tombent eux aussi entre les mains des hommes de Forster. Le nombre de prisonniers atteint presque les cinq cents. Une entente réglant l'échange des captifs intervient le 22 mai, à Sainte-Anne du Bout de l'île.

Bientôt, comme c'était prévisible, l'armée américaine fait face à toutes sortes de problèmes, même si des renforts lui parviennent de temps à autre. Les principaux officiers se réunissent au fort Chambly le 30 mai, sous la présidence de Wooster qui a succédé au général John Thomas, mortellement atteint de la petite vérole. On décide alors d'établir le quartier général à Sorel et d'essayer de reprendre le terrain perdu.

Des Allemands à la rescousse

L'Angleterre préfère compter sur des mercenaires allemands pour mater les Américains et libérer la province de Québec, plutôt que sur des troupes anglaises. Elle a perdu beaucoup de soldats lors de la guerre de Sept Ans et les Anglais répugnent à combattre leurs compatriotes. Les princes allemands acceptent volontier l'argent des Anglais en échange des services de leurs sujets. En plus d'un montant fixe pour ces troupes mercenaires, les ententes conclues par chaque prince comprennent des indemnités pour les morts et les blessés éventuels, la prime variant selon le type de blessure.

Le 1er juin 1776, vers les six heures du soir, 36 navires jettent l'ancre devant Québec, amenant 9000 hommes, soit sept régiments anglais d'Irlande, quatre batteries d'artillerie, 2000 Brunswickers et 760 mercenaitres du Hanau. Les jours suivants, d'autres navires transporteront un total de 4300 soldats d'origine allemande. Le contingent est placé sous les ordres du major général baron Friedrich Adolph von Riedesel, alors que le général John Burgoyne assure le commandement des troupes anglaises. Le gouverneur Carleton accueille ces renforts avec une joie non dissimulée.

Il est temps maintenant de songer à chasser les Américains et à rétablir l'ordre dans la province de Québec. Le sentiment royaliste prédomine à nouveau. Le 4 juin, jour anniversaire de la naissance du roi George III, la ville de Québec est en fête. Le soir, la plupart des maisons de la capitale sont illuminées, d'autant plus que les soldats « cassaient les carreaux où n'apparaissait pas la lampe ou la chandelle allumée ». Le même jour, Carleton ordonne à Riedesel de se rendre à Sorel, à la tête d'une petite armée composée d'Allemands, d'Écossais, de Canadiens et d'Amérindiens.

Ignorant l'arrivée des derniers renforts et le mouvement des troupes royalistes, le brigadier général William Thompson, à la tête de 2000 hommes, quitte Sorel pour aller attaquer, à Trois-Rivières, les troupes anglaises commandées par le colonel Allen Maclean of Torloisk. Guidés par Pierre Dupaul et un nommé Larose, les Américains traversent le lac Saint-Pierre et arrivent à la Pointe-du-Lac, le 7 juin au soir. Ils ordonnent à l'habitant Antoine Gauthier de les conduire, à travers bois, jusqu'à Trois-Rivières. Gauthier est un royaliste reconnu et il veut sauver sa région. Pendant qu'il promène nuitamment les troupes américaines vers Trois-Rivières en les faisant passer par les bois des côteaux, sa femme va avertir le commandant de milice de l'imminence de l'attaque. Le capitaine Landron arrive à Trois-Rivières à quatre heures du matin, le 8 juin.

> Aussitôt, raconte Badeaux, le colonel Fraser fait battre la générale et rassemble son monde au nombre de 7000. Plusieurs piquets ont été envoyés dans les différents endroits où les Yankees pouvaient pénétrer. Sur les huit heures, ils ont paru au bord du bois, de derrière la terre de monsieur Laframboise. Nos troupes y ont fait un feu continuel pendant deux heures, tant du canon que de la mousqueterie et de bâtiments ; ce qui a obligé les Yankees de se retirer dans les profondeurs. Nous n'avons qu'environ douze blessés ; point de mort grâce à Dieu.

Le même jour, le gouverneur Carleton arrive à Trois-Rivières où on détient plusieurs soldats américains capturés lors de l'engagement du matin. Parmi eux se trouve le brigadier général Thompson. Carleton donne ordre de ne pas poursuivre les Américains, « sans doute par humanité, selon Sanguinet, car ils auraient tous péri dans les bois ou été faits prisonniers, si le général Guy Carleton n'eût point rappelé les troupes ». Le représentant du roi maintient la conduite qu'il a adoptée dès le début de l'invasion — ne pas pourchasser l'ennemi —, ce qui soulèvera plusieurs reproches.

Au revoir, Yankees !

Le 14 juin, une partie des hommes de Burgoyne et de Riedesel remontent le fleuve à bord de petits bateaux plats. Des Canadiens et des Amérindiens, à bord de canots, les accompagnent tout en inspectant les rives du fleuve. Le lendemain, les Américains, apprenant la nouvelle de la venue de l'armée anglaise, quittent précipitamment la ville de Montréal pour se replier à Saint-Jean, sur le Richelieu. « Cette fuite se fit au grand contentement de la ville de Montréal, écrit le "témoin oculaire", car s'ils y avaient été encore quelques heures et s'ils n'eussent point été surpris, ils auraient volé et pillé une partie de la ville. Ils avaient mis le feu à deux tas de bois considérables pour la faire brûler, mais les citoyens l'éteignirent et montèrent la garde jusqu'à ce que les troupes du roi eussent pris possession de la ville. »

L'armée de Burgoyne arrive à Saint-Jean le 18 juin. Les soldats américains viennent juste de quitter l'endroit après y avoir mis le feu. Ils battent en retraite précipitamment vers l'Île-aux-Noix, puis franchissent la frontière et s'installent à Crown Point. Comme Carleton avait demandé à Burgoyne de ne pas attaquer sans la présence des soldats envoyés prendre possession de Montréal, Arnold et ses hommes peuvent quitter le territoire de la province de Québec sans subir une nouvelle attaque.

Les bons et les mauvais

Quelques jours après la fin du siège de Québec, Carleton forme une commission chargée d'enquêter sur ceux qui auraient aidé les rebelles au cours de l'invasion, et rayer leurs noms de la liste des miliciens pour procéder à leur remplacement par des sujets fidèles. François Baby, Gabriel-Elzéar Taschereau et Jenkin Williams commencent leur tournée d'enquête le 22 mai 1776 et la termineront avant la fin de juillet de la même année. Ils rédigent un rapport pour chaque paroisse visitée.

La première audience a lieu à la Vieille Lorette, le jeudi 23 mai à sept heures du matin. Presque partout, ensuite, le même cérémonial sera observé : « Après lecture des commissions, passé la milice en revue, établie en bon ordre, [...] harangué pour leur faire connaître la soumission envers le souverain et l'indignation des fidèles sujets contre ceux qui ont aidé les rebelles et donné ordre au capitaine de faire un rôle exact de sa compagnie et d'y distinguer les âges au-dessus de 55 ans à 60 et de 16 à 55, aussi les garçons d'avec les pères de familles et de nous l'envoyer en ville au plus tôt. Après la revue faite, on a crié trois fois *Vive le roi*, avec applaudissement. »

La paroisse de la Vieille Lorette n'a pas pris les armes pour les rebelles, mais les habitants ont été obligés de fournir aux Américains du bois et des fascines. Les Plamondon père et fils, ainsi que Pierre Drolet, sont notés mauvais sujets. La Jeune Lorette est demeurée elle aussi fidèle au roi. Quant à Charlesbourg et à Beauport, plusieurs habitants n'ont pas caché leur sympathie pour les Américains et quelques-uns ont même pris les armes. À Beauport, « le plus grand nombre des habitants de cette paroisse ont monté la garde et assisté en différentes manières les rebelles ».

Selon le témoignage du capitaine de milice Michel Huot, de la paroisse de l'Ange-Gardien, « 18 seulement de cette paroisse dont il n'a pu donner les noms pour le moment ont servi de bonne volonté [les rebelles] et le reste de la paroisse forcément ». À Château-Richer, aucun habitant n'est jugé digne de recevoir une commission de capitaine de milice ! Officiellement, Sainte-Anne-de-Beaupré n'abritait qu'un seul mauvais sujet. Quant à Saint-Ferréol, sur trente miliciens, au moins six ont collaboré avec l'ennemi. Saint-Joachim connaît aussi ses sympathisants, mais les commissaires notent « la bonne conduite du plus grand nombre de cette paroisse ».

Les habitants de l'île d'Orléans ont manifesté plus ouvertement leur sympathie à la cause américaine. Le 28 mai, les commissaires siègent à Sainte-Famille et font comparaître Basile Bauché dit Morency. « Fait venir une lumière dans une lanterne et obligé ledit Bauché de nous livrer la commission de capitaine qu'il avait acceptée des rebelles dont lecture a été faite à haute voix et ironiquement, obligé ensuite de la brûler lui-même en lui disant qu'à défaut de bourreau il en faisait office. Cette exécution a paru faire beaucoup d'impression sur toute l'assemblée. »

La même cérémonie se déroule à Saint-François où Louis Pépin dit Major doit brûler sa commission. Une partie de cette paroisse avait accepté de monter la garde pour les rebelles. Les paroisses de Saint-Jean et de Saint-Laurent ont adopté à peu près la même conduite.

Saint-Pierre de l'île d'Orléans a sympathisé ouvertement avec les Américains. Sur 120 miliciens, 25 sont classés mauvais sujets et trois ont pris les armes pour les rebelles. « La femme d'Augustin Chabot, surnommée ironiquement par les habitants *la reine de Hongrie**, a perverti par ses discours séditieux en courant les maisons d'un bout à l'autre presque tous les habitants ; il paraît que cette femme a beaucoup de langue et a fait, suivant le rapport de plusieurs habitants, beaucoup de sensation dans leurs esprits. »

Le village de Saint-Augustin, situé à l'ouest de la ville de Québec, s'est contenté de corvées imposées, mais a fourni, sans opposition, vivres et matériaux aux Américains. Quant aux habitants de Pointe-aux-Trembles et de Cap-Santé, ils ont accepté de transporter en voiture les rebelles, moyennant paiement. Les paroisses de Deschambault, Grondines, Sainte-Anne-de-la-Pérade, Batiscan, Sainte-Geneviève et Champlain obéirent aux ordres des Américains « sans opposition ».

Au Cap-de-la-Madeleine, où, sur 25 miliciens, 7 sont mauvais sujets, « Dorval, père de Michel Dorval baillif, paraît avoir toujours tenu de mauvais discours contre le parti du gouvernement jusqu'à vouloir insinuer que l'évêque de Québec et le grand vicaire des Trois-Rivières avaient été payés pour prêcher en faveur du parti du roi ».

De Bécancour à Saint-Jean-Deschaillons, la collaboration avec les Yankees est plutôt mince. Quelques-uns prennent les armes ; plusieurs vendent des vivres ou se soumettent aux corvées. Des habitants de Lotbinière, « les rebelles n'ont exigé que

---

* Surnom donné aux femmes qui se mêlaient de politique.

deux corvées [...] consistant environ à 30 voitures dont partie pour la Pointe-aux-Trembles et les autres pour le camp devant Québec ».

Personne de Sainte-Croix n'a pris les armes contre le roi. Il en va de même à Saint-Nicolas, excepté dans le cas de Denis Frichet qui, « au sortir de l'église l'été dernier, après avoir entendu un discours que le curé leur fit au prône touchant l'obéissance envers le Prince, dit hautement devant tout le monde : "Que veut dire notre curé présentement ? De quoi se mêle-t-il ? Ne le voilà t-il pas devenu Anglais lui-même ?" »

La paroisse de Saint-Henri « a fait 200 échelles par corvées avec promesse des rebelles de deux chelins par jour, les a menés également par corvées à la Pointe-Lévis, ainsi que les madriers pris par les rebelles au moulin du seigneur ». Les commissaires, lors de l'audience du 24 juin à cet endroit, apprennent que « le plus grand nombre des habitants furent, l'automne dernier, en partie armés à la Pointe-Lévis où un assez grand nombre d'habitants des autres paroisses s'attroupèrent aussi. Ceux-ci marchèrent à l'invitation de quelques députés qui leur furent envoyés de la Pointe-Lévis. Leur intention était de s'encourager les uns les autres à ne point prendre les armes pour le gouvernement et d'empêcher qu'on y voulut contraindre par force ceux de la Pointe-Lévis ». Pointe-Lévis se mérite les reproches des commissaires qui écrivent dans leur rapport : « Nous avons annoncé que cette paroisse ayant tenu en général une très mauvaise conduite et que, ne trouvant pas pour le présent de sujets dignes d'être nommés officiers pour le roi, nous avons jugé à propos de laisser subsister les suivants jusqu'à ce qu'il plaise à Son Excellence le général Carleton d'en ordonner autrement : François Bourassa, capitaine, Jacques Bégin, lieutenant, et Étienne Bégin. [...] Cette paroisse a été généralement séditieuse et opposée aux ordres du roi, en un mot, zélée et très affectionnée au parti des rebelles. »

En moins de trois jours, les enquêteurs règlent le cas de la Nouvelle-Beauce. Ils séjournent à Sainte-Marie, Saint-Joseph et Saint-François. Sur 220 miliciens, 35 sont déclarés mauvais sujets.

À Beaumont, 20 miliciens sur un total de 71 sont jugés mauvais sujets. Les habitants de Saint-Charles de Bellechasse sont loin d'être au-dessus de tout soupçon. « Une partie de cette paroisse fut l'automne dernier par corvées pendant huit ou dix jours monter la garde à Beaumont pour s'opposer aux incursions qu'ils supposaient devoir être faites par les troupes du roi. Ils y étaient armés de fusil. Presque tous furent, l'automne dernier, à l'assemblée séditieuse de la Pointe-Lévis, mais en apparence sans armes. Ils ont été vendre leurs denrées, pendant l'hiver, aux rebelles de la Pointe-Lévis ; quelques-uns ont été jusqu'à Sainte-Foy. »

Les habitants de Saint-Vallier de Bellechasse tiennent à peu près la même conduite. Quelques-uns s'emparèrent même du presbytère pour en faire leur corps de garde. « La veuve Gaboury, surnommée la reine de Hongrie, a fait plus de mal dans cette paroisse qu'aucun autre ; elle tenait souvent chez elle des assemblées où elle présidait, tendant à soulever les esprits contre le gouvernement et à les animer en faveur des rebelles. Pour mieux parvenir à son but détestable, elle leur faisait boire des liqueurs fortes. » Au moins 21 habitants de cette paroisse combattent contre les royalistes à Saint-Pierre-du-Sud ; 11 habitants de Berthier, 41 de Saint-

François-du-Sud et 40 de Saint-Pierre-du-Sud font le coup de feu le 25 mars 1776. À ce dernier endroit, seulement neuf familles sont demeurées fidèles au roi.

Les paroisses de Saint-Thomas de Montmagny, de Cap-Saint-Ignace, de l'Islet, de Saint-Jean-Port-Joli adoptent la même conduite que les paroisses situées entre la Pointe-Lévis et Saint-Pierre-du-Sud. Saint-Roch-des-Aulnaies « paraît en général avoir été moins rebelle que les autres ». Les germes de révolte se développent plus facilement à Sainte-Anne-de-la-Pocatière, à Rivière-Ouelle et à Kamouraska.

Sur un total de 4492 miliciens passés en revue par les commissaires dans les paroisses rurales du gouvernement de Québec, on compte 757 mauvais sujets.

Une autre commission d'enquête est formée à la fin du mois de juin 1776 pour étudier la conduite des habitants du gouvernement de Montréal. Malheureusement, le rapport des commissaires Saint-Georges Dupré, Edward William Gray et Pierre Panet n'a pas été retrouvé.

La menace religieuse

Aux menaces civiles, l'évêque de Québec vient ajouter les menaces de sanctions religieuses. Dans un mandement probablement rédigé en juin 1776, Briand invite les prorebelles à se repentir et il leur rappelle les peines ecclésiastiques dont ils sont menacés.

> Vous avez trop d'esprit pour ne pas apercevoir les fourberies grossières et les plus iniques mensonges dont on s'est servi pour vous faire tomber dans le piège qu'on vous tendait et dans lequel vous avez eu le malheur de donner avec le plus déplorable aveuglement et une sorte de frénésie et de fanatisme. Pourquoi donc, maintenant que vous connaissez l'imposture, ne la détestez-vous pas ? Pourquoi en suivre encore les impressions ? N'est-ce pas là une étrange folie ? Qui peut vous arrêter, mes très chers frères ? Est-ce le désespoir et la crainte de ne point obtenir de pardon ? Ce serait une nouvelle erreur, pire que la première. Ne dit-on pas : la plus courte folie est la meilleure, il vaut mieux se repentir tard que jamais ? Vous avez irrité votre Souverain, à la vérité ; mais il est bon ; et sans contredit et de l'aveu de tout le monde, le gouvernement sous lequel nous vivons est le plus doux et le moins sanguinaire ; la clémence et l'indulgence sont ses caractères distinctifs ; il prise la vie des hommes. Vous avez dû vous en convaincre, depuis dix-sept ans que vous vivez sous sa conduite. [...] Il est donc de votre intérêt de revenir au plus tôt au devoir. Nous vous y exhortons, nos très chers frères, et nous vous en prions par les entrailles de Jésus-Christ. Et, en cela, nous ne vous proposons d'autre objet que votre propre bien, et le temporel et le spirituel. Et d'abord, le temporel ; car enfin, nos très chers frères, pouvez-vous ignorer les tristes suites d'une résistance opiniâtre ? Votre rébellion, aussi contraire à la religion qu'au bon sens et à la raison, méritait déjà des châtiments exemplaires et rigoureux, du côté du prince dont vous n'avez reçu jusqu'ici que des marques signalées d'une bonté extraordinairement rare dans un vainqueur puissant et à laquelle aucun de nous ne s'attendait.

Après avoir dénoncé la conduite des Américains et les idées qu'ils véhiculaient, monseigneur Briand passe au domaine spirituel.

À quels dangers ne l'avez-vous pas exposée, cette religion ! Quels obstacles n'avez-vous pas mis à votre salut ! Et 1°, nos très chers frères, vous vous êtes rendus parjures, crime des plus grands ; vous vous êtes impliqués dans tous les incendies ; vous vous êtes rendus criminels de toutes les morts qui sont de vrais assassinats, responsables de tous les torts faits au prochain, de toutes les pertes qu'il a essuyées, de toutes les dépenses que votre indocilité et, dans plusieurs cas, la rébellion a occasionnées au gouvernement. Considérez donc après cela dans quel abîme de péchés vous vous êtes plongés. [...] 2° À quels dangers n'avez-vous pas exposé votre religion ! Vous ne les avez pas aperçus ni compris, sans doute, mes frères : je vous crois pour la plupart trop attachés à la religion de vos pères pour en vouloir changer pour vouloir apostasier. Et cependant, il n'est que trop vrai que vous y courriez évidemment et que, si Dieu n'avait pas usé de miséricorde, vous deveniez en peu de temps après la prise de Québec, des apostats, des schismatiques et de purs hérétiques, protestants du protestantisme le plus éloigné de la religion romaine et son plus cruel ennemi.

Les plus coupables des prorebelles sont, de l'avis de l'évêque, ceux qui se sont attaqués aux prêtres.

Que penser donc de ces personnes-là ? Elles ont encouru l'excommunication, surtout ceux qui sont coupables de voies de fait ou ont parlé dans l'église insolemment ou qui ont conseillé, applaudi à ces forfaits, aussi bien que presque tous ceux qui étaient dans le même parti où monsieur Bailly a été blessé : action accompagnée de circonstances qui feront à jamais la honte de la nation canadienne et qui la dépeindront comme une nation d'une cruauté et d'une barbarie plus que sauvage, et qui ont fait dire aux Bostonnais eux-mêmes indignés, que, s'ils avaient un Canadien à faire rôtir, ils en trouveraient cent autres pour tourner la broche.

Le calme revient graduellement dans la province de Québec et les Canadiens retrouvent leur sentiment de soumission tant aux autorités civiles que religieuses. Briand ne craint pas d'écrire, le 27 septembre 1776 : « On peut dire que la conservation de la colonie au roi d'Angleterre est le fruit de la fermeté du clergé et de sa fidélité. » Quant au gouverneur Carleton, l'attitude des Canadiens le rend prudent et circonspect. Il confie à lord Germain, le 28 septembre : « Quant à mon opinion des Canadiens, je crois que rien n'est à craindre de leur part, tant que nous sommes dans une situation de prospérité, et rien à en espérer en cas de détresse. Je parle de la population en général : il s'en trouve parmi eux quelques-uns qui sont guidés par des sentiments d'honneur, mais la multitude n'est influencée que par l'espoir du gain et la crainte du châtiment. »

Voilà !

Retour à la paix 1776-1783

Même si les rebelles sont repartis, la guerre n'est pas terminée pour autant et elle continue à faire rage sur le territoire américain. Le gouverneur Carleton profite d'un moment d'accalmie pour établir une nouvelle structure administrative, « une sorte de conseil privé », selon l'expression de l'historien Gustave Lanctot. Le 8 août 1776, il forme un conseil restreint ne comprenant que des représentants de langue anglaise : le lieutenant-gouverneur Cramahé, John Collins, Thomas Dunn, Hugh Finlay et Adam Mabane. L'organisme exerce à peu près les mêmes pouvoirs que ceux concédés au conseil législatif par l'*Acte de Québec.*

Après la destruction de la flotte d'Arnold au lac Champlain, il faut songer à cantonner les soldats pour l'hiver qui approche. Les troupes anglaises s'installent à l'île-aux-Noix, Saint-Jean, Chambly, Verchères, Varennes, Boucherville, Saint-Jean, Sorel, Saint-Ours, Saint-Denis, Saint-Charles, Saint-Antoine, Belœil, Lachine, l'île Jésus, Pointe-Lévis, Kamouraska, Montréal et Québec. Le régiment écossais de Maclean établit ses quartiers dans les paroisses au-dessus de Montréal. Quant aux mercenaires allemands, ils habiteront Repentigny, l'Assomption, Saint-Sulpice, Saint-François, Yamaska, La Baie, Saint-Antoine, Nicolet, Bécancour, Lachine et Trois-Rivières. Les miliciens, quant à eux, regagnent leur logis respectif.

Partout où c'est possible, les militaires s'installent dans les édifices publics. Sinon, ils logent chez les habitants, à raison d'un, deux ou trois par maison. Les pro-rebelles ou les sympathisants à la cause américaine constituent le premier choix, car bien peu aiment héberger des soldats. Habituellement, le militaire apporte sa nourriture et le bois de chauffage est fourni par voie de corvée. L'habitant reçoit également un dédommagement en argent. Chaque jour, un officier subalterne visite toutes les maisons où demeure un soldat ; tous les deux jours, un officier supérieur effectue la même tournée et, une fois le mois, le colonel du régiment fait son inspection. Cette présence étrangère n'est pas sans causer problèmes et mécontentements. Les Canadiens ne cachaient pas leur mécontentement même sous le régime français lorsqu'ils devaient héberger des militaires. La situation est loin d'être tolérable quand en plus ces militaires ne parlent qu'anglais ou allemand.

Une douce vengeance

Le 31 décembre 1776 marque le premier anniversaire de l'échec américain devant Québec. Monseigneur Briand trouve l'occasion propice pour manifester sa reconnaissance à Dieu qui a prêté une main si secourable aux autorités britanniques.

> Vous les avez appréciées ces merveilles du Seigneur, écrit-il dans son mandement du 29 décembre, et cent fois j'ai goûté la plus vive et la plus tendre satisfaction en vous entendant les publier d'un ton que la foi seule peut former : c'est Dieu, disiez-vous, qui nous a rendu Son Excellence Monsieur Carleton, c'est lui qui l'a couvert de son ombre, qui a dirigé ses pas, et l'a fait échapper à la vigilance plus qu'ordinaire des sentinelles apposées de toutes parts pour le saisir et nous l'enlever ; c'est Dieu qui a inspiré à notre illustre gouverneur le moyen de ranimer les cœurs, de rassurer les esprits et rétablir la paix et l'union dans la ville. C'est Dieu lui-même qui a mis et conservé l'unanimité et la concorde parmi la garnison composée de différents états, caractères, intérêts et religion. C'est Dieu qui a inspiré à cette glorieuse et brave garnison cette constance, cette force, cette générosité, cet attachement à son roi et à son devoir dont elle avait besoin pour soutenir un long et pénible siège, pendant un hiver aussi rude et aussi dur que celui du Canada.

Et l'évêque de Québec énumère tous les autres faits d'armes qui ont suivi le siège et les attribue à Dieu. En conséquence, il est important de remercier le Seigneur. Le 31 décembre, à neuf heures, dans la cathédrale de Québec, on célèbre une messe solennelle d'action de grâce « après laquelle nous chanterons en habits pontificaux le *Te Deum*, à laquelle assistera notre clergé séculier et régulier ». Les habitants de la ville sont obligés d'assister à la cérémonie sous peine de péché ! Douce revanche de l'évêque envers ses ouailles qui, à son goût, n'avaient pas démontré assez de fidélité au roi d'Angleterre. « Nous exhortons et néanmoins enjoignons à tout le peuple d'y assister, conclut-il, autant que faire se pourra de bonne foi et devant Dieu. Nous ne regarderions pas exempts de péché ceux qui, par mauvaise volonté, esprit de critique et de désobéissance, s'en absenteraient sans aucune autre raison. »

Les autorités civiles et militaires soulignent à leur manière ce premier anniversaire.

> Le soir, la milice donna un bal et un souper magnifiques, auxquels assistèrent près de trois cents personnes tant dames que messieurs, rapporte la *Gazette* de Québec. On s'était procuré à cette occasion glorieuse une troupe choisie de musiciens, et toute la fête de ce jour se passa dans le plus bel ordre. À six heures et demie du soir, Son Excellence Messire Guy Carleton, My Lady son épouse et My Lady Anne Carleton, accompagnés des généraux Riedesel et Specht, entrèrent dans la salle, alors que la troupe des musiciens joua *Vive le roi*, ce qui fut accompagné par le

chœur. À sept heures, on exécuta une ode composée à cette occasion, après quoi les danses commencèrent. En un mot, ceux qui s'étaient chargés de la direction s'en acquittèrent de manière qu'on avoua généralement que c'était la fête la plus complète que l'on ait jamais connue dans cette province.

À Trois-Rivières aussi on souligne l'événement par des banquets et des bals. Les Canadiens organisent leurs propres réjouissances et les Anglais font de même en compagnie des Allemands. « On but séparément, à la décharge du canon, à la santé de leurs Majestés, ainsi qu'à celle du vaillant général Carleton et à celle des citoyens de Québec. » Le général Riedesel, qui est cantonné dans cette ville, organise un imposant repas où figurent du caribou, de l'orignal, de la tourte et de la perdrix. Comme il est important d'alimenter le sentiment royaliste, la fête de la reine, célébrée le 20 janvier 1777, est soulignée d'une façon particulière dans les trois principales villes de la province.

On organise la milice

Le Conseil législatif, formé à la suite de l'Acte de Québec, siège pour la première fois le 21 janvier 1777. Au cours de la session qui se terminera en avril, les conseillers se mettent d'accord sur seize ordonnances concernant le commerce, les cours de justice, la voirie, les passeports, le feu, la monnaie, les liqueurs spiritueuses et la milice. Le 29 mars, le gouverneur Carleton appose sa signature au bas de l'ordonnance « qui règle les milices de la province de Québec et qui les rend d'une plus grande utilité pour la conservation et la sûreté d'icelle ». L'article premier établit, en quelque sorte, le service militaire obligatoire.

> Tous particuliers tant dans les villes que dans les campagnes, depuis l'âge de seize ans jusqu'à soixante, sont obligés de servir dans la milice de la paroisse où ils sont domiciliés ; et du jour et après la publication de cette ordonnance, tous particuliers (excepté ceux ci-après exceptés) qui refuseront de servir ou qui négligeront de venir s'enrôler sous les officiers nommés par Son Excellence le capitaine général et commandant en chef dans les différentes paroisses, encourront l'amende de cinq livres ; et pour un second refus, ils seront, en outre, et par-dessus une pareille amende de cinq livres, privés par ce second refus du privilège de garder et porter aucune arme à feu quelconque, sous peine de la même amende de cinq livres et d'un mois de prison, pour chaque fois qu'ils seront convaincus de s'être servis ou d'avoir gardé de telles armes à feu.

Les miliciens dont la conduite ou la vie est jugée indigne et déshonorante pour le corps de milice sont sujets aux mêmes peines. Tous ceux qui changent de domicile doivent indiquer au capitaine l'endroit où ils s'établissent dès leur arrivée et ce, encore une fois, sous peine d'amende.

L'instruction militaire se réduit à peu de choses. L'article 5 de l'ordonnance prévoit que « les capitaines ou les officiers commandant les milices assembleront les deux derniers dimanches du mois de juin et les deux premiers dimanches du mois de juillet leurs compagnies dans le lieu le plus commode dans leurs différentes paroisses, pour visiter leurs armes, les faire tirer au blanc et les instruire de leurs devoirs ».

L'article 6 stipule que les miliciens seront obligés de servir « en temps de guerre, de rébellion ou en autres cas urgents ». L'article 11 identifie ceux qui sont exemptés du service militaire : « Les membres du Conseil de Sa Majesté, les juges et autres officiers du gouvernement civil, les seigneurs qui sont ici nommés seigneurs primitifs, la noblesse qui était connue sous l'ancien gouvernement du pays, les officiers à demi-paie ou réformés, le clergé, les étudiants des Séminaires de Québec et de Montréal et les particuliers employés dans des offices utiles au public. » Ces mêmes personnes sont exemptées de la corvée des voitures et des traînes à laquelle sont soumis tous habitants au-dessus de soixante ans ayant un domestique.

La crainte d'une nouvelle vague de propagande américaine ou d'une seconde invasion amène les conseillers à inclure un article précis à ce sujet :

> Les capitaines et autres officiers de milice arrêteront tous déserteurs, soit soldats ou matelots, tous vagabonds ou tous autres voyageurs dans leurs différentes paroisses soupçonnés d'être espions des colonies rebelles, de leur porter des nouvelles ou d'entretenir correspondance avec elles, tous hommes semant de faux rapports au préjudice du gouvernement, ou quittant la province sans un passeport du capitaine général ou, en son absence, du lieutenant-gouverneur ou du commandant en chef ; et qui que ce soit, dans les villes ou dans les campagnes, qui logera ou cachera des déserteurs, vagabonds ou autres gens suspects tels que dessus, ou qui aidera et assistera quelqu'un quittant la province sans un passeport, sans en donner immédiatement connaissance aux capitaines de leurs différentes compagnies dans les campagnes ou dans les villes de Québec, de Montréal et des Trois-Rivières, aux colonels ou officiers commandants ou autres officiers, nommés à cet effet, encourra pour la première fois, si c'est un domicilié dans les villes, l'amende de dix livres et un mois de prison ; et si c'est un habitant des campagnes, celle de cinq livres et le même temps de prison ; et en cas de récidive le double de la somme et de la prison, ainsi que pour chaque autre contravention de telle nature.

La première occasion

L'ordonnance sur la milice entre immédiatement en force et le demeurera pendant une période de deux ans. Dès le mois de mai, Carleton ordonne de lever trois compagnies de cent miliciens chacune. Ces hommes doivent accompagner le général Burgoyne dans une expédition contre les rebelles américains. À mesure que les recrues arrivent à Montréal, elles sont acheminées vers le couvent des récollets « avec défense d'en sortir sans permission, comme s'ils eussent été prisonniers ». « Cette conduite extraordinaire, ajoute Sanguinet, déplut si fort aux Canadiens qu'ils cherchaient l'occasion de s'évader, avec ce qu'on leur faisait entendre qu'ils étaient engagés comme soldats. Le général donna ordre de commander deux hommes mariés à la place de chaque garçon qui avait déserté. Les trois compagnies furent bien vite complètes. Deux passèrent avec l'armée par le lac Champlain, la troisième par Chouagatsy avec le colonel Saint-Léger. »

Des soldats allemands et anglais complètent les cadres de l'armée de Burgoyne qui doit, selon les plans dressés à Londres, effectuer une jonction avec deux autres armées anglaises, la première partie de New York et la seconde du lac Ontario.

L'expédition qui comprend environ 8300 hommes, dont 300 Amérindiens, se terminera par une défaite, à Saratoga, le 17 octobre 1777. La victoire du général américain Horatio Gates sème la crainte dans la province de Québec. Les autorités craignent une nouvelle invasion. Carleton fait incendier toutes les habitations entre le lac Champlain et Saint-Jean, sur le Richelieu. Il ne reste plus que l'île-aux-Noix d'habitable, là où sont cantonnés des soldats anglais. Pendant ce temps, les habitants de la province sont soumis à une foule de corvées.

Encore les Américains

Carleton avait peut-être un peu raison de se méfier des Canadiens et des Amérindiens et de manifester son mécontentement par une attitude de dureté à leur égard. Dans une lettre à Haldimand datée du 1er février 1778, le capitaine William Fraser fait état de la découverte « d'une correspondance régulière entre les Sauvages de Saint-François et les rebelles de la Nouvelle-Angleterre ». Par ailleurs, quelques Canadiens continuent à promouvoir la cause américaine.

Le conflit entre les Treize Colonies et l'Angleterre prend une nouvelle tournure lorsque la France décide de se ranger du côté des révolutionnaires. L'alliance au terme de laquelle la France reconnaissait l'indépendance des Treize Colonies et s'engageait à leur apporter une aide militaire fut proclamée le 20 mars 1778. Cette entrée en scène de l'ancienne mère patrie va affecter profondément les Canadiens.

L'idée d'un retour du Québec dans le giron français fait son chemin, même dans les cours européennes. Le roi de Prusse, Frédéric II le Grand, écrit à son ambassadeur à Paris le 8 septembre 1777 : « On se trompe fort en admettant qu'il est de la politique de la France de ne point se mêler de la guerre des colonies. Son premier intérêt demande toujours d'affaiblir la puissance britannique partout où elle peut, et rien n'y saurait contribuer plus promptement que de lui faire perdre ses colonies en Amérique. Peut-être serait-ce le moment de reconquérir le Canada. L'occasion est si favorable qu'elle n'a été ni ne le sera peut-être dans trois siècles. »

Pourtant, les autorités françaises ne songent pas à la reconquête de leur ancienne colonie. On le voit dans les articles 5 et 6 du traité d'alliance intervenu entre la France et les États-Unis, le 6 février 1778 :

> Si les États-Unis jugent à propos de tenter la réduction des îles Bermudes et des parties septentrionales de l'Amérique qui sont encore au pouvoir de la Grande-Bretagne, lesdites îles et contrées, en cas de succès, entreront dans la confédération ou seront dépendantes desdits États-Unis. Le roi très chrétien renonce à posséder jamais les Bermudes ni aucune des parties du continent de l'Amérique septentrionale qui, avant le traité de Paris de 1763, ou en vertu de ce traité, ont été reconnues appartenir à la Couronne de la Grande-Bretagne, ou aux États-Unis, qu'on appelait ci-devant Colonies Britanniques, ou qui sont maintenant sous la juridiction et sous le pouvoir de la couronne de la Grande-Bretagne.

Le gouvernement de la France renonce donc, par ces articles, à reprendre possession de ses anciennes colonies, mais rien ne l'empêche d'aider les Américains à le faire ! C'est ce à quoi songe le jeune marquis de La Fayette, âgé de vingt ans.

Le ministre des Affaires étrangères de France, Charles Gravier, comte de Vergennes, dans ses instructions secrètes à Conrad-Alexandre Gérard, représentant du roi auprès du Congrès américain, précise les visées politiques de Louis XVI :

> Les députés du Congrès avaient proposé au roi de prendre l'engagement de favoriser la conquête que les Américains entreprendraient du Canada, de la Nouvelle-Écosse et des Florides, et il y a lieu de croire que ce projet tient fort à cœur au Congrès. Mais le roi a considéré que la possession de ces trois contrées ou au moins du Canada par l'Angleterre serait un principe utile d'inquiétude et de vigilance pour les Américains, qu'il leur fera sentir davantage tout le besoin qu'ils ont de l'amitié et de l'alliance du roi et qu'il n'est pas de son intérêt de le détruire. D'après cela, Sa Majesté pense qu'elle ne doit prendre aucun engagement relativement à la conquête dont il s'agit.

Pourtant, en France, quelques-uns de ceux qui avaient participé à la guerre de la Conquête se mettent de nouveau à rêver. L'ingénieur Jean-Nicolas Desandrouins, victorieux à Carillon, soumet un long mémoire au chevalier de Lévis dans lequel il tente de démontrer l'importance pour la France de reconquérir le Canada. « Vous verrez, mon général, écrit-il, que le siège de Québec est ma passion, à laquelle je tâche d'amener les vues du gouvernement en prouvant d'abord l'importance de mon mieux. Ensuite, je tâche de démontrer que tous les Washington du monde, avec les troupes qu'ils commandent, n'en viendront pas à bout. »

Après avoir énuméré tout ce qui était nécessaire pour l'expédition, Desandrouins souhaite que Lévis en prenne la direction. « Pour moi, ajoute-t-il, je vous suivrai, mon général, n'eussiez-vous qu'une compagnie de grenadiers pour escorte ; mais je ne répondrais pas de l'événement. »

Toujours la crainte

Conscients d'ajouter un atout à leur jeu, les Américains s'empressent de faire savoir aux Canadiens l'entente intervenue entre le Congrès et la France. Deux Amérindiens sont chargés, en partant du Maine, « de répandre la nouvelle, dans les villages où ils passeraient ».

Quelque temps auparavant, soit au début du mois de mars, on appréhendait une invasion par le Richelieu. Carleton fait lever le tiers des milices dans les districts de Montréal et de Trois-Rivières. La réponse est, en général, rapide et positive, sauf à Mascouche où le capitaine essuie un refus. Trente-deux habitants se retrouvent en prison « par une difficulté avec leur capitaine de milice qui était un ivrogne et qui était taxé d'avoir fait quelques injustices dans sa compagnie ». À la suite de la plainte portée par le capitaine, le commandant de Montréal envoie à Mascouche « un détachement de troupes qui pillèrent presque toutes les maisons et violèrent plusieurs filles et femmes ». « Quelque temps après, ajoute Sanguinet, l'on renvoya les habitants chez eux, qui trouvèrent leurs femmes et filles déshonorées, châtiment terrible qui ne se fait pas parmi les Barbares et le général Guy Carleton ne fit aucun exemple. » C'est le lieutenant colonel Ehrenbrook, du régiment allemand de Rhetz, qui avait dirigé l'opération répression de Mascouche.

Un nouveau gouverneur

Le vendredi 26 au soir, arrive devant Québec le *Montréal*. À bord se trouvent le nouveau gouverneur et sa suite. Le remplaçant de Carleton débarque le lendemain à midi. Les rues conduisant du lieu de débarquement au Château sont bondées de soldats et de miliciens des deux groupes ethniques. Les conseillers législatifs accueillent Frederick Haldimand et l'accompagnent à la salle du conseil « où sa commission fut lue et les serments ordinaires lui furent administrés ».

À son arrivée, le représentant du roi trouve la province de Québec défendue par 6518 soldats réguliers, 403 miliciens anglais et 17 714 miliciens canadiens. Les fortifications de la capitale sont dans un piètre état comme, d'ailleurs, la plupart des autres forts de la colonie. La situation est grave car, le 8 juillet, une flotte française composée de douze navires de ligne et de quatre frégates arrive dans la baie de Delaware. L'Angleterre ayant déclaré la guerre à la France, cette dernière vient prêter main-forte aux États-Unis. Plusieurs Canadiens, à l'annonce de cette nouvelle, changent d'attitude. « Ils commençaient à revenir de leurs erreurs, écrit Haldimand ; mais dès qu'ils ont appris l'arrivée d'une flotte française sur nos côtes, ils n'ont pas dissimulé l'intérêt qu'ils prennent à leurs succès. » À quelques endroits, les corvées deviennent d'une exécution plus difficile et des miliciens commencent à déserter.

Haldimand ordonne la construction de quelques blockhaus aux endroits stratégiques. Au mois d'octobre, les soldats du 34e Régiment en édifient un à Saint-François, dans la Nouvelle-Beauce. Le 1er du mois, le gouverneur envoie une lettre aux capitaines de milice de Saint-Hyacinthe et des compagnies contiguës : « Ayant dessein d'établir un poste sur la rivière Yamaska pour la sûreté des habitants de cette frontière, j'envoie le capitaine Brehm, mon aide de camp, afin de marquer le terrain convenable ; et, comme il faut que cet ouvrage soit fini avant l'hiver, messieurs les capitaines des milices de Saint-Hyacinthe et des compagnies circonvoisines auront à ordonner, sans perte de temps, le nombre d'hommes dont le capitaine Brehm croira avoir besoin pour la construction de cet ouvrage. Les charpentiers et les scieurs seront payés en raison de deux chelins par jour et les autres serviront par corvées. »

La *Gazette* de Québec fait peu écho à ce qui se passe aussi bien dans la colonie qu'aux États-Unis, et pour cause. Haldimand, qui séjourne à Sorel, écrit au lieutenant-gouverneur Cramahé, le 28 septembre 1777, de voir à « empêcher la publication d'articles qui ne sont pas convenables dans la *Gazette* ». Les propos des citoyens et les étrangers sont aussi étroitement surveillés.

Le 1er décembre, le général Riedesel fait rapport au gouverneur de ses faits et gestes :

> J'ai passé la nuit à la Pointe-Olivier. J'ai donné instruction à l'officier en charge de prêter une attention toute spéciale aux habitants, et de voir à ce que nul étranger ne vienne dans la paroisse, hors sa connaissance, et de plus qu'aucun des habitants ne quitte l'endroit sans l'en avertir. [...] À La Savane [située entre Saint-Jean et Laprairie], j'ai posté un sous-officier avec dix hommes du régiment de Hesse-Hanau pour exercer une stricte surveillance sur les habitants. [...] À Châteauguay,

j'ai donné ordre au capitaine Castonguay, au fait de la conduite des habitants, de prévenir la venue d'émissaires hostiles dans la paroisse, parce que je crois que les rebelles ont, de cette façon, entretenu une correspondance avec les déloyaux de Montréal.

Nés Français

L'amiral français Henri, comte d'Estaing, a reçu des instructions précises sur la conduite à tenir pour la conquête de la province de Québec. L'officier résume ainsi deux points concernant l'ancienne colonie française :

> Tout en m'ordonnant de me prêter à l'expédition du Canada et en me disant que Sa Majesté ne m'astreint pas rigoureusement à ce que les instructions précédentes me prescrivent, chaque expression désigne la répugnance que le roi a pour cette entreprise. [...] Refus que je dois faire de contribuer à la conquête du Canada autrement que par une croisière et par des attaques de postes ; mais dans le cas où je serais convaincu que les États réussiraient dans cette attaque, autorisation de donner des déclarations au nom du roi pour promettre aux Canadiens et aux Sauvages la protection de Sa Majesté s'ils cessent de reconnaître la suprématie de l'Angleterre.

Se basant sans doute sur ce point précis de ses instructions, le comte d'Estaing fait imprimer un manifeste à l'intention des Canadiens le 28 octobre 1778. Les copies sont tirées au moyen d'une petite imprimerie mobile qu'il a fait installer à bord du *Languedoc*. Le texte aurait été rédigé, en bonne partie, avant le départ de l'escadre de France, « par les officiers du gouvernement du roi ».

D'Estaing explique ainsi pourquoi il publie à cette époque son manifeste :

> J'ai l'honneur de vous rendre compte, que j'ai choisi pour publier la déclaration énoncée dans mes instructions le temps le plus rapproché de celui du départ de l'escadre du roi et le moment où quelques Sauvages sont venus de très loin pour s'assurer par eux-mêmes et pour savoir à bord si nous étions bien réellement des Français ; pour demander à voir le pavillon blanc dont l'aspect les fait toujours danser, entendre la messe dont ils étaient privés depuis dix-sept ans, à recevoir l'accolade du révérend père Récollet qui est notre aumônier, sans parler de quelques fusils, de la poudre, des balles et de l'eau-de-vie dont ils ne se sont occupés qu'avec modération, mais qu'ils ont acceptés avec grand plaisir.

Le manifeste du comte d'Estaing commence à circuler dans la province de Québec. Des Amérindiens et des Canadiens se chargent de la diffusion. Haldimand enjoindra au brigadier Maclean de faire saisir « morts ou vifs ces Indiens qui distribuaient cette proclamation à travers les campagnes ».

> Vous êtes nés Français, déclare le texte, vous n'avez pu cesser de l'être ; une guerre ne nous aurait été annoncée que par l'enlèvement de presque tous nos matelots, et dont nos ennemis communs n'ont dû les principaux succès qu'au courage, au talent et au nombre de braves Américains qui les combattent aujourd'hui, nous a arraché ce qui est le plus cher à tous les hommes jusqu'au nom de votre patrie, vous forcer à porter malgré vous des mains parricides contre elle, serait le comble

des malheurs, vous en êtes menacés : une nouvelle guerre doit faire redouter qu'on ne vous oblige à subir cette loi, la plus révoltante de l'esclavage : cette guerre a commencé comme la précédente par les déprédations de la partie la plus intéressante de notre commerce. Les prisons de l'Amérique contiennent depuis trop longtemps un grand nombre de Français importunés ; vous entendez leurs gémissements.

Dans la longue épître du comte d'Estaing, les Canadiens deviennent des « Français d'Amérique ». La présence française apparaît aussi comme nécessaire à la survie de la religion catholique dans la province de Québec.

Je n'observerai point aux ministres des autels que leurs efforts évangéliques auront besoin d'une protection particulière de la Providence, pour que l'exemple ne diminue point la croyance ; pour que l'intérêt temporel ne l'emporte pas ; pour que les ménagements politiques des souverains que la force leur a donnés ne s'affaiblissent point à proportion de ce qu'ils auront à craindre, qu'il est nécessaire pour la religion que ceux qui la prêchent forment un corps dans l'État et qu'il n'y aurait point de corps plus considéré ni qui eut plus de pouvoir de faire le bien que celui des prêtres du Canada prenant part au gouvernement parce que leur conduite respectable leur a mérité la confiance du peuple.

Les Canadiens doivent sans doute recourir à de savants commentateurs pour comprendre ce que veut dire le noble Français. Mais la conclusion du manifeste est claire et se comprend d'elle-même : « Je ne ferai point sentir à tout un peuple car tout un peuple, quand il acquiert le droit de penser et d'agir, connaît son intérêt ; que se lier avec les États-Unis, c'est s'assurer son bonheur ; mais je déclarerai, comme je le déclare solennellement au nom de Sa Majesté qui m'y a autorisé et qui m'a ordonné de le faire, que tous ses anciens sujets de l'Amérique septentrionale qui ne reconnaîtront plus la suprématie de l'Angleterre peuvent compter sur sa protection et sur son appui. »

Alors que d'Estaing propose une union de la province de Québec aux États-Unis, plusieurs Canadiens commencent à rêver d'un retour à la France ! La proclamation est affichée à la porte de quelques églises. Peu de curés protestent et le gouverneur Haldimand se plaint de la désaffection du clergé. L'historien Lanctot cite le cas du curé de la paroisse de Lotbinière, l'abbé Gatien, qui « reçoit les émissaires des colonies à bras ouverts, les traitant bien et leur fournissant toute l'assistance possible ». Haldimand fulmine : « Aucune autre copie [que celles envoyées par les curés de Saint-Denis et de Saint-Ours] ne nous a été apportée, quoique probablement beaucoup d'habitants et certainement la plupart des curés en ont eu connaissance. »

Il ajoutera, dans une autre lettre à lord Germain, le 25 octobre 1780 : « Depuis l'alliance des Français avec les colons rebelles, le clergé canadien, qui s'est si bien comporté en 1775 et 76, est bien refroidi à l'égard des intérêts britanniques. [...] Cette alliance a certainement opéré un grand changement dans l'esprit du clergé ; et ce changement a eu une grande influence sur tout le peuple. »

Prêtre expulsé

Le gouverneur décide alors de sévir contre un membre du clergé, l'abbé Pierre Huet de La Valinière, curé de la paroisse de Sainte-Anne-du-Sud. Haldimand demande à monseigneur Briand, le 14 octobre 1779, d'ordonner à Valinière de se rendre immédiatement à Québec, car il doit s'embarquer le 25 sur un navire en partance pour l'Angleterre. L'évêque de Québec aura soin de recommander au curé de « ne pas se laisser aller à ses vivacités ordinaires et de prendre garde à la manière dont il se conduira et parlera jusques à son départ ».

Dans une lettre au secrétaire d'État au département de la marine française, Valinière décrit son expulsion et son exil :

> [Le] gouvernement anglais, lequel après trois ans de persécution extrême le fit partir subitement le 25 octobre 1779, et l'envoya à Portsmouth avec défense de le mettre à terre sans l'agrément du ministère. Il a donc été sept mois et demi, à bord des vaisseaux avec seulement les deux tiers de la ration d'un soldat, puis encore vingt jours prisonnier également contre le droit des gens à Alesford, d'où, avec un passeport, il est venu comme il a pu par Ostende. Mais pour comble de malheur, ayant mis ce qui lui restait dans un coffre à bord d'un vaisseau pour être conduit à Nantes, le vaisseau fit naufrage. Pour lui, étant venu par terre à Paris, il prit à son arrivée la liberté de demander par écrit une audience à M. de Sartine qui sans doute n'eut pas le temps de l'honorer d'un mot de réponse.

Le pauvre abbé ne reviendra dans la province de Québec qu'en 1792. Si Valinière s'est mérité l'exil, d'autres se retrouvent en prison pour avoir affiché une trop grande sympathie à la cause américaine. Pierre de Sales Laterrière est accusé d'avoir fourni des outils et des armes aux rebelles, alors qu'il était directeur des Forges du Saint-Maurice. L'imprimeur Fleury Mesplet et le journaliste Valentin Jautard subissent le même sort pour leur critique du système judiciaire et la publication d'articles favorables aux États-Unis.

La France à l'horizon

La chasse aux espions et aux collaborateurs est ouverte. Le 10 avril 1780, le marchand montréalais François Cazeau et le marchand québécois Charles Hay sont emprisonnés pour avoir fourni des renseignements aux rebelles. Dans une lettre à sa femme, le 22 juin, Cazeau, incarcéré à Québec, fait état d'une invasion imminente.

> Il est arrivé, écrit-il, deux petites chaloupes de Gaspé qui ne disent rien et tout le monde soutient qu'une flotte française est en bas dans la rivière. Des personnes sont venues de la Pointe-Lévis pour le dire expressément aux prisonniers. Tous les officiers et soldats s'y attendent. Il est défendu à toute personne de se promener sur les travaux sous peine de prison. Il n'est même pas permis aux journaliers de se voir. Malgré cette sage précaution du général, un ami fidèle que je crois comme je suis vivant m'a dit avoir parlé à espion sur les travaux habillé en l'uniforme du régiment du colonel Lisoppe qui lui a dit positivement que les troupes du roi ont été battues à la Nouvelle-York par les Américains et qu'ils étaient en marche pour

le Canada. Il a montré une lettre du général Billy, Amérique, adressée à leurs amis, qui dit qu'il y a deux armées qui entrent en Canada cette année et qu'une flotte française sera en rivière avec trente mille hommes pour Québec. [...] L'on dit que le général a donné ordre que tous les habitants soient prêts à prendre les armes, autrement ils seront brûlés leurs femmes et leurs enfants détruits sans grâce.

Une drôle d'idée se répand dans la population canadienne : la durée du serment de fidélité au roi d'Angleterre serait limitée à vingt et un ans, après quoi chacun retrouve sa liberté. Le major Carleton, établi à Chambly, en parle à Haldimand, le 9 juillet : « Les Canadiens parlent encore avec confiance d'une attaque contre Yamaska ; et il y en a parmi eux qui croient qu'après le 21 de ce mois, ils ne seront plus tenus d'obéir aux ordres, vu que les vingt et une années de capitulation seront expirées. »

En juillet, mille soldats anglais débarquent à Québec. On avait jugé l'envoi de renforts nécessaire car, presque au même moment, arrive un contingent français de 5000 hommes, commandés par Jean-Baptiste Donatien de Vimeur, comte de Rochambeau. Et l'appui massif de la France fait renaître les menaces d'invasion.

Les arrestations se multiplient dans la colonie. En septembre, Joseph-Louis Gill, de Saint-François-du-Lac, voit des soldats se saisir de sa personne : il est soupçonné « d'être porteur de correspondances adressées de la Nouvelle-Angleterre et envoyées à Québec ». Le 26, le docteur Pilon, de Montréal, est incarcéré et, le lendemain, le marchand Pierre Du Calvet subit le même sort.

Parlant de lui-même à la troisième personne, Du Calvet raconte ainsi sa mésaventure :

> Il se vit tout à coup arrêté par le capitaine Laws, du 84e Régiment, dépouillé pendant le jour de ses papiers et, la nuit, de son argent, qui par parenthèse a toujours été retenu comme de bonne prise, traduit sous une escorte à Québec et de là traîné de violence, à bord du *Canceaux*, vaisseau armé en guerre, alors à l'ancre dans la rade ; on commença dans cette prison marine par arracher de la cabane qui lui était destinée tout appareil qui y formait auparavant un lit raisonnable pour un humain ; et on lui assigna d'autre couche, pour reposer, que le plancher nu du navire même, sous un climat où l'automne égale, surpasse même quelquefois la rigueur de nos plus sévères hivers d'Europe. [...] M. du Calvet fut constamment condamné, à bord du bâtiment, à une nourriture salée et moisie, qui appauvrit bientôt sa constitution, au point de cracher le sang et de n'étaler plus dans sa personne que le spectacle pitoyable d'un fantôme émacié et d'un squelette vivant, méconnaissable à sa garde même.

Le 14 novembre, Du Calvet, que certains accusent d'exagérer dans ses propos, est transféré dans une des prisons de la ville de Québec. La pièce où il se retrouve aurait servi auparavant d'écurie à chevaux. « C'était en effet une voûte spacieuse, à rez de chaussée, pavée de grosses pierres brutes, parée ou plutôt déparée par une longue enfilade d'une douzaine de grands vilains lits à la dragonne, flanquée de cinq à six larges auges, pleines jusqu'à la gorge de balayeures, de graillons ou guenillons moisis et pourris, de cendres et autres immondices de toute espèce. Quelques-unes de ces cuves avaient même, de longue main, servi de chaises d'affaires, à cette file de goujats, prisonniers, devanciers de M. du Calvet, dans cet abominable lieu et recelaient encore les ordures humaines, dont on les avait comblées. »

Qui croire ? Car le lieutenant-gouverneur Cramahé, dans ses ordres à Prentice, le 14 novembre, avait demandé que le prisonnier soit traité avec humanité et lui avait même permis de « recevoir les rafraîchissements et les provisions de son choix de l'aubergiste Lemoyne ».

Parmi les prisonniers, on remarque Pierre Charland et Louis Nadeau, de la rivière Richelieu ; François Breton, de Lorette, et François Germain, de Cap-Santé. Rapidement, les prisons des différentes villes débordent et le gouverneur écrit au général Riedesel : « Je crains qu'il y ait trop de ces individus [prorebelles] dans la province et, comme nous manquons de place pour y loger les prisonniers, je désire qu'on n'arrête plus de gens, à moins qu'on ne trouve un soupçon fondé contre eux. »

Des appels à la justice

Les personnes incarcérées demandent l'application du droit d'*habeas corpus* accordant à un accusé le droit de comparaître rapidement devant un juge « afin qu'il soit statué sur la validité de son arrestation ». Les instructions aux gouverneurs Carleton et Haldimand sont claires à ce sujet : « La protection de la liberté individuelle est un principe fondamental de justice dans tout gouvernement libre, et la législature de Québec ne doit jamais perdre de vue qu'elle doit prendre les mesures requises à cette fin ; et elle ne pourra suivre un meilleur exemple que celui fourni par le droit coutumier de ce royaume qui a introduit par une disposition le writ d'*habeas corpus* devenu le droit de tout sujet britannique de ce royaume. »

Haldimand, dans une lettre à lord Germain datée du 25 octobre 1780, justifie ainsi sa décision de ne pas accorder de procès immédiat aux personnes emprisonnées depuis déjà quelques années :

> Je fus fort peiné de me voir dans l'obligation de ne pas communiquer l'instruction relative à la sécurité de la liberté individuelle. Dans nul pays, les citoyens ne devraient être passibles de longs emprisonnements. On devrait sans doute mettre en jugement dans un délai restreint les personnes accusées de crimes, mais en temps de guerre ou d'insurrection, ce serait une entreprise maladroite et, dans les circonstances présentes, pleine de périls que de tenter d'implanter une pareille innovation. Je me suis trouvé dans la pénible nécessité d'emprisonner plusieurs personnes coupables d'avoir correspondu avec les rebelles ou de les avoir aidés à s'enfuir et j'ai de bonnes raisons d'en soupçonner beaucoup d'autres coupables des mêmes pratiques. Mais j'ai pris pour règle de simuler l'ignorance chaque fois que je puis et me contente de me prémunir contre les conséquences néfastes de leur trahison, sauf quand leur crime est de notoriété publique. Alors j'estime de mon devoir d'intervenir, car une conduite contraire de ma part dénoterait de la faiblesse et encouragerait d'autres à imiter leur exemple. [...] Comme cela arrive dans toutes les guerres civiles, la province, entourée par les ennemis du dehors, est infestée à l'intérieur d'espions et d'ennemis dissimulés. Votre Seigneurie doit s'imaginer combien il est nécessaire d'appuyer et de soutenir le gouvernement.

La plupart des prisonniers passeront quelques années en détention. Quelques-uns, une fois la paix revenue, s'adresseront aux tribunaux anglais afin d'obtenir une compensation monétaire pour les dommages-intérêts subis.

Le clergé vient prêter main-forte au gouverneur dans sa lutte contre la collaboration et l'espionnage. Dans une lettre qu'il adresse à tous les curés de son diocèse, lettre qui « n'est point pour être lue au peuple, mais pour diriger votre conduite et vous faire connaître ce que notre gouverneur attend de notre religion et de votre attachement au gouvernement », monseigneur Briand écrit : « Je ne dois pas, messieurs, vous laisser ignorer que Son Excellence est bien informée que les rebelles ont des émissaires et encore quelques partisans dans cette province. Je croirais vous faire l'injure la plus atroce si je vous soupçonnais d'être capables de violer le serment de fidélité fait à un gouvernement sous lequel nous avons été heureux jusqu'ici. Veillez donc, et si vous découvrez des traîtres, loin de les cacher, faites-les connaître comme vous l'avez juré. »

Cette lettre du 17 janvier 1781 avait pour but premier de faire écho à une ordonnance du Conseil législatif obligeant les habitants à battre leurs blés incessamment. À cause du caractère odieux de la mesure, l'évêque sent le besoin de préciser : « Le dessein de Son Excellence n'est point de s'emparer de leurs blés ni de leurs bestiaux, bien moins encore de les priver de ce qui est nécessaire à leur subsistance ; il ne se propose que de les mettre en lieu de sûreté et de les soustraire, si le cas le requiert, à la disposition de nos ennemis ; ils seront reçus alors par les commissaires fidèles qui en tiendront un compte exact. »

Une crise de fidélité

Les sentiments des Canadiens semblent évoluer de façon plus précise, à partir du début de 1781 : si les États-Unis envahissent la province pour la conquérir et en faire un nouvel État, les nouveaux sujets ne marcheront pas. Si, d'autre part, la France entreprenait la reconquête de son ancienne colonie, il est probable que plusieurs Canadiens prendraient les armes pour l'aider et que la plupart manifesteraient une attitude sympathique.

Le 15 janvier 1781, le gouverneur Haldimand signe une proclamation à laquelle Briand prête son appui dans sa lettre au clergé. Le texte rappelle qu'une invasion du territoire est toujours possible. Sa publication dans la *Gazette* de Québec, le seul organe d'information de la province, incite divers groupes à manifester leur appui au gouverneur, appui que peut-être il a lui-même souhaité. L'hebdomadaire de Québec publie, dans son édition du 15 février, le texte des pétitions. Des citoyens britanniques de Montréal s'assemblent pour établir la teneur de la lettre.

> Quand nous considérons les calamités de la guerre et l'oppression que nos cosujets des colonies voisines souffrent encore sous la tyrannie arbitraire de leurs chefs, nous ne pouvons que reconnaître les avantages d'un gouvernement constitutionnel dont nous avons le bonheur de jouir sous l'administration de votre Excellence et votre attention à nos intérêts par vos efforts infatigables pour protéger notre commerce. [...] Il ne nous reste qu'à assurer Votre Excellence que nous concourrons avec zèle aux mesures qui tendront à la protection et à la sûreté de

> la province, et que nous nous soumettrons avec joie à être disposés suivant les règlements que vous jugerez les plus propres à cette fin.

Les nouveaux sujets de Montréal présentent une pétition séparée de celle des anciens, mais dont la teneur est à peu près identique. À Québec, les Anglais sont « gentilshommes, marchands et négociants ». Ils dénoncent « les hostiles desseins de nos frères infatués et abusés des provinces voisines contre la paix de cette colonie ». Quant aux nouveaux sujets de la capitale, ils sont prêts à tous les efforts pour s'opposer à l'invasion américaine, « laquelle ne pourrait que nous plonger, ainsi que les habitants des campagnes, dans l'état le plus malheureux ».

Du côté américain, l'année 1781 est marquée par quelques projets individuels de conquête du Canada, mais Washington connaît des problèmes non seulement avec les troupes anglaises et françaises, mais aussi avec ses propres soldats qui ne sont pas toujours payés et qui manifestent parfois un dangereux esprit d'indiscipline. Il en va de même en 1782. En Angleterre, on espère une solution qui mettra fin à cette guerre fratricide. Au mois de mars, lord Rockingham nomme Richard Oswald délégué britannique auprès des émissaires américains pour commencer à négocier des ententes préliminaires de paix. Plusieurs Américains, en particulier John Adams, croient que la paix sera impossible tant que le Canada demeurera possession britannique. Adams écrit à Franklin, le 16 avril : « S'il y a une disposition réelle à permettre au Canada d'accéder à l'association américaine, [...] il ne pourrait pas y avoir de grandes difficultés à tout régler entre l'Angleterre et l'Amérique. »

Les négociations se déroulent à Paris. Benjamin Franklin, John Jay, John Adams et Henry Laurens forment la délégation américaine. Le vieux Franklin veut amener le délégué anglais à céder le Canada aux États-Unis. Comme l'Angleterre a subi, au cours des dernières années de la guerre, de nombreuses défaites, sa position est précaire. Franklin, partant du principe que l'ancienne mère patrie veut une réconciliation réelle avec les États-Unis et non seulement une paix ordinaire, brandit la menace de réclamations de la part du nouveau pays.

> Je ne sais pas si les Américains insisteront sur une réparation ; peut-être ils le devraient ; mais ne vaudrait-il pas mieux que l'Angleterre l'offrît ? Rien ne serait plus propre à rapprocher les esprits. [...] Si donc on proposait un moyen qui tendît à effacer le souvenir des injures, en même temps qu'il extirperait le germe de nouvelles méfiances, ce moyen très peu dispendieux, je le répète, aurait une extrême efficacité. La Grande-Bretagne possède le Canada : le principal avantage qui en résulte pour elle est le commerce des pelleteries. Le gouvernement et la défense de cet établissement doivent lui coûter des sommes énormes. Il serait très humiliant pour elle de le céder sur la demande des États-Unis ; peut-être l'Amérique ne le demandera pas. [...] Cependant l'offre volontaire de cette province produirait en général le meilleur effet sur l'esprit du peuple ; ce serait, néanmoins, sous la condition qu'en tout temps l'Angleterre jouirait, dans le Canada, d'un commerce entièrement libre et dégagé de toute espèce de douane. On vendrait les terrains inutiles jusqu'à concurrence de la somme nécessaire pour payer les maisons qui ont été brûlées par les troupes anglaises et par les Indiens, et en même temps pour indemniser les royalistes de la confiscation de leur fortune.

Les commissaires signent, le 30 novembre 1782, les articles préliminaires de paix. Québec apprend la nouvelle au printemps de l'année suivante et la *Gazette* de Québec publie le texte de l'entente dans son édition du 8 mai.

Départ des Allemands

Vers la mi-juin, le baron de Riedesel reçoit une lettre de lord North lui demandant de se préparer à quitter la province de Québec avec ses hommes. Le général allemand fait part de la nouvelle au duc Ferdinand de Brunswick le 2 juillet :

> Nous avons reçu l'ordre de nous embarquer. Cela me donne l'espoir assuré de pouvoir bientôt payer mes respects à Votre Altesse en personne, et j'aspire à ce moment. [...] La province du Canada est aussi compromise par la paix, et je crois que cela provient d'une fausse appréciation de sa position. Le ministre anglais a consenti à céder aux Américains plus de territoire qu'ils n'en demandaient réellement. Le général Haldimand est, par conséquent, placé dans une mauvaise situation, car il ne sait pas comment satisfaire aux demandes des Indiens et comment protéger le commerce des Hautes-Terres.

Au début du mois d'août, la majeure partie des troupes allemandes quitte Québec à bord de 25 vaisseaux. Un peu auparavant, le lieutenant général Friedrich Wilhelm de Lossberg avait offert l'amnistie générale à ceux qui avaient déserté les troupes du Hesse-Hanau. Quelques déserteurs et soldats ont préféré demeurer en terre québécoise pour s'y établir en permanence.

Une drôle de liberté

Les personnes incarcérées par Haldimand retrouvent leur liberté au début du mois de mai 1783, sans avoir subi aucun procès, donc sans avoir été jugés coupables ou innocentes. Pierre Du Calvet désire en avoir le cœur net ; ainsi décide-t-il de se rendre à Londres faire appel à la justice royale.

> Je suis si fatigué de rester courbé sous le poids de la tyrannie de ce gouverneur, que je suis résolu, à quelque prix que ce soit, de m'en retirer pour passer à Londres, pour effrayer par les plus actifs efforts si je pourrai atteindre aux lois de la nation, que je réclame par honneur, pour obtenir justice de mon injuste, criante et horrible détention, laquelle doit être regardée ainsi aux yeux de tous les honnêtes individus du genre humain et des nations les moins civilisées du globe. [...] Je pars, je puis le dire, pour toute ressource ; pour ne pas rester esclave et exposé à être égorgé chez moi par le premier qui imaginerait un prétexte. Je pars, dis-je, avec mon enfant, pour toute fortune, pour ne pas le laisser exposé à être victime de l'iniquité qui règne ici.

Mais tous les prisonniers ne quittent pas leur lieu d'incarcération avec autant d'amertume. La plupart retrouvent vite le goût de vivre. Ainsi Valentin Jautard épouse-t-il, le lundi 25 août, à dix heures du soir, une femme deux fois veuve et âgée de 71 ans !

Le traité définitif de paix entre les États-Unis et l'Angleterre est signé le 3 septembre 1783. Une nouvelle ère de paix s'installe dans la province de Québec.

L'invasion américaine a permis aux autorités britanniques de prendre le pouls de la population canadienne, de se rendre compte que sa fidélité n'était pas à toute épreuve et qu'elle variait suivant les aléas de la guerre. L'*Acte de Québec* avait réussi à convaincre la noblesse, les seigneurs et le clergé qu'il valait mieux demeurer sous la tutelle britannique, mais le peuple fut pendant longtemps hésitant.

Du Calvet a peut-être vu juste, tout en exagérant encore une fois un peu, lorsqu'il écrit dans son *Appel à la justice de l'État* :

> Qu'il est triste d'être vaincu, s'il n'en coûtait que le sang qui arrose les champs de bataille ! À la vérité, la plaie serait bien profonde, bien douloureuse ; elle saignerait pour bien des années ; après tout, la révolution des temps la fermerait, la consoliderait à la fin : mais être condamné à sentir la continuité de la main d'un vainqueur, qui s'appesantit sur nous ; mais être esclave à perpétuité, sous l'empire d'un souverain qui est le père constitutionnel du peuple le plus libre qui soit dans l'univers ; oh, pour le coup, c'en est trop ! Serait-ce que notre lâcheté à disputer la victoire, en nous dégradant dans l'esprit de nos conquérants, aurait mérité la survivance de leur colère et de leur mépris ?

L'ÈRE DES PÉTITIONS 1784-1791

Aux tres Honorables les Seigneurs Spirituels et Temporels Aſſemblés en Parlement.

Humble Adreſſe des anciens et nouveaux Sujets habitant la Province de Quebec ;

Qu'il plaiſe a vos Seigneuries ;

APRES la réduction de cette province par les armes de la Grande Bretagne, vos ſupplians, ſous l'auſpice et en conſequence de la proclamation royale de ſa Majeſté, en date du 7me Octobre, 1763, ont reſté et ſe ſont etablis dans la province de Quebec, dans l'entiere confiance d'y jouir des loix, de la liberté et de la ſureté que les principes de la conſtitution Angloiſe accordent à tous les

PEU APRÈS LA DÉCLARATION D'INDÉPENDANCE DES ÉTATS-UNIS, se rendant compte que les armes favorisent de plus en plus les rebelles et voulant demeurer fidèles à l'Angleterre, plusieurs citoyens des Treize Colonies prennent le chemin du Canada. La province de Québec reçoit son premier contingent fin 1776. Sous la direction du docteur Samuel Adams, d'Albany, quelques loyalistes vont vers Sorel. Déjà, d'autres, commandés par Ebenezer et Edward Jessup, étaient venus offrir leurs services à l'armée britannique. Le 12 décembre, le gouverneur Carleton fait part au général Phillips des mesures à prendre pour former des corps de réfugiés. De plus en plus, on se méfie des espions déguisés en loyalistes.

Yamachiche, petit village situé non loin de Trois-Rivières, et Sorel sont presque convertis en centre d'accueil pour réfugiés. Le 6 octobre 1778, Haldimand charge Conrad Gugy de surveiller l'établissement loyaliste de son village. Comme bon nombre d'arrivants ont dû fuir précipitamment, ils arrivent dans la province dans un certain état de dénuement. Le 12 novembre, le gouverneur demande à Gugy de faire construire de nouvelles maisons pour accueillir d'autres groupes de loyalistes et l'avertit qu'on lui envoie de la literie et des ustensiles. Au mois de juillet précédent, déjà une centaine de réfugiés avaient reçu une aide gouvernementale. L'année suivante, on dénombre à Sorel 87 colons américains « venus de Susquehanna, d'Albany, de Charlotte et de Gloucester ».

Mis à part la pauvreté, le problème le plus important est celui de l'installation des loyalistes sur des terres. En 1780, Haldimand acquiert, au nom du gouvernement, la seigneurie de Sorel. « Chaque loyaliste, écrit l'historien Olivier Maurault, a droit à un lot en ville, à une terre aux environs et à une autre propriété, à son choix, au Canada ; cent âcres aux militaires et soixante aux civils. »

Le flot des immigrants prend de l'importance, surtout à partir du moment où la paix se négocie entre les États-Unis et l'Angleterre. L'on sait alors que les Treize Colonies ne seront plus jamais anglaises. Ceux qui veulent demeurer fidèles à la mère patrie optent alors surtout pour la Nouvelle-Écosse. Leur nombre est assez important pour amener, en 1785, la division de la Nouvelle-Écosse en deux provinces et la création, par le fait même, du Nouveau-Brunswick.

On évalue à environ 7000 le nombre de loyalistes qui s'établissent dans la province de Québec. En juillet 1783, par exemple, huit compagnies de soldats s'organisent en milice et prennent le chemin de Sorel où elles hivernent.

Le 16 juillet 1783, à Saint James, George III signe des instructions supplémentaires à l'intention de son représentant à Québec. Le souverain britannique veut que ses loyaux sujets reçoivent un traitement de faveur. Il écrit à Haldimand :

> Considérant qu'un grand nombre de nos loyaux sujets, habitant les colonies et provinces situées maintenant dans les États-Unis d'Amérique désirent nous continuer leur allégeance et vivre dans nos possessions ; que, dans ce dessein, ils sont disposés à prendre et cultiver des terres dans notre province de Québec et qu'il nous fait plaisir d'engager nosdits loyaux sujets à persévérer dans ce projet et de témoigner notre approbation de leur fidélité à notre égard et de leur soumission à notre gouvernement en leur répartissant des terres dans notre dite province ; et attendu que nous sommes aussi désireux d'exprimer notre satisfaction de la bravoure et de la loyauté dont ont fait preuve nos troupes en service dans ladite province et qui y auraient été réformées, en accordant une certaine étendue de terres aux sous-officiers et soldats de nosdites troupes qui se proposeraient de s'établir dans la province, c'est notre bon plaisir et volonté que, dès la réception de nos présentes instructions, vous ordonniez à notre arpenteur général des terres dans notre dite province de Québec d'arpenter et de réserver telle étendue de terre que, de l'avis de notre Conseil, vous jugerez nécessaire et suffisante pour l'établissement de nosdits loyaux sujets et des sous-officiers et soldats de nos troupes qui auraient été réformés dans notre dite province et qui désireraient y devenir colons.

Ces terres devront être situées dans des endroits non déjà concédés en seigneuries. Les nouvelles divisions appartiendront au roi qui aura les mêmes droits et privilèges que les autres seigneurs. « Ces dites concessions seront détenues sous notre autorité et celle de nos héritiers et successeurs, seigneurs de la seigneurie ou du fief dans laquelle ou lequel elles seront situées, et aux mêmes conditions, reconnaissances et services que les terres qui sont détenues dans notre dite province sous les divers seigneurs y tenant et possédant des seigneuries ou fiefs. Il sera réservé à nous, nos héritiers et successeurs, à partir de l'expiration des dix années qui suivront l'admission des tenanciers respectifs, une rente d'un demi-penny l'acre. »

Une aide précieuse

Les instructions précisent aussi la quantité de terre à concéder à chacun selon son titre et qualité : « À tout chef de famille, cent acres et 50 acres pour chaque personne composant sa famille ; à tout célibataire, 50 acres ; à tout sous-officier de nos armées, réformé à Québec, 200 acres ; à tout simple soldat réformé comme ci-dessus, 100 acres ; et à chaque personne de sa famille, 50 acres. »

Au printemps de 1784, on procède à l'arpentage de huit seigneuries situées entre la baie de Quinté et la rivière Outaouais. L'année suivante, sir John Johnson voit à l'établissement sur ces terres des loyalistes cantonnés à Sorel, Yamachiche et Saint-Jean. Haldimand lui avait demandé de ne pas employer le mot *township*, qui référait au mode de concession de terres dans les autres colonies anglaises et que l'on appelait concession en franc et commun soccage. À la différence du système seigneurial, il n'y avait pas alors de rentes annuelles à payer. Les nouveaux territoires seront donc tout simplement numérotés « comme des seigneuries royales à tenir d'après la tenure féodale ».

Le gouvernement fournit aux nouveaux colons du blé de semence, du maïs, des pommes de terre, des vaches, des bœufs, ainsi que des instruments agricoles. Comme les loyalistes arrivent dans la province de Québec avec l'auréole du martyr, ils ne se gênent pas pour manifester rapidement leur mécontentement sur plusieurs sujets. Les territoires où ils s'installent font toujours partie de la province de Québec et ils acceptent mal les lois et les coutumes un peu trop françaises de cette colonie.

L'ère des pétitions

À Londres, le 11 avril 1785, le colonel Guy Johnson présente au roi une pétition au nom de sir John Johnson et des loyalistes. Après avoir rappelé qu'ils ont tout quitté par loyalisme, les pétitionnaires déclarent :

> Que la tenure des terres au Canada les soumet aux règles, hommages, réserves et restrictions rigoureux des lois et coutumes françaises si différentes des tenures peu sévères auxquelles ils étaient habitués et dont les autres sujets de Votre Majesté continuent de jouir, a occasionné un mécontentement général et aurait induit plusieurs à refuser d'accepter leurs concessions et à abandonner l'entreprise, n'eût été l'influence de vos pétitionnaires, qui les avaient d'abord fait entrer dans le service et sur les efforts desquels ils comptaient pour se faire accorder, par votre royale faveur, les mêmes conditions et les mêmes lois dont ils jouissaient auparavant sous les auspices du gouvernement de Votre Majesté. Dans l'espoir de cet heureux événement, on les persuada de conserver leurs établissements sur lesquels, au prix de beaucoup de travail et d'argent, ils avaient déjà élevé des maisons et défriché une partie des terres à eux concédées.

La solution à tous les problèmes est simple : soustraire les nouveaux territoires ouverts à la colonisation à l'emprise de Québec.

> Il est proposé que le comté de Pointe Beaudet, sur le lac Saint-François dans le fleuve Saint-Laurent, et de là en allant à l'ouest, forme un district distinct de la province de Québec et sous le gouvernement d'un lieutenant-gouverneur et d'un Conseil nommés par Votre Majesté et revêtus des pouvoirs nécessaires pour l'administration intérieure, mais subordonnés au gouvernement et au Conseil de Québec, comme l'île du Cap-Breton l'est maintenant au gouvernement de la Nouvelle-Écosse. Ce territoire comprendra tous les établissements occupés ou

devant être occupés par les troupes licenciées et les autres loyalistes, tandis que le Canada français et les seigneuries françaises restent tels qu'auparavant.

Le nouveau district aurait Cataracoui (Kingston) comme chef-lieu et posséderait ses propres cours de justice ; cela leur permettrait d'échapper aux lois françaises.

> Les habitants de ce territoire, atteignant déjà le chiffre de plusieurs mille, croient en toute humilité avoir les meilleurs motifs d'espérer obtenir une juridiction distincte comme ils le désirent ; ils sont nés sujets britanniques et ont toujours vécu sous le gouvernement et les lois d'Angleterre. C'est dans ce dessein de rétablir ce gouvernement et de repasser sous ces lois que, de cultivateurs, ils devinrent soldats, remplis d'espoir, devant même l'aspect le plus décourageant des affaires publiques, que, dussent-ils faillir dans leur tentative de retrouver leurs anciennes habitations par le rétablissement du gouvernement de Votre Majesté, ils trouveraient quand même un endroit dans certaines parties des possessions anglaises où ils pourraient jouir des bienfaits du gouvernement et des lois britanniques ; et ils sont encore pleinement confiants que, par l'intercession gracieuse de Votre Majesté, ils seront exemptés des charges des tenures françaises qui, bien que convenables aux hommes nés et élevés sous ce régime, sont inadmissibles au dernier point pour des Anglais.

Les pétitionnaires font enfin valoir que si on n'accède pas à leurs demandes, plusieurs s'exileront.

> Pour notre part, nous nous considérons liés par les plus fortes obligations de faire tous les efforts possibles afin de seconder les désirs de cette population. C'est par notre exemple que beaucoup d'entre eux ont été induits à délaisser leurs anciennes habitations et prendre les armes, ce qui leur a valu la perte de leurs propriétés et le bannissement de leur pays ; et c'est dans l'espoir de voir notre démarche auprès de leur souverain couronnée de succès qu'ils ont entrepris la tâche ardue de fonder une colonie dans une contrée sauvage et inhospitalière. Connaissant bien les sentiments de ces citoyens et les coutumes dans lesquelles ils ont été élevés nous croyons de notre devoir de déclarer très respectueusement qu'à notre avis, à moins d'atteindre le but auquel ils tendent, pris de découragement, ils abandonneront leur présente entreprise et préféreront quelque autre partie des possessions de Votre Majesté, où ils goûteront les bienfaits de la constitution britannique, mais où peut-être ils ne rendront pas autant de services que dans leur actuelle condition, si on les couvre de la protection sollicitée.

Le problème, pour ne pas dire l'ultimatum, est clairement posé. Les opposants à l'Acte de Québec et au rétablissement des lois civiles françaises dans la province découvrent rapidement tout l'appui qu'ils peuvent tirer des loyalistes. Haldimand avait mal jugé l'attitude qu'adopteraient ces derniers, lorsqu'il écrit à lord North le 6 novembre 1783 :

> On m'apprend que quelques-uns des anciens sujets de Sa Majesté, dans une pétition rédigée dans le dessein de la présenter au parlement, s'appuient fortement sur le nombre de loyalistes qui viendront se fixer dans la province et s'en servent comme d'un argument en faveur du rappel de l'Acte de Québec et de l'institution d'une chambre d'assemblée. J'ai lieu de croire plutôt que ces malheureux ont dû

trop souffrir des comités et des chambres d'assemblée pour entretenir encore des prédilections envers ce système administratif et qu'ils n'ont aucune répugnance à vivre sous la constitution conférée au pays par la loi.

Henry Hamilton, qui devient lieutenant-gouverneur lors du départ de Haldimand le 16 novembre 1784, est convaincu que Londres doit accéder aux demandes des loyalistes. « La question principale à considérer par la législature, écrit-il au baron Sydney, secrétaire d'État au ministère de l'Intérieur, est l'arrivée dans cette province d'un bon nombre d'Anglais ou de descendants d'Anglais, qui doivent détester leur sujétion à une autorité à laquelle ils ne sont pas habitués et à des hommes dont les coutumes et la langue leur sont encore étrangères. Il faudrait légiférer à l'effet de concilier ces populations et, si possible, de prévenir toute récrimination en allant au-devant des griefs. »

Deux Canadiens à Londres

Avec le temps, les Canadiens sont devenus prudents et ils préfèrent régler eux-mêmes leurs problèmes et ne pas confier leur représentation à d'autres. En 1783, craignant que Londres adopte des modifications à l'Acte de Québec qui viendraient restreindre ce qui avait été concédé en 1774, plusieurs Canadiens se cotisent pour envoyer dans la métropole deux représentants : le notaire Jean De Lisle et le négociant Jean-Baptiste-Amable Adhémar, tous deux de Montréal et choisis « par les suffrages des citoyens recueillis de maison en maison ». William Dummer Powell se rend aussi à Londres représenter les intérêts d'un groupe d'Anglais de Montréal. Une partie de la mission des deux Canadiens consiste à tenter d'obtenir des autorités anglaises la permission « d'avoir des prêtres d'Europe pour exercer la religion romaine qui y est établie ».

En février 1784, Adhémar et De Lisle rencontrent le baron Francis Maseres, l'agent général de la province de Québec à Londres. Ce dernier leur remet une série de cinq questions auxquelles les Canadiens devront répondre :

> 1° Serait-il agréable aux Canadiens que la loi anglaise de l'*Habeas Corpus* fût introduite solennellement par acte du Parlement, en Canada ? 2° Serait-il agréable aux Canadiens de faire rétablir, dans les cours de justice de la province, le droit d'avoir des jurés pour décider les faits qui seraient contestés entre les parties litigeantes en matières civiles, si les parties, ou l'une d'elles, le demandaient, comme il existait dans la province depuis le mois de septembre 1764 jusqu'au premier de mai 1775 ? 3° Serait-il agréable aux Canadiens que, pour faire agir les membres du Conseil législatif de la province avec plus de liberté et de zèle pour le bien de la province et pour les rendre plus respectables aux yeux des autres habitants de la province, il fût ordonné de la façon la moins équivoque et la plus solennelle, par un acte du Parlement, que le gouverneur n'eût pas le pouvoir ou de destituer aucun membre de ce conseil de son office de conseiller ou même de le suspendre pour un temps, quelque court qu'il fût, sans le consentement des quatre cinquièmes parties des membres du Conse il ? 4° Serait-il agréable aux Canadiens que, pour rendre les juges de la province plus courageux à administrer la justice avec impartialité, il fut ordonné par un acte du Parlement qu'aucun d'eux ne fût amovible de son office de juge par le gouverneur de la province sous

> quelque prétexte que ce fût. [...] 5° Serait-il agréable aux Canadiens qu'il fût déclaré par un acte du Parlement que le gouverneur de la province ne pût jamais emprisonner aucune personne dans la province, pour quelque cause que ce fût ; mais que le devoir d'emprisonner les personnes qui auraient offensé les lois et mériteraient d'être mises en prison, n'appartint qu'aux juges criminels ?

Le 13 mars suivant, les deux délégués canadiens déclarent qu'il n'y a pas d'objection à ce que le Parlement anglais légifère sur les cinq points soumis.

Le 1er avril 1784, Adhémar et De Lisle font rapport à leurs commettants. Selon eux, Londres se prépare à accorder une Chambre d'assemblée, mais elle tiendra compte de la présence française. « Le gouvernement conçoit aisément que nous formons la généralité des individus de notre province. La disproportion de dix-neuf à un est trop frappante pour n'être pas observée par la partie généreuse et impartiale du reste de la nation. [...] Nous sommes donc, ainsi que vous le voyez, suffisamment encouragés à croire que, si nous désirons fortement un amendement du bill de Québec, nous l'obtiendrons et que, si nous croyons que l'établissement d'une maison d'assemblée dans laquelle nous serions indistinctement admis, notre religion et nos lois préalablement conservées, nous l'obtiendrons également. » De Lisle quitte Londres au printemps de 1784, alors qu'Adhémar continue sa mission jusqu'en mai 1786.

Plaise à Sa Majesté

L'idée d'une Chambre d'assemblée pour la province de Québec rassemble de plus en plus d'adeptes, surtout chez les Anglais. Le Conseil législatif se réunit à la fin de mars 1784. Un groupe de citoyens de la ville de Québec demandent à assister aux délibérations. Par un vote de onze à cinq, leur demande est rejetée. « Cette réponse dispose de toute future demande analogue. » Le lieutenant-gouverneur Hamilton et Hugh Finlay font enregistrer leur désaccord.

Le 22 avril, le conseiller William Grant demande qu'un comité soit formé au sein des conseillers pour rédiger une pétition demandant une Chambre d'assemblée. Comme il faut attendre que la motion soit traduite en français pour que la discussion s'engage, le conseiller Luc de La Corne profite de l'intervalle pour faire adopter, par douze voix contre cinq, une motion demandant le maintien de l'Acte de Québec.

Le conseiller et directeur général des postes Hugh Finlay fait savoir à Evan Nepean, premier sous-secrétaire d'État permanent à l'Intérieur, que les Canadiens, dans l'ensemble, ne veulent pas de Chambre d'assemblée. À ce sujet, il lui écrit, le 22 octobre 1784 :

> Les partisans d'une chambre d'assemblée dans cette province tiennent pour certain que le peuple désire avoir des représentants ; mais cela n'est qu'une conjoncture, car j'oserais affirmer que pas un seul propriétaire foncier canadien sur cinquante a examiné la question et que, l'affaire lui fut-elle proposée, il se déclarerait sans hésiter incapable d'être juge en la matière. Bien que les paysans canadiens soient loin d'être stupides, ils sont à l'heure actuelle plongés dans l'ignorance ; faute d'instruction, pas un homme sur cinq d'entre eux ne sait lire : peut-être ce

fut-il la politique du clergé de les garder dans les ténèbres, car c'est une croyance favorite des prêtres catholiques romains que l'ignorance est la mère de la dévotion. [...] Avant de songer à une chambre d'assemblée pour ce pays, établissons des institutions qui donneront au peuple le savoir dont il a besoin pour juger de sa situation et discerner ce qui pourrait contribuer à la prospérité future de la province. [...] Quand le peuple, par le moyen de l'instruction, deviendra plus éclairé, il désirera probablement la modification du présent système. Quand ce désir se manifestera, que le changement s'opère ; en attendant, qu'il soit toujours entendu qu'une chambre sera instituée lorsque la majorité du peuple le demandera.

L'ère des assemblées

Cinq cents citoyens, dont seulement quatre Canadiens, signent une nouvelle pétition au roi demandant une Chambre d'assemblée. Parmi les signataires se trouvent plusieurs loyalistes américains et quelques Juifs et Allemands. Les pétitionnaires demandent :

> 1° Que la Chambre des représentants ou l'assemblée soit élue par les paroisses, villes et districts de la province et composée indistinctement d'anciens et de nouveaux sujets de Votre Majesté de la manière que Votre Majesté, dans sa sagesse, jugera la meilleure ; que l'Assemblée soit triennale et les membres élus tous les trois ans. 2° Que le Conseil se compose d'au moins trente membres et que, en cas de vote sur toute mesure présentée, nulle loi ne soit adoptée sans le vote de douze membres. [...] 3° Que les lois criminelles d'Angleterre soient maintenues telles qu'actuellement établies par l'Acte de Québec. 4° Que les anciennes lois et coutumes de ce pays concernant la propriété foncière, les douaires, héritages et dots restent en vigueur, mais qu'elles puissent être modifiées par la législature de Québec. [...] 5° Que les lois commerciales d'Angleterre soient proclamées celles de cette province en toutes affaires de commerce, mais la législature de Québec pourra les modifier comme à l'article précédent. 6° Que l'Acte d'*Habeas Corpus*, 31 Charles second, devienne partie intégrante de la constitution de ce pays. [...] 14° Vos pétitionnaires osent humblement représenter à Votre Majesté que, vu leur proximité des États-Unis qui, par suite, de leur situation et du climat, ont sur eux plusieurs avantages, les règlements pour favoriser le commerce intérieur et l'agriculture de cette province sont devenus plus difficiles et plus compliqués et la législature ici devra apporter une grande attention aux intérêts du pays. En conséquence, ils demandent que l'Assemblée soit investie du pouvoir de prélever les taxes et droits de douane nécessaires pour défrayer les dépenses du gouvernement civil de la province et que, dans ce but, on abroge les lois existantes concernant les taxes et droits douaniers imposés dans la province.

Dans cette pétition datée du 24 novembre, on demande aussi que le procès par jury soit autorisé dans tous les procès, que les shérifs soient élus par la Chambre d'assemblée, que le gouverneur ou son représentant ne puisse suspendre aucun fonctionnaire sans l'accord du Conseil, que les juges soient nommés à vie et que « les appels des tribunaux de cette province à la Couronne se portent à un comité du Conseil ou cour d'appel, composé du très honorable lord chancelier et des juges des cours de Westminster Hall ».

La teneur de la pétition est rapidement connue, car le 30 novembre 1784, plusieurs Canadiens se réunissent chez les pères récollets, à Montréal. Ils esquissent rapidement leurs objections aux demandes des anciens sujets. Ils ne veulent pas d'une Chambre d'assemblée qui pourrait imposer des taxes pour venir en aide à la Grande-Bretagne en lui enlevant les frais d'entretien d'un gouvernement civil dans la province de Québec.

> C'est avec douleur certainement que nous devons regarder le fardeau de notre Mère Patrie ; mais hélas ! ce ne peut être qu'une douleur infructueuse ; car quel remède y pouvons-nous apporter ? Nous, dont les besoins renaissent chaque jour ; nous qui, chaque année, nous dépouillons jusqu'au dernier sol pour payer les effets (déjà consommés) qu'est obligée de fournir cette Mère Patrie ; nous qui, malgré les sommes énormes que la guerre a occasionné de laisser en ce pays, sommes encore en arrière avec la métropole, d'une balance de comptes considérable. Quelles sont donc nos ressources pour appuyer ces taxes ? Sera-ce les villes ? Qui ne connaît pas l'indigence de leurs citoyens. Sera-ce sur les terres ? Qui ne sait pas que les campagnes endettées envers les villes n'ont pu jusqu'à présent se liquider ; que la misère est le partage d'une très grande partie de leurs habitants. Que sera-ce donc, lorsqu'une partie de leurs travaux sera consacrée pour le soutien de l'État ?

Dans leur pétition, les Anglais souhaitent que les anciens et les nouveaux sujets soient éligibles à la condition, précisent-ils, dans un plan en annexe, de posséder des biens dont la valeur locative annuelle est d'au moins trente livres sterling.

Les Canadiens ne cachent pas leur scepticisme sur l'égalité des chances des deux groupes ethniques. « Il pourra y avoir, affirment-ils, autant et même plus d'anciens que de nouveaux sujets dans la chambre ; ce qui serait contraire au droit naturel, puisqu'il y a vingt Canadiens contre un ancien sujet. Que deviendront nos droits confiés à des étrangers à nos lois ? »

Le ou les rédacteurs des réponses aux demandes des anciens sujets ne manquent pas d'esprit et d'ironie. Ils sont contre le fait d'accorder pour tout procès le droit aux jurés. « Cet article est entièrement en faveur du riche contre le pauvre. Si ce sont des jurés ordinaires : pauvres, que deviendront vos familles, lorsqu'il vous faudra laisser vos travaux, une partie de l'année, pour aller décider des causes qui ne vous regardent en rien ? » Ils s'en prennent surtout à la conclusion de la pétition du 24 novembre où l'on établit une comparaison entre le commerce des États-Unis et celui de la province de Québec. « Qu'y a-t-il de commun entre notre demande et cette proximité, ce climat, cette situation des États-Unis, qui leur donnent l'avantage du commerce sur nous ? Sera-ce par le moyen des taxes qu'on prolongera notre été de trois mois, qu'on rendra notre fleuve navigable toute l'année ? Non : donc l'avantage restera toujours chez nos voisins. Sera-ce les taxes qui feront fleurir notre agriculture ? Non : puisque les seigneurs, pour l'encourager, donnent des terres pour trois ans sans aucune redevance et qu'elles restent incultes faute de moyens pour les ouvrir. » L'opposition d'une bonne partie des Canadiens à tout ce qui peut ressembler à une taxe vient de naître et elle vivra longtemps !

Les « citoyens catholiques romains » rédigent donc, à leur tour, une pétition au roi où ils demandent le maintien du statu quo.

Selon l'historien Marine Leland, « ces réunions de novembre 1784 marquèrent le début d'une lutte implacable qui devait diviser les Canadiens pendant les cinq années qui suivirent ». Même à l'époque, l'esprit de division qui règne dans la province de Québec n'échappe pas aux autorités civiles.

Le lieutenant-gouverneur Henry Hope y fait écho dans sa lettre du 2 novembre 1785 à lord Sydney :

> Je m'appliquerai donc, soyez-en assuré milord, à combattre et à réprimer cet esprit en autant que je le pourrai et à tâcher de ramener, par la modération et l'impartialité, tous les sujets de Sa Majesté au sentiment de leur devoir et au désir de rétablir la tranquillité dans la province. [...] Je suis heureux d'informer Votre Seigneurie que l'esprit de faction et le goût des innovations (nonobstant l'encouragement qu'ils ont eu et l'effet que produisirent les émissaires envoyés par les comités dans plusieurs paroisses), n'ont obtenu que peu de succès parmi les Canadiens en général. Ceux d'entre eux qui ont signé les adresses, pétitions, etc., sont surtout des bourgeois et des marchands des villes de Québec et de Montréal, dont les moyens dépendent des commerçants anglais et nullement, à peu d'exceptions près, gens respectables. La noblesse, les propriétaires fonciers, le clergé séculier apprécient, je crois, les avantages de retirer de l'acte du Parlement et, conséquemment, en souhaitent ardemment le maintien.

Un gain pour les Anglais

Le 21 avril 1785, le lieutenant-gouverneur Henry Hamilton donne son accord à une ordonnance du Conseil législatif établissant les procès par jury dans les affaires de commerce et d'injures personnelles. La nouvelle loi répondait à des demandes formulées par les sujets anglais de la colonie. Elle modifie une partie des lois civiles françaises remises en vigueur par l'Acte de Québec. Dans le cas de procès opposant des sujets nés en Grande-Bretagne, en Irlande et dans les colonies et provinces d'Amérique, les jurés seront choisis exclusivement parmi les anciens sujets ; dans les procès entre Canadiens, tous les jurés seront Canadiens ; dans les procès mixtes, « les jurés seront composés d'un nombre égal de chacun, s'il en est ainsi requis par l'une des parties ».

L'article 10 de l'ordonnance donne prépondérance aux lois anglaises dans un secteur précis : « Dans la preuve de tous faits concernant les affaires de commerce, on aura recours, dans toutes les cours de juridiction civile en cette province, aux formes admises, quant aux témoignages, par les lois anglaises. »

L'entrée en fonction de William Smith au poste de juge en chef, à la suite de son assermentation à Québec, le 23 octobre 1786, va signifier une lutte ouverte contre l'Acte de Québec. Le magistrat, un loyaliste de New York, veut établir un nouveau mode d'administration de la justice. Le 29 décembre, il casse un jugement rendu par la Cour des Plaidoyers Communs dans la cause entre William et Robert Grant et Alex Gray, affirmant que, comme les deux parties étaient anglaises, leur cause aurait dû être mise en jugement selon les lois anglaises et non selon celles de la province de Québec. « Le jugement que j'ai rendu le 29 dernier à la Cour d'Appel, note le juge dans son journal, surprend les Français et déplaît aux avocats. Lord

Dorchester ne comprend pas les principes sur lesquels je me base. Le lieutenant-gouverneur Hope veut en savoir plus long. J'ai expliqué l'affaire à My Lord. Il me conseille d'écrire en Angleterre pour éviter toute mauvaise interprétation. »

L'affaire est de taille car, si le juge Smith crée une nouvelle jurisprudence, cela signifiera qu'à l'avenir les lois civiles françaises ne serviront qu'entre sujets canadiens et que les Anglais auront leurs propres lois civiles. Smith consulte donc Hugh Finlay et William Grant qui, à leur tour, le 7 janvier 1787, veulent connaître l'avis de François-Joseph Cugnet, le plus grand juriste canadien. Ce dernier se dit d'accord avec l'interprétation du juge en chef. « Cugnet n'hésita pas un instant, écrit Marine Leland, à fournir au juge en chef l'opinion qu'il désirait, quitte à trahir, ce faisant, les lois qu'il avait défendues, la vérité, le bon sens, ainsi qu'une foule de sentiments essentiellement normaux, mais dont la pensée ne semble pas l'avoir effleuré. »

Dans une lettre à Nepean, le 2 janvier 1787, Smith justifie son geste en faisant valoir les inconvénients que représente pour les sujets anglais l'application des lois civiles françaises. Le 12 mars suivant, le juge en chef présente au Conseil législatif un projet de loi visant à donner aux Anglais le droit d'être jugés selon les lois anglaises et aux Canadiens, de l'être selon les lois civiles françaises est rejeté par une seule voix de majorité.

L'attitude de William Smith réanime ceux qui veulent le rappel de l'Acte de Québec, tout en incitant quelques autres à montrer plus de prudence. Jean-François Cugnet écrit le 1er février 1787 :

> Le juge en chef, homme d'esprit, mais vain de ses connaissances, trop souvent emporté dans ses opinions, trop mordant sur l'administration des juges inférieurs, vient de se mettre un parti à dos très considérable. Quatre cents personnes plus fanatiques, plus enthousiastes l'année dernière contre le Bill de Québec, que ne le furent autrefois les rois d'Espagne pour soutenir l'Inquisition et qui étaient du nombre de ceux qui, l'année dernière, demandaient la révocation du Bill de Québec, ont les jours passés présenté une requête à My Lord pour qu'il ne donne pas sa sanction à aucun acte qui pourrait tendre à détruire ce même Bill de Québec qui leur assurait leurs lois de propriété et leurs anciennes coutumes et usages.

Le lieutenant-gouverneur Hope est encore moins tendre pour le juge en chef. Il affirme, dans une lettre à Haldimand, qui vit à Londres : « Le juge Smith veut tout angliciser ; il prétend que les loyalistes américains ont droit à un traitement spécial ; il veut décider les questions de propriété d'après la loi anglaise, avoir deux systèmes différents de lois pour la même province ; par cette conduite indiscrète, il a créé beaucoup de confusion. »

Une nouvelle revendication

Après le secteur judiciaire, le système seigneurial se prépare lui aussi à subir l'assaut des loyalistes. Les magistrats de Cataracoui font part de leurs doléances à sir John Johnson, le 22 décembre 1786.

> Le premier problème qui nous semble d'une importance majeure, écrivent-ils, est la tenure des terres. Les conditions moyennant lesquelles on concède celles-ci aux

> loyalistes dans cette province diffèrent tellement de celles auxquelles ils étaient habitués et sont tellement plus onéreuses que celles exigées de nos frères éprouvées dans la Nouvelle-Écosse et le Nouveau-Brunswick qu'elles déplaisent à tout le monde. À notre pensée, rien n'assurerait autant la prospérité de ces établissements que la concession des terres à des conditions analogues à celles imposées dans le reste de l'Amérique britannique. Cela aurait le résultat immédiat de contenter tout le monde, d'amplifier la valeur de tous les autres bienfaits que les colons ont reçus du gouvernement et serait le plus puissant stimulant à toutes les branches de l'industrie.

La région située à l'ouest de la Pointe Beaudet et qui s'étend jusqu'à Niagara est de plus en plus peuplée de loyalistes. Les dirigeants de ces derniers font parvenir à Guy Carleton, devenu lord Dorchester le 21 août 1786, une pétition faisant encore une fois le bilan de leurs revendications. Ils demandent le même système de concession des terres existant déjà dans les autres provinces. Ils veulent aussi de l'aide pour « établir l'Église d'Angleterre et d'Écosse dans cette toute jeune colonie et la mise à part, dans chaque canton, au profit d'un ministre, d'une glèbe d'une étendue de quatre cents acres ».

Si le gouvernement fournit les moyens financiers, ils pourront établir dans chacun des quatre districts une école « où s'enseigneraient l'anglais, le latin, l'arithmétique et les mathématiques. [...] Ils désirent encore, affirment-ils dans cette pétition du 15 avril 1787, la prohibition de l'entrée de la potasse, de la perlasse et du bois de construction venant de l'État du Vermont, pour empêcher l'ouverture d'une porte à un commerce illicite des États-Unis, lequel se ferait au détriment de la province en général et de cet établissement en particulier et au bénéfice seul de quelques individus intéressés. »

Dorchester transmet la pétition des loyalistes à lord Sydney et demande que la permission soit accordée au gouverneur et au Conseil « de concéder ses terres en franc et commun soccage et non grevées d'aucune redevance à la Couronne ». Le 26 octobre 1787, la permission est accordée. L'historien Maurice Séguin fait remarquer : « Les colons britanniques s'orientent vers le séparatisme et vers le morcellement de l'Amérique du Nord britannique en plusieurs provinces. Et voilà le régime seigneurial parmi les causes qui les éloignent des Canadiens et les empêchent de fonder leurs premiers centres de colonisation au milieu de ceux-ci. »

Et le nom de Canadiens ?

Ceux qui, depuis 1760, ont choisi de venir s'établir dans la province de Québec, portent toujours le nom d'Anglais ou d'anciens sujets. Quelques-uns commencent à s'appeler Canadiens, appellation réservée jusqu'ici aux nouveaux sujets d'origine française. Hugh Finlay étudie les raisons que font valoir certains pour revendiquer le titre de Canadiens.

> Certaines gens affectent d'appeler les sujets naturels du roi nouveaux Canadiens, écrit-il le 13 février 1787. Celui qui a mieux aimé, disent-ils, fixer au Canada sa résidence a perdu son titre d'Anglais. Les vieux Canadiens sont ceux que nous avons assujettis en 1760 et leurs descendants ; les nouveaux Canadiens com-

> prennent les émigrés de l'Angleterre, de l'Écosse, de l'Irlande et des colonies, maintenant les États-Unis. Par la loi de la 14e année du règne de Sa Majesté actuelle [l'Acte de Québec], ils deviennent des Canadiens et Canadiens ils doivent rester toujours. Cette doctrine plaît à la noblesse ou bourgeoisie du pays, laquelle ne se débarrassera point facilement des préjugés français ; mais professer une prédilection pour tout ce qui est français n'est pas à mon avis le meilleur moyen d'angliciser les Canadiens. Quelques-uns des sujets nés de Sa Majesté ici soutiennent, qu'il faut autant que possible tenir les nationaux de cette province à l'écart des autres colons et sans relation avec ceux-ci, afin de servir de remparts solides entre nos établissements et les États-Unis.

Voilà donc qu'en plus de leurs lois civiles et de leur système seigneurial, les Canadiens risquent de perdre l'exclusivité de leur nom !

Notre problème à Londres

Londres ne sait plus que faire de toutes les pétitions contradictoires qui lui sont présentées. Le comité canadien formé à Montréal adopte, le 26 novembre 1787, une résolution nommant comme son agent à Londres Adam Lymburner, un commerçant de Québec.

Dans leurs instructions, les membres du comité précisent :

> Nous vous prions, recommandons et autorisons de soutenir qu'une assemblée du peuple en cette province ne peut être autrement établie et acceptée que sur le pied d'une liberté absolue et indéfinie, quant à la représentation et à l'élection, que celle que nous avons demandé doit être accordée indistinctement composée d'anciens et de nouveaux sujets, librement élus par les habitants des villes et des campagnes de cette province. Ce premier article de nos pétitions forme la base principale de la constitution désirée. Dans les discours ou requêtes que vous serez obligé de faire, vous n'emploierez que les raisonnements et arguments qui résultent des principes établis dans lesdites pétitions.

Les signataires, Dumas, Saint-Martin, Pierre Guy, Pierre Foretier, Joseph Papineau, Jean Delisle, Maurice-Régis Blondeau, J. Bouthilier et J. F. Perrault établissent ensuite les limites du mandat.

Le 16 mai 1788, la Chambre des communes aborde sommairement l'étude de la situation canadienne, mais les ministres demandent un report du débat car, disent-ils, ils ne sont pas prêts à présenter un projet de loi. Lymburner avait obtenu la permission d'être entendu à la barre de la Chambre. Il lut alors « un écrit signalant les défectuosités du système de lois alors en vigueur dans la province et la nécessité d'une réforme ». Le chancelier de l'Échiquier fut celui qui déclara que le Parlement « n'est pas préparé à discuter une affaire d'aussi capitale importance que l'élaboration d'une constitution pour une province immense, florissante et grandissante ». Un membre de l'opposition, Charles James Fox, « tourna en ridicule l'idée que le Parlement n'était pas en état d'élaborer une constitution destinée à la province de Québec », rapporte le *London Chronicle.*

La discussion sur le problème canadien est reportée à la reprise de la session. Les ministres veulent, entre-temps, prendre connaissance de la situation réelle de la colonie. Lord Sydney écrit à Dorchester, le 3 septembre 1788 : « L'ardent désir des ministres de Sa Majesté d'être parfaitement renseignés sur toutes ces affaires aussitôt que possible, les a engagés à faire partir un paquebot extraordinaire, et ils nourrissent l'espoir de recevoir de Votre Seigneurie, au retour du bateau, un exposé complet des sentiments entretenus à l'égard de ces différents chefs d'enquête, communication qu'ils voudraient faite d'une manière qui permette de la déposer au Parlement, lors de la prochaine session. »

Deux mois plus tard, soit le 8 novembre, le gouverneur peut fournir les renseignements demandés. À ce moment-là, la province de Québec est divisée en sept districts : Québec, Montréal, Gaspé et, à l'ouest de la Pointe Beaudet, Luneberg, Mecklenburg, Nassau et Hesse. Les Canadiens occupent les districts de Québec et de Montréal, alors que quelques-uns se retrouvent dans ceux de Gaspé et de Hesse.

> Le commerce du pays se faisant surtout par les Anglais, la population des villes de Québec et de Montréal s'en trouve singulièrement mêlée, à peu près dans la proportion d'un Anglais pour deux Canadiens. Quelques-uns des premiers demeurent aussi à Trois-Rivières, à Terrebonne, à William-Henry [Sorel], à Saint-Jean et à l'entrée du lac Champlain, et un petit nombre sont dispersés parmi les Canadiens dans les paroisses rurales. La traite des fourrures en a groupé quelques centaines à Detroit, comme la pêche en a attiré à la baie des Chaleurs et à d'autres endroits du district de Gaspé. La proportion du nombre d'Anglais à celui des Canadiens dans les districts de Québec et de Montréal, à l'exclusion des villes, peut être environ d'un quarante ; dans les mêmes districts y compris les villes, d'un à quinze ; dans le district de Hesse, d'un à trois ; dans celui de Gaspé, de deux à trois ; et dans toute la province prise dans l'ensemble, d'environ un à cinq.
>
> C'est principalement la classe commerçante de la société des villes de Québec et de Montréal qui préconise le changement des lois et du régime administratif par l'institution d'une assemblée. Les habitants canadiens ou fermiers, que l'on pourrait dénommer le corps principal des francs-tenanciers du pays, n'ayant que peu ou pas d'éducation, ignorent la portée de la question et seraient, je crois, en faveur ou contre, selon qu'ils s'en rapporteraient avec plus de confiance aux sentiments des autres. Le clergé ne semble pas s'être immiscé. Mais les gentilshommes canadiens s'opposent généralement au projet ; ils ne veulent pas de l'introduction d'un code de nouvelles lois dont ils ne connaissent ni la portée ni les tendances ; ils expriment la crainte que l'organisation d'une chambre causera beaucoup de malaise et d'anxiété parmi le peuple et pensent que le bas niveau de l'instruction du pays exposerait celui-ci à adopter et à prendre des mauvaises mesures et à des dangers qui ne menaceraient pas un peuple plus éclairé. Je tiens pour assuré que la crainte de la taxation est l'un des motifs des adversaires du changement et qu'elle exercerait certainement une influence décisive sur les sentiments du vulgaire s'il en venait à examiner les mérites de la question.

La conclusion du gouverneur Dorchester, qui connaît bien la population canadienne, est contraire à celle de la plupart de ses compatriotes : « À mon sens, affirme-t-il, la division de la province n'est en aucune façon opportune à cette heure, pas plus dans l'intérêt des nouveaux que des vieux districts, et je ne vois pas non plus de besoin urgent d'édicter des règlements autres que ceux impliqués dans le sujet de la jurisprudence générale du pays. En fait, il serait encore, il me semble, prématuré d'accorder aux postes de l'Ouest une organisation supérieure à celle d'un comté. »

Connaissant bien les politiciens anglais, Dorchester demande aux ministres que, s'ils maintiennent leur idée de diviser la province de Québec en deux, la ligne de séparation soit la Pointe Beaudet.

Londres décide

La ronde des pétitions et des contre-pétitions continue de plus belle. Le nouveau secrétaire d'État à l'Intérieur, William Wyndham Grenville, signe, le 20 octobre 1789, deux lettres destinées au gouverneur Dorchester, une « personnelle et secrète » et l'autre officielle. Dans la première, il avertit le représentant du roi qu'un projet de loi prévoyant la division de la province de Québec en deux sera bientôt présenté au Parlement. Une des raisons qui en justifient la précipitation est la situation politique de la France. « Votre Seigneurie, écrit-il, verra, par les diverses nouvelles qu'elle recevra d'Europe, que l'état de la France est tel qu'il nous inspire peu de crainte de ce côté. L'occasion est donc propice à l'adoption de mesures qui contribueront à affermir notre puissance et à accroître nos revenus, afin de nous permettre de résister à toutes les tentatives que l'issue la plus favorable des troubles actuels puisse jamais la rendre capable de tenter. »

Un premier projet de loi est annexé à la dépêche. Il comprend 34 articles qui prévoient la création du Bas et du Haut-Canada, mais celui concernant les frontières entre les deux divisions est laissé en blanc. De plus, il prévoit la création d'une Chambre d'assemblée, d'un Conseil exécutif et d'un Conseil législatif. Grenville sent le besoin de justifier l'attitude du gouvernement britannique qui ne tient pas compte des recommandations du gouverneur Dorchester.

> Les serviteurs du roi, écrit le secrétaire d'État, n'ont pas perdu de vue les raisons invoquées par Votre Seigneurie contre cette division et ils croient que, tant que le Canada demeurera sous son régime administratif actuel, ces considérations valent d'être soigneusement pesées. Mais quand on en vint à discuter la résolution établissant une législature provinciale, constituée de la façon actuellement projetée, dont le peuple choisirait en partie les membres, toutes les raisons politiques semblaient rendre désirable que l'énorme prépondérance dont jouissent les anciens sujets du roi dans les districts d'en haut et les Canadiens-Français dans ceux d'en bas se manifestât et eût ses effets dans des législatures différentes, plutôt que de fusionner ces deux portions du peuple dans le premier essai de la nouvelle constitution et avant qu'un laps de temps suffisant se soit écoulé pour dissiper les vieilles préventions par l'habitude d'obéir au même gouvernement et par le sentiment des intérêts communs.

À noter que Grenville utilise le mot *Canadiens-Français* et non pas seulement Canadiens pour désigner les nouveaux sujets !

Un des problèmes de la nouvelle structure proposée est celui des frontières : frontières entre le Haut et le Bas-Canada ; frontières entre le Haut-Canada et les États-Unis et aussi frontières entre le Bas-Canada et le Nouveau-Brunswick. Dans ce dernier cas, on se demande à Londres s'il ne serait pas utile de rattacher la Gaspésie au Nouveau-Brunswick : « En réglant cette question de frontières, il faudra aussi examiner si l'établissement de pêche de Gaspé ne pourrait avec profit s'annexer au gouvernement du Nouveau-Brunswick plutôt que de continuer à faire partie intégrante du Bas-Canada, comme d'après le système qu'on projette maintenant d'établir, surtout vu que les conditions locales de ce district en rendraient peut-être excessivement difficile, sinon impossible, la représentation dans une assemblée à Québec. »

Dès qu'il reçoit le projet de loi, Dorchester consulte ses conseillers et, en particulier, le juge en chef Smith. Ce dernier est d'accord avec la division de la province. « Le plan de M. Grenville, écrit-il au gouverneur le 5 février 1790, va bien certainement poser les fondements de deux provinces spacieuses, populeuses et florissantes, dont il s'en formera de nouvelles, qui constitueront ensemble dans un avenir qui n'est pas éloigné un pays très puissant et très digne d'attirer promptement l'attention. »

Projets de frontières

Le juge en chef soumet, avec sa missive, une série de modifications qu'il aimerait voir apporter au projet de loi. Le 8 février, Dorchester fait parvenir ces remarques et les siennes à lord Grenville. Il donne son point de vue sur les frontières de la Gaspésie.

> Il semble valoir mieux pour le présent laisser le district de Gaspé annexé au Bas-Canada, à cause de ses relations commerciales avec cette province, et parce que, malgré la distance, il communique par eau avec Québec plus aisément qu'il ne le ferait avec le siège du gouvernement du Nouveau-Brunswick, dans l'état actuel de ce dernier ; d'autant plus que la difficulté d'avoir une représentation de ce district dans une assemblée à Québec se trouve beaucoup amoindrie parce que, d'après le bill, des personnes domiciliées hors du district peuvent s'en faire élire députés. Mais comme la baie des Chaleurs est soumise à des gouvernements différents, ce qui donne, surtout à présent que cette partie du Nouveau-Brunswick est inhabitée, l'occasion à des gens mal intentionnés d'éluder le contrôle des lois au détriment des pêcheries et du bon ordre, j'inclus donc, pour apporter remède à ce mal, un article qui, s'il est approuvé, pourra être inséré dans le bill, comme une addition au deuxième article.

Les nouvelles frontières, telles que suggérées par Dorchester, feraient que la province du Bas-Canada s'étendrait « à toute cette partie de ladite province du Nouveau-Brunswick sise le long du rivage dudit golfe Saint-Laurent et qui est située au nord d'une ligne se dirigeant, par le milieu de la baie de Focadie, vers l'extrême entrée ou celle le plus à l'ouest de cette baie, et de là vers l'ouest à la distance de dix milles des confins dudit littoral jusqu'à ce qu'elle atteigne la frontière du Bas-Canada ».

Les remarques de Dorchester ne parviennent à lord Grenville que le 18 avril suivant. « La session du Parlement était alors si avancée qu'il n'a pas été jugé à propos de disposer, à cette période, de la proposition relative au gouvernement de

Québec, surtout parce que quelques-unes des observations exprimées sur le sujet par Votre Seigneurie, écrit Grenville à Dorchester le 5 juin 1790, exigeaient un examen préalable, qu'il semblait alors probable que je reçusse d'autres observations ou avis qui viendraient à l'esprit après un plus complet examen du projet et que je pourrais peut-être mettre à profit la présence de Votre Seigneurie durant l'été. »

Malgré cette invitation à se rendre à Londres, Dorchester demeurera dans la province de Québec à cause de l'évolution de la politique internationale. Une guerre semble imminente entre l'Angleterre et l'Espagne, à la suite de l'attaque de quelques vaisseaux anglais sur la côte ouest de l'Amérique du Nord, près du détroit de Nootka. Si cette guerre éclate, il se peut fort bien que les États-Unis se rangent du côté de l'Espagne et que le Canada soit à nouveau menacé d'une invasion. De plus, la situation révolutionnaire qui prévaut en France sème aussi l'inquiétude à la cour d'Angleterre.

Une menace de guerre

La crainte de la guerre incite les responsables de la milice canadienne à mettre temporairement sur pied quelques compagnies de miliciens. Le 22 juillet 1790, François Le Maistre et François Baby, responsables du quartier général de Québec pour la milice de la province, émettent l'ordre suivant :

> ...Son Excellence le gouverneur recommande aux différents commandants et officiers de milice de saisir toutes les occasions convenables pour imprimer dans l'esprit du peuple, la nécessité de se défendre soi-même, lui inculquant que c'est là un devoir indispensable pour la conservation de sa vie et de ses propriétés. Ils aviseront aussi entre eux des moyens les plus propres pour mettre la milice qu'ils commandent dans l'état le plus respectable, afin que, dans l'absence des troupes, cette milice soit non seulement capable de se défendre elle-même et de se porter promptement dans les endroits où des attaques passagères et inopinées menaceraient la province, mais encore pour qu'on puisse aisément en tirer des détachements nécessaires qui agissent de concert avec les troupes réglées, dans le cas où le bien du pays le rendrait nécessaire. Pour cet effet, il sera peut-être à propos d'assembler pour un temps limité un certain nombre de jeunes gens, à proportion de chaque compagnie, afin de les discipliner plus facilement et de les exercer au maniement des armes, pour qu'ils soient toujours prêts à se porter au besoin et à protéger leurs concitoyens dans leurs paisibles occupations. [...] Au reste, on promet à ces détachements qui seront levés et incorporés pour servir un espace de temps, que ce temps n'excédera pas deux années, qu'ils recevront pour leur soulagement et encouragement, la paie, les provisions, les armes et les quartiers de logement, de la même manière que les reçoivent les régiments de Sa Majesté dans cette province, de plus un équipement de valeur égale ou, au lieu de celui-ci, une juste compensation.

Pendant qu'au Québec, on se prépare à faire face à un ennemi éventuel, à Londres, la Chambre des communes et la Chambre des lords s'apprêtent à étudier le projet de loi qui divisera la province de Québec en deux et accordera à chacune des parties une Chambre d'assemblée.

UN RETOUR AUX SOURCES

L'AUTEUR AIME BIEN LAISSER LA PAROLE aux acteurs des principaux événements de l'histoire du Québec ainsi qu'aux témoins de chaque époque. Cette démarche l'a amené à retourner, aussi souvent que possible, aux sources ou aux documents anciens. Que ce soit au Biggar sur les récits des voyages de Jacques Cartier et de Jean-François de La Rocque de Roberval ou aux publications de la Champlain Society sur les écrits de Samuel de Champlain, de Marc Lescarbot, de Nicolas Denys, de Dièreville, de Gabriel Sagard, de Gaultier de La Vérendrye, de Hovenden Walker, etc.

Il a aussi puisé dans l'*Histoire véritable et naturelle des mœurs et productions du pays de la Nouvelle-France, vulgairement dite le Canada*, de Pierre Boucher, dans l'*Histoire et description générale de la Nouvelle-France avec le journal historique d'un voyage fait par ordre du roi dans l'Amérique Septentrionale* de Pierre-François-Xavier de Charlevoix, dans les lettres de Marie de l'Incarnation, dans les *Relations des Jésuites*, dans les *Jugements et délibérations du Conseil souverain de la Nouvelle-France*, les *Édits et ordonnances royaux*..., etc.

Les *Rapports de l'Archiviste de la province de Québec* suivis de *Rapport des archives du Québec*, les *Rapports* annuels des Archives du Canada, le *Bulletin des recherches historiques*, la *Revue d'histoire de l'Amérique française*, la *Canadian Historical Review*, la revue *Nova Francia* et autres ont aussi fourni une abondante documentation.

À partir de 1764, les journaux ont aussi été dépouillés de façon systématique, que ce soit la *Gazette de Québec* ou la *Gazette de Montréal/The Montreal Gazette*. À cela s'ajoutent plusieurs thèses déposées dans diverses universités. L'auteur a eu accès aux retranscriptions de centaines de documents originaux effectuées par ou pour l'historien Lionel Groulx.

Enfin, les ouvrages des principaux historiens qui ont écrit sur l'histoire du Québec ont été consultés.

SOURCES DES ILLUSTRATIONS

p. 24 : British Museum ; **p. 38** : Archives publiques du Canada ; **p. 54** : Confederation Life Collection ; **p. 88** : John White, British Museum ; **p. 104** : Charles Huot ; **p. 148** : Archives publiques du Canada ; **p. 166** : Archives publiques du Canada, Rouargue Frères ; **p. 276** : A. de Moltzheim ; cl. Ed. R. Laffont ; **p. 292** : B.M. Montreal ; photo Gilles Blanchette ; **p. 320** : Richard Short, vers 1761 ; **p. 358** : Archives publiques du Canada/C-355 ; **p. 382** : Archives publiques du Canada ; **p. 400** : Archives publiques du Canada.

INDEX

A

B

C

D

E

F

G

H

I

J

K

L

M

N

O

P

Q

R

S

T

V

W

Y

TABLE DES MATIÈRES

TRI-GRAPHIC